LAROUSSE

MINI-WÖRTERBUCH

DEUTSCH
ITALIENISCH

ITALIENISCH
DEUTSCH

Friedrich Nietzsche (1844 - 1900)

Direzione generale / Gesamtleitung
Ralf Brockmeier

Redazione finale / Schlussredaktion
Roberta Cancellada Ulrike Preisenhammer

con / mit
Sandro Moraldo Christine Thormählen

Traduzione / Übersetzung
Consuelo Babbo Marta Cengarle Patrizia Cleri Peter Donsbach
Doris Höhmann Gabriele D. Mack Katia Pasternak Serena Stanig

Coordinamento / Koordinierung
Marc Chabrier

Rielaborazione del manoscritto / Manuskriptbearbeitung
Marta Cengarle Annalisa Covi-Peisert Susanne Gniech Petra Manderscheid

Informatica editoriale / Programmierung
Abdul Aziz Ndao Dalila Abdelkader

Realizzazione grafica / Grafische Gestaltung
Jacqueline Bloch

con / mit
Cédric Pignon

ISBN 2-03-540363-4
Larousse, Paris

ISBN 88-525-0202-5
Rcs Libri Spa
Via Mecenate 91- 20138 Milano

Achevé d'imprimer en Janvier 2006
sur les presses de «La Tipografica Varese S.p.A.» à Varese (Italie)

LAROUSSE

MINI DIZIONARIO

TEDESCO
ITALIANO

ITALIANO
TEDESCO

LAROUSSE

Landeskundliche Einträge

Abitur
Advent
Autobahn
Bad
Bayreuther Festspiele
Berliner Mauer
Bier
Biergarten
Brot
Bundesland
Café
Dialekt
Ferienbeginn
Hansestadt
Kaffeehaus
Kanton
Karneval
Kneipe
Krankenkasse
Lebkuchen
Maibaum
Nikolaus
Nummernschild
Oktoberfest
Osterhase
Passionsspiele von Oberammergau
Pension
Prater
Reeperbahn
Reichstag
Salzburger Festspiele
Schultüte
Schützenfest
Silvester
Stammtisch
Sylt
Tag der deutschen Einheit
Trafik
Umweltbewusstsein
Universitätsstadt
Verein
Waldsterben
Wattenmeer
Weihnachtsmarkt
Wein
Wurst

Voci di cultura e civilità

Agriturismo
Aperitivo
Bar
La Befana
la Biennale
Caffè
Cinecittà
Il Colosseo
Ferragosto
La festa delle donne
Il festival di Spoleto
Il festival di Venezia
Formaggio
Gelato
Laghi
La maturità
Il mercato
La metropolitana
Il mezzogiorno
Onomastico
Il Palio di Siena
Pane
Parchi nazionali
Pasquetta
Passeggiata
Pasta
Pesce d'aprile
Pompei
Ponte Vecchio
Quirinale
Regione
La riviera adriatica
Sagra
San Martino
San Silvestro
Santo
La schedina
Spumante
Stabilimenti balneari
La torre di Pisa
Trattoria
Gli Uffizi
Il Vaticano
Vino

Dieses Wörterbuch im praktischen Kleinformat richtet sich vor allem an Anfänger und Reisende.

Über 40 000 Übersetzungen von mehr als 30 000 Stichwörtern und Wendungen geben daher nicht nur Auskunft über den allgemeinen Wortschatz, sondern helfen auch, Schilder und Speisekarten zu verstehen.

Eine klare typografische Aufmachung und ein benutzerfreundliches Format erleichtern die Orientierung im Wörterbuch. Zahlreiche Bedeutungsanzeiger ermöglichen ein sicheres Auffinden der gewünschten Übersetzung. Viele Stichwörter werden durch Beispielsätze erläutert.

Das Wörterbuch Italienisch-Deutsch ist handlich, zuverlässig und übersichtlich und wird damit zum idealen Ratgeber und Reisebegleiter.

Vorschläge, die zu einer weiteren Verbesserung des Wörterbuchs beitragen können, sind jederzeit willkommen. „Buona fortuna e buon viaggio!"

DER HERAUSGEBER

Questo dizionario è stato realizzato per rispondere alle esigenze di chi viaggia o comincia a studiare il tedesco.

Con più di 30 000 parole ed espressioni e oltre 40 000 traduzioni, questo nuovo dizionario comprende non solo la terminologia generale di base, ma anche molte espressioni che permettono di decifrare cartelli, segnali stradali e menù.

Le divisioni semantiche sono accuratamente indicate e la consultazione delle voci complesse di uso più frequente è facilitata dai numerosi esempi e dalla presentazione chiara ed efficace.

Completo e allo stesso tempo praticissimo, questo dizionario si rivelerà un indispensabile compagno di studio e di viaggio. "Viel Spaß und gute Reise", e non esitate ad inviarci i vostri suggerimenti.

L'EDITORE

ABKÜRZUNGEN		ABBREVIAZIONI
Akkusativ	*A*	accusativo
Abkürzung	*abk/abbr*	abbreviazione
abwertend	*abw*	spregiativo
Adjektiv	*adj/agg*	aggettivo
Adverb	*avv*	avverbio
amtssprachlich, formell	*amt*	lingua ufficiale
Anatomie	*ANAT*	anatomia
Archäologie	*ARCHEOL*	archeologia
Kfz-Technik	*AUTO*	automobile
Kunst	*ART*	arte
Hilfsverb	*aus*	ausiliare
Handel	*COMM*	commercio
Komparativ	*compar*	comparativo
Konjunktion	*cong*	congiunzione
Kochkunst	*CULIN*	culinaria, cucina
Dativ	*D*	dativo
Determinant	*det*	determinativo
Recht	*DIR*	diritto
Wirtschaft	*ECO*	economia
Datenverarbeitung	*EDV*	informatica
etwas	*etw*	qualcosa
Interjektion	*escl*	esclamazione
Femininum	*f*	femminile
umgangssprachlich	*fam*	familiare
übertragene Bedeutung	*fig*	figurato
Finanzen	*FIN*	finanza
Genitiv	*G*	genitivo
gehoben	*geh*	sostenuto
generell	*gen*	generalmente
Grammatik	*GRAMM*	grammatica
Datenverarbeitung	*INFORM*	informatica
Interjektion	*interj*	interiezione
Interrogativpronomen	*interr*	interrogativo

unveränderlich	*inv*	invariabile
jemand	*jd*	qualcuno (nominativo)
jemanden	*jn*	qualcuno (accusativo)
jemandem	*jm*	qualcuno (dativo)
jemandes	*js*	qualcuno (genitivo)
Rechtswesen	*JUR*	diritto
Kochkunst	*KÜCHE*	cucina, culinaria
Komparativ	*komp*	comparativo
Konjunktion	*konj*	congiunzione
Maskulinum	*m*	maschile
Mathematik	*MAT*	matematica
Medizin	*MED*	medicina
Militärwesen	*MIL*	militare
Musik	*MUS*	musica
Schifffahrt	*NAUT*	nautica
Norddeutsch	*Norddt*	tedesco del nord
Neutrum	*nt*	neutro
Zahlwort	*num*	numerale
Österreichisch	*Österr*	austriaco
Plural	*pl*	plurale
Politik	*POL*	politica
Partizip Perfekt	*pp*	participio passato
Partizip Präsens	*ppr*	participio presente
Präposition	*präp*	preposizione
Präsens	*präs*	presente
Präteritum	*prät*	preterito
Pronomen	*pron*	pronome
etwas	*qc*	qualcosa
jemand	*qn*	qualcuno
eingetragenes Warenzeichen	®	marchio registrato
reflexives Verb	*ref*	verbo riflessivo
regelmäßig	*reg*	regolare
Religion	*RELIG*	religione

Schule	*SCHULE/SCOL*	scuola
Schweizerdeutsch	*Schweiz*	tedesco svizzero
Sport	*SPORT*	sport
Süddeutsch	*Süddt*	tedesco del sud
Superlativ	*superl*	superlativo
Technik, Technologie	*TECH/TECNOL*	tecnologia
Fernsehen	*TV*	televisione
unregelmäßig	*unr*	irregolare
Verb	*v*	verbo
intransitives Verb	*vi*	verbo intransitivo
unpersönliches Verb	*vimp*	verbo impersonale
reflexives Verb	*vp*	verbo pronominale
transitives Verb	*vt*	verbo transitivo
vulgär	*vulg/volg*	volgare
kulturelle Entsprechung	≃	equivalenza culturale
Trennbarkeit des deutschen Verbs	|	verbo tedesco separabile
Landeskundliche Informationen	ⓘ	Notizie culturali

Rechtschreibung

Dieses Wörterbuch berücksichtigt die Regeln der neuen deutschen Rechtschreibung.

Ortografia

Questo dizionario segue le nuove regole dell'ortografia tedesca.

Warenzeichen

Als Warenzeichen geschützte Wörter sind in diesem Wörterbuch durch das Zeichen ® gekennzeichnet. Die Markierung mit diesem Symbol oder sein Fehlen hat keinen Einfluss auf die Rechtskräftigkeit eines Warenzeichens.

Marchi registrati

Le parole considerate marchi registrati sono contrassegnate in questo dizionario con il simbolo ®. In ogni caso, né la presenza né l'assenza di tale simbolo implica alcuna valutazione del reale stato giuridico di un marchio.

Attributiv gebrauchte Adjektive

Adjektive dieser Art werden in ihrer femininen Form angegeben, direkt gefolgt von den Endungen des Maskulinums und des Neutrums; z. B.: **letzte, -r, -s** (eine letzte Zigarette, ein letzter Kuss, ein letztes Mal).

Aggettivi con funzione attributiva

Viene data la forma femminile di questi aggettivi, subito seguita dalle desinenze del maschile e del neutro; p. e.: **letzte, -r, -s** (eine letzte Zigarette, ein letzter Kuss, ein letztes Mal).

Substantivierte Adjektive

Die substantivierten Adjektive sind wie alle anderen Substantive mit dem bestimmten Artikel aufgeführt. In Verbindung mit einem unbestimmten Artikel verändert sich daher die Endung entsprechend dem Genus; z. B.: **Angestellte** *der, die* wird zu **ein Angestellter** und **eine Angestellte**.

Aggettivi sostantivati

Gli aggettivi sostantivati, come tutti gli altri sostantivi, sono seguiti dall'articolo determinativo. In presenza di un articolo indeterminativo la desinenza varia a seconda del genere; p. e.: **Angestellte** *der, die* diventa **ein Angestellter** e **eine Angestellte**.

Genus der Substantive in zusammengesetzten Ausdrücken (als Übersetzungen)

Wenn das Substantiv von einem Adjektiv begleitet wird, trägt dieses das Genus des Substantivs; z. B. zeigt die Übersetzung von „**prima classe**", **erste Klasse**, durch die feminine Endung des Adjektivs an, dass das Wort **Klasse** ein Femininum ist.

Genere dei sostantivi in espressioni composte (traduzioni)

Se il sostantivo è accompagnato da un aggettivo, questo prende il genere del sostantivo; p. e. nella traduzione di **prima classe**, **"erste Klasse"**, la desinenza femminile dell'aggettivo indica che la parola **"Klasse"** è femminile.

LAUTSCHRIFT		TRANSCRIZIONE FONÉTICA
Vokale		**Vocali italiane**
Affe, B**a**nane	[a]	p**a**ne, c**a**sa
Arzt, Antr**a**g	[a:]	
Händl**er**	[ɐ]	
Desse**r**t	[ɐ̯]	
B**e**ton	[e]	v**e**rde, entrar**e**
edel	[e:]	
echt	[ɛ]	l**e**tto, p**e**zzo
R**ä**tsel	[ɛ:]	
Akti**e**	[ə]	
	[i]	v**i**no, **i**sola
v**ie**r	[i:]	
Rad**i**o	[i̯]	
W**i**nter	[ɪ]	
Mel**o**die	[o]	m**o**nte, p**o**zzo
aprop**os**	[o:]	
s**o**llen	[ɔ]	c**o**rpo, sci**o**cco
ökologisch	[ø]	
Öl	[ø:]	
K**ö**chin, P**u**mps	[œ]	
K**u**vert, K**u**r	[u]	**u**na, cult**u**ra
K**uh**	[u:]	
akt**u**ell	[u̯]	
K**u**nst	[ʊ]	
B**ü**chse, S**y**stem	[y]	
T**ü**r	[y:]	
Halbvokale		**Semi-vocali·**
Jubiläum	[j]	**i**eri, v**i**ola
Hard**w**are	[w]	f**u**ori, g**u**asto
Deutsche Nasale		
Ch**an**son	[ɑ̃]	ch**an**son
Abonnem**ent**	[ɑ̃:]	
P**oin**te	[ɛ̃:]	
Chans**on**	[ɔ̃]	chans**on**

Deutsche Diphthonge

D**ei**chsel	[ai̯]
Auge	[au̯]
Euro	[ɔy̯]

Konsonanten		Consonanti
Ba**b**y	[b]	**b**arca, li**b**ro
i**ch**	[ç]	
Duett, Me**d**ien	[d]	**d**are, o**d**ore
Gin	[d͡ʒ]	**g**ente, **gi**oco
	[dz]	a**zz**urro
Fantasie, **v**ier	[f]	**f**ine, a**f**a
Al**g**erien, g**u**t	[g]	**g**ara, **gh**iaia
Hobby	[h]	
A**ch**se, **K**aviar	[k]	**c**ane, **ch**iesa
a**l**phabetisch, **L**aser	[l]	**l**ana, po**ll**o
samm**el**n	[l̩]	
	[ʎ]	mo**gl**ie
Material, Alar**m**	[m]	ma**mm**a, a**m**ico
At**em**	[m̩]	
November, A**n**gabe	[n]	**n**ota, a**nn**o
lieb**en**	[n̩]	
	[ɲ]	**gn**occhi, o**gn**i
si**ng**en	[ŋ]	
Pony, Pa**pp**e	[p]	**p**orta, sa**p**ore
A**pf**el	[p͡f]	
Revue, **r**ot	[r]	**r**e, do**r**ato
Slalom, So**ß**e	[s]	**s**tella, ca**s**a
Stadion, **Sch**ule	[ʃ]	**sc**immia, a**sc**ia
Toas**t**, Vol**t**	[t]	**t**orre, pa**t**a**t**a
Konversa**t**ion	[t͡s]	raga**zz**a
Chili	[t͡ʃ]	**c**inema
Vase, **W**agen	[v]	**v**ero, o**vv**io
Ma**ch**t, la**ch**en	[x]	
Soße, **S**onne	[z]	**s**draio, ro**s**a
Eta**g**e	[ʒ]	

Die Betonung der deutschen Stichwörter wird mit einem Punkt für einen kurzen betonten Vokal (z. B. **Bẹrg**) und mit einem Strich für einen langen betonten Vokal (z. B. **Ma̲gen**) angegeben.

L'accentazione delle voci tedesche è indicata da un punto, nel caso di vocale breve (p. e. **Bẹrg**) e da una lineetta se si tratta di una vocale lunga (p. e. **Ma̲gen**).

Die Betonung der italienischen Stichwörter wird mit einem Punkt unter den betonten Vokalen (**cạmera**, **valịgia**) angegeben. Für Wörter, deren letzte Silbe betont ist, sieht die italienische Orthografie einen grafischen Akzent vor (**città**, **perché**).

L'accento nelle voci italiane è segnalato da un punto sotto la vocale accentata (**cạmera**, **valịgia**). Per le parole con l'accento sull'ultima sillaba, l'ortografia italiana prevede l'accento grafico (**città**, **perché**).

Das Zeichen [ˈ] zeigt die Betonung der folgenden Silbe an.

Il segno [ˈ] indica l'accentazione delle sillabe che seguono.

DEUTSCH
ITALIENISCH

TEDESCO
ITALIANO

DEUTSCH-ITALIENISCH
TEDESCO-ITALIANO

A

A (*pl* -) *die* (*abk für Autobahn*) A.

à *präp* (+*A*) a ; **15 Stück ~ 1,50 Euro** 15 pezzi a 1,50 euro l'uno.

Aargau *der* Argovia *f*.

ab *präp* (+*D*) - **1.** (*zeitlich*) a partire da ; **~ 8 Uhr** (*a partire*) dalle 8 ; **~ 18 (Jahre)** dai 18 anni (*in poi*).
- **2.** (*räumlich*) da ; **~ Dortmund 12.35 Uhr** in partenza da Dortmund alle 12.35.

Abb. (*abk für Abbildung*) fig.

ab|bestellen *vt* (*Zimmer*) disdire ; (*Zeitung*) disdire (*un abbonamento*).

ab|biegen *vi* (*unr & ist*) (*mit Auto*) svoltare ; **nach rechts/links ~** svoltare a destra/sinistra.

Abbiegespur (*pl* -**en**) *die* corsia *f* di svolta.

Abbildung (*pl* -**en**) *die* illustrazione *f*.

ab|blenden *vi* AUTO abbassare i fari.

Abblendlicht *das* fari *mpl* anabbaglianti.

ab|brechen *vt* (*unr & hat*) (*Stück Brot, Zweig*) staccare ; (*Konzert, Gespräch*) interrompere. ◆ *vi* (*unr ist*) (*Zweig, Henkel*) staccarsi.

ab|buchen *vt* addebitare.

Abend (*pl* -**e**) *der* (*Tageszeit*) sera *f* ; (*Veranstaltung*) serata *f* ; **guten ~!** buona sera! ; **am ~** di sera ; **heute/gestern/morgen ~** stasera/ieri sera/domani sera ; **zu ~ essen** cenare ; **bunter ~** serata di varietà.

Abendessen (*pl* -) *das* cena *f*.

Abendkasse (*pl* -**n**) *die* botteghino *m*.

Abendmahl (*pl* -**e**) *das* comunione *f*.

abends *adv* di sera ; **spät ~** di sera tardi.

Abenteuer (*pl* -) *das* avventura *f*.

Abenteuerurlaub (*pl* -**e**) *der* vacanze *fpl* avventurose.

aber *konj* ma. ◆ *adv* : **jetzt ist ~ Schluss!** adesso però basta! ; **das ist ~ nett!** è proprio carino! ; **~ gern!** molto volentieri! ; **du kommst ~ spät!** arrivi piuttosto tardi!

abergläubisch *adj* superstizioso(a).

ab|fahren *vi* (*unr & ist*) (*star-*

ten) partire ; *(von Autobahn)* uscire. ◆ *vt (unr & hat) (abnutzen)* consumare ; *(entlangfahren)* percorrere.

Abfahrt (*pl* -en) *die (von Zug, Bus)* partenza *f* ; *(von Autobahn)* uscita *f* ; *(von Skifahrer)* discesa *f*.

Abfall (*pl* Abfälle) *der (Müll)* rifiuti *mpl*.

Abfalleimer (*pl* -) *der* pattumiera *f*.

ab|färben *vi (Material)* stingere.

Abfertigungsschalter (*pl* -) *der (am Flughafen)* banco *m* del check-in.

ab|fliegen *vi (unr & ist) (Flugzeug)* decollare ; *(Person)* partire in aereo.

Abflug (*pl* -flüge) *der* decollo *m*.

Abflughalle (*pl* -n) *die* sala *f* partenze.

Abflugzeit (*pl* -en) *die* orario *m* di partenza.

Abfluss (*pl* -flüsse) *der (im Waschbecken)* scarico *m*.

Abführmittel (*pl* -) *das* lassativo *m*.

Abgase *pl* gas *mpl* di scarico.

Abgasuntersuchung (*pl* -en) *die* controllo *m* gas di scarico autoveicoli.

ab|geben *vt (unr) (Brief, Formular)* consegnare ; *(an der Garderobe)* depositare ; *(verkaufen)* : billig ~ cedere a poco prezzo ; *(geben)* : gib ihm etwas davon ab! danne un po' anche a lui!

abgebildet *adj* illustrato(a) ; wie ~ come illustrato.

abgekocht *adj (Wasser)* bollito(a).

abgelaufen *adj (Pass, Zeit)* scaduto(a).

abgemacht *adj (entschieden)* concordato(a).

abgenützt *adj* consumato(a).

abgepackt *adj (Ware)* confezionato(a).

abgeschlossen *pp* → abschließen. ◆ *adj* : mit ~er Berufsausbildung in possesso di qualifica professionale.

ab|gewöhnen *vt* : sich *(D)* das Rauchen ~ togliersi il vizio del fumo.

abgezählt *adj (Kleingeld)* contato(a).

abhaken *vt (auf Liste)* spuntare.

Abhang (*pl* -hänge) *der* pendio *m*.

ab|hängen *vt (Anhänger)* staccare ; *(Verfolger)* distaccare. ◆ *vi* : ~ von dipendere da ; das hängt davon ab, ob ... dipende, se ...

abhängig *adj* dipendente ; ~ sein von *(von Hilfe)* esser dipendente da ; *(von Bedingungen)* essere condizionato(a) da.

ab|heben *vt (unr) (Telefon)* sollevare ; *(Geld)* prelevare. ◆ *vi (unr) (Flugzeug)* decollare.

ab|holen *vt (Person)* andare a prendere ; *(Gegenstand)* ritirare.

Abitur *das* ≃ esame *m* di maturità.

ABITUR

L'esame di maturità è sostenuto da circa un terzo degli studenti tedeschi a conclusione di un ciclo di studi della durata di 12 o 13 anni. L'esame è regolamentato dai singoli Länder ed è un requisito necessario per accedere agli studi universitari.

ab|klappern *vt* percorrere in lungo e in largo.

Abkommen (*pl* -) *das* accordo *m*.

ab|kühlen *vi (ist) (Motor, Essen)* raffreddarsi ; *(Wasser, Luft)* rinfrescarsi. ◆ *vimp* : **es kühlt ab** *(Wetter)* rinfresca.

ab|kürzen *vt (Strecke)* accorciare ; *(Wort)* abbreviare.

Abkürzung (*pl* **-en**) *die (von Strecke)* scorciatoia *f* ; *(von Wort)* abbreviazione *f*.

ab|legen *vt (Mantel)* togliere ; *(Prüfung)* sostenere. ◆ *vi (Schiff)* salpare ; *(Person)* : **legen Sie bitte ab!** si tolga pure il cappotto/la giacca!

ab|lehnen *vt (Vorschlag, Bitte, Person)* rifiutare.

ab|lenken *vt (Person)* distrarre.

ab|lesen *vt (Temperatur, Kilometerstand)* rilevare.

ab|liefern *vt* consegnare.

ab|lösen *vt (Person)* sostituire. ■ **sich ablösen** *ref (Personen)* alternarsi.

ab|machen *vt (entfernen)* togliere ; *(vereinbaren)* concordare ; **etw mit jm ~** concordare qc con qn.

ab|melden *vt (Telefon)* disdire *(il contratto)* ; AUTO cancellare l'immatricolazione ; *(Person)* ritirare. ■ **sich abmelden** *ref (beim Einwohnermeldeamt)* denunciare il cambio di residenza.

ab|nehmen *vt (unr) (absetzen)* togliere ; *(amputieren)* amputare ; *(Telefon)* staccare ; *(kontrollieren)* collaudare ; *(Blut)* prelevare. ◆ *vi (unr) (Anzahl)* diminuire ; *(Person)* dimagrire ; **jm etw ~** *(Arbeit, Last)* sollevare qn da qc ; *(abkaufen)* comprare qc da qn ; *(glauben) fam* **das nehme ich ihm nicht ab** questa non me la dà a bere.

Abonnement (*pl* **-s**) *das (für Zeitung, im Theater)* abbonamento *m*.

abonnieren *vt (Zeitung)* abbonarsi a.

ab|raten *vi (unr, +D)* sconsigliare ; **jm von etw ~** sconsigliare qc a qn.

ab|räumen *vt (Tisch)* sparecchiare ; *(Geschirr)* togliere.

ab|reagieren *vt (Wut)* sfogare. ■ **sich abreagieren** *ref* sfogarsi.

ab|rechnen *vi (mit Rechnung)* fare il conto ; *fam (sich rächen)* saldare il conto. ◆ *vt (subtrahieren)* detrarre.

Abrechnung (*pl* **-en**) *die* chiusura *f* dei conti.

ablreiben vt *(unr) (Fläche, Gegenstand)* sfregare.

Abreise *die* partenza *f.*

ablreisen *vi* partire.

ablreißen vt *(unr & hat) (Pflaster, Zettel)* strappare ; *(Haus)* demolire.

ablrunden vt *(Zahl)* arrotondare ; *(Kante, Ecke)* smussare.

abrupt *adj (Ende)* brusco(a). ◆ *adv (stehen bleiben)* bruscamente.

Abs. *(abk für Absender)* mitt. ; *(abk für Absatz)* par.

ablsagen vt *(Veranstaltung, Treffen)* disdire. ◆ *vi (+D) (Gast)* declinare.

ablschalten vt *(Gerät)* spegnere. ◆ *vi (entspannen)* staccare ; *(Gerät)* spegnersi.

ablschicken *vt* spedire.

ablschieben vt *(unr) (Flüchtling)* espellere.

Abschied *(pl* **-e**) *der (Trennung)* distacco *m.*

Abschleppdienst *(pl* **-e**) *der* servizio *m* di soccorso stradale.

ablschleppen *vt AUTO* trainare ; *fam (mitnehmen)* rimorchiare.

Abschleppseil *(pl* **-e**) *das* cavo *m* da traino.

Abschleppwagen *(pl* **-**) *der* carro *m* attrezzi.

abschließbar *adj* che si può chiudere *(a chiave).*

ablschließen vt *(unr) (Tür, Wohnung)* chiudere a chiave ; *(beenden)* concludere ; *(von Außenwelt)* isolare. ◆ *vi (unr)* concludersi.

ablschmecken *vt* aggiustare il condimento.

ablschminken vt *(Person, Gesicht)* struccare. ■ **sich abschminken** *ref* struccarsi.

ablschneiden vt *(unr) (abtrennen)* tagliare ; *(Dorf, Tal)* isolare. ◆ *vi (unr)* : **jm etw ~** tagliare qc a qn ; **gut/schlecht ~** riuscire bene/male.

Abschnitt *(pl* **-e**) *der (von Karte)* tagliando *m* ; *(im Text)* paragrafo *m* ; *(von Strecke)* tratto *m.*

ablschrauben vt *(abdrehen)* svitare.

abseits *adv SPORT* in fuori gioco ; **~ stehen/bleiben** *(entfernt)* essere/stare in disparte.

Absender *(pl* **-**) *der* mittente *m.*

ablsetzen vt *(Hut, Brille)* togliere ; *(Tasche, Glas)* posare ; *(Mitfahrer)* far scendere ; *(Medikament, Film, Theaterstück)* sospendere ; *(von der Steuer)* detrarre. ■ **sich absetzen** *ref fam (fliehen)* defilarsi.

ablsichern vt *(sichern)* rendere sicuro(a). ■ **sich absichern** *ref (sich schützen)* tutelarsi.

Absicht *(pl* **-en**) *die (Vorhaben)* intenzione *f* ; **mit ~** di proposito.

absichtlich *adj* intenzionale. ◆ *adv* intenzionalmente, apposta.

absolut *adj* assoluto(a). ◆ *adv* assolutamente.

ab|sperren *vt & vi* sbarrare.

Absperrung (*pl* **-en**) *die* sbarramento *m*.

ab|sprechen *vt (unr) (vereinbaren)* concordare ; **etw mit jm ~** concordare qc con qn. ■ **sich absprechen** *ref* mettersi d'accordo.

Abstand (*pl* **-stände**) *der (räumlich, zeitlich)* distanza *f* ; *(innere Distanz)* distacco *m* ; *(bei weitem)* **mit ~** di gran lunga.

Abstecher (*pl* **-**) *der* scappata *f*.

ab|stellen *vt (Gerät)* spegnere ; *(aufbewahren, hinstellen)* riporre.

Abstellraum (*pl* **-räume**) *der* ripostiglio *m*.

Abstieg *der (ins Tal)* discesa *f* ; SPORT retrocessione *f*.

ab|stimmen *vi (wählen)* votare ; **~ über etw** *(A)* votare qc.

Abstimmung (*pl* **-en**) *die (Wahl)* votazione *f*.

abstrakt *adj* astratto(a).

ab|stürzen *vi (ist) (Flugzeug)* precipitare ; *(Computer, Datei)* bloccarsi.

absurd *adj* assurdo(a).

Abt. *abk für* **Abteilung**.

Abtei (*pl* **-en**) *die* abbazia *f*.

Abteil (*pl* **-e**) *das (im Zug)* scompartimento *m*.

Abteilung (*pl* **-en**) *die (in Firma, Kaufhaus)* reparto *m*.

Abtreibung (*pl* **-en**) *die* aborto *m* volontario.

ab|trocknen *vt* asciugare. ■ **sich abtrocknen** *ref* asciugarsi.

abwärts *adv* in giù.

Abwasch *der (Geschirr)* stoviglie *fpl* sporche ; *(Abwaschen)* rigovernatura *f*.

ab|waschen *vt (unr) (Geschirr, Kacheln)* rigovernare ; *(Schmutz)* lavare via. ◆ *vi (unr) (Geschirr spülen)* lavare i piatti.

ab|wechseln : **sich abwechseln** *ref* alternarsi.

abwechselnd *adv* a turno.

Abwechslung *die (Unterhaltung)* svaghi *mpl*.

ab|werten *vt (Person, Idee)* sminuire ; *(Währung)* svalutare.

Abwertung (*pl* **-en**) *die (von Währung)* svalutazione *f*.

abwesend *adj* assente. ◆ *adv (unkonzentriert)* distrattamente.

ab|wischen *vt (Schmutz, Tisch)* pulire *(strofinando)*.

ab|ziehen *vt (unr) (Hülle, Bettwäsche)* togliere ; *(Anzahl)* detrarre ; FOTO stampare. ◆ *vi (unr) (Rauch)* disperdersi ; *fam (weggehen)* andarsene.

Abzug (*pl* **Abzüge**) *der* FOTO stampa *f*.

abzüglich *präp (+G)* meno ; **Preis ~ Skonto** prezzo da scontare.

Abzweigung (*pl* **-en**) *die* diramazione *f*.

ach *interj* oh, ah ; **~, wie schade!** oh, che peccato! ; **~ ja!** ah, sì! ; **~ so!** ah, ecco!

Achse (*pl* **-n**) *die AUTO* asse *m*.
Achsel (*pl* **-n**) *die* ascella *f*.
acht *num* otto ; *siehe auch* **sechs**.
Acht : **~geben** prestare attenzione.
achte, r, s *adj* ottavo(a) ; *siehe auch* **sechste**.
Achtel (*pl* **-**) *das* ottavo *m*.
achten *vt* rispettare.
Achterbahn (*pl* **-en**) *die* otto *m* volante.
Achtung *die (Respekt)* considerazione *f* ; **Achtung!** *(Vorsicht!)* attenzione!
achtzehn *num* diciotto ; *siehe auch* **sechs**.
achtzig *num* ottanta ; *siehe auch* **sechs**.
Acker (*pl* **Äcker**) *der* campo *m (arato)*.
ADAC *der* (*abk für Allgemeiner Deutscher Automobil-Club*) ≃ ACI *f*.
Adapter (*pl* **-**) *der* adattatore *m*.
addieren *vt* & *vi* sommare.
ade *adv* addio.
Ader (*pl* **-n**) *die (Blutgefäß)* vena *f*.
Adler (*pl* **-**) *der* aquila *f*.
adoptieren *vt* adottare.
Adoptivkind (*pl* **-er**) *das (Junge)* figlio *m* adottivo ; *(Mädchen)* figlia *f* adottiva.
Adressbuch (*pl* **-bücher**) *das (persönlich)* rubrica *f* ; *(von Stadt)* indirizzario *m*.
Adresse (*pl* **-n**) *die (Anschrift)* indirizzo *m*.
Advent *der* Avvento *m*.

ADVENT

Il periodo dell'Avvento comprende le quattro settimane prima di Natale. In Germania è molto sentito e legato ad antiche tradizioni. Le strade e le case vengono addobbate e vengono esposte le corone dell'Avvento intrecciate con rami di abete freschi o con la paglia. Sulle corone vi sono quattro candele che simboleggiano le quattro domeniche d'Avvento (ogni domenica viene accesa una candela). In questo periodo si preparano i dolci tipici natalizi ("Weihnachtsplätzchen") ed i bimbi aprono ogni giorno una nuova finestrella del loro calendario dell'Avvento.

Adventskranz (*pl* **-kränze**) *der* corona *f* dell'Avvento.
Aerobic *das* aerobica *f*.
Affäre (*pl* **-n**) *die (Skandal)* affare *m* ; *(Verhältnis)* avventura *f* amorosa.
Affe (*pl* **-n**) *der* scimmia *f*.
Afrika *nt* Africa *f*.
After (*pl* **-**) *der* ano *m*.
AG (*pl* **-s**) *die* (*abk für Aktiengesellschaft*) S.p.a. *f*.
aggressiv *adj* aggressivo(a).
ah *interj* ah ; **~ so!** ah, capisco! ; **~ ja!** ah, sì!
ähneln *vi (+D)* assomigliare a.
ähnlich *adj* simile a. ◆ *adv* in modo analogo ; **jm/etw ~ sein** essere simile a qn/qc.
Ähnlichkeit (*pl* **-en**) *die* somiglianza *f*.

Ahnung (*pl* **-en**) *die (Vorgefühl)* presentimento *m* ; **keine ~!** non ne ho idea!

ahnungslos *adj* ignaro(a).

Aids *nt* aids *m*.

Airbag (*pl* **-s**) *der AUTO* airbag *m*.

Akkordeon (*pl* **-s**) *das* fisarmonica *f*.

Akku (*pl* **-s**) *der TECH* accumulatore *m*.

Akkusativ (*pl* **-e**) *der GRAMM* accusativo *m*.

Akne *die* acne *f*.

Akt (*pl* **-e**) *der (Handlung, von Drama)* atto *m* ; *(Bild)* nudo *m* ; *(feierlich)* cerimonia *f*.

Akte (*pl* **-n**) *die* pratica *f*.

Aktenkoffer (*pl* **-**) *der* valigetta *f* portadocumenti.

Aktie (*pl* **-n**) *die* azione *f*.

Aktiengesellschaft (*pl* **-en**) *die* società *f* per azioni.

aktiv *adj* attivo(a). ◆ *adv* attivamente.

aktuell *adj* attuale.

Akustik *die (von Räumen)* acustica *f*.

Akzent (*pl* **-e**) *der* accento *m*.

Alarm *der* allarme *m* ; **~ schlagen** dare l'allarme.

Alarmanlage (*pl* **-en**) *die* impianto *m* d'allarme ; **'durch ~ gesichert'** 'protetto da un sistema d'allarme'.

albern *adj (dümmlich)* sciocco(a) ; *(geringfügig)* banale.

Albtraum (*pl* **-träume**) *der* incubo *m*.

Alkohol *der* alcool *m*, alcool *m*.

alkoholarm *adj* poco alcolico(a).

alkoholfrei *adj* analcolico(a).

Alkoholiker, in (*mpl* **-**) *der, die* alcolizzato *m*, -a *f*.

alkoholisch *adj* alcolico(a).

alkoholkrank *adj* alcolizzato(a).

all *det* : **~ sein Geld** tutto il suo denaro ; **~ diese Leute** tutta questa gente ; **~ das** tutto ciò.

All *das* universo *m*.

alle, r, s *det* - 1. *(insgesamt)* tutto il (tutta la), tutti i (tutte le) ; **~ Fahrgäste** tutti i passeggeri ; **~ beide** tutti(e) e due.
- 2. *(völlig)* tutto(a).
- 3. *(jede, im Abstand von)* ogni ; **~ 50 Meter** ogni 50 metri ; **~ zwei Wochen** ogni due settimane.
◆ *pron (insgesamt)* tutto (tutta), tutti (tutte).
◆ *adj fam* : **die Butter ist ~** è finito il burro.

Allee (*pl* **-n**) *die* viale *m*.

allein *adj (einsam)* solo(a) ; *(ohne andere)* da solo(a). ◆ *adv (einsam)* solo(a) ; *(ohne andere, selbstständig)* da solo(a) ; *(nur)* soltanto ; **von ~** spontaneamente.

allein erziehend *adj* che alleva i figli da solo(a).

Alleingang (*pl* **-gänge**) *der* azione *f* individuale ; **etw im ~ tun** far qc senza consigliarsi con nessuno.

allein stehend *adj (Person)* che vive solo(a).

allemal *adv (sicher)* senz'altro.

allerdings *adv (aber)* tuttavia ; *(ja)* eccome.

allererste, r, s *adj* primo assoluto (prima assoluta).

Allergie (*pl* **-n**) *die* MED allergia *f*.

allergisch *adj* allergico(a). ◆ *adv (reagieren)* in modo allergico ; ~ **gegen** *(+A)* allergico(a) a.

allerhand *pron* parecchio (parecchia), parecchi (parecchie).

Allerheiligen *nt* Ognissanti *m*.

alles *pron* → **alle** ; **das ist** ~ è tutto ; **vor allem** soprattutto.

Alleskleber (*pl* -) *der* colla *f* universale.

allgemein *adj (von allen)* generale ; *(unspezifisch)* generico(a) ; **~es Wahlrecht** suffragio universale. ◆ *adv (von allen)* generalmente ; *(unspezifisch)* in modo generico ; **im Allgemeinen** in generale, di solito ; **~e Wehrpflicht** servizio di leva obbligatorio.

alljährlich *adj* annuale. ◆ *adv* annualmente.

allmählich *adj* graduale. ◆ *adv* gradualmente, a poco a poco.

Alltag *der (Arbeitstag)* giorno *m* feriale ; *(Normalität)* vita *f* quotidiana.

alltäglich *adj (normal)* quotidiano(a).

allzu *adv* troppo.

Allzweckreiniger (*pl* -) *der* detergente *m* multiuso.

Alm (*pl* **-en**) *die* alpeggio *m*.

Alpen *pl* Alpi *fpl*.

Alpenverein *der* club *m* alpino.

Alpenvorland *das* prealpi *fpl*.

alphabetisch *adj* alfabetico(a). ◆ *adv* in ordine alfabetico.

alpin *adj* alpino(a).

Alptraum *der* = **Albtraum**.

als *konj* - 1. *(zeitlich)* quando. - 2. *(damals als)* allorchè. - 3. *(vergleichend)* di ; **besser** ~ meglio di ; **mehr** ~ più di. - 4. *(Angabe von Vermutung)* come ; ~ **ob** come ; **es scheint so, ~ hätte er gewonnen** sembra che abbia vinto. - 5. *(Angabe von Urteil, Zweck, Identität)* come ; **du ~ ihre beste Freundin** tu, come migliore amica ; ~ **Kind** da bambino(a).

also *interj* allora, dunque. ◆ *konj (das heißt)* cioè ; *(demnach)* quindi. ◆ *adv (demnach)* quindi ; ~ **dann** bene allora.

Alsterwasser (*pl* -) *das birra miscelata con gassosa.*

alt (*komp* **älter**, *superl* **am ältesten**) *adj* vecchio(a) ; *(zur Altersangabe)* : **ein fünf Jahre ~es Kind** un bambino di cinque anni ; **wie ~ sind Sie?** quanti anni ha? ; **zwei Jahre älter als** due anni più vecchio(a) di ; **12 Jahre ~ sein** avere dodici anni.

Alt[1] (*pl* -) *das (Bier) birra scura della Renania.*

Alt[2] (*pl* -e) *der* MUS contralto *m*.

Altar (*pl* Altäre) *der* altare *m*.

Altbier (*pl* -) *das birra scura della Renania.*

Altenheim (*pl* -e) *das* casa *f* di riposo per anziani.

Alter *das (Lebensalter)* età *f* ; *(hohes Alter)* vecchiaia *f*.

alternativ *adj* alternativo(a).

Alternative (*pl* -n) *die* alternativa *f*.

Altglas *das* vetro *m* usato.

altmodisch *adj (Kleidung)* fuori moda ; *(Ansichten, Person)* all'antica.

Altpapier *das* carta *f* straccia.

Altstadt *die* centro *m* storico.

Alufolie *die* foglio *m* d'alluminio.

Aluminium *das* alluminio *m*.

am *präp* = **an** + **dem** ; ~ **besten** meglio di tutto ; ~ **Abend** di sera ; ~ **Flughafen** all'aeroporto ; ~ **Freitag** di venerdì ; ~ **Meer** al mare.

Amateur, in (*mpl* -e) *der, die* dilettante *mf*.

Ambulanz (*pl* -en) *die (Krankenwagen)* ambulanza *f* ; *(im Krankenhaus)* ambulatorio *m*.

Ameise (*pl* -n) *die* formica *f*.

amen *interj* amen.

Amerika *nt* America *f*.

Amerikaner, in (*mpl* -) *der, die* americano *m*, -a *f*.

amerikanisch *adj* americano(a).

Amerikanisch(e) *das* inglese *m* americano.

Ampel (*pl* -n) *die (im Verkehr)* semaforo *m*.

Amphitheater (*pl* -) *das* anfiteatro *m*.

Amt (*pl* Ämter) *das (Behörde)* ufficio *m* ; *(Stellung)* funzione *f*.

amüsieren *vt* divertire. ■ **sich amüsieren** *ref* divertirsi.

Amüsierviertel (*pl* -) *das quartiere ricco di bar, ristoranti, locali notturni ecc.*

an *präp (+A, +D)* - 1. *(räumlich)* a ; **sich** ~ **den Tisch setzen** sedersi a tavola ; ~ **Münster 13.45 Uhr** in arrivo a Münster alle 13.45 ; ~ **die Wand hängen** appendere alla parete ; **am See wohnen** abitare sul lago.
- 2. *(fast)* : ~ **die 30 Grad** che sfiora i 30 gradi.
◆ *präp (+D)* - 1. *(zeitlich)* : ~ **diesem Tag** quel giorno ; ~ **meinem Geburtstag** il giorno del mio compleanno.
- 2. *(mit)* : **am Stock gehen** camminare col bastone ; ~ **der Leine führen** condurre al guinzaglio.
- 3. *(an einer Institution)* presso ; **Lehrer** ~ **einem Gymnasium** insegnante in un liceo.
- 4. *(von)* : **genug** ~ **Beweisen haben** avere prove sufficienti.
◆ *adv* - 1. *(ein)* : ~ - **aus** acceso - spento ; *siehe auch* **an sein**.
- 2. *(ab)* : **von hier** ~ da qui in poi ; **von heute** ~ da oggi in poi.

Analyse (*pl* -n) *die* analisi *f*.

analysieren *vt* analizzare.

Ananas (*pl* -) *die* ananas *m*.

Anbau (*pl* -ten) *der* *(Gebäude)* ampliamento *m* ; *(von Pflanzen)* coltivazione *f*.

an|bieten *vt (unr)* offrire ; **darf ich Ihnen etwas ~?** posso offrirLe qualcosa?

an|braten *vt (unr)* rosolare.

an|brechen *vt (unr) (Packung)* aprire. ◆ *vi (unr) (Tag)* spuntare ; *(Nacht)* calare.

an|brennen *vi (unr) (Speisen)* bruciacchiarsi ; **~ lassen** far bruciare.

Andenken (*pl* -) *das* *(Souvenir)* souvenir *m* ; *(Erinnerung)* ricordo *m*.

andere, r, s *adj* *(übrig)* altro(a) ; *(unterschiedlich)* diverso(a) ; **ich bin ~r Meinung** sono di opinione diversa. ◆ *pron (unterschiedlich, übrig)* altro(a) ; **etwas ~s** qualcos'altro ; **wo sind denn die ~n?** dove sono gli altri? ; **unter ~m** tra l'altro.

ändern *vt (Kleid, Plan)* modificare ; *(Person)* cambiare. ■ **sich ändern** *ref* cambiare.

anders *adv (andersartig)* diversamente ; *(sonst)* altrimenti. ◆ *adj* diverso(a) ; **~ als** diverso da ; **irgendwo ~** da qualche altra parte ; **jemand ~** qualcun altro(a).

andersherum *adv* dall'altra parte.

anderswo *adv fam* altrove.

anderthalb *num* uno e mezzo (una e mezza).

Änderung (*pl* -en) *die* cambiamento *m* ; *(von Plan, Gesetz)* modifica *f* ; **~en vorbehalten** salvo modifiche.

Änderungsschneiderei (*pl* -en) *die* sartoria *f (per piccole modifiche)*.

an|deuten *vt (Verdacht, Zweifel)* accennare.

Andorra *nt* Andorra *f*.

aneinander *adv* *(stoßen)* l'uno contro l'altro (l'una contro l'altra).

Anfahrt (*pl* -en) *die* tragitto *m (di andata)*.

Anfang (*pl* Anfänge) *der* inizio *m* ; **am ~** all'inizio.

an|fangen *vi (unr)* cominciare, iniziare ; **~ mit etw** cominciare qc ; **dort ~** cominciare lì.

Anfänger, in (*mpl* -) *der, die* principiante *mf*.

anfangs *adv* inizialmente.

an|fassen *vt (berühren)* toccare.

Anflug *der* *(Flugzeug)* avvicinamento *m*.

an|fordern *vt* richiedere.

Anforderung (*pl* -en) *die* *(Erwartung)* esigenza *f*.

Anfrage (*pl* -n) *die* *amt* richiesta *f (d'informazioni)*.

an|führen *vt (leiten)* guidare.

Anführungszeichen (*pl* -) *das* virgolette *fpl* ; **in ~** tra virgolette.

Angabe (*pl* -n) *die* *(Informa-*

tion) indicazione *f*; **nähere ~n** indicazioni più precise; **technische ~n** indicazioni tecniche.

an|geben *vt (unr) (Namen, Quellen)* indicare; *(Tempo, Ton)* dare.

angeblich *adj* presunto(a).

an|geboren *adj* innato(a).

Angebot (*pl* **-e**) *das* offerta *f.*

angehaucht: angehaucht sein *adj* avere l'aria di **sie ist alternativ ~** ha l'aria di un' alternativa.

an|gehen *vt (unr) (betreffen)* riguardare.

Angehörige (*pl* **-n**) *der, die (in Familie)* familiare *m*; *(von Firma, Gruppe)* membro *m*.

Angel (*pl* **-n**) *die (zum Fischen)* canna *f* da pesca.

Angelegenheit (*pl* **-en**) *die* faccenda *f.*

angeln *vt (fischen)* pescare *(con la lenza)*.

Angelschein (*pl* **-e**) *der* licenza *f* di pesca.

angenehm *adj* piacevole. ◆ *interj* piacere!

angesichts *präp (+G)* in considerazione di; **~ des schlechten Wetters** considerando il brutto tempo.

angespannt *adj* teso(a).

Angestellte (*pl* **-n**) *der, die* impiegato *m*, -a *f*.

angestrengt *adv (nachdenken)* intensamente. ◆ *adj (Gesichtsausdruck)* concentrato(a). ◆ *pp* → **anstrengen**.

angetrunken *adj* brillo(a).

an|gewöhnen *vt*: **sich** *(D)* **etw ~** abituarsi a qc; **sich das Rauchen ~** prendere il vizio del fumo.

Angewohnheit (*pl* **-en**) *die* abitudine *f*.

Angora *nt (Wolle)* lana *f* d'angora.

an|greifen *vt & vi (unr)* attaccare.

Angst (*pl* **Ängste**) *die* paura *f*; **~ haben vor** *(+D)* aver paura di.

ängstlich *adj* pauroso(a). ◆ *adv (blicken, reagieren)* con paura.

an|haben *vt (unr) (Kleidung)* indossare.

an|halten *vi (unr) (stoppen)* fermarsi; *(andauern)* persistere. ◆ *vt (unr) (Person, Auto)* fermare.

Anhalter, in (*pl* **-**) *der, die* autostoppista *mf*; **per ~ fahren** ODER **reisen** viaggiare in autostop.

Anhaltspunkt (*pl* **-e**) *der* appiglio *m*.

an|hängen *vt* attaccare; **eine Woche an die Ferien ~** aggiungere ancora una settimana alle ferie; **ein paar Zeilen an den Brief ~** aggiungere un paio di righe alla lettera.

Anhänger (*pl* **-**) *der (Wagen)* rimorchio *m*; *(Schmuck)* ciondolo *m*.

Anhängerkupplung (*pl* **-en**) *die* attacco *m* per rimorchio.

anhänglich *adj* attaccato(a).

Anhieb *der*: **auf ~** al primo tentativo.

ạn|hören *vt (Musikstück, Kassette)* ascoltare. ■ **sich anhören** *ref* : **sich gut/schlecht ~** suonare bene/male.

Ạnker *(pl -) der* ancora *f*.

Ạnkleidekabine *(pl -n) die* spogliatoio *m*.

ạn|kommen *vi (unr & ist) (Zug, Reisende, Brief)* arrivare ; **~ auf** *(+A)* dipendere da ; **das kommt darauf an** dipende.

ạn|kreuzen *vt* segnare con una crocetta.

ạn|kündigen *vt* annunciare. ■ **sich ankündigen** *ref* annunciarsi.

Ạnkunft *die* arrivo *m*.

Ạnlage *(pl -n) die (Gelände)* parco *m* ; *TECH* impianto *m* ; *(amt)* allegato *m*.

ạn|lassen *vt (unr) (Motor)* mettere in moto ; *(nicht ausschalten)* lasciar acceso(a).

Ạnlasser *(pl -) der* dispositivo *m* di avviamento.

Ạnlauf *der SPORT* rincorsa *f* ; *(Versuch)* tentativo *m*.

ạn|laufen *vi (unr & ist) (Motor, Aktion, Arbeiten)* avviarsi. ◆ *vt (unr & hat) (Hafen)* approdare.

ạn|legen *vt (Geld)* investire ; *(Schmuck, Verband)* mettere. ◆ *vi (Schiff)* attraccare. ■ **sich anlegen** *ref* : **sich ~ mit** cercare la lite con.

Ạnlegestelle *(pl -n) die* approdo *m*.

Ạnleitung *(pl -en) die (Anweisung)* indicazione *f* ; *(Text)* istruzioni *fpl*.

Ạnlieger, in *(pl -) der, die* : **'~ frei'** 'accesso consentito solo ai frontisti'.

ạn|machen *vt (anstellen)* accendere ; *fam (Person)* abbordare ; *(Salat)* condire.

ạn|melden *vt (bei Arzt usw)* prendere appuntamento per ; *(für Kurs, Schule)* iscrivere ; *AUTO* immatricolare. ■ **sich anmelden** *ref (beim Einwohnermeldeamt)* registrarsi ; *(für Kurs, Schule)* **sich ~ zu** iscriversi a ; *(bei Arzt usw)* **sich ~ bei** prendersi un appuntamento da.

Ạnmeldung *die (bei Einwohnermeldeamt, Rezeption)* registrazione *f* ; *(von Auto)* immatricolazione *f* ; *(bei Arzt)* appuntamento *m* ; *(für Kurs, Schule)* iscrizione *f*.

Ạnmietung *die* affitto *m*.

ạn|nähen *vt* cucire.

ạnnähernd *adv* approssimativamente.

Ạnnahme *(pl -n) die (von Brief, Paket)* accettazione *f* ; *(Vermutung)* supposizione *f* ; **'keine ~ von 20-Cent-Stücken'** 'non si accettano monete da 20 centesimi'.

ạn|nehmen *vt (unr) (Paket, Geschenk)* accettare ; *(vermuten)* supporre ; **~, dass** supporre che.

Annọnce *(pl -n) die* annuncio *m*.

Ạnorak *(pl -s) der* giacca *f* a vento.

ạn|packen *vt (berühren)* afferrare ; *fam (arbeiten)* : **mit ~** dare una mano.

anlpassen *vt* adattare. ■ **sich anpassen** *ref* adattarsi.

Anpassung *die* adattamento *m*.

anlprobieren *vt (Kleidung)* provare.

Anrede *die formula di apertura di una lettera o di un discorso.*

anlregen *vt (Aktion)* spingere a ; *(Verdauung, Fantasie)* stimolare.

Anregung (*pl* **-en**) *die (Hinweis)* suggerimento *m*.

anlrichten *vt (Salat, Büfett)* preparare ; *(Chaos, Schaden)* causare.

Anruf (*pl* **-e**) *der* chiamata *f (telefonica)*.

Anrufbeantworter (*pl* **-**) *der* segreteria *f* telefonica.

anlrufen *vt* & *vi (unr) (per Telefon)* telefonare a.

Ansage (*pl* **-n**) *die* annuncio *m*.

anlschauen *vt Süddt* guardare ; **sich** *(D)* **etw ~** guardarsi qc.

Anschein *der* apparenza *f*.

anscheinend *adv* evidentemente.

anlschieben *vt (unr)* spingere.

Anschlag (*pl* **Anschläge**) *der (Angriff)* attentato *m*.

anlschließen *vt (unr) (Elektrogerät, Telefon)* collegare ; *(Fahrrad)* legare *(col lucchetto)*. ■ **sich anschließen** *ref (unr) (Person)* : **sich jm ~** aggregarsi a qn.

anschließend *adv* successivamente.

Anschluss (*pl* **Anschlüsse**) *der (für Telefonapparat, Strom, Gas)* allacciamento *m* ; *(für Telefongespräch)* linea *f* ; *(von Zug)* coincidenza *f* ; *(zu Personen)* contatto *m* ; **kein ~ unter dieser Nummer!** il numero da lei chiamato è inesistente ; **Sie haben ~ nach Basel, 15.39 Uhr** lei ha la coincidenza per Basilea alle ore 15.39.

Anschlussflug (*pl* **-flüge**) *der* coincidenza *f*.

anlschnallen *vt* allacciare. ■ **sich anschnallen** *ref* allacciarsi la cintura *(di sicurezza)*.

Anschrift (*pl* **-en**) *die* indirizzo *m*.

anlschwellen *vi (unr & ist) (Körperteil, Gewässer)* gonfiarsi.

anlsehen *vt (unr)* guardare ; **sich** *(D)* **etw ~** *(Film, Stadt)* guardarsi qc ; *(prüfend)* esaminare qc.

an sein *vi (unr & ist)* essere acceso(a).

Ansicht (*pl* **-en**) *die (von Stadt)* vista *f* ; *(Meinung)* parere *m* ; **meiner ~ nach** secondo me.

Ansichtskarte (*pl* **-n**) *die* cartolina *f* illustrata.

ansonsten *adv* altrimenti.

anlspielen *vi* : **~ auf** *(+A)* alludere a.

Anspielung (*pl* **-en**) *die* allusione *f*.

Ansprache (*pl* **-n**) *die (Rede)* discorso *m*.

an|springen *vi (unr) (Motor)* mettersi in moto.

Anspruch (*pl* **Ansprüche**) *der* pretesa *f* ; *(Recht)* **haben ~ auf** *(+A)* aver diritto a. ■ **Ansprüche** *pl (Forderungen)* pretese *fpl*.

anspruchslos *adj* senza pretese.

anspruchsvoll *adj* esigente.

anstatt *präp (+G) konj* invece di.

an|stecken *vt (mit Krankheit)* contagiare. ■ **sich anstecken** *ref* : **sich bei jm ~** essere contagiato(a) da qn.

an|steckend *adj* contagioso(a).

an|stehen *vi (unr) (in Warteschlange)* fare la fila.

anstelle *präp (+G)* al posto di.

an|stellen *vt (Gerät)* accendere ; *(Dummheiten)* commettere. ■ **sich anstellen** *ref (Wartende)* mettersi in fila ; **stell dich nicht so dumm an!** non essere così imbranato!

an|streichen *vt (unr)* tinteggiare.

an|strengen *vt (strapazieren)* affaticare. ■ **sich anstrengen** *ref* sforzarsi.

anstrengend *adj* faticoso(a).

Antarktis *die* Antartide *f*.

Anteil (*pl* **-e**) *der* parte *f*.

Antenne (*pl* **-n**) *die* antenna *f*.

Antibabypille (*pl* **-n**) *die* pillola *f* anticoncezionale.

Antibiotikum (*pl* **-ka**) *das* MED antibiotico *m*.

Antihistamin (*pl* **-e**) *das* MED antistaminico *m*.

antik *adj* antico(a).

Antiquariat (*pl* **-e**) *das* libreria *f* antiquaria ; **modernes ~** remainder *m*.

Antiquität (*pl* **-en**) *die* oggetto *m* antico.

Antiquitätenhändler, in (*mpl* **-**) *der, die* antiquario *m*, -a *f*.

Antrag (*pl* **Anträge**) *der* richiesta *f* ; **einen ~ stellen auf** *(+A)* fare richiesta di.

an|treiben *vt (unr) (zur Eile)* spronare ; *(Maschine)* azionare.

an|treten *vt (unr) (Arbeit)* iniziare ; *(Reise)* mettersi in.

Antrieb *der (von Maschine)* azionamento *m*.

Antritt *der (von Ausbildung, Urlaub)* inizio *m* ; **vor ~ der Reise** prima di mettersi in viaggio.

Antwort (*pl* **-en**) *die (auf Frage, Brief)* risposta *f*.

antworten *vi* rispondere ; **~ auf** *(+A)* rispondere a ; **jm ~** rispondere a qn.

An- und Verkauf *der* acquisto *m* e vendita.

an|wenden *vt (unr) (Gewalt, Trick)* usare.

anwesend *adj* presente.

Anwohner, in (*mpl* **-**) *der, die* residente *mf*.

Anwohnerparkplatz (*pl* **-plätze**) *der* parcheggio *m* riservato ai residenti.

Anzahl *die* numero *m*.

Anzahlung (*pl* **-en**) *die* acconto *m*.

Anzeige (*pl* **-n**) *die (in Zeitung)* annuncio *m* ; *(bei Polizei)* denuncia *f*.

an|zeigen *vt (Delikt)* denunciare ; *(Temperatur, Zeit)* indicare.

an|ziehen *vt (unr) (Kleidung)* indossare ; **ein Kind ~** vestire un bambino ; *(anlocken)* attirare. ■ **sich anziehen** *ref (unr)* vestirsi.

Anzug (*pl* **Anzüge**) *der (Bekleidung)* vestito *m (da uomo)*.

an|zünden *vt* accendere.

an|zweifeln *vt* mettere in dubbio.

AOK *die* (*abk für Allgemeine Ortskrankenkasse*) *assicurazione sanitaria pubblica*.

Apfel (*pl* **Äpfel**) *der* mela *f*.

Apfelkuchen (*pl* **-**) *der* torta *f* di mele.

Apfelkücherl (*pl* **-**) *das Süddt frittella di mele a forma di anello ricoperta di zucchero*.

Apfelmus *das* purea *f* di mele.

Apfelsaft *der* succo *m* di mela.

Apfelsine (*pl* **-n**) *die* arancia *f*.

Apfelwein *der* sidro *m*.

Apotheke (*pl* **-n**) *die* farmacia *f*.

apothekenpflichtig *adj (Medikament)* vendibile solo in farmacia.

Apotheker, in (*mpl* **-**) *der, die* farmacista *mf*.

App. *abk für* **Appartement**.

Apparat (*pl* **-e**) *der* apparecchio *m* ; *(Telefon)* : **am ~!** sono io!

Appartement (*pl* **-s**) *das (Wohnung)* appartamento *m* ; *(im Hotel)* suite *f*.

Appenzell *nt* Appenzell *f*.

Appenzell-Ausserrhoden *nt* Appenzell-Ausserrhoden *m*.

Appenzell-Innerrhoden *nt* Appenzell-Innerrhoden *m*.

Appetit *der* appetito *m* ; **guten ~!** buon appetito!

appetitlich *adj* appetitoso(a).

Applaus *der* applauso *m*.

Aprikose (*pl* **-n**) *die* albicocca *f*.

April *der* aprile *m* ; *siehe auch* **September**.

Aprilscherz (*pl* **-e**) *der* ≃ pesce *m* d'aprile.

apropos *adv* a proposito di.

Aquarell (*pl* **-e**) *das* acquerello *m*.

Aquarium (*pl* **Aquarien**) *das* acquario *m*.

Äquator *der* equatore *m*.

Arbeit (*pl* **-en**) *die* lavoro *m*.

arbeiten *vi* lavorare.

Arbeiter, in (*mpl* **-**) *der, die*

lavoratore *m*, -trice *f* ; *(körperlich)* operaio *m*, -a *f*.

Arbeitgeber, in (*mpl* -) *der, die* datore *m*, -trice *f* di lavoro.

Arbeitnehmer, in (*mpl* -) *der, die* lavoratore *m*, -trice *f* dipendente.

Arbeitsamt (*pl* **-ämter**) *das* ufficio *m* di collocamento.

arbeitslos *adj* disoccupato(a).

Arbeitslose (*pl* -) *der, die* disoccupato *m*, -a *f*.

Arbeitsplatz (*pl* **-plätze**) *der* posto *m* di lavoro.

Arbeitszeit (*pl* **-en**) *die* orario *m* di lavoro.

Architekt, in (*mpl* **-en**) *der, die* architetto *m*.

Archiv (*pl* **-e**) *das* archivio *m*.

Ärger *der (Unmut)* irritazione *f* ; **~ mit jm haben** avere delle noie con qn.

ärgerlich *adj (verärgert)* arrabbiato(a) ; *(unerfreulich)* spiacevole.

ärgern *vt (necken, stören)* far arrabbiare. ■ **sich ärgern** *ref* arrabbiarsi ; **sich über etw** *(A)* **~** arrabbiarsi per qc ; **sich über jn ~** arrabbiarsi con qn.

Argument (*pl* **-e**) *das* argomento *m*.

Arktis *die* Artide *f*.

arm *adj* povero(a).

Arm (*pl* **-e**) *der (Körperteil)* braccio *m*.

Armaturenbrett (*pl* **-er**) *das* AUTO cruscotto *m*.

Armband (*pl* **-bänder**) *das (Schmuck)* braccialetto *m* ; *(von Uhr)* cinturino *m*.

Armbruch (*pl* **-brüche**) *der* frattura *f* del braccio.

Armee (*pl* **-n**) *die* esercito *m*.

Ärmel (*pl* -) *der* manica *f*.

Ärmelkanal *der* canale *m* della Manica.

Armlehne (*pl* **-n**) *die (von Stuhl, Sessel)* bracciolo *m*.

Aroma (*pl* **Aromen**) *das* aroma *m*.

arrogant *adj* arrogante.

Arsch (*pl* **Ärsche**) *der vulg (Po)* culo *m* ; *(Idiot)* imbecille *mf*.

Art (*pl* **-en**) *die (Weise)* modo *m* ; *(Charakter, Eigenschaft)* modo *m* di fare ; *(Sorte)* tipo *m* ; *(von Lebewesen)* specie *f* ; **eine ~ (von)** un tipo di.

Arterie (*pl* **-n**) *die* arteria *f*.

artig *adj* educato(a).

Artikel (*pl* -) *der* articolo *m*.

Artischocke (*pl* **-n**) *die* carciofo *m*.

Artist, in (*mpl* **-en**) *der, die* artista *mf*.

artistisch *adj* artistico(a).

Arznei (*pl* **-en**) *die* medicinale *m*.

Arzt (*pl* **Ärzte**) *der* medico *m*.

Arztausfahrt (*pl* **-en**) *die uscita riservata ai medici*.

Arzthelferin (*pl* **-nen**) *die* assistente *f* in uno studio medico.

Ärztin (*pl* **-nen**) *die* medico *m*, dottoressa *f*.

ärztlich *adj* medico(a).

Asche *die* cenere *f* ; **'keine heiße ~ einfüllen'** 'non gettare ceneri accese'.

Aschenbecher (*pl* -) *der* posacenere *m*.

Aschermittwoch (*pl* -s) *der* mercoledì *m* delle ceneri.

Asien *nt* Asia *f*.

Aspekt (*pl* -e) *der* aspetto *m*.

Asphalt (*pl* -e) *der* asfalto *m*.

Aspirin® *das* MED aspirina® *f*.

aß *prät* → **essen**.

Ast (*pl* Äste) *der* ramo *m*.

Asthma *das* MED asma *f*.

Astrologie *die* astrologia *f*.

astrologisch *adj* astrologico(a).

Astronomie *die* astronomia *f*.

Atem *der* respiro *m* ; **außer ~** senza fiato.

atemlos *adj* ansante.

Atemnot *die* insufficienza *f* respiratoria.

Athlet, in (*mpl* -en) *der, die* atleta *mf*.

Atlantik *der* Atlantico *m*.

Atlantische Ozean *der* oceano *m* Atlantico.

atmen *vi* & *vt* respirare.

Atomkraftwerk (*pl* -e) *das* centrale *f* nucleare.

Attentat (*pl* -e) *das* attentato *m*.

Attest (*pl* -e) *das* certificato *m* medico.

Attraktion (*pl* -en) *die* (*Ereignis*) attrazione *f*.

attraktiv *adj* (*Person*) attraente ; (*Angebot*) allettante.

ätzend *adj* (*Chemikalie*) corrosivo(a) ; *fam* (*unangenehm*) schifoso(a).

au *interj* (*Ausdruck von Schmerz*) ahi ; (*Ausdruck von Begeisterung*) oh.

AU *abk für* **Abgasuntersuchung**.

Aubergine (*pl* -en) *die* melanzana *f*.

auch *adv* (*ebenfalls*) anche ; (*sogar*) perfino ; **was ~ kommen mag** qualsiasi cosa succeda ; **wer ~ immer es war** chiunque sia stato.

audiovisuell *adj* audiovisivo(a).

auf *präp* (+D, +A) (*räumlich*) su ; **~ dem Land** in campagna ; **~ der Welt** al mondo.

◆ *präp* (+D) (*während*) : **~ der Reise** in viaggio ; **~ dem Fest** alla festa.

◆ *präp* (+A) - **1.** (*Angabe der Art und Weise*) : **~ diese Art** in questo modo ; **~ Deutsch** in tedesco.

- **2.** (*Angabe eines Zustandes*) : **~ der Suche nach** in cerca di.

- **3.** (*Angabe des Anlasses*) in seguito a.

- **4.** (*Angabe einer Folge*) : **von Freitag ~ Samstag** da venerdì a sabato.

- **5.** (*Angabe eines Wunsches*) : **~ Ihr Wohl!** alla Sua salute!

◆ *adv* (*offen*) : **Tür ~!** apri ODER aprite la porta! ; **~ einmal** d'un colpo ; ~ **und ab** su e giù ; *siehe auch* **auf sein.**

auf|atmen *vi* trarre un sospiro di sollievo.

auf|bauen *vt (Zelt, Gerüst)* montare ; *(Organisation)* costruire.

auf|bewahren *vt (Gepäck)* custodire ; *(Lebensmittel)* conservare.

aufblasbar *adj* gonfiabile.

auf|bleiben *vi (unr & ist) (Person)* restare sveglio(a) ; *(Tür)* restare aperto(a).

auf|blenden *vt* AUTO alzare i fari abbaglianti.

auf|brechen *(unr) vt (hat) (Tür)* forzare. ◆ *vi (ist) (abreisen)* mettersi in viaggio.

Aufbruch *der (Abreise)* partenza *f.*

auf|decken *vt (Geheimnis)* scoprire ; *(Plane, Laken)* togliere.

auf|drängen *vt* : **jm etw** ~ imporre qc a qn.

auf|drehen *vt (Wasserhahn)* aprire.

aufdringlich *adj (Person)* invadente.

aufeinander *adv (einer auf dem anderen)* uno sopra l'altro (una sopra l'altra) ; *(nacheinander)* uno dopo l'altro (una dopo l'altra).

Aufenthalt *(pl* **-e)** *der (sich aufhalten)* soggiorno *m* ; *(auf einer Fahrt)* sosta *f* ; **der Zug hat 10 Minuten** ~ il treno fa una sosta di 10 minuti ; **ständiger** ~ residenza fissa ; **schönen** ~! buona permanenza!

Aufenthaltsgenehmigung *(pl* **-en)** *die* permesso *m* di soggiorno.

Aufenthaltsraum *(pl* **-räume)** *der* sala *f* comune.

auf|essen *vt (unr)* finire di mangiare.

auf|fahren *vi (unr & ist) (aufprallen)* tamponare ; **zu dicht** ~ non rispettare la distanza di sicurezza.

Auffahrt *(pl* **-en)** *die (Weg)* stradina *f* d'accesso ; *(von Garage)* rampa *f* ; *(zu Autobahn)* entrata *f.*

Auffahrunfall *(pl* **-unfälle)** *der* tamponamento *m.*

auf|fallen *vi (unr & ist)* : **jm** ~ colpire qn.

auffallend *adj* appariscente.

auffällig *adj* vistoso(a). ◆ *adv* in modo vistoso.

auf|fangen *vt (unr) (Ball)* afferrare ; *(Funkspruch)* captare.

auf|fordern *vt (bitten)* invitare ; *(befehlen)* invitare *(ufficialmente).*

auf|frischen *vt* rinfrescare.

auf|führen *vt (auf der Bühne)* mettere in scena.

Aufführung *(pl* **-en)** *die (Theater)* rappresentazione *f.*

Aufgabe *(pl* **-n)** *die (Verpflichtung)* impegno *m* ; *(Arbeit)* compito *m* ; *(von Paket, Koffer)* spedizione *f.*

Aufgang *(pl* **-gänge)** *der (von*

Treppe) salita *f* ; *(von Sonne)* alba *f*.

auf|geben *vt (unr) (Stelle)* abbandonare ; *(Geschäft)* chiudere ; *(Schulaufgabe)* assegnare ; *(Koffer, Paket, Brief)* spedire ; **das Rauchen ~** smettere di fumare. ◆ *vi (resignieren)* ritirarsi.

auf|gehen *vi (unr & ist) (Sonne, Mond)* sorgere ; *(Knoten)* sciogliersi.

aufgehoben *pp* → **aufheben.** ◆ *adj* : **gut/schlecht ~ sein** essere/non essere in buone mani.

aufgelegt *adj* : **gut/schlecht ~ sein** essere di buono/cattivo umore.

aufgrund *präp (+G)* a causa di.

auf|halten *vt (unr) (Tür)* tenere aperto(a) ; *(Person)* fermare. ■ **sich aufhalten** *ref (an einem Ort sein)* soggiornare.

auf|hängen *vt (Wäsche)* stendere ; *(Bild)* appendere.

auf|heben *vt (unr) (aufbewahren)* conservare ; *(hoch nehmen)* raccogliere *(da terra)*.

auf|hetzen *vt* aizzare.

auf|holen *vt* recuperare. ◆ *vi* rimontare.

auf|hören *vi (zu Ende sein)* finire ; **mit dem Streit ~** finire di litigare.

auf|klappen *vt* aprire.

auf|klären *vt (Missverständnis)* chiarire ; *(informieren)* informare.

Aufklärung *die (von Missverständnis)* chiarimento *m* ; *(Information)* informazione *f*.

Aufkleber (*pl* -) *der* autoadesivo *m*.

auf|kommen *vi (unr & ist) (entstehen)* sorgere ; **~ für** *(zahlen)* pagare per.

auf|kriegen *vt fam (öffnen können)* riuscire ad aprire.

Auflage (*pl* -n) *die (von Zeitung, Buch)* edizione *f* ; *(Verpflichtung)* obbligo *m*.

auf|lassen *vt (unr) (Tür)* lasciare aperto(a) ; *(Mütze, Hut)* tenere in testa.

Auflauf (*pl* -läufe) *der (von Menschen)* assembramento *m* ; KÜCHE sformato *m*.

auf|legen *vt (Tischdecke)* stendere ; *(Telefonhörer)* riattaccare.

auf|leuchten *vi* illuminarsi.

auf|listen *vt* elencare.

auf|lösen *vt* sciogliere.

Auflösung (*pl* -en) *die (von Rätsel)* soluzione *f* ; *(von Organisation, Verein)* scioglimento *m*.

auf|machen *vt* aprire. ■ **sich aufmachen** *ref (abreisen)* mettersi in viaggio.

aufmerksam *adj (konzentriert)* attento(a) ; *(höflich)* premuroso(a) ; **~ machen auf** *(+A)* attirare l'attenzione su.

Aufmerksamkeit (*pl* -en) *die (Interesse)* attenzione *f* ; *(Geschenk)* pensiero *m*.

Aufnahme (*pl* -n) *die* FOTO fotografia *f* ; *(von Protokoll, Musik,*

Aussage) registrazione *f*; *(in Krankenhaus)* ricovero *m*.

auf|nehmen *vt (unr) (Kontakt)* prendere ; *(Gast)* accogliere ; FOTO scattare ; *(Protokoll, Aussage, Musik)* registrare.

Aufnehmer (*pl* -) *der* strofinaccio *m*.

auf|passen *vi* : ~ **auf** *(+A)* fare attenzione a ; **pass auf!** stai attento(a)!

auf|pumpen *vt* gonfiare.

auf|räumen *vt* & *vi* riordinare.

auf|regen *vt* agitare.

Aufregung (*pl* **-en**) *die* agitazione *f*.

auf|rollen *vt (zusammenrollen)* arrotolare ; *(abrollen)* srotolare.

Aufruf (*pl* **-e**) *der* chiamata *f*; **letzter ~ für Flug LH 404** ultima chiamata per il voto LH 404.

auf|rufen *vt (unr) (Person)* chiamare ; *(Flug)* annunciare.

auf|runden *vt (Summe)* arrotondare.

auf|schieben *vt (unr) (Angelegenheit)* rinviare.

Aufschlag (*pl* **-schläge**) *der* SPORT battuta *f*; *(auf Preis)* aumento *m*.

auf|schließen *vt (unr) (öffnen)* aprire *(con chiave)*.

Aufschnitt *der (von Wurst)* affettato *m*.

auf|schreiben *vt (unr)* annotare.

Aufsehen *das* : ~ **erregen** destare scalpore.

auf sein *vi (unr) (geöffnet sein)* essere aperto(a) ; *(wach sein)* essere alzato(a).

Aufsicht *die (Person)* sorvegliante *mf*; *(Kontrolle)* sorveglianza *f*.

Aufstand (*pl* **-stände**) *der* rivolta *f*.

auf|stehen *vi (unr & ist) (Person, Tier)* alzarsi ; *(Tür, Fenster)* essere aperto(a).

auf|stellen *vt (Zelt)* montare.

Aufstellung (*pl* **-en**) *die (von Mannschaft)* formazione *f*.

Aufstieg *der (auf Berg)* salita *f*; *(Erfolg)* ascesa *f*.

Auftakt (*pl* **-e**) *der* MUS anacrusi *f*; *(Veranstaltung)* inizio *m*.

auf|tanken *vi* fare il pieno.

auf|tauchen *vi (ist) (erscheinen, auftreten)* comparire ; *(aus dem Wasser)* emergere.

auf|tauen *vt (Gefrorenes)* scongelare.

auf|teilen *vt* spartire.

Auftrag (*pl* **-träge**) *der* incarico *m*.

auf|tragen *vt (unr) (Farbe)* applicare ; *(Befehl, Aufgabe)* incaricare.

auf|treten *vi (unr & ist) (sich benehmen)* presentarsi ; *(auf Bühne)* esibirsi.

Auftritt (*pl* **-e**) *der (Theater)* esibizione *f*.

auf|wachen *vi (ist)* svegliarsi.

Aufwand *der (zeitlich, finanziell)* investimento *m*.

auf|wärmen *vt (Essen)* riscaldare.

auf|werten *vt (Ansehen)* rivalutare.

auf|wischen *vt* pulire *(con uno straccio)*.

auf|zählen *vt* enumerare.

auf|zeichnen *vt (skizzieren)* disegnare ; *(Film, Musik)* registrare.

auf|ziehen *vt (unr) (Uhr)* caricare ; *(Kind, Tier)* allevare.

Aufzug (*pl* **-züge**) *der (Fahrstuhl)* ascensore *m*.

Auge (*pl* **-n**) *das* occhio *m* ; **ein blaues ~** un occhio nero ; **etw im ~ behalten** tenere sott'occhio qc.

Augenblick (*pl* **-e**) *der (Moment)* attimo *m* ; **im ~** al momento.

Augenbraue (*pl* **-n**) *die* sopracciglio *m*.

Augenbrauenstift (*pl* **-e**) *der* matita *f* per sopracciglia.

Augencreme (*pl* **-s**) *die* crema *f* per il contorno occhi.

Augenfarbe (*pl* **-n**) *die* colore *m* degli occhi.

Augenoptiker, in (*pl* **-**) *der, die* ottico *m*.

Augentropfen *pl* collirio *m*.

August *der* agosto *m* ; *siehe auch* **September**.

Auktion (*pl* **-en**) *die* asta *f*.

aus *präp (+D)* - 1. *(zur Angabe der Richtung, der Herkunft)* da ; **~ Amerika** dall'America.
- 2. *(zur Angabe der Entfernung)* : **~ 50 m Entfernung** a 50 m di distanza.
- 3. *(zur Angabe des Materials)* di ; **~ Plastik** di plastica.
- 4. *(zur Angabe des Grundes)* per ; **~ Spaß** per divertimento ; **~ Wut** per rabbia.
- 5. *(zur Angabe eines Teils)* di ; **ein Schüler ~ der Klasse** un alunno della classe.

◆ *adv* - 1. *(außer Funktion)* spento(a) ; **~ und an** spento(a) e acceso(a) ; **Licht ~!** spegnere le luci!
- 2. *(zu Ende)* finito(a) ; **~ und vorbei sein** essere finito(a) una volta per tutte.

aus|baden *vt* : **etw ~ müssen** dover scontare qc.

aus|bessern *vt* riparare.

aus|beulen *vt (Delle, Kotflügel)* togliere un'ammaccatura.

Ausbildung (*pl* **-en**) *die (von Person)* formazione *f*.

aus|brechen *vi (unr & ist) (fliehen)* evadere ; *(Feuer, Krankheit)* scoppiare.

aus|breiten *vt (Decke, Arme)* stendere ; *(Waren)* esporre. ■ **sich ausbreiten** *ref (Landschaft)* estendersi ; *(Feuer, Krankheit, Mode)* diffondersi.

ausdauernd *adj* costante.

aus|denken *vt (unr)* : **sich** *(D)* **etw ~** inventarsi qc.

Ausdruck[1] (*pl* **-drücke**) *der* espressione *f*.

Ausdruck²(*pl* -e) *EDV* stampa *f*.

aus|drücken *vt (sagen)* esprimere. ■ **sich ausdrücken** *ref* esprimersi.

auseinander *adv (räumlich)* lontano(a) *(l'uno dall'altro)*; *(zeitlich)* : **5 Jahre ~ sein** avere 5 anni di differenza.

auseinander gehen *vi (unr & ist) (Personen)* separarsi ; *(Menge, Zuschauer)* disperdersi ; *(Wege)* dividersi ; *(von Meinungen)* divergere.

auseinander nehmen *vt (unr) (Maschine)* smontare.

Auseinandersetzung (*pl* -**en**) *die (Streit)* discussione *f*.

aus|fahren *vt (unr & hat) (Ware)* distribuire.

Ausfahrt (*pl* -**en**) *die* uscita *f* mezzi ; '**~ freihalten!**' 'passo carrabile'.

aus|fallen *vi (unr & ist) (Veranstaltung)* essere annullato(a) ; *(Gerät)* bloccarsi ; *(Haare, Zähne)* cadere.

ausfindig *adv* : **jn/etw ~ machen** rintracciare qn/qc.

Ausflug (*pl* -**flüge**) *der* gita *f*.

Ausflugsboot (*pl* -**e**) *das* barca *f* per turisti.

Ausflugslokal (*pl* -**e**) *das* locale *m* per turisti.

Ausflugsziel (*pl* -**e**) *das* meta *f* della gita.

Ausfluss (*pl* -**flüsse**) *der MED* secrezione *f*; *(von Wanne, Becken)* scarico *m*.

aus|fragen *vt* interrogare.

aus|führen *vt (ins Ausland)* esportare ; *(einladen)* portare fuori ; *(Arbeit, Plan, Befehl)* eseguire.

ausführlich *adj* dettagliato(a). ◆ *adv* dettagliatamente.

aus|füllen *vt (Raum)* occupare ; *(Formular)* compilare.

Ausgabe (*pl* -**n**) *die (von Geld)* spesa *f*; *(von Gepäck, Essen)* distribuzione *f*; *(von Buch)* edizione *f*.

Ausgang (*pl* -**gänge**) *der* uscita *f*.

aus|geben *vt (unr) (Geld)* spendere ; *(verteilen)* distribuire ; **jm etw ~** *fam* offrire qc a qn.

ausgebucht *adj (Hotel, Flug)* completo(a).

ausgefallen *adj (Geschmack, Idee)* stravagante ; *(Veranstaltung)* annullato(a).

aus|gehen *vi (unr & ist) (verlöschen)* spegnersi ; *(abends)* uscire ; *(zu Ende gehen)* finire ; **ihm sind die Zigaretten ausgegangen** ha finito le sigarette.

ausgelastet *adj (Person)* : **voll/nicht ~ sein** essere/non essere molto impegnato(a).

ausgeleiert *adj (Stoff)* sformato(a).

ausgerechnet *adv* proprio.

ausgeschaltet *adj* spento(a).

ausgeschildert *adj (Weg)* segnalato(a).

ausgeschlossen *adj* : **~ sein** essere escluso(a).

ausgestellt *adj* : **auf jn ~** *(Pass, Scheck)* emesso(a) a nome di qn.

ausgewiesen *adj* : **~ durch** identificato(a) da.

ausgezeichnet *adj (sehr gut)* eccellente ; *(mit Preis)* etichettato(a). ◆ *adv (sehr gut)* ottimamente.

ausgiebig *adj (Essen)* abbondante.

aus|gießen *vt (unr) (Wasser, Milch)* versare ; *(Flasche, Schüssel)* svuotare.

aus|gleichen *vt (unr) (Unterschied)* appianare ; *(Mangel)* compensare.

Ausguss (*pl* **-güsse**) *der (von Becken)* scarico *m*.

aus|halten *vt (unr)* sopportare.

Aushang (*pl* **-hänge**) *der* avviso *m (pubblico)*.

Aushilfe (*pl* **-n**) *die (Person)* aiutante *mf*.

aus|kennen : sich auskennen *ref (unr)* conoscere bene.

aus|kommen *vi (unr & ist) (zurechtkommen)* arrangiarsi ; **mit jm gut/schlecht ~** *(sich vertragen)* andare/non andare d'accordo con qn.

Auskunft (*pl* **-künfte**) *die (Information)* informazione *f* ; *(am Telefon)* servizio *m* informazioni ; *(am Bahnhof)* ufficio *m* informazioni.

aus|lachen *vt* deridere.

aus|laden *vt (unr) (Gepäck, Fahrzeug)* scaricare ; *(Gäste)* disdire a.

Auslage (*pl* **-n**) *die (im Schaufenster)* merce *f* esposta.

Ausland *das* estero *m*.

Ausländer, in (*mpl* **-**) *der, die* straniero *m*, -a *f*.

ausländisch *adj* straniero(a).

Auslandsgespräch (*pl* **-e**) *das* telefonata *f* internazionale.

Auslandsschutzbrief (*pl* **-e**) *der* AUTO *assicurazione complementare per l'estero*.

aus|lassen *vt (unr) (überspringen)* tralasciare ; **~ an** *(Ärger, Wut)* sfogare su.

Auslauf *der* : **~ haben/brauchen** avere/aver bisogno di spazio.

aus|laufen *vi (unr & ist) (Flüssigkeit)* fuoriuscire ; *(Gefäß, Tank)* perdere.

aus|legen *vt (ausbreiten)* esporre ; *(mit Teppich)* rivestire.

aus|leihen *vt (unr)* : **jm etw ~** prestare qc a qn ; **sich** *(D)* **etw ~** farsi prestare qc.

Auslese (*pl* **-n**) *die (Auswahl)* selezione *f* ; *(Wein)* vino *m* selezionato.

aus|löschen *vt (Feuer, Licht)* spegnere.

Auslöser (*pl* **-**) *der (am Fotoapparat)* pulsante *m* di scatto.

aus|machen *vt (löschen, ausschalten)* spegnere ; *(absprechen)* stabilire ; **das macht mir nichts aus** non me ne importa nulla.

Ausmaß (*pl* -e) *das (Größe)* dimensione *f*.

Ausnahme (*pl* -n) *die* eccezione *f*.

ausnahmsweise *adv* in via eccezionale.

aus|nutzen, aus|nützen *vt (Gelegenheit, Zeit)* sfruttare ; *(Person)* approfittare di.

aus|packen *vt (Koffer)* disfare ; *(Paket, Ware)* aprire.

Auspuff (*pl* -e) *der* AUTO tubo *m* di scappamento.

aus|rechnen *vt (Entfernung, Betrag)* calcolare ; **sich** *(D)* **gute Chancen ~** pensare di avere delle buone opportunità.

Ausrede (*pl* -n) *die* scusa *f*.

aus|reichen *vi (Vorrat, Geld)* bastare.

Ausreise *die* espatrio *m*.

Ausreisegenehmigung (*pl* -en) *die* permesso *m* di espatrio.

aus|renken *vt* : **sich** *(D)* **etw ~** slogarsi qc.

aus|richten *vt* : **jm etw ~** *(Nachricht)* riferire qc a qn.

aus|rufen *vt (unr) (über Lautsprecher)* annunciare ; **jn ~ lassen** far chiamare qn *(con l'altoparlante)*.

Ausrufezeichen (*pl* -) *das* punto *m* esclamativo.

aus|ruhen : sich ausruhen *ref* riposarsi.

Ausrüstung (*pl* -en) *die (für Sport, Auto)* equipaggiamento *m*.

aus|rutschen *vi (ist)* scivolare.

aus|sagen *vt (bei Polizei)* dichiarare.

aus|schalten *vt* spegnere.

Ausschank *der (von Getränken)* spaccio *m (di alcolici)*.

Ausschau *die* : **~ halten nach** guardarsi intorno in cerca di.

aus|schlafen *vi (unr)* dormire fino a tardi.

Ausschlag (*pl* -schläge) *der* MED eruzione *f* cutanea.

aus|schließen *vt (unr)* escludere.

ausschließlich *adv (nur)* esclusivamente.

aus|schneiden *vt (unr)* ritagliare.

Ausschreitungen *pl* tumulti *mpl*.

aus|schütteln *vt* scuotere.

aus|schütten *vt (Gefäß)* vuotare ; *(Flüssigkeit)* versare.

aus|schwenken *vi (ist) (Kran, Anhänger, Heck)* oscillare lateralmente.

aus|sehen *vi (unr)* sembrare ; **gut/schlecht ~** *(Person, Gegenstand, Situation)* presentarsi bene/male.

aus sein *vi (unr & ist) (zu Ende sein)* finire ; *(abgeschaltet sein)* essere spento(a).

außen *adv* fuori ; **von ~** da fuori ; **nach ~** verso l'esterno.

Außenbordmotor (*pl* -en) *der* motore *m* fuoribordo.

Außenrückspiegel (*pl*-) *der* AUTO specchietto *m* retrovisore esterno.

Außenseite (*pl* -n) *die* lato *m* esterno.

Außenseiter, in (*mpl* -) *der, die (in Gruppe)* emarginato *m*, -a *f*.

Außenspiegel (*pl* -) *der* AUTO specchietto *m* esterno.

Außentemperatur (*pl* -en) *die* temperatura *f* esterna.

außer *präp (+D) (ausgenommen)* tranne ; *(neben)* oltre a. ◆ *konj* a meno che ; **alle, ~ ihm** tutti tranne lui ; **nichts, ~...** nient'altro che... ; **~ Betrieb** fuori servizio.

außerdem *adv* inoltre.

außergewöhnlich *adj* insolito(a).

außerhalb *präp (+G) (zeitlich)* fuori ; *(räumlich)* all'esterno di. ◆ *adv* fuori.

äußerlich *adj (Wirkung, Eindruck)* esteriore ; MED esterno(a).

äußern *vt (sagen)* esprimere. ■ **sich äußern** *ref (erkennbar werden)* manifestarsi.

außerordentlich *adj (groß)* straordinario(a). ◆ *adv (sehr)* straordinariamente.

außerplanmäßig *adj (Zug)* supplementare. ◆ *adv (fahren)* fuori orario.

äußerst *adv (sehr)* estremamente.

aus|setzen *vt (Hund, Kind)* abbandonare ; *(Preis, Belohnung)* mettere in palio. ◆ *vi (Herz, Musik)* cessare improvvisamente ; **an allem etwas auszusetzen haben** trovare da ridire su tutto.

Aussicht (*pl* -en) *die (Blick)* vista *f* ; *(Chance)* possibilità *f*.

aussichtslos *adj* senza speranza.

Aussichtsplattform (*pl* -en) *die* belvedere *m*.

Aussichtspunkt (*pl* -e) *der* belvedere *m*.

Aussichtsterrasse (*pl* -n) *die* terrazza *f* panoramica.

Aussichtsturm (*pl* -türme) *der* torre *f* panoramica.

aus|spannen *vi (sich erholen)* rilassarsi.

aus|sperren *vt (aus Raum)* chiudere fuori.

Aussprache (*pl* -n) *die (von Wörtern)* pronuncia *f*.

aus|sprechen *vt (unr) (artikulieren)* pronunciare ; *(Gedanke, Verdacht)* esprimere. ◆ *vi (unr) (zu Ende reden)* finire *(di parlare)*.

aus|spucken *vt & vi* sputare.

aus|spülen *vt* sciacquare.

Ausstattung (*pl* -en) *die (von Zimmer)* arredamento *m* ; *(von Auto)* equipaggiamento *m*.

aus|steigen *vi (unr) (aus Fahrzeug, Zug)* scendere ; **'Aussteigen bitte Knopf drücken'** *(Anzeige an Bus- und Straßenbahntür)* 'premere per aprire'.

aus|stellen *vt (Gerät)* spegnere ; *(im Museum)* esporre ; *(Pass, Quittung)* rilasciare.

Ausstellung (*pl* -en) *die (im Museum)* mostra *f*.

aus|sterben *vi (unr & ist)* estinguersi.

aus|strahlen *vt (Programm)* trasmettere. ◆ *vi (Schmerz)* propagarsi.

Ausstrahlung *die (von Programm)* trasmissione *f* ; *(von Person)* carisma *m*.

aus|strecken *vt (Hand, Beine)* allungare. ■ **sich ausstrecken** *ref* stirarsi.

aus|suchen *vt* scegliere ; **sich** *(D)* **etw ~** scegliersi qc.

aus|teilen *vt* distribuire.

Auster (*pl* -n) *die* ostrica *f*.

Australien *nt* Australia *f*.

aus|trinken *vt (unr) (Glas, Bier)* bere *(tutto fino in fondo)*.

aus|trocknen *vt* seccare.

Ausverkauf *der* svendita *f*.

ausverkauft *adj (Ware, Konzert)* esaurito(a).

Auswahl *die* scelta *f*.

aus|wandern *vi* emigrare.

auswärts *adv* : **~ essen** mangiare fuori.

aus|wechseln *vt (Glühbirne, Fußballspieler)* sostituire.

aus|weichen *vi (unr, +D) (vor Auto, Frage)* evitare.

Ausweis (*pl* -e) *der* documento *m* d'identità.

Ausweiskontrolle (*pl* -n) *die* controllo *m* del documento d'identità.

Ausweisnummer (*pl* -n) *die* numero *m* del documento d'identità.

Ausweispapiere *pl* documenti *mpl* d'identità.

aus|wringen *vt (unr)* strizzare.

aus|wuchten *vt (Rad)* equilibrare.

aus|zeichnen *vt (ehren)* premiare.

aus|ziehen *vt (unr & hat) (Kleidung, Schuhe)* togliere ; *(Antenne, Tisch)* allungare ; *(Person)* spogliare. ◆ *vi (unr & ist) (aus Wohnung)* andare via. ■ **sich ausziehen** *ref* spogliarsi ; **sich** *(D)* **etw ~** togliersi qc.

Auszubildende (*pl* -n) *der, die* apprendista *mf*.

Auto (*pl* -s) *das* macchina *f* ; **mit dem ~ fahren** andare in macchina.

Autoatlas (*pl* -atlanten) *der* atlante *m* stradale.

Autobahn (*pl* -en) *die* autostrada *f*.

AUTOBAHN

La rete autostradale in Germania è stata costruita in gran parte negli anni '30 e con i suoi 11.000 km è la seconda al mondo per estensione dopo quella statunitense. Le autostrade federali sono gratuite ed in genere non prevedono limiti di velocità.

Autobahngebühr (*pl* -en) *die* pedaggio *m* autostradale.

Autobahnkreuz (*pl* -e) *das* svincolo *m* autostradale.
Autobahnmeisterei (*pl* -en) *die* ente *m* per la manutenzione delle autostrade.
Autobahnring (*pl* -e) *der* circonvallazione *f* autostradale.
Autobus (*pl* -se) *der* autobus *m*.
Autofähre (*pl* -n) *die* ferry-boat *m*.
Autofahrer, in (*mpl* -) *der, die* automobilista *mf*.
Autogramm (*pl* -e) *das* autografo *m*.
Automat (*pl* -en) *der* distributore *m* automatico.
Automatikgetriebe (*pl* -) *das* AUTO cambio *m* automatico.
automatisch *adj* automatico(a). ◆ *adv* automaticamente.
Autor (*pl* Autoren) *der* autore *m*.
Autoradio (*pl* -s) *das* autoradio *f*.
Autoreifen (*pl* -) *der* pneumatico *m*.
Autoreisezug (*pl* -züge) *der* treno *m* con trasporto auto.
Autoreparatur (*pl* -en) *die* riparazione *f* dell'auto.
Autorin (*pl* -nen) *die* autrice *f*.
Autoschlange (*pl* -n) *die* coda *f* di auto.
Autostopp *der* autostop *m*.
Autounfall (*pl* -unfälle) *der* incidente *m* stradale.
Autovermietung (*pl* -en) *die* autonoleggio *m*.
Autowaschanlage (*pl* -n) *die* impianto *m* di autolavaggio.
Autozubehör *das* accessori *mpl* per auto.
Avocado (*pl* -s) *die* avocado *m*.
Axt (*pl* Äxte) *die* ascia *f*.

B

B (*pl* -) *die* (*abk für Bundesstraße*) ≃ SS *f*.
Baby (*pl* -s) *das* bebè *m*.
Babybett (*pl* -en) *das* culla *f*.
Babyfläschchen (*pl* -) *das* biberon *m*.
Babynahrung *die* alimenti *mpl* per neonati.
Babysitter, in (*mpl* -) *der, die* babysitter *mf*.
Babysitz (*pl* -e) *der* seggiolone *m*.
Baby-Wickelraum (*pl* -räume) *der* stanza *f* con fasciatoio.
Bach (*pl* Bäche) *der* ruscello *m*.
Backbord *nt* babordo *m*.
Backe (*pl* -n) *die* (*Wange*) guancia *f*.
backen *vt* & *vi* (*unr*) cuocere al forno.
Bäcker, in (*pl* -) *der* fornaio *m*, -a *f*.
Bäckerei (*pl* -en) *die* panificio *m*.
Backmischung (*pl* -en) *die* (*für Torte*) miscela *f* pronta per torte.

Backofen (*pl* -öfen) *der* forno *m*.

Backpflaume (*pl* -en) *die* prugna *f* secca.

Backpulver *das* KÜCHE lievito *m*.

bäckt *präs* → backen.

Backwaren *pl* prodotti *mpl* da forno *(pane, pasticceria)*.

Bad (*pl* Bäder) *das (Badezimmer, Baden)* bagno *m* ; *(Kurort)* terme *fpl* ; mit ~ und WC con servizi.

BAD

Le località tedesche il cui nome è preceduto da BAD - ad esempio 'Bad Ems' o 'Bad Tölz' - sono luoghi di cura con sorgenti termali e condizioni climatiche particolari (stazioni climatiche). In queste località si trovano centri di cura e di riabilitazione per malati e convalescenti. Le cure devono essere prescritte da un medico.

Badeanzug (*pl* -anzüge) *der* costume *m* da bagno *(da donna)*.

Badegast (*pl* -gäste) *der* bagnante *mf*.

Badehose (*pl* -n) *die* costume *m* da bagno *(da uomo)*.

Bademeister, in (*mpl* -) *der, die* bagnino *m*, -a *f*.

Bademütze (*pl* -n) *die* cuffia *f* da bagno.

baden *vi* fare il bagno. ◆ *vt (Patienten, Hund, Kind)* fare il bagno a ; ~ gehen andare a fare il bagno.

Baden-Württemberg *nt* Baden-Württemberg *m*.

Badeort (*pl* -e) *der* località *f* balneare.

Badetuch (*pl* -tücher) *das* asciugamano *m*.

Badewanne (*pl* -n) *die* vasca *f* da bagno.

Badezimmer (*pl* -) *das* bagno *m*.

Badminton *nt* badminton *m*.

baff *adj* : *fam* ~ sein restare di sasso.

BAföG *das* (*abk für Bundesausbildungsförderungsgesetz*) *legge federale sulle borse di studio per gli studenti medi ed universitari.*

Bagel(*pl* -) *der* panino di tradizione ebraica a forma di ciambella.

Bagger (*pl* -) *der* escavatrice *f*.

Baggersee (*pl* -n) *der* lago *m* artificiale.

Bahn (*pl* -en) *die (Zug)* ferrovia *f*; *(Straßenbahn)* tram *m* ; *(im Schwimmbad)* vasca *f* ; mit der ~ in treno ; ~ frei! pista!

Bahnbus (*pl* -se) *der* autobus *m* delle ferrovie.

Bahn Card® (*pl* -s) *die tessera annuale che consente di viaggiare con sconti fino al 50%.*

Bahnfracht *die* : per ~ trasporto per ferrovia.

Bahngesellschaft *die società di gestione delle ferrovie.*

Bahnhof (*pl* -höfe) *der* stazione *f* ferroviaria.

Bahnhofsmission (*pl* -en) *die centro d'accoglienza per bisognosi all'interno delle stazioni.*

Bahnlinie (*pl* **-n**) *die (Strecke)* linea *f* ferroviaria.

Bahnpolizei *die* polizia *f* ferroviaria.

Bahnsteig (*pl* **-e**) *der* binario *m* ; **am selben ~ gegenüber** al binario opposto sullo stesso marciapiede.

Bahnübergang (*pl* **-gänge**) *der* passaggio *m* a livello ; **unbeschränkter ~** passaggio a livello incustodito.

Bahnverbindung (*pl* **-en**) *die* collegamento *m (ferroviario)*.

Bakterie (*pl* **-n**) *die* batterio *m*.

bald *adv (in Kürze)* presto ; *fam (fast)* quasi ; **bis ~!** a presto!

Baldrian *der* valeriana *f*.

Balken (*pl* **-**) *der (aus Holz)* trave *f*.

Balkon (*pl* **-e**) *der* balcone *m*.

Ball (*pl* **Bälle**) *der (zum Spielen)* palla *f* ; *(Fest)* ballo *m*.

Ballett (*pl* **-e**) *das (Tanz)* balletto *m* ; *(Truppe)* corpo *m* di ballo.

Ballon (*pl* **-s**) *der (Luftballon)* palloncino *m* ; *(Fesselballon)* mongolfiera *f*.

Ballspiel (*pl* **-e**) *das* gioco *m* con la palla.

banal *adj abw* banale.

Banane (*pl* **-n**) *die* banana *f*.

band *prät* → **binden**.

Band[1] (*pl* **Bänder**) *das (Schnur, Tonband)* nastro *m*.

Band[2] (*pl* **Bände**) *der (Buch)* volume *m*.

Band[3] (*pl* **Bands**) *die* MUS gruppo *m*.

Bandage (*pl* **-n**) *die* fasciatura *f*.

Bandscheibe (*pl* **-n**) *die* disco *m* intervertebrale.

Bank[1] (*pl* **-en**) *die* banca *f*.

Bank[2] (*pl* **Bänke**) *die (Möbelstück)* panca *f*.

Bankanweisung (*pl* **-en**) *die* ECO mandato *m* bancario.

Bankkonto (*pl* **-konten**) *das* conto *m* bancario.

Bankleitzahl (*pl* **-en**) *die* codice *m* di avviamento bancario.

Banknote (*pl* **-n**) *die* banconota *f*.

bankrott *adj* fallito(a) ; **~ sein** essere rovinato.

Bankverbindung (*pl* **-en**) *die* coordinate *fpl* bancarie.

bar *adj* contante. ◆ *adv* in contanti.

Bar (*pl* **-s**) *die (Lokal)* bar *m* ; *(Theke)* banco *m (del bar)*.

Bär (*pl* **-en**) *der (Tier)* orso *m*.

barfuß *adv* scalzo(a). ◆ *adj* : **~ sein** essere a piedi nudi.

barg *prät* → **bergen**.

Bargeld *das* denaro *m* contante.

bargeldlos *adj & adv* non in contanti.

Barkeeper (*pl* **-**) *der* barman *m*.

barock *adj* barocco(a).

Barometer (*pl* **-**) *das* barometro *m*.

Barscheck (*pl* -s) *der* assegno *m* circolare.

Bart (*pl* Bärte) *der* barba *f*.

Barzahlung (*pl* -en) *die* pagamento *m* in contanti.

Basar (*pl* -e) *der* *(Veranstaltung)* vendita *f* di beneficienza ; *(Markt)* bazar *m*.

Basel *nt* Basilea *f*.

Basilikum *das* basilico *m*.

Basis *die* *(Grundlage)* base *f*.

Basketball *der* pallacanestro *m*, basket *m*.

Bass (*pl* Bässe) *der* MUS basso *m*.

basteln *vt* *(Hobby)* fare *(con le proprie mani)*. ◆ *vi* fare del bricolage.

bat *prät* → **bitten**.

Batterie (*pl* -n) *die* *(von Auto)* batteria *f* ; *(von Kamera, Radio)* pila *f*.

Bau (*pl* -ten) *der* *(Bauen)* costruzione *f* ; *(Gebäude)* edificio *m* ; *(Baustelle)* cantiere *m*.

Bauarbeiten *pl* lavori *mpl* edili ; **wegen ~ gesperrt** chiuso(a) per lavori in corso.

Bauarbeiter, in (*mpl* -) *der, die* lavoratore *m*, -trice *f* edile.

Bauch (*pl* Bäuche) *der* pancia *f*.

Bauchschmerzen *pl* mal *m* di pancia ; **~ haben** avere mal di pancia.

Bauchspeck *der* pancetta *f*.

Bauchspeicheldrüse (*pl* -n) *die* pancreas *m*.

bauen *vt* costruire. ◆ *vi* costruire ; **~ an** *(+D)* lavorare a.

Bauer (*pl* -n) *der* *(Beruf)* contadino *m* ; *(Schachfigur)* pedone *m* ; *(Spielkarte)* fante *m*.

Bäuerin (*pl* -nen) *die* contadina *f*.

Bauernbrot (*pl* -e) *das* pane *m* casereccio.

Bauernfrühstück (*pl* -e) *das* *piatto a base di patate rosolate, uova e lardo.*

Bauernhof (*pl* -höfe) *der* fattoria *f*.

baufällig *adj* pericolante.

Baum (*pl* Bäume) *der* albero *m*.

Baumarkt (*pl* -märkte) *der* *grande mercato di prodotti per l'edilizia e affini.*

Baumwolle *die* cotone *m*.

Baustelle (*pl* -n) *die* cantiere *m* edile.

Baustellenausfahrt (*pl* -en) *die* uscita *f* cantiere.

Bayern *nt* Baviera *f*.

Bayreuther Festspiele *pl* festival *m* di Bayreuth.

BAYREUTHER FESTSPIELE

Ogni anno in agosto la città di Bayreuth rende omaggio al celebre compositore Richard Wagner che qui visse ed operò. Il festival si svolge presso la "Festspielhaus", teatro che fu fatto costruire dallo stesso Wagner. Il festival di Bayreuth, divenuto famoso in tutto il mondo, attrae ogni anno migliaia di visitatori.

Bazillus (*pl* **Bazillen**) *der* bacillo *m*.

Bd. (*abk für Band*) vol.

beabsichtigen *vt* avere l'intenzione.

beachten *vt (Verbot)* osservare ; *(Person, Angebot)* notare.

Beamte (*pl* **-n**) *der* impiegato *m* statale.

Beamtin (*pl* **-nen**) *die* impiegata *f* statale.

beanspruchen *vt (Gegenstand)* usare molto ; *(Zeit, Hilfe, Platz)* richiedere ; **jn stark ~** impegnare molto qn.

beanstanden *vt* contestare ; **nichts zu ~** nulla da obiettare.

beantragen *vt (Arbeitserlaubnis, Wohngeld)* richiedere.

beantworten *vt* rispondere a.

bearbeiten *vt (Antrag)* sbrigare.

Bearbeitungsgebühr (*pl* **-en**) *die* diritti *mpl* di segreteria.

beatmen *vt* : **künstlich ~** MED praticare la respirazione artificiale.

beaufsichtigen *vt* sorvegliare.

beauftragen *vt* incaricare ; **jn ~, etw zu tun** incaricare qn di fare qc.

Becher (*pl* **-**) *der (Eis)* coppa *f* ; *(Joghurt)* vasetto *m*.

Becken (*pl* **-**) *das (Waschbecken)* lavandino *m* ; *(Spülbecken)* lavello *m* ; *(Schwimmbecken)* piscina *f* ; *(Körperteil)* bacino *m* ; MUS piatti *mpl*.

Beckenrand *der* bordo *m (della piscina)* ; **'Springen vom ~ nicht erlaubt!'** 'vietato tuffarsi dal bordo'.

bedanken : sich bedanken *ref* ringraziare.

Bedarf *der* bisogno *m* ; **bei ~** in caso di bisogno.

bedauerlich *adj* spiacevole.

bedauern *vt (bemitleiden)* compatire ; *(schade finden)* rammaricarsi di. ◆ *vi* dispiacersi per ; **bedaure!** mi dispiace!

bedecken *vt (Boden, Schultern)* coprire.

bedeckt *adj* coperto(a).

bedeuten *vt (meinen)* significare.

bedeutend *adj* importante.

Bedeutung (*pl* **-en**) *die (Sinn, Inhalt)* significato *m* ; *(Wichtigkeit)* importanza *f*.

bedienen *vt (Gast, Kunde)* servire. ◆ *vi (Kellner)* servire. ■ **sich bedienen** *ref* servirsi ; **~ Sie sich!** Si serva!

Bedienung (*pl* **-en**) *die (von Gast, Kunde)* servizio *m* ; *(Kellner)* cameriere *m*, -ra *f* ; **inklusive ~** servizio compreso.

Bedienungsanleitung (*pl* **-en**) *die* istruzioni *mpl* per l'uso.

Bedingung (*pl* **-en**) *die (Voraussetzung)* condizione *f* ; **unter einer ~** ad una condizione. ■ **Bedingungen** *pl (Umstände)* circostanze *fpl*.

bedrohen *vt (drohen, gefährden)* minacciare.

Bedürfnis (*pl* -se) *das* bisogno *m*.

beeilen : sich beeilen *ref* affrettarsi.

beeindrucken *vt* impressionare.

beeinflussen *vt* influenzare.

beenden *vt* terminare.

Beerdigung (*pl* -en) *die* funerale *m*.

Beere (*pl* -n) *die* bacca *f*.

Beet (*pl* -e) *das* aiuola *f*.

Beete *die* : **rote ~** rapa *f* rossa.

befahl *prät* → **befehlen**.

befahrbar *adj* transitabile.

befahren (*präs* **befährt**, *prät* **befuhr**, *pp* -) *vt* percorrere.

Befehl (*pl* -e) *der (Anweisung)* ordine *m*.

befehlen (*präs* **befiehlt**, *prät* **befahl**, *pp* **befohlen**) *vt* ordinare.

befestigen *vt (anbringen)* fissare ; *(Straße)* consolidare.

befiehlt *präs* → **befehlen**.

befinden : sich befinden (*prät* **befand**, *pp* **befunden**) *ref* trovarsi.

befohlen *pp* → **befehlen**.

befolgen *vt (Vorschrift)* seguire.

befördern *vt (mit Auto, Zug)* trasportare ; *(beruflich)* promuovere.

Beförderung (*pl* -en) *die (Transport)* trasporto *m* ; *(beruflich)* promozione *f*.

befragen *vt amt* interrogare.

befreien *vt* liberare. ■ **sich befreien** *ref* liberarsi.

befreundet *adj* amico(a) ; **~ sein mit** essere amico(a) di.

befriedigend *adj (zufrieden stellend)* soddisfacente.

befristet *adj* limitato(a) nel tempo.

Befund (*pl* -e) *der MED* esito *m* ; **ohne ~** *MED* esito negativo.

befürchten *vt* temere.

begabt *adj* dotato(a).

begann *prät* → **beginnen**.

begegnen *vi (ist & +D) (zusammentreffen mit)* incontrare. ■ **sich begegnen** *ref* incontrarsi.

begehrt *adj* ambìto(a).

begeistert *adj* entusiasta.

Beginn *der* inizio *m* ; **zu ~** all'inizio.

beginnen (*prät* **begann**, *pp* **begonnen**) *vt & vi* iniziare.

beglaubigen *vt* autenticare.

Beglaubigung (*pl* -en) *die* autenticazione *f*.

begleiten *vt (Person, mit Instrument)* accompagnare.

Begleitperson (*pl* -en) *die* accompagnatore *m*, -trice *f*.

Begleitung *die* compagnia *f* ; **in ~ von** in compagnia di.

beglückwünschen *vt* congratularsi con.

begonnen *pp* → **beginnen**.

Begräbnis (*pl* -se) *das* funerale *m*.

begreifen (*prät* **begriff**, *pp* **begriffen**) *vt & vi* capire.

Begrenzung (*pl* -en) *die (zeit-

lich) limitazione *f* ; *(räumlich)* limite *m*.

Begriff (*pl* -e) *der (Wort)* concetto *m*.

begründen *vt (Meinung, Handlung)* motivare.

Begründung (*pl* -en) *die (von Meinung, Handlung)* motivazione *f*.

begrüßen *vt (Person)* salutare ; **Gäste ~** dare il benvenuto agli ospiti.

Begrüßung (*pl* -en) *die* saluto *m (di benvenuto)*.

behalten (*präs* **behält**, *prät* **behielt**, *pp* -) *vt (nicht abgeben)* conservare ; *(sich erinnern)* ricordare ; **etw für sich ~** *(nicht erzählen)* tenere qc per sé.

Behälter (*pl* -) *der* contenitore *m*.

behandeln *vt (medizinisch)* curare ; *(Person, Sache, Thema)* trattare ; **gut/schlecht ~** trattare bene/male ; **mit Antibiotika ~** curare con antibiotici.

Behandlung (*pl* -en) *die* MED cura *f* ; *(Umgang)* trattamento *m* ; *(von Thema)* trattazione *f*.

behaupten *vt (versichern)* affermare. ■ **sich behaupten** *ref (sich durchsetzen)* affermarsi.

beheizt *adj* riscaldato(a).

behelfen : sich behelfen (*präs* **behilft**, *prät* **behalf**, *pp* **beholfen**) *ref* arrangiarsi.

beherbergen *vt* alloggiare.

beherrschen *vt (bestimmen)* dominare ; *(Sprache)* conoscere molto bene. ■ **sich beherrschen** *ref* controllarsi.

behilflich *adj* : **~ sein** essere d'aiuto.

behindern *vt (Sicht, Person)* ostacolare ; *(Verkehr)* intralciare.

behindert *adj* disabile.

Behinderte (*pl* -n) *der, die* disabile *mf*.

Behinderung (*pl* -en) *die (körperlich, geistig)* handicap *m* ; *(im Verkehr)* ostacolo *m* ; **mit ~en muss gerechnet werden** sono probabili code e rallentamenti.

Behörde (*pl* -n) *die (Amt)* autorità *fpl*.

bei *präp (+D)* - 1. *(als Orts- und Zeitangabe)* a ; **~ der Post** alla posta.
- 2. *(mit Person, zu Hause)* da ; **~ mir** a casa mia ; **etw ~ sich** *(D)* **haben** avere qc con sé.
- 3. *(in der Nähe)* vicino.
- 4. *(Angabe von Umständen)* in caso di ; **~ Regen** in caso di pioggia ; **~ Gelegenheit** all'occasione ; **~ Tag/Nacht** di giorno/di notte.
- 5. *(Angabe von Zeitspanne)* durante.
- 6. *(Angabe von Ursache, Grund)* con ; **bei solchen Methoden** con tali metodi.

bei|bringen *vt (lehren)* insegnare.

beichten *vt* confessare. ◆ *vi* confessarsi.

beide *pron* entrambi. ◆ *adj* entrambi.

beidseitig *adj* *(Einverständnis)* reciproco(a).

Beifahrer, in (*mpl* -) *der, die* *(im PKW)* passeggero *m*, -a *f* *(accanto al conducente)*.

Beifall *der* applauso *m* ; ~ **spenden** ODER **klatschen** applaudire.

beige *adj* beige.

Beilage (*pl* -n) *die* *(zum Essen)* contorno *m*.

Beileid *das* condoglianze *fpl*.

beiliegend *adj* *amt* allegato(a).

beim *präp* = **bei** + **dem**.

Bein (*pl* -e) *das* gamba *f*.

beinahe *adv* quasi.

Beinbruch (*pl* -brüche) *der* frattura *f* della gamba.

beinhalten *vt* *(Subj : Text)* contenere.

Beipackzettel (*pl* -) *der* MED foglio *m* illustrativo.

Beispiel (*pl* -e) *das* esempio *m* ; **zum** ~ ad esempio.

beispielsweise *adv* ad esempio.

beißen (*prät* **biss**, *pp* **gebissen**) *vt* *(verletzen)* mordere. ◆ *vi* *(Hund, Pferd)* mordere ; *(Insekt)* pungere.

bekämpfen *vt* *(Korruption, Insekten)* combattere.

bekannt *adj* conosciuto(a) ; ~ **machen mit** *(+D)* presentare a ; ~ **sein mit** *(+D)* conoscere.

Bekannte (*pl* -n) *der, die* *(Person)* conoscente *mf*.

bekannt geben *vt* *(unr)* annunciare.

bekannt machen *vt* rendere pubblico(a).

Bekanntschaft (*pl* -en) *die* *(Kontakt)* conoscenza *f* ; *(Gruppe)* conoscenze *fpl*.

beklagen : sich beklagen *ref* lamentarsi.

bekleckern *vt* macchiare. ■ **sich bekleckern** *ref* macchiarsi.

Bekleidung *die* *(Kleidung)* abbigliamento *m*.

bekommen[1] (*prät* **bekam**, *pp* -) *vt* ricevere ; *(Visum)* ottenere ; *(finden)* trovare ; *(erwarten)* aspettare ; *(erreichen)* raggiungere ; **etw geschenkt/geliehen** ~ ricevere qc in regalo/in prestito ; **was ~ Sie?** cosa desidera? ; **was ~ Sie dafür?** quanto Le devo?

bekommen[2] *vi* *(ist)* : **jm gut/schlecht** ~ far bene/male a qc.

bekömmlich *adj* digeribile ; *(Wein)* leggero(a).

Belag (*pl* **Beläge**) *der* *(auf Brot)* ripieno *m* ; *(auf Bremse, Straße)* rivestimento *m*.

belasten *vt* *(deprimieren)* preoccupare ; *(Umwelt, Luft)* inquinare ; *(mit Gewicht)* caricare.

belästigen *vt* *(sexuell)* molestare ; *(stören)* disturbare.

Belastung (*pl* -en) *die* *(psychisch, körperlich)* peso *m* ; *(von Umwelt)* inquinamento *m* ; *(mit Gewicht)* carico *m*.

belaufen : sich belaufen (*präs* **beläuft**, *prät* **belief**, *pp*) *ref* : **die Rechnung beläuft sich auf**

60 Euro la fattura ammonta a 60 euro.
belebt *adj* animato(a).
Beleg (*pl* -e) *der* (*Quittung*) ricevuta *f*.
belegt *adj* (*Sitzplatz, Telefonanschluss*) occupato(a) ; (*Stimme*) velato(a) ; ~es Brötchen panino imbottito ; voll ~ completo.
belehren *vt* informare.
beleidigen *vt* (*Person*) offendere.
Beleidigung (*pl* -en) *die* (*Bemerkung, Handlung*) offesa *f*.
Beleuchtung *die* (*Scheinwerfer, Lampen*) illuminazione *f*.
Belgien *nt* Belgio *m*.
Belgier, in (*mpl*-) *der, die* belga *mf*.
belgisch *adj* belga.
belichten *vt* & *vi* FOTO esporre.
Belichtung (*pl* -en) *die* FOTO esposizione *f*.
Belichtungszeit (*pl* -en) *die* FOTO tempo *m* di esposizione.
Belieben *das* : nach ~ a piacere.
beliebig *adj* qualsiasi. ◆ *adv* : ~ viel essen mangiare a volontà.
beliebt *adj* apprezzato(a).
beliefern *vt* (*Kunden*) rifornire.
bellen *vi* abbaiare.
belohnen *vt* (*Person, Geduld*) ricompensare.
Belohnung (*pl* -en) *die* (*Geld, Geschenk*) ricompensa *f*.
Belüftung *die* (*Gerät*) aerazione *f*.
belügen (*prät* belog, *pp* belogen) *vt* mentire a.
bemerkbar *adj* percettibile ; sich ~ machen (*durch Rufen, Klopfen*) farsi sentire ; (*sich zeigen*) farsi notare.
bemerken *vt* (*wahrnehmen, merken*) notare.
Bemerkung (*pl* -en) *die* osservazione *f* ; eine ~ machen fare un'osservazione.
bemühen : **sich bemühen** *ref* sforzarsi.
Bemühungen *pl* sforzi *mpl*.
benachrichtigen *vt* avvisare.
Benachrichtigung (*pl* -en) *die* avviso *m*.
benehmen : **sich benehmen** (*präs* benimmt, *prät* benahm, *pp* benommen) *ref* : sich gut/schlecht ~ comportarsi bene/male.
beneiden *vt* invidiare.
benutzen *vt* usare.
benützen = benutzen.
Benutzer, in (*mpl* -) *der, die* utente *mf*.
Benzin *das* benzina *f*; bleifreies ~ benzina verde ; ~ tanken fare benzina.
Benzingutschein (*pl* -e) *der* buono *m* benzina.
Benzinkanister (*pl* -) *der* tanica *f* da benzina.
Benzin-Öl-Gemisch *das* miscela *f* (*di olio e benzina*).
beobachten *vt* (*mit Augen*) osservare ; (*bemerken*) constatare ; (*überwachen*) scrutare.

Beobachter, in (*mpl* -) *der, die* osservatore *m*, -trice *f*.

bequem *adj (Hose, Sitz, Größe)* comodo(a) ; *(faul)* pigro(a).

Bequemlichkeit *die (Komfort)* comodità *f*; *(Faulheit)* pigrizia *f*.

beraten (*präs* **berät**, *prät* **beriet**, *pp* -) *vt (Kunden)* consigliare. ◆ *vi (diskutieren)* discutere.

Beratungsstelle (*pl* -**n**) *die* consultorio *m*.

berechnen *vt (ausrechnen)* calcolare ; *(verlangen)* richiedere ; **jm für eine Konsultation 60 Euro ~** richiedere a qn 60 euro per una consulenza.

berechtigt *adj (Zweifel)* giustificato(a) ; **~ sein** *(befugt)* essere autorizzato(a).

Bereich (*pl* -**e**) *der (räumlich)* settore *m* ; *(thematisch)* ambito *m* ; alles im grünen **~ Rw** è tutto nella norma.

bereisen *vt* visitare *(viaggiando)*.

bereit *adj* : **~ sein** *(fertig sein)* essere pronto(a) ; **~ sein zu** *(willens sein)* essere disposto(a) a.

bereit|halten *vt (unr) (Pass, Kleingeld)* tenere pronto(a). ■ **sich bereithalten** *ref* tenersi pronto(a).

bereit|machen : sich bereitmachen *ref* prepararsi.

bereits *adv* già.

Bereitschaft *die* disponibilità *f*.

Bereitschaftsdienst (*pl* -**e**) *der* servizio *m* di pronto intervento.

bereit|stehen *vi (unr)* essere pronto(a).

bereuen *vt* pentirsi di.

Berg (*pl* -**e**) *der* montagna *f*. ■ **Berge** *pl (Gebirge)* montagne *fpl* ; **in die ~e** in montagna.

bergab *adv* in discesa ; **~ fahren** ODER **laufen** andare in discesa.

bergauf *adv* in salita ; **~ fahren** ODER **laufen** andare in salita.

Bergbahn (*pl* -**en**) *die* ferrovia *f* a cremagliera.

Bergbau *der* industria *f* mineraria.

bergen (*präs* **birgt**, *prät* **barg**, *pp* **geborgen**) *vt* recuperare.

Bergführer, in (*mpl* -) *der, die* guida *f* alpina.

Berghütte (*pl* -**n**) *die* rifugio *m* alpino.

bergig *adj* montuoso(a).

Bergschuh (*pl* -**e**) *der* scarpone *m* da montagna.

berg|steigen (*pp* **ist berggestiegen**) *vi* praticare l'alpinismo.

Bergsteigen *das* alpinismo *m*.

Bergsteiger, in (*mpl* -) *der, die* alpinista *mf*.

Bergtour (*pl* -**en**) *die* gita *f* in montagna.

Bergung (*pl* -**en**) *die* recupero *m*.

Bergwacht *die* soccorso *m* alpino.

Bergwanderung (*pl* -**en**) *die* escursione *f* in montagna.

Bericht (*pl* -e) *der* *(Erzählung)* relazione *f*.

berichten *vi* riferire.

berichtigen *vt* *(Fehler)* correggere. ■ **sich berichtigen** *ref* correggersi.

Berichtigung (*pl* -en) *die* correzione *f*.

Berlin *nt* Berlino *f*.

Berliner (*pl* -) *der* *(Gebäck)* krapfen *m* *(piccolo dolce fritto di forma tondeggiante ripieno di crema o marmellata e spolverato di zucchero)*.

Berliner Mauer *die* Muro *m* di Berlino.

i BERLINER MAUER

Il Muro di Berlino fu costruito il 13 agosto 1961 per fermare il crescente esodo di cittadini della RDT verso la Repubblica federale e fino alla sua apertura, il 9 novembre1989, è stato il simbolo tangibile della divisione tedesca. Questa specie di fortificazione circondava Berlino ovest e la isolava dalla Repubblica democratica. Molte persone morirono nel tentativo di superare il muro e fuggire a Berlino ovest. Con la caduta del muro cominciò il processo di riunificazione della Germania. Oggi il muro non esiste più, ma ne sono state conservate alcune parti a testimonianza del passato.

Bern *nt* Berna *f*.

berücksichtigen *vt* *(Umstand)* considerare ; *(Bewerber, Bewerbung, Wunsch)* prendere in considerazione.

Beruf (*pl* -e) *der* professione *f* ; **Tischler von ~ sein** fare il falegname ; **was sind Sie von ~?** che lavoro fa?

beruflich *adj* professionale.

Berufsschule (*pl* -n) *die* *scuola professionale in Germania*.

berufstätig *adj* : **~ sein** esercitare un'attività lavorativa.

Berufstätige (*pl* -n) *der, die* lavoratore *m*, -trice *f*.

beruhigen *vt* calmare. ■ **sich beruhigen** *ref* calmarsi.

Beruhigungsmittel (*pl* -) *das* calmante *m*.

berühmt *adj* famoso(a) ; **~ sein wegen** ODER **für** essere famoso per.

berühren *vt* toccare. ◆ *vi* *(anfassen)* maneggiare ; **bitte nicht ~!** si prega di non toccare! ■ **sich berühren** *ref* toccarsi.

beschädigen *vt* danneggiare.

beschädigt *adj* danneggiato(a).

beschäftigen *vt* *(Subj : Problem)* essere il pensiero fisso. ■ **sich beschäftigen** *ref* : **sich ~ mit** *(mit Person, Problem)* occuparsi di ; *(mit Problem)* tenere il pensiero fisso su.

Beschäftigung (*pl* -en) *die* *(Hobby)* attività *f* ; *(gedanklich)* pensiero *m* fisso.

Bescheid (*pl* -e) *der* *(Nachricht)* avviso *m* ; **~ geben** ODER sagen informare ; ~ **wissen über** essere al corrente di.

bescheiden *adj* modesto(a).

bescheinigen *vt* certificare.

Bescheinigung (*pl* **-en**) *die* certificato *m*.

beschimpfen *vt* insultare.

beschissen *adj vulg* di merda.

Beschlag *der* : **in ~ nehmen** monopolizzare.

beschlagnahmen *vt (Beute)* confiscare.

beschleunigen *vt* accelerare.

Beschleunigung *die* accelerazione *f*.

Beschleunigungsspur (*pl* **-en**) *die* corsia *f* di accelerazione.

beschließen (*prät* **beschloss**, *pp* **beschlossen**) *vt (entscheiden)* decidere.

Beschluss (*pl* **Beschlüsse**) *der* decisione *f*.

beschränken *vt (Geschwindigkeit, Anzahl)* limitare.

Beschränkung (*pl* **-en**) *die (von Tempo, von Anzahl)* limitazione *f*.

beschreiben (*prät* **beschrieb**, *pp* **beschrieben**) *vt (schildern)* descrivere ; **den Weg ~** indicare la strada.

Beschreibung (*pl* **-en**) *die (Schilderung)* descrizione *f*.

beschuldigen *vt* accusare.

Beschuldigung (*pl* **-en**) *die* accusa *f*.

beschützen *vt* proteggere.

Beschwerde (*pl* **-n**) *die (Beanstandung)* reclamo *m*. ■ **Beschwerden** *pl (Gesundheitsprobleme)* disturbi *mpl*.

beschweren : **sich beschweren** *ref* lamentarsi.

beschwipst *adj* brillo(a).

beseitigen *vt (Abfall, Problem)* eliminare.

Besen (*pl* **-**) *der* scopa *f*.

besetzt *adj* : ~ **sein** essere occupato(a) ; *(Büro, Geschäftsstelle)* essere operativo(a).

Besetztzeichen *das (im Telefon)* segnale *m* di occupato.

besichtigen *vt* visitare *(città, monumento, ditta)*.

Besichtigung (*pl* **-en**) *die* visita *f (di cittá, monumento, ditta)*.

besiegen *vt* sconfiggere.

Besitz *der (Eigentum)* proprietà *f*.

besitzen (*prät* **besaß**, *pp* **besessen**) *vt* possedere.

Besitzer, in (*mpl* **-**) *der, die (Eigentümer)* proprietario *m*, -a *f*.

besoffen *adj fam* sbronzo(a).

besondere, r, s *adj* particolare.

besonders *adv* particolarmente ; **nicht ~ sein** *fam (nicht gut)* non essere un granchè.

besorgt *adj (voll Sorge)* preoccupato(a). ◆ *adv (voll Sorge)* con preoccupazione.

besprechen (*präs* **bespricht**, *prät* **besprach**, *pp* **besprochen**) *vt (diskutieren)* discutere.

besser *komp* → **gut**. ◆ *adj (sehr gut)* molto buono(a). ◆ *adv (lieber)* meglio.

bessern : sich bessern *ref* migliorare.

Besserung *die* : **gute ~!** buona guarigione!

beständig *adj (Wetter)* stabile.

Bestandteil (*pl* **-e**) *der* elemento *m*.

bestätigen *vt* confermare. ■ **sich bestätigen** *ref (Vermutung)* confermarsi.

Bestätigung (*pl* **-en**) *die* conferma *f*.

beste, r, s *superl* → **gut.** ◆ *adj (optimal)* ottimo(a). ◆ *adv* : **am ~n** *(sehr gut)* meglio di tutti.

Beste (*pl* **-n**) *der, die, das* migliore *mf*.

Bestechung (*pl* **-en**) *die (Korruption)* corruzione *f*.

Besteck (*pl* **-e**) *das (zum Essen)* posate *fpl*.

bestehen (*prät* **bestand**, *pp* **bestanden**) *vt (Prüfung)* superare. ◆ *vi (bei Prüfung)* farcela ; **er hat bestanden** ce l'ha fatta ; **~ auf** *(+D)* insistere su ; **~ aus** essere composto(a) di.

bestellen *vt (Buch, Bier)* ordinare ; *(Arzt, Taxi)* chiamare ; *(reservieren)* prenotare. ◆ *vi (im Lokal)* ordinare ; **wir möchten ~** vorremmo ordinare.

Bestellformular (*pl* **-e**) *das* modulo *m* d'ordine.

Bestellnummer (*pl* **-n**) *die* numero *m* d'ordine.

Bestellung (*pl* **-en**) *die (von Waren)* ordinazione *f*; *(Reservierung)* prenotazione *f*; *(Ware)* ordine *m* ; **auf ~** su ordinazione.

bestens *adv (hervorragend)* benissimo.

bestimmen *vt (befehlen, anordnen)* decidere ; *(Ziel, Zeitpunkt)* fissare. ◆ *vi (befehlen)* decidere ; **bestimmt sein für** essere destinato(a) a.

bestimmt *adv (sehr wahrscheinlich)* certamente ; *(sicher)* sicuramente ; *(auftreten)* in modo deciso. ◆ *adj (gewiss, festgelegt, entschlossen)* determinato(a).

Bestimmung (*pl* **-en**) *die (Vorschrift)* disposizione *f*.

Bestimmungsort (*pl* **-e**) *der amt* luogo *m* di destinazione.

bestrafen *vt (Täter, Tat)* punire.

bestrahlen *vt* MED sottoporre a radioterapia.

bestreiten (*prät* **bestritt**, *pp* **bestritten**) *vt (leugnen)* contestare.

bestürzt *adj* : **~ sein** essere costernato(a).

Besuch (*pl* **-e**) *der (Besuchen)* visita *f*; *(Gast)* ospite *m*.

besuchen *vt (Person)* far visita a ; *(Veranstaltung)* andare a ; SCHULE frequentare.

Besucher, in (*pl* **-**) *der, die (Person)* ospite *mf*; *(von Veranstaltung)* visitatore *m*, -trice *f*.

Besuchszeit (*pl* **-en**) *die* orario *m* di visita.

besucht *adj* : **gut/schlecht ~**

sein essere molto/poco frequentato(a).

betätigen *vt (Hebel)* azionare.

betäuben *vt* MED anestetizzare.

Betäubung *die* MED anestesia *f*.

beteiligen *vt* far partecipare. ■ **sich beteiligen** *ref*: **sich ~ an** *(+D)* partecipare a.

Beteiligung (*pl* **-en**) *die* partecipazione *f*.

beten *vi* pregare.

Beton *der* calcestruzzo *m*.

betonen *vt (Wort)* accentare ; *(hervorheben)* sottolineare.

Betonung (*pl* **-en**) *die (von Wort)* accentazione *f*.

betrachten *vt (ansehen)* osservare ; **etw/jn ~ als** considerare qc/qn come. ■ **sich betrachten** *ref* considerarsi.

beträchtlich *adj* considerevole. ◆ *adv* considerevolmente.

Betrag (*pl* **Beträge**) *der* importo *m* ; **angezeigter ~** importo indicato ; **~ dankend erhalten** *amt* pagamento avvenuto.

betragen (*präs* **beträgt**, *prät* **betrug**, *pp* **-**) *vt (30 Euro, 12 km, 10 Stück)* essere di ; **der Preis beträgt 25 Euro** il prezzo ammonta a 25 euro.

betreffen (*präs* **betrifft**, *prät* **betraf**, *pp* **betroffen**) *vt (angehen)* riguardare ; *(berühren)* colpire.

betreten (*präs* **betritt**, *prät* **betrat**, *pp* **-**) *vt (Raum)* entrare in ; **'Betreten verboten!'** 'vietato l'ingresso'.

betreuen *vt (Patient)* assistere ; *(Kind, Touristen)* occuparsi di.

Betreuer, in (*mpl* **-**) *der, die (von Patienten)* assistente *mf* ; *(von Touristen)* accompagnatore *m*, -trice *f*.

Betrieb (*pl* **-e**) *der (Firma)* azienda *f* ; *(Aktivität, Verkehr)* movimento *m* ; **außer ~** fuori servizio ; **in ~** in funzione.

Betriebsrat (*pl* **-räte**) *der* consiglio *m* di fabbrica.

betrifft *präs* → **betreffen** ; *(in Geschäftspost)* **~** : oggetto :.

betrinken : **sich betrinken** (*prät* **betrank**, *pp* **betrunken**) *ref* ubriacarsi.

betroffen *pp* → **betreffen**. ◆ *adj (nicht verschont)* colpito(a) ; *(gerührt)* commosso(a).

betrügen (*prät* **betrog**, *pp* **betrogen**) *vt (finanziell)* imbrogliare ; *(sexuell)* tradire.

Betrüger, in (*mpl* **-**) *der, die* imbroglione *m*, -a *f*.

betrunken *adj* ubriaco(a).

Bett (*pl* **-en**) *das (Möbelstück)* letto *m* ; **das ~ machen** fare il letto ; **zu** ODER **ins ~ gehen** andare a letto.

Bettdecke (*pl* **-n**) *die* coperta *f*.

Bettler, in (*mpl* **-**) *der, die* mendicante *mf*.

Bettsofa (*pl* **-s**) *das* divano *m* letto.

Betttuch (*pl* **-tücher**) *das* lenzuolo *m*.

Bettwäsche *die* biancheria *f* da letto.

Bettzeug *das* corredo *m* da letto.

beugen *vt (Kopf, Knie)* piegare ; *(Verb)* coniugare.

Beule (*pl* **-n**) *die (am Körper)* bernoccolo *m* ; *(am Auto)* ammaccatura *f*.

beunruhigt *adj* : ~ **sein** essere inquieto(a).

beurteilen *vt* giudicare.

Beutel (*pl* **-**) *der (Tasche)* borsa *f* ; *(Plastikbeutel)* sacchetto *m*.

Bevölkerung (*pl* **-en**) *die* popolazione *f*.

bevollmächtigt *adj* autorizzato(a).

bevor *konj* prima che.

bevorzugen *vt* preferire.

bewacht *adj* custodito(a).

bewährt *adj* sperimentato(a).

bewegen *vt (Gegenstand, Körperteil)* muovere ; *(rühren)* commuovere. ■ **sich bewegen** *ref* muoversi.

Bewegung (*pl* **-en**) *die* movimento *m*.

Beweis (*pl* **-e**) *der (für Theorie, Annahme)* prova *f*.

beweisen (*prät* **bewies**, *pp* **bewiesen**) *vt (Theorie, Annahme)* provare.

bewerben (*präs* **bewirbt**, *prät* **bewarb**, *pp* **beworben**) *ref* : **sich ~ (um)** candidarsi (per).

Bewerbung (*pl* **-en**) *die (Kandidatur)* candidatura *f* ; *(Brief)* domanda *f* d'assunzione.

Bewohner, in (*mpl* **-**) *der, die* abitante *mf*.

bewohnt *adj* abitato(a).

bewölkt *adj* nuvoloso(a) ; **es ist ~** è nuvoloso.

Bewölkung *die* nuvolosità *f*.

bewundern *vt* ammirare.

bewusst *adj (absichtlich)* intenzionale ; *(überlegt)* consapevole.

bewusstlos *adj* svenuto(a).

bezahlen *vt* & *vi* pagare.

bezahlt *adj* pagato(a).

Bezahlung *die* pagamento *m*.

Bezeichnung (*pl* **-en**) *die (Wort)* denominazione *f* ; **genaue ~ des Inhalts** esatta descrizione del contenuto.

beziehen (*prät* **bezog**, *pp* **bezogen**) *vt (Kissen, Bett, Sofa)* rivestire. ■ **sich beziehen** *ref (Himmel, Wetter)* rannuvolarsi ; **sich ~ auf** *(+A) (in Zusammenhang stehen mit)* riferirsi a ; *(sich berufen auf)* fare riferimento a.

Beziehung (*pl* **-en**) *die (Verhältnis, Zusammenhang)* relazione *f*.

beziehungsweise *konj (genauer gesagt)* più precisamente ; *(und)* e ; *(oder)* oppure.

bezweifeln *vt* mettere in dubbio.

BH (*pl* **-s**) *der* reggiseno *m*.

Bhf. *abk für* **Bahnhof**.

Bibel (*pl* **-n**) *die* Bibbia *f*.

Bibliothek (*pl* **-en**) *die* biblioteca *f*.

biegen (*prät* **bog**, *pp* **gebogen**) *vt (hat) (Metall, Körperteil)* piegare. ◆ *vi (ist) (Auto, Fahrer)* : **um die Ecke ~** svoltare all'angolo.

Biegung (*pl* **-en**) *die (von Straße)* curva *f*.

Biene (*pl* **-n**) *die* ape *f*.

Bienenstich (*pl* **-e**) *der (Insektenstich)* puntura *f* d'ape ; *(Kuchen) dolce ripieno di crema alla vaniglia e guarnito con mandorle candite.*

Bier (*pl* **-e**) *das* birra *f* ; **ein Glas ~** un bicchiere *m* di birra ; **~ vom Fass** birra *f* alla spina.

BIER

In Germania ci sono più di 1000 fabbriche di birra ed in ogni regione ne esistono di varie qualità. Le birre chiare come ad esempio la "Pils" o la più leggera "Export", sono le più diffuse. Quest'ultima in Baviera si beve nel "Maßkrug", tipico boccale da litro. Un'altra birra molto amata in questa regione è la "Weizenbier", molto gassata e un po' torbida. La "Berliner Weiße", che le assomiglia ma è un po' più leggera, si beve spesso "mit Schuss", cioè miscelata con sciroppo di lampone. In Renania, oltre alla chiara "Kölsch" è apprezzata la scura "Altbier". La birra prodotta in Germania deve rispettare parametri di purezza assai severi che risalgono ad una legge del 1516 ("Reinheitsgebot").

Biergarten (*pl* **-gärten**) *der locale o terrazza all'aperto in cui si serve principalmente birra.*

BIERGARTEN

I "Biergärten" sono particolarmente diffusi in Baviera, dove aprono numerosi in estate. Sono locali rustici situati sulle terrazze o nei parchi che circondano le grandi fabbriche di birra. Oltre ad un buon boccale di birra ("Maß") vi si possono gustare anche piccole pietanze calde o fredde e spesso è consentito consumare il pasto portato da casa. Vale la pena visitare i Biergärten situati all'interno di antichi monasteri dove ancor oggi si produce la birra, come ad esempio ad "Andechs" e "Weihenstephan".

Bierglas (*pl* **-gläser**) *das* bicchiere *m* da birra.

Bierzelt (*pl* **-e**) *das tenda in cui si beve birra in occasione di feste paesane.*

bieten (*prät* **bot**, *pp* **geboten**) *vt* offrire.

Bild (*pl* **-er**) *das (Gemälde)* quadro *m* ; FOTO foto *f* ; **das ~ scharf stellen** mettere a fuoco ; *(Anblick, Abbild)* immagine *f*.

bilden *vt* formare. ■ **sich bilden** *ref (sich formen)* formarsi ; *(sich informieren)* istruirsi.

Bilderbuch (*pl* **-bücher**) *das* libro *m* per l'infanzia *(illustrato)*.

Bildhauer, in (*mpl* **-**) *der, die* scultore *m*, -trice *f*.

Bildschirm (*pl* **-e**) *der* schermo *m* ; **'~ berühren!'** *(bei Compu-*

ter, Fahrplananzeige, etc) 'toccare lo schermo'.

Bildschirmtext *der* videotel® *m*.

Bildung *die (Wissen)* istruzione *f*.

Billard *das* biliardo *m*.

billig *adj (preisgünstig)* economico(a) ; *abw (minderwertig)* di scarso valore ; *abw (Ausrede)* magro(a). ◆ *adv (preisgünstig)* a buon mercato.

bin *präs* → **sein**.

Binde (*pl* **-n**) *die (Monatsbinde)* assorbente *m* igienico ; *(Verband)* fascia *f*.

Bindehautentzündung (*pl* **-en**) *die* congiuntivite *f*.

binden (*prät* **band**, *pp* **gebunden**) *vt (festbinden)* legare ; *(Krawatte, Schnürsenkel)* annodare ; *(Buch)* rilegare ; *(Soße)* legare.

Bindestrich (*pl* **-e**) *der* trattino *m*.

Bindung (*pl* **-en**) *die (Verpflichtung)* obbligo *m* ; *(Zuneigung)* legame *m* ; *(für Ski)* attacchi *mpl*.

Biokost *die* prodotti *mpl* biologici.

Bioladen (*pl* **-läden**) *der* negozio *m* di prodotti biologici.

Biologie *die* biologia *f*.

birgt *präs* → **bergen**.

Birne (*pl* **-n**) *die (Obst)* pera *f* ; *(Glühbirne)* lampadina *f* ; *fam (Kopf)* zucca *f*.

bis *präp (+A)* - **1.** *(zeitlich)* fino a ; **~ bald!** a presto! ; **~ dahin!** ci vediamo! ; **von Montag ~ Freitag** da lunedì a venerdì.
- **2.** *(örtlich)* fino a.
- **3.** *(zwischen)* : **2 ~ 3 Tage** da 2 a 3 giorni.
- **4.** *(Angabe von Grenze)* : **~ zu** fino a ; **~ zu 20 Personen** fino a 20 persone.
- **5.** *(außer)* : **~ auf** *(+A)* tranne. ◆ *konj* finchè.

Bischof (*pl* **Bischöfe**) *der* vescovo *m*.

bisher *adv (bis jetzt)* finora.

Biskuit (*pl* **-s**) *der* ODER *das* pandispagna *m*.

biss *prät* → **beißen**.

Biss (*pl* **-e**) *der* morso *m*.

bisschen *adj* : **das ~** quel po' di ; **ein ~** un po' di ; **kein ~** nemmeno un po' di. ◆ *adv* : **ein ~** un po' ; **kein ~** per niente.

bissig *adj (Tier)* mordace ; **'Vorsicht, ~er Hund!'** 'attenti al cane!'

bist *präs* → **sein**.

bitte *adv (als Bitte)* per favore, per piacere ; **bezahlen, ~!** il conto per favore! ◆ *interj (als Reaktion)* prego ; **danke sehr! - bitte!** grazie! - prego! ; **aber ~** ma certo! ; **~ schön** ODER **sehr** prego ; **möchten Sie einen Kaffee? - ja, ~** desidera un caffè? - Sì, grazie ; **ja ~?** *(am Telefon)* pronto? ; **wie ~?** come, prego?

Bitte (*pl* **-n**) *die* richiesta *f* ; **eine ~ haben** chiedere un favore.

bitten (*prät* **bat**, *pp* **gebeten**) *vt (Person)* chiedere a ; **jn um etw ~** chiedere qc a qn.

bitter *adj* amaro(a). ◆ *adv* : ~

schmecken avere un sapore amaro.

Blähung (*pl* **-en**) *die* flatulenza *f*.

blamieren *vt* far fare una brutta figura. ■ **sich blamieren** *ref* fare una brutta figura.

Blase (*pl* **-n**) *die* (*auf Haut, Harnblase*) vescica *f*.

blasen (*präs* **bläst**, *prät* **blies**, *pp* **geblasen**) *vi* (*pusten*) soffiare.

Blasenentzündung (*pl* **-en**) *die* cistite *f*.

blass *adj* (*Haut, Person*) pallido(a).

bläst *präs* → **blasen**.

Blatt (*pl* **Blätter**) *das* (*Papier*) foglio *m* ; (*von Pflanze*) foglia *f* ; (*Zeitung*) giornale *m* ; (*bei Kartenspiel*) gioco *m*.

Blätterteig *der* pasta *f* sfoglia.

blau *adj* (*Farbe*) blu ; **Forelle ~** trota bollita ; **~ sein** essere ubriaco(a).

Blau *das* blu *m*.

Blaubeere (*pl* **-n**) *die* mirtillo *m*.

Blaulicht *das* lampeggiante *m* azzurro.

blau|machen *vi fam* (*in Schule*) marinare la scuola.

Blazer (*pl* **-**) *der* blazer *m*.

Blech (*pl* **-e**) *das* (*Metall*) latta *f* ; (*Kuchenblech*) piastra *f* del forno.

Blechschaden *der* danni *mpl* alla carrozzeria.

bleiben (*prät* **blieb**, *pp* **geblieben**) *vi* (*ist*) rimanere. ◆ *vimp* (*ist*) : **es bleibt dabei** resta inteso.

bleifrei *adj* (*Benzin*) senza piombo.

Bleistift (*pl* **-e**) *der* matita *f*.

Blende (*pl* **-n**) *die* FOTO diaframma *m*.

blenden *vt* (*anstrahlen*) abbagliare. ◆ *vi* (*Licht, Sonne*) accecare.

Blick (*pl* **-e**) *der* sguardo *m* ; (*Aussicht*) vista *f*.

blieb *prät* → **bleiben**.

blind *adj* (*Auge, Person*) cieco(a).

Blinddarmentzündung (*pl* **-en**) *die* appendicite *f*.

Blinde (*pl* **-n**) *der, die* cieco *m*, -a *f*.

Blindenschrift *die* scrittura *f* per ciechi.

blinken *vi* (*Autofahrer*) mettere la freccia ; AUTO lampeggiare.

Blinker (*pl* **-**) *der* AUTO freccia *f*.

Blinklicht (*pl* **-er**) *das* AUTO lampeggiatore *m*.

Blitz (*pl* **-e**) *der* (*bei Gewitter*) fulmine *m* ; (*von Kamera*) flash *m*.

blitzen *vt* (*Autofahrer*) fotografare con Autovelox®. ◆ *vi* (*mit Blitzlicht*) fotografare con il flash. ◆ *vimp* : **es blitzt** lampeggia.

Blitzlicht (*pl* **-er**) *das* (*Gerät, Licht*) flash *m*.

Block (*pl* **Blöcke**) *der* blocco *m* ; (*Gebäude*) isolato *m*.

blockieren *vt (Straße, Einfahrt)* bloccare. ◆ *vi (Räder)* bloccarsi.

Blockschrift *die* stampatello *m*.

blöd *adj fam* stupido(a).

Blödsinn *der* stupidaggine *f*.

blond *adj* biond(a).

bloß *adv (lediglich)* soltanto ; *(Ausdruck von Ratlosigkeit)* : **was ist ~ los?** che diamine è successo? ; *(Ausdruck von Ärger)* : **warum musstest du das ~ tun?** perché mai dovevi farlo? ; **~ noch zwei** ancora soltanto due.

blühen *vi (Pflanze)* fiorire.

Blume (*pl* **-n**) *die (Pflanze)* fiore *m*.

Blumenkohl *der* cavolfiore *m*.

Blumenstand (*pl* **-stände**) *der* bancarella *f* di fiori.

Blumenstrauß (*pl* **-sträuße**) *der* mazzo *m* di fiori.

Blumentopf (*pl* **-töpfe**) *der* vaso *m* da fiori.

Blumentopferde *die* terriccio *m*.

Bluse (*pl* **-n**) *die* camicetta *f*.

Blut *das* sangue *m* ; **~ spenden** donare il sangue.

Blutbild (*pl* **-er**) *das* MED risultati *mpl* degli esami del sangue.

Blutdruck *der* pressione *f* sanguigna ; **hohen/niedrigen haben ~** avere la pressione alta/bassa.

bluten *vi* sanguinare.

Bluterguss (*pl* **-ergüsse**) *der* ematoma *m*.

Blutgruppe (*pl* **-n**) *die* gruppo *m* sanguigno.

Blutprobe (*pl* **-n**) *die* prelievo *m* del sangue.

Blutspende (*pl* **-n**) *die* donazione *f* di sangue.

blutstillend *adj* emostatico(a).

Blutübertragung (*pl* **-en**) *die* trasfusione *f* di sangue.

Blutung (*pl* **-en**) *die* emorragia *f*.

Blutvergiftung (*pl* **-en**) *die* setticemia *f*.

Blutwurst (*pl* **-würste**) *die* sanguinaccio *m*.

BLZ (*abk für Bankleitzahl*) CAB.

Bockbier *das birra scura forte*.

Bocksbeutel (*pl* **-**) *der (Flasche)* fiasco *m* ; *(Wein) vino bianco di Franconia imbottigliato in bottiglie tipiche*.

Bockwurst (*pl* **-würste**) *die salsiccia di carne magra bollita*.

Boden (*pl* **Böden**) *der (Erde)* terreno *m* ; *(im Raum)* pavimento *m* ; *(von Gefäß, Koffer)* fondo *m*.

Bodennebel *der* nebbia *f* bassa.

Bodenpersonal *das (am Flughafen)* personale *m* di terra.

Bodensee *der* lago *m* di Costanza.

Bodybuilding *das* body building *m*.

Böe (*pl* -n) *die* raffica *f (di vento)*.

bog *prät* → **biegen**.

Bogen (*pl* **Bögen**) *der* arco *m*.

Bohne (*pl* -n) *die (Gemüse)* fagiolino *m*.

bohren *vt (in Wand, in Holz)* forare ; *(in Zahn)* trapanare.

Bohrer (*pl* -) *der* trapano *m*.

böig *adj* a raffiche.

Boiler (*pl* -) *der* scaldabagno *m*.

Boje (*pl* -n) *die* boa *f*.

Bombe (*pl* -n) *die* bomba *f*.

Bon (*pl* -s) *der (Kassenzettel)* scontrino *m* ; *(Gutschein)* buono *m*.

Bonbon (*pl* -s) *das* caramella *f*.

Bonn *nt* Bonn *f*.

Boot (*pl* -e) *das* barca *f* ; ~ **fahren** andare in barca.

Bootsverleih *der* noleggio *m* barche.

Bord *der* : **an** ~ a bordo ; **an** ~ **gehen** imbarcarsi ; **von** ~ **gehen** sbarcare.

Bordkarte (*pl* -n) *die* carta *f* d'imbarco.

Bordstein *der* cordolo *m* del marciapiede.

borgen *vt* prestare ; **sich** *(D)* **etw** ~ farsi prestare qc.

Börse (*pl* -n) *die* ECO borsa *f* ; *(Portmonee)* portamonete *m*.

Böschung (*pl* -en) *die* scarpata *f*.

böse *adj (bösartig, schlecht)* cattivo(a) ; *(wütend)* arrabbiato(a). ◆ *adv (schlimm)* forte ; *(bösartig)* con cattiveria ; *(wütend)* rabbiosamente ; ~ **sein auf** *(+A)* essere arrabbiato(a) con.

bot *prät* → **bieten**.

Botanische Garten (*pl* -**Gärten**) *der* giardino *m* botanico.

Botschaft (*pl* -en) *die* POL ambasciata *f*.

Botschafter, in (*mpl* -) *der, die* ambasciatore *m*, -rice *f*.

Boutique (*pl* -n) *die* boutique *f*.

Bowle (*pl* -n) *die bevanda a base di spumante, vino bianco e frutta*.

Bowling *das* bowling *m*.

Box (*pl* -en) *die (Dose, Kiste)* scatola *f* ; *(Lautsprecher)* altoparlante *m*.

boxen *vi* fare pugilato. ◆ *vt* dare dei pugni a.

brach *prät* → **brechen**.

brachte *prät* → **bringen**.

Branchenverzeichnis (*pl* -se) *das* pagine *fpl* gialle.

Brand (*pl* **Brände**) *der* incendio *m*.

Brandenburg *nt* Brandeburgo *m*.

Brandung *die* risacca *f*.

Brandwunde (*pl* -n) *die* ustione *f*.

brannte *prät* → **brennen**.

brät *präs* → **braten**.

braten (*präs* **brät**, *prät* **briet**, *pp* **gebraten**) *vt (Kartoffeln, Fleisch)* far arrostire.

Braten (*pl* -) *der* arrosto *m*.

Brathähnchen (*pl* -) *das* pollo *m* arrosto.

Bratkartoffeln *pl* patate *fpl* arrosto.

Bratpfanne (*pl* -n) *die* padella *f*.

Bratwurst (*pl* -würste) *die* salsiccia *f* alla griglia.

Brauch (*pl* Bräuche) *der* usanza *f*.

brauchen *vt (benötigen)* aver bisogno di ; *(verwenden)* utilizzare. ◆ *aux (müssen)* dovere ; etw ~ für aver bisogno di qc per.

brauen *vt* : Bier ~ fare la birra.

Brauerei (*pl* -en) *die* fabbrica *f* di birra.

braun *adj (Farbe)* marrone ; *(gebräunt)* abbronzato(a).

Braun *das* marrone *m*.

Bräune *die* abbronzatura *f*.

bräunen *vt (Haut)* abbronzare ; *(Braten)* rosolare. ■ **sich bräunen** *ref* abbronzarsi.

braun gebrannt *adj* abbronzato(a).

Bräunungsstudio (*pl* -s) *das* centro *m* abbronzatura.

Brause (*pl* -n) *die (Dusche)* doccia *f*.

Braut (*pl* Bräute) *die* sposa *f*.

Bräutigam (*pl* -e) *der* sposo *m*.

brav *adj (Kind)* bravo(a).

bravo *interj* bravo(a).

BRD *die* (*abk für Bundesrepublik Deutschland*) RFT *f*.

brechen (*präs* bricht, *prät* brach, *pp* gebrochen) *vt (hat) (zerbrechen)* spezzare. ◆ *vi (ist) (zerbrechen)* spezzarsi. ◆ *vi (hat) (erbrechen)* vomitare ; sich *(D)* etw ~ fratturarsi qc.

Brechreiz *der* conato *m* di vomito.

Bregenz *nt* Bregenz *f*.

Brei *der (Speise)* purea *f*.

breit *adj (groß)* ampio(a) ; *(mit Maßangabe)* largo(a) ; *(Publikum)* grande.

Breite (*pl* -n) *die* larghezza *f*.

Bremen *nt* Brema *f*.

Bremsbelag (*pl* -beläge) *der* AUTO pastiglie *fpl* dei freni.

Bremse (*pl* -en) *die (von Auto, Fahrrad)* freno *m* ; *(Insekt)* tafano *m*.

bremsen *vt (Auto, Fahrrad)* frenare ; *(Person, Fortschritt)* rallentare. ◆ *vi (Fahrer)* frenare.

Bremsflüssigkeit *die* liquido *m* dei freni.

Bremskraftverstärker *der* servofreno *m*.

Bremslicht (*pl* -er) *das* stop *m (del veicolo)*.

Bremspedal (*pl* -e) *das* pedale *m* del freno.

brennbar *adj* infiammabile.

brennen (*prät* brannte, *pp* gebrannt) *vi* bruciare ; *(Licht)* essere acceso(a). ◆ *vimp* : es brennt! al fuoco!

Brennholz *das* legna *f* da ardere.

Brennnessel (*pl* -n) *die* ortica *f*.

Brennspiritus *der* alcool *m* etilico.

Brennstoff (*pl* -e) *der (zum Heizen)* combustibile *m*.

Brett (*pl* -er) *das (aus Holz)* asse *f* ; *(Spielbrett)* tavola *f* da gioco ; **das schwarze ~** bacheca *f*.

Brettspiel (*pl* -e) *das* gioco *m* da tavolo.

Brezel (*pl* -n) *die ciambella salata*.

bricht *präs* → **brechen**.

Brief (*pl* -e) *der* lettera *f* ; **eingeschriebener ~** lettera raccomandata.

Brieffreund, in (*mpl* -e) *der, die* amico *m*, -a *f* di penna.

Briefkasten (*pl* -kästen) *der (öffentlich)* buca *f* delle lettere ; *(am Haus)* cassetta *f* della posta.

Briefmarke (*pl* -n) *die* francobollo *m*.

Briefmarkenautomat (*pl* -en) *der* distributore *m* automatico di francobolli.

Briefpapier *das* carta *f* da lettere.

Brieftasche (*pl* -n) *die* portafoglio *m*.

Briefträger, in (*mpl* -) *der, die* postino *m*, -a *f*.

Briefumschlag (*pl* -umschläge) *der* busta *f*.

briet *prät* → **braten**.

Brille (*pl* -n) *die (für Augen)* occhiali *mpl*.

Brillenetui (*pl* -s) *das* portaocchiali *m*.

bringen (*prät* **brachte**, *pp* **gebracht**) *vt (Gegenstand, Person)* portare ; *(Ergebnis)* causare ; *(Geld, Film)* dare ; **jm etw ~** portare qc a qn ; **jn nach Hause ~** portare qn a casa.

Brise (*pl* -n) *die* brezza *f*.

Brite (*pl* -n) *der* britannico *m*.

Britin (*pl* -nen) *die* britannica *f*.

britisch *adj* britannico(a).

Broccoli *der* broccolo *m*.

Brombeere (*pl* -n) *die* mora *f*.

Bronchitis *die* MED bronchite *f*.

Bronze *die (Metall)* bronzo *m*.

Brosche (*pl* -n) *die* spilla *f*.

Broschüre (*pl* -n) *die* opuscolo *m*.

Brot (*pl* -e) *das (Brotlaib)* pane *m*.

BROT

I panifici tedeschi offrono una grande varietà di pane : ne esistono più di 200 tipi diversi. I più diffusi sono il pane di segale ed il pane integrale che si degustano tagliati a fette ed accompagnati da formaggi e salumi soprattutto a cena (Abendbrot). Per colazione vengono serviti svariati tipi di panini bianchi detti "Brötchen" o "Semmel".

Brotaufstrich (*pl* -e) *der alimento da spalmare sul pane*.

Brötchen (*pl* -) *das* panino *m* ; **belegte ~** panini imbottiti.

Bruch (*pl* **Brüche**) *der (Knochenbruch)* frattura *f* ; *(Brechen)* rottura *f* ; *(Leistenbruch)* ernia *f*.

Bruchteil (*pl* -e) *der* frazione *f*.

Brücke (*pl* -**n**) *die* ponte *m*.

Bruder (*pl* **Brüder**) *der* fratello *m*.

Brüderschaft *die* : ~ **trinken** *brindare per festeggiare il darsi del "tu"*.

Brühe (*pl* -**n**) *die (von Fleisch, Gemüse)* brodo *m*.

Brühwürfel (*pl* -) *der* dado *m (da brodo)*.

brüllen *vi* urlare.

brummen *vi (Motor, Maschine)* rombare.

Brunnen (*pl* -) *der (zum Wasserholen)* pozzo *m* ; *(Springbrunnen)* fontana *f*.

Brüssel *nt* Bruxelles *f*.

Brust (*pl* **Brüste**) *die (Thorax)* torace *m* ; *(Busen, Bruststück)* petto *m*.

Brustschwimmen *das* nuoto *m* a rana.

Brüstung (*pl* -**en**) *die* parapetto *m*.

brutal *adj* brutale.

brutto *adv (verdienen, wiegen)* lordo.

brutzeln *vt* & *vi* friggere.

Btx *das (abk für Bildschirmtext)* videotel® *m*.

Buch (*pl* **Bücher**) *das* libro *m*.

buchen *vt* & *vi (reservieren)* prenotare.

Bücherei (*pl* -**en**) *die* biblioteca *f*.

Buchhalter, in (*mpl* -) *der, die* contabile *mf*.

Buchhandlung (*pl* -**en**) *die* libreria *f*.

Büchse (*pl* -**n**) *die* barattolo *m*.

Büchsenmilch *die* latte *m* condensato.

Büchsenöffner (*pl* -) *der* apriscatole *m*.

Buchstabe (*pl* -**n**) *der* lettera *f*; **kleiner/großer** ~ lettera minuscola/maiuscola.

buchstabieren *vt* sillabare.

Bucht (*pl* -**en**) *die* baia *f*.

Buchung (*pl* -**en**) *die* prenotazione *f*.

bücken : **sich bücken** *ref* chinarsi.

Bude (*pl* -**n**) *die (Kiosk)* chiosco *m*.

Büfett (*pl* -**s**) *das (Speisen)* buffet *m* ; **kaltes** ~ buffet freddo.

Bügel (*pl* -) *der (Kleiderbügel)* gruccia *f* ; *(Griff)* manico *m*.

Bügeleisen (*pl* -) *das* ferro *m* da stiro.

bügelfrei *adj* che non si stira.

bügeln *vt* & *vi* stirare.

Bügelspray *das* amido *m* spray.

Bühne (*pl* -**n**) *die* palcoscenico *m*.

buk *prät* → **backen**.

bummeln *vi (ist) (langsam gehen)* gironzolare.

Bummelzug (*pl* -**züge**) *der* treno accelerato.

Bund[1] (*pl* **Bünde**) *der (Zusammenschluss)* lega *f*.

Bund[2] (*pl* **Bunde**) *das (von Gemüse, Blumen)* mazzo *m*.

Bundesbürger, in *(mpl -) der, die* cittadino *m*, -a *f* federale.

Bundeskanzler, in *(mpl -) der, die* cancelliere *m* federale.

Bundesland *(pl* **-länder***) das* Land *m*.

BUNDESLAND

La Repubblica Federale Tedesca è formata da 16 Länder ognuno con Parlamento e Costituzione propri. La Legge fondamentale stabilisce quanto spetta al Land e quanto allo Stato. I "Länder" godono di ampia autonomia in alcuni settori come ad esempio nella gestione delle questioni concernenti la politica culturale e l'istruzione. Ogni Land invia i propri delegati al "Bundesrat", seconda camera tedesca ed importante organo di controllo legislativo.

Bundesliga *die* SPORT campionato *m* di serie A *(in Germania)*.

Bundesrat *der* POL *seconda camera del parlamento tedesco.*

Bundesregierung *(pl* **-en***) die* governo *m* federale.

Bundesrepublik *die* repubblica *f* federale.

Bundesstraße *(pl* **-n***) die* ≃ strada *f* statale.

Bundestag *der* POL *prima camera del parlamento tedesco.*

Bundeswehr *die* forze *fpl* armate tedesche.

Bündnis *(pl* **-se***) das* alleanza *f*.

Bungalow *(pl* **-s***) der* bungalow *m*.

bunt *adj (vielfarbig)* variopinto(a).

Burg *(pl* **-en***) die* rocca *f*.

Burgenland *das* Burgenland *m*.

Bürger, in *(mpl -) der, die (Einwohner)* cittadino *m*, -a *f*; *(aus dem Mittelstand)* borghese *mf*.

bürgerlich *adj (Küche, Hotel)* semplice.

Bürgermeister, in *(mpl -) der, die* sindaco *m*.

Bürgersteig *(pl* **-e***) der* marciapiede *m*.

Büro *(pl* **-s***) das* ufficio *m*.

Büroklammer *(pl* **-n***) die* fermaglio *m*.

Bürste *(pl* **-n***) die* spazzola *f*.

bürsten *vt (Haare)* spazzolare.

Bus *(pl* **-se***) der (Stadtbus)* autobus *m*; *(Reisebus)* autopullman *m*.

Busbahnhof *(pl* **-bahnhöfe***) der* stazione *f* degli autobus.

Busen *(pl -) der* seno *m*.

Busfahrer, in *(mpl -) der, die* conducente *mf* di autobus; **'Fahrscheine beim ~'** 'biglietti emessi dal conducente'.

Bushaltestelle *(pl* **-n***) die* fermata *f* dell'autobus.

Business Class *die* business class *f*.

Buslinie *(pl* **-n***) die* linea *f* dell'autobus.

Busreise (*pl* **-n**) *die* viaggio *m* in autopullman.

Bußgeld (*pl* **-er**) *das* multa *f*.

Buß- und Bettag *der giorno di penitenza e di preghiera, festività religiosa protestante.*

Büstenhalter (*pl* -) *der* = **BH**.

Busverbindung (*pl* **-en**) *die* collegamento *m* di autobus.

Butangas *das* gas *m* butano.

Butter *die* burro *m*.

Butterbrot (*pl* **-e**) *das* pane *m* imburrato.

Butterkäse (*pl* -) *der formaggio grasso e cremoso.*

Buttermilch *die* latticello *m*.

Butterschmalz *das* strutto *m* con burro.

bzw. *abk für* **beziehungsweise**.

C

ca. (*abk für circa*) ca.

Cabaret (*pl* **-s**) *das* cabaret *m*.

Cabrio (*pl* **-s**) *das* cabriolet *m*.

Café (*pl* **-s**) *das* caffè *m*.

CAFÉ

Nella maggior parte dei caffè tedeschi si servono dolci e torte con caffè o tè e negli "Eiscafé" soprattutto gelati. I caffè sono un punto d'incontro molto amato dai tedeschi che li frequentano per una breve pausa. I dolci si scelgono direttamente al banco e vengono poi serviti al tavolo. Tra i dolci più apprezzati vi sono la torta alle ciliegie della Foresta Nera ("Schwarzwälder Kirschtorte") ed il dolce di ricotta ("Käsekuchen"). Spesso i caffè hanno anche una terrazza dove i clienti si accomodano durante l'estate.

Cafeteria (*pl* **Cafeterien**) *die* caffetteria *f*.

campen *vi* campeggiare.

Camping *das* campeggio *m*.

Campingführer (*pl* -) *der* guida *f* dei campeggi.

Campingplatz (*pl*-**plätze**) *der* campeggio *m*.

Campingwagen (*pl* -) *der* roulotte *f*.

CB-Funker, in (*mpl* -) *der, die* radioamatore *m*, -trice *f*.

ccm (*abk für Kubikzentimeter*) cm^3.

CD (*pl* **-s**) *die* (*abk für Compact-disc*) CD *m*.

CD-Spieler (*pl* -) *der* lettore *m* di CD.

Cello (*pl* **-s**) *das* violoncello *m*.

Celsius *nt* : **10 Grad** ~ 10 gradi centigradi.

Champagner *der* champagne *m*.

Champignon (*pl* **-s**) *der* champignon *m*.

Chance (*pl* **-n**) *die* opportunità *f*.

Change *der* cambio *m*.

Chanson (*pl* **-s**) *das* canzone *f* da cabaret.

chaotisch *adj* caotico(a).
Charakter (*pl* -tere) *der (von Person)* carattere *m*.
charakteristisch *adj* caratteristico(a).
charmant *adj* affascinante.
Charterflug (*pl* -flüge) *der* volo *m* charter.
Chartermaschine (*pl* -n) *die* aereo *m* charter.
chartern *vt (Schiff, Flugzeug)* noleggiare.
Chef, in (*mpl* -s) *der, die* capo *m*.
Chefarzt, ärztin (*mpl* -ärzte) *der, die* primario *m*.
Chemie *die* chimica *f*.
chemisch *adj* chimico(a) ; ~e Reinigung lavaggio *m* a secco.
chic *adj* chic.
Chicorée *der* ODER *die* indivia *f* belga.
Chili *der* chili *m*.
China *nt* Cina *f*.
Chinarestaurant (*pl* -s) *das* ristorante *m* cinese.
Chinese (*pl* -n) *der* cinese *m*.
Chinesin (*pl* -nen) *die* cinese *f*.
chinesisch *adj* cinese.
Chinesisch(e) *das* cinese *m*.
Chip (*pl* -s) *der* EDV chip *m* ; *(im Spielsalon)* gettone *m*.
Chipkarte (*pl* -n) *die* EDV tessera *f* elettronica.
Chips *pl* KÜCHE patatine *fpl* fritte *(confezionate)*.
Chirurg, in (*mpl* -en) *der, die* chirurgo *mf*.
Choke (*pl* -s) *der* AUTO starter *m*.
Cholesterin *das* colesterolo *m*.
Chor (*pl* Chöre) *der* coro *m*.
Choreografie (*pl* -n) *die* coreografia *f*.
Christ, in (*mpl* -en) *der, die* cristiano *m*, -a *f*.
Christi Himmelfahrt *nt* Ascensione *f*.
Chronik (*pl* -en) *die* cronaca *f*.
chronisch *adj* cronico(a).
chronologisch *adj* cronologico(a).
circa *adv* = zirka.
City (*pl* -s) *die* centro *m* città.
clever *adj* furbo(a).
Clique (*pl* -n) *die* compagnia *f*.
Clown (*pl* -s) *der* pagliaccio *m*.
Club (*pl* -s) *der* club *m*.
Cluburlaub (*pl* -e) *der* vacanza *f* in villaggio turistico.
Cocktail (*pl* -s) *der* cocktail *m*.
Cognac® (*pl* -s) *der* = Kognak.
Cola (*pl* -s) *die* ODER *das* coca *f*.
Comic (*pl* -s) *der* fumetto *m*.
Computer (*pl* -) *der* computer *m*.
Cord *der* velluto *m*.
Cornflakes *pl* cornflakes *mpl*.
Couch (*pl* -s) *die* divano *m*.
Cousin (*pl* -s) *der* cugino *m*.
Cousine (*pl* -n) *die* cugina *f*.
Creme (*pl* -s) *die* crema *f*.
Curry *der (Gewürz)* curry *m* ;

(Gericht) piatto indiano a base di curry.

Currywurst (*pl* **-würste**) *die salsiccia alla griglia con salsa al curry.*

D

da *adv* - 1. *(dort)* là ; **~, wo** là dove ; **~ lang** per di là.
- 2. *(hier)* qui ; **nicht ~ sein** non esserci ; **~ und dort** qua e là ; *siehe auch* **da sein**.
- 3. *(übrig)* : **ist noch Brot ~?** è rimasto del pane?
- 4. *(zeitlich)* : **gestern, ~ hat es geregnet** ieri è piovuto.

dabei *adv (räumlich)* vicino ; *(gleichzeitig)* contemporaneamente ; *(bei etwas)* : **jdm ~ helfen, etw zu tun** aiutare qn a fare qc ; *(doch)* invece.

dabei|bleiben *vi (unr & ist) (bei einer Tätigkeit)* continuare ; **es bleibt dabei** restiamo d'accordo così.

dabei|haben *vt (unr)* avere con sé.

dabei sein *vi (unr & ist) (anwesend sein)* esserci ; **~, etw zu tun** star facendo qc.

Dach (*pl* **Dächer**) *das* tetto *m.*

Dachboden (*pl* **-böden**) *der* soffitta *f.*

Dachgepäckträger (*pl* -) *der* AUTO portabagagli *m (sopra la macchina).*

dachte *prät* → **denken**.

dadurch *adv (durch etwas)* attraverso ciò ; *(deshalb)* grazie a ciò. ◆ *konj* : **~, dass ...** per il fatto che...

dafür *adv (für etwas)* per ciò ; *(trotzdem)* in compenso. ◆ *konj* : **~, dass** considerando che.

dafür können *vt (unr)* : **er kann nichts dafür** non è colpa sua.

dagegen *adv (gegen etwas)* contro ciò ; **~ stoßen** sbatterci (contro) ; *(als Gegensatz)* al contrario ; **~ sein** essere contrario ; **etwas ~ haben, dass** avere qualcosa in contrario che ; **nichts ~ haben, dass** non avere nulla in contrario che.

daheim *adv* a casa.

daher *adv (von da)* da quella parte ; *(deshalb)* dunque.

dahin *adv (räumlich)* là ; **~ fahren** andarci ; *(zeitlich)* : **bis ~** fino ad allora ; *(räumlich)* : **bis ~** fino a quel punto.

dahinten *adv* là in fondo.

dahinter *adv* là dietro.

dalli *interj fam* : **jetzt aber ~!** sbrigati!

damals *adv* quella volta ; **~, als** allora, quando.

Dame (*pl* **-n**) *die (Person)* signora *f*; *(Spiel)* dama *f*; **meine ~n und Herren** signore e signori. ■ **Damen** *pl (Damentoilette)* toilette *f* per signore.

Damenbinde (*pl* **-n**) *die* assorbente *m* igienico.

Damentoilette (*pl* -n) *die* toilette *f* per signore.

damit *konj* affinchè. ◆ *adv* (*mit etwas*) con ciò ; **ich will auch ~ spielen** voglio giocarci anch'io ; (*dadurch*) di conseguenza.

Damm (*pl* **Dämme**) *der* diga *f*.

dämmern *vimp* (*am Morgen*) albeggiare ; (*am Abend*) imbrunire.

Dämmerung (*pl* -en) *die* crepuscolo *m*.

Dampf (*pl* **Dämpfe**) *der* vapore *m*.

Dampfbad (*pl* -**bäder**) *das* bagno *m* di vapore.

dampfen *vi* fumare.

Dampfer (*pl* -) *der* piroscafo *m*.

Dampfnudel (*pl* -n) *die Süddt dolce di pasta lievitata cotta in padella, servito con crema alla vaniglia.*

danach *adv* (*nach etw*) : **sich ~ sehnen** aver nostalgia di ciò ; (*zeitlich*) dopo ; **kurz ~** poco dopo.

Däne (*pl* -n) *der* danese *m*.

daneben *adv* (*räumlich*) là accanto ; (*vergleichend*) in confronto.

Dänemark *nt* Danimarca *f*.

Dänin (*pl* -**nen**) *die* danese *f*.

dänisch *adj* danese.

Dänisch(e) *das* danese *m*.

Dank *der* ringraziamento *m* ; **vielen ~!, schönen ~!, besten ~!, herzlichen ~!** tante grazie!

dankbar *adj* (*Person*) riconoscente.

danke *interj* grazie! ; **~, gleichfalls!** grazie altrettanto! ; **~ schön!, ~ sehr!** grazie mille!

danken *vi* ringraziare ; **jm ~** ringraziare qn ; **~ für** ringraziare per ; **nichts zu ~!** non c'è di che!

dann *adv* (*danach, dahinter*) poi ; (*zu dieser Zeit*) allora ; **bis ~!** ci vediamo!

daran *adv* (*an etwas*) a ciò ; **~ denken** pensarci ; **es liegt ~, dass** dipende dal fatto che.

darauf *adv* (*räumlich*) là sopra ; (*zeitlich*) dopo ; (*auf etwas*) : **sie achtet ~** ci sta attenta ; **er ist stolz ~** ne è orgoglioso.

daraus *adv* (*aus Gefäß, Behälter*) da ciò, (*aus Material*) di ciò ; (*aus Tatsache*) : **mach dir nichts ~!** non farci caso!

darf *präs* → **dürfen**.

darin *adv* (*räumlich*) là dentro ; (*in etwas*) in ciò.

Darm (*pl* **Därme**) *der* intestino *m*.

Darmgrippe *die* influenza *f* intestinale.

Darstellung (*pl* -en) *die* (*in Bild*) rappresentazione *f*; (*in Text*) descrizione *f*.

darüber *adv* (*räumlich*) là sopra ; (*über etwas*) su ciò ; **~ sprechen** parlarne ; **~ nachdenken** rifletterci.

darum *adv* (*deshalb*) per questo ; (*um etwas*) : **~ geht es nicht**

non si tratta di ciò ; ~ **hat er sich gekümmert** se n'è occupato lui.

darunter *adv (räumlich)* là sotto ; *(unter etwas)* : **was versteht man ~?** cosa si intende con questo? ; *(weniger)* : **20 Kilo und ~** 20 chili e meno ; *(in Menge)* tra cui.

das *det (Nominativ)* il, lo, la, l' ; *(vor Verb)* il, l' *(meist unübersetzt)*. ◆ *pron (Demonstrativpronomen)* quello(a) questo(a) ; ~ **macht nichts!** non importa! ; *(Relativpronomen)* che.

da sein *vi (unr & ist)* esserci ; ~ **für** esserci per.

dass *konj* che ; **so, ~** ... così ... che.

dasselbe *det & pron* lo stesso (la stessa).

Datei (*pl* **-en**) *die* EDV file *m*.

Datenschutz *der* protezione *f* dei dati.

Dativ *der* GRAMM dativo *m*.

Dattel (*pl* **-n**) *die* dattero *m*.

Datum (*pl* **Daten**) *das* data *f*.

Dauer *die* durata *f* ; **auf (die) ~** a lungo andare.

Dauerkarte (*pl* **-n**) *die* abbonamento *m*.

Dauerlauf *der* jogging *m*.

dauern *vi* durare.

dauernd *adj* continuo(a). ◆ *adv* continuamente.

Dauerparkplatz (*pl* **-plätze**) *der* parcheggio *m (in affitto mensile o annuale)*.

Dauerwelle (*pl* **-n**) *die* permanente *f*.

Daumen (*pl* -) *der* pollice *m* ; **jm die ~ drücken** incrociare le dita per qn.

davon *adv (räumlich)* da là ; *(von etwas, von Menge)* di ciò ; ~ **sprechen** parlarne ; **einen Teil ~ nehmen** prenderne una parte.

davor *adv (räumlich)* là davanti ; *(zeitlich)* prima ; *(vor etwas)* : **er hat Angst ~** ne ha paura ; **kurz ~ sein** essere sul punto di.

dazu *adv (zu etwas)* : **keine Lust ~ haben** non averne voglia.

dazu|geben *vt (unr)* aggiungere.

dazu|gehören *vi* farne parte.

dazu|kommen *vi (unr & ist) (Zeit haben)* farcela ; *(zu Gruppe)* unirsi.

dazwischen *adv* là in mezzo.

dazwischen|kommen *vi (unr & ist)* : **mir ist etwas ~** ho avuto un contrattempo.

Deck (*pl* **-s**) *das* coperta *f* ; **an ~** in coperta.

Decke (*pl* **-n**) *die (von Bett)* coperta *f* ; *(von Tisch)* tovaglia *f* ; *(von Raum)* soffitto *m*.

Deckel (*pl* -) *der (von Gefäß)* coperchio *m*.

decken *vt* coprire ; **den Tisch ~** apparecchiare la tavola.

Decoder (*pl* -) *der (für Pay-TV)* decoder *m*.

defekt *adj* difettoso(a).

definieren *vt* definire.

Defizit (*pl* **-e**) *das* deficit *m*.

deftig *adj (Speisen)* sostanzioso(a).

dehnbar *adj* estensibile.

Deich (*pl* -e) *der* diga *f*.

dein, e *det* tuo (tua), tuoi (tue).

deine, r, s *pron* il tuo (la tua), i tuoi (le tue).

Deklination (*pl* -en) *die* GRAMM declinazione *f*.

deklinieren *vt* GRAMM declinare.

Dekolletee, Dekolleté (*pl* -s) *das* scollatura *f*.

Dekoration (*pl* -en) *die* decorazione *f*.

Delfin *der* = **Delphin**.

Delikatesse (*pl* -n) *die* (*Speise*) specialità *f*.

Delle (*pl* -n) *die* (*am Auto*) ammaccatura *f*.

Delphin, Delfin (*pl* -e) *der* delfino *m*.

dem *det* al, allo (alla). ◆ *pron* (*Demonstrativpronomen*) a quello (a quella) ; (*Relativpronomen*) a cui.

demnächst *adv* tra breve.

Demokratie (*pl* -n) *die* democrazia *f*.

demokratisch *adj* democratico(a).

Demonstration (*pl* -en) *die* manifestazione *f*.

demonstrieren *vi* : ~ **gegen/für** manifestare contro/a favore di.

den *det* (*Akkusativ*) il, lo, l' ; (*Dativ*) ai, alle. ◆ *pron* (*Demonstrativpronomen*) quello ; (*Relativpronomen*) che.

denen *pron* (*Demonstrativpronomen*) a quelli (a quelle) ; (*Relativpronomen*) a cui.

Den Haag *nt* L'Aja *f*.

denken (*prät* **dachte**, *pp* **gedacht**) *vi* (*überlegen*) pensare. ◆ *vt* (*meinen*) pensare ; ~ **an** (+A) pensare a ; **daran ~, etw zu tun** pensare di fare qc ; ~ **über** (+A) ODER **von** (*meinen*) pensare di ; **sich** (*D*) **etw** ~ immaginarsi qc.

Denkmal (*pl* **-mäler**) *das* monumento *m*.

denn *konj* (*weil*) perché. ◆ *adv* (*in Fragen*) ma (*oft unübersetzt*) ; **wie heißt sie ~?** come si chiama?

Deo (*pl* -s) *das* deodorante *m*.

deponieren *vt* (*Gepäck, Paket*) depositare.

Depression (*pl* -en) *die* depressione *f*.

der *det* (*Nominativ*) il, lo, l' ; (*Genitiv*) della, dei (delle) ; (*Dativ*) alla. ◆ *pron* (*Demonstrativpronomen*) quello, a quella ; (*Relativpronomen*) che, a cui.

deren *det* il loro (la loro), i loro (le loro). ◆ *pron* il cui (la cui), i cui (le cui).

derselbe *det* & *pron* lo stesso.

derzeit *adv* attualmente.

des *det* del, dello, della.

deshalb *adv* perciò.

Desinfektionsmittel (*pl* -) *das* disinfettante *m*.

desinfizieren *vt* disinfettare.

dessen *det* il suo (la sua), i suoi (le sue). ◆ *pron* il cui (la cui), i cui (le cui).

DIALEKT

Il tedesco vanta un'ampia gamma di dialetti, varietà linguistiche locali che conferiscono alle singole regioni una propria identità linguistica. Si distinguono dalla lingua scritta (Hochdeutsch) sia in termini di pronuncia che di lessico.

Dessert (*pl* -s) *das* dessert *m* ; **zum ~** per dessert.

desto *konj* → **je**.

deswegen *adv* per questo.

Detail (*pl* -s) *das* dettaglio *m*.

deutlich *adj* chiaro(a). ◆ *adv* chiaramente ; **~ sprechen** parlare in modo chiaro.

deutsch *adj* tedesco(a).

Deutsch *das (Sprache, Schulfach)* tedesco *m* ; **auf ~** in tedesco.

Deutsche[1] (*pl* -n) *der, die (Person)* tedesco *m*, -a *f*.

Deutsche[2] *das (Sprache)* tedesco *m*.

Deutsche Bahn *die ferrovie tedesche*.

Deutsche Bundesbank *die banca centrale tedesca*.

Deutsche Post *die poste tedesche*.

Deutschland *nt* Germania *f*.

deutschsprachig *adj* in lingua tedesca ; *(Person)* di lingua tedesca.

Devisen *pl* ECO valuta *f* estera.

Dezember *der* dicembre *m* ; *siehe auch* **September**.

d. h. (*abk für das heißt*) cioè.

Dia (*pl* -s) *das* diapositiva *f*.

Diabetes *der* diabete *m*.

Diabetiker, in (*mpl* -) *der, die* diabetico *m*, -a *f*.

Diafilm (*pl* -e) *der* pellicola *f* per diapositive.

Diagnose (*pl* -n) *die* MED diagnosi *f*.

Dialekt (*pl* -e) *der* dialetto *m*.

Dialog (*pl* -e) *der* dialogo *m*.

Diät (*pl* -en) *die* dieta *f* ; **eine ~ machen** seguire una dieta.

Diavortrag (*pl* -vorträge) *der conferenza con proiezione di diapositive*.

dich *pron* → **du**.

dicht *adj (Behälter, Dach, Fenster)* ermetico(a) ; *(Wald, Nebel, Haare)* fitto(a) ; *(Verkehr)* intenso(a). ◆ *adv (undurchlässig)* ermeticamente ; *(eng)* : **~ danebenstehen** stare molto vicino(a).

Dichter, in (*mpl* -) *der, die* poeta *m*, -essa *f*.

Dichtung (*pl* -en) *die (Literatur)* poesia *f* ; *(Dichtungsring)* guarnizione *f*.

dick *adj (Person)* grasso(a) ; *(Buch, mit Maßangabe)* spesso(a) ; *(Kleidung)* pesante ; *(geschwollen)* gonfio(a) ; *(Verkehr)* intenso(a).

Dickmilch *die* latte *m* cagliato.

die *det (Nominativ, Akkusativ Singular)* la, l' ; *(Nominativ, Akkusativ Plural)* i, gli (le). ◆ *pron (Demonstrativpronomen)* quella, quelli (quelle) ; *(Relativpronomen)* che.

Dieb, in (*mpl* -e) *der, die* ladro *m*, -a *f*.

Diebstahl (*pl* -stähle) *der* furto *m* ; **einen ~ anzeigen** denunciare un furto.

Diebstahlversicherung (*pl* -en) *die* assicurazione *f* contro i furti.

Diele (*pl* -n) *die (Flur)* atrio *m*.

dienen *vi (+D) (einer Idee)* servire a ; *(einer Person)* : **jm ~** servire qn.

Dienst (*pl* -e) *der (Arbeit, Hilfe)* servizio *m* ; **im ~** in servizio ; **der öffentliche ~** pubblico impiego ; **~ habend** di turno.

Dienstag (*pl* -e) *der* martedì *m* ; *siehe auch* **Samstag**.

dienstags *adv* di martedì ; *siehe auch* **samstags**.

Dienstbereitschaft *die* reperibilità *f*.

Dienstleistung (*pl* -en) *die* *ECO* prestazione *f* di servizio.

dienstlich *adj (Reise, Anruf)* di lavoro.

Dienstreise (*pl* -n) *die* viaggio *m* di lavoro.

Dienstzeit (*pl* -en) *die* orario *m* di servizio.

dies *pron* = **diese**.

diese, r, s oder **dies** *det* & *pron* questo (questa), questi (queste).

Diesel (*pl* -) *der* diesel *m*.

dieselbe *det* & *pron* la stessa.

Dieselkraftstoff (*pl* -e) *der* diesel *m (carburante)*.

Dieselmotor (*pl* -en) *der* motore *m* diesel.

Dieselöl *das* gasolio *m*.

dieser *det* → **diese**.

dieses *det* → **diese**.

diesig *adj* fosco(a).

diesmal *adv* questa volta.

diesseits *adv* da questa parte. ◆ *präp (+G)* da questa parte di.

Differenz (*pl* -en) *die* differenza *f*.

Digitalanzeige (*pl* -n) *die* *TECH* display *m* digitale.

Diktat (*pl* -e) *das (in Schule)* dettato *m*.

Diktatur (*pl* -en) *die* dittatura *f*.

diktieren *vt (Text)* dettare ; *(Meinung, Verhalten)* imporre.

Dill *der* aneto *m*.

DIN (*abk für Deutsche Industrienorm*) DIN.

Ding (*pl* -e) *das (Gegenstand, Angelegenheit)* cosa *f* ; *fam (seltsamer Gegenstand)* roba *f*.

Dings *der, die, das fam (Person)* tale *mf* ; *(Sache)* coso *m*.

DIN-Norm (*pl* -en) *die* *amt* norma *f* industriale tedesca.

Dinosaurier (*pl* -) *der* dinosauro *m*.

Diphterie *die* difterite *f*.

Diplom (*pl* -e) *das (Titel)* laurea *f (tecnica)*.

Diplomat, in (*mpl* -en) *der, die* diplomatico *m*, -a *f*.

dir *pron (Dativ Singular)* a te, ti, te → **du**.

direkt *adj* diretto(a). ◆ *adv* direttamente ; ~ **neben jm wohnen** abitare proprio vicino a qn.

Direktflug (*pl* **-flüge**) *der* volo *m* diretto.

Direktor (*pl* **Direktoren**) *der* direttore *m*.

Direktorin (*pl* **-nen**) *die* direttrice *f*.

Dirigent, in (*mpl* **-en**) *der, die* direttore *m*, -trice *f* d'orchestra.

dirigieren *vt* & *vi* (*Chor, Orchester*) dirigere.

Diskette (*pl* **-n**) *die* EDV dischetto *m*.

Diskothek (*pl* **-en**) *die* discoteca *f*.

diskret *adj* discreto(a). ◆ *adv* discretamente.

diskriminieren *vt* discriminare.

Diskriminierung (*pl* **-en**) *die* discriminazione *f*.

Diskussion (*pl* **-en**) *die* discussione *f*.

diskutieren *vt* & *vi* discutere ; ~ **mit** discutere con ; ~ **über** (*+A*) discutere di.

Distanz (*pl* **-en**) *die* (*räumlich, psychisch*) distanza *f*.

Distel (*pl* **-n**) *die* cardo *m*.

diverse *adj* molteplici.

dividieren *vt* & *vi* dividere.

DLRG *die* (*abk für Deutsche Lebensrettungsgesellschaft*) *società di salvataggio tedesca*.

doch *adv* (*konzessiv*) tuttavia ; (*verstärkend*) proprio. ◆ *interj* (*Antwort auf negative Frage*) sì. ◆ *konj* (*aber*) tuttavia ; **nicht ~!** ma no!

Doktor (*pl* **Doktoren**) *der fam* (*Arzt*) dottore *m* ; (*Universitätsabschluss*) dottorato *m*.

Doktorin (*pl* **-nen**) *die* (*Ärztin*) dottoressa *f*.

Dokument (*pl* **-e**) *das* (*Urkunde*) documento *m*.

Dokumentation (*pl* **-en**) *die* documentazione *f*.

dolmetschen *vi* fare da interprete.

Dolmetscher, in (*mpl* **-**) *der, die* interprete *mf*.

Dom (*pl* **-e**) *der* duomo *m*.

Domino *das* (*Spiel*) domino *m*.

Donau *die* Danubio *m*.

Donner *der* tuono *m*.

donnern *vimp* (*bei Gewitter*) : **es donnert** tuona.

Donnerstag (*pl* **-e**) *der* giovedì *m* ; **langer ~** *il giovedì con orari d'apertura prolungati dei negozi* ; *siehe auch* **Samstag**.

donnerstags *adv* di giovedì ; *siehe auch* **samstags**.

doof *adj fam* stupido(a).

Doppelbett (*pl* **-en**) *das* letto *m* matrimoniale.

Doppeldecker (*pl* **-**) *der* (*Bus*) autobus *m* a due piani.

Doppelpunkt (*pl* **-e**) *der* due punti *mpl*.

Doppelstecker (*pl* -) *der* spina *f* doppia.

doppelt *adj* doppio(a). ◆ *adv* doppio ; ~ **so viel** due volte tanto.

Doppelzimmer (*pl* -) *das* camera *f* doppia.

Dorf (*pl* **Dörfer**) *das* paese *m*.

Dorn (*pl* -**en**) *der (von Pflanze)* spina *f*.

Dörrobst *das* frutta *f* secca.

dort *adv* là ; ~ **drüben** dall'altra parte.

dorthin *adv* là.

Dose (*pl* -**n**) *die* scatola *f* ; *(Konservendose)* barattolo *m*.

dösen *vi* sonnecchiare.

Dosenmilch *die* latte *m* condensato.

Dosenöffner (*pl* -) *der* apriscatole *m*.

dosieren *vt* dosare.

Dosierung (*pl* -**en**) *die* dosaggio *m*.

Dosierungsanleitung (*pl* -**en**) *die* istruzioni *fpl* per il dosaggio ; MED posologia *f*.

Dosis (*pl* **Dosen**) *die* dose *f*.

Dozent, in (*mpl* -**en**) *der, die (an Universität)* docente *mf*.

Dr. (*abk für Doktor*) Dr.

Drachen (*pl* -) *der (aus Papier)* aquilone *m* ; *(Fluggerät)* deltaplano *m*.

Drachenfliegen *das* deltaplano *m (sport)*.

Dragee (*pl* -**s**) *das (Medikament, Bonbon)* confetto *m*.

Draht (*pl* **Drähte**) *der* filo *m* di ferro.

Drahtseilbahn (*pl* -**en**) *die* funivia *f*.

Drama (*pl* **Dramen**) *das* dramma *m*.

dramatisch *adj (spannend)* drammatico(a).

dran *adv fam* = **daran** ; **jd ist** ~ *(an der Reihe sein)* tocca a qn.

dran|bleiben *vi (unr & ist) (am Telefon)* restare in linea.

drängeln *vi (durch Schieben)* avanzare spingendo. ■ **sich drängeln** *ref* : **sich nach vorn** ~ farsi avanti spingendo.

dran|kommen *vi (unr & ist) (heranreichen)* arrivare a prendere ; *(an die Reihe kommen)* : **Sie kommen dran** tocca a Lei.

drauf *adv fam* = **darauf** ; **gut/schlecht** ~ **sein** *(gut/schlecht gelaunt sein)* essere di buon/cattivo umore.

draus *adv fam* = **daraus**.

draußen *adv (nicht im Raum)* fuori ; **nach** ~ fuori ; **von** ~ da fuori.

Dreck *der fam (Schmutz)* sporcizia *f*.

dreckig *adj fam (schmutzig)* sporco(a) ; ~ **machen** sporcare.

drehen *vt* girare ; **sich eine Zigarette** ~ farsi una sigaretta. ◆ *vi (Fahrzeug, Wind)* girare ; **an etw** *(+D)* ~ girare qc ; **etw laut/leise** ~ alzare/abbassare il volume di qc. ■ **sich drehen** *ref* girarsi.

Drehtür (*pl* -**en**) *die* porta *f* girevole.
drei *num* tre ; *siehe auch* **sechs**.
Dreieck (*pl* -**e**) *das* triangolo *m*.
Dreikönigstag *der* Epifania *f*.
dreimal *adv* tre volte ; *siehe auch* **sechsmal**.
dreispurig *adj* a tre corsie.
dreißig *num* trenta ; *siehe auch* **sechs**.
drei viertel *adv* per tre quarti ; *Süddt (Uhrzeit)* : **um ~ acht** alle otto meno un quarto.
dreizehn *num* tredici ; *siehe auch* **sechs**.
Dresden *nt* Dresda *f*.
dressieren *vt* addestrare.
Dressing (*pl* -**s**) *das* condimento *m (per insalata)*.
Dressur (*pl* -**en**) *die* addestramento *m*.
drin *adv* = **darin** ; **das ist nicht ~** è fuori questione.
dringend *adj* urgente. ◆ *adv* *(sofort)* urgentemente ; *(nachdrücklich)* con insistenza.
drinnen *adv* dentro.
dritt *num* : **zu ~** in tre.
dritte, r, s *adj* terzo(a) ; *siehe auch* **sechste**.
Drittel (*pl* -) *das* terzo *m* ; *siehe auch* **Sechstel**.
drittens *adv* in terzo luogo.
Dritte Reich *das* Terzo Reich *m*.
Dritte Welt *die* terzo mondo *m*.
DRK *das* (*abk für Deutsches Rotes Kreuz*) Croce Rossa tedesca.
Droge (*pl* -**n**) *die (Rauschgift)* droga *f*.
drogenabhängig *adj* tossicodipendente.
Drogenberatungsstelle (*pl* -**n**) *die* centro *m* di assistenza per tossicodipendenti.
Drogerie (*pl* -**n**) *die* ≃ profumeria *f*.
Drogeriemarkt (*pl* -**märkte**) *der negozio di prodotti per l'igiene personale e per la casa.*
drohen *vi (+D) (Person)* minacciare ; *(Gefahr)* incombere.
drosseln *vt (Tempo)* ridurre.
drüben *adv (auf der anderen Seite)* dall'altra parte.
drüber *adv fam* = **darüber**.
Druck (*pl* -**e**) *der* pressione *f* ; *(von Büchern)* stampa *f*.
Druckbuchstabe (*pl* -**n**) *der* stampatello *m* ; **bitte in ~n schreiben!** scrivere in stampatello!
drucken *vt* stampare.
drücken *vi (pressen)* premere ; *(Schuhe)* stringere. ◆ *vt (Tür, Knopf)* premere ; **auf etw** *(A)* **~** premere qc. ■ **sich drücken** *ref fam (sich entziehen)* : **sich vor etw** *(D)* **~** schivare qc.
drückend *adj (Hitze)* opprimente.
Druckknopf (*pl* -**knöpfe**) *der (an Kleidung)* bottone *m* a pressione.
Druckschrift *die* stampatello *m*.

drum *adv fam* = **darum.** ■ **Drum** *das* : **mit allem Drum und Dran** *fam* con tutti gli annessi e connessi.

drunter *adv fam* = **darunter** ; **es geht ~ und drüber** *fam* tutto va sottosopra.

dt. (*abk für deutsch*) ted.

du *pron* tu ; **mit jm per ~ sein** dare del tu a qn.

Dübel (*pl* -) *der* tassello *m (per viti)*.

Duett (*pl* **-e**) *das* duetto *m*.

duften *vi (Blume, Parfum)* profumare. ◆ *vimp* : **es duftet nach** profuma di.

dumm (*komp* **dümmer**, *superl* **am dümmsten**) *adj* stupido(a).

Dummkopf (*pl* **-köpfe**) *der* scemo *m*.

dumpf *adj (Klang)* sordo(a). ◆ *adv (klingen)* : **etw klingt ~** qc emette un suono sordo.

Düne (*pl* **-n**) *die* duna *f*.

Dünger *der* concime *m*.

dunkel (*komp* **dunkler**, *superl* **am dunkelsten**) *adj (ohne Licht)* buio(a) ; *(Farbe)* scuro(a) ; *(Klang)* cupo(a). ◆ *adv (färben)* di scuro.

dunkelhaarig *adj* con i capelli scuri.

Dunkelheit *die (nächtlich)* oscurità *f*.

dünn *adj (Person)* magro(a) ; *(Haare)* sottile ; *(Kleidung, Getränk)* leggero(a). ◆ *adv* : **~ auftragen** stendere uno strato sottile ; **sich ~ anziehen** vestirsi in modo leggero.

dünsten *vt KÜCHE* stufare.

dunstig *adj (Wetter)* brumoso(a).

Duo (*pl* **-s**) *das* duo *m*.

Dur *das MUS* modo maggiore *m*.

durch *präp (+A)* attraverso ; *(durch Regen, Schnee)* sotto ; *(mit Hilfe)* per mezzo di ; *(wegen)* a causa di ; *fam (zeitlich)* : **die ganze Nacht ~** per tutta la notte. ◆ *adv* : **darf ich mal bitte ~?** posso passare?

durch|atmen *vi* respirare profondamente.

durchaus *adv (ohne weiteres, allerdings)* senz'altro ; **~ nicht** *(überhaupt)* per niente.

Durchblutung *die* circolazione *f* sanguigna.

durch|brechen *vt (unr & hat) (Stock)* spezzare in due. ◆ *vi (unr & ist) (Stock, Brett)* spezzarsi in due.

durch|brennen *vi (unr & ist) (Sicherung)* bruciarsi.

durch|drehen *vi (ist) (Räder)* girare a vuoto ; *fig (Person)* perdere la testa.

durcheinander *adv* in modo disordinato. ◆ *adj* : **~ sein** *(Zimmer, Haus)* essere in disordine ; *(Person)* essere confuso(a).

Durcheinander *das* disordine *m*.

durch|fahren *vi (unr & ist) (durch Stadt, Tunnel)* attraversare ; *(ohne Pause)* guidare senza sosta.

Durchfahrt *die* : **'~ verboten!'** 'divieto di transito'.

Durchfall (*pl* **-fälle**) *der* diarrea *f*.

durch|fragen : sich durchfragen *ref* domandare la strada ; **sich zum Bahnhof ~** domandare la strada per la stazione.

durch|führen *vt (Plan)* realizzare.

Durchgang (*pl* **-gänge**) *der (Flur)* corridoio *m* ; **'kein ~!'** 'divieto di transito'.

durchgebrannt *pp* → **durchbrennen.** ◆ *adj (Sicherung)* bruciato(a).

durchgebraten *adj (Fleisch)* ben cotto(a).

durchgefroren *adj (Person)* ghiacciato(a).

durch|gehen *vi (unr & ist) (Person)* attraversare ; *(Verkehrsmittel)* : **dieser Zug geht durch bis Bonn** questo treno va direttamente a Bonn.

durchgehend *adj (Verbindung)* diretto(a). ◆ *adv* : **'~ geöffnet'** 'aperto(a) 24 ore su 24'.

durch|halten *vi (unr) (bei Stress)* tener duro.

durch|kommen *vi (unr) (durch Ort)* passare per ; *(am Telefon)* ottenere la linea.

durch|lassen *vt (unr)* far passare.

durchlässig *adj* permeabile.

Durchlauferhitzer (*pl* -) *der* scaldaacqua *m*.

durch|machen *vt (ertragen)* attraversare ; **die Nacht ~** *fam* *(feiern)* tirar mattino *(festeggiando)*.

Durchmesser (*pl* -) *der* diametro *m*.

Durchreise *die* : **auf der ~ sein** essere di passaggio.

Durchreisevisum (*pl* **-visa**) *das* visto *m* di transito.

durch|reißen *vt (unr & hat) (Faden)* strappare. ◆ *vi (unr & ist) (Faden)* strapparsi.

Durchsage (*pl* **-n**) *die* comunicato *m* ; **Achtung, eine ~!** attenzione prego!

durch|sagen *vt (mit Lautsprecher)* fare un annuncio.

durchschauen *vt (Person)* scoprire le vere intenzioni ; *(Trick)* scoprire.

durch|schlagen : sich durchschlagen *ref (zur Grenze)* riuscire ad arrivare ; *(finanziell)* arrabattarsi.

durch|schneiden *vt (unr)* tagliare.

Durchschnitt *der* media *f*.

durchschnittlich *adj* medio(a).

Durchschnittsgeschwindigkeit *die* velocità *f* media.

durch sein *vi (unr & ist) fam (Zug)* essere passato(a) ; *fam (Fleisch)* essere cotto(a).

durch|setzen *vt (Idee)* imporre. ■ **sich durchsetzen** *ref (Person)* imporsi.

durchsichtig *adj (Material)* trasparente.

durch|stellen *vt (am Telefon)* passare.

durch|streichen *vt (unr)* barrare.

durchsuchen *vt (Person, Wohnung)* perquisire.

Durchwahl *die* linea *f* diretta.

durch|wählen *vi (am Telefon)* fare il numero diretto.

durch|zählen *vt* contare uno a uno.

Durchzug *der (Luftzug)* corrente *f* d'aria.

dürfen (*präs* **darf**, *prät* **durfte**, *pp* - oder **gedurft**) *aux (pp dürfen) (als Erlaubnis, in Fragen)* potere *(avere il permesso)* ; **hier darf man nicht parken** qui non si può parcheggiare ; *(als Aufforderung, Annahme)* dovere ; **das ~ wir nicht vergessen** non dobbiamo dimenticarlo ; **das dürfte genügen** dovrebbe bastare. ◆ *vi & vt (pp gedurft) (als Erlaubnis)* potere *(avere il permesso)* ; **das darfst du nicht!** non puoi farlo ; **was darf es sein?** in cosa posso servirLa?

Durst *der* sete *f* ; **~ auf etw (A) haben** aver sete di qc.

durstig *adj* assetato(a) ; **~ sein** avere sete.

Dusche (*pl* **-n**) *die* doccia *f*.

duschen *vi* fare la doccia. ■ **sich duschen** *ref* farsi la doccia.

Duschgel *das* gel *m* doccia.

Duschkabine (*pl* **-n**) *die* cabina *f* doccia.

Duschvorhang (*pl* **-hänge**) *der* tenda *f* della doccia.

Düsenflugzeug (*pl* **-e**) *das* aereo *m* a reazione.

Düsseldorf *nt* Düsseldorf *f*.

düster *adj (dunkel)* tetro(a).

Dutzend (*pl* -) *das (zwölf)* dozzina *f*. ■ **Dutzende** *pl (viele)* dozzine *fpl*.

duzen *vt* dare del tu a. ■ **sich duzen** *ref* darsi del tu ; **sich ~ mit** dare del tu a.

DVD (*abk für Digital Video* ODER *Versatile Disc*) DVD.

Dynamo (*pl* **-s**) *der* dinamo *f*.

DZ *abk für* **Doppelzimmer**.

D-Zug (*pl* **D-Züge**) *der* rapido *m*.

E

Ebbe (*pl* **-n**) *die (am Meer)* bassa marea *f* ; **~ und Flut** alta e bassa marea.

eben *adj (Boden)* piano(a). ◆ *adv (vor kurzem)* un attimo fa ; **komm mal ~ her!** vieni qua un attimo! ◆ *interj (genau)* appunto.

Ebene (*pl* **-n**) *die (Flachland)* pianura *f* ; *(Niveau)* livello *m*.

ebenfalls *adv (auch)* ugualmente ; *(gleichfalls)* altrettanto.

ec (*abk für Eurocheque*) EC.

EC (*pl* **-s**) *der* (*abk für Eurocity*) EC *m*.

Echo (*pl* **-s**) *das* eco *f*.

echt *adj* vero(a). ◆ *adv fam*

(sehr) proprio ; *fam* *(wirklich)* davvero.
Ecke (*pl* -n) *die* angolo *m*.
eckig *adj (Form)* con angoli.
Economyklasse *die* economy class *f*.
Edelstahl *der* acciaio *m* inossidabile.
Edelstein (*pl* -e) *der* pietra *f* preziosa.
EDV *die* (*abk für elektronische Datenverarbeitung*) EDP *f*.
Efeu (*pl* -s) *das* edera *f*.
Effekt (*pl* -e) *der* effetto *m*.
EG *die* (*abk für Europäische Gemeinschaft*) CE *f*.
egal *adj (gleichgültig)* : **das ist mir ~** mi fa lo stesso ; **~ ob** poco importa se.
EG-Bürger, in (*mpl* -) *der, die* cittadino *m* comunitario (cittadina *f* comunitaria).
egoistisch *adj* egoista.
Ehe (*pl* -n) *die* matrimonio *m*.
Ehefrau (*pl* -en) *die* moglie *f*.
Eheleute *pl* coniugi *mpl*.
ehemalig *adj* ex.
Ehemann (*pl* -männer) *der* marito *m*.
Ehepaar (*pl* -e) *das* coppia *f (di coniugi)*.
eher *adv (früher)* prima ; *(lieber, vielmehr)* piuttosto.
Ehering (*pl* -e) *der* fede *f* nuziale.
ehrenamtlich *adj* volontario(a).
ehrgeizig *adj* ambizioso(a).
ehrlich *adj (Person, Antwort)* sincero(a).
Ei (*pl* -er) *das* uovo *m*.
Eiche (*pl* -n) *die (Baum)* quercia *f*.
Eichhörnchen (*pl* -) *das* scoiattolo *m*.
Eid (*pl* -e) *der* giuramento *m*.
Eidechse (*pl* -n) *die* lucertola *f*.
Eierbecher (*pl* -) *der* portauovo *m*.
Eierstock (*pl* -stöcke) *der* ovaia *f*.
eifersüchtig *adj* geloso(a).
eifrig *adj* zelante. ◆ *adv* con zelo.
Eigelb (*pl* -e) *das* tuorlo *m*.
eigen *adj* proprio(a).
eigenartig *adj* strano(a).
Eigenschaft (*pl* -en) *die (Charakteristikum)* caratteristica *f*.
eigentlich *adv (im Grunde)* in realtà ; *(Ausdruck von Ärger)* : **was willst du ~ von mir?** ma insomma cosa vuoi da me? ◆ *adj (wirklich)* vero(a).
Eigentum *das (Besitz)* proprietà *f*.
Eigentümer, in (*mpl* -) *der, die* proprietario *m*, -a *f*.
Eigentumswohnung (*pl* -en) *die* appartamento *m* di proprietà.
eignen : sich eignen *ref* essere adatto(a).
Eilbrief (*pl* -e) *der* lettera *f* espresso.
Eile *die* fretta *f* ; **in ~ sein** essere di fretta.

eilen *vi (ist)* affrettarsi ; **eilt!** urgente!

eilig *adj (dringlich)* urgente ; *(schnell)* rapido(a). ◆ *adv (schnell)* rapidamente ; **es ~ haben** avere fretta.

Eilsendung (*pl* **-en**) *die* spedizione *f* per espresso.

Eilzug (*pl* **-züge**) *der* treno *m* espresso.

Eilzustellung (*pl* **-en**) *die* consegna *f* per espresso.

Eimer (*pl* **-**) *der* secchio *m*.

ein, e *det* uno(a) ; **~es Tages** un giorno.
◆ *adj (identisch)* : **~er Meinung sein** essere della stessa opinione ; *(als Zahl)* uno(a) ; **es ist ~ Uhr** è l'una.
◆ *pron (unter mehreren)* uno, una ; *fam (man)* uno, una.
◆ *adv* : **~ - aus** acceso - spento.

einander *pron* l'un l'altro ; **~ lieben** amarsi reciprocamente.

ein|atmen *vi* inspirare.

Einbahnstraße (*pl* **-n**) *die* strada *f* a senso unico.

ein|bauen *vt (Kamin, Bad)* installare.

Einbauküche (*pl* **-n**) *die* cucina *f* componibile.

Einbettzimmer (*pl* **-**) *das* camera *f* singola.

ein|biegen *vi (unr & ist)* svoltare.

ein|bilden *vt* : **sich** *(D)* **etw ~** immaginarsi qc.

ein|brechen *vi (unr & ist) (Einbrecher)* penetrare ; *(ins Eis)* sprofondare.

Einbrecher, in (*mpl* **-**) *der, die* ladro *m*, -a *f*.

Einbruch (*pl* **-brüche**) *der (von Einbrecher)* irruzione *f*.

ein|checken *vi (vor Abflug)* fare il check-in.

ein|cremen *vt (Person, Körperteil)* : **jm den Rücken ~** spalmare a qn la crema sulla schiena.
■ **sich eincremen** *ref* mettersi la crema.

eindeutig *adj (Anweisung)* chiaro(a). ◆ *adv* chiaramente.

ein|dringen *vi (unr & ist) (Wasser)* infiltrarsi ; *(Einbrecher)* introdursi.

Eindruck (*pl* **-drücke**) *der (von Person)* impressione *f* ; **den ~ haben, dass** avere l'impressione che.

eindrucksvoll *adj* impressionante.

eine → **ein**.

eineinhalb *num* uno e mezzo (una e mezza).

einerseits *adv* : **~ ... andererseits** da un lato ... dall'altro lato.

einfach *adj* semplice ; *(Lebensverhältnisse)* modesto(a) ; *(Fahrt, Fahrkarte)* di sola andata. ◆ *adv* : **~ oder hin und zurück?** di sola andata o andata e ritorno?

ein|fahren *vi (unr & ist) (Zug)* entrare in stazione.

Einfahrt (*pl* **-en**) *die (Tor, Weg)* entrata *f* ; *(vom Zug)* arrivo *m* ; **'~ freihalten!'** 'lasciare libero il passaggio'.

Einfall (*pl* **-fälle**) *der (Idee)* idea *f* improvvisa.

ein|fallen *vi (unr & ist)* venire in mente.

einfarbig *adj* in tinta unita.

Einfluss (*pl* **-flüsse**) *der (Effekt)* influsso *m* ; *(Macht)* influenza *f* ; ~ **auf jn/etw haben** *(Effekt)* influire su qn/qc ; *(Macht)* avere influenza su qn/qc.

ein|frieren *vt (unr & hat) (Lebensmittel)* congelare. ◆ *vi (unr & ist) (Wasserleitung)* congelarsi.

Einfuhr (*pl* **-en**) *die* importazione *f*.

ein|führen *vt (Waren)* importare ; *(Zäpfchen, Neuerung)* introdurre.

Einführung (*pl* **-en**) *die* introduzione *f*.

ein|füllen *vt* riempire.

Eingang (*pl* **-gänge**) *der (von Haus)* entrata *f* ; *(von Post)* arrivo *m* ; '~ **um die Ecke**' 'l'entrata è dietro l'angolo'.

Eingangshalle (*pl* **-n**) *die* atrio *m*.

ein|geben *vt (unr)* EDV inserire.

eingebildet *adj (arrogant)* presuntuoso(a) ; *(ausgedacht)* immaginario(a).

ein|gehen *vi (unr & ist) (Kleidung)* restringersi ; *(sterben)* morire ; **auf einen Vorschlag** ~ accettare una proposta.

eingeschaltet *adj (Lampe)* acceso(a).

eingeschlossen *pp* → **einschließen**.

eingetragen *adj* : ~**es Warenzeichen** marchio registrato.

ein|gewöhnen : sich eingewöhnen *ref* ambientarsi.

eingezogen *pp* → **einziehen** ; '**warten, bis der Geldschein vollständig** ~ **ist**' 'attendere che la banconota sia stata accettata'.

ein|gießen *vt & vi (unr)* versare.

ein|greifen *vi (unr) (bei Streit)* intervenire.

Eingriff (*pl* **-e**) *der (Operation)* intervento *m*.

ein|hängen *vt & vi (Telefonhörer, am Telefon)* riagganciare.

einheimisch *adj* locale.

Einheit (*pl* **-en**) *die (auf Skala)* unità *f*.

einheitlich *adj (Vorschriften)* comune.

einhundert *num* cento ; *siehe auch* **sechs**.

einig *adj* : **sich** ~ **sein** essere d'accordo.

einige, r, s *det (ein paar)* alcuni(e) ; *(reichlich)* qualche. ◆ *pron (ein paar)* qualcuno (qualcuna) ; *(viel, viele)* un certo numero ; **trinkt er? - ja, ~s** beve? - sì, parecchio.

einigen : sich einigen *ref* mettersi d'accordo.

einigermaßen *adv (relativ)* abbastanza.

Einkauf (*pl* **-käufe**) *der* acquisto *m*.

ein|kaufen *vt (Ware)* acquistare ; ~ **gehen** andare a fare la spesa.

Einkaufsbummel (*pl* **-**) *der* shopping *m*.

Einkaufstasche (*pl* -n) *die* borsa *f* della spesa.

Einkaufstüte (*pl* -n) *die* sacchetto *m* della spesa.

Einkaufszentrum (*pl* -zentren) *das* centro *m* commerciale.

ein|kehren *vi (ist) (in einem Gasthaus)* fare una sosta.

ein|kleiden *vt* : **jn neu ~** rifare il guardaroba a qn. ■ **sich einkleiden** *ref* farsi il guardaroba.

ein|klemmen *vt (Finger)* schiacciare.

Einkommen (*pl* -) *das* reddito *m*.

ein|kremen *vt* = **eincremen**.

ein|laden *vt (unr) (Gepäck)* caricare ; *(nach Hause)* invitare ; **~ zu** invitare a.

Einladung (*pl* -en) *die* invito *m*.

Einlage (*pl* -n) *die (im Schuh)* plantare *m* ; *(in Suppe) pasta, riso, carne o altro che si mette nel brodo*.

Einlass *der* ingresso *m*.

ein|laufen *vi (unr & ist) (Wasser)* scorrere *(dentro)* ; *(Kleidung)* restringersi.

ein|leben : sich einleben *ref* ambientarsi.

ein|legen *vt (Film)* inserire ; AUTO : **den zweiten Gang ~** mettere la seconda.

Einleitung (*pl* -en) *die (Text)* introduzione *f*.

ein|liefern *vt* : **ins Krankenhaus ~** ricoverare in ospedale.

ein|lösen *vt (Gutschein, Scheck)* incassare.

einmal *adv (ein einziges Mal)* una volta ; *(irgendwann)* un tempo ; **auf ~** *(plötzlich)* ad un tratto ; *(gleichzeitig)* in una volta ; **noch ~** ancora una volta.

einmalig *adj (einzig)* unico(a) ; *(hervorragend)* eccezionale.

ein|mischen : sich einmischen *ref* immischiarsi.

Einnahme (*pl* -n) *die (Geld)* incasso *m* ; *(von Medikament)* assunzione *f*.

ein|nehmen *vt (unr) (Geld)* incassare ; *(Medikament)* assumere.

ein|ölen *vt (Person, Körperteil)* mettere l'olio. ■ **sich einölen** *ref* mettersi l'olio.

ein|ordnen *vt (in Regal, in Kartei)* mettere a posto. ■ **sich einordnen** *ref (in Schlange)* mettersi in fila.

ein|packen *vt (in Koffer, in Tasche)* mettere dentro ; *(in Geschenkpapier)* incartare ; **~ oder zum Hier-Essen?** da portar via o da consumare qui?

ein|parken *vi & vt* parcheggiare.

ein|räumen *vt (Bücher, Kleidung)* riporre ; *(Schrank, Regal)* sistemare.

ein|reiben *vt (unr)* frizionare. ■ **sich einreiben** *ref* frizionarsi.

Einreise (*pl* -n) *die* entrata *f (in uno stato)*.

ein|reisen *vi (ist)* entrare in uno stato straniero.

Einreisevisum (*pl* **-visa**) *das* visto *m* d'entrata.

ein|richten *vt* *(Wohnung, Zimmer)* arredare.

Einrichtung (*pl* **-en**) *die* *(Möbel)* arredamento *m* ; *(Institution)* istituzione *f*.

eins *num* uno ; *siehe auch* **sechs**. ◆ *pron* → **ein**.

einsam *adj* *(Person)* solitario(a) ; *(Gegend)* disabitato(a). ◆ *adv* *(leben)* in solitudine.

ein|sammeln *vt* raccogliere.

Einsatz (*pl* **-sätze**) *der* *(Verwendung)* impiego *m* ; *(beim Spiel)* posta *f* in gioco ; *(Engagement)* impegno *m*.

ein|schalten *vt* *(Gerät)* accendere.

ein|schenken *vt* servire *(da bere)*.

ein|schicken *vt* inviare.

ein|schieben *vt* *(unr)* inserire.

ein|schlafen *vi* *(unr, ist)* *(Person)* addormentarsi ; *(Körperteil)* intorpidirsi.

ein|schließen *vt* *(unr)* *(Person, Gegenstand)* chiudere *(a chiave)* ; *(enthalten)* includere.

einschließlich *präp* *(+G)* compreso(a). ◆ *adv* : **bis Montag ~** fino a lunedì compreso.

ein|schränken *vt* limitare. ■ **sich einschränken** *ref* limitarsi nelle spese.

ein|schreiben : **sich einschreiben** *ref* iscriversi.

Einschreiben (*pl* -) *das* raccomandata *f*.

ein|sehen *vt* *(unr)* *(Fehler)* riconoscere.

einseitig *adj* *(Argumentation)* parziale ; *(Beschriftung)* da un solo lato ; **~e Liebe** amore non corrisposto.

ein|setzen *vt* *(Hilfsmittel, Personen)* impiegare ; *(riskieren)* mettere in gioco. ■ **sich einsetzen** *ref* *(sich engagieren)* impegnarsi.

Einsicht (**-en**) *die* *(Erkenntnis)* convinzione *f*.

Einspänner (*pl* -) *der* *Österr* *caffè con panna*.

ein|springen *vi* *(unr & ist)* *(aushelfen)* : **für jn ~** rimpiazzare qn.

Einspruch (*pl* **-sprüche**) *der* *amt* ricorso *m*.

einspurig *adj* *(Straße)* ad una sola corsia. ◆ *adv* : **nur ~ befahrbar** percorribile su una sola corsia.

ein|stecken *vt* *(mitnehmen)* prendere ; *(in Briefkasten)* imbucare ; *(Stecker)* introdurre.

ein|steigen *vi* *(unr & ist)* *(in Auto, U-Bahn)* salire.

ein|stellen *vt* *(anstellen)* accendere ; *(Programm, Blende)* regolare ; *(in Firma)* assumere ; *(beenden)* interrompere. ■ **sich einstellen** *ref* : **sich ~ auf** *(+A)* prepararsi a.

Einstellung *die* *(von Arbeitskräften)* assunzione *f* ; *(Meinung)* posizione *f* ; *(von Sender, Blende)* regolazione *f*.

Einstieg *der* : **'~ nur mit Fahrausweis'** 'salire solo se muniti di biglietto valido' ; '~ **nur vorne'** 'salita solo dalla porta anteriore'.

ein|stürzen *vi (ist)* crollare.

Einsturzgefahr *die* : **'Vorsicht, ~!'** 'attenzione, pericolo di crollo!'.

eintägig *adj* di un giorno.

ein|tauschen *vt* scambiare.

eintausend *num* mille ; *siehe auch* **sechs.**

ein|teilen *vt (Zeit)* organizzare ; *(Geld, Vorrat)* ripartire.

einteilig *adj* : **~er Badeanzug** costume intero.

Einteilung *(pl* **-en)** *die (von Zeit)* organizzazione *f* ; *(von Geld, Vorrat)* ripartizione *f*.

Eintopf *(pl* **-töpfe)** *der minestrone a base di verdure e carne.*

ein|tragen *vt (unr) (auf Liste)* iscrivere. ■ **sich eintragen** *ref* iscriversi.

ein|treten *vi (unr & ist) (in Raum, Verein)* entrare. ◆ *vt (unr & hat) (zerstören)* sfondare.

Eintritt *(pl* **-e)** *der (in Zoo, ins Museum)* ingresso *m* ; **'~ frei'** 'ingresso libero' ; **'~ verboten!'** 'vietato l'accesso'.

Eintrittsgeld *(pl* **-er)** *das* ingresso *m* ; **das ~ nicht haben** non avere i soldi per entrare.

Eintrittskarte *(pl* **-en)** *die* biglietto *m* d'ingresso.

einundzwanzig *num* ventuno.

einverstanden *adv* d'accordo ; **~ mit** d'accordo con ; **einverstanden!** d'accordo!

ein|wandern *vi (ist)* immigrare.

einwandfrei *adj (fehlerlos)* perfetto(a).

Einwegflasche *(pl* **-n)** *die* bottiglia *f* con vuoto a perdere.

ein|weichen *vt (Hülsenfrüchte)* mettere a bagno ; *(Wäsche)* mettere a mollo.

Einweihung *(pl* **-en)** *die* inaugurazione *f*.

Einweihungsparty *(pl* **-s)** *die* festa *f* d'inaugurazione.

ein|weisen *vt (unr) (ins Krankenhaus)* far ricoverare.

ein|werfen *vt (unr) (Brief)* imbucare ; *(in Automaten)* inserire ; SPORT rimettere in gioco.

ein|wickeln *vt (mit Papier)* incartare ; *fam (Person)* abbindolare.

Einwohner, in *(mpl* **-)** *der, die* abitante *mf*.

Einwurf *(pl* **-würfe)** *der (Frage, Bemerkung)* osservazione *f* ; *(am Automaten)* fessura *f* ; SPORT rimessa *f (in gioco)*.

ein|zahlen *vt & vi* versare.

Einzahlung *(pl* **-en)** *die (von Geld)* versamento *m*.

Einzahlungsschein *(pl* **-e)** *der* modulo *m* di versamento.

ein|zeichnen *vt* : **die Route in den Plan ~** tracciare l'itinerario sulla carta.

Einzelbett *(pl* **-en)** *das* letto *m* singolo.

Einzelfahrschein *(pl* **-e)** *der* biglietto *m* di corsa singola.

Einzelgänger, in *(mpl* **-)** *der, die* solitario *m*, -a *f*.

Einzelheit (*pl* **-en**) *die* dettaglio *m*.

Einzelkabine (*pl* **-n**) *die* cabina *f* singola.

einzeln *adj (vereinzelt)* singolo(a) ; *(ohne Gegenstück)* solo(a). ◆ *adv (nacheinander)* singolarmente ; *(extra)* separatamente.

einzelne, r, s *det (vereinzelte Person)* qualcuno ; *(vereinzelte Sachen)* qualcosa ; **jeder/jede/jedes ~** *(Individuum)* ognuno(a).

Einzelreisende (*pl* **-n**) *der, die* viaggiatore *m*, -trice *f* individuale.

Einzelteil (*pl* **-e**) *das* pezzo *m* singolo.

Einzelticket (*pl* **-s**) *das* biglietto *m* singolo.

Einzelzimmer (*pl* **-**) *das* camera *f* singola.

Einzelzimmerzuschlag (*pl* **-zuschläge**) *der* supplemento *m* camera singola.

ein|ziehen *vi (unr) (in Wohnung)* andare ad abitare ; *(in Haut)* essere assorbito(a). ◆ *vt (unr) (vom Konto)* incassare.

einzig *adj (alleinig)* unico(a).

Eis *das (Speiseeis)* gelato *m* ; *(Eiswürfel, auf See)* ghiaccio *m* ; **~ am Stiel** gelato *m* da passeggio.

Eisbecher (*pl* **-**) *der* coppa *f* di gelato.

Eiscafé (*pl* **-s**) *das* gelateria *f*.

Eiscreme (*pl* **-s**) *die* gelato *m*.

Eisen *das (Metall)* ferro *m*.

Eisenbahn (*pl* **-en**) *die (Zug)* treno *m* ; *(Institution)* ferrovia *f*.

Eisenbahnbrücke (*pl* **-n**) *die* ponte *m* della ferrovia.

Eisenbahnnetz (*pl* **-e**) *das* rete *f* ferroviaria.

eisgekühlt *adj* ghiacciato(a).

Eishockey *das* hockey *m* su ghiaccio.

eisig *adj (Wetter, Kälte)* gelido(a). ◆ *adv* : **~ kalt** freddo gelido.

Eiskaffee (*pl* **-s**) *der caffè freddo con gelato di vaniglia e panna montata*.

eiskalt *adj (kalt, skrupellos)* glaciale.

Eiskugel (*pl* **-n**) *die* pallina *f* di gelato.

Eiskunstlauf *der* pattinaggio *m* artistico su ghiaccio.

Eismann (*pl* **-männer**) *der* gelataio *m*.

Eisschokolade (*pl* **-n**) *die cioccolato liquido con gelato e panna montata*.

Eiswaffel (*pl* **-n**) *die* cialda *f (da gelato)*.

Eiswürfel (*pl* **-**) *der* cubetto *m* di ghiaccio.

eitel (*komp* **eitler**, *superl* **am eitelsten**) *adj* vanitoso(a).

Eiter *der* pus *m*.

eitern *vi* suppurare.

Eiweiß (*pl* **-e**) *das (im Ei)* albume *m* ; *(Protein)* proteina *f*.

ekeln : sich ekeln *ref* : **jd ekelt sich vor etw** qc fa schifo a qn.

Ekzem (*pl* **-e**) *das* MED eczema *m*.

elastisch *adj (Material)* elastico(a).
Elbe *die* Elba *m*.
Elefant (*pl* -en) *der* elefante *m*.
elegant *adj* elegante. ◆ *adv* con eleganza.
Elektriker, in (*mpl* -) *der, die* elettricista *mf*.
elektrisch *adj* elettrico(a).
Elektrizität *die* elettricità *f*.
Elektrogerät (*pl* -e) *das* apparecchio *m* elettrico.
Elektroherd (*pl* -e) *der* fornello *m* elettrico.
Elektronik *die* elettronica *f*.
elektronisch *adj (Anlage)* elettronico(a).
Element (*pl* -e) *das* elemento *m*.
Elend *das* miseria *f*.
elf *num* undici ; *siehe auch* sechs.
elfhundert *num* millecento ; *siehe auch* sechs.
Elfmeter (*pl* -) *der* SPORT calcio *m* di rigore.
elfte *adj* undicesimo(a) ; *siehe auch* sechste.
Ellbogen (*pl* -) *der (Gelenk)* gomito *m*.
Eltern *pl* genitori *mpl*.
EM *die* (*abk für Europameisterschaft*) campionato *m* europeo.
E-Mail (*pl* -s) *die* EDV e-mail *f*.
E-Mail-Adresse *die* EDV : jm Telefonnummer und ~ mitteilen comunicare a qn numero telefonico ed indirizzo e-mail.
Emanzipation *die* emancipazione *f*.
emotional *adj* emozionale.
empfahl *prät* → empfehlen.
empfand *prät* → empfinden.
Empfang (*pl* Empfänge) *der (von Person)* accoglienza *f* ; *(im Hotel)* reception *f* ; *(von Radio, Fernseher)* ricezione *f*.
empfangen (*präs* empfängt, *prät* empfing, *pp* -) *vt (Person)* accogliere ; *(Gegenstand)* ricevere.
Empfänger, in (*mpl* -) *der, die (Adressat)* destinatario *m*, -a *f*.
Empfängerabschnitt (*pl* -e) *der (von Einschreiben)* ricevuta *f* per il destinatario.
Empfängnisverhütung *die* contraccezione *f*.
Empfangsbescheinigung (*pl* -en) *die* ricevuta *f* di ritorno.
empfängt *präs* → empfangen.
empfehlen (*präs* empfiehlt, *prät* empfahl, *pp* empfohlen) *vt* raccomandare ; jm etw ~ raccomandare qc a qn.
empfehlenswert *adj* consigliabile.
Empfehlung (*pl* -en) *die* raccomandazione *f*.
empfiehlt *präs* → empfehlen.
empfinden (*prät* empfand, *pp* empfunden) *vt* provare.
empfindlich *adj (Person)* sensibile ; *(Material)* delicato(a).
empfing *prät* → empfangen.
empfohlen *pp* → empfehlen.
empfunden *prät* → empfinden.

Ende (*pl* **-n**) *das (räumlich, zeitlich)* fine *f* ; *(Endstück)* estremità *f* ; **am ~** alla fine ; **zu ~ sein** essere finito(a).

enden *vi* terminare.

endgültig *adj* definitivo(a). ◆ *adv* definitivamente.

Endivie (*pl* **-n**) *die* indivia *f*.

endlich *adv* finalmente.

Endstation (*pl* **-en**) *die* capolinea *m*.

Endung (*pl* **-en**) *die* GRAMM desinenza *f*.

Energie (*pl* **-n**) *die* energia *f*.

energisch *adj* energico(a).

eng *adj* stretto(a) ; *(Kontakt)* intimo(a).

Engagement (*pl* **-s**) *das (Einsatz)* impegno *m* ; *(Auftrag, Stelle)* ingaggio *m*.

engagieren *vt (beauftragen)* ingaggiare. ■ **sich engagieren** *ref (sich einsetzen)* impegnarsi.

England *nt* Inghilterra *f*.

Engländer, in (*mpl* **-**) *der, die* inglese *mf*.

englisch *adj* inglese.

Englisch(e) *das* inglese *m*.

Enkel, in (*mpl* **-**) *der, die* nipote *mf (dei nonni)*.

enorm *adj (Höhe, Summe)* enorme.

Ensemble (*pl* **-s**) *das (Theater, Musik)* ensemble *m*.

entdecken *vt* scoprire.

Ente (*pl* **-n**) *die (Tier)* anatra *f*.

entfernen *vt (Schmutz)* togliere.

entfernt *adj (fern)* distante ; *(Bekannte, Verwandte)* lontano(a) ; *(abgelegen)* remoto(a). ◆ *adv (bekannt)* vagamente ; **50 km von München ~** a 50 km da Monaco.

Entfernung (*pl* **-en**) *die (Distanz)* distanza *f*.

entführen *vt (Person)* rapire ; *(Flugzeug)* dirottare.

Entführung (*pl* **-en**) *die (von Personen)* rapimento *m* ; *(von Flugzeugen)* dirottamento *m*.

entgegen *präp (+D)* contrariamente a.

entgegengesetzt *adj (Richtung, Seite, Ansichten)* opposto(a). ◆ *adv (liegen)* dalla parte opposta ; *(denken)* in modo opposto.

entgegen|kommen *vi (unr & ist) (räumlich, mit Angebot)* venire incontro ; **jm ~** venire incontro a qn.

entgegnen *vt* replicare.

Entgelt *das* compenso *m* ; **'~ für Platzreservierung im Zuschlag enthalten'** 'nel supplemento è inclusa la prenotazione del posto'.

enthaaren *vt (Beine, Achseln)* depilare.

Enthaarungscreme (*pl* **-s**) *die* crema *f* depilatoria.

enthalten (*präs* **enthält**, *prät* **enthielt**, *pp* **-**) *vt (in Behälter)* contenere ; *(in Preis)* comprendere. ■ **sich enthalten** *ref (nicht abstimmen)* astenersi.

entkommen (*prät* **entkam**, *pp* **-**) *vi (ist) (fliehen)* scappare.

entlang *präp (+G & +A)* lungo. ◆ *adv* : **am Strand ~ gehen** camminare lungo la spiaggia.

entlassen (*präs* **entlässt**, *prät* **entließ**, *pp* -) *vt (Mitarbeiter, aus Schule)* licenziare ; *(aus Krankenhaus)* dimettere.

Entlassung (*pl* **-en**) *die (Kündigung, aus Schule)* licenziamento *m* ; *(aus Krankenhaus)* dimissione *f*.

entlaufen (*präs* **entläuft**, *prät* **entlief**, *pp* -) *vi (ist) (Tier)* scappare.

entlegen *adj* remoto(a).

Entnahme *die (von Wechselgeld, Blut)* prelievo *m*.

entnehmen (*präs* **entnimmt**, *prät* **entnahm**, *pp* **entnommen**) *vt (Wechselgeld, Blut)* prelevare.

entrahmt *adj* : **~e Milch** latte scremato.

Entschädigung (*pl* **-en**) *die (Geldsumme, Gegenstand)* indennizzo *m*.

entscheiden (*prät* **entschied**, *pp* **entschieden**) *vt* decidere. ■ **sich entscheiden** *ref* decidersi ; **sich ~ für/gegen** *(+A)* decidersi per/contro.

Entscheidung (*pl* **-en**) *die* decisione *f*.

entschließen (*prät* **entschloss**, *pp* **entschlossen**) *ref* decidersi.

entschlossen *pp* → **entschließen**.

Entschluss (*pl* **-schlüsse**) *der* decisione *f*.

entschuldigen *vt (Fehler)* scusare. ■ **sich entschuldigen** *ref* scusarsi ; **sich ~ für** scusarsi per ; **sich ~ bei** chiedere scusa a ; **~ Sie bitte!** scusi!

Entschuldigung (*pl* **-en**) *die* scusa *f* ; **Entschuldigung!** chiedo scusa!

entsetzlich *adj fam (stark)* terribile. ◆ *adv fam (sehr, furchtbar)* terribilmente.

entsorgen *vt* smaltire.

entspannen *vi* & *vt* distendere. ■ **sich entspannen** *ref* distendersi.

Entspannung *die* distensione *f*.

entsprechend *adj* corrispondente. ◆ *präp (+D)* conforme a.

entstehen (*prät* **entstand**, *pp* **entstanden**) *vi (Gebäude, Probleme)* sorgere.

enttäuschen *vt* & *vi* deludere.

enttäuscht *adj* deluso(a).

Enttäuschung (*pl* **-en**) *die* delusione *f*.

entweder *konj* : **~ - oder** *(zwischen Sätzen)* o - o ; *(zwischen Worten)* sia - che.

entwerfen (*präs* **entwirft**, *prät* **entwarf**, *pp* **entworfen**) *vt* progettare ; *(Zeichnung)* abbozzare.

entwerten *vt (Fahrkarte)* obliterare.

Entwerter (*pl* -) *der (für Fahrkarten)* macchina *f* obliteratrice.

entwickeln *vt (Film, Talent)* sviluppare ; *(Plan)* elaborare.

■ **sich entwickeln** *ref (Person)* svilupparsi ; *(Konflikt)* generarsi ; *(Gase)* formarsi.

Entwicklung (*pl* **-en**) *die (von Film, Person)* sviluppo *m* ; *(von Plan)* elaborazione *f* ; *(von Konflikt)* evoluzione *f* ; *(von Gas)* formazione *f*.

entzünden *vt (Feuer)* accendere. ■ **sich entzünden** *ref (Wunde, Blinddarm)* infiammarsi.

Entzündung (*pl* **-en**) *die (von Wunde, Blinddarm)* infiammazione *f*.

Enzian (*pl* **-e**) *der (Pflanze)* genziana *f*.

Epilepsie (*pl* **-n**) *die* MED epilessia *f*.

er *pron (unbetont)* egli, esso ; *(betont)* lui, esso.

Erbe (*pl* **-n**) *der* erede *m*. ◆ *das* eredità *f*.

erben *vt & vi* ereditare.

Erbin (*pl* **-nen**) *die* erede *f*.

erblich *adj (Krankheit, Charakter)* ereditario(a).

erbrechen (*präs* **erbricht**, *prät* **erbrach**, *pp* **erbrochen**) *vt & vi* vomitare. ■ **sich erbrechen** *ref* vomitare.

Erbse (*pl* **-n**) *die (Gemüse)* pisello *m*.

Erdbeben (*pl* **-**) *das* terremoto *m*.

Erdbeere (*pl* **-n**) *die (Obst)* fragola *f*.

Erde *die (Planet, Boden)* terra *f* ; *(Erdreich)* terreno *m*.

erden *vt* TECH mettere a terra.

Erdgas *das* metano *m*.

Erdgeschoss (*pl* **-geschosse**) *das* pianterreno *m*.

Erdnuss (*pl* **-nüsse**) *die* arachide *f*.

Erdöl *das* petrolio *m*.

Erdteil (*pl* **-e**) *der* continente *m*.

ereignen : **sich ereignen** *ref* accadere.

Ereignis (*pl* **-se**) *das* avvenimento *m*.

erfahren (*präs* **erfährt**, *prät* **erfuhr**, *pp* **-**) *adj* esperto(a). ◆ *vt (Information)* venire a sapere ; *(erleben)* provare ; ~ **von** *(+D) (von Informant)* venire a sapere da ; *(von Information)* venire a conoscenza di.

Erfahrung (*pl* **-en**) *die* esperienza *f*.

erfinden (*prät* **erfand**, *pp* **erfunden**) *vt* inventare.

Erfolg (*pl* **-e**) *der* successo *m* ; **viel ~!** in bocca al lupo!

erfolglos *adj* senza successo. ◆ *adv (versuchen)* inutilmente.

erfolgreich *adj (Person, Firma)* di successo ; *(Handlung)* riuscito(a). ◆ *adv (versuchen, spielen)* con successo.

erforderlich *adj* necessario(a).

erforschen *vt (Land)* esplorare ; *(Natur)* studiare.

erfreulich *adj* piacevole.

erfrieren (*prät* **erfror**, *pp* **erfroren**) *vi (ist)* morire assiderato(a).

erfrischend *adj (Bad, Getränk)* rinfrescante.

Erfrischung (*pl* **-en**) *die (Getränk, Eis)* : **kann ich Ihnen eine ~ anbieten?** posso offrirLe qualcosa di fresco?

erfüllen *vt (Wunsch, Zweck, Bedingung)* soddisfare ; *(Pflicht)* adempiere. ■ **sich erfüllen** *ref (Wunsch)* realizzarsi.

ergänzen *vt* completare.

Ergebnis (*pl* **-se**) *das* risultato *m*.

ergebnislos *adj* senza risultato.

ergiebig *adj (Packung)* che rende molto.

erhalten (*präs* **erhält**, *prät* **erhielt**, *pp* **-**) *vt (Gabe, Information, Unterstützung)* ricevere ; *(Ergebnis)* ottenere ; *(bewahren)* mantenere. ■ **sich erhalten** *ref (sich bewahren)* mantenersi.

erhältlich *adj* disponibile ; **'hier ~'** 'disponibile qui'.

erheben (*prät* **erhob**, *pp* **erhoben**) *vt* : **Gebühren ~** far pagare delle tasse.

erheblich *adj* considerevole.

erhitzen *vt (Fett, Wasser)* scaldare.

erhöhen *vt (Zaun, Mauer)* alzare ; *(Gebühren)* aumentare. ■ **sich erhöhen** *ref (Gebühren)* aumentare.

erholen : **sich erholen** *ref* riposarsi ; **sich ~ von** riprendersi da.

erholsam *adj* riposante.

Erholung *die* riposo *m* ; **gute ~!** buon riposo!

erinnern *vt* ricordare ; **~ an jn/etw** ricordare qn/qc. ■ **sich erinnern** *ref* ricordarsi ; **sich ~ an jn/etw** ricordarsi qn/qc.

Erinnerung (*pl* **-en**) *die (Gedanke, Souvenir)* ricordo *m*.

erkälten : **sich erkälten** *ref* raffreddarsi.

erkältet *adj* raffreddato(a).

Erkältung (*pl* **-en**) *die* raffreddore *m*.

erkennen (*prät* **erkannte**, *pp* **erkannt**) *vt* riconoscere.

Erker (*pl* **-**) *der* bovindo *m*.

erklären *vt (erläutern)* spiegare ; **sich** *(D)* **etw ~** spiegarsi qc. ■ **sich erklären** *ref* : **sich bereit ~ zu** dichiararsi disponibile a.

Erklärung (*pl* **-en**) *die (Erläuterung)* spiegazione *f*.

erkundigen : **sich erkundigen** *ref* : **sich ~ nach** informarsi di ODER su.

erlauben *vt (nicht verbieten)* permettere ; **jm etw ~** permettere qc a qn.

Erlaubnis *die* permesso *m*.

Erläuterung (*pl* **-en**) *die* spiegazione *f* ; **'~ siehe Rückseite'** 'spiegazioni sul retro'.

erleben *vt (erfahren)* vivere *(un'esperienza)*.

Erlebnis (*pl* **-se**) *das (Erfahrung)* esperienza *f*.

erledigen *vt (Arbeit, Einkauf)* sbrigare.

erledigt *adj* : **~ sein** *(müde*

sein) fam essere sfinito(a) ; *(beendet sein)* concluso(a).

erleichtert *adj* sollevato(a).

erlesen *adj* squisito(a).

Erlös *der* ricavo *m*.

ermahnen *vt* ammonire.

ermäßigt *adj* ribassato(a).

Ermäßigung (*pl* **-en**) *die* riduzione *f*.

ermöglichen *vt* consentire.

ermorden *vt* assassinare.

ermutigen *vt* incoraggiare.

ernähren : **sich ernähren** *ref (essen)* nutrirsi.

Ernährung *die (Nahrung)* alimentazione *f*.

erneuern *vt (Fensterscheibe, Schloss)* sostituire.

erneut *adj* ripetuto(a).

ernst *adj* serio(a) ; *(Drohung, Krankheit)* grave. ◆ *adv (ansehen)* seriamente ; *(nicht spaßig)* sul serio ; **jn/etw ~ nehmen** prendere sul serio qn/qc.

Ernst *der* serietà *f*.

Ernstfall *der* caso *m* di emergenza.

ernsthaft *adj* serio(a) ; *(Drohung, Krankheit)* grave. ◆ *adv* seriamente ; *(erkranken)* gravemente.

Ernte (*pl* **-n**) *die (Ernten)* raccolta *f* ; *(Produkte)* raccolto *m*.

ernten *vt (Heu, Äpfel, Mais)* raccogliere.

eröffnen *vt (Geschäft)* aprire ; **ein Konto ~** aprire un conto.

Eröffnung (*pl* **-en**) *die (von Geschäft, Ausstellung)* inaugurazione *f* ; *(von Konto)* apertura *f*.

erotisch *adj* erotico(a).

Erpressung (*pl* **-en**) *die* ricatto *m*.

erraten (*präs* **errät**, *prät* **erriet**, *pp* **-**) *vt* indovinare.

Erreger (*pl* **-**) *der* MED agente *m* patogeno.

erreichbar *adj* raggiungibile.

erreichen *vt* raggiungere.

Ersatz *der (Stellvertreter)* sostituto *m* ; *(Entschädigung)* indennizzo *m*.

Ersatzreifen (*pl* **-**) *der* ruota *f* di scorta.

Ersatzteil (*pl* **-e**) *das* pezzo *m* di ricambio.

erscheinen (*prät* **erschien**, *pp* **erschienen**) *vi (ist) (sich zeigen)* apparire ; *(Roman, Zeitung)* uscire.

erschöpft *adj* & *adv (müde)* esausto(a).

Erschöpfung *die* esaurimento *m*.

erschrak *prät* → **erschrecken**.

erschrecken[1] *vt (hat)* spaventare. ■ **sich erschrecken** *ref* spaventarsi.

erschrecken[2] (*präs* **erschrickt**, *prät* **erschrak**, *pp* **erschrocken**) *vi (ist)* essere spaventato(a).

erschrickt *präs* → **erschrecken**.

erschrocken *pp* → **erschrecken**.

ersetzen *vt (auswechseln)* sostituire ; *(Schaden)* risarcire ; **voll ~** risarcire totalmente.

erst *adv (bei Zeitangabe)* solo, soltanto ; *(relativ wenig)* appena ; ~ **einmal** *(nur einmal)* una volta soltanto ; *(zuerst)* per prima cosa.

erstatten *vt (Kosten)* rimborsare.

Erstattung *die (von Kosten)* rimborso *m*.

Erstaufführung (*pl* **-en**) *die* prima *f (rappresentazione)*.

erstaunt *adj* stupito(a) ; ~ **sein** essere stupito(a).

erste, r, s *adj* primo(a) ; **als Erstes** per prima cosa ; ~ **Klasse** prima classe ; *siehe auch* **sechste**.

Erste (*pl* **-n**) *der, die, das* primo *m*, -a *f*.

Erste Hilfe *die* pronto soccorso *m*.

erstens *adv* in primo luogo.

erteilen *vt amt* dare.

Ertrag (*pl* **Erträge**) *der (an Gemüse, Getreide)* raccolto *m* ; *(finanziell)* rendita *f*.

ertrinken (*prät* **ertrank**, *pp* **ertrunken**) *vi (ist)* annegare.

Erw. *abk für* **Erwachsene**.

erwachen *vi (ist) (Person)* svegliarsi.

erwachsen *adj* adulto(a).

Erwachsene (*pl* **-n**) *der, die* adulto *m*, -a *f* ; **ein ~r, zwei Kinder, bitte!** un adulto e due bambini, per piacere!

erwähnen *vt* menzionare.

erwarten *vt (warten auf)* aspettare ; *(erhoffen)* aspettarsi ; **einen Anruf** ~ attendere una telefonata ; **ein Kind** ~ aspettare un bambino.

erweitern *vt (Raum)* ampliare. ■ **sich erweitern** *ref* espandersi ; *(Pupillen)* dilatarsi.

erwerbstätig *adj* attivo(a).

erwidern *vt (auf Frage)* replicare ; *(Besuch)* ricambiare.

erzählen *vt* raccontare.

Erzählung (*pl* **-en**) *die* racconto *m*.

erzeugen *vt (produzieren)* produrre.

Erzeugnis (*pl* **-se**) *das (Produkt)* prodotto *m*.

erziehen (*prät* **erzog**, *pp* **erzogen**) *vt* educare.

Erzieher, in (*mpl* **-**) *der, die* educatore *m*, -trice *f*.

Erziehung *die* educazione *f*.

erzogen *pp* → **erziehen**. ◆ *adj* : **schlecht** ~ maleducato(a).

es *pron (Personalpronomen im Nominativ)* egli, ella, esso, essa *(vor Verben meist unübersetzt)* ; *(Personalpronomen im Akkusativ)* lo, la ; *(unpersönliches Pronomen)* : ~ **ist drei Uhr** sono le tre ; ~ **regnet/schneit** piove/nevica ; **wer war ~?** chi è stato?

Esel (*pl* **-**) *der* asino *m*.

Espresso (*pl* **-s**) *der* caffè *m (espresso)*.

essbar *adj* commestibile.

essen (*präs* **isst**, *prät* **aß**, *pp* **gegessen**) *vt* & *vi* mangiare ; ~ **gehen** andare a mangiare fuori.

Essen (*pl* **-**) *das (Mittagessen)* pranzo *m* ; *(Abendessen)* cena *f* ;

beim ~ mangiando ; *fam (Nahrung)* cibo *m* ; **~ machen/kochen** fare/preparare da mangiare ; **vor dem ~** prima di mangiare.

Essig *der* aceto *m*.

Esslöffel (*pl* -) *der* cucchiaio *m*.

Esszimmer (*pl* -) *das* sala *f* da pranzo.

Etage (*pl* **-n**) *die* piano *m*.

Etagenbett (*pl* **-en**) *das* letto *m* a castello.

Etappe (*pl* **-n**) *die* tappa *f*.

Etikett (*pl* **-en**) *das* etichetta *f*.

etliche, r, s *det & pron* parecchi *mpl* ; **es gibt ~s zu tun** c'è parecchio da fare.

Etui (*pl* **-s**) *das (für Brille, Stifte)* custodia *f*.

etwa *adv (ungefähr)* circa ; *(zum Beispiel)* ad esempio.

etwas *pron* qualcosa. ◆ *det (irgendetwas)* qualcosa ; *(ein wenig)* un po' di. ◆ *adv (ein wenig)* un po' ; **~ anderes** un'altra cosa ; **so ~** una cosa del genere.

euch *pron* voi, a voi, vi.

euer, e oder **eure** *det* vostro, vostra, vostri, vostre.

eure, r, s *pron* il vostro, la vostra, i vostri, le vostre. ◆ *det* → **euer**.

Euro (*mpl* -) *der* euro *m*.

Eurocard (*pl* **-s**) *die* eurocard *f*.

Eurocheque (*pl* **-s**) *der* = **Euroscheck**.

Eurocity (*pl* **-s**) *der* eurocity *m (treno)*.

Europa *nt* Europa *f*.

Europäer (*pl* -) *der* europeo *m*.

Europäerin (*pl* **-nen**) *die* europea *f*.

Euroscheck (*pl* **-s**) *der* eurochèque *m*.

ev. *abk für* **evangelisch**.

e. V. *abk für* **eingetragener Verein** → **Verein**.

evangelisch *adj* protestante.

eventuell *adv* eventualmente. ◆ *adj* eventuale.

ewig *adj (nie endend)* eterno(a) ; *abw (sehr lange)* interminabile ; *abw (ständig wiederkehrend)* perenne.

exakt *adj* esatto(a). ◆ *adv* esattamente.

Examen (*pl* -) *das* esame *m*.

Exemplar (*pl* **-e**) *das* esemplare *m*.

Exil *das* esilio *m*.

Existenz (*pl* **-en**) *die* esistenza *f*.

existieren *vi (bestehen)* esistere ; *(finanziell)* vivere.

exklusiv *adj* esclusivo(a). ◆ *adv (sich kleiden)* in modo esclusivo ; **~ essen gehen** andare in un ristorante di lusso.

Exkursion (*pl* **-en**) *die* escursione *f*.

exotisch *adj* esotico(a).

Expedition (*pl* **-en**) *die* spedizione *f*.

Experte (*pl* **-n**) *der* esperto *m*.

Expertin (*pl* **-nen**) *die* esperta *f*.

explodieren *vi (ist) (Bombe)* esplodere ; *(fig : Person)* scoppiare.

Explosion (*pl* **-en**) *die (von Bombe, Gasleitung)* esplosione *f*.

Export[1] (*pl* **-e**) *der (Ausfuhr)* esportazione *f*.

Export[2] (*pl* **-**) *das (Bier) tipo di birra chiara.*

extra *adv fam (absichtlich)* apposta ; *(separat)* a parte ; *(speziell)* espressamente ; *(zusätzlich)* in aggiunta. ◆ *adj (zusätzlich)* supplementare.

Extrablatt *das (Zeitung)* edizione *f* straordinaria.

extrem *adj* estremo(a).

exzellent *adj* eccellente.

EZ *abk für* **Einzelzimmer**.

F

fabelhaft *adj* favoloso(a).

Fabrik (*pl* **-en**) *die* fabbrica *f*.

Fach (*pl* **Fächer**) *das (im Schrank)* scomparto *m* ; *(in der Schule)* materia *f*.

Facharzt (*pl* **-ärzte**) *der* specialista *m*.

Fachärztin (*pl* **-nen**) *die* specialista *f*.

Fachausdruck (*pl* **-drücke**) *der* termine *m* tecnico.

Fachgeschäft (*pl* **-e**) *das* negozio *m* specializzato.

Fachmann (*pl* **-leute** ODER **-männer**) *der* esperto *m*.

fachmännisch *adj* da specialista. ◆ *adv* con competenza.

Fachwerkhaus (*pl* **-häuser**) *das tipica casa con intelaiatura di legno a vista.*

fade *adj* & *adv* insipido(a).

Faden (*pl* **Fäden**) *der (zum Nähen)* filo *m*.

fähig *adj (kompetent)* capace ; **~ sein zu** essere in grado di.

Fahne (*pl* **-n**) *die (Flagge)* bandiera *f* ; *fam* **eine ~ haben** puzzare di alcool.

Fahrausweis (*pl* **-e**) *der* documento *m* di viaggio.

Fahrausweisautomat (*pl* **-en**) *der* biglietteria *f* automatica.

Fahrausweisentwerter (*pl* **-**) *der* macchina *f* obliteratrice.

Fahrausweiskontrolle (*pl* **-n**) *die* controllo *m* dei biglietti.

Fahrausweisverkauf *der* biglietteria *f*.

Fahrbahn (*pl* **-en**) *die* carreggiata *f*.

Fahrbahnverschmutzung *die* : **'Fahrbahnverschmutzung'** *segnaletica indicante possibili residui d'olio o altro sulla carreggiata.*

Fähre (*pl* **-n**) *die* traghetto *m*.

fahren (*präs* **fährt**, *prät* **fuhr**, *pp* **gefahren**) *vi (ist)* **- 1.** *(Fahrer)* guidare ; **durch Rom ~** attraversare Roma ; **über Bologna ~** passare per Bologna ; **langsam ~** guidare piano.

- 2. *(mit Verkehrsmittel)* andare ; **wir ~ nach Rom** andiamo a Roma ; **mit dem Zug ~** andare in treno.
- 3. *(abfahren)* partire ; **der Bus fährt bald** l'autobus parte tra breve.
◆ *vt (hat) (Fahrzeug, Person)* condurre.
◆ *vt (ist)* - 1. *(Entfernung, Route)* percorrere ; **120 km/h ~** andare a 120 km/h.
- 2. SPORT : **Rollschuh/Ski ~** pattinare/sciare.

Fahrer, in *(mpl -) der, die (in Auto)* automobilista *mf* ; *(in Bus, Taxi)* autista *mf.*

Fahrersitz *(pl* **-e**) *der* sedile *m* del conducente.

Fahrgast *(pl* **-gäste**) *der* passeggero *m.*

Fahrgeld *das* tariffa *f* di viaggio.

Fahrgelderstattung *die* rimborso *m* spese di viaggio.

Fahrgestell *(pl* **-e**) *das* telaio *m.*

Fahrkarte *(pl* **-n**) *die* biglietto *m (per il viaggio).*

Fahrkartenautomat *(pl* **-en**) *der (für Bus, Zug)* biglietteria *f* automatica.

Fahrkartenschalter *(pl* **-**) *der* biglietteria *f.*

Fahrkosten *pl* spese *fpl* di viaggio.

Fahrplan *(pl* **-pläne**) *der* orario *m.*

Fahrplanhinweise *pl* informazioni *fpl* sugli orari.

fahrplanmäßig *adj & adv* in orario.

Fahrpreis *(pl* **-e**) *der* tariffa *f.*

Fahrrad *(pl* **-räder**) *das* bicicletta *f* ; **mit dem ~ fahren** andare in bicicletta.

Fahrradflickzeug *das* attrezzatura *f* per riparare la bicicletta.

Fahrrad-Mitnahme *die possibilità di viaggiare sui mezzi pubblici con la bici al seguito.*

Fahrradschlauch *(pl* **-schläuche**) *der* camera *f* d'aria.

Fahrradschloss *(pl* **-schlösser**) *das* lucchetto *m* da bicicletta.

Fahrradverleih *(pl* **-e**) *der* noleggio *m* biciclette.

Fahrradweg *(pl* **-e**) *der* pista *f* ciclabile.

Fahrschein *(pl* **-e**) *der* biglietto *m* ; **'~e hier entwerten'** 'obliterazione biglietti'.

Fahrscheinentwerter *(pl* **-**) *der* macchina *f* obliteratrice.

Fahrschule *(pl* **-n**) *die* scuola *f* guida.

Fahrspur *(pl* **-en**) *die* corsia *f (di marcia)* ; **die ~ wechseln** cambiare corsia ; **die linke/rechte ~** corsia *f* di sinistra/destra.

Fahrstuhl *(pl* **-stühle**) *der* ascensore *m.*

Fahrt *(pl* **-en**) *die* viaggio *m* ; **auf der ~ nach Berlin** durante il viaggio a Berlino ; **freie ~ auf der A1** traffico scorrevole sulla A1 ; **gute ~!** buon viaggio! ; **eine ~ ins**

Blaue machen far un giro senza meta.

fährt *präs* → **fahren.**

Fahrtantritt *der* partenza *f*; **'Fahrscheine vor ~ entwerten'** 'obliterare il biglietto prima della partenza'.

Fahrtenschreiber (*pl* -) *der* cronotachigrafo *m*.

Fahrtrichtung (*pl* **-en**) *die* direzione *f* di marcia.

fahrtüchtig *adj (Person)* in grado di guidare ; *(Fahrzeug)* in grado di viaggiare.

Fahrtziel (*pl* **-e**) *das* meta *f* del viaggio.

Fahrverbot (*pl* **-e**) *das (für Fahrer)* ritiro *m* della patente ; *(für Fahrzeuge)* divieto *m* di circolazione.

Fahrzeit (*pl* **-en**) *die* durata *f* del viaggio.

Fahrzeug (*pl* **-e**) *das* veicolo *m*.

Fahrzeugbrief (*pl* **-e**) *der documento contenente i dati del veicolo e dei proprietari.*

Fahrzeughalter, in (*mpl* -) *der, die* proprietario *m*, -a *f* del veicolo.

Fahrzeugpapiere *pl* documenti *mpl* del veicolo.

Fahrzeugschein (*pl* **-e**) *der* libretto *m* di circolazione.

Fahrziel (*pl* **-e**) *das* meta *f* del viaggio.

fair *adj* corretto(a).

Fall (*pl* **Fälle**) *der (Situation, Rechtsfall, GRAMM)* caso *m* ; *(Sturz)* caduta *f*; **auf jeden/keinen ~** in ogni/in nessun caso ; **für den ~, dass** nel caso che.

fallen (*präs* **fällt**, *prät* **fiel**, *pp* **gefallen**) *vi (ist) (stürzen, herunterfallen)* cadere ; *(sinken)* diminuire.

fallenlassen (*pp* -ODER **fallen gelassen**) *vt (unr) (Gegenstand)* far cadere ; *(Bemerkung)* buttar là.

fällig *adj (Rechnung)* in scadenza ; *(notwendig)* necessario(a) ; **am 1.10. ~** in scadenza il 1.10.

falls *konj* nel caso che.

Fallschirm (*pl* **-e**) *der* paracadute *m*.

Fallschirmspringer, in (*mpl* -) *der, die* paracadutista *mf*.

fällt *präs* → **fallen.**

falsch *adj (inkorrekt)* sbagliato(a) ; *(gefälscht, hinterhältig)* falso(a). ◆ *adv (inkorrekt)* in modo sbagliato ; *(hinterhältig)* in modo falso ; **~ fahren** *(Geisterfahrer) viaggiare contromano.*

fälschen *vt* falsificare.

Falschfahrer, in (*mpl* -) *der, die automobilista che viaggia nella direzione sbagliata.*

Falschgeld *das* denaro *m* falso.

Fälschung (*pl* **-en**) *die (Falschgeld, Bild)* falsificazione *f*.

Falte (*pl* **-n**) *die (Hautfalte)* ruga *f*; *(im Stoff)* piega *f*.

falten *vt (Pullover, Papier)* piegare.

Familie (*pl* **-n**) *die* famiglia *f*.

Familienbesitz *der* : in ~ di proprietà familiare.
Familienname (*pl* -n) *der* cognome *m*.
Fan (*pl* -s) *der* fan *m*.
fand *prät* → finden.
fangen (*präs* fängt, *prät* fing, *pp* gefangen) *vt (Ball, Fisch, Verbrecher)* prendere. ■ **Fangen** *das* : Fangen spielen giocare a prendersi.
fängt *präs* → fangen.
Fantasie (*pl* -n) *die* fantasia *f*.
fantastisch *adj* fantastico(a).
Farbbild (*pl* -er) *das* FOTO foto *f* a colori ; ~er in 24 Stunden foto a colori in 24 ore.
Farbe (*pl* -n) *die* colore *m* ; *(zum Malen, Streichen)* pittura *f*.
färben *vt (Stoff, Haare)* tingere.
Farbfernseher (*pl* -) *der* televisore *m* a colori.
Farbfilm (*pl* -e) *der* pellicola *f* a colori.
Farbfoto (*pl* -s) *das* foto *f* a colori.
farbig *adj (mehrfarbig)* multicolore ; *(einfarbig)* colorato(a) ; *(Person)* di colore.
Farbige (*pl* -n) *der, die* persona *f* di colore.
Farbposter (*pl* -) *das* manifesto *m* a colori.
Farbstoff (*pl* -e) *der* colorante *m* ; mit/ohne ~ con/senza coloranti.
Fasan (*pl* -e) *der* fagiano *m*.
Fasching *der* carnevale *m*.
Faschismus *der* fascismo *m*.
faschistisch *adj* fascista.
Fass (*pl* Fässer) *das* botte *f* ; vom ~ alla spina.
Fassbier *das* birra *f* alla spina.
fassen *vi (mit den Händen)* : an etw *(A)* ~ toccare qc. ◆ *vt (mit den Händen)* afferrare ; *(Inhalt)* contenere. ■ **sich fassen** *ref (sich beruhigen)* riprendersi.
Fassung (*pl* -en) *die (für Glühbirne)* portalampada *m* ; *(Selbstbeherrschung)* autocontrollo *m*.
fast *adv* quasi.
fasten *vi (nichts essen)* digiunare.
Fastenzeit (*pl* -en) *die (für Katholiken)* tempo *m* di Quaresima ; *(für Mohammedaner)* tempo *m* di Ramadan.
Fastnacht *die* ultimi giorni *mpl* di carnevale.
faul *adj (Nahrungsmittel)* marcio(a) ; *(Person)* pigro(a).
faulen *vi (hat & ist)* marcire.
faulenzen *vi* poltrire.
Faust (*pl* Fäuste) *die* pugno *m* ; auf eigene ~ di propria iniziativa.
Fax (*pl* -e) *das* fax *m*.
faxen *vt* faxare.
Faxgerät (*pl* -e) *das* fax *m*.
Faxnummer (*pl* -n) *die* numero *m* di fax.
Faxpapier *das* carta *f* da fax.
FCKW *der* (*abk für Fluorchlorkohlenwasserstoff*) CFC *m*.
Februar *der* febbraio *m* ; *siehe auch* September.
fechten (*präs* ficht, *prät* focht,

pp **gefọchten)** *vi* tirare di scherma.

Fẹder (*pl* **-n**) *die (von Vogel)* piuma *f*; *(Metallfeder)* molla *f*; *(zum Schreiben)* penna *f*.

Fẹderball (*pl* **-bälle**) *der* volano *m*; **~ spielen** giocare a volano.

Fẹderbett (*pl* **-en**) *das* piumino *m*.

Fẹderweiße *der* mosto *m*.

fẹgen *vt (Boden, Raum)* scopare. ◆ *vi (sauber machen)* spazzare.

Fẹhlbetrag (*pl* **-beträge**) *der* ammanco *m*.

fẹhlen *vi (nicht vorhanden sein)* mancare. ◆ *vi (+D) (vermisst werden)* mancare a; **was fehlt dir?** che cos'hai?

Fẹhler (*pl* **-**) *der (im Text)* errore *m*; *(Irrtum)* sbaglio *m*; *(von Charakter, an Gerät)* difetto *m*.

Feier (*pl* **-n**) *die* festa *f*.

Feierabend (*pl* **-e**) *der fine della giornata lavorativa*; **~ machen** finire la giornata lavorativa.

Feierlichkeiten *pl* festività *fpl*.

feiern *vt* festeggiare. ◆ *vi* far festa.

Feiertag (*pl* **-e**) *der* giorno *m* festivo; **schöne ~e!** buone feste!

feiertags *adv* nei giorni festivi.

feige *adj (Person)* vigliacco(a).

Feige (*pl* **-n**) *die (Frucht)* fico *m*.

Feile (*pl* **-n**) *die* lima *f*.

feilen *vt* limare.

fein *adj (dünn)* sottile; *(pulverförmig, vornehm)* fine. ◆ *adv (dünn, pulverförmig)* finemente; *(vornehm)* con eleganza; **~ gemacht!** *fam* ben fatto! ■ **Feinste** *der, die, das*: **vom Feinsten** della miglior qualità.

Feind, in (*mpl* **-e**) *der, die* nemico *m*, -a *f*.

feindlich *adj* ostile.

Feinkostgeschäft (*pl* **-e**) *das* negozio *m* di specialità gastronomiche.

Feinschmecker, in (*mpl* **-**) *der, die* buongustaio *m*, -a *f*.

Feinwaschmittel (*pl* **-**) *das* detersivo *m* per capi delicati.

Fẹld (*pl* **-er**) *das (Acker, Sportplatz, Bereich)* campo *m*; *(von Brettspiel, Formular)* casella *f*.

Fẹldsalat *der* valeriana *f*.

Fẹldweg (*pl* **-e**) *der* viottolo *m* di campagna.

Fẹlge (*pl* **-n**) *die (am Rad)* cerchione *m*.

Fẹll (*pl* **-e**) *das (von Tier)* pelo *m*; *(verarbeitet)* pelliccia *f*.

Fẹls (*pl* **-en**) *der (Felsblock)* masso *m*.

Fẹlsen (*pl* **-**) *der* roccia *f*.

fẹlsig *adj* roccioso(a).

feminin *adj* femminile.

Feminịsmus *der* femminismo *m*.

feminịstisch *adj* femminista.

Fẹnchel *der* finocchio *m*.

Fẹnster (*pl* **-**) *das (von Haus)* finestra *f*; *(von Auto)* finestrino *m*.

Fensterbrett (*pl* **-er**) *das* davanzale *m*.

Fensterplatz (*pl* **-plätze**) *der* *(in Verkehrsmittel)* posto *m* accanto al finestrino.

Fensterscheibe (*pl* **-n**) *die* vetro *m* *(della finestra)*.

Ferien *pl* *(schulfreie Zeit)* vacanze *fpl*; *(Urlaub)* ferie *fpl*; **große ~** vacanze estive; **schöne ~!** buone vacanze!

Ferienbeginn *der* inizio *m* delle vacanze.

FERIENBEGINN

In Germania l'inizio delle vacanze estive è fissato dai singoli Länder che spesso lo determinano con anni di anticipo. Lo stato centrale stabilisce soltanto che la durata delle vacanze sia di sei settimane da effettuarsi obbligatoriamente nel periodo che va dal 15 giugno al 15 settembre. E' stato istituito un sistema di turni per garantire a rotazione i mesi di luglio ed agosto a tutti i Länder; l'unica eccezione è rappresentata dalla Baviera che inizia sempre per ultima.

Ferienbungalow (*pl* **-s**) *der* bungalow *m*.

Feriengast (*pl* **-gäste**) *der* villeggiante *m*.

Ferienhaus (*pl* **-häuser**) *das* casa *f* per le vacanze.

Ferienlager (*pl* **-**) *das* campo *m* estivo.

Ferienort (*pl* **-e**) *der* località *f* di villeggiatura.

Ferienwohnung (*pl* **-en**) *die* appartamento *m* per le vacanze.

Fernbedienung (*pl* **-en**) *die* telecomando *m*.

Ferne *die*: **in der ~** in lontananza.

Ferngespräch (*pl* **-e**) *das* telefonata *f* interurbana.

ferngesteuert *adj* telecomandato(a).

Fernglas (*pl* **-gläser**) *das* binocolo *m*.

fern halten *vt* *(unr)* tenere lontano(a). ■ **sich fern halten** *ref* tenersi lontano(a).

Fernlicht *das* fari *mpl* abbaglianti.

Fernmeldeamt (*pl* **-ämter**) *das* ufficio *m* delle poste e telecomunicazioni.

Fernmeldedienst (*pl* **-e**) *der* servizio *m* di telecomunicazioni.

Fernsehapparat (*pl* **-e**) *der* televisore *m*.

fern|sehen *vi* *(unr)* guardare la televisione.

Fernsehen *das* *(Apparat)* televisione *f*; **im ~** in televisione.

Fernseher (*pl* **-**) *der* televisore *m*.

Fernsehprogramm (*pl* **-e**) *das* programma *m* televisivo.

Fernsehsendung (*pl* **-en**) *die* trasmissione *f* televisiva.

Fernsehzeitschrift (*pl* **-en**) *die* settimanale *m* TV.

Fernsprechamt (*pl* **-ämter**) *das amt* centralino *m* telefonico.

Fernsprechauskunft *die amt* servizio *m* di informazioni telefoniche.

Fernstraße (*pl* -n) *die* strada *f* di grande comunicazione.

Fernverkehr *der* traffico *m* a lunga percorrenza.

Ferse (*pl* -n) *die* tallone *m*.

fertig *adj* pronto(a) ; *fam (erschöpft)* sfinito(a) ; **~ sein** *(vollendet oder bereit sein)* essere pronto(a) ; **~ sein mit etw** *(am Ende sein mit)* aver finito qc.

Fertiggericht (*pl* -e) *das* cibo *m* precotto.

fertig machen *vt (beenden)* terminare ; *(bereitmachen)* preparare ; *fam (zurechtweisen, erschöpfen)* stroncare.

fest *adj (eng)* stretto(a) ; *(kräftig)* energico(a) ; *(Material, Kleidung)* resistente ; *(verbindlich)* fisso(a).

Fest (*pl* -e) *das (Feier)* festa *f* ; **frohes ~!** *(frohe Weihnachten)* buone feste!

Festbetrag (*pl* -beträge) *der* importo *m* fisso.

fest|binden *vt (unr)* legare.

Festessen (*pl* -) *das (mit vielen Gästen)* banchetto *m*.

fest|halten *vt (unr) (mit der Hand)* tenere ; *(bei Polizei)* trattenere.

fest halten *vt (unr) (mit der Hand)* tenere saldamente.

Festiger (*pl* -) *der (für Haar)* fissatore *m*.

Festival (*pl* -s) *das* festival *m*.

Festland *das* terraferma *f*.

fest|legen *vt (Treffpunkt, Route)* stabilire.

fest|machen *vt (Gegenstand, Verabredung)* fissare ; *(Boot)* ormeggiare.

fest|nehmen *vt (unr)* arrestare.

Festpreis (*pl* -e) *der* prezzo *m* fisso.

fest|setzen *vt (Termin)* fissare.

Festspiele *pl* festival *m*.

fest|stellen *vt (durch Ermittlung)* verificare ; *(beobachten)* constatare.

Feststellung (*pl* -en) *die (Anmerkung)* constatazione *f*.

Fete (*pl* -n) *die fam* festa *f*.

fett *adj* grasso(a).

Fett (*pl* -e) *das* grasso *m*.

fettarm *adj* povero(a) di grassi.

fettig *adj* unto(a).

feucht *adj* umido(a).

Feuchtigkeitscreme (*pl* -s) *die* crema *f* idratante.

Feuer (*pl* -) *das* fuoco *m* ; *fig (Temperament)* passione *f* ; **~ machen** accendere il fuoco ; **'~ und offenes Licht verboten!'** 'vietato accendere fuochi' ; **haben Sie ~, bitte?** ha da accendere, per favore? ; **jm ~ geben** far accendere a qn.

Feueralarm *der* allarme *m* antincendio.

feuergefährlich *adj* infiammabile.

Feuerlöscher (*pl* -) *der* estintore *m*.

Feuertreppe (*pl* -n) *die* scala *f* antincendio.
Feuerwehr (*pl* -en) *die* vigili *mpl* del fuoco.
Feuerwehrmann (*pl* -männer) *der* vigile *m* del fuoco.
Feuerwehr-Zufahrt (*pl* -en) *die* accesso *m* riservato ai vigili del fuoco.
Feuerwerk (*pl* -e) *das* fuochi *mpl* d'artificio.
Feuerzeug (*pl* -e) *das* accendino *m*.
ficht *präs* → **fechten**.
Fieber *das (Körpertemperatur)* febbre *f*; ~ **haben** avere la febbre ; ~ **messen** misurare la febbre.
Fieberthermometer (*pl* -) *das* termometro *m*.
fiebrig *adj (Erkältung)* con febbre.
fiel *prät* → **fallen**.
Figur (*pl* -en) *die (Körperform, Persönlichkeit)* figura *f*; *(Plastik)* scultura *f*.
Filet (*pl* -s) *das* filetto *m*.
Filetsteak (*pl* -s) *das* bistecca *f* di filetto.
Filiale (*pl* -n) *die* filiale *f*.
Film (*pl* -e) *der (für Kamera)* pellicola *f* fotografica ; *(Kinofilm, Fernsehen)* film *m*.
filmen *vt* filmare.
Filmkamera (*pl* -s) *die* cinepresa *f*.
Filter (*pl* -) *der* filtro *m* ; **mit/ohne** ~ con/senza filtro.
Filtertüte (*pl* -n) *die* filtro *m* di carta *(per il caffè)*.
Filzstift (*pl* -e) *der* pennarello *m*.
Finale (*pl* -) *das (im Sport)* finale *f*.
finanziell *adj* finanziario(a).
finanzieren *vt* finanziare.
finden (*prät* **fand**, *pp* **gefunden**) *vi* trovare : **nach Hause** ~ trovare la via *(di casa)*. ◆ *vt* trovare ; **ich finde, dass** penso che ; **wie findest du ...?** che ne pensi di ...? ; **wo finde ich die Post, bitte?** dove si trova la posta, per favore? ■ **sich finden** *ref* ritrovarsi.
Finderlohn *der* ricompensa *f (a chi ritrova un oggetto smarrito)*.
fing *prät* → **fangen**.
Finger (*pl* -) *der* dito *m*.
Finne (*pl* -n) *der* finlandese *m*.
Finnin (*pl* -nen) *die* finlandese *f*.
finnisch *adj* finnico(a).
Finnisch(e) *das* finlandese *m*.
Finnland *nt* Finlandia *f*.
Firma (*pl* **Firmen**) *die* ditta *f*.
First Class *die* prima classe *f*.
Fisch (*pl* -e) *der* pesce *m*. ■ **Fische** *pl (Sternzeichen)* Pesci *mpl*.
Fischbesteck (*pl* -e) *das* posate *fpl* da pesce.
fischen *vt* & *vi* pescare.
Fischer, in (*mpl* -) *der, die* pescatore *m*, -trice *f*.
Fischerboot (*pl* -e) *das* peschereccio *m*.
Fischgericht (*pl* -e) *das* piatto *m* di pesce.
Fischhändler, in (*mpl* -) *der, die* pescivendolo *m*, -a *f*.

Fischstäbchen (*pl* -) *das* bastoncino *m* di pesce.

Fischsuppe (*pl* -n) *die* zuppa *f* di pesce.

fit *adj* in forma.

fix *adj fam (schnell)* svelto(a) ; *(Kosten)* fisso(a) ; ~ **und fertig** *(vollendet)* bell'e pronto(a) ; *(müde)* sfinito(a).

FKK *die (abk für Freikörperkultur)* naturismo *m*.

FKK-Strand (*pl* -**Strände**) *der* spiaggia *f* per naturisti.

flach *adj (Land)* pianeggiante ; *(Bauch)* piatto(a) ; *(Schuhe, Wasser)* basso(a) ; *(Teller)* piano(a).

Fläche (*pl* -n) *die (Gebiet)* superficie *f*.

Flagge (*pl* -n) *die* bandiera *f*.

flambiert *adj* flambé.

Flamme (*pl* -n) *die (von Feuer)* fiamma *f*.

Flasche (*pl* -n) *die* bottiglia *f*.

Flaschenbier *das* birra *f* in bottiglia.

Flaschenöffner (*pl* -) *der* apribottiglie *m*.

Flaschenpfand *das* deposito *m* per il vuoto.

Flaschenweine *pl* vini *mpl* in bottiglia.

flechten (*präs* **flicht**, *prät* **flocht**, *pp* **geflochten**) *vt* intrecciare.

Fleck (*pl* -e) *der (Schmutzfleck)* macchia *f* ; *(Ort)* posticino *m* ; **blauer** ~ livido *m*.

Fleckentferner (*pl* -) *der* smacchiatore *m*.

Fledermaus (*pl* -**mäuse**) *die* pipistrello *m*.

Fleisch *das* carne *f*.

Fleischbrühe (*pl* -n) *die* brodo *m* di carne.

Fleischsalat *der insalata a base di carne, ortaggi e maionese.*

Fleisch- und Wurstwaren *pl* carni e salumi *pl*.

Fleischvergiftung (*pl* -en) *die* intossicazione *f* da carne.

fleißig *adj (Person)* diligente.

flicht *präs* → **flechten**.

flicken *vt (Kleidung)* rammendare ; *(Reifen)* riparare.

Flickzeug *das (für Reifen)* attrezzatura *f* per la riparazione di forature ; *(für Kleidung)* corredo *m* da rammendo.

Fliege (*pl* -n) *die (Insekt)* mosca *f* ; *(Schleife)* papillon *m*.

fliegen (*prät* **flog**, *pp* **geflogen**) *vt (ist)* volare. ◆ *vi (ist) (Vogel, Flugzeug)* volare ; *(Person)* andare in aereo ; **nach Paris** ~ andare a Parigi in aereo ; **über Paris** ~ fare scalo a Parigi.

fliehen (*prät* **floh**, *pp* **geflohen**) *vi (ist)* fuggire.

fließen (*prät* **floss**, *pp* **geflossen**) *vi (ist)* scorrere.

fließend *adj (Verkehr)* scorrevole ; ~**es Wasser** acqua corrente. ◆ *adv* : ~ **Russisch sprechen** parlare russo correntemente.

Flipper (*pl* -) *der* flipper *m*.

Flirt (*pl* -s) *der* flirt *m*.

flirten *vi* flirtare.

Flitterwochen *pl* luna *f* di miele.

flocht *prät* → **flechten**.

flog *prät* → **fliegen**.

floh *prät* → **fliehen**.

Floh (*pl* **Flöhe**) *der* pulce *f*.

Flohmarkt (*pl* **-märkte**) *der* mercatino *m* delle pulci.

floss *prät* → **fließen**.

Floß (*pl* **Flöße**) *das* zattera *f*.

Flosse (*pl* **-n**) *die* pinna *f*.

Flöte (*pl* **-n**) *die (Instrument)* flauto *m*.

fluchen *vi* bestemmiare.

Flucht *die* fuga *f*.

flüchten *vi (ist)* fuggire.

Flüchtling (*pl* **-e**) *der* profugo *m*.

Flug (*pl* **Flüge**) *der (Flugreise)* volo *m* ; ~ **nach Berlin** volo per Berlino ; ~ **über London** volo via Londra ; **'zu den Flügen'** 'alla zona d'imbarco'.

Flugblatt (*pl* **-blätter**) *das* volantino *m*.

Fluggast (*pl* **-gäste**) *der* passeggero *m (d'aereo)*.

Fluggesellschaft (*pl* **-en**) *die* compagnia *f* aerea.

Flughafen (*pl* **-häfen**) *der* aeroporto *m*.

Fluginformation (*pl* **-en**) *die* informazioni *fpl* sui voli.

Flugnummer (*pl* **-n**) *die* numero *m* di volo.

Flugplan (*pl* **-pläne**) *der* orario *m* dei voli.

Flugplatz (*pl* **-plätze**) *der* campo *m* d'aviazione.

Flugschein (*pl* **-e**) *der* biglietto *m* aereo.

Flugscheinkontrolle (*pl* **-n**) *die* controllo *m* biglietti.

Flugsteig (*pl* **-e**) *der* cancello *m* d'imbarco.

Flugstrecke (*pl* **-n**) *die* tratta *f* di volo.

Flugticket (*pl* **-s**) *das* biglietto *m* aereo.

Flugverbindung (*pl* **-en**) *die* collegamento *m* aereo.

Flugverkehr *der* traffico *m* aereo.

Flugzeug (*pl* **-e**) *das* aereo *m* ; **mit dem** ~ **fliegen** andare in aereo.

Fluss (*pl* **Flüsse**) *der (Wasserlauf)* fiume *m*.

flüssig *adj (Material)* liquido(a).

Flüssigkeit (*pl* **-en**) *die* liquido *m*.

flüstern *vi* & *vt* sussurrare.

Flut (*pl* **-en**) *die (von Gezeiten)* alta marea *f*.

Flutlicht *das* riflettore *m*.

focht *prät* → **fechten**.

Fohlen (*pl* **-**) *das* puledro *m*.

Föhn *der (Haartrockner)* asciugacapelli *m* ; *(Wind)* Föhn *m*.

föhnen *vt* : **sich** *(D)* **die Haare** ~ asciugarsi i capelli *(con l'asciugacapelli)*.

Folge (*pl* **-n**) *die (Konsequenz)* conseguenza *f* ; *(von Fernsehserie)* puntata *f*.

folgen *vi (ist)* : **jm** ~ seguire qn ; ~ **auf** *(+A) (sich anschließen)* seguire a ; **'bitte ~!'** 'si prega di seguire' *(cartello su auto della polizia)*.

folgend *adj (vor Aufzählung)* seguente ; *(räumlich, zeitlich)* successivo(a).

folgendermaßen *adv* nel modo seguente.

Folie (*pl* **-n**) *die (für Lebensmittel)* pellicola *f*.

Folklore *die* folklore *m*.

Fön® *der* = **Föhn**.

fönen *vt* = **föhnen**.

fordern *vt (verlangen)* richiedere ; *(beanspruchen)* impegnare.

Forderung (*pl* **-en**) *die (Verlangen)* richiesta *f*.

Forelle (*pl* **-n**) *die* trota *f*; **~ blau** trota bollita ; **~ Müllerinnen Art** trota alla mugnaia.

Form (*pl* **-en**) *die* forma *f*; *(für Kuchen)* stampo *m* ; **in ~ sein** essere in forma ; **in ~ von** sotto forma di.

Formalität (*pl* **-en**) *die (Regel)* formalità *f*.

Format (*pl* **-e**) *das (Größe)* formato *m*.

formen *vt (Ton, Teig)* modellare.

formlos *adj (ohne Form)* informe ; *(unkonventionell)* informale.

Formular (*pl* **-e**) *das* modulo *m* ; **ein ~ ausfüllen** compilare un modulo.

formulieren *vt* formulare.

Forschung (*pl* **-en**) *die* ricerca *f*.

Forst (*pl* **-e**) *der* foresta *f*.

fort|bewegen *vt* muovere. ■ **sich fortbewegen** *ref* muoversi.

fort|fahren *vi (unr & ist) (mit Auto, Zug)* partire ; *(weitermachen)* continuare. ◆ *vt (unr & hat) (im Auto, Bus)* portare via.

Fortgeschrittene (*pl* **-n**) *der, die* non principiante *mf*.

Fortschritt (*pl* **-e**) *der* progresso *m* ; **~e machen** fare progressi.

fort|setzen *vt* proseguire.

Fortsetzung (*pl* **-en**) *die* continuazione *f*.

Foto (*pl* **-s**) *das* foto *f*.

Fotoapparat (*pl* **-e**) *der* macchina *f* fotografica.

Fotogeschäft (*pl* **-e**) *das* negozio *m* di articoli fotografici.

Fotograf, in (*mpl* **-en**) *der, die* fotografo *m*, -a *f*.

fotografieren *vt* & *vi* fotografare.

Fotokopie (*pl* **-n**) *die* fotocopia *f*.

fotokopieren *vt* & *vi* fotocopiare.

Foyer (*pl* **-s**) *das* foyer *m*.

Fr. (*abk für Frau*) Sig.ra.

Fracht (*pl* **-en**) *die* carico *m*.

Frack (*pl* **Fräcke**) *der* frac *m*.

Frackzwang *der* obbligo *m* del frac.

Frage (*pl* **-n**) *die (Fragesatz)* domanda *f*; *(Problem)* questione *f*; **eine ~ haben** avere una domanda ; **eine ~ stellen** fare una domanda ; **die ~ an** *(+A)* la domanda a ; **die ~ nach** la domanda riguardante ; **noch ~n?** ci sono altre domande? ; **nicht in ~ kommen** essere fuori questione.

Fragebogen (*pl* **-bögen**) *der* questionario *m*.

fragen *vt* & *vi* chiedere. ◆ *vi* : **~ nach jm** chiedere di qn ; **~ nach etw** chiedere qc. ■ **sich fragen** *ref* chiedersi.

Fragezeichen (*pl* **-**) *das* punto *m* interrogativo.

Franken (*pl* **-**) *der (Währung)* franco *m*.

Frankenwein (*pl* **-e**) *der* vino *m* di Franconia.

Frankfurt am Main *nt* Francoforte *f* sul Meno.

frankieren *vt* affrancare.

Frankreich *nt* Francia *f*.

Franzose (*pl* **-n**) *der* francese *m*.

Französin (*pl* **-nen**) *die* francese *f*.

französisch *adj* francese.

Französisch(e) *das* francese *m*.

fraß *prät* → **fressen**.

Frau (*pl* **-en**) *die (Erwachsene)* donna *f*; *(Ehefrau)* moglie *f*; *(als Anrede)* signora *f*.

Frauenarzt, ärztin (*mpl* **-ärzte**) *der, die* ginecologo *m*, -a *f*.

Frauenbewegung *die* movimento *m* femminista.

frauenfeindlich *adj* misogino(a).

Frauenhaus (*pl* **-häuser**) *das* centro *m* di assistenza per donne.

Fräulein *das (Anrede)* signorina *f*.

frech *adj* sfacciato(a). ◆ *adv* sfacciatamente.

Frechheit (*pl* **-en**) *die* sfacciataggine *f*.

Freeclimbing *das* free climbing *m*.

frei *adj* libero(a) ; *(gratis)* gratuito(a). ◆ *adv* liberamente ; *(gratis)* gratuitamente ; **~ von** privo(a) di ; **~ haben** aver vacanza ; **machen Sie sich bitte ~** Si spogli, per favore ; **im Freien** all'aperto.

Freibad (*pl* **-bäder**) *das* piscina *f* all'aperto.

freiberuflich *adj* : **~ tätig sein** essere libero(a) professionista.

Freibier *das* birra *f* gratis.

Freiburg *nt* Friburgo *f*.

freigegeben *adv* : **'~ ab 18 Jahren'** 'vietato ai minori di 18 anni'.

Freiheit (*pl* **-en**) *die* libertà *f*.

Freikarte (*pl* **-n**) *die* biglietto *m* gratuito.

frei|lassen *vt (unr)* liberare.

freilich *adv (allerdings)* tuttavia ; *Süddt (sicher)* certamente.

Freilichtbühne (*pl* **-n**) *die* teatro *m* all'aperto.

frei|machen *vi fam (Urlaub nehmen)* liberarsi. ◆ *vt (Brief)* affrancare.

Freistoß (*pl* **-stöße**) *der* SPORT calcio *m* di punizione.

Freitag (*pl* -e) *der* venerdì *m* ; *siehe auch* **Samstag**.

freitags *adv* di venerdì ; *siehe auch* **samstags**.

freiwillig *adj* volontario(a).

Freizeichen (*pl* -) *das* segnale *m* di linea libera.

Freizeit *die* tempo *m* libero.

Freizeitbad (*pl* -bäder) *das* piscina *f (con giochi)*.

Freizeitkleidung *die* abbigliamento *m* casual.

Freizeitpark (*pl* -s) *der* parco *m* divertimenti.

fremd *adj (ausländisch)* straniero(a) ; *(unbekannt)* sconosciuto(a) ; **ich bin hier ~** non sono di qui.

Fremde (*pl* -n) *der, die (Unbekannter)* sconosciuto *m*, -a *f*.

Fremdenführer, in (*mpl* -) *der, die* guida *f* turistica.

Fremdenverkehrsamt (*pl* -ämter) *das* ente *m* per il turismo.

Fremdenverkehrsbüro (*pl* -s) *das* ufficio *m* informazioni turistiche.

Fremdenzimmer (*pl* -) *das* camera *f* per gli ospiti.

Fremdkörper (*pl* -) *der (im Auge, in Lunge)* corpo *m* estraneo.

Fremdsprache (*pl* -n) *die* lingua *f* straniera.

Fremdwort (*pl* -wörter) *das* parola *f* straniera.

Frequenz (*pl* -en) *die (von Radiosender)* frequenza *f*.

fressen (*präs* **frisst**, *prät* **fraß**, *pp* **gefressen**) *vt (Subj : Tieren)* mangiare ; *abw (Subj : Menschen)* divorare. ◆ *vi (Tier)* mangiare ; *abw (Mensch)* abbuffarsi.

Freude (*pl* -n) *die (Glück)* gioia *f* ; **jm eine ~ machen** fare piacere a qn.

freuen *vt* rallegrare ; **freut mich sehr!** molto lieto(a)! ■ **sich freuen** *ref* rallegrarsi ; **sich ~ auf** *(+A)* aspettare con impazienza ; **sich ~ über** *(+A)* essere contento(a) di.

Freund, in (*mpl* -e) *der, die (Vertrauter)* amico *m*, -a *f* ; *(Geliebter)* ragazzo *m*, -a *f* ; **einen ~/eine ~in haben** avere il ragazzo/la ragazza.

freundlich *adj (Person, Gruß)* cordiale ; *(angenehm)* piacevole.

Freundschaft (*pl* -en) *die* amicizia *f*.

Frieden *der* pace *f*.

Friedhof (*pl* -höfe) *der* cimitero *m*.

frieren (*prät* **fror**, *pp* **gefroren**) *vi (hat) (Person)* aver freddo ; *(ist) (Wasser, See)* gelarsi. ◆ *vimp (hat)* : **es friert** sta gelando.

Frikadelle (*pl* -n) *die* polpetta *f*.

frisch *adj* fresco(a). ◆ *adv (neu)* di fresco ; **sich ~ machen** rinfrescarsi ; **'Vorsicht, ~ gestrichen!'** 'attenzione, pittura fresca!'.

Frischfleisch *das* carne *f* fresca.

Frischhaltefolie (*pl* -n) *die*

pellicola *f* trasparente per alimenti.

Frischkäse (*pl* -) *der* formaggio *m* fresco.

Friseur (*pl* -e) *der* parrucchiere *m*.

Friseuse (*pl* -n) *die* parrucchiera *f*.

Frisiercreme (*pl* -s) *die* schiuma *f* modellante per capelli.

frisieren *vt* pettinare. ■ **sich frisieren** *ref* pettinarsi.

frisst *präs* → **fressen**.

Frist (*pl* -en) *die* termine *m*.

Frisur (*pl* -en) *die* pettinatura *f*.

frittieren *vt* friggere.

Frl. (*abk für Fräulein*) Sig.na.

froh *adj* contento(a) ; ~ **sein über** *(+A)* essere contento(a) di.

fröhlich *adj* allegro(a).

Fronleichnam *nt* Corpus Domini *m*.

fror *prät* → **frieren**.

Frost (*pl* Fröste) *der* gelo *m*.

Frostgefahr *die* pericolo *m* di gelo.

Frostschutzmittel (*pl* -) *das* antigelo *m*.

Frottee (*pl* -s) *der* ODER *das* spugna *f (tessuto)*.

Frucht (*pl* Früchte) *die* frutto *m*.

Fruchteis *das* gelato *m* alla frutta.

Früchtetee (*pl* -s) *der* tisana *f* alla frutta.

fruchtig *adj* fruttato(a).

Fruchtsaft (*pl* -säfte) *der* succo *m* di frutta.

Fruchtsalat (*pl* -e) *der* macedonia *f*.

früh *adj* presto ; **in der ~en Jugend** nella prima giovinezza. ◆ *adv (zeitig)* presto ; **zu** ~ troppo presto.

früher *adj (ehemalig)* ex. ◆ *adv (damals)* una volta.

frühestens *adv* al più presto.

Frühjahr (*pl* -e) *das* primavera *f*.

Frühling (*pl* -e) *der* primavera *f* ; **im** ~ in primavera.

Frühlingsrolle (*pl* -n) *die* involtino *m* primavera.

Frühschicht (*pl* -en) *die* primo turno *m* di lavoro.

Frühstück (*pl* -e) *das* colazione *f* ; **zum** ~ per colazione.

frühstücken *vi* fare colazione.

Frühstücksbüfett (*pl* -s) *das* colazione *f* a buffet.

Frühstücksraum (*pl* -räume) *der* sala *f* per la colazione.

Fuchs (*pl* Füchse) *der* volpe *f*.

fühlen *vt* sentire. ◆ *vi* cercare tastando. ■ **sich fühlen** *ref* sentirsi.

fuhr *prät* → **fahren**.

führen *vt (Person, Gruppe)* guidare ; *(Geschäft, Aufsicht)* dirigere ; **etw zu Ende** ~ portare qc a termine. ◆ *vi* : ~ **zu** *(an ein Ziel)* portare a.

Führer[1] (*pl* -) *der (Buch)* guida *f*.

Führer[2]**, in** (*mpl* -) *der, die (Person)* guida *f*.

Führerschein (*pl* -e) *der* patente *f* di guida.

Führung (*pl* -en) *die (Besichtigung)* visita *f* guidata ; **'Nächste ~ : 12.30 Uhr'** 'la prossima visita guidata è alle 12.30' ; **in ~ liegen** *SPORT* condurre.

füllen *vt (Gefäß)* riempire ; *(Teig, Fleisch)* farcire ; *(Flüssigkeit)* versare.

Füller (*pl* -) *der* penna *f* stilografica.

Füllung (*pl* -en) *die (von Speise)* ripieno *m* ; *(von Zahn)* otturazione *f*.

Fund (*pl* -e) *der (Entdeckung)* reperto *m* ; *(Fundsache)* oggetto *m* ritrovato.

Fundbüro (*pl* -s) *das* ufficio *m* oggetti smarriti.

Fundsache (*pl* -n) *die* oggetto *m* ritrovato.

fünf *num* cinque ; *siehe auch* **sechs**.

fünfhundert *num* cinquecento ; *siehe auch* **sechshundert**.

fünfmal *adv* cinque volte.

fünfte, r, s *adj* quinto(a) ; *siehe auch* **sechste**.

Fünftel (*pl* -) *das* quinto *m* ; *siehe auch* **Sechstel**.

fünfzehn *num* quindici ; *siehe auch* **sechs**.

fünfzig *num* cinquanta ; *siehe auch* **sechs**.

Fünfzigeuroschein (*pl* -e) *der* banconota *f* da cinquanta euro.

Funk *der* radio *f*.

funken *vt (Signal)* trasmettere via radio.

Funkgerät (*pl* -e) *das* apparecchio *m* radio.

Funktelefon (*pl* -e) *das (Handy)* telefono *m* cellulare ; *(kabelloses Telefon)* cordless *m*.

Funktion (*pl* -en) *die* funzione *f*.

funktionieren *vi* funzionare.

für *präp (+A)* per ; *(Angabe von Wert)* da ; **was ~ ein ...** che tipo di ... ; **Tag ~ Tag** giorno dopo giorno.

furchtbar *adj* terribile.

fürchten *vt* temere. ■ **sich fürchten** *ref* avere paura ; **sich ~ vor** avere paura di.

fürchterlich *adj* tremendo(a).

füreinander *adv* l'uno(a) per l'altro(a).

fürs *präp + det* = **für das**.

Fuß (*pl* **Füße**) *der* piede *m* ; **zu ~** a piedi.

Fußball (*pl* **-bälle**) *der (Ball)* pallone *m* da calcio ; *SPORT* calcio *m*.

Fußballplatz (*pl* **-plätze**) *der* campo *m* da calcio.

Fußballspiel (*pl* -e) *das* partita *f* di calcio.

Fußballspieler, in (*mpl* -) *der, die* calciatore *m*, -trice *f*.

Fußboden (*pl* **-böden**) *der* pavimento *m*.

Fußbremse (*pl* -n) *die* freno *m* a pedale.

Fußgänger, in *(mpl -) der, die* pedone *m*.

Fußgängerüberweg *(pl* **-e***)* *der* passaggio *m* pedonale.

Fußgängerzone *(pl* **-n***)* *die* zona *f* pedonale.

Fußgelenk *(pl* **-e***)* *das* caviglia *f*.

Fußnagel *(pl* **-nägel***)* *der* unghia *f (del piede)*.

Fußweg *(pl* **-e***)* *der* marciapiede *m*.

Futter *das (für Tiere)* cibo *m* per animali ; *(von Mantel, Tasche)* fodera *f*.

füttern *vt (Tier)* dare da mangiare a ; *(Kind)* imboccare ; **'bitte nicht ~!'** 'si prega di non dare da mangiare agli animali'.

Futur *(pl* **-e***)* *das* GRAMM futuro *m*.

G

gab *prät* → **geben**.

Gabel *(pl* **-n***)* *die (Besteck)* forchetta *f*.

gabeln : sich gabeln *ref (Weg)* biforcarsi.

Gabelung *(pl* **-en***)* *die (von Weg)* biforcazione *f*.

Gag *(pl* **-s***)* *der* gag *f*.

gähnen *vi* sbadigliare.

Gala *(pl* **-s***)* *die (Veranstaltung)* gala *m* ; *(Kleidung)* abito *m* di gala.

Galerie *(pl* **-n***)* *die* galleria *f (d'arte)*.

Galle *(pl* **-n***)* *die* bile *f*.

galoppieren *vi (ist)* galoppare.

galt *prät* → **gelten**.

gammeln *vi fam (Essen)* andare a male ; *fam (Person)* bighellonare.

Gang *(pl* **Gänge***)* *der (Flur)* corridoio *m* ; *(von Menü)* portata *f* ; *(von Fahrzeug)* marcia *f*.

Gangschaltung *(pl* **-en***)* *die (von Fahrrad, Auto)* cambio *m*.

Gangway *(pl* **-s***)* *die* passerella *f*.

Gans *(pl* **Gänse***)* *die* oca *f*.

Gänsehaut *die* pelle *f* d'oca.

Gänseleberpastete *(pl* **-n***)* *die* paté *m* di fegato d'oca.

ganz *adj (komplett, alle)* tutto(a) ; *(heil)* intero(a). ◆ *adv (sehr)* tutto ; *(völlig)* completamente ; *(ziemlich)* abbastanza ; **~ bleiben** restare intero ; **~ bestimmt** di sicuro ; **~ und gar** del tutto ; **~ und gar nicht** per niente ; **~ gut** abbastanza bene.

ganztägig *adj (Beschäftigung)* che dura tutto il giorno. ◆ *adv (arbeiten)* a tempo pieno ; *(geöffnet)* tutto il giorno.

ganztags *adv* a tempo pieno.

gar *adj (Speise)* cotto(a). ◆ *adv (überhaupt)* : **~ nicht** affatto ; **~ nichts** proprio nulla.

Garage *(pl* **-n***)* *die* garage *m*.

Garantie *(pl* **-n***)* *die* garanzia *f*.

garantieren *vt* garantire. ◆ *vi* : **~ für** garantire per.

garantiert *adv* sicuramente.

Garderobe (*pl* **-n**) *die* guardaroba *m*.

Gardine (*pl* **-n**) *die* tenda *f*.

Garn (*pl* **-e**) *das* filo *m*.

Garten (*pl* **Gärten**) *der* giardino *m*.

Gartenlokal (*pl* **-e**) *das* locale *m* con giardino.

Gartenstuhl (*pl* **-stühle**) *der* sedia *f* da giardino.

Gärtner (*pl* **-**) *der* giardiniere *m*.

Gärtnerei (*pl* **-en**) *die* giardinaggio *m*.

Garzeit (*pl* **-en**) *die* tempo *m* di cottura.

Gas (*pl* **-e**) *das* gas *m* ; **~ geben** accelerare.

Gasflasche (*pl* **-n**) *die* bombola *f* del gas.

Gasheizung (*pl* **-en**) *die* riscaldamento *m* a gas.

Gaskocher (*pl* **-**) *der* fornello *m* a gas.

Gaspedal (*pl* **-e**) *das* pedale *m* dell'acceleratore.

Gasse (*pl* **-n**) *die* *(Straße)* vicolo *m*.

Gast (*pl* **Gäste**) *der* *(zu Hause)* ospite *m* ; *(in Restaurant, Hotel)* cliente *m* ; **bei jm zu ~ sein** essere ospite da qn.

Gastarbeiter, in (*mpl* **-**) *der, die* lavoratore *m* straniero (lavoratrice *f* straniera).

Gästehaus (*pl* **-häuser**) *das* foresteria *f*.

Gästezimmer (*pl* **-**) *das* camera *f* degli ospiti.

gastfreundlich *adj* ospitale.

Gastgeber, in (*mpl* **-**) *der, die* *(im eigenen Heim)* padrone *m*, -a *f* di casa.

Gasthaus (*pl* **-häuser**) *das* trattoria *f*.

Gasthof (*pl* **-höfe**) *der* locanda *f*.

Gastland (*pl* **-länder**) *das* paese *m* ospitante.

Gastronomie *die* gastronomia *f*.

Gaststätte (*pl* **-n**) *die* trattoria *f*.

Gaststube (*pl* **-n**) *die* sala *f* *(all'interno di una trattoria o di un albergo)*.

Gastwirt, in (*mpl* **-e**) *der, die* oste *m*, -essa *f*.

Gaze *die* garza *f*.

geändert *adj* : **~e Abfahrtszeiten** variazione degli orari di partenza ; **~e Öffnungszeiten** variazione degli orari di apertura ; **'Vorfahrt ~'** 'variazione del diritto di precedenza'.

geb. *abk für* **geboren**.

Gebäck *das* pasticceria *f* secca.

gebacken *adj* cotto(a) al forno.

Gebärmutter (*pl* **-mütter**) *die* utero *m*.

Gebäude (*pl* **-**) *das* edificio *m*.

geben (*präs* **gibt**, *prät* **gab**, *pp* **gegeben**) *vt* - **1.** dare ; **jm etw ~** dare qc a qn.
- **2.** *(am Telefon)* passare.
◆ *vimp* : **es gibt** c'è/ci sono ; **was gibt es?** cosa c'è?

gebeten *pp* → **bitten.**
Gebirge (*pl* -) *das* montagna *f.*
gebirgig *adj* montuoso(a).
Gebiss (*pl* -**e**) *das* (*Zähne*) dentatura *f* ; (*künstlich*) dentiera *f.*
gebissen *pp* → **beißen.**
Gebissreiniger (*pl* -) *der* igienizzante *m* per dentiere.
Gebläse (*pl* -) *das* apparecchio *m* di ventilazione.
geblasen *pp* → **blasen.**
geblieben *pp* → **bleiben.**
gebogen *pp* → **biegen.** ◆ *adj* piegato(a).
geboren *adj* nato(a) ; **~e Maier** nata Maier.
geborgen *pp* → **bergen.**
geboten *pp* → **bieten.**
gebracht *pp* → **bringen.**
gebrannt *pp* → **brennen.**
gebraten *pp* → **braten.** ◆ *adj* arrosto.
gebrauchen *vt* (*Werkzeug*) usare ; **das kann ich gut ~** questo mi serve proprio.
Gebrauchsanweisung (*pl* -**en**) *die* istruzioni *fpl* per l'uso.
gebraucht *adj* usato(a).
Gebrauchtwagen (*pl* -) *der* auto *f* usata.
gebrochen *pp* → **brechen.** ◆ *adj* rotto(a). ◆ *adv* : **~ Italienisch sprechen** parlare stentatamente l'italiano.
Gebühr (*pl* -**en**) *die* canone *m* ; **'~ bezahlt Empfänger'** 'tassa a carico del destinatario'.
Gebühreneinheit (*pl* -**en**) *die* scatto *m* (*telefonico*).
gebührenfrei *adj* esente da tasse.
gebührenpflichtig *adj* soggetto(a) a tassazione.
gebunden *pp* → **binden.**
Geburt (*pl* -**en**) *die* nascita *f.*
Geburtsdatum *das* data *f* di nascita.
Geburtsjahr *das* anno *m* di nascita.
Geburtsname *der* cognome *m* da nubile.
Geburtsort *der* luogo *m* di nascita.
Geburtstag (*pl* -**e**) *der* compleanno *m* ; **alles Gute zum ~** buon compleanno.
Geburtstagsfeier (*pl* -**n**) *die* festa *f* di compleanno.
gedacht *pp* → **denken.**
Gedächtnis (*pl* -**se**) *das* memoria *f.*
Gedanke (*pl* -**n**) *der* pensiero *m.*
Gedeck (*pl* -**e**) *das* coperto *m.*
Gedenkfeier (*pl* -**n**) *die* cerimonia *f* commemorativa.
Gedenkstätte (*pl* -**n**) *die* monumento *m* commemorativo.
Gedicht (*pl* -**e**) *das* poesia *f.*
Geduld *die* pazienza *f* ; **bitte haben Sie etwas ~** La preghiamo di attendere.
gedulden : sich gedulden *ref* pazientare ; **bitte ~ Sie sich einen Augenblick** un attimo di pazienza, per favore.
geduldig *adj* paziente.
gedünstet *adj* stufato(a).

gedurft *pp* → dürfen.

geehrt *adj* : sehr ~e Frau gentile Signora ; sehr ~er Herr egregio Signore.

geeignet *adj* : ~ für adatto(a) a.

Gefahr (*pl* -en) *die* pericolo *m* ; auf eigene ~ a proprio rischio e pericolo.

gefahren *pp* → fahren.

Gefahrenfall *der* : 'nur im ~ benutzen' 'usare solo in caso di emergenza'.

gefährlich *adj* pericoloso(a).

Gefälle (*pl* -) *das* pendenza *f*.

gefallen *vi* : jm ~ piacere a qn ; sich (*D*) etw ~ lassen sopportare qc ; sich (*D*) nichts ~ lassen sapersi difendere.

Gefallen (*pl* -) *der* favore *m* ; jm einen ~ tun fare un favore a qn.

gefälligst *adv* : komm ~ her! insomma, vieni qui!

gefangen *pp* → fangen.

Gefängnis (*pl* -se) *das* prigione *f*.

Gefäß (*pl* -e) *das* recipiente *m*.

geflochten *pp* → flechten.

geflogen *pp* → fliegen.

geflohen *pp* → fliehen.

geflossen *pp* → fließen.

Geflügel *das* pollame *m*.

gefochten *pp* → fechten.

gefressen *pp* → fressen.

Gefrierbeutel (*pl* -) *der* sacchetto *m* per congelatore.

gefrieren (*präs* gefriert, *prät* gefror, *pp* gefroren) *vi* (*ist*) gelare.

Gefriertruhe (*pl* -n) *die* congelatore *m*.

gefroren *pp* → frieren. ◆ *adj* congelato(a).

Gefühl (*pl* -e) *das* (*Emotion*) sentimento *m* ; (*von Hunger, Kälte*) sensazione *f*.

gefüllt *adj* (*Speisen*) farcito(a).

gefunden *pp* → finden.

gegangen *pp* → gehen.

gegeben *pp* → geben.

gegen *präp* (+*A*) contro ; (*zeitlich*) verso ; (*Angabe eines Vergleiches*) rispetto a ; ~ etw sein essere contrario a qc.

Gegend (*pl* -en) *die* zona *f* ; in der ~ nei dintorni.

gegeneinander *adv* uno(a) contro l'altro(a).

Gegenfahrbahn (*pl* -en) *die* corsia *f* opposta.

Gegenlicht *das* controluce *f*.

Gegenmittel (*pl* -) *das* antidoto *m*.

Gegenrichtung *die* direzione *f* opposta.

Gegensatz (*pl* -sätze) *der* contrasto *m* ; im ~ zu contrariamente a.

gegenseitig *adj* reciproco(a).

Gegenstand (*pl* -stände) *der* oggetto *m*.

Gegenteil *das* contrario *m* ; im ~ al contrario.

gegenüber *präp* (+*D*) (*räumlich*) di fronte a ; (*Angabe eines Vergleichs*) rispetto a ; (*Angabe *einer Beziehung)* : **jm ~** nei confronti di qn.

Gegenverkehr *der* traffico *m* in senso contrario.

Gegenwart *die* presente *m* ; *(Anwesenheit)* : **in ~ von** in presenza di.

gegessen *pp* → **essen.**

geglichen *pp* → **gleichen.**

geglitten *pp* → **gleiten.**

Gegner, in (*mpl* -) *der, die* avversario *m*, -a *f*.

gegolten *pp* → **gelten.**

gegossen *pp* → **gießen.**

gegriffen *pp* → **greifen.**

gegrillt *adj* grigliato(a).

Gehackte *das* KÜCHE carne *f* tritata.

Gehalt (*pl* **Gehälter**) *das (von Angestellten)* stipendio *m*.

gehbehindert *adj* disabile motorio(a).

geheim *adj* segreto(a).

Geheimnis (*pl* **-se**) *das* segreto *m*.

geheimnisvoll *adj* misterioso(a).

geheißen *pp* → **heißen.**

gehen (*präs* **geht**, *prät* **ging**, *pp* **gegangen**) *vi (ist)* - 1. *(gen)* andare *(a piedi)*.
- 2. *(weggehen, kündigen)* andarsene.
- 3. *(funktionieren)* andar bene.
- 4. *(dauern)* : **~ bis** durare fino a.
- 5. *(berühren)* : **geh nicht daran!** non toccare!
- 6. *(Zug)* : **~ über** *(+A)* passare per.
- 7. *(Teig)* lievitare.
- 8. *(Post)* andare.
- 9. *(Schuss, Ball)* : **der Ball geht ins Tor** la palla va in porta.
- 10. *(gerichtet sein)* : **das Zimmer geht auf das Meer** la camera dà sul mare. ◆ *vimp* - 1. *(sich fühlen)* : **wie geht's?** come va? ; **wie geht es Ihnen?** come sta? ; **es geht jm gut/schlecht** qn sta bene/male.
- 2. *(möglich sein)* : **heute geht es nicht** oggi non è possibile.
- 3. *(erlaubt sein)* : **das geht nicht** non si può.

Gehirn (*pl* **-e**) *das* cervello *m*.

Gehirnerschütterung (*pl* **-en**) *die* MED commozione *f* celebrale.

gehoben *pp* → **heben.** ◆ *adj (Position, Dienst)* elevato(a).

geholfen *pp* → **helfen.**

gehorchen *vi* ubbidire ; **jm ~** ubbidire a qn.

gehören *vi (als Eigentum)* : **jm ~** appartenere a qn ; **~ zu** *(als Teil)* far parte di. ■ **sich gehören** *ref* addirsi.

Gehörlose (*pl* **-n**) *der, die* sordo *m*, -a *f*.

Gehweg (*pl* **-e**) *der* marciapiede *m*.

Geige (*pl* **-n**) *die* violino *m*.

Geisterbahn (*pl* **-en**) *die* castello *m* dei fantasmi *(al luna park)*.

Geisterfahrer, in (*mpl* -) *der, die (auf Autobahn)* automobilista *mf* che viaggia contromano.

geizig *adj* avaro(a).

gekannt *pp* → **kennen.**

geklungen *pp* → **klingen.**

gekniffen *pp* → **kneifen.**

gekocht *adj* cotto(a).

gekommen *pp* → **kommen**.

gekonnt *pp* → **können**.

gekrochen *pp* → **kriechen**.

gekühlt *adj (Getränk)* fresco(a) ; **'~ mindestens haltbar bis'** 'se conservato in frigorifero da consumarsi entro'.

Gel (*pl* **-s**) *das* gel *m*.

geladen *pp* → **laden**.

gelähmt *adj* paralizzato(a).

Gelände (*pl* **-**) *das (Grundstück)* terreno *m*.

Geländer (*pl* **-**) *das (von Treppe, Balkon)* ringhiera *f* ; *(von Brücke)* parapetto *m*.

gelang *pp* → **gelingen**.

gelassen *adj* calmo(a).

Gelatine *die* gelatina *f*.

gelaunt *adj* : **gut schlecht ~** di buon/cattivo umore.

gelb *adj* giallo(a).

Gelb *das (Farbe)* giallo *m* ; *(von Ampel)* arancione *m*.

Geld (*pl* **-er**) *das* denaro *m* ; **viel ~ verdienen** guadagnare molti soldi.

Geldautomat (*pl* **-en**) *der* bancomat *m*.

Geldeinwurf *der (auf Automaten)* introduzione *f* monete.

Geld|karte *die* carta *f* prepagata.

Geldrückgabe *die (auf Automaten)* ritorno *m* delle monete.

Geldschein (*pl* **-e**) *der* banconota *f*.

Geldstrafe (*pl* **-n**) *die* multa *f*.

Geldwechsel *der* cambio *m* di valuta ; **kein ~** non si effettua cambio di valuta.

Geldwechselautomat (*pl* **-en**) *der* cambio *m* automatico di valuta.

Gelee (*pl* **-s**) *das* gelatina *f*.

gelegen *pp* → **liegen**.

Gelegenheit (*pl* **-en**) *die (Möglichkeit, Anlass)* opportunità *f* ; *(Angebot)* occasione *f*.

Gelenk (*pl* **-e**) *das (von Knochen)* articolazione *f*.

Geliebte (*pl* **-n**) *der, die* amante *mf*.

geliehen *pp* → **leihen**.

gelingen *vi (unr & ist)* riuscire ; **jm gelingt etw** a qn riesce qc.

gelitten *pp* → **leiden**.

gelockt *adj (Haar)* riccio(a).

gelogen *pp* → **lügen**.

gelten (*präs* **gilt**, *prät* **galt**, *pp* **gegolten**) *vt & vi* essere valido(a) ; **der Ausweis gilt bis** il documento è valido fino.

Geltungsbereich (*pl* **-e**) *der (von Fahrkarte)* zona *f (di validità)*.

gelungen *pp* → **gelingen**.

gemahlen *adj (Kaffee)* macinato(a).

Gemälde (*pl* **-**) *das* dipinto *m*.

gemein *adj (böse)* perfido(a) ; **wie ~!** che cattivo!

Gemeinde (*pl* **-n**) *die (Ort)* comune *m*.

gemeinsam *adj* comune. ◆ *adv* insieme.

Gemeinschaft (*pl* **-en**) *die (Gruppe)* comunità *f*.

gemeint *adj* : **das war nicht so ~** non intendevo questo.
gemieden *pp* → **meiden**.
gemischt *adj* *(Gruppe)* misto(a) ; **~er Salat** insalata *f* mista.
gemocht *pp* → **mögen**.
gemolken *pp* → **melken**.
Gemüse (*pl* -) *das* verdura *f*.
Gemüsehändler, in (*mpl* -) *der, die* fruttivendolo *m*, -a *f*.
gemusst *pp* → **müssen**.
gemütlich *adj* *(bequem)* comodo(a) ; **~e Wohnung/Bar** abitazione/bar accogliente.
genannt *pp* → **nennen**.
genau *adj* *(exakt)* preciso(a). ◆ *adv* *(exakt)* esattamente ; **genau!** *(richtig)* esattamente!
genauso *adv* altrettanto.
genehmigen *vt* autorizzare.
Genehmigung (*pl* -en) *die* autorizzazione *f*.
Generation (*pl* -en) *die* generazione *f*.
generell *adj* generale.
Genf *nt* Ginevra *f*.
Genfer See *der* lago *m* di Ginevra.
Genick (*pl* -e) *das* nuca *f*.
genießbar *adj* *(Speise)* commestibile.
genießen (*prät* **genoss**, *pp* **genossen**) *vt* *(Freude)* godere ; *(Speise)* gustare.
Genitiv (*pl* -e) *der* GRAMM genitivo *m*.
genommen *pp* → **nehmen**.
genormt *adj* standardizzato(a).
genoss *prät* → **genießen**.
genossen *pp* → **genießen**.
genug *adv* abbastanza ; **~ haben** averne abbastanza.
genügen *vi* bastare ; **das genügt!** basta così!
Genuss (*pl* **Genüsse**) *der* *(Freude)* piacere *m* ; *(von Speisen, Getränken)* consumo *m*.
geöffnet *adj* *(Geschäft, Schalter)* aperto(a).
geografisch, geographisch *adj* geografico(a).
geordnet *adj* ordinato(a).
Gepäck *das* bagaglio *m*.
Gepäckabfertigung *die* accettazione *f* bagagli.
Gepäckannahme *die* accettazione *f* bagagli.
Gepäckaufbewahrung *die* deposito *m* bagagli.
Gepäckaufgabe *die* consegna *m* bagagli.
Gepäckausgabe *die* riconsegna *f* bagagli.
Gepäckkarren (*pl* -) *der* carrello *m* *(per i bagagli)*.
Gepäcknetz (*pl* -e) *das* rete *f* portabagagli.
Gepäckschein (*pl* -e) *der* scontrino *m* bagagli.
Gepäckschließfach (*pl* -fächer) *das* cassetta *f* per il deposito bagagli.
Gepäckstück (*pl* -e) *das* collo *m*.
Gepäckträger (*pl* -) *der* *(von Fahrrad)* portapacchi *m* ; *(Person)* facchino *m*, *(von Auto)* portabagagli *m*.

Gepäckversicherung (*pl* -en) *die* assicurazione *f* bagagli.
Gepäckwagen (*pl* -) *der* vettura *f* bagagli.
gepfiffen *pp* → pfeifen.
gequollen *pp* → quellen.
gerade *adv* *(vor kurzem, knapp)* appena ; *(jetzt)* in questo momento.
geradeaus *adv* diritto ; immer ~ sempre diritto.
gerannt *pp* → rennen.
geraspelt *adj* *(Möhren, Nüsse)* grattugiato(a).
gerät *präs* → geraten.
Gerät (*pl* -e) *das* *(Werkzeug)* utensile *m* ; *(Apparat)* apparecchio *m*.
geraten (*präs* gerät, *prät* geriet, *pp* -) *vi* *(ist)* *(gelangen)* : an jn ~ imbattersi in qn ; in Gefahr ~ trovarsi in pericolo ; in Panik ~ farsi prendere dal panico.
geräuchert *adj* affumicato(a).
geräumig *adj* spazioso(a).
Geräusch (*pl* -e) *das* rumore *m*.
gerecht *adj* *(Person, Entscheidung)* giusto(a).
Gerechtigkeit *die* giustizia *f*.
Gericht (*pl* -e) *das* *(Institution)* tribunale *m* ; *(Speise)* pietanza *f*.
gerieben *pp* → reiben. ◆ *adj* *(Käse)* grattugiato(a).
geriet *prät* → geraten.
gering *adj* *(Menge, Größe)* scarso(a).
gerinnen (*prät* gerann, *pp* geronnen) *vi* *(ist)* *(Blut)* coagularsi ; *(Milch)* cagliarsi.
gerissen *pp* → reißen. ◆ *adj* *abw* *(Person)* scaltro(a).
geritten *pp* → reiten.
gern (*komp* lieber, *superl* am liebsten) *adv* volentieri ; jn ~ mögen ODER haben voler bene a qn ; jd mag etw ~ a qn piace qc ; jd tut etw ~ a qn piace fare qc ; ~ geschehen! non c'è di che!
gerochen *pp* → riechen.
geronnen *pp* → rinnen, gerinnen. ◆ *adj* *(Milch)* cagliato(a).
geröstet *adj* *(Kaffee, Mandeln)* tostato(a).
Geruch (*pl* Gerüche) *der* odore *m*.
gerufen *pp* → rufen.
gerungen *pp* → ringen.
gesalzen *adj* salato(a).
gesamt *adj* intero(a).
Gesamtschule (*pl* -n) *die* *scuola secondaria superiore polivalente*.
gesandt *pp* → senden.
Geschädigte (*pl* -n) *der, die* *amt* parte *f* lesa.
Geschäft (*pl* -e) *das* *(Laden)* negozio *m* ; *(Betrieb, Handel)* attività *f*.
Geschäftsfrau (*pl* -en) *die* donna *f* d'affari.
Geschäftsführer, in (*mpl* -) *der, die* amministratore *m*, -trice *f*.
Geschäftsmann (*pl* -männer) *der* uomo *m* d'affari.

Geschäftsreise (*pl* -n) *die* viaggio *m* d'affari.

Geschäftsschluss *der* orario *m* di chiusura dei negozi.

Geschäftsstraße (*pl* -n) *die* via *f* commerciale.

Geschäftszeiten *pl* orari *mpl* di apertura dei negozi.

geschah *prät* → geschehen.

geschehen (*präs* geschieht, *prät* geschah, *pp* -) *vi (ist) (Ereignis)* accadere ; ~ **mit jm/etw** succedere a qn/qc.

Geschenk (*pl* -e) *das* regalo *m*.

Geschenkartikel (*pl* -) *der* articolo *m* da regalo.

Geschichte (*pl* -n) *die* storia *f*.

geschickt *adj* abile.

geschieden *pp* → scheiden. ◆ *adj* divorziato(a).

geschieht *präs* → geschehen.

geschienen *pp* → scheinen.

Geschirr *das (zum Essen)* stoviglie *fpl* ; ~ **spülen** lavare le stoviglie ; ~ **abtrocknen** asciugare le stoviglie.

Geschirrspülmaschine (*pl* -n) *die* lavastoviglie *f*.

Geschirrspülmittel (*pl* -) *das* detersivo *m* per piatti.

Geschirrtuch (*pl* -tücher) *das* canovaccio *m*.

geschissen *pp* → scheißen.

Geschlecht *das (biologisch)* sesso *m* ; GRAMM genere *m*.

Geschlechtskrankheit (*pl* -en) *die* malattia *f* venerea.

Geschlechtsverkehr *der* rapporto *m* sessuale.

geschlichen *pp* → schleichen.

geschliffen *pp* → schleifen.

geschlossen *pp* → schließen. ◆ *adj (Geschäft, Gesellschaft)* chiuso(a) ; ~**e Ortschaft** centro abitato.

geschlungen *pp* → schlingen.

Geschmack (*pl* Geschmäcker) *der (von Speise)* sapore *m* ; *(Vorliebe)* gusto *m*.

geschmacklos *adj (Person, Ausstattung)* di cattivo gusto ; *(Speise)* insipido(a).

geschmissen *pp* → schmeißen.

geschmolzen *pp* → schmelzen.

geschmort *adj (Speise)* brasato(a).

Geschnetzelte *das* KÜCHE *piatto di carne o pollo tagliati a pezzettini e serviti in salsa.*

geschnitten *pp* → schneiden. ◆ *adj (Wurst, Käse)* a fette ; ~ **oder am Stück?** a fette o in un pezzo solo?

geschoben *pp* → schieben.

gescholten *pp* → schelten.

geschoren *pp* → scheren.

Geschoss (*pl* -e) *das (Etage)* piano *m*.

geschossen *pp* → schießen.

geschrieben *pp* → schreiben.

geschrien *pp* → schreien.

geschritten *pp* → schreiten.

geschwiegen *pp* → schweigen.

Geschwindigkeit (*pl* -en) *die* velocità *f*.

Geschwindigkeitsbeschränkung (*pl* -en) *die* limite *m* di velocità.

Geschwindigkeitsübertretung (*pl* -en) *die* eccesso *m* di velocità.

Geschwister *pl* fratelli *mpl* e sorelle *fpl*.

geschwollen *pp* → schwellen. ◆ *adj* gonfio(a).

geschwommen *pp* → schwimmen.

geschworen *pp* → schwören.

geschwungen *pp* → schwingen.

Geschwür (*pl* -e) *das* MED ascesso *m*.

Gesellschaft (*pl* -en) *die* (*System*) società *f* ; (*Gruppe*) comitiva *f* ; (*Begleitung*) compagnia *f* ; jm ~ leisten far compagnia a qn.

Gesellschaftsraum (*pl* -räume) *der* sala *f* comune.

gesessen *pp* → sitzen.

Gesetz (*pl* -e) *das* legge *f*.

gesetzlich *adj* legale.

gesetzwidrig *adj* illegale.

Gesicht (*pl* -er) *das* (*von Person*) viso *m*.

Gesichtscreme (*pl* -s) *die* crema *f* per il viso.

Gesichtswasser *das* tonico *m* per il viso.

gesoffen *pp* → saufen.

gesogen *pp* → saugen.

gespannt *adj* (*Person, Atmosphäre*) teso(a) ; ~ sein (*Person*) essere curioso(a).

gesperrt *adj* (*Straße*) sbarrato(a).

gesponnen *pp* → spinnen.

Gespräch (*pl* -e) *das* (*Konversation*) colloquio *m* ; (*Telefongespräch*) chiamata *f*.

gesprochen *pp* → sprechen.

gesprungen *pp* → springen. ◆ *adj* (*Glas*) incrinato(a).

gestanden *pp* → stehen, gestehen.

Gestank *der* puzzo *m*.

gestatten *vt* *geh* (*erlauben*) permettere.

Geste (*pl* -n) *die* (*mit Händen*) gesto *m*.

gestern *adv* ieri ; ~ früh ODER Morgen ieri mattina.

gestiegen *pp* → steigen.

gestohlen *pp* → stehlen ; etw als ~ melden denunciare il furto di qc.

gestorben *pp* → sterben.

gestreift *adj* a righe.

gestrichen *pp* → streichen. ◆ *adj* (*Löffel*) raso(a) ; 'frisch ~' 'pittura fresca'.

gestritten *pp* → streiten.

gestunken *pp* → stinken.

gesund (*komp* gesünder, *superl* am gesündesten) *adj* sano(a). ◆ *adv* in modo salutare ; ~ werden guarire.

Gesundheit *die* salute *f* ; Gesundheit! salute!

gesundheitsschädlich *adj* (*Inhaltsstoff*) nocivo(a).

gesungen *pp* → singen.

gesunken *pp* → sinken.

getan *pp* → tun.

Getränk (*pl* -e) *das* bevanda *f*; alkoholische ~e bevande alcoliche; alkoholfreie ~e bevande analcoliche.

Getränkeautomat (*pl* -en) *der* distributore *m* automatico di bevande.

Getränkekarte (*pl* -n) *die* lista *f* delle bevande.

Getreide *das* cereali *mpl*.

getrennt *adj* *(Zimmer, Rechnung)* separato(a).

Getriebe (*pl* -) *das* *(von Auto, in Technik)* cambio *m* di velocità.

getrieben *pp* → treiben.

getrocknet *adj* *(Obst)* essicato(a).

getroffen *pp* → treffen.

getrunken *pp* → trinken.

gewachsen *pp* → wachsen.

Gewähr *die* : ohne ~ senza garanzia.

Gewalt *die* *(Brutalität)* violenza *f*.

gewandt *pp* → wenden.

gewann *prät* → gewinnen.

gewaschen *pp* → waschen.

Gewebe (*pl* -) *das* tessuto *m*.

Gewehr (*pl* -e) *das* fucile *m*.

gewellt *adj* *(Haare)* ondulato(a).

gewerblich *adj* *(Nutzung)* commerciale.

Gewerkschaft (*pl* -en) *die* sindacato *m*.

gewesen *pp* → sein.

Gewicht (*pl* -e) *das* peso *m*.

gewiesen *pp* → weisen.

Gewinn (*pl* -e) *der* *(Preis, Sieg)* vincita *f*; *(Profit)* guadagno *m*.

gewinnen (*prät* gewann, *pp* gewonnen) *vi* & *vt* vincere.

Gewinner, in (*mpl* -) *der, die* *(in Sport, Spiel)* vincitore *m*, -trice *f*.

Gewinnspiel (*pl* -e) *das* gioco *m* a premi.

Gewissen *das* coscienza *f*.

Gewitter (*pl* -) *das* *(Wetter)* temporale *m*.

gewogen *pp* → wiegen.

gewöhnen *vt* : ~ an *(+A)* abituare a. ■ **sich gewöhnen** *ref* : sich ~ an *(+A)* abituarsi a.

Gewohnheit (*pl* -en) *die* abitudine *f*.

gewöhnlich *adj* *(normal)* solito(a). ◆ *adv* *(normalerweise)* di solito ; wie ~ come al solito.

gewohnt *adj* abituale ; etw ~ sein essere abituato a qc.

Gewölbe (*pl* -) *das* *(Deckengewölbe)* volta *f*.

gewonnen *pp* → gewinnen.

geworben *pp* → werben.

geworden *pp* → werden.

geworfen *pp* → werfen.

Gewürz (*pl* -e) *das* spezia *f*.

Gewürzgurke (*pl* -n) *die* cetriolino *m* sottaceto.

gewürzt *adj* speziato(a) ; **scharf ~** piccante.

gewusst *pp* → **wissen.**

Gezeiten *pl* maree *fpl.*

gezogen *pp* → **ziehen.**

gezwungen *pp* → **zwingen.**

gibt *präs* → **geben.**

gierig *adj* avido(a).

gießen (*prät* **goss,** *pp* **gegossen**) *vt* *(schütten)* versare ; *(Pflanzen)* annaffiare.

Gift (*pl* **-e**) *das* veleno *m.*

giftig *adj* *(Substanz, Pflanze)* velenoso(a) ; *fig (Person, Bemerkung)* astioso(a).

gilt *präs* → **gelten.**

Gin *der* gin *m.*

ging *prät* → **gehen.**

Gipfel (*pl* **-**) *der (von Berg)* vetta *f* ; **das ist doch der ~!** ma è proprio il colmo!

Gips *der* gesso *m.*

Gipsbein (*pl* **-e**) *das* gamba *f* ingessata.

Giraffe (*pl* **-n**) *die* giraffa *f.*

Girokonto (*pl* **-konten**) *das* conto *m* corrente.

Gischt *die* schiuma *f (delle onde).*

Gitarre (*pl* **-n**) *die* chitarra *f.*

Gitter (*pl* **-**) *das* grata *f.*

Gitterbett (*pl* **-en**) *das* lettino *m* con sponde alte.

glänzen *vi* *(Metall, Wasser)* brillare.

glänzend *adj* *(leuchtend, ausgezeichnet)* brillante.

Glarus *nt* *(Stadt)* Glarona *f*; *(Kanton)* Glarona *m.*

Glas (*pl* **Gläser**) *das* *(Material)* vetro *m* ; *(zum Trinken)* bicchiere *m* ; **aus ~** di vetro.

Gläschen (*pl* **-**) *das* bicchierino *m.*

Glasscheibe (*pl* **-n**) *die* lastra *f* di vetro.

glatt *adj* *(eben)* liscio(a) ; *(rutschig)* sdrucciolevole.

Glätte *die* *(Eisglätte)* scivolosità *f.*

Glatteis *das* strada *f* ghiacciata.

Glatteisgefahr *die* pericolo *m* di strade ghiacciate.

Glatze (*pl* **-n**) *die* : **eine ~ haben** essere calvo(a).

glauben *vt* & *vi* credere ; **~ an** *(+A)* credere in ODER a ; **jm ~** credere a qn.

gleich *adj* stesso(a) ; **bis ~!** a dopo! ; **das ist mir ~** mi fa lo stesso.

gleichberechtigt *adj* *(Mann und Frau)* con pari diritti.

gleiche, r, s *pron* lo stesso (la stessa), gli stessi (le stesse).

gleichen (*prät* **glich,** *pp* **geglichen**) *vi* *(+D)* assomigliare a.

gleichfalls *adv* altrettanto ; **danke ~!** grazie, altrettanto!

gleichgültig *adj* : **~ sein** *(egal sein)* essere indifferente.

gleichmäßig *adj* regolare.

Gleichstrom *der* corrente *f* continua.

gleichzeitig *adj* contemporaneo(a).

Gleis (*pl* **-e**) *das* binario *m*.

gleiten (*prät* **glitt**, *pp* **geglitten**) *vi (ist) (rutschen)* scivolare.

Gleitschirm (*pl* **-e**) *der* SPORT parapendio *m*.

Gletscher (*pl* **-**) *der* ghiacciaio *m*.

glich *prät* → **gleichen**.

Glied (*pl* **-er**) *das (Einzelteil, Penis)* membro *m* ; *(Extremität)* arto *m*.

glitschig *adj* sdrucciolevole.

glitt *prät* → **gleiten**.

glitzern *vi* luccicare.

Glocke (*pl* **-n**) *die* campana *f*.

Glück *das (Ereignis)* fortuna *f* ; *(Gefühl)* felicità *f* ; **viel ~!** buona fortuna! ; **zum ~** per fortuna.

glücklich *adj (froh)* felice ; *(Zufall, Zusammentreffen)* fortunato(a). ◆ *adv (froh, günstig)* felicemente.

glücklicherweise *adv* fortunatamente.

Glücksspiel (*pl* **-e**) *das (um Geld)* gioco *m* d'azzardo.

Glückwunsch (*pl* **-wünsche**) *der* augurio *m* ; **herzlichen ~!** felicitazioni vivissime!

Glühbirne (*pl* **-n**) *die* lampadina *f*.

glühen *vi (Kohle)* ardere *(senza fiamma)*.

Glühwein *der* vino *m* brûlé.

Glut *die (im Feuer)* brace *f*.

Gnagi *das Schweiz piatto tipico a base di bollito di maiale (orecchie, stinco, ecc.)*.

Gold *das (Metall)* oro *m* ; **aus ~** d'oro.

golden *adj (aus Gold)* d'oro ; *(goldfarben)* dorato(a).

Goldschmied, in (*mpl* **-e**) *der, die* orafo *m*, -a *f*.

Golf *das (Sportart)* golf *m*.

Golfplatz (*pl* **-plätze**) *der* campo *m* da golf.

Golfschläger (*pl* **-**) *der* mazza *f* da golf.

gönnen *vt (+D)* : **sich** *(D)* **etw ~** concedersi qc.

goss *prät* → **gießen**.

gotisch *adj* gotico(a).

Gott (*pl* **Götter**) *der (christlich)* Dio *m* ; *(Gottheit)* divinità *f* ; **~ sei Dank!** grazie a Dio! ; **Grüß ~!** salve!

Gottesdienst (*pl* **-e**) *der* messa *f*.

Grab (*pl* **Gräber**) *das (Grabstätte)* tomba *f*.

graben (*präs* **gräbt**, *prät* **grub**, *pp* **gegraben**) *vt* & *vi* scavare.

Graben (*pl* **Gräben**) *der (Vertiefung)* fossato *m*.

Grabstein (*pl* **-e**) *der* lapide *f*.

gräbt *präs* → **graben**.

Grad (*pl* **-e**) *der* grado *m*.

Graffiti *pl* graffito *m*.

Grafik (*pl* **-en**) *die* TECH grafica *f* ; *(Bild, Schema)* grafico *m*.

Gramm (*pl* **-**) *das* grammo *m*.

Grammatik (*pl* -en) *die* grammatica *f.*

Grapefruit (*pl* -s) *die* pompelmo *m.*

Graphik *die* = Grafik.

Gras (*pl* Gräser) *das* erba *f.*

grässlich *adj* terribile. ◆ *adv (sehr)* terribilmente.

Gräte (*pl* -n) *die* lisca *f.*

gratis *adv* gratuitamente. ◆ *adj* : ~ sein essere gratuito(a).

Gratulation (*pl* -en) *die (Glückwunsch)* congratulazioni *fpl.*

gratulieren *vi* congratularsi ; jm zum Geburtstag ~ fare gli auguri di compleanno a qn.

grau *adj* grigio(a).

Graubrot (*pl* -e) *das* pane *m* misto di segale e frumento.

Graubünden *nt* Grigioni *mpl.*

Graupelschauer (*pl* -) *der* nevischio *m.*

grausam *adj (brutal)* crudele ; *(furchtbar)* terribile.

Graz *nt* Graz *f.*

greifen (*prät* griff, *pp* gegriffen) *vt (mit der Hand)* afferrare.

grell *adj (Licht, Farbe)* accecante ; *(Ton)* stridulo(a).

Grenzbeamte (*pl* -n) *der* doganiere *m.*

Grenzbeamtin (*pl* -nen) *die* doganiere *m.*

Grenze (*pl* -n) *die* confine *m* ; *(Beschränkung)* limite *m* ; grüne ~ confine non controllato.

grenzen *vi* : ~ an (+A) *(räumlich)* confinare con.

Grenzkontrolle (*pl* -n) *die* controllo *m* doganale.

Grenzübergang (*pl* -gänge) *der (Ort)* valico *m* di frontiera.

Griebenschmalz *das* strutto *m* con ciccioli.

Grieche (*pl* -n) *der* greco *m.*

Griechenland *nt* Grecia *f.*

Griechin (*pl* -nen) *die* greca *f.*

griechisch *adj* greco(a).

Griechisch(e) *das* greco *m.*

Grieß *der* semolino *m.*

griff *prät* → greifen.

Griff (*pl* -e) *der (mit der Hand)* presa *f* ; *(Haltegriff)* manico *m.*

Grill (*pl* -s) *der* griglia *f.*

grillen *vt* grigliare. ◆ *vi* fare una grigliata.

Grillfest (*pl* -e) *das* grigliata *f.*

Grillspieß (*pl* -e) *der (mit Fleisch)* spiedino *m.*

Grillstube (*pl* -n) *die locale in cui vengono servite pietanze alla griglia.*

Grillteller (*pl* -) *der* grigliata *f* mista.

grinsen *vi* sghignazzare.

Grippe (*pl* -n) *die* MED influenza *f.*

grob (*komp* gröber, *superl* am gröbsten) *adj (Person, Verhalten)* rozzo(a) ; *(Zucker, Leder, Stoff)* grezzo(a) ; ~es Salz sale grosso.

Grog (*pl* -s) *der* grog *m.*

Groschen (*pl* -) *der (deutsche Münze)* moneta *f* da 10 pfennig ; *(österreichische Münze)* groschen *m*.

groß *(komp* **größer**, *superl* **am größten**) *adj* grande ; *(in Maßangabe)* alto(a).

großartig *adj (sehr gut)* grandioso(a).

Großbritannien *nt* Granbretagna *f*.

Großbuchstabe *(pl* **-n**) *der* maiuscola *f*.

Größe *(pl* **-n**) *die* grandezza *f* ; *(von Kleidung)* taglia *f* ; *(von Schuhen)* numero *m*.

Großeltern *pl* nonni *mpl*.

Großmutter *(pl* **-mütter**) *die* nonna *f*.

Großraumwagen *(pl* **-**) *der (in Zug)* vagone *m* aperto *(senza scompartimenti)*.

Großschreibung *die* scrittura *f* maiuscola.

Großstadt *(pl* **-städte**) *die* grande città *f*.

Großvater *(pl* **-väter**) *der* nonno *m*.

großzügig *adj (freigiebig)* generoso(a).

Grotte *(pl* **-n**) *die* grotta *f*.

grub *prät* → **graben**.

Gruft *(pl* **Grüfte**) *die* cripta *f*.

grün *adj* verde ; *(an Ampel)* : **~er Pfeil** freccia verde di svolta continua ; **~e Versicherungskarte** carta verde ; **Grüner Punkt** *(auf Verpackungen) simbolo indicante confezione ecologica*.

Grün *das* verde *m*.

Grünanlage *(pl* **-n**) *die* spazio *m* verde.

Grund *(pl* **Gründe**) *der (Ursache, Motiv)* ragione *f* ; *(von Gewässer)* fondo *m* ; *(Erdboden)* suolo *m* ; **auf ~ = aufgrund** ; **aus diesem ~** per questo motivo.

gründen *vt (Verein, Betrieb)* fondare.

Gründer, in *(mpl* **-**) *der, die* fondatore *m*, -trice *f*.

Grundgesetz *das* Costituzione *f* tedesca.

Grundkurs *(pl* **-e**) *der* corso *m* base.

Grundlage *(pl* **-n**) *die* base *f*.

gründlich *adj (Person)* scrupoloso(a) ; *(Suche, Säuberung)* approfondito(a). ◆ *adv (gewissenhaft)* accuratamente.

Gründonnerstag *(pl* **-e**) *der* Giovedì *m* santo.

Grundschule *(pl* **-n**) *die* scuola *f* elementare.

Grundstück *(pl* **-e**) *das* terreno *m*.

Gründung *(pl* **-en**) *die* fondazione *f*.

Grüne¹ *(pl* **-n**) *der, die* verde *mf* ; **die ~n** i Verdi.

Grüne² *das* : **im ~n** nel verde.

Grünfläche *(pl* **-n**) *die* spazio *m* verde.

Grünkohl *der* cavolo *m* riccio.

Gruppe *(pl* **-n**) *die* gruppo *m*.

Gruppenermäßigung *(pl* **-en**) *die* riduzione *f* per gruppi.

Gruppenkarte (*pl* **-n**) *die* biglietto *m* collettivo.

Gruppenreise (*pl* **-n**) *die* viaggio *m* in comitiva.

Gruß (*pl* **Grüße**) *der* saluto *m* ; **viele Grüße!** tanti saluti!

grüßen *vi (begrüßen)* salutare. ◆ *vt (begrüßen, grüßen lassen)* salutare ; **jn von jm ~** salutare qn da parte di qn ; **Grüß Gott!** *Süddt* salve!

gucken *vi fam (sehen)* guardare.

Gulasch (*pl* **-s**) *der* ODER *das* gulasch *m*.

gültig *adj (Ticket, Vertrag)* valido(a).

Gültigkeit *die (von Ticket, Vertrag)* validità *f*.

Gummi (*pl* **-s**) *das (Material)* gomma *f* ; *(Gummiring)* elastico *m*.

Gummiband (*pl* **-bänder**) *das* elastico *m*.

Gunst *die* : **zu ~en = zugunsten.**

günstig *adj (vorteilhaft)* favorevole ; *(preisgünstig)* vantaggioso(a).

gurgeln *vi* fare i gargarismi.

Gurke (*pl* **-n**) *die (Salatgurke)* cetriolo *m* ; **saure ~** cetriolino *m* sottaceto.

Gurt (*pl* **-e**) *der (an Tasche, Sattel)* cinghia *f* ; *(Sicherheitsgurt)* cintura *f (di sicurezza)*.

Gürtel (*pl* **-**) *der* cintura *f*.

Gürtelrose *die* fuoco *m* di S.Antonio.

Gürteltasche (*pl* **-n**) *die* marsupio *m*.

Gurtpflicht *die* obbligo *m* di indossare le cinture di sicurezza.

gut (*komp* **besser**, *superl* **am besten**) *adj* buono(a) ; *(mehr als)* abbondante. ◆ *adv* bene ; **~ befreundet sein** essere buoni amici ; **~ gehen** *(Geschäft)* andare bene ; **jm ist nicht ~** qn non si sente bene. ■ **Gute** *das* : **alles Gute!** auguri!

Gutachter, in (*mpl* **-**) *der, die* perito *m*, -a *f*.

gutbürgerlich *adj* : **~e Küche** cucina *f* rustica.

Güterzug (*pl* **-züge**) *der* treno *m* merci.

gut gehen *vi (unr & ist)* andare bene. ◆ *vimp (unr & ist)* : **jm geht es gut** qn sta bene.

gut gelaunt *adj* di buon umore.

Guthaben (*pl* **-**) *das (auf Konto)* credito *m*.

Gutschein (*pl* **-e**) *der* buono *m*.

gut|schreiben *vt (unr)* accreditare.

Gutschrift (*pl* **-en**) *die (Quittung)* nota *f* d'accredito.

gut tun *vi (unr, +D)* far bene a.

Gymnasium (*pl* **Gymnasien**) *das scuola secondaria superiore che si conclude con l'esame di stato.*

Gymnastik *die* ginnastica *f*.

Gynäkologe (*pl* **-n**) *der* ginecologo *m*.

Gynäkologin (*pl* -nen) *die* ginecologa *f*.

Gyros *das (griechische Spezialität)* spiedo verticale con vari tipi di carne che viene servita tagliata a scaglie.

H

Haar (*pl* -e) *das (Kopfhaar)* capello *m* ; *(Körperbehaarung)* pelo *m* ; **sich** *(D)* **die ~e schneiden lassen** farsi tagliare i capelli.

Haarbürste (*pl* -n) *die* spazzola *f* per capelli.

Haarfärbemittel (*pl* -) *das* tintura *f* per capelli.

Haarfestiger (*pl* -) *der* fissatore *m (per capelli)*.

Haarkur (*pl* -en) *die* trattamento *m* per capelli.

Haarnadel (*pl* -n) *die* forcina *f*.

Haarnadelkurve (*pl* -n) *die* tornante *m*.

Haarshampoo (*pl* -s) *das* shampoo *m* per capelli.

Haarspange (*pl* -n) *die* fermacapelli *m*.

Haarspray (*pl* -s) *das* lacca *f*.

Haartrockner (*pl* -) *der* asciugacapelli *m*.

Haarwasser (*pl* -wässer) *das* lozione *f* per capelli.

haben (*präs* **hat**, *prät* **hatte**, *pp* **gehabt**) *aux* avere.
◆ *vt* - 1. avere ; **bei sich ~** avere con sé.
- 2. *(mit Zeitangabe)* : **wie spät ~ wir?** che ora è? ; **wir ~ zehn Uhr** sono le dieci.
- 3. *(Unterricht, Dienst)* : **Mathematik ~** avere lezione di matematica ; **frei ~** essere libero(a).
- 4. *(Erlebnis)* : **Besuch ~** avere visite ; **Streit ~** litigare.
- 5. *(zur Verfügung)* avere ; **es eilig ~** essere di fretta.
- 6. *(Krankheit)* : **Kopfschmerzen ~** avere mal di testa.
- 7. *(Gefühl)* : **Angst ~** aver paura ; **etw dagegen ~** avere qc in contrario.
- 8. *(Angabe von Zwang)* : **etw zu tun ~** dover fare qc.

Hackbraten (*pl* -) *der* polpettone *m*.

hacken *vt (Holz)* spaccare.

Hackfleisch *das* carne *f* tritata.

Hafen (*pl* **Häfen**) *der (für Schiffe)* porto *m*.

Hafenrundfahrt (*pl* -en) *die* giro *m* del porto in barca.

Hafenstadt (*pl* -städte) *die* città *f* portuale.

Haferflocken *pl* fiocchi *mpl* d'avena.

Haft *die* arresto *m*.

haften *vi (für Schaden)* : **für jn/etw ~** rispondere di qn/qc.

Haftpflichtversicherung (*pl* -en) *die* assicurazione *f* contro rischi di responsabilità civile.

Haftpulver *das (für Gebiss)* polvere *f* adesiva.

Haftung *die* JUR responsabilità *f*.

Hagebuttentee *der* tè *m* alla rosa canina.

Hagel *der (Eisregen)* grandine *f*.

hageln *vimp* : **es hagelt** grandina.

Hahn (*pl* **Hähne**) *der (Tier)* gallo *m* ; *(Wasserhahn)* rubinetto *m*.

Hähnchen (*pl* -) *das (Brathähnchen)* pollo *m (arrosto)* ; **ein halbes ~** mezzo pollo.

Hai (*pl* **-e**) *der* squalo *m*.

häkeln *vt* lavorare all'uncinetto.

Haken (*pl* -) *der (an der Wand)* gancio *m* ; *(Zeichen)* visto *m*.

halb *adj* mezzo(a) ; **zu ~em Preis** a metà prezzo. ◆ *adv (fünfzig Prozent)* a metà ; *(fast ganz)* mezzo(a) ; **~ und ~** *(fast)* più o meno ; **es ist ~ sechs** sono le cinque e mezza ; **~ so teuer sein** costare la metà.

Halbe (*pl* **-n**) *der* ODER *das (Bier)* mezzo litro *m*.

halbfett *adj (Margarine, Käse)* con metà grassi.

halbieren *vt (teilen)* dividere a metà.

Halbinsel (*pl* **-n**) *die* penisola *f*.

Halbjahr (*pl* **-e**) *das (Semester)* semestre *m*.

Halbpension *die* mezza pensione *f* ; **ein Zimmer mit ~** una camera a mezza pensione.

Halbschuh (*pl* **-e**) *der* scarpa *f* bassa.

halbtags *adv* a mezza giornata.

halbvoll *adj* mezzo pieno.

halbwegs *adv* più o meno.

Halbzeit (*pl* **-en**) *die (Spielzeit)* tempo *m* ; *(Spielpause)* intervallo *m*.

half *prät* → **helfen**.

Hälfte (*pl* **-n**) *die* metà *f* ; **zur ~** a metà.

Halle (*pl* **-n**) *die (Messehalle)* padiglione *m* ; *(Raum)* sala *f* d'ingresso.

Hallenbad (*pl* **-bäder**) *das* piscina *f* coperta.

Hallig (*pl* **-en**) *die piccola isola del mar del Nord che viene parzialmente coperta dall'alta marea*.

hallo *interj fam (Gruß)* ciao ; *(am Telefon)* pronto.

Hals (*pl* **Hälse**) *der (Körperteil)* collo *m* ; *(Rachen)* gola *f*.

Halsausschnitt (*pl* **-e**) *der* scollatura *f*.

Halsband (*pl* **-bänder**) *das (von Hund)* collare *m*.

Halsentzündung (*pl* **-en**) *die* infiammazione *f* della gola.

Halskette (*pl* **-n**) *die* collana *f*.

Hals-Nasen-Ohren-Arzt (*pl* **-Ärzte**) *der* otorinolaringoiatra *m*.

Hals-Nasen-Ohren-Ärztin (*pl* **-nen**) *die* otorinolaringoiatra *f*.

Halsschmerzen *pl* mal *m* di gola.

Halstuch (*pl* **-tücher**) *das* foulard *m*.

halt *interj* : halt! *(stopp!)* alt!

Halt *der (von Verkehrsmitteln)*

fermata *f* ; ~ **machen** *(als Wanderer, Fahrer)* fare una sosta.

haltbar *adj* *(Lebensmittel)* : **'mindestens ~ bis'** 'da consumarsi preferibilmente entro'.

Haltbarkeitsdatum (*pl* **-daten**) *das* data *f* di scadenza.

halten (*präs* **hält**, *prät* **hielt**, *pp* **gehalten**) *vt* - 1. *(fest halten, Haustier, Rede)* tenere.
- 2. SPORT parare.
- 3. *(einschätzen, denken)* : **jn für klug ~** considerare furbo qn ; **wenig von jm/etw ~** stimare poco qn/qc.
◆ *vi* - 1. *(Fahrzeug)* fermarsi.
- 2. *(Freundschaft)* durare.
- 3. *(Lebensmittel)* : **~ bis** conservarsi fino.
■ **sich halten** *ref* - 1. *(sich fest halten)* tenersi.
- 2. *(Person, Lebensmittel)* mantenersi.
- 3. *(in eine Richtung)* : **sich rechts/links ~** tenersi sulla destra/sinistra.

Halterung (*pl* **-en**) *die* supporto *m*.

Haltestelle (*pl* **-n**) *die* fermata *f*.

Halteverbot *das* *(Verbot)* divieto *m* di sosta.

Halteverbotsschild (*pl* **-er**) *das* segnale *m* di divieto di sosta.

halt|machen *vi* → **Halt**.

Hamburg *nt* Amburgo *f*.

Hammelfleisch *das* carne *f* di montone.

Hammer (*pl* **Hämmer**) *der* *(Werkzeug)* martello *m*.

hämmern *vi* *(mit Hammer)* martellare.

Hand (*pl* **Hände**) *die* *(Körperteil)* mano *f* ; **rechter/linker ~** a destra/sinistra.

Handarbeit (*pl* **-en**) *die* *(Textilien, Gegenstand)* manufatto *m*.

Handball *der* pallamano *f*.

Handbremse (*pl* **-n**) *die* freno *m* a mano.

Handbuch (*pl* **-bücher**) *das* manuale *m*.

Handel *der* commercio *m*.

handeln *vi* *(Handel treiben)* commerciare ; *(agieren)* agire ; *(feilschen)* contrattare ; **~ von** *(von Thema)* trattare di.

Handelskammer (*pl* **-n**) *die* camera *f* di commercio.

Handfeger (*pl* **-**) *der* scopetta *f*.

Handfläche (*pl* **-n**) *die* palmo *m* *(della mano)*.

Handgelenk (*pl* **-e**) *das* polso *m*.

handgemacht *adj* fatto(a) a mano.

Handgepäck *das* bagaglio *m* a mano.

handgeschrieben *adj* manoscritto(a).

Handkoffer (*pl* **-**) *der* valigetta *f*.

Händler, in (*mpl* **-**) *der, die* commerciante *mf*.

handlich *adj* maneggevole.

Handlung (*pl* **-en**) *die* *(von Roman, Film)* trama *f* ; *(Tat, Aktion)* azione *f*.

Handschlag *der* : **per ~ besiegeln** suggellare con una stretta di mano.

Handschrift (*pl* **-en**) *die (Text)* manoscritto *m*.

Handschuh (*pl* **-e**) *der* guanto *m*.

Handschuhfach (*pl* **-fächer**) *das* vano *m* portaoggetti.

Handtasche (*pl* **-n**) *die* borsetta *f*.

Handtuch (*pl* **-tücher**) *das* asciugamano *m*.

Handwerker, in (*mpl* **-**) *der, die* artigiano *m*, -a *f*.

Handwerkszeug *das* attrezzi *mpl*.

Handy (*mpl* **-s**) *das* cellulare *m*, telefonino *m*.

Handzeichen (*pl* **-**) *das* cenno *m* con la mano.

Hang (*pl* **Hänge**) *der (Abhang)* pendio *m*.

Hängebrücke (*pl* **-n**) *die* ponte *m* pensile.

Hängematte (*pl* **-n**) *die* amaca *f*.

hängen[1] (*prät* **hängte**, *pp* **gehängt**) *vt (anbringen)* appendere ; *(am Galgen)* impiccare ; **~ an** *(+A)* appendere a.

hängen[2] (*prät* **hing**, *pp* **gehangen**) *vi (angebracht sein)* essere appeso(a) ; **~ an** *(+D) (örtlich)* essere appeso(a) a ; *(emotional)* essere affezionato(a) a.

hängen bleiben *vi (unr & ist) (festhängen)* rimanere impigliato(a).

Hannover *nt* Hannover *f*.

Hansestadt (*pl* **-städte**) *die* città *f* anseatica.

HANSESTADT

La Lega Anseatica fu fondata nel dodicesimo secolo da un gruppo di commercianti per proteggere i propri interessi economici. In seguito divenne una associazione di città commerciali che si affrancarono dalla tutela imperiale. La Lega ebbe un notevole influsso sia in ambito economico che culturale fino al diciassettesimo secolo. La maggior parte delle città anseatiche tedesche si trova lungo le coste del mare del Nord e del mar Baltico come Lubecca, Amburgo, Brema e Rostock.

Häppchen (*pl* **-**) *das (kleine Speise)* bocconcino *m*.

Hardware (*pl* **-s**) *die* EDV hardware *m*.

Harke (*pl* **-n**) *die* rastrello *m*.

harmlos *adj* innocuo(a).

harmonisch *adj* armonioso(a).

Harn *der* urina *f*.

Harnblase (*pl* **-n**) *die* MED vescica *f*.

Harpune (*pl* **-n**) *die* fiocina *f*.

hart (*komp* **härter**, *superl* **am härtesten**) *adj* duro(a) ; *(heftig)* violento(a). ◆ *adv (sitzen, liegen)* sul duro.

Härte *die* durezza *f*.

hart gekocht *adj* : **~es Ei** uovo sodo.

hartnäckig *adj* ostinato(a).

Haschisch *das* hashish *m*.

Hase (*pl* -**n**) *der (Tier)* lepre *f*.

Haselnuss (*pl* -**nüsse**) *die* nocciola *f*.

Hass *der* odio *m*.

hassen *vt* odiare.

hässlich *adj (Aussehen)* brutto(a).

hast *präs* → **haben**.

hastig *adj* frettoloso(a).

hat *präs* → **haben**.

hatte *prät* → **haben**.

Haube (*pl* -**n**) *die (von Auto)* cofano *m*.

hauen *vt (Person) fam* picchiare ; *(Loch)* scavare. ◆ *vi (mit der Hand)* colpire *(con le mani)*.

Haufen (*pl* -) *der* mucchio *m*.

häufig *adj* frequente.

Hauptbahnhof (*pl* -**höfe**) *der* stazione *f* centrale.

hauptberuflich *adj* : **~e Tätigkeit** attività principale. ◆ *adv* : **er ist ~ Lehrer** insegnare è la sua professione principale.

Haupteingang (*pl* -**gänge**) *der* ingresso *m* principale.

Hauptgericht (*pl* -**e**) *das* KÜCHE portata *f* principale.

Hauptgeschäftszeit (*pl* -**en**) *die* ora *f* di punta.

Hauptreisezeit (*pl* -**en**) *die* periodo *m* di punta della stagione turistica.

Hauptrolle (*pl* -**n**) *die (im Film)* ruolo *m* principale.

Hauptsache (*pl* -**n**) *die* essenziale *m*.

hauptsächlich *adv* principalmente.

Hauptsaison *die* alta stagione *f*.

Hauptschule (*pl* -**n**) *die corso di studi di cinque anni successivo alla scuola elementare.*

Hauptstadt (*pl* -**städte**) *die (von Staat)* capitale *f* ; *(von Bundesland)* capoluogo *m*.

Hauptstraße (*pl* -**n**) *die* strada *f* principale.

Hauptverkehrszeit (*pl* -**en**) *die* ora *f* di punta.

Haus (*pl* **Häuser**) *das (Wohnhaus)* casa *f* ; *(Gebäude)* edificio *m* ; **nach ~e gehen** andare a casa.

Hausapotheke (*pl* -**n**) *die* armadietto *m* dei medicinali.

Hausarbeit (*pl* -**en**) *die (im Haushalt)* lavori *mpl* domestici.

Hausarzt (*pl* -**ärzte**) *der* medico *m* di famiglia.

Hausärztin (*pl* -**nen**) *die* medico *m* di famiglia.

Hausbewohner, in (*mpl* -) *der, die* inquilino *m*, -a *f*.

hauseigen *adj* privato(a).

Hausflur (*pl* -**e**) *der* corridoio *m*.

Hausfrau (*pl* -**en**) *die* casalinga *f*.

Haushalt (*pl* -**e**) *der (Hausarbeit)* lavori *mpl* domestici ; *(Etat)* bilancio *m* ; *(Wohnung)* casa *f*.

Haushälterin (*pl* -**nen**) *die* governante *f*.

Haushaltswaren *pl* casalinghi *mpl*.

Hausmannskost *die (einfaches Essen)* cucina *f* casalinga.
Hausmarke (*pl* **-n**) *die (Wein)* vino *m* di casa.
Hausmeister, in (*mpl* **-**) *der, die* portinaio *m*, -a *f*.
Hausnummer (*pl* **-n**) *die* numero *m* civico.
Hausordnung (*pl* **-en**) *die* regolamento *m* condominiale.
Hausschuh (*pl* **-e**) *der* pantofola *f*.
Haustier (*pl* **-e**) *das* animale *m* domestico.
Haustür (*pl* **-en**) *die* porta *f* di casa.
Hausverbot *das* divieto *m* d'accesso *(ad un edificio)* ; ~ **haben** non poter entrare in un locale.
Hauszelt (*pl* **-e**) *das* tenda *f* a casetta.
Haut (*pl* **Häute**) *die (von Tier, Mensch)* pelle *f*; *(von Frucht)* buccia *f*.
Hautarzt (*pl* **-ärzte**) *der* dermatologo *m*.
Hautärztin (*pl* **-nen**) *die* dermatologa *f*.
Hautausschlag (*pl* **-schläge**) *der* eruzione *f* cutanea.
Hautcreme (*pl* **-s**) *die* crema *f* per la pelle.
hauteng *adj* attillato(a).
Hautfarbe (*pl* **-n**) *die* carnagione *f*.
Hbf. *abk für* **Hauptbahnhof**.
Hebamme (*pl* **-n**) *die* ostetrica *f*.
Hebel (*pl* **-**) *der (an Maschine)* leva *f*.
Heck (*pl* **-s**) *das (von Auto)* parte *f* posteriore ; *(von Schiff)* poppa *f*.
Hecke (*pl* **-n**) *die* siepe *f*.
Heckscheibe (*pl* **-n**) *die* AUTO lunotto *m* posteriore.
Hefe *die* lievito *m*.
hefetrüb *adj (Bier)* torbido(a).
Heft (*pl* **-e**) *das (Schulheft)* quaderno *m* ; *(Zeitschrift)* numero *m*.
heftig *adj* violento(a).
Heftklammer (*pl* **-n**) *die* graffetta *f*.
Heftpflaster (*pl* **-**) *das* cerotto *m*.
Heide *die (Landschaft)* brughiera *f*.
Heidelbeere (*pl* **-n**) *die* mirtillo *m*.
heikel (*komp* **heikler**, *superl* **am heikelsten**) *adj (Problem)* delicato(a).
heil *adj (unzerstört)* intatto(a).
Heilbad (*pl* **-bäder**) *das* terme *fpl*.
heilbar *adj* curabile.
heilen *vt (Person, Krankheit)* curare. ◆ *vi (Verletzung)* guarire.
heilig *adj (Person, Ort)* santo(a).
Heiligabend *der* vigilia *f* di Natale.
Heilkräuter *pl* erbe *fpl* officinali.
Heilmittel (*pl* **-**) *das* medicinale *m*.

Heilpflanze (*pl* -n) *die* pianta *f* officinale.

Heilpraktiker, in (*mpl* -) *der, die persona che cura con metodi non tradizionali.*

Heilquelle (*pl* -n) *die* sorgente *f* termale.

Heilung (*pl* -en) *die* *(durch Arzt, von Wunde)* guarigione *f*.

Heim (*pl* -e) *das* *(Zuhause)* casa *f*; *(für Kinder, Alte, Behinderte)* istituto *m*.

Heimat *die* *(von Person)* paese *m* d'origine.

Heimatadresse (*pl* -n) *die* indirizzo *m* di residenza.

Heimatmuseum (*pl* -museen) *das* museo *m* degli usi e costumi della zona.

Heimfahrt *die* viaggio *m* di ritorno *(a casa)*.

heimlich *adj* segreto(a).

Heimreise *die* viaggio *m* di ritorno *(a casa)*.

Heimspiel (*pl* -e) *das* SPORT partita *f* in casa.

Heimweh *das* nostalgia *f* di casa.

Heimwerker, in (*mpl* -) *der, die chi si dedica al fai-da-te.*

Heirat (*pl* -en) *die* matrimonio *m*.

heiraten *vt* sposare. ◆ *vi* sposarsi.

heiser *adj* roco(a). ◆ *adv* con voce roca.

Heiserkeit *die* raucedine *f*.

heiß *adj* *(Tee, Wasser)* bollente ; *(Wetter)* caldissimo(a) ; *(Diskussion)* acceso(a) ; *(Liebe, Wunsch)* ardente. ◆ *adv* *(intensiv)* appassionatamente ; *(sehr warm)* ~ **baden** fare un bagno bollente ; **es ist** ~ fa molto caldo ; **jm ist** ~ qn ha molto caldo.

heißen (*prät* **hieß**, *pp* **geheißen**) *vi* *(mit Namen)* chiamarsi ; *(bedeuten)* significare ; **wie heißt das auf Deutsch?** come si dice in tedesco? ; **wie ~ Sie?** come Si chiama? ; **das heißt** *(erklärend, einschränkend)* cioè.

heiß laufen *vi* (*unr* & *ist*) *(Motor)* surriscaldarsi.

Heißluftballon (*pl* -s) *der* mongolfiera *f*.

Heißwassergerät (*pl* -e) *das* scaldaacqua *m*.

heiter *adj* *(Stimmung)* allegro(a) ; *(Person, Wetter)* sereno(a).

heizbar *adj* *(Raum)* riscaldabile ; **~e Heckscheibe** lunotto termico.

heizen *vt* *(Raum)* riscaldare. ◆ *vi* riscaldarsi.

Heizgerät (*pl* -e) *das* *(elektrisch)* stufetta *f* elettrica.

Heizkissen (*pl* -) *das* termocuscino *m*.

Heizkörper (*pl* -) *der* termosifone *m*.

Heizung (*pl* -en) *die* *(Heizungsanlage)* riscaldamento *m*.

hektisch *adj* frenetico(a).

helfen (*präs* **hilft**, *prät* **half**, *pp* **geholfen**) *vi* *(Person, Medikament)* aiutare ; **jm ~** aiutare qn ; **jm bei etw ~** aiutare qn in qc ;

sich *(D)* **zu ~ wissen** saper arrangiarsi.

Helfer, in (*mpl* -) *der, die* aiutante *mf.*

hell *adj* chiaro(a). ◆ *adv (leuchten)* : **~ leuchten** splendere ; *(hoch)* : **seine Stimme klingt ~** ha una voce sonora ; **es wird ~** si fa giorno.

hellblau *adj* azzurro(a).

Hellseher, in (*mpl* -) *der, die* veggente *mf.*

Helm (*pl* -e) *der* casco *m.*

Hemd (*pl* -en) *das (Oberhemd)* camicia *f* ; *(Unterhemd)* maglietta *f.*

Hendl (*pl* -n) *das Süddt & Österr* pollo *m* arrosto.

Henkel (*pl* -) *der* manico *m.*

her *adv (räumlich)* : **von Norden ~** proveniente da nord ; *(unter dem Aspekt)* : **vom Finanziellen ~** dal punto di vista finanziario.

herab *adv* in giù.

herab|setzen *vt (Preis, Tempo)* diminuire.

heran *adv* : **weiter rechts ~ fahren** accostarsi a destra.

heran|kommen *vi (unr & ist) (sich nähern)* avvicinarsi.

herauf *adv* in su.

herauf|kommen *vi & vt (unr & ist)* salire.

heraus *adv* fuori.

heraus|bekommen *vt (unr) (Geheimnis)* riuscire a scoprire ; *(entfernen)* riuscire a togliere ; *(Wechselgeld)* ricevere di resto.

heraus|bringen *vt (unr) (Buch, Platte)* pubblicare ; *(Müll, Hund)* portare fuori.

heraus|finden *vt (unr) (Lösung)* riuscire a trovare.

heraus|fordern *vt (provozieren)* sfidare.

Heraus|forderung (*pl* -en) *die* sfida *f.*

heraus|geben *vt (unr) (Buch, Zeitung)* pubblicare ; *(Wechselgeld)* dare indietro ; **auf 100 Euro ~** dare il resto di 100 euro ; **jm 2 Euro ~** dare a qn 2 euro di resto.

Herausgeber, in (*mpl* -) *der* editore *m*, -trice *f.*

heraus|gehen *vi (unr & ist) (nach draußen)* uscire.

heraus|halten : sich heraushalten *ref* : **sich aus etw ~** non immischiarsi in qc.

heraus|holen *vt (aus Tasche, Auto)* tirar fuori ; *(aus Haus)* portare fuori.

heraus|kommen *vi (unr & ist) (nach draußen, Buch, Platte)* uscire ; *(Lösung, bekannt werden)* venir fuori.

heraus|nehmen *vt (unr) (aus Schrank, Tasche)* estrarre.

heraus|stellen *vt (nach draußen)* mettere fuori ; *(hervorheben)* mettere in evidenza. ■ **sich herausstellen** *ref (klar werden)* dimostrarsi.

heraus|ziehen *vt (unr)* tirare fuori.

herb *adj (Geschmack, Wein)* aspro(a).

herbei *adv* : **er kam ~** si avvicinò.

Herberge (*pl* -n) *die (Jugendherberge)* ostello *m*.

her|bringen *vt (unr)* portare.

Herbst (*pl* -e) *der* autunno *m* ; **im ~** in autunno.

herbstlich *adj* autunnale.

Herd (*pl* -e) *der (Küchenherd)* fornello *m*.

Herde (*pl* -n) *die (von Tieren)* branco *m*.

herein *adv* dentro ; **herein!** avanti!

herein|fallen *vi (unr & ist) (fallen)* cadere dentro ; *(getäuscht werden)* cascarci.

herein|holen *vt* portar dentro.

herein|kommen *vi (unr & ist) (von draußen)* entrare.

herein|lassen *vt (unr)* far entrare.

herein|legen *vt fam (täuschen)* abbindolare.

Herfahrt *die* viaggio *m (di andata)*.

her|geben *vt (unr) (geben)* dare.

her|haben *vt (unr) fam* : **wo hast du das her?** e questo da dove arriva?

Hering (*pl* -e) *der (Fisch)* aringa *f* ; *(am Zelt)* picchetto *m*.

Heringstopf (*pl* -töpfe) *der piatto a base di aringhe marinate preparate in insalata con cipolla, maionese e cetrioli.*

her|kommen *vi (unr & ist) (Person, Sache)* provenire.

Herkunft *die (von Person, Sache)* provenienza *f*.

Herkunftsland (*pl* -länder) *das* paese *m* di provenienza.

Heroin *das* eroina *f*.

Herr (*pl* -en) *der (Mann)* uomo *m* ; *(als Anrede)* signor *m* ; **'an ~n Müller'** 'Egr. Signor Müller'. ■ **Herren** *pl (Herrentoilette)* signori.

Herrenfrisör (*pl* -e) *der* barbiere *m*.

herrlich *adj* magnifico(a). ◆ *adv* magnificamente.

herrschen *vi (regieren, bestehen)* regnare.

her sein *vi (unr & ist) (Person, Gegenstand)* venire da ; *(Ereignis)* : **es ist erst drei Tage her** sono passati solo tre giorni.

her|stellen *vt (produzieren)* produrre.

Hersteller, in (*mpl* -) *der, die* produttore *m*, -trice *f*.

Herstellung *die (Produktion)* produzione *f*.

herüber *adv* di qua.

herum *adv* : **um ... ~** *(als Bewegung)* intorno a ... ; **um den Tisch ~** attorno al tavolo ; **um die 50 Euro ~** intorno ai 50 euro.

herum|drehen *vt (Person)* girare. ■ **sich herumdrehen** *ref* girarsi.

herum|fahren *vi (unr & ist) (im Kreis)* fare il giro di ; *(umherfahren)* fare un giro.

herum|führen *vt* : **jdn in der Stadt ~** portare qc in giro per la città. ◆ *vi (Weg)* girare intorno.

herum|gehen *vi (unr & ist)*

(im Kreis) girare intorno ; *(spazieren gehen)* andare in giro.

herum|liegen *vi (unr) (Person)* poltrire *(distesi)* ; *(Sache)* essere sparso(a).

herunter *adv* in giù.

herunter|fallen *vi (unr & ist)* cadere giù.

herunter|handeln *vt (Preis)* abbassare *(contrattando)*.

herunter|lassen *vt (unr) (Jalousie)* abbassare.

herunter|schlucken *vt (Essen)* inghiottire.

hervor *adv* in fuori.

hervorragend *adj* eccellente.

hervor|rufen *vt (unr) (verursachen)* provocare.

Herz (*pl* **-en**) *das* cuore *m* ; *(Spielfarbe)* cuori *mpl*.

Herzbeschwerden *pl* disturbi *mpl* cardiaci.

herzhaft *adj (Essen)* sostanzioso(a).

Herzinfarkt (*pl* **-e**) *der* infarto *m* cardiaco.

Herzklopfen *das* batticuore *m*.

herzlich *adj (freundlich)* cordiale ; *(aufrichtig)* sincero(a).

Herzschrittmacher (*pl* **-**) *der* pacemaker *m*.

Herzstillstand (*pl* **-stände**) *der* arresto *m* cardiaco.

Hessen *nt* Assia *f*.

hetzen *vt (zur Eile anhalten)* mettere fretta ; *(für Tier)* : **auf jn/etw ~** aizzare contro qn/qc.

Heu *das* fieno *m*.

heuer *adv Süddt & Österr* quest'anno.

heulen *vi fam (weinen)* piangere ; *(Sirene)* suonare ; *(Wölfe)* ululare.

Heurige (*pl* **-n**) *der Österr (Wein)* vino *m* nuovo ; *(Lokal) locale tipico nel quale si serve il vino nuovo di propria produzione.*

Heuschnupfen *der* raffreddore *m* da fieno.

heute *adv* oggi ; **~ früh** ODER **Morgen** stamattina ; **~ Mittag** a mezzogiorno ; **~ Abend** stasera.

hielt *prät* → **halten**.

hier *adv* qui, qua ; **das ~** questo qui ; **von ~ aus** da qui ; **hier!** presente!

hierauf *adv (räumlich)* qui sopra ; *(Aussage)* su ciò.

hier behalten *vt (unr) fam (Person, Sache)* tenere *(con sé)*.

hier bleiben *vi (unr & ist)* rimanere qui.

hierher *adv (räumlich)* qui.

hierhin *adv (räumlich)* qui.

hier sein *vi (unr & ist)* essere qui.

hiesig *adj* locale.

hieß *prät* → **heißen**.

Hilfe (*pl* **-n**) *die (Helfen)* aiuto *m* ; *(Person)* aiutante *mf* ; **mit ~ von** con l'aiuto di ; **Hilfe!** aiuto! ; **um ~ rufen** chiedere aiuto ; **erste ~** pronto soccorso.

hilflos *adj & adv (ratlos)* disorientato(a) ; *(hilfsbedürftig)* impotente.

hilfsbereit *adj* disponibile.

hilft *präs* → **helfen.**
Himbeere (*pl* **-n**) *die (Frucht)* lampone *m*.
Himbeergeist *der* grappa *f* di lamponi.
Himmel *der* cielo *m*.
Himmelfahrt *(Feiertag)* Ascensione *f*.
Himmelsrichtung (*pl* **-en**) *die* punto *m* cardinale.
hin *adv (in eine Richtung)* : **der Weg ~** andata ; **~ und zurück** andata e ritorno ; **~ und her** su e giù.
hinab *adv* in giù.
hinauf *adv* in su.
hinauf|gehen *vi & vt (unr & ist)* salire.
hinauf|steigen *vi (unr & ist) (Person)* salire. ◆ *vt (unr & ist) (Berg, Leiter)* salire fino in cima.
hinaus *adv (nach draußen)* fuori.
Hinblick *der* : **in/im ~ auf** *(+A)* in merito a.
hindern *vt (behindern, zurückhalten)* ostacolare.
Hindernis (*pl* **-se**) *das* ostacolo *m*.
hindurch *adv* attraverso ; **die ganze Nacht ~** per tutta la notte.
hinein *adv (räumlich)* dentro.
hinein|gehen *vi (unr & ist) (nach drinnen)* entrare ; *fam (hereinpassen)* passarci.
hinein|stecken *vt* infilare.
hin|fahren *vi (unr & ist)* andarci. ◆ *vt (unr & hat) (Passagiere)* portarci.
Hinfahrt (*pl* **-en**) *die* andata *f*.
hin|fallen *vi (unr & ist)* cadere.
Hinflug (*pl* **-flüge**) *der* volo *m* di andata.
hing *prät* → **hängen.**
hin|gehen *vi (unr & ist) (gehen)* andarci.
hinken *vi* zoppicare.
hin|legen *vt (Besteck, Tasche)* posare ; *(Kind)* coricare. ■ **sich hinlegen** *ref* sdraiarsi.
Hinreise (*pl* **-n**) *die* viaggio *m* di andata.
hin|stellen *vt (Gegenstand)* mettere. ■ **sich hinstellen** *ref (sich stellen)* mettersi.
hinten *adv* dietro ; **da ~** là dietro ; **nach ~** dietro ; **bitte nach ~ durchgehen!** procedere verso il fondo, prego!
hinter *präp (+D) (räumlich)* dietro ; *(zeitlich)* : **etw ~ sich haben** aver superato qc. ◆ *präp (+A) (räumlich)* dietro.
Hinterachse (*pl* **-n**) *die* asse *m* posteriore.
hintere *adj* posteriore.
hintereinander *adv (räumlich)* uno dietro l'altro (una dietro l'altra) ; *(zeitlich)* di seguito.
Hintergrund (*pl* **-gründe**) *der (optisch)* sfondo *m* ; *(akustisch)* sottofondo *m*.
hinterher *adv (räumlich)* dietro ; *(zeitlich)* dopo.
hinterher|fahren *vi (unr & ist)* : **jm ~** seguire qn.
hinterher|gehen *vi (unr & ist)* : **jm ~** seguire qn *(a piedi)*.

hinterlassen (*präs* **hinterlässt**, *prät* **hinterließ**, *pp* **-**) *vt* *(vererben)* lasciare in eredità ; **eine Nachricht ~** lasciare un messaggio.

hinterlegen *vt* depositare.

Hintern (*pl* -) *der fam* sedere *m*.

Hinterradantrieb *der* trazione *f* posteriore.

Hinterzimmer (*pl* -) *das* *(im Restaurant)* stanza *f* sul retro.

hinüber *adv* dall'altra parte.

Hin- und Rückfahrt *die* viaggio *m* di andata e ritorno.

hinunter *adv* in giù.

Hinweg (*pl* -e) *der* andata *f* ; **auf dem ~** all'andata.

Hinweis (*pl* -e) *der* *(Tipp)* indicazione *f* ; *(Anleitung)* istruzioni *fpl* ; *(Indiz)* indizio *m* ; **jm einen ~ geben** dare un'indicazione a qn ; **nähere ~e** informazioni più precise.

hin|weisen *vt* *(unr)* *(Person)* : **jn auf etw ~** far notare qc a qn. ◆ *vi* *(unr)* *(Person)* : **~ auf** *(+A)* far notare.

Hinweisschild (*pl* -er) *das* segnale *m* indicatore.

hin|werfen *vt* *(unr)* *(Gegenstand)* gettare.

hinzu|fügen *vt* *(Gewürz, Zutat)* aggiungere.

hinzu|kommen *vi* *(unr & ist)* aggiungersi.

Hirn (*pl* -e) *das* *(Organ)* cervello *m* ; *(Fleisch)* cervella *fpl*.

Hirsch (*pl* -e) *der* cervo *m*.

Hirse *die* miglio *m*.

historisch *adj* *(geschichtlich)* storico(a).

Hit (*pl* -s) *der* *(Lied)* canzone *f* di successo.

Hitparade (*pl* -n) *die* hitparade *f*.

Hitze *die* *(Temperatur)* calore *m* ; *(Wetter)* calura *f*.

Hitzewelle (*pl* -n) *die* ondata *f* di caldo.

Hitzschlag *der* colpo *m* di calore.

HIV-positiv *adj* sieropositivo(a).

H-Milch *die* latte *m* a lunga conservazione.

Hobby (*pl* -s) *das* hobby *m*.

hoch (*komp* **höher**, *superl* **am höchsten**) *adj* alto(a) ; *(Wert)* elevato(a) ; *(Tempo)* sostenuto(a) ; *(Alter)* avanzato(a) ; *(Klang)* acuto(a). ◆ *adv* *(sehr)* molto ; **~ zufrieden sein** essere molto contento(a).

Hoch (*pl* -s) *das* *(Wetterlage)* area *f* di alta pressione.

Hochbetrieb *der* : **es herrscht ~** c'è un gran viavai.

hochdeutsch *adj* alto tedesco.

Hochdruck *der* *(technisch)* alta pressione *f*.

Hochdruckgebiet (*pl* -e) *das* area *f* di alta pressione.

Hochebene (*pl* -n) *die* altopiano *m*.

Hochgebirge (*pl* -) *das* alta montagna *f*.

hoch|gehen *vi* *(unr & ist)*

(Person, Preise) salire ; *(Vorhang)* alzarsi ; *(Bombe)* esplodere.

Hochhaus *(pl* **-häuser)** *das* grattacielo *m*.

hoch|heben *vt (unr)* sollevare.

hoch|klappen *vt* alzare.

hoch|klettern *vi (ist) (Person, Tier)* arrampicarsi. ◆ *vt (ist) (Berg)* scalare.

hoch|krempeln *vt* rimboccare.

hochnäsig *adj abw* presuntuoso(a).

hochprozentig *adj (Getränk)* ad alta gradazione.

Hochsaison *die (in Ferienort)* alta stagione *f*.

Hochschule *(pl* **-n)** *die* istituto *m* superiore *(universitario)*.

Hochschulreife *die* maturità *f*.

hochschwanger *adj* in gravidanza avanzata.

Hochsommer *(pl* **-)** *der* piena estate *f*.

Hochspannung *die (Strom)* alta tensione *f*; **'Vorsicht, ~ : Lebensgefahr!'** 'alta tensione : pericolo di morte!'.

höchste *superl* → **hoch**.

höchstens *adv (mit Zahlenangabe)* al massimo ; *(allenfalls)* tutt'al più.

Höchstgeschwindigkeit *(pl* **-en)** *die* massima velocità *f*.

Hochwasser *das* acqua *f* alta.

hochwertig *adj* di alta qualità.

Hochzeit *(pl* **-en)** *die (Feier)* nozze *fpl*.

Hochzeitstag *(pl* **-e)** *der* giorno *m* delle nozze ; **den zweiten ~ feiern** festeggiare il secondo anniversario di nozze.

hoch|ziehen *vt (unr)* tirare su. ■ **sich hochziehen** *ref (sich nach oben ziehen)* tirarsi su.

hocken *vi (kauern)* stare accovacciato(a). ■ **sich hocken** *ref (sich kauern)* accovacciarsi.

Hocker *(pl* **-)** *der* sgabello *m*.

Hockey *das* hockey *m*.

Hof *(pl* **Höfe)** *der (Innenhof, Hinterhof)* cortile *m* ; *(Bauernhof)* fattoria *f*.

hoffen *vt* sperare.

hoffentlich *adv* speriamo che ; **~ kommt sie rechtzeitig!** speriamo che arrivi in tempo!

Hoffnung *(pl* **-en)** *die (Wunsch)* speranza *f*.

höflich *adj* cortese.

Höflichkeit *die (Haltung)* cortesia *f*.

Höhe *(pl* **-n)** *die* altezza *f*; *(von Summe)* ammontare *m*.

Höhenlage *die* altitudine *f*.

Höhepunkt *(pl* **-e)** *der (von Entwicklung)* apice *m* ; *(von Fest)* culmine *m* ; *(Orgasmus)* orgasmo *m*.

höher *komp* → **hoch**.

hohl *adj (Baum)* cavo(a) ; *abw (Gerede)* vuoto(a).

Höhle *(pl* **-n)** *die (im Felsen)* grotta *f*; *(von Tieren)* tana *f*.

holen *vt (heranholen)* andare a prendere ; *(entnehmen)* prendere ; *(Polizei, Arzt, Handwerker)* chiamare.

Holland *nt* Olanda *f.*

Holunder (*pl* -) *der* sambuco *m.*

Holz (*pl* **Hölzer**) *das (Material)* legno *m.*

holzig *adj (Spargel)* legnoso(a).

Holzkohle (*pl* -n) *die* carbone *m* vegetale.

Homepage (*pl* -s) *die* homepage *f.*

homöopathisch *adj* omeopatico(a).

homosexuell *adj* omosessuale.

Homosexuelle (*pl* -n) *der, die* omosessuale *mf.*

Honig *der* miele *m.*

Honigmelone *die* melone *m* dolce.

Honorar (*pl* -e) *das* onorario *m.*

Hopfen *der* luppolo *m.*

hören *vt (wahrnehmen)* sentire ; *(anhören)* ascoltare. ◆ *vi (als Hörfähigkeit)* sentire ; *(zuhören)* ascoltare ; ~ **auf etw/jn** ascoltare qc/qn ; **hör mal!** senti un po'!

Hörer, in (*mpl* -) *der (von Telefon)* cornetta *f.* ◆ *der, die (Person)* ascoltatore *m*, -trice *f.*

Hörgerät (*pl* -e) *das* apparecchio *m* acustico.

hörgeschädigt *adj* audioleso(a).

Horizont (*pl* -e) *der* orizzonte *m.*

horizontal *adj* orizzontale.

Hormon (*pl* -e) *das* ormone *m.*

Horn (*pl* **Hörner**) *das* corno *m.*

Hörnchen (*pl* -) *das (Gebäck)* cornetto *m.*

Hornhaut (*pl* **-häute**) *die (auf Haut)* callo *m* ; *(von Augen)* cornea *f.*

Hornisse (*pl* -n) *die* calabrone *m.*

Horoskop (*pl* -e) *das* oroscopo *m.*

Hörspiel (*pl* -e) *das* radiodramma *m.*

Höschenwindel (*pl* -n) *die* pannolone *m* a mutandina.

Hose (*pl* -n) *die (Kleidungsstück)* pantaloni *mpl.*

Hosentasche (*pl* -n) *die* tasca *f* dei pantaloni.

Hosenträger (*pl* -) *der* bretelle *fpl.*

Hospital (*pl* **Hospitäler**) *das* ospedale *m.*

Hotdog (*pl* -s) *der* hotdog *m.*

Hotel (*pl* -s) *das* hotel *m* ; ~ **Garni** hotel garni.

Hotelbar (*pl* -s) *die* bar *m* dell'hotel.

Hotelführer (*pl* -) *der* guida *f* degli alberghi.

Hotelhalle (*pl* -n) *die* hall *f.*

Hotelverzeichnis (*pl* -se) *das* elenco *m* degli hotel.

Hotelzimmer (*pl* -) *das* camera *f* d'albergo.

Hr. (*abk für Herr*) Sig.

hrsg. (*abk für herausgegeben*) : ~ **von** a cura di.

Hubraum *der (beim Auto)* cilindrata *f.*

hübsch *adj* *(schön)* carino(a).

Hubschrauber (*pl* -) *der* elicottero *m*.

Huf (*pl* -e) *der* zoccolo *m*.

Hüfte (*pl* -n) *die* anca *f*.

Hügel (*pl* -) *der* *(kleiner Berg)* collina *f*.

hügelig *adj* collinoso(a).

Huhn (*pl* Hühner) *das* pollo *m*.

Hühnchen (*pl* -) *das* pollastrello *m*.

Hülle (*pl* -n) *die* *(Schutzhülle)* involucro *m*.

human *adj* umano(a).

Hummel (*pl* -n) *die* bombo *m*.

Hummer (*pl* -) *der* *(Tier)* aragosta *f*.

Humor *der* umorismo *m*.

Hund (*pl* -e) *der* cane *m* ; **'Vorsicht, bissiger ~'** 'attenti al cane'.

Hundeleine (*pl* -n) *die* guinzaglio *m*.

hundert *num* cento ; *siehe auch* **sechs**.

hunderteins *num* centouno.

Hunderter (*pl* -) *der* *(Geldschein)* banconota *f* da cento.

Hunderteuroschein (*pl* -e) *der* banconota *f* da cento euro.

hundertprozentig *adj* *(Alkohol, Lösung)* puro(a) ; *(völlig)* al cento per cento.

hunderttausend *num* centomila ; *siehe auch* **sechs**.

Hunger *der* *(nach Nahrung)* fame *f* ; **~ auf** *(+A)* fame di ; **~ haben** avere fame.

hungrig *adj* affamato(a) ; **~ sein** aver fame.

Hupe (*pl* -n) *die* clacson *m*.

hupen *vi* suonare il clacson.

hüpfen *vi* *(ist)* saltellare.

Hürdenlauf (*pl* -läufe) *der* corsa *f* ad ostacoli.

hurra *interj* urrà.

husten *vi* tossire.

Husten *der* tosse *f* ; **~ haben** avere la tosse.

Hustensaft (*p* -säfte) *der* sciroppo *m* per la tosse.

Hut (*pl* Hüte) *der* *(Kleidungstück)* cappello *m*.

Hütte (*pl* -n) *die* *(kleines Haus)* capanna *f* ; *(Berghütte)* baita *f*.

Hüttenkäse *der* fiocchi *mpl* di latte.

hygienisch *adj* igienico(a).

hypnotisieren *vt* ipnotizzare.

I

IC (*pl* -s) *der* *(abk für Intercity)* IC *m*.

ICE (*pl* -s) *der* *(abk für Intercity express)* ICE *m*.

ich *pron* io.

IC-Zuschlag (*pl* -Zuschläge) *der* supplemento *m* Intercity.

ideal *adj* ideale.

Idee (*pl* -n) *die* idea *f*.

identifizieren *vt* *(erkennen)* identificare. ■ **sich identifizie-**

ren *ref (sich gleichsetzen)* : **sich ~ mit** identificarsi con.

identisch *adj (übereinstimmend)* identico(a) ; **~ sein** *(dasselbe sein)* essere identico(a).

Identität *die* identità *f.*

Ideologie (*pl* **-n**) *die* ideologia *f.*

Idiot (*pl* **-en**) *der* idiota *m.*

idiotisch *adj* idiota.

idyllisch *adj* idilliaco(a). ◆ *adv* : **~ gelegen** in posizione idilliaca.

Igel (*pl* **-**) *der* riccio *m.*

ignorieren *vt* ignorare *(volutamente)*.

ihm *pron* → **er**.

ihn *pron* → **er**.

ihnen *pron* → **sie**.

Ihnen *pron* → **Sie**.

ihr, e *pron (Nominativ)* voi ; *(Dativ Singular)* a lei, le. ◆ *det (von ihr)* il suo (la sua), i suoi (le sue) ; *(von ihnen)* il loro (la loro), i loro (le loro).

Ihr (*pl* **-e**) *det (von einer Person)* il Suo (la Sua), i Suoi (le Sue) ; *(von mehreren Personen)* il Vostro (la Vostra), i Vostri (le Vostre).

ihre, r, s *pron (von ihr)* il suo (la sua), i suoi (le sue) ; *(von ihnen)* il loro (la loro), i loro (le loro).

Ihre, r, s *pron (von einer Person)* il Suo (la Sua), i Suoi (le Sue) ; *(von mehreren Personen)* il Vostro (la Vostra), i Vostri (le Vostre).

illegal *adj* illegale ; **~e Flüchtlinge** clandestini. ◆ *adv* illegalmente.

Illusion (*pl* **-en**) *die* illusione *f.*

Illustrierte (*pl* **-n**) *die* rivista *f.*

im *präp* = **in + dem**.

Image (*pl* **-s**) *das (von Personen)* immagine *f.*

Imbiss (*pl* **-e**) *der (Mahlzeit)* spuntino *m.*

Imbissbude (*pl* **-n**) *die* chiosco *m.*

Imbissstube (*pl* **-n**) *die bar con spuntini vari.*

IMBISSSTUBE

Per le vie interne ed anche lungo le arterie principali delle città tedesche si incontrano piccoli locali o chioschi che offrono bevande e semplici spuntini. Qui si consumano, generalmente in piedi, wurstel alla piastra, patate fritte ed anche specialità straniere come la pizza o il döner kebab. Una tappa all'Imbissstube è sempre gradita a tutte le ore del giorno.

imitieren *vt* imitare.

imitiert *adj (Material)* finto(a).

immer *adv* sempre ; **~ noch** ancora ; **~ stärker** sempre più forte ; **~ wenn** ogni volta che ; **~ wieder** più volte.

immerhin *adv (dennoch, trotzdem)* pur tuttavia ; *(wenigstens)* almeno ; *(schließlich)* pur sempre.

Immigrant, in (*mpl* **-en**) *der, die* immigrato *m*, -a *f.*

Immobilie (*pl* -n) *die* immobile *m*.

Immobilienmakler, in (*mpl* -) *der* agente *mf* immobiliare.

immun *adj* *(gegen Krankheit)* immune.

impfen *vt* vaccinare.

Impfstoff (*pl* -e) *der* vaccino *m*.

Impfung (*pl* -en) *die* vaccinazione *f*.

Import *der* *(Einfuhr)* importazione *f*.

importieren *vt* importare.

imprägniert *adj* *(Kleidung, Holz)* impermeabilizzato(a).

impressionistisch *adj* *(Kunstwerk)* impressionista.

improvisieren *vt* & *vi* improvvisare.

impulsiv *adj* impulsivo(a).

in *präp* *(+A & +D)* - 1. *(räumlich)* in ; ~ **die Schule gehen** andare a scuola ; ~ **Venedig** a Venezia ; ~ **die USA fliegen** volare negli USA ; ~ **der Zeitung lesen** leggere nel giornale.
2. *(gleichzeitig)* *(+D)* in ; **im Sommer** in estate ; *(zukünftig)* *(+D)* tra ; ~ **10 Tagen** tra 10 giorni. ◆ *adj fam* : ~ **sein** essere alla moda.

inbegriffen *adj* compreso(a).

indem *konj* *(instrumental)* *(durch Gerundium des Verbs übersetzt)* : **sie retteten ihm das Leben,** ~ **sie ihn operierten** operandolo gli salvarono la vita ; *(temporal)* mentre.

Indien *nt* India *f*.

indirekt *adj* indiretto(a).

Indische Ozean *der* Oceano *m* Indiano.

indiskret *adj* indiscreto(a).

indiskutabel *adj* improponibile.

Individualist, in (*pl* -en) *der, die* individualista *mf*.

individuell *adj* *(persönlich)* individuale. ◆ *adv* *(persönlich)* individualmente.

Industrie (*pl* -n) *die* industria *f*.

industriell *adj* industriale.

Industrie- und Handelskammer (*pl* -n) *die* camera *f* dell'industria e del commercio.

Infarkt (*pl* -e) *der* MED infarto *m*.

Infektion (*pl* -en) *die* infezione *f*.

infizieren *vt* infettare. ■ **sich infizieren** *ref* infettarsi.

Information (*pl* -en) *die* informazione *f* ; *(Informationsstelle)* informazioni *fpl* ; ~**en über** *(+A)* informazioni su ; **wünschen Sie weitere** ~**en?** desidera ulteriori informazioni?

Informationsmaterial (*pl* -ien) *das* materiale *m* informativo.

Informationszentrum (*pl* -zentren) *das* centro *m* d'informazione.

informieren *vt* informare ; ~ **über** *(+A)* dare informazioni su. ■ **sich informieren** *ref* informarsi.

Infusion (*pl* -en) *die MED* fleboclisi *f*.
Ingenieur, in (*mpl* -e) *der, die* ingegnere *mf*.
Inh. *abk für* Inhaber.
Inhaber, in (*mpl* -) *der, die* *(Besitzer)* proprietario *m*, -a *f*.
inhalieren *vt (Rauch)* aspirare. ◆ *vi (bei Erkältung)* fare le inalazioni.
Inhalt (*pl* -e) *der* contenuto *m*.
Inhaltsverzeichnis (*pl* -se) *das* indice *m*.
Initiative (*pl* -n) *die (Eigenschaft)* iniziativa *f* ; *(Gruppe)* associazione *f*.
Injektion (*pl* -en) *die MED* iniezione *f*.
inkl. (*abk für inklusive*) incl.
inklusive *präp (+G)* comprensivo(a) di.
Inklusivpreis (*pl* -e) *der* prezzo *m* IVA inclusa.
inkonsequent *adj* incoerente.
Inland *das* territorio *m* nazionale.
Inlandsflug (*pl* -flüge) *der* volo *m* nazionale.
Inlandsgespräch (*pl* -e) *das* chiamata *f* nazionale.
Inlineskates *Pl* pattini in linea *mpl*, Rollerblades® *mpl*.
innen *adv* dentro ; nach ~ verso l'interno.
Innenhof (*pl* -höfe) *der* cortile *m* interno.
Innenpolitik *die* politica *f* interna.
Innenraum (*pl* -räume) *der* interno *m*.
Innenspiegel (*pl* -) *der* specchietto *m* retrovisore.
Innenstadt (*pl* -städte) *die* centro *m*.
innere *adj (Schicht, Teile, Verletzung)* interno(a) ; *(Wut, Ruhe)* interiore.
innerhalb *präp (+G) (räumlich)* all'interno di ; ~ der Stadtmauern dentro le mura ; *(zeitlich)* entro. ◆ *adv* : ~ von *(räumlich)* all'interno di ; *(zeitlich)* entro.
Innsbruck *nt* Innsbruck *f*.
inoffiziell *adj* non ufficiale.
ins *präp* = in + das.
Insassen(unfall)versicherung (*pl* -en) *die AUTO* assicurazione *f* dei passeggeri (contro i sinistri).
insbesondere *adv* in particolare.
Insekt (*pl* -en) *das* insetto *m*.
Insektenschutzmittel (*pl* -) *das* insettifugo *m*.
Insektenstich (*pl* -e) *der* puntura *f* di insetto.
Insel (*pl* -n) *die (geografisch)* isola *f*.
Inserat (*pl* -e) *das* inserzione *f*.
insgesamt *adv* in tutto.
Inspektion (*pl* -en) *die AUTO* revisione *f*.
Installateur, in (*mpl* -e) *der, die* installatore *m*, -trice *f*.
installieren *vt* installare.
Instantgetränk (*pl* -e) *das* bevanda *f* istantanea.

Instinkt (*pl* -e) *der* istinto *m*.

Institut (*pl* -e) *das* *(Einrichtung)* istituto *m*.

Institution (*pl* -en) *die* istituzione *f*.

Instrument (*pl* -e) *das* strumento *m* ; *(Werkzeug)* attrezzo *m*.

Inszenierung (*pl* -en) *die* *(am Theater)* messa *f* in scena.

intakt *adj* *(Apparat)* intatto(a).

integrieren *vt* integrare.

intellektuell *adj* intellettuale.

intelligent *adj* intelligente.

Intelligenz *die* intelligenza *f*.

intensiv *adj* *(Schulung, Arbeit)* intensivo(a) ; *(Geschmack, Gefühl)* intenso(a). ◆ *adv* intensamente ; ~ **schmecken** avere un sapore intenso.

Intensivkurs (*pl* -e) *der* corso *m* intensivo.

Intensivstation (*pl* -en) *die* reparto *m* di terapia intensiva.

Intercity (*pl* -s) *der* Intercity *m*.

Intercityexpress (*pl* -) *der* ≃ Eurostar *m*.

Intercity-Zuschlag (*pl* -Zuschläge) *der* supplemento *m* Intercity.

interessant *adj* interessante.

Interesse (*pl* -n) *das* interesse *m*.

interessieren *vt* interessare a ; **etw/jd interessiert jn** qc/qn interessa a qn. ■ **sich interessieren** *ref* : **sich ~ für** interessarsi di ODER a.

Internat (*pl* -e) *das* collegio *m*.

international *adj* internazionale.

Internet *das* *(ohne pl)* internet *m* ; **im ~ surfen** navigare in internet.

Internetcafé *das* internet caffè *m*.

interpretieren *vt* interpretare.

Interrail-Karte (*pl* -n) *die* tessera *f* interrail.

Interregio (*pl* -s) *der* treno *m* interregionale.

Interview (*pl* -s) *das* intervista *f*.

intim *adj* intimo(a).

intolerant *adj* intollerante.

Invalide (*pl* -n) *der, die* invalido *m*, -a *f*.

Inventur (*pl* -en) *die* inventario *m* ; **'wegen ~ geschlossen'** 'chiuso per inventario'.

investieren *vt* *(Geld)* investire.

inzwischen *adv* *(gleichzeitig,)* nel frattempo ; *(jetzt)* intanto.

Ire (*pl* -n) *der* irlandese *m*.

irgend *adv* → **irgendetwas, irgendjemand**.

irgendein, e *det* *(unbekannt)* uno(a) ; *(beliebig)* uno(a) qualsiasi.

irgendeine, r, s *pron* *(Per-*

son) uno, una ; *(beliebig)* uno qualsiasi, una qualsiasi.

irgendetwas *pron* qualcosa.

irgendwann *adv (zu unbekannter Zeit)* in un qualche momento ; *(zu beliebiger Zeit)* in un momento qualsiasi.

irgendwas *pron (etwas)* qualcosa ; *(egal was)* una cosa qualsiasi.

irgendwer *pron (jemand)* qualcuno ; *(egal wer)* chiunque.

irgendwo da qualche parte.

Irin (*pl* **-nen**) *die* irlandese *f*.

irisch *adj* irlandese.

Irland *nt* Irlanda *f*.

ironisch *adj* ironico(a).

irre *adj (verrückt)* folle ; *fam (gut)* pazzesco(a).

irren *vi (ist) (herumlaufen)* errare. ■ **sich irren** *ref (hat)* sbagliarsi.

Irrtum (*pl* **Irrtümer**) *der* errore *m*.

irrtümlich *adj* erroneo(a).

Ischias *der (Nerv)* nervo *m* sciatico ; *(Schmerz)* sciatica *f*.

Islam *der* islam *m*.

isolieren *vt* & *vi* isolare.

Isolierung (*pl* **-en**) *die* isolamento *m*.

isst *präs* → **essen**.

ist *präs* → **sein**.

Italien *nt* Italia *f*.

Italiener, in (*mpl* **-**) *der, die* italiano *m*, -a *f*.

italienisch *adj* italiano(a).

Italienisch(e) *das* italiano *m*.

J

ja *interj* sì ; **das ist ~ toll!** ma è stupendo!

Jacht (*pl* **-en**) *die* yacht *m*.

Jachthafen (*pl* **-häfen**) *der* porto *m* turistico.

Jacke (*pl* **-n**) *die* giacca *f*.

Jackett (*pl* **-s**) *das* giacca *f (dell'abito intero)*.

Jagd (*pl* **-en**) *die (auf Tiere)* caccia *f* ; **auf die ~ gehen** andare a caccia.

jagen *vt (Tier)* cacciare.

Jäger, in (*mpl* **-**) *der, die (Person)* cacciatore *m*, -trice *f*.

Jägerschnitzel (*pl* **-**) *das* scaloppina *f* alla cacciatora.

Jahr (*pl* **-e**) *das* anno *m* ; **die 90er-Jahre** gli anni '90 ; **ein gutes neues ~!** buon anno nuovo!

jahrelang *adj* che dura da anni. ◆ *adv* per anni.

Jahrestag (*pl* **-e**) *der* anniversario *m*.

Jahresurlaub *der* ferie *fpl* annuali.

Jahreszeit (*pl* **-en**) *die* stagione *f*.

Jahrgang (*pl* **-gänge**) *der (Produktionsjahr)* annata *f*.

Jahrhundert (*pl* **-e**) *das* secolo *m*.

jährlich *adj* annuale. ◆ *adv* annualmente.

Jahrmarkt (*pl* **-märkte**) *der* fiera *f*.

Jahrzehnt (*pl* **-e**) *das* decennio *m*.

jähzornig *adj* irascibile.

jammern *vi* lamentarsi.

Januar *der* gennaio *m* ; *siehe auch* **September**.

Japan *nt* Giappone *m*.

Japaner, in (*mpl* -) *der, die* giapponese *mf*.

japanisch *adj* giapponese.

Japanisch(e) *das* giapponese *m*.

Jausenstation (*pl* **-en**) *die* *Österr posto di ristoro montano*.

Jazz *der* jazz *m*.

je *adv (jeweils)* ciascuno ; *(pro)* : **30 Euro ~ Stunde** 30 euro all'ora ; **~ nach** a seconda di ; **~ schneller wir da sind, desto besser** prima arriviamo meglio è.

Jeans (*pl* -) *die* jeans *mpl*.

jede, r, s *det* ogni. ◆ *pron* ognuno (ognuna) ; **~r Dritte** uno su tre.

jedenfalls *adv (wenigstens)* almeno ; *(auf jeden Fall)* in ogni caso.

jederzeit *adv (zu beliebiger Zeit)* in qualsiasi momento.

jedesmal *adv* ogni volta ; → **Mal**.

jedoch *adv (aber)* però.

jemand *pron (unbekannte Person)* qualcuno.

jene, r, s *det geh* quel, quello (quella), quei, quegli (quelle). ◆ *pron geh* quello (quella), quelli (quelle).

jenseits *präp (+G) (räumlich)* al di là di.

Jetlag (*pl* **-s**) *der* jetlag *m*.

jetzt *adv (momentan, heutzutage)* adesso ; *(bald, gleich)* subito.

jeweils *adv (jedes Mal)* ogni volta ; *(jeder)* ognuno (ognuna).

Jh. (*abk für Jahrhundert*) sec.

JH *abk für* **Jugendherberge**.

Job (*pl* **-s**) *der (Beruf)* lavoro *m*.

jobben *vi* lavorare saltuariamente.

Jod *das* iodio *m*.

jodeln *vi* fare lo jodel.

Joga *das* yoga *m*.

joggen *vi (ist)* fare jogging.

Jogginganzug (*pl* **-anzüge**) *der* tuta *f* da jogging.

Joghurt, Jogurt (*pl* **-s**) *der* ODER *das* yoghurt *m*.

Johannisbeere (*pl* **-n**) *die (Beere)* ribes *m*.

Journal (*pl* **-e**) *das (Zeitschrift)* rivista *f*.

Journalist, in (*pl* **-en**) *der, die* giornalista *mf*.

jubeln *vi* esultare.

Jubiläum (*pl* **Jubiläen**) *das* giubileo *m*.

jucken *vi (Haut)* prudere ; *(Material)* fare prurito.

Juckreiz *der* prurito *m*.

Jude (*pl* **-n**) *der* ebreo *m*.

Jüdin (*pl* -nen) *die* ebrea *f*.
jüdisch *adj* ebreo(a).
Jugend *die* gioventù *f*.
jugendfrei *adj* : **nicht ~** vietato ai minori.
Jugendherberge (*pl* -n) *die* ostello *m* della gioventù.
Jugendherbergsausweis (*pl* -e) *der* tessera *f* per gli ostelli.
Jugendherbergsschlafsack (*pl* -säcke) *der* sacco *m* lenzuolo.
jugendlich *adj (jung)* giovane.
Jugendliche (*pl* -n) *der, die* giovane *mf*.
Jugendstil *der* stile *m* liberty.
Jugoslawien *nt* Jugoslavia *f*.
Juli *der* luglio *m* ; *siehe auch* **September**.
jung (*komp* **jünger**, *superl* **am jüngsten**) *adj (Lebewesen)* giovane.
Junge (*pl* -n ODER -s) *der (pl Jungen, Jungs) (Knabe)* ragazzo *m*. ◆ *das (pl Jungen) (von Tieren)* cucciolo *m*.
Jungfrau *die (Sternzeichen)* Vergine *f*.
Junggeselle (*pl* -n) *der* scapolo *m*.
Juni *der* giugno *m* ; *siehe auch* **September**.
Jura *der* Giura *m*.
Jurist, in (*mpl* -en) *der, die* giurista *mf*.
juristisch *adj* giuridico(a).
Jury (*pl* -s) *die* giuria *f*.
Juwelier, in (*mpl* -e) *der, die* gioielliere *m*, -a *f*.

K

Kabarett (*pl* -s) *das* cabaret *m*.
Kabel (*pl* -) *das (elektrische Leitung)* cavo *m*.
Kabelfernsehen *das* televisione *f* via cavo.
Kabeljau (*pl* -s) *der* merluzzo *m*.
Kabine (*pl* -n) *die (am Strand, im Schiff)* cabina *f* ; *(im Geschäft)* camerino *m*.
Kabinenbahn (*pl* -en) cabinovia *f*.
Kabinett (*pl* -e) *das (von Ministern)* gabinetto *m*. ◆ *der (Wein) termine che in Germania designa un vino molto pregiato*.
Kabrio (*pl* -s) *das* cabriolet *f*.
Käfer (*pl* -) *der (Tier)* coleottero *m* ; *(Auto)* maggiolino VW *m*.
Kaffee (*pl* -s) *der (Getränk, Pulver)* caffè *m* ; *(Mahlzeit) pausa pomeridiana in cui si consumano caffè e pasticcini* ; **eine Tasse ~** una tazza di caffè ; **ein Kännchen ~** un bricco *m* di caffè ; **~ trinken** bere il caffè.
Kaffeefahrt (*pl* -en) *die* viaggio *m* promozionale.
Kaffeefilter (*pl* -) *der (aus Papier)* filtro *m* per il caffè ; *(Küchengerät)* filtro *m*.

Kaffeehaus (*pl* **-häuser**) *das* ≃ bar *m*.

KAFFEEHAUS

La "Kaffehaus" è una vera e propria istituzione a Vienna, dove si può parlare di una particolare "cultura del caffè". Nelle "Kaffeehäuser", numerose e molto confortevoli, si può bere il caffè e chiacchierare, si possono leggere le riviste messe a disposizione dei clienti o ancora giocare a carte o a biliardo. Tra le innumerevoli varietà di caffè proposte, si distinguono il "Brauner" (caffè con latte) e lo "Schwarzer" (caffè nero senza aggiunta di latte) oppure il famoso "Melange" (caffè con panna liquida) e l' "Einspänner" (caffè ristretto con panna montata)

Kaffeekanne (*pl* **-n**) *die* bricco *m* da caffè.

Kaffeeklatsch (*pl* **-e**) *der* *chiacchiere che si fanno mentre si gusta un caffè e una fetta di torta.*

Kaffeelöffel (*pl* **-**) *der* cucchiaino *m* da caffè.

Kaffeemaschine (*pl* **-n**) *die* macchinetta *f* del caffè.

Kaffeetasse (*pl* **-n**) *die* tazzina *f* da caffè.

Käfig (*pl* **-e**) *der* gabbia *f*.

Kahn (*pl* **Kähne**) *der* *(Ruderboot)* barca *f* a fondo piatto.

Kai (*pl* **-s**) *der* banchina *f*.

Kaiser, in (*mpl* **-**) *der, die* imperatore *m*, -trice *f*.

Kaiserschmarren (*pl* **-**) *der* *Süddt tipo di frittata dolce tagliata a pezzi, servita con frutta e panna montata o gelato.*

Kajak (*pl* **-s**) *das* kajak *m*.

Kajüte (*pl* **-n**) *die* cabina *f (in barca)*.

Kakao *der* *(Getränk)* cioccolata *f* *(da bere)* ; *(Pulver)* cacao *m*.

Kaktus (*pl* **Kakteen**) *der* cactus *m*.

Kalb (*pl* **Kälber**) *das* vitello *m*.

Kalbfleisch *das* carne *f* di vitello.

Kalender (*pl* **-**) *der* *(Wandkalender)* calendario *m*.

Kalk *der* *(im Wasser)* calcare *m*.

Kalorie (*pl* **-n**) *die* *(bei Nahrung)* caloria *f*.

kalorienarm *adj* ipocalorico(a).

kalt (*komp* **kälter**, *superl* **am kältesten**) *adj* freddo(a). ◆ *adv* *(Temperatur)* : **es ist ~** fa freddo ; **jm ist ~** qn ha freddo ; *(gefühllos)* freddamente.

Kälte *die* *(Temperatur)* freddo *m*.

Kaltfront (*pl* **-en**) *die* fronte *m* freddo.

kam *prät* → **kommen**.

Kamel (*pl* **-e**) *das* cammello *m*.

Kamera (*pl* **-s**) *die* *(Fotoapparat)* macchina *f* fotografica ; *(Filmkamera)* telecamera *f*.

Kamillentee (*pl* **-s**) *der* camomilla *f*.

Kamin (*pl* **-e**) *der* *(im Raum)* caminetto *m* ; *(Schornstein)* camino *m*.

Kamm (*pl* **Kämme**) *der (für Haare)* pettine *m*.

kämmen *vt* pettinare. ■ **sich kämmen** *ref* pettinarsi.

Kammermusik *die* musica *f* da camera.

Kampf (*pl* **Kämpfe**) *der (Streit, politisch, sozial)* lotta *f*; *(im Krieg)* battaglia *f*; *(im Sport)* competizione *f*.

kämpfen *vi (in Streit, Politik)* lottare ; *(beim Sport)* gareggiare ; *(im Krieg)* combattere ; ~ **für** lottare per ; ~ **gegen** lottare contro ; ~ **um** battersi per.

Kämpfer, in (*mpl* -) *der, die (bei Streit, im Sport)* contendente *mf*.

Kampfrichter, in (*mpl* -) *der, die* SPORT giudice *mf* di gara.

kampieren *vi* campeggiare.

Kanada *nt* Canada *m*.

Kanal (*pl* **Kanäle**) *der* canale *m*.

Kanalisation (*pl* **-en**) *die* canalizzazione *f*.

Kandidat, in (*mpl* **-en**) *der, die (für Amt)* candidato *m*, -a *f*.

kandiert *adj* candito(a).

Kaninchen (*pl* -) *das* coniglio *m*.

Kanister (*pl* -) *der* tanica *f*.

kann *präs* → **können**.

Kännchen (*pl* -) *das* bricchetto *m* ; **ein ~ Kaffee** un bricchetto di caffè *(circa due tazze)*.

Kanne (*pl* **-n**) *die* brocca *f*.

kannte *prät* → **kennen**.

Kante (*pl* **-n**) *die* spigolo *m*.

Kantine (*pl* **-n**) *die* mensa *f*.

Kanton (*pl* **-e**) *der* cantone *m*.

i KANTON

La Svizzera è una confederazione composta da 23 regioni denominate cantoni. Ciascun cantone gode di larga autonomia tranne che per quegli ambiti costituzionalmente di pertinenza del governo federale, come la moneta, la posta, la dogana e la politica estera.

Kanu (*pl* **-s**) *das (Paddelboot)* canoa *f*.

Kanzel (*pl* **-n**) *die (in Kirche)* pulpito *m*.

Kanzler, in (*mpl* -) *der, die (Bundeskanzler)* cancelliere *m*, -a *f*.

Kapelle (*pl* **-n**) *die (Kirche)* cappella *f* ; MUS orchestrina *f*.

Kapern *pl* capperi *mpl*.

Kapital *das (Vermögen)* capitale *m*.

Kapitän (*pl* **-e**) *der (von Schiff, SPORT)* capitano *m* ; *(von Flugzeug)* comandante *m*.

Kapitel (*pl* -) *das* capitolo *m*.

Kaplan (*pl* **Kapläne**) *der* cappellano *m*.

Kappe (*pl* **-n**) *die (auf Kopf)* berretto *m* ; *(auf Öffnung)* tappo *m*.

Kapsel (*pl* **-n**) *die (Medikament)* capsula *f*.

kaputt *adj (defekt, zerbrochen)* rotto(a).

kaputt|gehen *vi (unr & ist) (Gegenstand)* rompersi.

Kapuze (*pl* **-n**) *die* cappuccio *m*.

Kapuziner (*pl* -) *der Österr* caffè *m* macchiato.

Karabinerhaken (*pl* -) *der* moschettone *m*.

Karaffe (*pl* **-n**) *die* caraffa *f*.

Karat (*pl* -) *das* carato *m*.

Karate *das* karate *m*.

Kardinal (*pl* **Kardinäle**) *der* cardinale *m*.

Karfreitag (*pl* **-e**) *der* Venerdì *m* Santo.

kariert *adj (Hose, Stoff)* a quadri ; *(Papier)* a quadretti.

Karies *die* carie *f*.

Karikatur (*pl* **-en**) *die (Bild)* caricatura *f*.

Karneval *der* carnevale *m*.

KARNEVAL

La patria del carnevale in Germania è la Renania (Colonia, Düsseldorf e Magonza) ma anche la Baviera (dove il carnevale viene chiamato "Fasching") e la Svevia (dove il nome utilizzato è "Fasenacht" o "Fasnet") hanno le loro tradizioni carnevalizie. Il carnevale inizia ufficialmente l'11 novembre alle ore 11 e11 e termina il mercoledì delle ceneri. L'ultimo lunedì di carnevale vi sono le grandi sfilate di carri allegorici, che spesso parodizzano personaggi del mondo sociale e politico e che si svolgono in un'atmosfera di grande allegria.

Karnevalssitzung (*pl* **-en**) *die seduta delle associazioni carnevalesche per l'organizzazione dei festeggiamenti.*

Karnevalszug (*pl* **-züge**) *der* sfilata *f* dei carri.

Kärnten *nt* Carinzia *f*.

Karo *das (Spielfarbe)* quadri *mpl*.

Karosserie (*pl* **-n**) *die* AUTO carrozzeria *f*.

Karotte (*pl* **-n**) *die* carota *f*.

Karpfen (*pl* -) *der* carpa *f*.

Karriere (*pl* **-n**) *die* carriera *f*.

Karte (*pl* **-n**) *die* carta *f* ; *(Eintrittskarte, Fahrkarte, Visitenkarte)* biglietto *m* ; *(Postkarte)* cartolina *f* ; **'folgende ~n werden akzeptiert'** 'si accettano le seguenti carte di credito' ; **'~ einführen!'** 'inserire la carta' ; **'~ entnehmen!'** 'ritirare la carta' ; **'~ ungültig'** 'carta non valida'.

Kartei (*pl* **-en**) *die* schedario *m*.

Karteikarte (*pl* **-n**) *die* scheda *f*.

Kartenspiel (*pl* **-e**) *das (Karten)* mazzo *m* di carte ; *(Spielen)* gioco *m* con le carte.

Kartentelefon (*pl* **-e**) *das* telefono *m* a scheda.

Kartenvorverkauf (*pl* **-käufe**) *der* prevendita *f* biglietti.

Kartoffel (*pl* **-n**) *die* patata *f*.

Kartoffelchips *pl* patatine *fpl (confezionate)*.

Kartoffelkloß (*pl* **-klöße**) *der* gnocco *m* di patata.

Kartoffelpüree *das* purè *m* di patate.

Karton (*pl* **-s**) *der (Schachtel)* scatolone *m*.

Karussell (*pl* -s) *das* giostra *f* ; ~ **fahren** andare in giostra.

Karwoche (*pl* -n) *die* Settimana *f* Santa.

Kaschmir *der* *(Material)* cachemire *m*.

Käse *der* formaggio *m* ; ~ **in Scheiben** formaggio a fette.

Käsefondue (*pl* -s) *das* fonduta *f* di formaggio.

Käsekuchen (*pl* -) *der* torta *f* di ricotta.

Käseplatte (*pl* -n) *die* piatto *m* di formaggi misti.

Käse-Sahne-Torte (*pl* -n) *die* torta *f* di ricotta con panna.

Kasino (*pl* -s) *das* *(Spielkasino)* casinò *m*.

Kaskoversicherung (*pl* -en) *die* assicurazione *f* kasko.

Kasse (*pl* -n) *die* cassa *f*; '~ **beim Fahrer**' 'biglietti dal conducente'.

Kassenarzt, ärztin (*mpl* -**ärzte**) *der, die* medico *m* della mutua.

Kassenbereich *der* *(im Supermarkt)* zona *f* casse.

Kassenbon (*pl* -s) *der* scontrino *m*.

Kassenpatient, in (*mpl* -en) *der, die* paziente *mf* della mutua.

Kassenzettel (*pl* -) *der* scontrino *m*.

Kassette (*pl* -n) *die* cassetta *f*.

Kassettenrekorder (*pl* -) *der* registratore *m*.

kassieren *vt* & *vi* incassare.

Kassierer, in (*mpl* -) *der, die* cassiere *m*, -a *f*.

Kastanie (*pl* -n) *die* *(Edelkastanie)* castagno *m*.

Kasten (*pl* **Kästen**) *der* *(Kiste, Dose)* cassetta *f*.

Kat (*pl* -s) *der* *(Katalysator) fam* marmitta *f* catalitica.

Katalog (*pl* -e) *der* catalogo *m*.

Katalysator (*pl* **Katalysatoren**) *der* *(am Auto)* marmitta *f* catalitica.

Katarrh (*pl* -e) *der* MED catarro *m*.

Katastrophe (*pl* -n) *die* catastrofe *f*.

Kategorie (*pl* -n) *die* categoria *f*.

Kater (*pl* -) *der* *(Tier)* gatto *m* *(maschio)* ; **einen ~ haben** *(von Alkohol)* avere il mal di testa dopo la sbornia.

kath. (*abk für katholisch*) catt.

Kathedrale (*pl* -n) *die* cattedrale *f*.

Katholik, in (*mpl* -en) *der, die* cattolico *m*, -a *f*.

Katholikentag (*pl* -e) *der* *congresso biennale dei cattolici tedeschi.*

katholisch *adj* cattolico(a).

Kat-Motor (*pl* -en) *der* *motore dotato di marmitta catalitica.*

Katze (*pl* -n) *die* *(Tier)* gatto *m*.

kauen *vt* & *vi* masticare.

Kauf (*pl* **Käufe**) *der* *(Handlung)* acquisto *m*.

kaufen *vt* *(Ware)* comprare. ◆ *vi* : **sich** *(D)* **etw ~** comprarsi qc.

Käufer, in (*mpl* -) *der, die* acquirente *mf*.
Kaufhaus (*pl* -häuser) *das* grande magazzino *m*.
Kaufhausdiebstahl (*pl* -stähle) *der* furto *m* in un grande magazzino.
Kaufleute *pl* commercianti *mpl*.
Kaufpreis (*pl* -e) *der* prezzo *m* d'acquisto.
Kaugummi (*pl* -s) *der* ODER *das* gomma *f* da masticare.
kaum *adv* (*fast nicht, höchstens, gerade*) appena ; (*wohl nicht*) difficilmente ; **es regnet ~ noch** non piove quasi più.
Kaution (*pl* -en) *die* (*für Wohnung*) cauzione *f*.
Kaviar *der* caviale *m*.
Kefir *der* *latte fermentato dal gusto acido*.
Kegelbahn (*pl* -en) *die* bowling *m*.
Kegelklub (*pl* -s) *der* circolo *m* del bowling.
kegeln *vi* giocare a bowling.
Kehlkopf (*pl* -köpfe) *der* laringe *f*.
Kehrblech (*pl* -e) *das* paletta *f* per le immondizie.
kehren *vt* & *vi* (*fegen*) spazzare.
Keilriemen (*pl* -) *der* AUTO cinghia *f* di trasmissione.
kein, e *det* non (*vor dem konjugierten Verb*) ; **~en Tee trinken** non bere tè ; **~ Auto haben** non avere la macchina ; **~e Geschwister haben** non avere fratelli.
keine, r, s *pron* (*Person, Gegenstand*) nessuno (nessuna).
keinesfalls *adv* in nessun caso.
keineswegs *adv* non ... affatto ; **ich hatte ~ die Absicht** non avevo affatto intenzione.
Keks (*pl* -e) *der* biscotto *m*.
Keller (*pl* -) *der* cantina *f*.
Kellerei (*pl* -en) *die* cantina *f* di vini.
Kellner, in (*mpl* -) *der, die* cameriere *m*, -a *f*.
kennen (*prät* **kannte**, *pp* **gekannt**) *vt* conoscere. ■ **sich kennen** *ref* conoscersi.
kennen lernen *vt* far conoscenza di.
Kenner, in (*mpl* -) *der, die* intenditore *m*, -trice *f*.
Kenntnisse *pl* conoscenze *fpl*.
Kennzeichen (*pl* -) *das* (*am Auto*) targa *f* ; (*Merkmal*) contrassegno *m* ; **amtliches ~** numero di targa ; **besondere ~** segni particolari.
Kennziffer (*pl* -n) *die* codice *m* di identificazione.
Keramik (*pl* -en) *die* (*Gegenstand*) ceramica *f*.
Kerl (*pl* -e) *der* tipo *m*.
Kern (*pl* -e) *der* (*von Kirsche, Aprikose*) nocciolo *m* ; (*von Weintraube, Apfel*) seme *m* ; (*von Nuss*) gheriglio *m*.
Kernkraft *die* energia *f* nucleare.

Kernkraftwerk (*pl* -e) *das* centrale *f* nucleare.

kernlos *adj (Obst)* senza semi.

Kerze (*pl* -n) *die* candela *f*.

Kerzenlicht *das* lume *m* di candela.

Kessel (*pl* -) *der (Wasserkessel)* bollitore *m*.

Ketschup, Ketchup *der* ODER *das* ketchup *m*.

Kette (*pl* -n) *die (Fahrradkette, aus Metallringen)* catena *f*; *(Halskette)* catenina *f*.

Keuchhusten *der* pertosse *f*.

Keule (*pl* -n) *die (Fleisch)* coscia *f*.

Keyboard (*pl* -s) *das* MUS tastiera *f*.

Kfz (*pl* -) *das abk für* **Kraftfahrzeug**.

Kfz-Brief (*pl* -e) *der documento contenente i dati dell'autoveicolo e dei proprietari.*

Kfz-Schein (*pl* -e) *der* libretto *m* di circolazione.

Kfz-Steuer (*pl* -n) *die* tassa *f* di circolazione.

Kfz-Werkstatt (*pl* -stätten) *die* autofficina *f*.

kichern *vi* ridacchiare.

Kiefer[1] (*pl* -) *der (Knochen)* mascella *f*.

Kiefer[2] (*pl* -n) *die (Baum)* pino *m* silvestre.

Kieselstein (*pl* -e) *der* ciottolo *m*.

Kilo (*pl* -s oder -) *das* chilo *m*.

Kilogramm (*pl* -) *das* chilogrammo *m*.

Kilokalorie (*pl* -n) *die* chilocaloria *f*.

Kilometer (*pl* -) *der (Längenmaß)* chilometro *m* ; *(Stundenkilometer)* : **50 ~ pro Stunde** 50 chilometri all'ora.

kilometerlang *adj* chilometrico(a).

Kilometerstand *der* chilometraggio *m*.

Kilometerzähler (*pl* -) *der* contachilometri *m*.

Kind (*pl* -er) *das (Junge)* bambino *m* ; *(Mädchen)* bambina *f*; **ein ~ erwarten** aspettare un bambino.

Kinderarzt, ärztin (*mpl* -ärzte) *der, die* pediatra *mf*.

Kinderbetreuung *die (im Hotel)* servizio *m* di baby-sitting.

Kinderbett (*pl* -en) *das* lettino *m*.

Kinderfahrkarte (*pl* -n) *die* biglietto *m* ridotto per bambini.

Kinderfrau (*pl* -en) *die* tata *f*.

Kindergarten (*pl* -gärten) *der* scuola *f* materna.

Kinderheim (*pl* -e) *das* istituto *m* per bambini.

Kinderkrankheit (*pl* -en) *die* malattia *f* infantile.

Kinderlähmung *die* poliomielite *f*.

kinderlieb *adj* : **~ sein** amare i bambini.

Kindernahrung *die* alimenti *mpl* per bambini.

Kinderprogramm (*pl* -e)

das *(im Fernsehen)* programma *m* per bambini.
kindersicher *adj (Verschluss)* a prova di bambino ; **'~ aufbewahren'** 'conservare lontano dalla portata dei bambini'.
Kindersicherung (*pl* **-en**) *die* sicura *f* per bambini.
Kindersitz (*pl* **-e**) *der (in Auto)* seggiolino *m*.
Kinderteller (*pl* **-**) *der* porzione *f* per bambini.
Kindertragesitz (*pl* **-e**) *der* seggiolino *m* per neonati.
Kinderwagen (*pl* **-**) *der* carrozzina *f*.
Kinderzimmer (*pl* **-**) *das* camera *f* dei bambini.
Kindheit *die* infanzia *f*.
kindisch *adj* infantile.
Kinn (*pl* **-e**) *das* mento *m*.
Kino (*pl* **-s**) *das* cinema *m* ; **ins ~ gehen** andare al cinema ; **was läuft im ~?** cosa c'è al cinema?
Kinoprogramm (*pl* **-e**) *das (in Zeitung)* programmazione *f* cinematografica.
Kiosk (*pl* **-e**) *der* chiosco *m*.
kippen *vt (hat) (lehnen)* inclinare.
Kirche (*pl* **-n**) *die* chiesa *f*.
Kirchenmusik *die* musica *f* religiosa.
Kirchenschiff (*pl* **-e**) *das* navata *f*.
Kirchentag (*pl* **-e**) *der raduno dei fedeli cristiani in Germania.*
Kirchturm (*pl* **-türme**) *der* campanile *m*.
Kirmes (*pl* **-sen**) *die* sagra *f*.
Kirsche (*pl* **-n**) *die* ciliegia *f*.
Kirschkuchen (*pl* **-**) *der* torta *f* di ciliegie.
Kissen (*pl* **-**) *das* cuscino *m*.
Kiste (*pl* **-n**) *die* cassa *f*.
kitschig *adj* kitsch.
Kittel (*pl* **-**) *der* grembiule *m* ; *(für Arzt, Laborant)* camice *m*.
kitzelig *adj* : **~ sein** soffrire il solletico.
kitzeln *vt* & *vi* fare il solletico.
Kiwi (*pl* **-s**) *die* kiwi *m*.
Klage (*pl* **-n**) *die (Beschwerde)* lamentela *f* ; *(vor Gericht)* querela *f*.
klagen *vi (jammern)* lamentarsi ; *(vor Gericht)* sporgere querela ; **~ über** *(+A)* lamentarsi di.
Klagenfurt *nt* Klagenfurt *f*.
Klammer (*pl* **-n**) *die (für Wäsche)* molletta *f* ; *(geschrieben)* parentesi *f*.
klammern *vt (mit Heftklammer)* graffettare. ■ **sich klammern** *ref (fest halten)* : **sich ~ an** *(+A)* aggrapparsi a.
klang *prät* → **klingen**.
Klang (*pl* **Klänge**) *der (Ton)* suono *m*.
Klappbett (*pl* **-en**) *das* letto *m* ribaltabile.
Klappe (*pl* **-n**) *die (Deckel)* ribalta *f* ; **'~ hochschieben'** 'alzare la ribalta'.
klappen *vt (Kragen, Deckel)* ribaltare. ◆ *vi (gelingen)* : **etw klappt gut** qc va bene.
klappern *vi* sbattere.
Klapprad (*pl* **-räder**) *das* bicicletta *f* pieghevole.

Klappsitz (*pl* -e) *der* sedile *m* ribaltabile.

klar *adj* *(durchsichtig)* trasparente ; *(deutlich)* chiaro(a) ; *(Wetter, Wasser)* limpido(a). ◆ *adv* *(deutlich)* chiaramente ; **etw ist jm ~** qc è chiaro a qn ; **alles ~?** tutto chiaro? ; **alles ~!** benissimo!

Kläranlage (*pl* -n) *die* impianto *m* di depurazione.

Klare (*pl* -n) *der* *(Schnaps)* *fam* acquavite *f* di cereali.

klären *vt* *(Problem, Frage)* chiarire.

Klarinette (*pl* -n) *die* clarinetto *m*.

klar|kommen *vi* *(unr & ist)* *fam* : **~ mit** trovarsi bene con.

Klarsichtfolie (*pl* -n) *die* pellicola *f* trasparente.

klar|stellen *vt* mettere in chiaro.

Klärung (*pl* -en) *die* *(von Problem, Frage)* chiarimento *m*.

klasse *adj* *fam* magnifico(a).

Klasse (*pl* -n) *die* classe *f*; **erster/zweiter ~** *(in Zug)* di prima/seconda classe.

Klassik *die* *(Epoche)* classicismo *m*.

klassisch *adj* classico(a).

klatschen *vi* *(Wasser)* scrosciare ; *(in die Hände)* applaudire ; *(tratschen)* spettegolare.

klauen *tr* *fam* fregare ; **jm etw ~** fregare qc a qn.

Klavier (*pl* -e) *das* pianoforte *m*.

kleben *vt* *(reparieren)* incollare ; *(ankleben)* attaccare. ◆ *vi* *(klebrig sein)* appiccicare ; *(haften)* appiccicarsi.

klebrig *adj* appiccicoso(a).

Klebstoff (*pl* -e) *der* colla *f*.

kleckern *vi* *(beim Essen)* sbrodolarsi.

Kleid (*pl* -er) *das* vestito *m*. ■ **Kleider** *pl* *(Bekleidung)* vestiti *mpl*.

Kleiderbügel (*pl* -) *der* gruccia *f*.

Kleiderschrank (*pl* -schränke) *der* armadio *m*.

Kleidung *die* vestiario *m*, abbigliamento *m*.

Kleidungsstück (*pl* -e) *das* capo *m* di vestiario.

klein *adj* piccolo(a) ; *(Buchstabe)* minuscolo(a). ◆ *adv* *(schreiben)* in minuscolo ; **einen ~en Moment** un attimo ; **ein ~ wenig** un pochino ; **haben Sie es ~?** ha della moneta?

Kleingedruckte *das* stampa *f* a caratteri piccoli.

Kleingeld *das* moneta *f* spicciola ; '**~ bitte bereithalten**' 'si prega di preparare la moneta'.

Kleinigkeit (*pl* -en) *die* *(Geschenk)* pensierino *m* ; *(Unwichtiges)* sciocchezza *f*; *(Zwischenmahlzeit)* spuntino *m*.

Kleinkind (*pl* -er) *das* *(Junge)* bambino *m* piccolo ; *(Mädchen)* bambina *f* piccola.

Kleinkunstbühne (*pl* -n) *die* cabaret *m*.

kleinlich *adj* pignolo(a).

klein machen *vt* *fam* *(Geldschein)* far moneta.

klein schneiden *vt (unr)* tagliuzzare.

Kleinschreibung *die* scrittura *f* minuscola.

Kleinstadt (*pl* **-städte**) *die* cittadina *f*.

klemmen *vt (einklemmen)* incastrare. ◆ *vi (Tür, Schublade)* essersi inceppato(a).

Klempner, in (*mpl* -) *der, die* idraulico *m*.

klettern *vi (ist) (Person)* scalare.

Klima *das* clima *m*.

Klimaanlage (*pl* **-n**) *die* climatizzatore *m*.

klimatisiert *adj (Raum)* climatizzato(a).

Klinge (*pl* **-n**) *die (von Messer)* lama *f*.

Klingel (*pl* **-n**) *die (an Tür, Fahrrad)* campanello *m*.

klingeln *vi (Radfahrer, Wecker, an Tür)* suonare ; *(Telefon)* squillare. ◆ *vimp (an Tür)* : **es klingelt** suonano.

klingen (*prät* **klang**, *pp* **geklungen**) *vi (Geräusch)* suonare.

Klinik (*pl* **-en**) *die* clinica *f*.

Klinke (*pl* **-n**) *die (an Tür)* maniglia *f*.

Klippe (*pl* **-n**) *die (am Meer)* scoglio *m*.

Klischee (*pl* **-s**) *das (Vorurteil)* stereotipo *m*.

Klo (*pl* **-s**) *das fam* gabinetto *m* ; **aufs ~ müssen** dover andare al gabinetto.

Klopapier *das fam* carta *f* igienica.

klopfen *vi (Herz)* battere ; *(an Tür)* bussare. ◆ *vimp (an Tür)* : **es klopft** bussano.

Klosett (*pl* **-s**) *das* water *m*.

Kloß (*pl* **Klöße**) *der* gnocco *m*.

Kloster (*pl* **Klöster**) *das (für Mönche)* monastero *m* ; *(für Nonnen)* convento *m*.

Klotz (*pl* **Klötze**) *der (aus Holz)* ceppo *m*.

Klub (*pl* **-s**) *der* club *m*.

klug *adj* intelligente.

knabbern *vt & vi* sgranocchiare.

Knäckebrot (*pl* **-e**) *das* galletta *f* croccante di cereali.

knacken *vt (Nuss)* spaccare ; *fam (Schloss, Auto)* forzare.

knackig *adj (Obst, Gemüse)* croccante ; *fam (Körper)* sexy.

Knall (*pl* **-e**) *der* botto *m*.

knapp *adj (Vorrat, Angebot)* scarso(a) ; *(Mehrheit, Kleidung)* stretto(a). ◆ *adv (verlieren, gewinnen)* per poco.

knarren *vi (Tür, Treppe)* scricchiolare.

Knast (*pl* **Knäste**) *der fam* galera *f*.

Knäuel (*pl* -) *das* gomitolo *m*.

knautschen *vt (Stoff, Papier)* stropicciare.

kneifen (*prät* **kniff**, *pp* **gekniffen**) *vt (zwicken)* pizzicare.

Kneipe (*pl* **-n**) *die* locale *m*.

i KNEIPE

Le "Kneipen" sono locali semplici ed accoglienti nei quali si bevono prevalentemente alcolici e si consumano piccoli pasti. Frequentati da una clientela abituale, sono spesso preferiti dagli studenti che si incontrano in questi locali per bere una birra, chiacchierare ed ascoltare musica. In Austria le Kneipen si chiamano "Beisel".

---

knicken *vt (Papier, Blume)* piegare.

Knie (*pl* -) *das* ginocchio *m*.

knien *vi* essere inginocchiato(a). ■ **sich knien** *ref* inginocchiarsi.

Kniescheibe (*pl* -n) *die* rotula *f*.

Kniestrumpf (*pl* -strümpfe) *der* calzettone *m*.

kniff *prät* → **kneifen**.

knipsen *vt fam (fotografieren)* scattare.

knistern *vi (Feuer)* crepitare ; *(Papier)* frusciare.

Knoblauch *der* aglio *m*.

Knöchel (*pl* -) *der (von Fuß)* caviglia *f*.

Knochen (*pl* -) *der* osso *m*.

Knochenbruch (*pl* -brüche) *der* frattura *f*.

Knödel (*pl* -) *der* gnocco *m*.

Knopf (*pl* Knöpfe) *der (an Kleidung)* bottone *m* ; *(an Gerät)* pulsante *m* ; '~ **drücken**' 'premere il pulsante'.

Knopfdruck *der* : **durch ~** premendo il pulsante.

Knopfloch (*pl* -löcher) *das* asola *f*.

Knorpel (*pl* -) *der* cartilagine *f*.

knoten *vt* annodare.

Knoten (*pl* -) *der* nodo *m*.

knurren *vi (Hund)* ringhiare ; *(Magen)* brontolare.

knusprig *adj (Brötchen)* croccante.

knutschen *vi fam* sbaciucchiarsi.

Koalition (*pl* -en) *die* coalizione *f*.

Koch (*pl* Köche) *der* cuoco *m*.

kochen *vi (Nahrung)* cuocere ; *(Wasser)* bollire. ◆ *vt (Mahlzeit, Tee, Kaffee)* preparare ; *(Eier)* cuocere ; **jm etw ~** cucinare qc a qn.

Kocher (*pl* -) *der* fornello *m*.

Kochgelegenheit (*pl* -en) *die* uso *m* cucina.

Köchin (*pl* -nen) *die* cuoca *f*.

Kochlöffel (*pl* -) *der* mestolo *m*.

Kochtopf (*pl* -töpfe) *der* pentola *f*.

Kochwäsche *die* bucato *m* resistente *(alle alte temperature)*.

Koffein *das* caffeina *f*.

koffeinfrei *adj (Kaffee, Cola)* decaffeinato(a).

Koffer (*pl* -) *der* valigia *f* ; **die ~ packen** fare le valigie.

Kofferkuli (*pl* -s) *der (in Bahnhof)* carrello *m* portabagagli ; '~ **nur gegen Pfand**' 'carrello a pagamento' *(con rimborso alla consegna)*.

Kofferraum (*pl* -räume) *der (von Auto)* bagagliaio *m*.

Kognac (*pl* -s) *der* cognac *m*.

Kohl *der* cavolo *m*.

Kohle *die (Material)* carbone *m* ; *fam (Geld)* grana *f*.

Kohlenhydrat (*pl* -e) *das* carboidrato *m*.

Kohlensäure *die* anidride *f* carbonica ; **Mineralwasser mit/ohne ~** acqua minerale gassata/naturale.

Kohlrabi (*pl* -s) *der* cavolo *m* rapa.

Kohlroulade (*pl* -n) *die foglia di cavolo farcita con carne macinata.*

Koje (*pl* -n) *die (in Schiff)* cuccetta *f*.

Kokosnuss (*pl* -nüsse) *die* noce *f* di cocco.

Kolben (*pl* -) *der* AUTO pistone *m* ; *(von Mais)* pannocchia *f*.

Kolik (*pl* -en) *die* colica *f*.

Kollaps (*pl* -e) *der* MED collasso *m*.

Kollege (*pl* -n) *der* collega *m*.

Kollegin (*pl* -nen) *die* collega *f*.

Köln *nt* Colonia *f*.

Kölnisch Wasser *das* acqua *f* di colonia.

Kolonne (*pl* -n) *die* colonna *f*.

Kölsch *das birra chiara di Colonia.*

Kombi (*pl* -s) *der (Auto)* auto *f* familiare.

Kombination (*pl* -en) *die (von Farben, Dingen, Zahlen)* combinazione *f* ; *(von Kleidung)* abbinamento *m*.

kombinieren *vt (Farben, Gegenstände)* combinare ; *(Kleidung)* abbinare ; **~ mit** abbinare a.

Kombi-Ticket (*pl* -s) *das biglietto che permette di utilizzare più mezzi di trasporto pubblici.*

Komfort *der* comfort *m*.

komfortabel *adj* confortevole.

komisch *adj (lustig)* comico(a) ; *(eigenartig)* strano(o).

Komma (*pl* -ta) *das (in Satz, Zahl)* virgola *f*.

kommandieren *vi (befehlen)* comandare.

kommen (*prät* kam, *pp* gekommen) *vi* - 1. *(an einen Ort, aus einem Ort)* venire ; **wie komme ich zum Markt?** come si arriva al mercato? ; **mit ins Kino ~** venire al cinema ; **aus Spanien ~** venire dalla Spagna.
- 2. *(eintreten, erreichen)* arrivare ; **an etw** *(A)* **~** *(an Position, Macht)* arrivare a qc ; **zu etw ~** *(zum Ziel, Ergebnis)* giungere a qc.
- 3. *(Gefühl, Gedanke)* : **jm ~ Zweifel** a qn vengono dei dubbi ; **auf etw** *(A)* **~** arrivare a qc.
- 4. *(gehören)* andare messo(a) ; **die Bücher ~ ins Regal** i libri vanno messi nella libreria.
- 5. *(erraten)* : **hinter etw** *(A)* **~** scoprire qc.
- 6. *(als Folge)* : **von etw ~** derivare da qc ; **das kommt davon!** ecco cosa succede!
- 7. *(zu Bewusstsein)* : **zu sich ~** riprendersi.
- 8. *(in Schule, Krankenhaus)* entrare.
- 9. *(anfangen)* : **ins Rutschen ~**

cominciare a scivolare ; **ins Stocken ~** interrompersi.
◆ *vimp* : **es kommt zu etw** si arriva a qc.
kommend *adj (Jahr, Woche)* prossimo(a).
Kommentar (*pl* **-e**) *der (in Zeitung, Fernsehen)* commento *m*.
kommerziell *adj* commerciale.
kommunal *adj* comunale.
Kommunikation *die* comunicazione *f*.
Kommunion (*pl* **-en**) *die* Comunione *f*.
Kommunismus *der* comunismo *m*.
Komödie (*pl* **-n**) *die (Film, Stück)* commedia *f*.
kompakt *adj (Format)* compatto(a).
Komparativ (*pl* **-e**) *der* GRAMM comparativo *m*.
Kompass (*pl* **-e**) *der* bussola *f*.
kompatibel *adj* compatibile ; EDV **IBM-~** IBM-compatibile.
kompetent *adj* competente.
komplett *adj* completo(a).
Kompliment (*pl* **-e**) *das* complimento *m*.
kompliziert *adj* complicato(a).
Komponist, in (*mpl* **-en**) *der, die* compositore *m*, -trice *f*.
Kompott (*pl* **-e**) *das* composta *f* di frutta.
Kompresse (*pl* **-n**) *die* compressa *f*.
Kompromiss (*pl* **-e**) *der* compromesso *m*.
Kondensmilch *die* latte *m* condensato.
Kondition (*pl* **-en**) *die* condizione *f* ; SPORT forma *f*.
Konditorei (*pl* **-en**) *die* pasticceria *f*.
Kondom (*pl* **-e**) *das* preservativo *m*.
Konfekt *das* confetteria *f*.
Konfektionsgröße (*pl* **-n**) *die* taglia *f*.
Konferenz (*pl* **-en**) *die* conferenza *f*.
Konfession (*pl* **-en**) *die* confessione *f*.
Konfetti *das* coriandoli *mpl*.
Konfirmation (*pl* **-en**) *die* confermazione *f (protestante)*.
Konfitüre (*pl* **-n**) *die* confettura *f*.
Konflikt (*pl* **-e**) *der* conflitto *m*.
Kongress (*pl* **-e**) *der (Treffen)* congresso *m*.
Kongresshalle (*pl* **-n**) *die* sala *f* congressi.
König (*pl* **-e**) *der* re *m*.
Königin (*pl* **-nen**) *die* regina *f*.
konjugieren *vt* GRAMM coniugare.
konkret *adj* concreto(a).
Konkurrenz (*pl* **-en**) *die* concorrenza *f*.
können (*präs* **kann**, *prät* **konnte**, *pp* - ODER **gekonnt**) *aux (pp können)* - **1.** *(fähig sein zu)* sapere ; **etw tun ~** saper fare qc.
- **2.** *(dürfen, die Möglichkeit ha-*

ben, sollen) potere ; **es kann sein, dass** può essere che ; **man kann nie wissen** non si può mai sapere.
◆ *vt (pp gekonnt)* - 1. *(Sprache)* sapere ; **Deutsch ~** sapere il tedesco.
- 2. *fam (auswendig)* sapere ; **ein Gedicht ~** sapere a memoria una poesia.
- 3. *(Angabe von Verantwortung)* : **nichts ~ für** non poter farci nulla.

konnte *prät* → **können**.

konsequent *adj* coerente, conseguente. ◆ *adv* di conseguenza.

Konsequenz (*pl* **-en**) *die* coerenza *f*, *(Glaube, Sicherheit)* perseveranza *f*, conseguenza *f*.

konservativ *adj* conservatore(trice).

Konserve (*pl* **-n**) *die* conserva *f*.

Konservendose (*pl* **-n**) *die* barattolo *m* di conserva.

Konservierungsstoff (*pl* **-e**) *der* conservante *m*.

konstruieren *vt (bauen)* costruire.

Konsulat (*pl* **-e**) *das* consolato *m*.

Konsum *der* consumo *m*.

Kontakt (*pl* **-e**) *der* contatto *m* ; **~ haben zu** ODER **mit** avere contatti con.

Kontaktlinse (*pl* **-n**) *die* lente *f* a contatto ; **weiche/harte ~** lente a contatto morbida/rigida.

Kontinent (*pl* **-e**) *der* continente *m*.

Konto (*pl* **Konten**) *das* conto *m*.

Kontostand *der* situazione *f* del conto.

Kontrabass (*pl* **-bässe**) *der* contrabbasso *m*.

Kontrast (*pl* **-e**) *der* contrasto *m*.

Kontrolle (*pl* **-n**) *die* controllo *m*.

Kontrolleur, in (*mpl* **-e**) *der, die (in Bus, Straßenbahn)* controllore *m*.

kontrollieren *vt (prüfen)* controllare.

Konversation (*pl* **-en**) *die* conversazione *f*.

Konzentrationslager (*pl* **-**) *das* campo *m* di concentramento.

konzentrieren : sich konzentrieren *ref* concentrarsi ; **sich ~ auf** *(+A)* concentrarsi su.

konzentriert *adj* concentrato(a).

Konzern (*pl* **-e**) *der* gruppo *m* di industrie associate.

Konzert (*pl* **-e**) *das (Veranstaltung)* concerto *m*.

Konzertsaal (*pl* **-säle**) *der* sala *f* da concerto.

kooperativ *adj* collaborativo(a).

koordinieren *vt* coordinare.

Kopf (*pl* **Köpfe**) *der (von Person, Tier)* testa *f* ; *(von Salat)* cespo *m*.

Kopfhörer (*pl* **-**) *der* cuffia *f* *(per l'ascolto)*.

Kopfkissen (*pl* **-**) *das* guanciale *m*, cuscino *m*.

Kopfsalat (*pl* -e) *der* lattuga *f* cappuccina.

Kopfschmerzen *pl* mal *m* di testa ; ~ **haben** avere mal di testa.

Kopfsprung (*pl* -**sprünge**) *der* tuffo *m (di testa)*.

Kopfstand (*pl* -**stände**) *der* verticale *f* sulla testa.

Kopfstütze (*pl* -**n**) *die (in Auto)* poggiatesta *m*.

Kopftuch (*pl* -**tücher**) *das* fazzoletto *m* da testa.

Kopie (*pl* -**n**) *die* copia *f*.

kopieren *vt* & *vi* copiare.

Kopiergerät (*pl* -**e**) *das* fotocopiatrice *f*.

Korb (*pl* **Körbe**) *der (zum Tragen)* cesto *m* ; SPORT canestro *m* ; *(Material)* vimini *mpl*.

Kord *der* = **Cord**.

Kordel (*pl* -**n**) *die* cordoncino *m*.

Korken (*pl* -) *der* tappo *m*.

Korkenzieher (*pl* -) *der* cavatappi *m*.

Korn[1] (*pl* **Körner**) *das* grano *m*.

Korn[2] (*pl* -) *der (Schnaps)* acquavite *f*.

Körper (*pl* -) *der* corpo *m*.

körperbehindert *adj* disabile *(fisico)*, invalido(a).

Körpergewicht *das* peso *m* corporeo.

Körpergröße (*pl* -**n**) *die* statura *f*.

körperlich *adj* fisico(a). ◆ *adv* fisicamente.

Körperlotion (*pl* -**en**) *die* lozione *f* per il corpo.

Körperpflege *die* igiene *f* personale.

Körperverletzung *die* lesione *f* personale.

korrekt *adj* corretto(a).

Korrektur (*pl* -**en**) *die (Änderung)* rettifica *f*.

Korridor (*pl* -**e**) *der (Flur)* corridoio *m*.

korrigieren *vt (verbessern)* correggere. ■ **sich korrigieren** *ref (sich verbessern)* correggersi.

Korsika *nt* Corsica *f*.

Kosmetik *die (Pflege)* cosmesi *f* ; *(Artikel)* cosmetico *m*.

Kosmetika *pl* prodotti *mpl* cosmetici.

Kosmetikerin (*pl* -**nen**) *die* estetista *f*.

Kosmetiksalon (*pl* -**s**) *der* istituto *m* di estetica.

Kost *die (Nahrung)* alimentazione *f*.

kostbar *adj* prezioso(a).

kosten *vt (Geld, Kraft)* costare ; *(probieren)* assaggiare. ◆ *vi (probieren)* assaggiare ; **was kostet das?** quanto costa?

Kosten *pl* spese *fpl* ; **auf js** ~ *(finanziell)* a carico di qn.

kostenlos *adj* gratuito(a).

kostenpflichtig *adj* & *adv amt* con obbligo di pagamento *(delle spese)* ; ~ **abgeschleppt werden** venire rimosso(a) a proprie spese.

Kostenvoranschlag (*pl* -**schläge**) *der* preventivo *m* spese.

köstlich *adj (Speise, Getränk)*

squisito(a) ; *(amüsant)* divertente.

Kostprobe (*pl* -n) *die (von Speise, Getränk)* degustazione *f*.

Kostüm (*pl* -e) *das (Kleidung)* tailleur *m* ; *(Verkleidung)* costume *m*.

Kot *der* escremento *m*.

Kotelett (*pl* -s) *das* braciola *f*.

kotzen *vi vulg* vomitare.

Krabbe (*pl* -n) *die (Krebs)* granchio *m* ; *(Garnele)* gamberetto *m*.

krabbeln *vi (ist) (Kind)* camminare a gattoni ; *(Käfer)* strisciare.

Krabbencocktail (*pl* -s) *der* cocktail *m* di gamberetti.

Krach (*pl* **Kräche**) *der (Lärm)* chiasso *m* ; ~ **haben mit** essere in lite con.

Kräcker (*pl* -) *der* cracker *m*.

Kraft (*pl* **Kräfte**) *die* forza *f* ; **in ~** in vigore.

Kraftfahrer, in (*mpl* -) *der, die* autista *mf*.

Kraftfahrzeug (*pl* -e) *das* autoveicolo *m*.

Kraftfahrzeugbrief (*pl* -e) *der documento contenente i dati dell'autoveicolo e dei proprietari*.

Kraftfahrzeugkennzeichen (*pl* -) *das* targa *f (dell'autoveicolo)*.

Kraftfahrzeugschein (*pl* -e) *der* libretto *m* di circolazione.

kräftig *adj (stark)* vigoroso(a) ; *(Mahlzeit)* sostanzioso(a). ◆ *adv (stark)* con forza.

Kraftstoff (*pl* -e) *der* carburante *m*.

Kraftwerk (*pl* -e) *das* centrale *f* elettrica.

Kragen (*pl* -) *der* collo *m*, colletto *m*.

Kralle (*pl* -n) *die* artiglio *m*.

kramen *vi (herumsuchen)* rovistare.

Krampf (*pl* **Krämpfe**) *der (Muskelkrampf)* crampo *m*.

Krampfader (*pl* -n) *die* vena *f* varicosa.

Kran (*pl* **Kräne**) *der* gru *f*.

krank (*komp* **kränker**, *superl* **am kränksten**) *adj* malato(a) ; ~ **werden** ammalarsi.

Kranke (*pl* -n) *der, die* malato *m*, -a *f*.

Krankenhaus (*pl* **-häuser**) *das* ospedale *m*.

Krankenkasse (*pl* -n) *die* assicurazione *f* sanitaria.

KRANKENKASSE

In Germania l'assicurazione sanitaria è obbligatoria. La maggior parte dei cittadini è coperta dall'assicurazione sanitaria locale (AOK) che opera a livello regionale. Sono comunque assai diffuse anche forme assicurative aziendali e private suddivise per categorie professionali.

Krankenpfleger (*pl* -) *der* infermiere *m*.

Krankenschein (*pl* -e) *der* ≃ impegnativa *f*.

Krankenschwester (*pl* -n) *die* infermiera *f*.

Krankenversicherung (*pl* **-en**) *die* assicurazione *f* sanitaria.

Krankenwagen (*pl* **-**) *der* ambulanza *f*.

Krankheit (*pl* **-en**) *die* malattia *f*.

Krapfen (*pl* **-**) *der* krapfen *m*.

Krater (*pl* **-**) *der* cratere *m*.

kratzen *vt* & *vi* *(mit Fingernägeln, Krallen)* graffiare ; *(jucken)* grattare. ■ **sich kratzen** *ref* *(sich jucken)* grattarsi.

Kratzer (*pl* **-**) *der* *(an Haut, Auto)* graffio *m*.

kraulen *vi* *(ist)* SPORT *(schwimmen)* nuotare a stile libero. ◆ *vt* *(hat)* *(Tier)* accarezzare.

Kraut (*pl* **Kräuter**) *das* *(Heilpflanze, Gewürzpflanze)* erba *f* ; *Süddt* *(Kohl)* crauti *mpl*.

Kräuterlikör (*pl* **-e**) *der* liquore *m* alle erbe.

Kräutertee (*pl* **-s**) *der* tisana *f*.

Krautsalat *der* insalata *f* di crauti.

Krawatte (*pl* **-n**) *die* cravatta *f*.

Krawattenzwang *der* obbligo *m* della cravatta.

kreativ *adj* creativo(a).

Krebs (*pl* **-e**) *der* *(Tier)* granchio *m* ; *(Krankheit)* cancro *m* ; *(Sternzeichen)* Cancro *m* ; **~ haben** essere malato di cancro.

Kredit (*pl* **-e**) *der* *(Darlehen)* credito *m*.

Kreditkarte (*pl* **-n**) *die* carta *f* di credito ; **kann ich mit ~ bezahlen?** posso pagare con carta di credito?

Kreide (*pl* **-n**) *die* *(Tafelkreide)* gesso *m*.

Kreis (*pl* **-e**) *der* *(Form)* cerchio *m* ; *(Landkreis)* ≃ provincia *f*.

Kreislaufstörungen *pl* disturbi *mpl* circolatori.

Kreisstadt (*pl* **-städte**) *die* ≃ capoluogo *m* di provincia.

Kreisverkehr *der* rotatoria *f*.

Krem, Kreme *die* = **Creme**.

Kren *der* *Österr* cren *m*.

Kresse *die* crescione *m*.

kreuz : **kreuz und quer** *adv* *(fahren, laufen)* in lungo e in largo ; *(liegen)* in disordine.

Kreuz (*pl* **-e**) *das* *(Zeichen, religiöses Symbol)* croce *f* ; *fam* *(Rücken)* schiena *f* ; *(Autobahnkreuz)* nodo *m* autostradale ; *(Spielfarbe)* fiori *mpl*.

Kreuzfahrt (*pl* **-en**) *die* crociera *f*.

Kreuzgang (*pl* **-gänge**) *der* chiostro *m*.

Kreuzigung (*pl* **-en**) *die* *(Handlung)* crocifissione *f*.

Kreuzung (*pl* **-en**) *die* *(Straßenkreuzung)* incrocio *m*.

Kreuzworträtsel (*pl* **-**) *das* cruciverba *m*.

kriechen (*prät* **kroch**, *pp* **gekrochen**) *vi* *(ist)* *(Schlange)* strisciare.

Kriechspur (*pl* **-en**) *die* *(auf Autobahn)* corsia *f* per veicoli lenti.

Krieg (*pl* **-e**) *der* *(zwischen Staaten, Völkern)* guerra *f*.

Krimi (*pl* -s) *der fam (Film, Roman)* giallo *m*.
Kriminalität *die (Handlungen)* criminalità *f*.
Kriminalpolizei *die* polizia *f* giudiziaria.
kriminell *adj* criminale.
Kripo *die abk für* **Kriminalpolizei**.
Krise (*pl* -n) *die* crisi *f*.
Kritik (*pl* -en) *die* critica *f*.
kritisch *adj* critico(a).
kritisieren *vt* & *vi* criticare.
Kroatien *nt* Croazia *f*.
kroch *prät* → **kriechen**.
Krokant *das* croccante *m*.
Krokette (*pl* -n) *die* crocchetta *f*.
Krokodil (*pl* -e) *das* coccodrillo *m*.
Krone (*pl* -n) *die (von König, Währung)* corona *f* ; *(von Baum)* chioma *f*.
Kröte (*pl* -n) *die (Tier)* rospo *m*.
Krücke (*pl* -n) *die* stampella *f*.
Krug (*pl* **Krüge**) *der* brocca *f*.
Krümel (*pl* -) *der* briciola *f*.
krumm (*komp* **krümmer**, *superl* **am krümmsten**) *adj (Linie, Form, Rücken)* curvo(a) ; *(Beine)* storto(a) ; *(Nase)* adunco(a).
Kruste (*pl* -n) *die (von Brot, Wunde)* crosta *f*.
Kruzifix (*pl* -e) *das* crocifisso *m*.
Krypta (*pl* **Krypten**) *die* cripta *f*.
Kt. *abk für* **Kanton**.
Kto. *abk für* **Konto**.
Kubikmeter (*pl* -) *der* metro *m* cubo.
Küche (*pl* -n) *die* cucina *f*.
Kuchen (*pl* -) *der* dolce *m*.
Kuchengabel (*pl* -n) *die* forchetta *f* da dolce.
Küchenrolle (*pl* -n) *die* rotolo *m* di carta da cucina.
Kugel (*pl* -n) *die (Gegenstand)* palla *f* ; *(Form)* sfera *f* ; *(Geschoss)* pallottola *f*.
Kugellager (*pl* -) *das* cuscinetto *m* a sfera.
Kugelschreiber (*pl* -) *der* penna *f* a sfera.
Kuh (*pl* **Kühe**) *die* mucca *f*.
kühl *adj (Temperatur)* fresco(a) ; *(emotionslos)* freddo(a).
kühlen *vt* raffreddare.
Kühler (*pl* -) *der* AUTO radiatore *m*.
Kühlerhaube (*pl* -n) *die* AUTO cofano *m* del motore.
Kühlschrank (*pl* **-schränke**) frigorifero *m*.
Kühltasche (*pl* -n) *die* borsa *f* termica.
Kühltruhe (*pl* -n) *die* congelatore *m*.
Kühlwasser *das* AUTO acqua *f* di raffreddamento.
Küken (*pl* -) *das (Tier)* pulcino *m*.
Kuli (*pl* -s) *der fam* penna *f*.
kultiviert *adj* colto(a).
Kultur (*pl* -en) *die (von Person)* cultura *f* ; *(von Natur)* coltura *f*.
Kulturbeutel (*pl* -) *der* necessaire *m* da viaggio.
kulturell *adj* culturale.

Kümmel *der (Gewürz)* cumino *m*.

Kummer *der (Ärger, Problem)* dispiacere *m* ; *(Leiden)* preoccupazione *f*.

kümmern *vt (Person)* interessare ; **jn nicht ~** non interessare a qn. ■ **sich kümmern** *ref* occuparsi ; **sich um jn ~** prendersi cura di qn ; **sich um etw ~** occuparsi di qc.

Kunde (*pl* **-n**) *der* cliente *m* ; **'nur für ~n'** 'riservato ai clienti'.

Kundendienst *der* servizio *m* clienti *(dopo la vendita)*.

Kundenkarte (*pl* **-n**) *die* tessera *f* clienti.

Kundennummer (*pl* **-n**) *die* codice *m* cliente.

kündigen *vt (Wohnung, Vertrag)* disdire. ◆ *vi (Angestellter)* licenziarsi ; **jm ~** licenziare qn.

Kündigung (*pl* **-en**) *die (von Vertrag, Kredit, Wohnung)* disdetta *f* ; *(von Arbeitsstelle)* licenziamento *m*.

Kündigungsfrist (*pl* **-en**) *die* termine *m* di preavviso.

Kundin (*pl* **-nen**) *die* cliente *f*.

Kunst (*pl* **Künste**) *die* arte *f*.

Kunstausstellung (*pl* **-en**) *die* mostra *f* d'arte.

Kunstfaser (*pl* **-n**) *die* fibra *f* sintetica.

Kunstgalerie (*pl* **-n**) *die* galleria *f* d'arte.

Kunsthandwerk (*pl* **-e**) *das* artigianato *m*.

Künstler, in (*mpl* **-**) *der, die* artista *mf*.

künstlerisch *adj* artistico(a).

Künstlername (*pl* **-n**) *der* nome *m* d'arte.

künstlich *adj (unnatürlich)* artificiale ; *(gespielt)* artificioso(a).

Kunststoff (*pl* **-e**) *der* plastica *f*.

Kunststück (*pl* **-e**) *das* pezzo *m* di bravura.

Kunstwerk (*pl* **-e**) *das* opera *f* d'arte.

Kupfer *das* rame *m*.

Kuppel (*pl* **-n**) *die* cupola *f*.

Kupplung (*pl* **-en**) *die* AUTO frizione *f* ; **die ~ treten** azionare la frizione.

Kur (*pl* **-en**) *die* cura *f* ; **in** ODER **zur ~ sein** fare una cura.

Kurbel (*pl* **-n**) *die* manovella *f*.

Kürbis (*pl* **-se**) *der* zucca *f*.

Kurfestiger (*pl* **-**) *der* fissatore *m* per capelli.

Kurgast (*pl* **-gäste**) *der* ospite *m* di una località di cura.

kurieren *vt (Krankheit)* curare.

Kurort (*pl* **-e**) *der* località *f* di cura *(termale o climatica)*.

Kurpackung (*pl* **-en**) *die* impacco *m* per capelli.

Kurpark (*pl* **-s**) *der* parco *m* di una località di cura.

Kurs (*pl* **-e**) *der (Unterricht, Börsenwert)* corso *m* ; *(für Schiff, Flugzeug)* rotta *f*.

Kursbuch (*pl* **-bücher**) *das* orario *m* ferroviario.

Kurschatten (*pl* **-**) *der persona con cui si flirta durante il soggiorno di cura.*

Kursus (*pl* **Kurse**) *der* corso *m*.

Kurswagen (*pl* -) *der* carrozza *f* diretta.

Kurtaxe (*pl* -n) *die* tassa *f* di soggiorno.

Kurve (*pl* -n) *die* *(Linie, von Straße)* curva *f* ; **scharfe ~** curva a gomito.

kurvenreich *adj* pieno(a) di curve.

kurz (*komp* **kürzer**, *superl* **am kürzesten**) *adj* *(räumlich)* corto(a) ; *(zeitlich)* breve. ◆ *adv* *(zeitlich)* brevemente ; *(schnell)* velocemente ; **~ vor/nach** poco prima/dopo ; **vor ~em** poco fa.

kurzärm(e)lig *adj* con le maniche corte.

kürzen *vt* *(Kleidung)* accorciare ; *(Haare, Nägel)* tagliare ; *(Zahlungen)* ridurre.

kurzfristig *adj* *(unerwartet)* improvviso(a) ; *(kurz gültig)* a breve termine.

Kurzgeschichte (*pl* -n) *die* racconto *m* breve.

kurzhaarig *adj* *(Person)* con i capelli corti.

kürzlich *adv* poco tempo fa.

Kurznachrichten *pl* notiziario *m* breve.

Kurzparken *das* sosta *f* breve *(a tempo)*.

Kurzparker (*pl* -) *der* *chi parcheggia in zona di sosta breve*.

Kurzschluss (*pl* **-schlüsse**) *der* corto circuito *m*.

kurzsichtig *adj* *(Person)* miope ; *(Handeln, Plan)* poco lungimirante.

Kurzstrecke (*pl* -n) *die* percorso *m* breve.

Kurzstreckenkarte (*pl* -n) *die* biglietto *m* per brevi percorsi.

Kurzurlaub (*pl* -e) *der* vacanza *f* breve.

Kurzwelle *die* onda *f* corta.

Kusine (*pl* -n) *die* cugina *f*.

Kuss (*pl* **Küsse**) *der* bacio *m*.

küssen *vt* baciare. ■ **sich küssen** *ref* baciarsi.

Küste (*pl* -n) *die* costa *f* ; **an der ~** al mare.

Küstenwache (*pl* -n) *die* guardia *f* costiera.

Kutsche (*pl* -n) *die* carrozza *f*.

Kuvert (*pl* -s) *das* busta *f* *(da lettere)*.

Kuvertüre (*pl* -n) *die* glassa *f* di cioccolato.

L

Labor (*pl* -s) *das* laboratorio *m*.

Labyrinth (*pl* -e) *das* labirinto *m*.

lächeln *vi* sorridere ; **~ über** *(+A)* sorridere di.

lachen *vi* ridere ; **~ über** *(+A)* ridere di.

lächerlich *adj* *(Verhalten)* ridicolo(a) ; *(Summe)* irrisorio(a).

Lachs (*pl* -e) *der* salmone *m*.

Lack (*pl* -e) *der* *(farbig)* lacca *f*.

lackieren *vt* *(farbig)* laccare ;

sich *(D)* **die Nägel ~** mettersi lo smalto *(sulle unghie)*.

Lackierung (*pl* **-en**) *die (farbig)* laccatura *f*; *(farblos)* verniciatura *f*.

laden (*präs* **lädt**, *prät* **lud**, *pp* **geladen**) *vt (Fracht, Waffe)* caricare.

Laden (*pl* **Läden**) *der (Geschäft)* negozio *m*; *(Fensterladen)* imposta *f*.

Ladendieb, in (*mpl* **-e**) *der, die* taccheggiatore *m*, -trice *f*.

Ladendiebstahl (*pl* **-stähle**) *der* taccheggio *m*; **'gegen ~ gesichert'** 'protetto contro il taccheggio'.

Ladenschluss *der* chiusura *f* dei negozi.

lädt *präs* → **laden**.

Ladung (*pl* **-en**) *die (Fracht)* carico *m*; *(Munition)* carica *f*.

lag *prät* → **liegen**.

Lage (*pl* **-n**) *die (räumlich)* posizione *f*; *(von Person)* situazione *f*; *(Schicht)*: **~n Stoff** strati di stoffa; **in der ~ sein, etw zu tun** essere in grado di fare qc.

Lageplan (*pl* **-pläne**) *der* piantina *f* topografica.

Lager (*pl* **-**) *das (für Waren)* magazzino *m*; *(Camp)* campo *m*.

Lagerfeuer (*pl* **-**) *das* fuoco *m* da campo.

lagern *vt (Lebensmittel, Waren)* conservare in magazzino.

Lähmung (*pl* **-en**) *die (Krankheit)* paralisi *f*.

Laib (*pl* **-e**) *der (von Käse, Brot)* forma *f*.

Laie (*pl* **-n**) *der* dilettante *m*.

Laken (*pl* **-**) *das* lenzuolo *m (di sotto)*.

Lakritz (*pl* **-en**) *die* liquirizia *f*.

Lamm (*pl* **Lämmer**) *das* agnello *m*.

Lammfleisch *das* carne *f* di agnello.

Lammkeule (*pl* **-n**) *die* cosciotto *m* di agnello.

Lammrücken (*pl* **-**) *der* sella *f* di agnello.

Lampe (*pl* **-n**) *die (in Raum)* lampada *f*; *(an Fahrrad)* fanalino *m*.

Lampion (*pl* **-s**) *der* lampione *m* alla veneziana.

Land (*pl* **Länder**) *das (Staat)* paese *m*; *(Bundesland)* Land *m*; **auf dem ~** in campagna.

Landbrot (*pl* **-e**) *das* pane *m* casereccio.

Landebahn (*pl* **-en**) *die* pista *f* di atterraggio.

Landeerlaubnis *die* autorizzazione *f* all'atterraggio.

landen *vi (ist)* atterrare.

Landeplatz (*pl* **-plätze**) *der* campo *m* d'atterraggio.

Landesfarben *pl* colori *mpl* nazionali.

Landesregierung (*pl* **-en**) *die* governo *m* di un Land.

Landessprache (*pl* **-n**) *die* lingua *f* nazionale.

Landeswährung (*pl* **-en**) *die* valuta *f* nazionale.

Landhaus (*pl* **-häuser**) *das* casa *f* di campagna.

Landkarte (*pl* **-n**) *die* carta *f* geografica.

Landkreis (*pl* **-e**) *der distretto amministrativo rurale paragonabile alla provincia.*

ländlich *adj* rurale.

Landschaft (*pl* **-en**) *die* paesaggio *m*.

landschaftlich *adj (Landschaft betreffend)* paesaggistico(a).

Landschaftsschutzgebiet (*pl* **-e**) *das* area *f* protetta.

Landsleute *pl* compatrioti *mpl*.

Landstraße (*pl* **-n**) *die* ≃ strada *f* provinciale.

Landtag (*pl* **-e**) *der* parlamento *m* del Land.

Landung (*pl* **-en**) *die (von Flugzeug)* atterraggio *m*.

Landwein (*pl* **-e**) *der* vino *m* di campagna.

Landwirt, in (*mpl* **-e**) *der, die* agricoltore *m*, -trice *f*.

Landwirtschaft *die* agricoltura *f*.

lang (*komp* **längere**, *superl* **längste**) *adj* lungo(a) ; *fam (hoch gewachsen)* alto(a). ◆ *adv* : **hier/dort ~** per di qua/là ; **drei Meter ~** lungo tre metri ; **drei Tage ~** per tre giorni.

langärm(e)lig *adj* con le maniche lunghe.

lange (*komp* **länger**, *superl* **am längsten**) *adv (zeitlich)* a lungo ; **wie ~ dauert der Film?** quanto dura il film? ; **wie ~ wohnen Sie hier?** da quanto tempo abita qua?

Länge (*pl* **-n**) *die* lunghezza *f* ; *(zeitlich)* durata *f* ; *(von Person)* altezza *f* ; **der ~ nach** per il lungo.

Langeweile *die* noia *f*.

langfristig *adj* & *adv* a lungo termine.

Langlauf *der* gara *f* di fondo.

Langlaufski (*pl* **-er**) *der* sci *m* da fondo.

langsam *adj* lento(a). ◆ *adv* lentamente.

Langschläfer, in (*mpl* **-**) *der, die* dormiglione *m*, -a *f*.

längst *adv (schon lange)* da molto tempo ; **er ist ~ nicht der Beste** *(überhaupt nicht)* non è affatto il migliore.

Langstreckenlauf *der* corsa *f* di fondo.

Languste (*pl* **-n**) *die* aragosta *f*.

langweilen *vt* annoiare. ■ **sich langweilen** *ref* annoiarsi.

langweilig *adj* noioso(a).

langwierig *adj* lungo(a) e difficile.

Langzeitparker (*pl* **-**) *der chi parcheggia in zona di sosta prolungata.*

Lappen (*pl* **-**) *der (zum Wischen)* straccio *m*.

Lärche (*pl* **-n**) *die (Baum)* larice *m*.

Lärm *der* chiasso *m*.

lärmen *vi* far chiasso.

Lärmschutz *der* protezione *f* antirumore.

las *prät* → **lesen**.

Lasche (*pl* -**n**) *die* linguetta *f*.

Laser (*pl* -) *der* laser *m*.

lassen (*präs* **lässt**, *prät* **ließ**, *pp* **gelassen** ODER -) *aux* (*pp* **lassen**) - **1**. (*veranlassen*) : **jn etw machen** ODER **tun** ~ far fare qc a qn ; **sich** (*D*) **die Haare schneiden** ~ farsi tagliare i capelli.
- **2**. (*zulassen*) : **jn etw machen** ODER **tun** ~ lasciar fare qc a qn ; **es lässt sich machen** si può fare ; **etw (nicht) mit sich machen** ~ (non) lasciarsi fare qc.
◆ *vt* (*pp* **gelassen**) - **1**. (*unterlassen*) smettere ; **lass das!** smettila!
- **2**. (*belassen*) lasciare ; **jn in Ruhe** ~ lasciare in pace qn.
- **3**. (*überlassen*) : **jm etw** ~ lasciare qc a qn.
- **4**. (*zurücklassen, loslassen*) lasciare ; **lass mich!** lasciami!
- **5**. (*strömen lassen*) : **die Luft aus dem Reifen** ~ sgonfiare la gomma.

lässig *adj* disinvolto(a).

lässt *präs* → **lassen**.

Last (*pl* -**en**) *die* (*Traglast*) carico *m* ; (*psychisch*) peso *m*.

Laster (*pl* -) *der* (*LKW*) camion *m*.

lästern *vi* : **über jn/etw** ~ sparlare di qn/qc.

lästig *adj* (*Person, Fliege*) fastidioso(a).

Lastkraftwagen (*pl* -) *der amt* autocarro *m*.

Last-Minute-Angebot *das* offerta *f* last-minute.

Last-Minute-Flug *der* volo *m* last-minute.

Lastschrift (*pl* -**en**) *die* addebito *m*.

Lastwagen (*pl* -) *der* camion *m*.

Latein *das* latino *m*.

Laterne (*pl* -**n**) *die* lampione *m*.

Lätzchen (*pl* -) *das* bavaglino *m*.

Latzhose (*pl* -**n**) *die* salopette *f*.

lau *adj* (*Badewasser*) tiepido(a) ; (*Abend*) mite.

Laub *das* fogliame *m*.

Lauch *der* porro *m*.

lauern *vi* (*gucken*) stare in agguato ; (*warten*) attendere (*con impazienza*).

Lauf (*pl* **Läufe**) *der* (*Verlauf*) corso *m* ; SPORT corsa *f*.

laufen (*präs* **läuft**, *prät* **lief**, *pp* **gelaufen**) *vi* (*ist*) - **1**. (*schnell*) correre.
- **2**. (*gehen*) camminare.
- **3**. (*Motor, Maschine*) essere acceso(a).
- **4**. (*funktionieren*) andare.
- **5**. (*fließen*) colare ; **jm läuft die Nase** a qn cola il naso.
- **6**. (*andauern*) andare avanti.
- **7**. (*Film, Drama*) : **der Film läuft schon seit zehn Minuten** il film è già iniziato da dieci minuti.
◆ *vt* (*ist*) - **1**. (*Strecke, Rekord*) correre.

- 2. *SPORT* : **Ski ~** sciare ; **Schlittschuh ~** pattinare sul ghiaccio.

laufend *adj (aktuell)* corrente ; *(ständig)* fisso(a).

Läufer, in (*mpl* -) *der, die* corridore *m*, corritrice *f*.

Laufmasche (*pl* -n) *die* smagliatura *f*.

läuft *präs* → **laufen**.

Laufzeit (*pl* -en) *die (von Film)* durata *f*.

Laugenbrezel (*pl* -) *die ciambellina croccante salata a forma di nodo.*

Laune (*pl* -n) *die (Stimmung)* umore *m* ; **gute/schlechte ~ haben** essere di buon/cattivo umore.

launisch *adj* lunatico(a).

Laus (*pl* **Läuse**) *die* pidocchio *m*.

Lausanne *nt* Losanna *f*.

lauschen *vi (konzentriert)* ascoltare *(attentamente)* ; *(heimlich)* origliare.

laut *adj (Stimme, Lärm)* forte ; *(Motor, Person)* rumoroso(a).

läuten *vi* suonare. ◆ *vimp* : **es läutet** suonano.

Lautsprecher (*pl* -) *der* altoparlante *m*.

Lautsprecherdurchsage (*pl* -n) *die* annuncio *m* all'altoparlante.

Lautstärke *die* volume *m*.

lauwarm *adj* tiepido(a).

Lawine (*pl* -n) *die* valanga *f*.

Lawinengefahr *die* pericolo *m* di valanga.

Leasing (*pl* -s) *das* leasing *m*.

leben *vi (lebendig sein, wohnen)* vivere ; **~ von** vivere di.

Leben (*pl* -) *das* vita *f* ; **ums ~ kommen** perdere la vita.

lebendig *adj (lebhaft)* vivace.

Lebensalter *das* età *f*.

Lebensbedingungen *pl* condizioni *fpl* di vita.

Lebensgefahr *die* pericolo *m* di vita ; **in ~ sein** essere in pericolo di vita.

lebensgefährlich *adj (Unternehmen)* molto pericoloso(a) ; *(Krankheit)* mortale.

Lebensgefährte (*pl* -n) *der* compagno *m*.

Lebensgefährtin (*pl* -nen) *die* compagna *f*.

Lebensjahr (*pl* -e) *das* anno *m* di vita.

lebenslänglich *adj* a vita.

Lebenslauf (*pl* -läufe) *der* curriculum vitae *m*.

Lebensmittel (*pl* -) *das* genere *m* alimentare.

Lebensmittelgeschäft (*pl* -e) *das* negozio *m* di generi alimentari.

lebensnotwendig *adj* di prima necessità.

Lebensunterhalt *der* mantenimento *m*.

Lebensversicherung (*pl* -en) *die* assicurazione *f* sulla vita.

lebenswichtig *adj* vitale.

Lebenszeichen (*pl* -) *das* segno *m* di vita.

Leber (*pl* -n) *die* fegato *m.*

Leberfleck (*pl* -en) *der* neo *m.*

Leberknödel (*pl* -) *der* canederlo *m* di fegato.

Leberpastete (*pl* -n) *die* paté *m* di fegato.

Leberwurst (*pl* -würste) *die* *insaccato a base di fegato da spalmare.*

Lebewesen (*pl* -) *das* essere *m* vivente.

lebhaft *adj* vivace.

Lebkuchen (*pl* -) *der* ≃ pane *m* speziato.

LEBKUCHEN

I "Lebkuchen" possono essere rotondi, a forma di cuore o di stella, ed hanno un inconfondibile sapore che si ottiene grazie al miele e ad una miscela di spezie quali cannella, chiodi di garofano, noce moscata, anice e zenzero. Famosi sono soprattutto quelli morbidi di Norimberga, che si mangiano di solito nel periodo natalizio. In occasione dei mercatini e delle feste popolari vengono preparati dei "Lebkuchen" grandi, a forma di cuore, ricoperti di una glassa di zucchero colorato o di cioccolato.

Leck (*pl* -s) *das* *(in Schiff)* falla *f.*

lecken *vi* *(Schiff)* far acqua. ◆ *vt* leccare.

lecker *adj* delizioso(a).

Leckerbissen (*pl* -) *der* *(Speise)* leccornia *f.*

Leder *das* *(Material)* cuoio *m.*

Lederwaren *pl* articoli *mpl* in pelle.

ledig *adj* *(Frau)* nubile ; *(Mann)* celibe.

leer *adj* vuoto(a) ; *(Blatt, Heft)* bianco(a) ; **~ machen** *(Behälter, Raum)* svuotare.

Leergut *das* vuoti *mpl* a rendere.

Leerlauf *der* *(von Auto, Fahrrad)* marcia *f* in folle.

Leerung (*pl* -en) *die* *(von Briefkästen)* levata *f*; **'nächste ~ 17 Uhr'** 'prossima levata alle ore 17'.

legal *adj* legale.

legen *vt* - 1. mettere *(orizzontale)* ; **den Schlüssel auf den Tisch ~** mettere le chiavi sul tavolo.
- 2. *(Termin)* fissare ; **den Urlaub auf Juli ~** fissare le ferie per luglio.
- 3. *(Haare)* : **sich** *(D)* **die Haare ~ lassen** farsi fare la messa in piega.
■ **sich legen** *ref* *(aufhören)* placarsi.

Legende (*pl* -n) *die* leggenda *f.*

legitim *adj* legittimo(a).

Lehm *der* argilla *f.*

Lehne (*pl* -n) *die* *(Rückenlehne)* schienale *m.*

lehnen *vt* appoggiare. ◆ *vi* essere appoggiato(a). ■ **sich lehnen** *ref* : **sich ~ an** *(+A)* appoggiarsi a.

Lehre (*pl* -n) *die* *(Ausbildung)* apprendistato *m* ; *(Erfahrung)* lezione *f.*

lehren *vt* insegnare.

Lehrer, in (*mpl* -) *der, die* insegnante *mf*.

Lehrgang (*pl* **-gänge**) *der* corso *m*.

Lehrling (*pl* **-e**) *der* apprendista *mf*.

Leib (*pl* **-e**) *der (Körper)* busto *m*.

Leibgericht (*pl* **-e**) *das* piatto *m* preferito.

Leiche (*pl* **-n**) *die* cadavere *m*.

leicht *adj (Gewicht)* leggero(a) ; *(einfach)* facile. ◆ *adv (einfach, schnell)* facilmente ; *(wenig)* leggermente.

Leichtathletik *die* atletica *f* leggera.

leicht fallen *vi (unr & ist)* : **etw fällt jm leicht** qc riesce facile a qn.

leichtsinnig *adj (Person, Handlung)* sconsiderato(a).

Leid *das* sofferenza *f* ; **jm ~ tun** far pena a qn ; **es tut mir ~!** mi dispiace!

leiden (*prät* **litt**, *pp* **gelitten**) *vi (durch Kummer, an Krankheit)* soffrire ; **~ an** *(+D)* soffrire di. ◆ *vt* : **jn/etw nicht ~ können** non sopportare qn/qc.

leidenschaftlich *adj* appassionato(a).

leider *adv* purtroppo.

leihen (*prät* **lieh**, *pp* **geliehen**) *vt (ausleihen)* prendere a prestito ; **jm etw ~** *(verleihen)* imprestare qc a qn ; **sich** *(D)* **etw ~** *(ausleihen)* prendersi a prestito qc.

Leihgebühr (*pl* **-en**) *die* tariffa *f* di prestito.

Leihwagen (*pl* -) *der* macchina *f* a noleggio.

Leim *der* colla *f (liquida)*.

Leine (*pl* **-n**) *die (Seil)* corda *f* ; *(Hundeleine)* guinzaglio *m*.

Leinen *das* lino *m*.

Leinsamen *der* seme *m* di lino.

Leinwand (*pl* **-wände**) *(im Kino)* schermo *m* ; *(Bild)* tela *f*.

Leipziger Allerlei *das piatto a base di verdure miste tra cui carote, piselli, fagiolini.*

leise *adj (Gerät, Motor)* silenzioso(a) ; *(Stimme, Musik)* basso(a).

leisten *vt (vollbringen)* fare ; **hervorragende Arbeit ~** fare un eccellente lavoro ; **sich** *(D)* **etw ~** concedersi qc ; **sich** *(D)* **etw ~ können** poter permettersi qc.

Leistung (*pl* **-en**) *die (Arbeit, Zahlung)* prestazione *f*.

leistungsfähig *adj (Person)* capace ; *(Gerät)* efficente.

Leistungskurs (*pl* **-e**) *der* SCHULE *una delle materie principali scelte dagli studenti per l'esame di stato.*

Leitartikel (*pl* -) *der* editoriale *m*.

leiten *vt (Firma, Team)* dirigere ; *(Strom)* condurre ; *(Wasser, Verkehr)* incanalare.

Leiter[1] (*pl* **-n**) *die (mit Sprossen)* scala *f*.

Leiter[2] (*pl* -) *der (von Firma)* direttore *m* ; *(von Gruppe)* capo *m*.

Leiterin (*pl* -nen) *die* direttrice *f*.

Leitplanke (*pl* -n) *die* guardrail *m*.

Leitung (*pl* -en) *die* *(Leiten, Führen)* direzione *f* ; *(Telefonleitung, Stromleitung)* linea *f*.

Leitungswasser *das* acqua *f* di rubinetto.

Lektion (*pl* -en) *die* *(Kapitel)* lezione *f*.

Lektüre (*pl* -n) *die* lettura *f*.

lenken *vt* & *vi* guidare.

Lenker (*pl* -) *der* *(von Fahrrad)* manubrio *m*.

Lenkrad (*pl* -räder) *das* volante *m*.

Lenkradschloss (*pl* -schlösser) *das* bloccasterzo *m*.

Lenkung (*pl* -en) *die* *(am Fahrzeug)* sterzo *m*.

lernen *vt* *(Sport, Erfahrung, Beruf)* imparare ; *(Fach)* studiare. ◆ *vi* *(für Prüfung)* studiare ; *(aus Erfahrung)* imparare.

lesbisch *adj* lesbico(a).

Lesebuch (*pl* -bücher) *das* libro *m* di lettura.

lesen (*präs* liest, *prät* las, *pp* gelesen) *vt* leggere.

Leser, in (*mpl* -) *der, die* lettore *m*, -trice *f*.

letzte[1] *adj* *(am Ende, restlich)* ultimo(a) ; *(vorige)* scorso(a).

letzte[2]**, r, s** *det* *(vorig)* scorso(a).

Letzte (*pl* -n) *der, die* *(Person)* ultimo *m*, -a *f*.

letztens *adv* *(vor kurzem)* ultimamente.

leuchten *vi* *(Lichtquelle)* far luce ; *(Augen)* brillare.

Leuchter (*pl* -) *der* *(für Kerzen)* candelabro *m*.

Leuchtturm (*pl* -türme) *der* faro *m*.

leugnen *vt* & *vi* negare.

Leukämie *die* leucemia *f*.

Leute *pl* *(unzählbar)* gente *f* ; *(zählbar)* persone *fpl*.

Lexikon (*pl* -ka) *das* dizionario *m* enciclopedico.

Libanon *der* Libano *m*.

liberal *adj* liberale.

Licht (*pl* -er) *das* luce *f* ; **~ machen** accendere la luce ; **das ~ ausmachen** spegnere la luce.

lichtempfindlich *adj* *(Material)* fotosensibile ; *(Augen, Haut)* molto sensibile *(al sole)*.

Lichthupe *die* : **die ~ betätigen** fare i fari.

Lichtmaschine (*pl* -n) *die* generatore *m*.

Lichtschalter (*pl* -) *der* interruttore *m* della luce.

Lichtschranke (*pl* -n) *die* fotocellula *f*.

Lichtschutzfaktor (*pl* -en) *der* fattore *m* di protezione solare.

Lichtstrahl (*pl* -en) *der* raggio *m* di luce.

Lichtung (*pl* -en) *die* radura *f*.

Lid (*pl* -er) *das* palpebra *f*.

Lidschatten (*pl* -) *der* ombretto *m*.

lieb *adj* caro(a) ; **~er Karl-Heinz!** caro Karl-Heinz ; **jn ~ haben** voler bene a qn.

Liebe *die* amore *m*.

lieben *vt* amare. ■ **sich lieben** *ref* amarsi.

liebenswürdig *adj* amabile.

lieber *komp* → **gern.** ◆ *adv (besser)* : **das hättest du ~ nicht tun sollen** avresti fatto meglio a non farlo. ◆ *adj (angenehmer)* : **etw ist jm ~** qn preferisce qc.

Liebesbrief (*pl* -e) *der* lettera *f* d'amore.

liebevoll *adj (Betreuung)* amorevole ; *(Geste, Blick)* affettuoso(a). ◆ *adv (ansehen, streicheln)* affettuosamente ; *(verpacken)* con cura.

Liebhaber (*pl* -) *der* amante *m*.

Liebhaberin (*pl* -nen) *die* amante *f*.

lieblich *adj (Wein)* amabile.

Liebling (*pl* -e) *der (Anrede)* tesoro *m*.

Lieblingsgericht (*pl* -e) *das* piatto *m* preferito.

liebsten *superl* → **gern** ; **am ~** più di tutto ; **jm ist etw am ~** qn preferisce qc *(più di tutto)*.

Liechtenstein *nt* Liechtenstein *m*.

Lied (*pl* -er) *das* canzone *f*.

lief *prät* → **laufen.**

Lieferant (*pl* -en) *der* fornitore *m* ; **'~en frei'** 'escluso carico e scarico'.

lieferbar *adj* disponibile.

Lieferfrist (*pl* -en) *die* termine *m* di consegna.

liefern *vt (Ware)* consegnare ; *(Beispiel, Argument)* fornire.

Lieferung (*pl* -en) *die* fornitura *f*.

Lieferwagen (*pl* -) *der* furgone *m*.

Liege (*pl* -n) *die* lettino *m*.

liegen (*präs* **liegt**, *prät* **lag**, *pp* **gelegen**) *vi* - **1.** *(Person)* stare *(orizzontale)*.
- **2.** *(Sache)* essere *(orizzontale)*.
- **3.** *(geografisch)* trovarsi.
- **4.** *(zeitlich)* : **das liegt lange zurück** risale a molto tempo fa.
- **5.** *(in Reihenfolge)* : **er liegt an zweiter Stelle** è in seconda posizione.
- **6.** *(Grund, Ursache)* : **an jm/etw liegen** essere dovuto a qn/qc.
- **7.** *(abhängen)* : **bei jm ~** dipendere da qn.
- **8.** *(wichtig sein)* : **es liegt uns viel daran** ci teniamo molto.

liegen bleiben *vi (unr & ist) (nicht aufstehen)* restare sdraiato(a) ; *fam (mit Auto, Bus)* rimanere a piedi.

Liegesitz (*pl* -e) *der (im Zug, Auto)* sedile *m* reclinabile.

Liegestuhl (*pl* -stühle) *der* sedia *f* a sdraio.

Liegewagen (*pl* -) *der* carrozza *f* con cuccette.

Liegewagenplatz (*pl* -plätze) *der* posto *m* in cuccetta.

Liegewiese (*pl* -n) *die* prato *m (per sdraiarsi)*.

lieh *prät* → **leihen**.

ließ *prät* → **lassen**.

liest *präs* → **lesen**.

Lift (*pl* -e) *der (Aufzug)* ascensore *m* ; *(Skilift)* skilift *m*.

light *adj (Zigaretten, Nahrungsmittel)* leggero(a).

Likör (*pl* -e) *der* liquore *m*.

lila *adj* lilla.

Limonade (*pl* -n) *die (Zitronenlimonade)* limonata *f*; *(Orangenlimonade)* aranciata *f*.

Linde (*pl* -n) *die (Baum)* tiglio *m*.

lindern *vt* alleviare.

Lineal (*pl* -e) *das* righello *m*.

Linie (*pl* -n) *die (Strich)* riga *f* ; *(Verkehrsmittel)* linea *f*.

Linienbus (*pl* -se) *der* autobus *m* di linea.

Linienflug (*pl* -flüge) *der* volo *m* di linea.

Linienmaschine (*pl* -n) *die* aereo *m* di linea.

Linienverkehr *der* servizio *m* di linea.

link *adj abw* losco(a).

linke, r, s *adj (Seite)* sinistro(a) ; *(Politik)* di sinistra.

links *adv* a sinistra ; ~ **von jm/etw** a sinistra di qn/qc ; **nach** ~ a sinistra ; **von** ~ da sinistra.

Linksabbieger (*pl* -) *der chi svolta a sinistra*.

Linkssteuerung (*pl* -en) *die* guida *f* a sinistra.

Linse (*pl* -n) *die (Gemüse)* lenticchia *f* ; *(in Kamera)* lente *f*.

Linsensuppe (*pl* -n) *die* zuppa *f* di lenticchie.

Lippe (*pl* -n) *die* labbro *m*.

Lippenstift (*pl* -e) *der* rossetto *m*.

List (*pl* -en) *die (Trick)* astuzia *f*.

Liste (*pl* -n) *die* lista *f*.

Liter (*pl* -) *der* litro *m*.

Literatur (*pl* -en) *die* letteratura *f*.

Literflasche (*pl* -n) *die* bottiglia *f* da un litro.

litt *prät* → **leiden**.

Lizenz (*pl* -en) *die (Erlaubnis)* licenza *f*.

Lkw, LKW (*pl* -s) *der abk für* **Lastkraftwagen**.

Lob *das (von Person)* lode *f*.

loben *vt* lodare.

Loch (*pl* **Löcher**) *das* buco *m* ; *(in der Erde)* buca *f*.

lochen *vt* bucare.

Locke (*pl* -n) *die* ricciolo *m*.

Lockenwickler (*pl* -) *der* bigodino *m*.

locker *adj (Schraube, Knoten)* allentato(a) ; *(Beziehung)* libero(a). ◆ *adv (zwanglos)* in modo disinvolto ; *fam (leicht, einfach)* facilmente.

lockern *vt (Knoten)* allentare.

lockig *adj* riccio(a).

Löffel (*pl* -) *der* cucchiaio *m*.

Löffelbisquit (*pl* -s) *der* savoiardo *m*.

löffeln *vt* mangiare con il cucchiaio.

log *prät* → **lügen**.

Loge (*pl* **-n**) *die* palco *m*.

logisch *adj* logico(a).

Lohn (*pl* **Löhne**) *der* (*Bezahlung*) paga *f*.

lohnen : sich lohnen *ref* valere la pena.

Lohnsteuer (*pl* **-n**) *die* imposta *f* sul reddito (*da lavoro dipendente*).

Loipe (*pl* **-n**) *die* pista *f* da sci di fondo.

Lok (*pl* **-s**) *die* = **Lokomotive**.

lokal *adj* locale.

Lokal (*pl* **-e**) *das* locale *m*.

Lokalnachrichten *pl* notizie *fpl* locali.

Lokomotive (*pl* **-n**) *die* locomotiva *f*.

London *nt* Londra *f*.

los *adj* (*lose*) staccato(a) ; **los!** dai! ; **es ist viel/wenig ~** c'è molto/poco movimento ; **was ist los?** cosa c'è? ◆ *adv* SPORT : **los!** via!

Los (*pl* **-e**) *das* (*von Lotterie*) biglietto *m*.

löschen *vt* (*Feuer*) spegnere ; (*Daten, Aufnahme*) cancellare.

lose *adj* (*locker*) staccato(a) ; (*Seiten, Blätter*) sciolto(a) ; (*unverpackt*) sfuso(a).

losen *vi* tirare a sorte.

lösen *vt* (*Fahrkarte, Eintrittskarte*) comprare ; (*Aufgabe, Rätsel*) risolvere ; (*Bremse*) allentare ; (*auflösen*) sciogliere ; (*Knoten*) disfare.

los|fahren *vi* (*unr* & *ist*) partire.

los|lassen *vt* (*unr*) (*Person, Tier*) lasciare (*libero*).

löslich *adj* (*Kaffee*) solubile.

Lösung (*pl* **-en**) *die* soluzione *f*.

los|werden *vt* (*unr* & *ist*) (*Person, Grippe*) sbarazzarsi di ; *fam* (*Geld*) buttar via.

Lotion (*pl* **-en**) *die* lozione *f*.

lotsen *vt* (*Flugzeug, Person*) dirigere.

Lotterie (*pl* **-n**) *die* lotteria *f*.

Lotto *das* lotto *m*.

Lottoschein (*pl* **-e**) *der* schedina *f* del lotto.

Löwe (*pl* **-n**) *der* (*Tier*) leone *m* ; (*Sternzeichen*) Leone *m*.

Lücke (*pl* **-n**) *die* (*räumlich*) spazio *m* (*vuoto*) ; (*Mangel*) lacuna *f*.

lud *prät* → **laden**.

Luft *die* (*Gas, Raum*) aria *f* ; **frische ~** aria fresca.

Luftballon (*pl* **-s**) *der* palloncino *m*.

luftdicht *adj* ermetico(a).

Luftdruck *der* pressione *f* (*dell'aria*).

lüften *vt* & *vi* arieggiare.

Luftfahrtgesellschaft (*pl* **-en**) *die* compagnia *f* aerea.

Luftfeuchtigkeit *die* umidità *f* (*dell'aria*).

Luftfilter (*pl* **-**) *der* filtro *m* dell'aria.

Luftkissenboot (*pl* -e) *das* hovercraft *m*.
Luftkurort (*pl* -e) *der* stazione *f* climatica.
Luftlinie *die* linea *f* d'aria.
Luftmatratze (*pl* -n) *die* materassino *m* gonfiabile.
Luftpost *die* posta *f* aerea.
Luftpumpe (*pl* -n) *die* pompa *f* pneumatica.
Luftröhre (*pl* -n) *die* trachea *f*.
Lüftung (*pl* -en) *die (Gerät)* impianto *m* di ventilazione.
Luftverkehr *der* traffico *m* aereo.
Luftverschmutzung *die* inquinamento *m* atmosferico.
Luftzug *der* corrente *f* d'aria.
Lüge (*pl* -n) *die* bugia *f*.
lügen (*prät* **log**, *pp* **gelogen**) *vi* mentire.
Lügner, in (*mpl* -) *der, die* bugiardo *m*, -a *f*.
Lunchpaket (*pl* -e) *das* cestino *m* da viaggio.
Lunge (*pl* -n) *die* polmone *m*.
Lungenentzündung (*pl* -en) *die* polmonite *f*.
Lüngerl *das Österr frattaglie di vitello tagliate finemente e bollite nell'aceto.*
Lupe (*pl* -n) *die* lente *f* d'ingrandimento.
Lust (*pl* **Lüste**) *die (Bedürfnis)* voglia *f*; *(Freude)* piacere *m* ; *(sexuell)* desiderio *m* ; **(keine) ~ haben auf** *(+A)* (non) avere voglia di.
lustig *adj (witzig)* divertente ; **sich ~ machen über etw/jn** prendere in giro qc/qn.
lutschen *vt* succhiare.
Lutscher (*pl* -) *der* lecca-lecca *m*.
Luxemburg *nt* Lussemburgo *m*.
Luxemburger, in (*mpl* -) *der, die* lussemburghese *mf*.
luxemburgisch *adj* lussemburghese.
luxuriös *adj* lussuoso(a).
Luxus *der* lusso *m*.
Luzern *nt* Lucerna *f*.

M

machen *vt* - 1. fare ; *(tun)* : **was machst du heute Abend?** cosa fai stasera? ; **das macht 5 Euro!** fanno 5 euro!
- 2. *(herstellen)* : **jm Essen ~** fare da mangiare a qn.
- 3. *(verbringen, unternehmen, erledigen)* : **Überstunden ~** fare gli straordinari.
- 4. *(Gefühl)* : **Angst ~** fare paura.
- 5. *(verändern, bewirken)* : **jn glücklich ~** fare felice qn ; **etw sauber ~** pulire qc.
- 6. *(Kurs, Prüfung)* fare.
- 7. *(ausmachen)* : **das macht nichts!** non fa niente.
Macht (*pl* **Mächte**) *die (über Land, Personen)* potere *m* ; **an der ~ sein** essere al potere.

mächtig *adj* *(König, Land)* potente.

machtlos *adj* impotente.

Macke (*pl* **-n**) *die fam (Verrücktheit)* fisima *f* ; *fam (Fehler)* difetto *m*.

Mädchen (*pl* **-**) *das (Kind)* bambina *f* ; *(Jugendliche)* ragazza *f*.

Mädchenname (*pl* **-n**) *der* nome *m* da nubile.

Made (*pl* **-n**) *die* verme *m*.

Madonna (*pl* **Madonnen**) *die (Kunstwerk)* Madonna *f*.

Madrid *nt* Madrid *f*.

mag *präs* → **mögen**.

Magazin (*pl* **-e**) *das (Illustrierte)* rivista *f*.

Magen (*pl* **Mägen**) *der* stomaco *m* ; **sich** *(D)* **den ~ verderben** avere lo stomaco sottosopra.

Magenbeschwerden *pl* disturbi *mpl* gastrici.

Magenbitter (*pl* **-**) *der* amaro *m* digestivo.

Magengeschwür (*pl* **-e**) *das* ulcera *f* gastrica.

Magenschmerzen *pl* mal *m* di stomaco.

mager *adj* *(Fleisch, Käse)* magro(a).

Magermilch *die* latte *m* scremato.

Maggi® *das (Würfel)* dado *m* da brodo.

Magnet (*pl* **-e**) *der (Metall)* calamita *f*.

mähen *vt* *(Gras, Feld)* falciare ; **den Rasen ~** tagliare l'erba.

Mahl (*pl* **-er**) *das (Essen)* pasto *m*.

mahlen *vt* *(Getreide, Mehl)* macinare.

Mahlzeit (*pl* **-en**) *die* pasto *m* ; *(vor dem Essen)* **~!** buon appetito!

Mahnmal (*pl* **-e**) *das* monumento *m* commemorativo.

Mahnung (*pl* **-en**) *die (Handlung)* ammonimento *m* ; *(Brief)* sollecito *m*.

Mai *der* maggio ; **der Erste ~** il Primo Maggio ; *siehe auch* **September**.

Maibaum (*pl* **-bäume**) *der* albero *m* di maggio.

MAIBAUM

L'albero di maggio è un'antica tradizione primaverile. La vigilia del primo maggio in molti paesi è usanza abbattere un albero, di solito una betulla, decorarlo con nastri e porlo nella piazza principale. Gli abitanti del paese vegliano l'albero per tutta la notte accanto ad un falò, per impedire che i giovani di un paese vicino se ne impadroniscano. L'albero di maggio viene realizzato anche in occasione di altre feste o festività.

Maifeiertag (*pl* **-e**) *der* festa *f* del lavoro.

Mailand *nt* Milano *f*.

Mainz *nt* Magonza *f*.

Mais *der* granturco *m*.

Majonäse (*pl* **-n**) *die* maionese *f*.

Majoran *der* maggiorana *f.*

Make-up (*pl* **-s**) *das* make-up *m.*

Makkaroni *pl* maccheroni *mpl.*

Makler, in (*mpl* **-**) *der, die* mediatore *m*, -trice *f.*

Makrele (*pl* **-n**) *die* sgombro *m.*

mal *adv fam (in Zukunft, Vergangenheit)* una volta. ◆ *konj (zur Multiplikation)* per ; **hör ~!** *fam* ascolta! ; **sag ~!** *fam* dimmi un po'.

Mal (*pl* **-e**) *das (Zeitpunkt)* volta *f* ; **nächstes ~** la prossima volta ; **zum ersten/letzten ~** per la prima/ l'ultima volta ; **jedes ~** ogni volta.

Malaria *die* malaria *f.*

Malbuch (*pl* **-bücher**) *das* libro *m* da colorare.

malen *vt* & *vi (Bild)* dipingere.

Maler, in (*mpl* **-**) *der, die (Künstler)* pittore *m*, -trice *f.*

malerisch *adj (Ort)* pittoresco(a).

Malteser Hilfdienst *der servizio assistenziale dell'ordine di Malta.*

Malzbier *das* birra *f* di malto.

Mama (*pl* **-s**) *die fam* mamma *f.*

man *pron (jeder, irgendjemand)* si.

Manager, in (*mpl* **-**) *der, die* manager *mf.*

manche, r, s *pron (einige)* qualcuno (qualcuna), alcuni (alcune). ◆ *det (einige)* qualche.

manchmal *adv* qualche volta.

Mandarine (*pl* **-n**) *die* mandarino *m.*

Mandel (*pl* **-n**) *die* mandorla *f* ; *(Organ)* tonsilla *f.*

Mandelentzündung (*pl* **-en**) *die* tonsillite *f.*

Manege (*pl* **-n**) *die* maneggio *m.*

Mangel (*pl* **Mängel**) *der (Zustand)* scarsità *f* ; *(Fehler)* difetto *m.*

mangelhaft *adj* insufficiente.

Mango (*pl* **-s**) *die* mango *m.*

Manieren *pl* maniere *fpl.*

Maniküre *die* manicure *f.*

manipulieren *vt* manipolare.

Mann (*pl* **Männer**) *der (Erwachsener)* uomo *m* ; *(Ehemann)* marito *m* ; *fam* **Mann!** santo cielo!

Mannequin (*pl* **-s**) *das* indossatore *m*, -trice *f.*

männlich *adj (Person, Tier, Pflanze)* maschio ; *(von Mann, GRAMM)* maschile ; *(für Männer typisch)* virile.

Mannschaft (*pl* **-en**) *die (beim Sport)* squadra *f* ; *(von Schiff, Flugzeug)* equipaggio *m.*

Manöver (*pl* **-**) *das* manovra *f.*

Mantel (*pl* **Mäntel**) *der (Kleidungsstück)* cappotto *m* ; *(von Reifen)* copertone *m.*

manuell *adj (Herstellung)* manuale.

Manuskript (*pl* **-e**) *das* manoscritto *m*.

Mappe (*pl* **-n**) *die (Hülle)* cartellina *f*; *(Tasche)* cartella *f*.

Maracuja (*pl* **-s**) *die* frutto *m* della passione.

Marathon (*pl* **-s**) *der* maratona *f*.

Märchen (*pl* **-**) *das (Erzählung)* favola *f*.

Margarine *die* margarina *f*.

Mariä Himmelfahrt *nt* Assunzione *f* di Maria Vergine.

Marienkäfer (*pl* **-**) *der* coccinella *f*.

Marille (*pl* **-n**) *die Österr* albicocca *f*.

Marillenknödel (*pl* **-**) *der Österr dessert di forma rotondeggiante a base di pasta di patate, spolverato con zucchero a velo e con un'albicocca all'interno.*

Marinade (*pl* **-n**) *die (zum Einlegen)* marinata *f*.

marinieren *vt* marinare.

Marionette (*pl* **-n**) *die (Puppe)* marionetta *f*.

Mark[1] (*pl* **-**) *die (Währung)* marco *m*.

Mark[2] *das (Knochenmark)* midollo *m*; *(aus Obst, Gemüse)* concentrato *m*.

Marke (*pl* **-n**) *die (von Hersteller)* marca *f*; *(Briefmarke)* bollo *m*; *(für Garderobe)* contrassegno *m*.

Markenartikel (*pl* **-**) *der* articolo *m* di marca.

Markenzeichen (*pl* **-**) *das* marchio *m* di fabbrica.

markieren *vt (kennzeichen)* contrassegnare.

Markierung (*pl* **-en**) *die (im Text)* segno *m*; *(auf Straße)* segnalazione *f*; **'fehlende ~'** 'strada senza segnaletica' (orizzontale).

Markise (*pl* **-n**) *die* tenda *f* da sole *(avvolgibile)*.

Markt (*pl* **Märkte**) *der* mercato *m*; **auf den** ODER **zum ~ gehen** andare al mercato.

Marktforschung *die* ricerca *f* di mercato.

Marktfrau (*pl* **-en**) *die* rivenditrice *f*.

Markthalle (*pl* **-n**) *die* mercato *m* coperto.

Marktplatz (*pl* **-plätze**) *der* piazza *f* del mercato.

Marmelade (*pl* **-n**) *die* marmellata *f*.

Marmor *der* marmo *m*.

Marokko *nt* Marocco *m*.

Marone (*pl* **-n**) *die (Kastanie)* marrone *m*; *(Pilz)* boleto *m* dei castagni.

Marsch[1] (*pl* **Märsche**) *der (Wanderung, Musik)* marcia *f*.

Marsch[2] (*pl* **-en**) *die (an Küste) costa bassa e molto fertile sul Mare del Nord.*

marschieren *vi (ist)* marciare.

Marschmusik *die* musica *f* militare.

Marxismus *der* marxismo *m*.

März *der* marzo *m* ; *siehe auch* **September**.

Marzipan *das* marzapane *m*.

Maschine (*pl* **-n**) *die (Gerät)* macchina *f*.

maschinell *adj* a macchina. ◆ *adv* a macchina.

Masern *pl* morbillo *m*.

Maske (*pl* **-n**) *die* maschera *f*.

Maskenball (*pl* **-bälle**) *der* ballo *m* in maschera.

maskieren : **sich maskieren** *ref* mascherarsi.

Maskottchen (*pl* **-**) *das* mascotte *f*.

maskulin *adj* maschile.

maß *prät* → **messen**.

Maß[1] (*pl* **-e**) *das (von Raum, Größe)* dimensione *f*; *(Einheit)* misura *f*.

Maß[2] *die Süddt (Liter)* litro *m*.

Massage (*pl* **-n**) *die* massaggio *m*.

Masse (*pl* **-n**) *die (von Personen)* folla *f*, *(von Dingen)* quantità *f*; *(Brei)* impasto *m*.

Maßeinheit (*pl* **-en**) *die* unità *f* di misura.

massenhaft *adj* in massa.

Massenmedium (*pl* **-medien**) *das* mass media *mpl*.

Massentourismus *der* turismo *m* di massa.

Masseur, in (*mpl* **-e**) *der, die* massaggiatore *m*, -trice *f*.

maßgeschneidert *adj (Kleidung)* fatto(a) su misura.

massieren *vt* massaggiare.

mäßig *adj (Leistung, Wetter)* mediocre.

massiv *adj* massiccio(a) ; *(Kritik)* pesante.

Maßkrug (*pl* **-krüge**) *der Süddt* boccale *m* da litro.

Maßnahme (*pl* **-n**) *die* provvedimento *m*.

Maßstab (*pl* **-stäbe**) *der (auf Landkarten)* scala *f*; *(Richtlinie)* criterio *m* ; **im ~ 1 :25.000** in scala 1 :25.000.

Mast (*pl* **-en**) *der (für Segel)* albero *m* ; *(für Fahne)* asta *f*.

Material (*pl* **-ien**) *das* materiale *m*.

materialistisch *adj (Person, Einstellung)* materialista.

Mathematik *die* matematica *f*.

Matinee (*pl* **-n**) *die* matinée *f*.

Matjes (*pl* **-**) *der* aringa *f* sotto sale.

Matratze (*pl* **-n**) *die (im Bett)* materasso *m*.

Matrose (*pl* **-n**) *der* marinaio *m*.

Matsch *der (Schlamm)* fanghiglia *f*.

matt *adj (glanzlos)* opaco(a).

Matte (*pl* **-n**) *die (Fußmatte)* stuoino *m* ; *(für Strand)* materassino *m*.

Mauer (*pl* **-n**) *die* muro *m*.

Maul (*pl* **Mäuler**) *das (von Tieren)* muso *m*.

Maulwurf (*pl* **-würfe**) *der* talpa *f*.

Maurer, in (*mpl* **-**) *der, die* muratore *m*.

Maus (*pl* Mäuse) *die (Tier)* topo *m* ; *(am Computer)* mouse *m*.
Mausefalle (*pl* -n) *die* trappola *f* per topi.
Mautgebühr (*pl* -en) *die Österr* pedaggio *m*.
Mautstelle (*pl* -n) *die Österr* casello *m*.
Mautstraße (*pl* -n) *die Österr* strada *f* a pedaggio.
maximal *adj* massimo(a). ◆ *adv* al massimo.
Maximum (*pl* Maxima) *das* massimo *m*.
Mayonnaise *die* = Majonäse.
Mechaniker, in (*mpl* -) *der, die* meccanico *m*.
mechanisch *adj* meccanico(a). ◆ *adv* meccanicamente.
Mechanismus (*pl* -men) *der* meccanismo *m*.
Mecklenburg-Vorpommern *nt* Meclemburgo-Pomerania occidentale *m*.
Medaille (*pl* -n) *die* medaglia *f*.
Medien *pl (Rundfunk, Zeitung, Fernsehen)* mass-media *mpl*.
Medikament (*pl* -e) *das* farmaco *m*.
Meditation (*pl* -en) *die* meditazione *f*.
meditieren *vi* meditare.
Medizin *die* medicina *f*.
medizinisch *adj (Bäder)* medico(a).
Meer (*pl* -e) *das* mare *m* ; am ~ wohnen abitare al mare ; ans ~ fahren andare al mare.
Meerenge (*pl* -n) *die* stretto *m*.
Meeresfrüchte *pl* frutti *mpl* di mare.
Meeresspiegel *der* livello *m* del mare.
Meerrettich *der* rafano *m*.
Meerschweinchen (*pl* -) *das* porcellino *m* d'India.
Meerwasser *das* acqua *f* di mare.
Mehl *das (aus Getreide)* farina *f*.
Mehlspeise (*pl* -n) *die pietanza dolce o salata a base di farina, uova e latte*.
mehr *komp* → viel. ◆ *det* più. ◆ *pron* di più. ◆ *adv* più ; es ist keiner ~ da non c'è più nessuno ; von dem Käse ist nichts ~ da di formaggio non ce n'è più ; nie ~ mai più.
mehrere *adj & pron* parecchi (parecchie).
mehrfach *adj* multiplo(a). ◆ *adv* ripetutamente.
Mehrfahrten-Ausweis (*pl* -e) *der* biglietto *m* valido per più corse.
Mehrheit (*pl* -en) *die* maggioranza *f*.
mehrmals *adv* più volte.
mehrsprachig *adj (Wörterbuch, Text)* plurilingue ; *(Person)* poliglotta.
Mehrwertsteuer *die* imposta *f* sul valore aggiunto.
Mehrzahl *die* GRAMM plurale *m* ; *(Mehrheit)* maggior parte *f*.

meiden (*prät* **mied**, *pp* **gemieden**) *vt (Situation, Person)* evitare.
Meile (*pl* **-n**) *die* miglio *m*.
mein, e *det* il mio (la mia), i miei (le mie).
meine, r, s *pron* il mio (la mia), i miei (le mie). ◆ *det* → **mein**.
meinen *vt (denken, glauben)* pensare ; *(sagen)* dire ; **das war nicht so gemeint** non intendevo dire questo.
meinetwegen *adv (wegen mir, von mir aus)* per me.
Meinung (*pl* **-en**) *die* opinione *f*.
Meise (*pl* **-n**) cinciallegra *f*.
meist *adv* di solito.
meiste *superl* → **viel.** ◆ *adj* la maggior parte di. ◆ *pron* la maggior parte ; **die ~n** la maggior parte.
meistens *adv* solitamente.
Meister, in (*mpl* **-**) *der, die (Titel)* maestro *m*, -a *f*; SPORT campione *m*, -essa *f*.
Meisterschaft (*pl* **-en**) *die* campionato *m*.
Meisterwerk (*pl* **-e**) *das* capolavoro *m*.
melden *vt (bei Behörde, Versicherung)* denunciare ; *(in Medien)* segnalare. ■ **sich melden** *ref (sich bemerkbar machen)* farsi sentire ; *(am Telefon)* rispondere.
melken (*prät* **molk**, *pp* **gemolken**) *vt (Tier)* mungere.
Melodie (*pl* **-n**) *die* melodia *f*.
Melone (*pl* **-n**) *die* melone *m* ; *(Wassermelone)* anguria *f*.
Memoiren *pl* memorie *fpl*.
Menge (*pl* **-n**) *die (Anzahl, Vielzahl)* quantità *f* ; **jede ~** *(sehr viel)* un sacco di.
Mengenrabatt (*pl* **-e**) *der* sconto *m* sulla quantità.
Mensch (*pl* **-en**) *der (Lebewesen)* uomo *m* ; *(Person)* persona *f* ; **kein ~** nessuno.
Menschenkenntnis *die* conoscenza *f* degli uomini.
menschenleer *adj* deserto(a).
Menschenmenge (*pl* **-n**) *die* folla *f*.
Menschenrechte *pl* diritti *mpl* umani.
Menschenwürde *die* dignità *f* umana.
Menschheit *die* umanità *f*.
menschlich *adj* umano(a).
Menstruation (*pl* **-en**) *die* mestruazione *f*.
Mentalität (*pl* **-en**) *die* mentalità *f*.
Menthol *das* mentolo *m*.
Menü (*pl* **-s**) *das (Essen)* menù *m*.
Merkblatt (*pl* **-blätter**) *das* foglio *m* d'istruzioni.
merken *vt (erkennen)* notare ; **sich** *(D)* **etw ~** *(sich einprägen)* ricordarsi di qc.
Merkmal (*pl* **-e**) *das* caratteristica *f*.
merkwürdig *adj* strano(a).

Messe (*pl* -n) *die (Gottesdienst)* messa *f*; *(Ausstellung)* fiera *f*.

Messegelände (*pl* -) *das* quartiere *m* fieristico.

messen (*präs* **misst**, *prät* **maß**, *pp* **gemessen**) *vt* & *vi* misurare.

Messer (*pl* -) *das* coltello *m*.

Messgerät (*pl* -e) *das* strumento *m* di misurazione.

Messing *das* ottone *m*.

Metall (*pl* -e) *das* metallo *m*.

Meteorologe, in (*mpl* -n) *der, die* meteorologo *m*, -a *f*.

Meter (*pl* -) *der* metro *m*; **2 ~ hoch/breit/lang/tief sein** essere alto(a) /largo(a) /lungo(a) /profondo(a) 2 metri.

Metermaß (*pl* -e) *das* metro *m* pieghevole.

Methode (*pl* -n) *die* metodo *m*.

Mettwurst (*pl* **-würste**) *die insaccato affumicato di maiale e manzo.*

Metzger, in (*mpl* -) *der, die* macellaio *m*, -a *f*.

Metzgerei (*pl* -en) *die* macelleria *f*.

MEZ *die* (*abk für mitteleuropäische Zeit*) ora *f* dell'Europa centrale.

MFG *abk für* **Mitfahrgelegenheit**.

mich *pron* → **ich**; *(Personalpronomen)* mi, me; *(Reflexivpronomen)* mi.

mied *prät* → **meiden**.

Miene (*pl* -n) *die* espressione *f*.

mies *adj fam* brutto(a); **sich ~ fühlen** sentirsi male.

Mietdauer *die* durata *f* della locazione.

Miete (*pl* -n) *die (Wohnung, Zimmer)* affitto *m*; *(Auto, Boot)* noleggio *m*.

mieten *vt (Wohnung, Zimmer)* affittare; *(Auto, Boot)* noleggiare; **sich** *(D)* **etw ~** prendersi qc in affitto.

Mieter, in (*mpl* -) *der, die* inquilino *m*, -a *f*.

Mietfahrzeug (*pl* -e) *das* veicolo *m* a noleggio.

Mietvertrag (*pl* **-verträge**) *der* contratto *m* di locazione.

Mietwagen (*pl* -) *der* automobile *f* a noleggio.

Mietwohnung (*pl* -en) *die* appartamento *m* in affitto.

Migräne *die* emicrania *f*.

Mikrofon (*pl* -e) *das* microfono *m*.

Mikrowellenherd (*pl* -e) *der* forno *m* a microonde.

Milch *die* latte *m*; **fettarme ~** latte scremato.

Milchbrötchen (*pl* -) *das* panino *m* al latte.

Milcheis *das* gelato *m* al latte.

Milchkaffee (*pl* -s) *der* caffelatte *m*.

Milchmixgetränk (*pl* -e) *das* frappè *m*.

Milchprodukt (*pl* -e) *das* latticino *m*.

Milchpulver *das* latte *m* in polvere.

Milchschokolade *die* cioccolato *m* al latte.

mild *adj (Wetter)* mite ; *(Geschmack)* dolce.

Militär *das* esercito *m*.

Milliarde (*pl* **-n**) *die* miliardo *m*.

Milligramm (*pl* **-**) *das* milligrammo *m*.

Milliliter (*pl* **-**) *der* millilitro *m*.

Millimeter (*pl* **-**) *der* millimetro *m*.

Million (*pl* **-en**) *die* milione *m*.

Millionär, in (*mpl* **-e**) *der, die* milionario *m*, -a *f*.

Milz (*pl* **-en**) *die* milza *f*.

Mimik *die* mimica *f*.

Minderheit (*pl* **-en**) *die* minoranza *f*.

minderjährig *adj* minorenne.

Minderjährige (*pl* **-n**) *der, die* minorenne *mf*.

minderwertig *adj (Qualität)* scadente.

mindeste *adj* minimo(a).

mindestens *adv (wenigstens)* almeno ; **'~ haltbar bis'** 'da consumarsi preferibilmente entro'.

Mindesthaltbarkeit *die* data *f* di scadenza *(per il consumo)*.

Mindestumtausch *der* cambio *m* minimo obbligatorio.

Mineral (*pl* **-ien**) *das (in Wasser)* minerale *m*.

Mineralbad (*pl* **-bäder**) *das* bagno *m* minerale.

Mineralwasser (*pl* **-wässer**) *das* acqua *f* minerale.

Mini (*pl* **-s**) *der fam (Rock)* mini *(gonna) f*.

Minigolf *das* minigolf *m*.

Minigolfanlage (*pl* **-n**) *die* campo *m* da minigolf.

minimal *adj* minimo(a).

Minimum (*pl* **Minima**) *das* minimo *m*.

Minirock (*pl* **-röcke**) *der* minigonna *f*.

Minister, in (*mpl* **-**) *der, die* ministro *mf*.

Ministerium (*pl* **Ministerien**) *das* ministero *m*.

Ministerpräsident, in (*mpl* **-en**) *der, die (von Bundesland)* presidente *mf* del governo regionale ; *(Premierminister)* primo ministro *mf*.

minus *konj* & *adv* meno.

Minus *das (Fehlbetrag)* ammanco *m*.

Minute (*pl* **-n**) *die* minuto *m*.

Minze (*pl* **-n**) *die* menta *f*.

Mio. *(abk für Million)* ML.

mir *pron (Personalpronomen)* mi, a me ; *(Reflexivpronomen)* mi.

Mirabelle (*pl* **-n**) *die* mirabella *f*.

mischen *vt* mescolare.

Mischung (*pl* **-en**) *die* KÜCHE miscela *f* ; *(von Gefühlen)* miscuglio *m*.

missachten *vt (Vorschrift, Regel)* disprezzare.

Missbrauch (*pl* **-bräuche**) *der*

abuso *m* ; **'vor ~ wird gewarnt'** 'non superare le dosi consigliate'.

missbrauchen *vt* abusare di.

Misserfolg (*pl* **-e**) *der* insuccesso *m*.

Missgeschick (*pl* **-e**) *das* disavventura *f*.

Misshandlung (*pl* **-en**) *die* maltrattamento *m*.

misslang *prät* → **misslingen**.

misslingen (*prät* **misslang**, *pp* **misslungen**) *vi* fallire.

misslungen *pp* → **misslingen**.

misst *präs* → **messen**.

misstrauen *vi (+D)* diffidare di.

Misstrauen *das* diffidenza *f*.

misstrauisch *adj* diffidente.

Missverständnis (*pl* **-se**) *das* malinteso *m*.

missverstehen (*prät* **missverstand**, *pp* **missverstanden**) *vt (falsch verstehen)* fraintendere.

Mist *der (Dung)* letame *m* ; *fam (Plunder)* robaccia *f* ; *fam (Blödsinn)* cretinata *f*.

mit *präp (+D)* - 1. *(gen)* con ; **~ Zucker** con zucchero.
- 2. *(Angabe von Instrument, Mittel)* : **~ dem Zug** in treno ; **~ der Post** per posta.
- 3. *(Angabe von Zeitpunkt)* : **~ 16 Jahren** a 16 anni ; **~ Verspätung** in ritardo.

mit|arbeiten *vi* collaborare.

Mitarbeiter, in (*mpl* **-**) *der, die* collaboratore *m*, -trice *f*.

mit|bestimmen *vi* partecipare *(ad una decisione)*.

Mitbewohner, in (*mpl* **-**) *der, die* coinquilino *m*, -a *f*.

mit|bringen *vt (unr)* portare (con sé) ; **jm etw ~** portare qc a qn.

Mitbringsel (*pl* **-**) *das* regalino *m*.

miteinander *adv (zusammen)* insieme.

Mitesser (*pl* **-**) *der* comedone *m*.

mit|fahren *vi (unr & ist)* viaggiare insieme *(nello stesso veicolo)*.

Mitfahrgelegenheit (*pl* **-en**) *die possibilità di avere un passaggio in macchina partecipando alle spese*.

Mitfahrzentrale (*pl* **-n**) *die agenzia che mette in contatto persone che cercano e offrono passaggi in macchina con partecipazione alle spese*.

Mitgefühl *das* empatia *f*.

mit|gehen *vi (unr & ist) (mitkommen)* andare *(insieme)*.

Mitglied (*pl* **-er**) *das* membro *m* ; *(von Verein)* socio *m*.

Mitgliedsausweis (*pl* **-e**) *der* tessera *f* di socio.

Mitgliedsbeitrag (*pl* **-beiträge**) *der* quota *f* sociale.

mit|kommen *vi (unr & ist) (gemeinsam kommen)* venire *(insieme)* ; **kommst du mit?** vieni anche tu?

Mitleid *das* compassione *f*.

mit|machen *vt (Kurs, Tätigkeit)* partecipare a ; *(Schwierig-*

keiten) passare. ◆ *vi (sich beteiligen)* partecipare.

mitlnehmen *vt (unr) (Person, Gegenstand)* prendere *(con sé)* ; **zum Mitnehmen** da asporto.

Mitreisende (*pl* **-n**) *der, die* compagno *m*, -a *f* di viaggio.

Mitschüler, in (*mpl* -) *der, die* compagno *m*, -a *f* di scuola.

mitlspielen *vi (Kind, Schachspieler)* giocare *(insieme)*. ◆ *vt (Spiel)* partecipare a.

Mitspieler, in (*mpl* -) *der, die (bei Spiel)* compagno *m*, -a *f* di gioco.

Mittag (*pl* **-e**) *der* mezzogiorno *m* ; **am ~** a mezzogiorno ; **zu ~ essen** pranzare ; **heute/gestern/morgen ~** oggi/ieri/domani a mezzogiorno.

Mittagessen (*pl* -) *das* pranzo *m*.

mittags *adv* a mezzogiorno.

Mitte *die (räumlich, politisch)* centro *m* ; **in der ~ von** al centro di ; *(zeitlich)* metà *f* ; **~ nächster Woche** a metà della prossima settimana.

mitlteilen *vt* comunicare ; **jm etw ~** comunicare qc a qn.

Mitteilung (*pl* **-en**) *die* comunicazione *f*.

Mittel (*pl* -) *das (Hilfsmittel)* mezzo *m* ; *(zum Reinigen)* prodotto *m* ; *(Medikament)* rimedio *m* ; **ein ~ gegen** un rimedio contro.

Mittelalter *das* medioevo *m*.

mittelalterlich *adj* medioevale.

Mittelamerika *nt* America *f* centrale.

Mitteleuropa *das* Europa *f* centrale.

Mittelgebirge (*pl* -) *das* montagne *fpl* di media altezza.

mittelmäßig *adj (Spiel, Wetter)* mediocre. ◆ *adv (spielen)* mediocremente.

Mittelmeer *das* Mediterraneo *m*.

Mittelohrentzündung (*pl* **-en**) *die* otite *f* media.

Mittelpunkt (*pl* **-e**) *der (räumlich)* centro *m*.

Mittelstreifen (*pl* -) *der (von Straße)* striscia *f* di mezzeria.

Mittelwelle *die* onda *f* media.

mitten *adv (räumlich)* al centro di ; **~ durch** proprio in mezzo a ; **~ in der Nacht** nel cuore della notte.

Mitternacht *die* mezzanotte *f*.

mittlere, r, s *adj (durchschnittlich)* medio(a) ; *(in der Mitte)* intermedio(a).

mittlerweile *adv (inzwischen)* nel frattempo.

Mittwoch (*pl* **-e**) *der* mercoledì *m* ; *siehe auch* **Samstag**.

mittwochs *adv* di mercoledì ; *siehe auch* **samstags**.

mixen *vt (Salatsoße)* mescolare ; *(Cocktail)* shakerare.

Mixer (*pl* -) *der (Gerät)* mixer *m*.

Möbel (*pl* -) *das* mobile *m*.

mobil *adj (beweglich)* mobile.

Mobiliar *das* mobilia *f*.
Mobiltelefon (*pl* **-e**) *das* telefono *m* cellulare.
möbliert *adj* ammobiliato(a).
mochte *prät* → **mögen**.
möchte *präs* → **mögen**.
Mode (*pl* **-n**) *die* moda *f*.
Modell (*pl* **-e**) *das* modello *m*.
Modenschau (*pl* **-en**) *die* sfilata *f* di moda.
Moderator, in (*mpl* **-en**) *der, die (im Fernsehen)* conduttore *m*, -trice *f*.
modern *adj* moderno(a).
Modeschmuck *der* bigiotteria *f* di moda.
modisch *adj* alla moda.
Mofa (*pl* **-s**) *das* ciclomotore *m*.
mögen (*präs* **mag**, *prät* **mochte**, *pp* **gemocht** ODER **-**) *vt*
- 1. *(gern haben)* : **jd mag etw (gern)** a qn piace (molto) qc ; **alle Kinder ~ Eis** a tutti i bimbi piace il gelato.
- 2. *(wollen)* desiderare ; **was möchten Sie, bitte?** prego, cosa desidera? ; **ich möchte einen Kaffee** vorrei un caffè.
◆ *aux (pp mögen) (wollen)* volere.
möglich *adj* & *adv* possibile ; **alles Mögliche** di tutto.
möglicherweise *adv* forse, eventualmente.
Möglichkeit (*pl* **-en**) *die* possibilità *f*.
möglichst *adv (wenn möglich)* possibilmente ; **kommt ~ schnell!** venite il più velocemente possibile.
Mohammedaner, in (*mpl* **-**) *der, die* maomettano *m*, -a *f*.
Mohn *der (Blume)* papavero *m* ; *(Körner)* seme *m* di papavero.
Möhre (*pl* **-n**) *die* carota *f*.
Mohrenkopf (*pl* **-köpfe**) *der* KÜCHE testa *f* di moro.
Mokka (*pl* **-s**) *der* moca *m*.
molk *prät* → **melken**.
Molkerei (*pl* **-en**) *die* caseificio *m*.
Moll *das* tonalità *f* minore.
mollig *adj (Person)* paffuto(a).
Moment (*pl* **-e**) *der (Augenblick)* momento *m* ; **einen ~, bitte** un momento, per favore.
momentan *adj* momentaneo(a).
Monaco *nt* Monaco *f*.
Monarchie (*pl* **-en**) *die* monarchia *f*.
Monat (*pl* **-e**) *der* mese *m*.
monatelang *adj* di mesi.
◆ *adv* per mesi.
monatlich *adj (jeden Monat)* mensile. ◆ *adv (jeden Monat)* mensilmente.
Monatsbinde (*pl* **-n**) *die* assorbente *m* igienico.
Monatskarte (*pl* **-n**) *die* abbonamento *m* mensile.
Mönch (*pl* **-e**) *der* monaco *m*.
Mond (*pl* **-e**) *der* luna *f*.
Mondfinsternis (*pl* **-se**) *die* eclissi *f* lunare.
Monitor (*pl* **-e**) *der (von Computer)* monitor *m*.
monoton *adj* monotono(a).

Montag (*pl* -e) *der* lunedì *m* ; *siehe auch* **Samstag.**
Montage (*pl* -n) *die (von Apparaten)* montaggio *m.*
montags *adv* di lunedì ; *siehe auch* **samstags.**
Monteur, in (*mpl* -e) *der, die* installatore *m*, -trice *f.*
montieren *vt (anbringen)* montare.
Monument (*pl* -e) *das* monumento *m.*
Moor (*pl* -e) *das* palude *f.*
Moos (*pl* -e) *das (Pflanze)* muschio *m.*
Moped (*pl* -s) *das* motorino *m.*
Moral *die (Ethik)* morale *f.*
moralisch *adj* morale.
Mord (*pl* -e) *der* assassinio *m.*
Mörder, in (*mpl* -) *der, die* assassino *m*, -a *f.*
morgen *adv (Tag nach heute)* domani ; *(Vormittag)* mattina ; **bis ~!** a domani! ; **~ früh** domani mattina.
Morgen (*pl* -) *der (Tageszeit)* mattino *m* ; **gestern/heute ~** ieri mattina/stamattina ; **guten ~!** buongiorno!
Morgengrauen *das* alba *f.*
morgens *adv* di mattina ; **früh ~** di mattina presto.
Morphium *das* morfina *f.*
morsch *adj* marcio(a).
Mosaik (*pl* -en) *das* mosaico *m.*
Moschee (*pl* -n) *die* moschea *f.*
Mosel *die* Mosella *f.*
Moskau *nt* Mosca *f.*
Moskito (*pl* -s) *der* zanzara *f.*
Moskitonetz (*pl* -e) *das* zanzariera *f.*
Moslem (*pl* -s) *der* musulmano *m.*
Mostrich *der* mostarda *f.*
Motel (*pl* -s) *das* motel *m.*
Motiv (*pl* -e) *das* motivo *m.*
motivieren *vt (Person)* motivare.
Motor (*pl* -en) *der* motore *m* ; **'~ abstellen!'** 'spegnere il motore'!
Motorboot (*pl* -e) *das* barca *f* a motore.
Motorhaube (*pl* -n) *die* cofano *m.*
Motorjacht (*pl* -en) *die* yacht *m* a motore.
Motorrad (*pl* -räder) *das* motocicletta *f.*
Motorradfahrer, in (*mpl* -) *der, die* motociclista *mf.*
Motorradhelm (*pl* -e) *der* casco *m (da motociclista).*
Motorroller (*pl* -) *der* scooter *m.*
Motorschaden (*pl* -schäden) *der* danno *m* al motore.
Motorsport *der* motorismo *m.*
Motte (*pl* -n) *die* tarma *f.*
Motto (*pl* -s) *das* motto *m.*
Möwe (*pl* -n) *die* gabbiano *m.*
Mrd. *(abk für Milliarde)* MLD.
Mücke (*pl* -n) *die* zanzara *f.*
Mückenstich (*pl* -e) *der* puntura *f* di zanzara.
müde *adj* stanco(a).

Müdigkeit *die* stanchezza *f.*

Mühe (*pl* **-n**) *die* fatica *f*; **sich** *(D)* **~ geben** darsi da fare.

Mühle (*pl* **-n**) *die (Gebäude)* mulino *m* ; *(Spiel)* tria *f.*

mühsam *adj* faticoso(a).

Mull *der (Material)* garza *f.*

Müll *der* spazzatura *f*; **etw in den ~ werfen** buttare qc nella spazzatura.

Müllabfuhr *die (Institution)* nettezza *f* urbana.

Mullbinde (*pl* **-n**) *die* fascia *f* di garza.

Müllcontainer (*pl* **-**) *der* cassonetto *m* dei rifiuti.

Mülleimer (*pl* **-**) *der* secchio *m* delle immondizie.

Mülltonne (*pl* **-n**) *die* bidone *m (delle immondizie).*

Müllwagen (*pl* **-**) *der* mezzo *m* per la raccolta dei rifiuti.

multiplizieren *vt* moltiplicare.

Mumie (*pl* **-n**) *die* mummia *f.*

Mumps *der* orecchioni *mpl.*

München *nt* Monaco *f.*

Mund (*pl* **Münder**) *der* bocca *f*; **halt den ~!** *fam* stai zitto!

Mundart (*pl* **-en**) *die* dialetto *m.*

münden *vi (Fluss)* sfociare.

mündlich *adj* orale. ◆ *adv* oralmente.

Mündung (*pl* **-en**) *die* foce *f.*

Mundwasser *das* collutorio *m.*

Münster (*pl* **-**) *das* cattedrale *f.*

munter *adj (wach)* vispo(a) ; *(fröhlich)* allegro(a).

Münzautomat (*pl* **-en**) *der* distributore *m* a monete.

Münze (*pl* **-n**) *die* moneta *f*; **nur mit ~n zahlen** pagare solo con monete.

Münzeinwurf (*pl* **-würfe**) *der* introduzione *f* monete.

Münzfernsprecher (*pl* **-**) *der* telefono *m* a monete.

Münzgeld *das* : **'~ einwerfen'** 'introdurre le monete'.

Münzrückgabe (*pl* **-n**) *die* restituzione *f* monete ; **'keine ~'** 'la macchina non dà resto'.

Münz-Wäscherei (*pl* **-en**) *die* lavanderia *f* a gettoni.

Münzwechsler (*pl* **-**) *der* cambiamonete *m* automatico.

murmeln *vt* & *vi (sagen)* mormorare.

mürrisch *adj* imbronciato(a), scontroso(a).

Mus *das* purea *f.*

Muschel (*pl* **-n**) *die* conchiglia *f*; *(Miesmuschel)* cozza *f.*

Museum (*pl* **Museen**) *das* museo *m.*

Musical (*pl* **-s**) *das* musical *m.*

Musik *die* musica *f.*

musikalisch *adj* musicale.

Musikbox (*pl* **-en**) *die* jukebox *m.*

Musiker, in (*mpl* **-**) *der, die* musicista *mf.*

musizieren *vi* fare musica.

Muskat *der* noce *f* moscata.

Muskel (*pl* **-n**) *der* muscolo *m.*

Muskelkater *der* dolori *mpl* muscolari *(da sforzo)*.

Muskelzerrung *(pl* **-en)** *die* strappo *m* muscolare.

muskulös *adj* muscoloso(a).

Müsli *(pl* **-s)** *das* muesli *m*.

muss *präs* → **müssen**.

müssen *(präs* **muss**, *prät* **musste**, *pp* - ODER **gemusst)** *aux*
- 1. *(gezwungen sein, nötig sein)* dovere ; **etw tun ~** dover fare qc ; **muss das sein?** è proprio indispensabile?
- 2. *(wahrscheinlich sein)* : **sie muss bald hier sein** dovrebbe essere qui fra poco.

◆ *vi (pp gemusst)* - 1. *(gezwungen sein)* dovere.
- 2. *(zur Toilette) fam* : **ich muss mal** devo andare in bagno.

Muster *(pl* **-)** *das (Probe)* campione *m*.

Mut *der (Furchtlosigkeit)* coraggio *m*.

mutig *adj* coraggioso(a).

Mutter *(pl* **Mütter)** *die (Person)* madre *f*.

Muttersprache *(pl* **-n)** *die* madrelingua *f*.

Muttertag *(pl* **-e)** *der* festa *f* della mamma.

Mütze *(pl* **-n)** *die* berretto *m*.

MwSt. *(abk für Mehrwertsteuer)* IVA.

mysteriös *adj* misterioso(a).

Mythos *(pl* **Mythen)** *der* mito *m*.

N

N *(abk für Nord)* N.

na *interj* allora ; **~ gut!** va bene! ; **~ also!** finalmente!

Nabel *(pl* **-)** *der* ombelico *m*.

nach *präp (+D)* - 1. *(zur Angabe einer Richtung)* a, verso ; **~ Italien fahren** andare in Italia ; **~ oben/unten** verso l'alto/il basso ; **~ rechts** a destra.
- 2. *(zeitlich)* dopo ; **~ Ihnen!** dopo di Lei!
- 3. *(zur Angabe der Uhrzeit)* : **um fünf ~ drei** alle tre e cinque.
- 4. *(entsprechend)* secondo ; **meiner Meinung ~** secondo me.

Nachbar, in *(mpl* **-n)** *der, die* vicino *m*, -a *f*.

nach|bestellen *vt (Ware)* ordinare successivamente ; **ein Foto ~** ordinare una ristampa.

nachdem *konj* dopo che ; **je ~** a seconda di/che.

nach|denken *vi (unr)* riflettere ; **~ über** *(+A)* riflettere su.

nachdenklich *adj* pensieroso(a).

nacheinander *adv* uno dopo l'altro (una dopo l'altra).

nach|forschen *vi* indagare.

Nachfrage *die (Kaufwunsch)* domanda *f*.

nach|geben *vi (unr & +D) (bei Streit)* cedere.

nach|gehen *vi (unr) (Uhr)* essere indietro ; *(folgen)* : **jm ~** seguire qn.

nachǀhelfen *vi (unr) (helfen)* dare un aiuto.

nachher *adv (später)* dopo ; **bis ~!** a dopo!

nachǀholen *vt (Versäumtes)* recuperare.

nachǀkommen *vi (unr & ist)* venire successivamente.

nachǀlassen *vi (unr) (Regen, Schmerz)* diminuire.

nachlässig *adj* noncurante.

nachǀlösen *vt* : **eine Fahrkarte ~** acquistare un biglietto direttamente sul mezzo di trasporto.

nachǀmachen *vt (nachahmen)* imitare.

Nachmittag (*pl* **-e**) *der* pomeriggio *m* ; **am ~** nel pomeriggio ; **gestern/heute/morgen ~** ieri/oggi/domani pomeriggio.

nachmittags *adv* di pomeriggio.

Nachnahme *die* : **per ~** in contrassegno.

Nachname (*pl* **-n**) *der* cognome *m*.

nachǀprüfen *vt* verificare.

nachǀrechnen *vt* verificare.

Nachricht (*pl* **-en**) *die (Mitteilung)* messaggio *m* ; *(Neuigkeit)* notizia *f* ; **eine ~ hinterlassen** lasciare un messaggio. ■ **Nachrichten** notizie *fpl*, *(im Fernsehen)* telegiornale *m* ; *(im Radio)* giornale *m* radio.

nachǀsagen *vt* : *(zuschreiben)* **jm etw ~** dire qc di qn.

Nachsaison *die* bassa stagione *f*.

nachǀschauen *vt (prüfen)* controllare.

nachǀschlagen *vt (unr) (in Wörterbuch)* cercare.

nachǀsehen *vt (unr) (prüfen)* controllare. ◆ *vi (unr & +D) (hinterhersehen)* seguire con lo sguardo.

Nachsendeantrag (*pl* **-anträge**) *der* domanda *f* di inoltro ad altro indirizzo.

Nachspeise (*pl* **-n**) *die* dessert *m*.

nächste, r, s *superl* → **nah.** ◆ *adj (zeitlich folgend, in Reihenfolge)* prossimo(a) ; **~s Jahr** il prossimo anno ; **der Nächste, bitte!** il prossimo, prego! ; **wie heißt die ~ Haltestelle?** qual è la prossima fermata?

nächstens *adv* prossimamente.

Nacht (*pl* **Nächte**) *die* notte *f* ; **heute ~** stanotte ; **gute ~!** buona notte!

Nachtbus (*pl* **-se**) *der* autobus *m* notturno.

Nachtcreme (*pl* **-s**) *die* crema *f* da notte.

Nachteil (*pl* **-e**) *der* svantaggio *m*.

Nachteingang (*pl* **-gänge**) *der* entrata *f* notturna.

Nachtglocke (*pl* **-n**) *die (bei Apotheke)* campanello *m (per chiamata notturna)*.

Nachthemd (*pl* **-en**) *das* camicia *f* da notte.

Nachtisch (*pl* **-e**) *der* dessert *m*.

Nachtleben *das* vita *f* notturna.

Nachtportier (*pl* **-s**) *der* portiere *m* di notte.

nachtragend *adj* rancoroso(a).

nachträglich *adv* a posteriori, in seguito.

Nachtruhe *die* riposo *m* notturno.

nachts *adv* di notte.

Nachtschalter (*pl* **-**) *der* sportello *m* notturno.

Nachtschicht (*pl* **-en**) *die* turno *m* di notte.

Nachttarif (*pl* **-e**) *der* tariffa *f* notturna.

Nachtzug (*pl* **-züge**) *der* treno *m* notturno.

Nachwirkung (*pl* **-en**) *die* conseguenza *f*.

nach|zahlen *vt (Porto, Fahrgeld)* pagare successivamente.

nach|zählen *vt* ricontare *(per controllare)*.

Nacken (*pl* **-**) *der* nuca *f*.

nackt *adj* & *adv* nudo(a).

Nacktbadestrand (*pl* **-strände**) *der* spiaggia *f* per nudisti.

Nadel (*pl* **-n**) *die (zum Nähen, am Baum)* ago *m*.

Nagel (*pl* **Nägel**) *der (aus Metall)* chiodo *m* ; *(am Finger, Fuss)* unghia *f*.

Nagelbürste (*pl* **-n**) *die* spazzolino *m* per unghie.

Nagelfeile (*pl* **-n**) *die* limetta *f* per unghie.

Nagellack (*pl* **-e**) *der* smalto *m (per unghie)*.

Nagellackentferner *der* solvente *m* per smalto.

nageln *vt (mit Hammer)* inchiodare.

Nagelschere (*pl* **-n**) *die* forbici *fpl* per unghie.

nah *adj* = **nahe**.

nahe (*kompar* **näher**, *superl* **am nächsten**) *adj (Ort, Zeit)* vicino(a) ; *(Verwandte)* prossimo(a) ; **~ bei jm/etw** vicino a qn/qc.

Nähe *die* vicinanze *fpl*.

nahe liegend *adj* evidente.

nähen *vt (Stoff)* cucire ; *(Wunde)* suturare.

Naherholungsgebiet (*pl* **-e**) *das area paesaggisticamente interessante e/o attrezzata per il tempo libero nelle vicinanze della città*.

näher kommen *vi (unr & +D)* avvicinarsi a.

nähern : sich nähern *ref (+D) (räumlich, zeitlich)* avvicinarsi a.

nahezu *adv* quasi.

nahm *prät* → **nehmen**.

Nahrung *die* nutrimento *m*.

Nahrungsmittel (*pl* **-**) *das* alimento *m*.

Naht (*pl* **Nähte**) *die (in Stoff)* cucitura *f* ; *(Narbe)* cicatrice *f*.

Nahverkehr *der* traffico *m* locale ; **der öffentliche ~** trasporti *mpl* pubblici locali.

Nahverkehrszug (*pl* **-züge**) *der* treno *m* locale.

Nähzeug *das* occorrente *m* per cucito.

naiv *adj* ingenuo(a).

Name (*pl* **-n**) *der (Vorname)* nome *m* ; *(Nachname)* cognome *m* ; **mein ~ ist ...** mi chiamo ... ; **auf den ~n XY reservieren** prenotare a nome di XY.

Namenstag (*pl* **-e**) *der* onomastico *m*.

nämlich *adv (weil)* infatti ; *(und zwar)* ovvero.

Narbe (*pl* **-n**) *die* cicatrice *f*.

Narkose (*pl* **-n**) *die* MED anestesia *f*.

naschen *vt* & *vi* mangiucchiare *(di nascosto)*.

Nase (*pl* **-n**) *die* naso *m* ; **die ~ voll haben** averne fin sopra i capelli.

Nasenloch (*pl* **-löcher**) *das* narice *f*.

Nasentropfen *pl* MED gocce *fpl* per il naso.

nass *adj* bagnato(a) ; **~ machen** bagnare.

Nässe *die* bagnato *m* ; **überfrierende ~** lastre di ghiaccio ; **'80 km/h bei ~'** '80 km/h in caso di pioggia'.

Nation (*pl* **-en**) *die* nazione *f*.

national *adj* nazionale.

Nationalfeiertag (*pl* **-e**) *der* festa *f* nazionale.

Nationalhymne (*pl* **-n**) *die* inno *m* nazionale.

Nationalität (*pl* **-en**) *die* nazionalità *f*.

Nationalsozialismus *der* nazionalsocialismo *m*.

NATO *die* NATO *f*.

Natur *die* natura *f*.

natürlich *adv (selbstverständlich)* naturalmente ; *(nicht künstlich)* in modo naturale. ◆ *adj* naturale.

Naturpark (*pl* **-s**) *der* parco *m* naturale.

naturrein *adj (Lebensmittel)* genuino(a).

Naturschutz *der* tutela *f* ambientale.

Naturschutzgebiet (*pl* **-e**) *das* zona *f* protetta.

naturtrüb *adj (Saft)* al naturale *(non filtrato)*.

NC (*pl* **-s**) *der* (*abk für Numerus Clausus*) numero *m* chiuso.

n. Chr. (*abk für nach Christus*) d.C.

Nebel (*pl* **-**) *der* nebbia *f* ; **dichter ~** nebbia fitta.

Nebelscheinwerfer (*pl* **-**) *der* AUTO faro *mpl* fendinebbia anteriore.

Nebelschlussleuchte (*pl* **-n**) *die* AUTO faro *m* antinebbia posteriore.

neben *präp (+D* & *+A) (an der Seite von)* vicino a.

nebenan *adv* accanto.

Nebenausgang (*pl* **-gänge**) *der* uscita *f* secondaria.

nebendran *adv* a fianco.

nebeneinander *adv* uno accanto all'altro (una accanto all'altra).

Nebeneingang (*pl* **-eingänge**) *der* ingresso *m* secondario.

nebenher *adv (arbeiten)* in più.

Nebenkosten *pl* spese *fpl* accessorie.

Nebensache (*pl* **-n**) *die* fatto *m* secondario.

nebensächlich *adj* secondario(a).

Nebenstraße (*pl* **-n**) *die* strada *f* secondaria.

Nebenwirkung (*pl* **-en**) *die* MED effetto *m* collaterale.

neb(e)lig *adj* nebbioso(a).

Neffe (*pl* **-n**) *der* nipote *m (di zio)*.

negativ *adj* negativo(a). ◆ *adv* negativamente.

Negativ (*pl* **-e**) *das* FOTO negativo *m*.

Negerkuss (*pl* **-küsse**) *der dolciume ricoperto di cioccolato.*

nehmen (*präs* **nimmt**, *prät* **nahm**, *pp* **genommen**) *vt*
- 1. prendere ; **sich** *(D)* **etw ~** prendersi qc ; **den Bus/Zug ~** prendere l'autobus/il treno ; **eine Wohnung ~** prendere un appartamento.
- 2. *(Nahrung)* : **etw zu sich ~** prendere qc.
- 3. *(einschätzen, auffassen)* : **jn/etw ernst ~** prendere sul serio qn/qc.
- 4. *(verlangen)* : **für etw 5 Euro ~** chiedere 5 euro per qc.

neidisch *adj* invidioso(a).

nein *adv* no ; **~ danke!** no, grazie!

Nektarine (*pl* **-n**) *die* pescanoce *f*.

Nelke (*pl* **-n**) *die (Blume)* garofano *m* ; *(Gewürz)* chiodi *mpl* di garofano.

nennen (*prät* **nannte**, *perf* **genannt**) *vt (mit Namen)* chiamare ; *(als Beispiel)* citare.

Neonlicht (*pl* **-er**) *das* luce *f* al neon.

Nepp *der* ladrocinio *m*.

Nerv (*pl* **-en**) *der* nervo *m*. ■ **Nerven** *pl* nervi *mpl* ; **jm auf die ~en gehen** dare sui nervi a qn.

nervös *adj* nervoso(a).

Nescafé® *der* caffè *m* solubile, Nescafé® *m*.

Nest (*pl* **-er**) *das (von Vögeln)* nido *m*.

nett *adj (freundlich)* simpatico(a).

netto *adv* al netto.

Netz (*pl* **-e**) *das (SPORT, zum Fischen)* rete *f* ; *(Tasche)* borsa *f* a rete.

Netzkarte (*pl* **-n**) *die (für Bus, Bahn)* abbonamento *m* valido su tutta la rete.

neu *adj* nuovo(a) ; *(aktuell)* recente ; **von ~em** da capo ; **das Neueste** le ultimissime.

Neubau (*pl* **-ten**) *der* edificio *m* di recente costruzione.

Neuenburg *nt* Neuchàtel *f*.

neuerdings *adv* ultimamente.

Neueröffnung (*pl* **-en**) *die* nuova apertura *f*.

Neugier *die* curiosità *f*.

neugierig *adj* curioso(a). ◆ *adv* con curiosità.

Neuheit (*pl* **-en**) *die (Ware)* novità *f*.

Neuigkeit (*pl* **-en**) *die* novità *f*.

Neujahr *das* capodanno *m* ; **prost ~!** buon anno!

neulich *adv* recentemente.

Neumond *der* luna *f* nuova.

neun *num* nove ; *siehe auch* **sechs**.

neunhundert *num* novecento *siehe auch* **sechs**.

neunte, r, s *adj* nono(a) ; *siehe auch* **sechste**.

neunzehn *num* diciannove ; **~hundertsiebenundneunzig** millenovecentonovantasette ; *siehe auch* **sechs**.

neunzig *num* novanta ; *siehe auch* **sechs**.

neureich *adj* arricchito(a).

neurotisch *adj* nevrotico(a).

neutral *adj* neutrale.

nicht *adv* non ; **~ nur ..., sondern auch ...** non solo ..., ma anche ... ; **noch ~** non ancora ; **gar ~** per nulla ; **warum ~?** perché no?

Nichte (*pl* **-n**) *die* nipote *f (di zio)*.

Nichtraucher, in (*mpl* **-**) *der, die (Person)* non fumatore *m*, -trice *f*.

Nichtraucherzone (*pl* **-n**) *die* zona *f* non fumatori.

nichts *pron* niente ; **gar ~** proprio nulla ; **~ mehr** più nulla ; **~ als** nient'altro che ; **das macht ~** non importa.

Nichtschwimmer, in (*mpl* **-**) *der, die (Person)* persona *f* che non sa nuotare.

Nichtschwimmerbecken (*pl* **-**) *das* piscina *f* per inesperti *(con fondale basso)*.

nichts sagend *adj* insignificante.

nicken *vi* annuire.

Nickerchen (*pl* **-**) *das* pisolino *m* ; **ein ~ machen** fare un pisolino.

Nidwalden *nt* Nidwalden *m*.

nie *adv* mai ; **noch ~** non ... mai ; **~ mehr** ODER **wieder** mai più.

Niederlage (*pl* **-n**) *die* sconfitta *f*.

Niederlande *pl* Paesi Bassi *mpl*.

Niederländer, in (*mpl* **-**) *der, die* olandese *mf*.

niederländisch *adj* olandese.

Niederländisch(e) *das* olandese *m*.

Niederlassung (*pl* **-en**) *die (Filiale)* succursale *f*.

Niederösterreich *nt* Bassa Austria *f*.

Niedersachsen *nt* Bassa Sassonia *f*.

Niederschlag (*pl* **-schläge**) *der* precipitazione *f*.

niedlich *adj* grazioso(a).

niedrig *adj* basso(a).

niemals *adv* mai.

niemand *pron* nessuno.

Niere (*pl* **-n**) *die (Organ)* rene *m* ; *KÜCHE* rognone *m*.

nieseln *vimp* : **es nieselt** pioviggina.

niesen *vi* starnutire.

Niete (*pl* **-n**) *die (Los)* biglietto *m* non vincente.

Nikolaus *der* san Niccolò *m*.

NIKOLAUS

Ogni anno il 6 dicembre arriva san Niccolò per premiare i bimbi buoni e punire quelli cattivi. I bimbi che sono stati buoni e bravi troveranno gli stivali o i piatti che hanno lasciato davanti alla porta di casa pieni di regalini e dolciumi. I bimbi che sono stati disobbedienti sono invece attesi dal suo terribile accompagnatore, Knecht Ruprecht (detto anche Krampus), che li punirà con il suo bastone.

Nikolaustag (*pl* **-e**) *der* giorno *m* di san Niccolò.

Nikotin *das* nicotina *f*.

nimmt *präs* → **nehmen**.

nirgends *adv* da nessuna parte.

nirgendwo *adv* da nessuna parte.

nirgendwohin *adv* da nessuna parte.

Nische (*pl* **-n**) *die (Ecke)* nicchia *f*.

Niveau (*pl* **-s**) *das* livello *m*.

nobel *adj (kostspielig)* di lusso.

Nobelpreis (*pl* **-e**) *der* premio *m* Nobel.

noch *adv* - **1.** *(zum Ausdruck von Dauer)* ancora ; **~ nicht** non ancora.
- **2.** *(vorher)* : **heute ~** entro oggi.
- **3.** *(zur Verstärkung)* : **sie läuft ~ schneller als vorher** corre ancora più veloce di prima.
- **4.** *(dazu)* : **~ einen Kaffee, bitte!** un altro caffè, per favore! ; **wer ~?** qualcun'altro?
- **5.** *(zur Nachfrage)* : **wie war ~ sein Name?** com'è che era il suo nome?

■ **noch einmal** *adv* ancora.

Nominativ (*pl* **-e**) *der GRAMM* nominativo *m*.

nonstop *adj (Flug)* diretto(a).

Nord *nt* Nord *m*.

Nordamerika *nt* America *f* del Nord.

Norddeutschland *nt* Germania *f* settentrionale.

Norden *der* nord *m* ; **im ~** nel nord ; **nach ~** a nord.

Nordeuropa *nt* Europa *f* del Nord.

Nordhang (*pl* **-hänge**) *der* versante *m* settentrionale.

Nordirland *nt* Irlanda *f* del Nord.

nördlich *adj* settentrionale.
◆ *präp* : **~ von** a nord di.

Nordrhein-Westfalen *nt* Renania settentrionale *f* Vestfalia.

Nordsee *die* Mare *m* del Nord.

nörgeln *vi* brontolare.

Norm (*pl* **-en**) *die* norma *f*.

normal *adj* normale. ◆ *adv* normalmente.

Normalbenzin *das* AUTO benzina *f* normale.

normalerweise *adv* normalmente.

Norwegen *nt* Norvegia *f*.

Not *die* miseria *f*; **in ~** in stato di bisogno.

Notar, in (*mpl* **-e**) *der, die* notaio *m*.

Notarzt, ärztin (*mpl* **-ärzte**) *der, die* medico *m* di pronto intervento.

Notausgang (*pl* **-gänge**) *der* uscita *f* d'emergenza.

Notbremse (*pl* **-n**) *die* freno *m* d'emergenza.

Notdienst (*pl* **-e**) *der (für Personen)* : **~ haben** essere reperibile.

Notdienstapotheke (*pl* **-n**) *die* farmacia *f* di turno.

Note (*pl* **-n**) *die* MUS nota *f*; *(Zensur)* voto *m*.

Notfall (*pl* **-fälle**) *der (Situation)* emergenza *f*; **in dringenden Notfällen** in caso di emergenza.

notfalls *adv* se necessario.

Nothaltebucht (*pl* **-en**) *die (auf Straße)* piazzola *f* d'emergenza.

notieren *vt* : **sich** *(D)* **etw ~** annotarsi qc.

nötig *adj* necessario(a) ; **etw ~ haben** avere bisogno di qc.

Notiz (*pl* **-en**) *die (kurzer Vermerk)* appunto *m* ; *(in Zeitung)* trafiletto *m* ; **keine ~ von jm nehmen** non prestare attenzione a qn.

Notizblock (*pl* **-blöcke**) *der* blocco *m* per appunti.

Notizbuch (*pl* **-bücher**) *das* taccuino *m*.

Notlage (*pl* **-n**) *die* situazione *f* critica.

Notlandung (*pl* **-en**) *die* atterraggio *m* d'emergenza.

Notruf (*pl* **-e**) *der (Anruf)* chiamata *f* d'emergenza ; *(Nummer)* numero *m* d'emergenza.

Notsignal (*pl* **-e**) *das* segnale *m* d'emergenza.

notwendig *adj (nötig)* necessario(a).

Notwendigkeit (*pl* **-en**) *die* necessità *f*.

Nougat = **Nugat**.

November (*pl* **-**) *der* novembre *m* ; *siehe auch* **September**.

Nr. (*abk für Nummer*) n.

NRW *abk für* **Nordrhein-Westfalen**.

Nu : im Nu *adv* in un batter d'occhio.

nüchtern *adj (nicht betrunken)* sobrio(a).

Nudeln *pl* pasta *f*.

Nudelsuppe (*pl* **-n**) *die* pastina *f* in brodo.

Nugat *der* nougat *m*.

null *num* zero ; *siehe auch* **sechs.**

Null (*pl* **-en**) *die* zero *m* ; **über/unter ~** sopra/sotto zero.

Nummer (*pl* **-n**) *die* numero *m* ; *(Kleidergröße)* taglia *f*.

nummerieren *vt* numerare.

Nummernschild (*pl* **-er**) *das* AUTO targa *f*.

NUMMERNSCHILD

In Germania le targhe delle automobili sono composte da due gruppi di lettere e da alcuni numeri. Il primo gruppo di lettere corrisponde alla città in cui è stata immatricolata l'auto (ad es. M per Monaco, B per Berlino). Il secondo gruppo di lettere e il numero corrispondono invece al numero di immatricolazione. Sulla targa si trova anche la certificazione di idoneità della TÜV, l'ente che si occupa del collaudo e della revisione degli autoveicoli.

---

nun *adv (jetzt)* ora ; *(zur Verstärkung)* allora.

nur *adv (allein)* solo, soltanto ; **ich habe ~ noch 10 Euro** mi restano solo 10 euro.

Nürnberg *nt* Norimberga *f*.

Nuss (*pl* **Nüsse**) *die* noce *f*.

Nussknacker (*pl* **-**) *der* schiaccianoci *m*.

Nutte (*pl* **-n**) *die fam* puttana *f*.

nutzen *vt* sfruttare. ◆ *vi* essere utile ; **jm ~** servire a qn ; **nichts ~** non servire a nulla.

nützen *vi* & *vt* = **nutzen.**

nützlich *adj* utile.

nutzlos *adj* inutile.

Nylonstrumpf (*pl* **-strümpfe**) *der* calza *f* di nylon.

O

O (*abk für Ost*) E.

ob *konj (vor Frage)* se ; **~ es regnet oder nicht** che piova o no ; **er tut nur so als ~** fa solo finta.

OB (*pl* **-s**) *der* (*abk für Oberbürgermeister*) sindaco *m (di una grande città)*.

Obatzter, Obatzten *der Süddt camembert con aggiunta di cipolle e peperoncino.*

obdachlos *adj* senzatetto.

oben *adv* sopra ; **nach ~** in su ; **von ~ bis unten** da cima a fondo ; **~ ohne** in topless.

Ober (*pl* **-**) *der* cameriere *m*.

obere, r, s *adj* superiore.

oberflächlich *adj* superficiale.

oberhalb *präp (+G)* al di sopra di.

Oberkörper (*pl* **-**) *der* busto *m*.

Oberösterreich *nt* Alta Austria *f*.

Oberschenkel (*pl* **-**) *der* coscia *f*.

oberste, r, s *adj (räumlich)*

più alto(a) ; *(in Rangfolge)* supremo(a).

Oberstufe *die* SCHULE *triennio che precede l'esame di stato.*

Oberteil (*pl* -e) *das (von Kleidung)* parte *f* di sopra.

Oberweite (*pl* -n) *die* giroseno *m.*

Objekt (*pl* -e) *das* oggetto *m.*

objektiv *adj* obiettivo(a). ◆ *adv (beurteilen)* obiettivamente.

Objektiv (*pl* -e) *das* FOTO obbiettivo *m.*

obligatorisch *adj* obbligatorio(a).

Obst *das* frutta *f.*

Obstkuchen (*pl* -) *der* torta *f* alla frutta.

Obstsalat (*pl* -e) *der* macedonia *f.*

obszön *adj* osceno(a).

Obwalden *nt* Obwalden *m.*

obwohl *konj* sebbene.

Ochse (*pl* -n) *der* bue *m.*

Ochsenschwanzsuppe (*pl* -n) *die* brodo *m* di coda di bue.

ocker *adj* ocra.

od. *abk für* **oder**.

oder *konj* o, oppure ; ~ **so** o qualcosa di simile.

Ofen (*pl* **Öfen**) *der (zum Backen)* forno *m* ; *(zum Heizen)* stufa *f.*

Ofenheizung *die* riscaldamento *m* a stufa.

offen *adj* aperto(a) ; *(Haare)* sciolto(a). ◆ *adv (unverschlossen)* aperto(a) ; *(sich verhalten)* apertamente ; ~ **sein zu** essere sincero(a) verso ; ~ **haben** essere aperto(a) ; **~er Wein** vino sfuso.

offen bleiben *vi (unr) (Tür, Geschäft)* rimanere aperto(a).

offen lassen *vt (unr) (Tür, Geschäft)* lasciare aperto(a).

offensichtlich *adv* evidentemente.

offen stehen *vi (unr) (Tür)* rimanere aperto(a).

öffentlich *adj* pubblico(a). ◆ *adv* pubblicamente.

Öffentlichkeit *die (Allgemeinheit)* pubblico *m.*

offiziell *adj* ufficiale.

öffnen *vt* aprire. ■ **sich öffnen** *ref* aprirsi.

Öffnungszeiten *pl* orari *mpl* di apertura.

oft (*kompar* **öfter**, *superl* **am öftesten**) *adv* spesso ; **wie** ~? quante volte?

öfters *adv* spesso.

ohne *präp (+A)* senza ; ~ **alles** senza niente ; ~ **mich!** senza di me! ; ~ **weiteres!** senza problemi! ◆ *konj* : ~ **zu** senza ; ~ **dass** senza che.

Ohnmacht *die (Bewusstlosigkeit)* svenimento *m.*

ohnmächtig *adj (bewusstlos)* svenuto(a) ; ~ **werden** svenire.

Ohr (*pl* -en) *das* orecchio *m.*

Ohrentropfen *pl* gocce *fpl* per le orecchie.

ohrfeigen *vt* schiaffeggiare.

Ohrring (*pl* -e) *der* orecchino *m.*

okay *adv* okay.

Ökoladen (*pl* -läden) *der* negozio *m* di prodotti ecologici.
ökologisch *adj* ecologico(a).
Oktan *das* AUTO ottano *m*.
Oktober (*pl* -) *der* ottobre *m* ; **der 3. ~** il 3 ottobre *(festa nazionale, anniversario dell'unificazione) ; siehe auch* **September**.
Oktoberfest (*pl* -e) *das festa della birra a Monaco*.

OKTOBERFEST

La famosa festa della birra di Monaco, che si svolge ogni anno da metà settembre ai primi di ottobre, nacque nel 1811. Milioni di visitatori arrivano da tutto il mondo per bere la birra servita nei boccali da litro sotto gli enormi tendoni delle birrerie e per gustare le specialità bavaresi che la accompagnano. Nell'area della festa vi è anche un grande luna park con numerose attrazioni.

Öl (*pl* -e) *das (Speiseöl, Schmieröl)* olio *m* ; *(Heizöl, Erdöl)* petrolio *m*.
ölig *adj (Schmutz, Haare, Essen)* unto(a).
Olive (*pl* -n) *die* oliva *f*.
Olivenöl *das* olio *m* d'oliva.
Ölstand *der* livello *m* dell'olio.
Ölwechsel (*pl* -) *der* cambio *m* dell'olio.
Olympische Spiele *pl* giochi *mpl* olimpici.
Oma (*pl* -s) *die fam* nonna *f*.
Omelett (*pl* -s) *das* omelette *f*.
Omnibus (*pl* -se) *der (Linienbus)* autobus *m* ; *(Reisebus)* pullman *m*.
Onkel (*pl* -) *der* zio *m*.
OP (*pl* -s) *der (abk für Operationssaal)* sala *f* operatoria.
Opa (*pl* -s) *der fam* nonno *m*.
Openairkonzert (*pl* -e) *das* concerto *m* all'aperto.
Oper (*pl* -n) *die (Stück, Gebäude)* opera *f*.
Operation (*pl* -en) *die (chirurgisch)* operazione *f*.
Operette (*pl* -n) *die* operetta *f*.
operieren *vt* operare.
Opernfestspiele *pl* festival *m* dell'opera.
Opfer (*pl* -) *das (Person)* vittima *f*.
Opposition *die* opposizione *f*.
Optik *die* ottica *f*.
Optiker, in (*mpl* -) *der, die* ottico *m*.
optimal *adj* ottimale. ◆ *adv* ottimamente.
optimistisch *adj* ottimista.
orange *adj* arancione.
Orange (*pl* -n) *die (Frucht)* arancia *f*.
Orangensaft (*pl* -säfte) *der* succo *m* d'arancia ; **frisch gepresster ~** spremuta d'arancia.
Orchester (*pl* -) *das* orchestra *f*.
ordentlich *adj (Raum, Person)* ordinato(a). ◆ *adv* bene.
ordinär *adj (Person, Witz)* ordinario(a).
ordnen *vt (Nachlass, Leben)*

mettere in ordine ; *(Sammlung, Kartei)* sistemare.

Ordner *(pl -)* *der (für Akten)* raccoglitore *m*.

Ordnung *die (Zustand)* ordine *m* ; **in ~!** d'accordo! ; **nicht in ~ sein** non andare bene.

Ordnungswidrigkeit *(pl* **-en)** *die amt* infrazione *f*.

Oregano *der* origano *m*.

Organ *(pl* **-e)** *das* organo *m*.

Organisation *(pl* **-en)** *die* organizzazione *f*.

Organisator, *(pl* **-toren)** *der* organizzatore *m*.

Organisatorin *(pl* **-nen)** *die* organizzatrice *f*.

organisieren *vt (Veranstaltung)* organizzare ; *fam (besorgen)* procurare.

Organismus *(pl* **Organismen)** *der (Körper)* organismo *m*.

Orgasmus *(pl* **Orgasmen)** *der* orgasmo *m*.

Orgel *(pl* **-n)** *die* organo *m*.

orientieren : sich orientieren *ref (in Richtung)* orientarsi ; **sich ~ an** *(+D)* orientarsi in base a.

Orientierungssinn *der* senso *m* dell'orientamento.

original *adj* originale.

Original *(pl* **-e)** *das (von Kunstwerk, Vorlage)* originale *m*.

Orkan *(pl* **-e)** *der* uragano *m*.

Ort *(pl* **-e)** *der (Stelle)* luogo *m* ; *(Ortschaft)* località *f* ; **'andere ~e'** 'tutte le direzioni'.

Orthopäde, Orthopädin *(mpl* **-n)** *der, die* ortopedico *m*, -a *f*.

örtlich *adj* locale.

Ortschaft *(pl* **-en)** *die* località *f* ; **geschlossene ~** centro abitato.

Ortsgespräch *(pl* **-e)** *das* chiamata *f* urbana.

Ortsmitte *die* centro *m*.

Ortstarif *(pl* **-e)** *der* tariffa *f* urbana.

Ortszeit *(pl* **-en)** *die* ora *f* locale.

öS *(abk für österreichischer Schilling)* scellino *m* austriaco.

Ost *nt* Est *m*.

Ostdeutschland *nt* Germania *f* dell'Est.

Osten *der* est *m* ; **im ~** a est ; **nach ~** verso est.

Osterei *(pl* **-er)** *das* uovo *m* di Pasqua.

Osterhase *(pl* **-n)** *der* coniglietto *m* pasquale.

OSTERHASE

In Germania, per Pasqua si regalano non solo uova di cioccolato, ma anche normali uova dipinte. Secondo un'antica tradizione, queste vengono portate ai bambini da un coniglietto ("Osterhase"), che le nasconde insieme ad altri dolciumi e coniglietti di cioccolato nei giardini, nei fienili, nei parchi ed all'interno delle case. Il giorno di Pasqua i bimbi devono trovare le loro uova e questa ricerca li diverte molto.

Ostermontag *(pl* **-e)** *der* lunedì *m* di Pasqua.

Ostern *(pl* **-)** *das* Pasqua *f* ; **zu ~** a Pasqua ; **frohe ~!** buona Pasqua!

Österreich *nt* Austria *f.*
Österreicher (*pl* -) *der* austriaco *m.*
Österreicherin (*pl* -nen) *die* austriaca *f.*
Ostersonntag (*pl* -e) *der* domenica *f* di Pasqua.
Osteuropa *das* Europa *f* dell'Est.
Ostküste (*pl* -n) *die* costa *f* orientale.
östlich *adj (nach Osten, im Osten)* orientale. ◆ *präp* : ~ **von** a est di.
Ostsee *die* mar *m* Baltico.
oval *adj* ovale.
Ozean (*pl* -e) *der* oceano *m* ; **Atlantischer** ~ Oceano Atlantico.
Ozon *das* ozono *m.*
Ozonloch *das* buco *m* di ozono.

P

paar *adj* qualche ; **ein ~ Minuten** qualche minuto ; *siehe auch* **Paar**.
Paar (*pl* -e) *das (zwei Personen)* coppia *f* ; *(zwei Dinge)* paio *m* ; **ein ~ Socken** un paio di calzini.
Pacht (*pl* -en) *die (Vertrag)* contratto *m* di locazione ; *(Geld)* affitto *m.*
Päckchen (*pl* -) *das* pacchetto *m.*
packen *vt (Koffer, Tasche)* preparare ; *(fassen)* afferrare.
Packung (*pl* -en) *die (für Waren)* confezione *f.*
Packungsbeilage (*pl* -n) *die* MED foglio *m* illustrativo.
Pädagogik *die* pedagogia *f.*
pädagogisch *adj* pedagogico(a).
Paddel (*pl* -) *das* pagaia *f.*
Paddelboot (*pl* -e) *das* canoa *f.*
paddeln *vi* pagaiare.
Paket (*pl* -e) *das (Postpaket, größere Menge)* pacco *m.*
Paketannahme (*pl* -n) *die (Schalter)* accettazione *f* pacchi.
Paketausgabe (*pl* -n) *die (Schalter)* consegna *f* pacchi.
Palast (*pl* **Paläste**) *der* reggia *f.*
Palme (*pl* -n) *die* palma *f.*
Pampelmuse (*pl* -n) *die* pompelmo *m.*
Paniermehl *das* pangrattato *m.*
paniert *adj* impanato(a).
Panik *die* panico *m.*
panisch *adj (Reaktion)* di panico.
Panne (*pl* -n) *die (an Auto)* guasto *m* ; **eine ~ haben** avere la macchina in panne.
Pannenhilfe *die* soccorso *m* stradale.
Pantoffel (*pl* -n) *der* pantofola *f.*
Pantomime (*pl* -n) *die (Aufführung)* pantomima *f.*
Panzer (*pl* -) *der (Fahrzeug)* carro *m* armato ; *(von Tier)* corazza *f.*

Papa (*pl* -s) *der fam* papà *m*.
Papagei (*pl* -en) *der* pappagallo *m*.
Papier (*pl* -e) *das (Material, Dokument)* carta *f*. ■ **Papiere** *pl (Ausweise)* documenti *mpl*.
Papiergeld *das* banconote *fpl*.
Papierkorb (*pl* -körbe) *der* cestino *m* per la carta.
Pappbecher (*pl* -) *der* bicchiere *m* di carta.
Pappe (*pl* -n) *die* cartoncino *m*.
Pappkarton (*pl* -s) *der* scatolone *m*.
Paprika (*pl* -s) *der (Gemüse)* peperone *m* ; *(Gewürz)* paprika *f*.
Papst (*pl* Päpste) *der* Papa *m*.
Parade (*pl* -n) *die (Umzug)* parata *f*.
Paradeiser (*pl* -) *der Österr* pomodoro *m*.
paradiesisch *adj* paradisiaco(a).
Paragliding *das* parapendio *m*.
Paragraf (*pl* -en) *der* paragrafo *m*.
parallel *adj* parallelo(a). ◆ *adv* parallelamente.
Pärchen (*pl* -) *das (Liebespaar)* coppietta *f*.
Parfüm (*pl* -s) *das* profumo *m*.
Parfümerie (*pl* -n) *die* profumeria *f*.
Paris *nt* Parigi *f*.
Pariser (*pl* -) *der (Einwohner)* parigino *m* ; *fam (Kondom)* preservativo *m*. ◆ *adj (aus Paris)* parigino(a).
Park (*pl* -s) *der* parco *m*.
Parka (*pl* -s) *der, die* parka *m*.
Park-and-Ride-System *das sistema secondo cui si parcheggia l'auto in periferia o presso la stazione per poi proseguire con un servizio navetta.*
Parkanlage (*pl* -n) *die* giardini *mpl* pubblici.
Parkdauer *die* durata *f* della sosta.
Parkdeck (*pl* -s) *das (in Parkhaus)* piano *m*.
parken *vt* & *vi* parcheggiare ; **falsch ~** parcheggiare in divieto ; **'Parken verboten'** 'sosta vietata'.
Parkett (*pl* -s ODER -e) *das (Fußboden)* parquet *m* ; *(in Zuschauerraum)* platea *f*.
Parkgebühr (*pl* -en) *die* tariffa *f* per la sosta.
Parkhaus (*pl* -häuser) *das* autosilo *m*.
Parkhöchstdauer *die* : **'~ 1 Stunde'** 'sosta massima consentita : 1 h'.
Parklücke (*pl* -n) *die* posto *m* libero *(per il parcheggio)*.
Parkplatz (*pl* -plätze) *der* parcheggio *m*.
Parkscheibe (*pl* -n) *die* disco *m* orario.
Parkschein (*pl* -e) *der* tagliando *m* (per il parcheggio).
Parkuhr (*pl* -en) *die* parcometro *m*.

Parkverbot (*pl* -e) *das* divieto *m* di sosta.
Parlament (*pl* -e) *das* parlamento *m*.
Parmesan *der* parmigiano *m*.
Partei (*pl* -en) *die* *(politisch)* partito *m*.
Parterre *das* pianterreno *m* ; **im ~** al pianterreno.
Partie (*pl* -n) *die* *(Teil)* parte *f* ; *(Spiel)* partita *f*.
Partner, in (*mpl* -) *der, die* *(Lebenspartner, bei Spiel, Sport)* compagno *m*, -a *f*.
Partnerschaft (*pl* -en) *die* *(zwischen zwei Personen)* rapporto *m* di coppia.
Partnerstadt (*pl* -städte) *die* città *f* gemellata.
Party (*pl* -s) *die* festa *f*.
Pass (*pl* Pässe) *der* *(Dokument)* passaporto *m* ; *(Straße)* passo *m*.
Passage (*pl* -n) *die* *(Einkaufspassage)* galleria *f* commerciale.
Passagier, in (*mpl* -e) *der, die* passeggero *m*, -a *f* ; **blinder ~** clandestino.
Passagierschiff (*pl* -e) *das* nave *f* passeggeri.
Passant, in (*mpl* -en) *der, die* passante *mf*.
Passbild (*pl* -er) *das* fototessera *f*.
passen *vi* *(Termin, in Größe, Form)* andare bene ; *(bei Spiel)* passare ; *(hineinpassen)* : **passt das noch in den Koffer?** ci sta ancora questo in valigia? ; **jm ~** *(Kleidung)* andare bene a qn ; **sie ~ gut zueinander** stanno bene insieme.
passend *adj* *(Größe, Schlüssel)* giusto(a) ; **haben Sie es ~?** ha la moneta giusta?
Passfoto (*pl* -s) *das* fototessera *f*.
passieren *vi* *(ist)* succedere ; **was ist passiert?** cosa è successo?
Passionsspiele *pl* rappresentazione *f* del mistero della passione.

PASSIONSSPIELE VON OBERAMMERGAU

I "Passionspiele" di Oberammergau (piccolo paese della Baviera), che rappresentano la passione e la morte di Cristo, vengono interpretati da attori non professionisti e sono famosi in tutto il mondo. Hanno luogo durante la settimana Santa ed ebbero inizio nell'anno 1633 per mantenere un voto fatto durante la peste. Vengono organizzati regolarmente ogni 10 anni e coinvolgono più di un migliaio di cittadini.

passiv *adj* passivo(a).
Passkontrolle (*pl* -n) *die* controllo *m* dei passaporti.
Paste (*pl* -n) *die* *(Masse)* pasta *f*.
Pastell (*pl* -e) *das* pastello *m*.
Pastete (*pl* -n) *die* *(aus Teig)* vol-au-vent *m* ; *(Aufstrich)* patè *m*.
Pastor (*pl* Pastoren) *der* *(evangelisch)* pastore *m*.

Pastorin (*pl* -nen) *die (evangelisch)* pastore *m (donna)*.

Pate (*pl* -n) *der (Patenonkel)* padrino *m*.

Patient, in (*mpl* -en) *der, die* paziente *mf*.

Patin (*pl* -nen) *die (Patentante)* madrina *f*.

Pauke (*pl* -n) *die* timpano *m*.

pauschal *adj (Preis)* fisso(a).

Pauschale (*pl* -n) *die* importo *m* forfettario.

Pauschalreise (*pl* -n) *die* viaggio *m* organizzato *(formula tutto incluso)*.

Pauschaltarif (*pl* -e) *der* tariffa *f* forfettaria.

Pause (*pl* -n) *die (Unterbrechung)* pausa *f* ; *(in Schule, Theater, Konzert)* intervallo *m*.

pausenlos *adj* ininterrotto(a).

Pazifik *der* Pacifico *m*.

PC (*pl* - ODER -s) *(abk für Personal Computer) der* PC *m*.

Pech *das (Unglück)* sfortuna *f* ; ~ **haben** essere sfortunato(a).

Pedal (*pl* -e) *das* pedale *m*.

Peeling (*pl* -s) *das (Kosmetikartikel)* peeling *m*.

peinlich *adj (unangenehm)* imbarazzante ; **etw ist mir** ~ qc mi mette in imbarazzo.

Pellkartoffel (*pl* -n) *die* patata *f* lessa *(con la buccia)*.

Pelz (*pl* -e) *der* pelliccia *f*.

Pelzmantel (*pl* -mäntel) *der* pelliccia *f*.

penetrant *adj (Person)* assillante ; *(Geschmack, Geruch)* penetrante.

Penis (*pl* -se) *der* pene *m*.

Penizillin (*pl* -e) *das* penicillina *f*.

Pension (*pl* -en) *die* pensione *f*.

PENSION

La pensione si distingue dall'albergo soprattutto per l'atmosfera familiare e per il ridotto numero di camere. Essa offre un trattamento confortevole ma più semplice rispetto ad un albergo, consentendo ai suoi ospiti di partecipare alla vita familiare e dando così loro la possibilità di conoscere più da vicino le abitudini locali.

pensionieren *vt* mandare in pensione.

Pensionsgast (*pl* -gäste) *der* pensionante *mf*.

Peperoni (*pl* -) *die* peperoncino *m*.

per *präp (+A) (mit)* a mezzo ; ~ **Auto kommen** venire in macchina ; ~ **Luftpost** per posta aerea.

perfekt *adj* perfetto(a).

Periode (*pl* -n) *die (Zeitraum)* periodo *m* ; *(Menstruation)* ciclo *m* mestruale.

Perle (*pl* -n) *die* perla *f*.

Perlenkette (*pl* -n) *die* collana *f* di perle.

perplex *adj* sbalordito(a).

Person (*pl* -en) *die* persona *f* ;

(in Drama, Roman) personaggio *m*.

Personal *das* personale *m*.

Personalausweis (*pl* -e) *der* documento *m* d'identità.

Personalien *pl* generalità *fpl*.

Personalpronomen (*pl* - ODER -pronomina) *das* pronome *m* personale.

Personenkraftwagen (*pl* -) *der amt* autovettura *f*.

Personenzug (*pl* -züge) *der amt* treno *m* passeggeri.

persönlich *adj* personale. ◆ *adv* personalmente.

Persönlichkeit (*pl* -en) *die* personalità *f*.

Perspektive (*pl* -n) *die* prospettiva *f*.

Perücke (*pl* -n) *die* parrucca *f*.

pessimistisch *adj* pessimista.

Petersilie *die* prezzemolo *m*.

Petroleum *das* petrolio *m*.

Pfad (*pl* -e) *der* sentiero *m*.

Pfadfinder, in (*mpl* -) *der, die* scout *mf*.

Pfahl (*pl* Pfähle) *der* palo *m*.

Pfand *das (von Flaschen)* deposito *m (per il vuoto)*.

Pfandflasche (*pl* -n) *die* vuoto *m* a rendere.

Pfandrückgabe *die* restituzione *f* del deposito.

Pfanne (*pl* -n) *die (zum Braten)* padella *f*; **beschichtete ~** padella antiaderente.

Pfannkuchen (*pl* -) *der* frittatina *f*.

Pfarrer (*pl* -) *der (katholisch)* parroco *m*; *(evangelisch)* pastore *m*.

Pfarrerin (*pl* -nen) *die (evangelisch)* pastore *m (donna)*.

Pfeffer *der* pepe *m*.

Pfefferkuchen (*pl* -) *der* pan *m* pepato.

Pfefferminztee *der* tè *m* alla menta piperita.

pfeffern *vt (mit Pfeffer)* pepare; *fam (werfen)* scagliare.

Pfeife (*pl* -n) *die (zum Pfeifen)* fischietto *m*; *(zum Rauchen)* pipa *f*; **~ rauchen** fumare la pipa.

pfeifen (*prät* **pfiff**, *pp* **gepfiffen**) *vi* fischiare.

Pfeil (*pl* -e) *der* freccia *f*; **'folgen Sie dem gelben ~'** 'segua la freccia gialla'.

Pfeiler (*pl* -) *der* pilastro *m*.

Pfennig (*pl* -e) *der* pfennig *m*.

Pferd (*pl* -e) *das (Tier)* cavallo *m*.

Pferderennen (*pl* -) *das* corsa *f* di cavalli.

Pferdestärke (*pl* -n) *die amt* cavallo *m* vapore.

pfiff *prät* → **pfeifen**.

Pfiff (*pl* -e) *der (Ton)* fischio *m*.

Pfifferling (*pl* -e) *der* finferlo *m*.

Pfingsten (*pl* -) *(das)* Pentecoste *f*.

Pfingstmontag (*pl* -e) *der* lunedì *m* di Pentecoste.

Pfirsich (*pl* -e) *der* pesca *f*.

Pflanze (*pl* -n) *die* pianta *f*.
pflanzen *vt (anpflanzen)* piantare.
pflanzlich *adj (aus Pflanzen)* vegetale.
Pflaster (*pl* -) *das (Verband)* cerotto *m* ; *(auf Straße)* lastrico *m*.
Pflaume (*pl* -n) *die* prugna *f*.
Pflaumenmus *das* composta *f* di prugne.
Pflege *die* cura *f*.
pflegen *vt (Kranke)* curare ; *(Auto, Garten)* aver cura di. ■ **sich pflegen** *ref* avere cura di sé.
Pflegepersonal *das* personale *m* paramedico.
Pfleger, in (*mpl* -) *der, die (in Krankenhaus)* infermiere *m*, -a *f*.
Pflicht (*pl* -en) *die (Aufgabe)* dovere *m*.
pflichtbewusst *adj* coscienzioso(a).
Pflichtversicherung (*pl* -en) *die* assicurazione *f* obbligatoria.
pflücken *vt* raccogliere.
Pförtner, in (*mpl* -) *der, die (in öffentlichen Gebäuden)* portiere *m*, -a *f* ; *(in Wohnhaus)* portinaio *m*, -a *f*.
Pfote (*pl* -n) *die (von Tier)* zampa *f*.
pfui *interj* puah.
Pfund (*pl* - ODER -e) *das (Gewichtseinheit)* mezzo chilo *m* ; *(Währung)* sterlina *f*.
Pfütze (*pl* -n) *die* pozzanghera *f*.
Phantasie (*pl* -n) *die* = Fantasie.
phantastisch *adj* = fantastisch.
Phase (*pl* -n) *die* fase *f*.
Philosoph, in (*mpl* -en) *der, die* filosofo *m*, -a *f*.
Philosophie (*pl* -n) *die* filosofia *f*.
Photo (*pl* -s) *das* = Foto.
Physik *die* fisica *f*.
Physiker, in (*mpl* -) *der, die* fisico *m*, -a *f*.
physisch *adj* fisico(a).
Pianist, in (*mpl* -en) *der, die* pianista *mf*.
Pickel (*pl* -) *der (auf Haut)* brufolo *m*.
Picknick (*pl* -s) *das* pic-nic *m* ; ein ~ machen fare un pic-nic.
Pik (*pl* -) *das* picche *fpl*.
pikant *adj* & *adv* piccante.
Pilger, in (*mpl* -) *der, die* pellegrino *m*, -a *f*.
Pilgerfahrt (*pl* -en) *die* pellegrinaggio *m*.
Pille (*pl* -n) *die (Tablette, Verhütungsmittel)* pillola *f*.
Pilot, in (*mpl* -en) *der, die* pilota *mf*.
Pils (*pl* -) *das birra chiara dal gusto piuttosto amaro*.
Pilz (*pl* -e) *der (Pflanze, Hautpilz)* fungo *m*.
PIN (*pl* -s) (*abk für persönliche Identifikationsnummer*) *die* PIN *m*.
pink *adj* rosa fucsia.

Pinsel (*pl* -) *der* pennello *m*.
Pinzette (*pl* -n) *die* pinzetta *f*.
Pistazie (*pl* -n) *die* pistacchio *m*.
Piste (*pl* -n) *die* *(zum Skifahren, Landebahn)* pista *f*.
Pistole (*pl* -n) *die* pistola *f*.
Pizza (*pl* -s ODER **Pizzen**) *die* pizza *f*.
Pizzaservice (*pl* -s) *der* servizio *m* di consegna pizze a domicilio.
Pizzeria (*pl* **Pizzerien**) *die* pizzeria *f*.
Pkw (*pl* -s) *der abk für* **Personenkraftwagen**.
Plakat (*pl* -e) *das* manifesto *m*.
Plan (*pl* **Pläne**) *der* progetto *m* ; *(Karte)* piantina *f*.
Plane (*pl* -n) *die* telone *m*.
planen *vt* progettare.
Planet (*pl* -en) *der* pianeta *m*.
Planetarium (*pl* **Planetarien**) *das* planetario *m*.
planmäßig *adj* *(Abfahrt)* come da orario. ◆ *adv* *(abfahren)* all'ora prevista.
Planschbecken (*pl* -) *das* piscinetta *f* per bambini.
planschen *vi* sguazzare.
Planung (*pl* -en) *die* *(Handlung)* progettazione *f*.
Plastik[1] *das* *(Material)* plastica *f*.
Plastik[2] (*pl* -en) *die* *(Skulptur)* plastico *m*.
Platin *das* platino *m*.
platt *adj* *(flach)* piatto(a) ; *(Reifen)* sgonfio(a) ; *(nichts sagend)* insignificante.
Plattdeutsch *das* basso tedesco *m* *(dialetto del nord)*.
Platte (*pl* -n) *die* *(aus Stein, Metall)* lastra *f* ; *(zum Servieren)* vassoio *m* ; *(Schallplatte)* disco *m* ; *(von Herd)* piastra *f*.
Plattenspieler (*pl* -) *der* giradischi *m*.
Platz (*pl* **Plätze**) *der* posto *m* ; **freie Plätze** posti liberi ; **jm ~ machen** far posto a qn ; **nehmen Sie ~!** Si accomodi! ; **viel ~ haben** avere molto spazio.
Platzanweiser, in (*mpl* -) *der, die* maschera *f*.
Plätzchen (*pl* -) *das* biscotto *m*.
platzen *vi* *(ist)* *(Reifen)* scoppiare.
Platzreservierung (*pl* -en) *die* prenotazione *f* posto.
Platzwunde (*pl* -n) *die* ferita *f* *(che perde molto sangue)*.
plaudern *vi* *(sprechen)* chiacchierare.
pleite *adj* : **~ sein** essere senza soldi.
Plombe (*pl* -n) *die* *(Zahnfüllung)* otturazione *f*.
plombieren *vt* *(Zahn)* otturare.
plötzlich *adj* improvviso(a).
plump *adj* *(schwerfällig)* impacciato(a).
plus *konj* più. ◆ *adv* *(über Null)* sopra *(lo zero)* ; *(in Schulnote)* più.
PLZ *(abk für Postleitzahl)* CAP.

Po (*pl* -s) *der fam* sedere *m*.
Podest (*pl* -e) *das* piedistallo *m*.
Poesie *die (Dichtung)* poesia *f*.
Pointe (*pl* -n) *die* battuta *f* finale.
Pokal (*pl* -e) *der* SPORT coppa *f*.
Poker *der* ODER *das* poker *m*.
pokern *vi (Poker spielen)* giocare a poker.
Pol (*pl* -e) *der* polo *m*.
polemisch *adj* polemico(a).
Polen *nt* Polonia *f*.
polieren *vt* lucidare.
Politesse (*pl* -n) *die* vigilessa *f* ausiliaria.
Politik *die* politica *f*.
Politiker, in (*mpl* -) *der, die* politico *m*.
politisch *adj* politico(a).
Politur (*pl* -en) *die* lucido *m*.
Polizei *die* polizia *f*.
Polizeibeamte (*pl* -n) *der* agente *m* di polizia.
Polizeibeamtin (*pl* -nen) *die* agente *f* di polizia.
polizeilich *adj* di polizia ; **~es Kennzeichen** targa automobilistica.
Polizeiwache (*pl* -n) *die* posto *m* di polizia.
Polizist, in (*mpl* -en) *der, die* poliziotto *m*, -a *f*.
Pollen (*pl* -) *der* polline *m*.
Polo *das* polo *m*.
Polster (*pl* -) *das (zum Sitzen)* cuscino *m*.
Polterabend (*pl* -e) *der* ≃ festa per l'addio al celibato.
Pommes frites *pl* patatine *fpl* fritte.
Pony[1] (*pl* -s) *das (Tier)* pony *m*.
Pony[2] (*pl* -s) *der (Frisur)* frangia *f*.
Pool (*pl* -s) *der (Schwimmbecken)* piscina *f*.
Popmusik *die* musica *f* pop.
populär *adj (beliebt)* popolare.
porös *adj* poroso(a).
Portal (*pl* -e) *das* portale *m*.
Portemonnaie, Portmonee (*pl* -s) *das* portamonete *m*.
Portier (*pl* -s) *der* portiere *m*.
Portion (*pl* -en) *die (von Essen)* porzione *f*.
Porto (*pl* -s) *das* affrancatura *f*.
portofrei *adj* franco di porto.
Porträt (*pl* -s) *das (Bild)* ritratto *m*.
Portugal *nt* Portogallo *m*.
Portugiese (*pl* -n) *der* portoghese *m*.
Portugiesin (*pl* -nen) *die* portoghese *f*.
portugiesisch *adj* portoghese.
Portugiesisch(e) *das* portoghese *m*.
Portwein (*pl* -e) *der* porto *m*.
Porzellan (*pl* -e) *das (Material)* porcellana *f*.
Posaune (*pl* -n) *die* trombone *m*.
Position (*pl* -en) *die* posizione *f*.
positiv *adj* positivo(a).
Post *die* posta *f*; **etw mit der ~ schicken** spedire qc per posta.

Postamt (*pl* **-ämter**) *das* ufficio *m* postale.

Postanweisung (*pl* **-en**) *die* vaglia *m* postale.

Postbote (*pl* **-n**) *der* postino *m*.

Postbotin (*pl* **-nen**) *die* postina *f*.

Poster (*pl* **-**) *das* poster *m*.

Postf. (*abk für Postfach*) C.P.

Postfach (*pl* **-fächer**) *das* casella *f* postale.

Postkarte (*pl* **-n**) *die* cartolina *f* postale.

Postleitzahl (*pl* **-en**) *die* codice *m* di avviamento postale.

Postschalter (*pl* **-**) *der* sportello *m* postale.

Postscheck (*pl* **-s**) *der* assegno *m* postale.

Poststempel (*pl* **-**) *der* timbro *m* postale.

Postüberweisung (*pl* **-en**) *die* versamento *m* postale.

prächtig *adj* (*schön, großartig*) sontuoso(a).

Prädikat (*pl* **-e**) *das* GRAMM predicato *m* ; (*Note, Gütezeichen*) giudizio *m* ; **Qualitätswein mit ~** vino con certificato di qualità.

Prag *nt* Praga *f*.

prahlen *vi* vantarsi.

Praktikant, in (*mpl* **-en**) *der, die* tirocinante *mf*.

Praktikum (*pl* **Praktika**) *das* tirocinio *m* ; **ein ~ machen** fare un tirocinio.

praktisch *adj* pratico(a).

Praline (*pl* **-n**) *die* cioccolatino *m*.

prall *adj* (*voll, gespannt*) gonfio(a) ; **in der ~en Sonne** in pieno sole.

Prämie (*pl* **-n**) *die* premio *m*.

prämieren *vt* premiare.

Präparat (*pl* **-e**) *das* (*Medikament*) preparato *m*.

Präsens *das* presente *m*.

präsentieren *vt* (*zeigen*) presentare.

Präsident, in (*mpl* **-en**) *der, die* (*von Staat, Institution*) presidente *m*, -essa *f*.

Prater *der Prater m*.

PRATER

Questo immenso parco naturale, situato alla periferia di Vienna tra il Danubio ed il suo canale, attira moltissimi turisti e visitatori rapiti dalla bellezza degli immensi prati verdi che ospitano un campo da golf, uno stadio, un trottatoio ed altri impianti sportivi. Molto conosciuto è anche il "Wurstlprater", una sorta di parco giochi stabile con numerose attrazioni, tra cui la grande ruota panoramica alta 61m, simbolo della capitale austriaca.

Praxis (*pl* **Praxen**) *die* (*von Arzt, Anwalt*) studio *m* ; (*Wirklichkeit*) pratica *f*.

präzise *adj* preciso(a).

predigen *vi* (*Pfarrer*) predicare.

Preis (*pl* **-e**) *der* (*Bezahlung, ideell*) prezzo *m* ; (*Belohnung*) premio *m* ; **der ~ für** il prezzo di ; **im ~ inbegriffen** compreso(a) nel prezzo.

Preisänderung (*pl* **-en**) *die* variazione *f* del prezzo.

Preisausschreiben (*pl* **-**) *das* concorso *m* a premi.

Preiselbeere (*pl* **-n**) *die* mirtillo *m* rosso.

Preisermäßigung (*pl* **-en**) *die* riduzione *f* del prezzo.

preisgünstig *adj* conveniente.

Preisliste (*pl* **-n**) *die* listino *m* prezzi.

preiswert *adj* conveniente. ◆ *adv* a buon mercato.

prellen *vt* : **die Zeche ~** non pagare il conto ; **sich** *(D)* **das Knie ~** procurarsi una contusione al ginocchio.

Prellung (*pl* **-en**) *die* contusione *f*.

Premiere (*pl* **-n**) *die* prima *f*.

Premierminister, in (*mpl* **-**) *der, die* primo ministro *m*.

Presse (*pl* **-n**) *die (Zeitungen)* stampa *f* ; *(Zitronenpresse)* spremiagrumi *m*.

pressen *vt (auspressen)* spremere ; *(drücken)* premere ; *(formen)* stampare *(alla pressa)*.

prickelnd *adj (Wein, Wasser)* frizzante.

Priester, in (*mpl* **-**) *der, die* sacerdote *m*, -essa *f*.

prima *adj fam* eccezionale.

primitiv *adj (Ausstattung, Werkzeug)* rudimentale ; *(Lebewesen, Kultur)* primitivo(a) ; *abw (Person)* volgare.

Prinz, essin (*mpl* **-en**) *der, die* principe *m*, -essa *f*.

Prinzip (*pl* **-ien**) *das* principio *m* ; **aus ~** per principio ; **im ~** in linea di massima.

prinzipiell *adj (Meinung)* di principio.

Prise (*pl* **-n**) *die* presa *f* ; **eine ~ Salz** una presa di sale.

priv. *abk für* **privat**.

privat *adj* privato(a). ◆ *adv* privatamente.

Privatbesitz *der* proprietà *f* privata.

Privatgespräch (*pl* **-e**) *das* conversazione *f* privata.

Privatgrundstück (*pl* **-e**) *das* terreno *m* privato.

privatisieren *vt* privatizzare.

Privatpatient, in (*mpl* **-en**) *der, die* paziente *mf* privato, -a.

Privatunterkunft (*pl* **-künfte**) *die* alloggio *m* presso privati.

Privatversicherung (*pl* **-en**) *die* assicurazione *f* privata.

Privatweg (*pl* **-e**) *der* strada *f* privata.

pro *präp (+A)* per *(ogni)* ; **~ Kopf** ODER **Person** a testa ; **zweimal ~ Tag** due volte al giorno.

Probe (*pl* **-n**) *die (Probieren)* prova *f* ; *(Teil)* campione *m*.

Probezeit (*pl* **-en**) *die* periodo *m* di prova.

probieren *vt (Essen, Getränk)* assaggiare ; *(versuchen)* provare.

Problem (*pl* -e) *das* problema *m* ; **~e haben mit** avere problemi con ; **kein ~!** *fam* non c'è problema!

problematisch *adj* problematico(a).

problemlos *adj* senza difficoltà.

Produkt (*pl* -e) *das* prodotto *m*.

Produktion (*pl* -en) *die* produzione *f*.

Produzent, in (*mpl* -en) *der, die* produttore *m*, -trice *f*.

produzieren *vt* produrre. ■ **sich produzieren** *ref abw* mettersi in mostra.

Prof. (*abk für Professor*) prof.

professionell *adj* professionale.

Professor (*pl* **Professoren**) *der* professore *m* (universitario).

Professorin (*pl* -nen) *die* professoressa *f* (universitaria).

Profi (*pl* -s) *der* professionista *m*.

Profil (*pl* -e) *das (von Reifen)* battistrada *m* ; *(von Gesicht)* profilo *m*.

Profit (*pl* -e) *der (finanziell)* profitto *m*.

profitieren *vi* trarre profitto.

Programm (*pl* -e) *das* programma *m*.

programmieren *vt EDV* programmare.

Programmierer, in (*mpl* -) *der, die* programmatore *m*, -trice *f*.

Programmkino (*pl* -s) *das* cinema *m* d'essay.

Programmübersicht (*pl* -en) *die* sommario *m (dei programmi)*.

Programmzeitschrift (*pl* -en) *die* guida *f* TV.

Projekt (*pl* -e) *das (Arbeit)* progetto *m*.

Projektor (*pl* **Projektoren**) *der* proiettore *m*.

Promenade (*pl* -n) *die (Weg)* corso *m*.

Promille (*pl* -) *das (von Alkohol)* per mille ; **1,5 ~ haben** avere 1,5 per mille di alcol (nel sangue).

prominent *adj (bekannt)* famoso(a).

prompt *adv (sofort)* prontamente.

prophylaktisch *adj MED* profilattico(a).

prosit *interj* salute.

Prospekt (*pl* -e) *der* dépliant *m*.

prost *interj* salute.

Prostituierte (*pl* -n) *der, die* prostituto *m*, -a *f*.

Protest (*pl* -e) *der* protesta *f*.

Protestant, in (*mpl* -en) *der, die* protestante *mf*.

protestantisch *adj* protestante.

protestieren *vi* protestare.

Prothese (*pl* -n) *die* protesi *f*.

Protokoll (*pl* -e) *das (Aufzeichnung)* verbale *m*.

protokollieren *vt* verbalizzare.

Proviant *der* provviste *fpl*.

Provinz (*pl* -en) *die* provincia *f*.

provinziell *adj* provinciale.

Provision (*pl* -en) *die* provvigione *f*.

provisorisch *adj* provvisorio(a).

provozieren *vt* provocare.

Prozent (*pl* -e) *das* per cento *m*. ■ **Prozente** *pl (Preisnachlass)* sconto *m*.

Prozess (*pl* -e) *der* processo *m*.

Prozession (*pl* -en) *die* processione *f*.

P+R-Parkplatz (*pl* -plätze) *der parcheggio in prossimità di una stazione ferroviaria o degli autobus da cui si effettua un servizio navetta per la città*.

prüfen *vt (Qualität, Maschine)* controllare ; *(Rechnung)* verificare.

Prüfung (*pl* -en) *die (von Qualität)* controllo *m* ; *(von Rechnung)* verifica *f* ; **eine ~ bestehen** superare un esame.

Prügelei (*pl* -en) *die* rissa *f*.

prügeln *vt* picchiare. ■ **sich prügeln** *ref* prendersi a botte.

prunkvoll *adj* sfarzoso(a).

PS *die* (*abk für Pferdestärke*) CV. ◆ *das* (*abk für Postskriptum*) P.S.

Pseudonym (*pl* -e) *das* pseudonimo *m*.

Psychiater, in (*mpl* -) *der, die* psichiatra *mf*.

psychisch *adj* psichico(a). ◆ *adv* psichicamente.

Psychologe (*pl* -n) *der* psicologo *m*.

Psychologie *die* psicologia *f*.

Psychologin (*pl* -nen) *die* psicologa *f*.

Psychotherapie (*pl* -n) *die* psicoterapia *f*.

Pubertät *die* pubertà *f*.

Publikum *das (von Veranstaltung)* pubblico *m* ; *(von Lokal, Restaurant)* clientela *f*.

Pudding (*pl* -s) *der* budino *m*.

Puder (*pl* -) *der (zum Schminken)* cipria *f* ; *(zur Pflege)* talco *m*.

Puderzucker *der* zucchero *m* a velo.

Pulli (*pl* -s) *der fam* maglioncino *m*.

Pullover (*pl* -) *der* maglione *m*.

Puls (*pl* -e) *der* polso *m*.

Pulver (*pl* -) *das* polvere *f*.

Pulverschnee *der* neve *f* farinosa.

Pumpe (*pl* -n) *die* pompa *f*.

pumpen *vt* & *vi* pompare.

Pumpernickel *das pane nero dalla consistenza piuttosto compatta*.

Pumps (*pl* -) *der* scarpa *f* elegante *(da donna)*.

Punker, in (*mpl* -) *der, die* punk *mf*.

Punkt (*pl* -e) *der* punto *m*.

pünktlich *adj* puntuale.

Punsch (*pl* -e) *der* punch *m*.

Puppe (*pl* -n) *die (Spielzeug)* bambola *f*.

pur *adj* puro(a).

Püree (*pl* -s) *das* purè *m*.

Pute (*pl* -n) *die (Fleisch)* tacchino *m*.

Putenschnitzel (*pl* -) *das* scaloppina *f* di tacchino.

putzen *vt* pulire. ◆ *vi (sauber machen)* fare le pulizie ; **sich** *(D)* **die Nase ~** soffiarsi il naso ; **sich** *(D)* **die Zähne ~** lavarsi i denti. ■ **sich putzen** *ref (Tier)* pulirsi.

Putzfrau (*pl* -en) *die* donna *f* delle pulizie.

Putzlappen (*pl* -) *der* straccio *m* per le pulizie.

Putzmittel (*pl* -) *das* detersivo *m (per pulizie)*.

Puzzle (*pl* -s) *das* puzzle *m*.

Pyramide (*pl* -n) *die* piramide *f*.

Q

qm *(abk für Quadratmeter)* m².

Quadrat (*pl* -e) *das (Form)* quadrato *m*.

quadratisch *adj* quadrato(a).

Quadratmeter (*pl* -) *der* metro *m* quadrato.

Quai *der* = **Kai**.

quälen *vt* tormentare.

Qualifikation (*pl* -en) *die (Voraussetzung)* qualifica *f*.

Qualität (*pl* -en) *die (von Material)* qualità *f*.

Qualle (*pl* -n) *die* medusa *f*.

Qualm *der* fumo *m*.

qualmen *vi (Feuer, Schornstein)* fumare.

Quarantäne (*pl* -n) *die* quarantena *f*.

Quark *der* quark *m*.

Quarktasche (*pl* -n) *die dolce ripieno di quark*.

Quartett (*pl* -e) *das (MUS, Kartenspiel)* quartetto *m*.

Quartier (*pl* -e) *das (Unterkunft)* alloggio *m*.

quasi *adv* più o meno.

Quatsch *der fam* sciocchezze *fpl*.

quatschen *vi fam* chiacchierare.

Quebec *nt* Quebec *m*.

Quelle (*pl* -n) *die (von Fluss)* sorgente *f* ; *(Text)* fonte *f*.

quellen (*präs* **quillt**, *prät* **quoll**, *pp* **gequollen**) *vi (Flüssigkeit)* sgorgare ; *(Reis, Erbsen)* gonfiarsi.

quer *adv (diagonal)* obliquamente.

querschnittsgelähmt *adj* paraplegico(a).

Querstraße (*pl* -n) *die* traversa *f*.

quetschen *vt (zerdrücken, drücken)* schiacciare ; **sich** *(D)* **etw ~** *(verletzen)* schiacciarsi qc. ■ **sich quetschen** *ref (sich zwängen)* comprimersi.

Quetschung (*pl* -en) *die* contusione *f*.

quietschen *vi (Tür, Bremsen)* cigolare.

quillt *präs* → **quellen**.

Quitte *(pl* **-n)** *die* mela *f* cotogna.

Quittung *(pl* **-en)** *die (für Zahlung)* ricevuta *f*; **könnte ich bitte eine ~ bekommen?** potrei avere una ricevuta, per favore?

Quiz *(pl* **-)** *das* quiz *m*.

quoll *prät* → **quellen**.

R

Rabatt *(pl* **-e)** *der* sconto *m (sulla quantità)*; **~ bekommen/geben auf** *(+A)* ottenere/praticare uno sconto su.

Rache *die* vendetta *f*.

rächen *vt (Unrecht)* vendicare. ■ **sich rächen** *ref (Rache nehmen)* vendicarsi.

Rad *(pl* **Räder)** *das* ruota *f*; **~ fahren** andare in bicicletta.

Radarkontrolle *(pl* **-n)** *die* controllo *m* radar.

radeln *vi (ist)* andare in bici.

Radfahrer, in *(mpl* **-)** *der, die* ciclista *mf*.

Radfahrweg *(pl* **-e)** *der* pista *f* ciclabile.

Radi *(pl* **-)** *der Süddt* rafano *m*.

radieren *vi (mit Radiergummi)* cancellare. ◆ *vt (Bild)* incidere.

Radiergummi *(pl* **-s)** *der* gomma *f* per cancellare.

Radieschen *(pl* **-)** *das* rapanello *m*.

radikal *adj* radicale.

Radio *(pl* **-s)** *das* radio *f*.

radioaktiv *adj* radioattivo(a).

Radiologe *(pl* **-n)** *der* radiologo *m*.

Radiologin *(pl* **-nen)** *die* radiologa *f*.

Radiosendung *(pl* **-en)** *die* trasmissione *f* radiofonica.

Radiowecker *(pl* **-)** *der* radiosveglia *f*.

Radler, in *(mpl* **-)** *der, die fam (Radfahrer)* ciclista *mf*.

Radrennen *(pl* **-)** *das* corsa *f* ciclistica.

Radsport *der* ciclismo *m*.

Radtour *(pl* **-en)** *die* gita *f* in bicicletta.

Radwechsel *(pl* **-)** *der* cambio *m* della ruota.

Radweg *(pl* **-e)** *der* pista *f* ciclabile.

raffiniert *adj (schlau)* scaltro(a).

Ragout *(pl* **-s)** *das* ragù *m*.

Rahm *der* panna *f*.

Rahmen *(pl* **-)** *der (für Bild)* cornice *f*.

Rakete *(pl* **-n)** *die (für Feuerwerk)* razzo *m*; *(Waffe, Raumschiff)* missile *m*.

rammen *vt (mit Auto, Bus)* urtare.

Rand *(pl* **Ränder)** *der (von Gefäß)* bordo *m*.

randalieren *vi* commettere atti vandalici.

Randstreifen (*pl* -) *der (von Autobahn)* corsia *f* di emergenza.

randvoll *adj* strapieno(a).

rang *prät* → **ringen**.

Rang (*pl* **Ränge**) *der (Stellung)* grado *m* ; *(im Theater)* galleria *f*.

rangieren *vi (Fahrer)* far manovra. ◆ *vt (Fahrzeug)* manovrare.

rann *prät* → **rinnen**.

rannte *prät* → **rennen**.

ranzig *adj* rancido(a).

Rappen (*pl* -) *der (Münze)* centesimo *m (di franco svizzero)*.

Rapsöl *das* olio *m* di colza.

Rarität (*pl* **-en**) *die (Gegenstand)* rarità *f*.

rasant *adj (Tempo)* velocissimo(a).

rasch *adj* rapido(a).

rascheln *vi (Blätter)* frusciare.

rasen *vi (ist) (fahren)* sfrecciare.

Rasen *der (Fläche)* prato *m* ; *(Gras)* erba *f*.

Rasenmäher (*pl* -) *der* tosaerba *m*.

Rasierapparat (*pl* **-e**) *der* rasoio *m* elettrico.

Rasiercreme (*pl* **-s**) *die* crema *f* da barba.

rasieren *vt* radere. ■ **sich rasieren** *ref* radersi ; **sich nass/trocken ~** radersi con la lametta/con il rasoio elettrico.

Rasierer (*pl* -) *der* rasoio *m*.

Rasierklinge (*pl* **-n**) *die* lametta *f* da barba.

Rasierpinsel (*pl* -) *der* pennello *m* da barba.

Rasierschaum *der* schiuma *f* da barba.

Rasierwasser *das* dopobarba *m*.

Rasse (*pl* **-n**) *die* razza *f*.

Rassismus *der* razzismo *m*.

Rast *die* sosta *f* ; **~ machen** fare una sosta.

rasten *vi* sostare.

Rasthof (*pl* **-höfe**) *der (an Autobahn)* Autogrill® *m*.

Rastplatz (*pl* **-plätze**) *der (an Autobahn, Wanderweg)* area *f* di sosta ; **'~ bitte sauber halten!'** 'si prega di tener pulita l'area di sosta'.

Raststätte (*pl* **-n**) *die (an Autobahn)* Autogrill® *m*.

Rasur (*pl* **-en**) *die* rasatura *f*.

Rat (*pl* **Räte**) *der (Ausschuss, Ratschlag)* consiglio *m* ; **jn um ~ fragen** chiedere un consiglio a qn.

rät *präs* → **raten**.

Rate (*pl* **-n**) *die (Zahlung)* rata *f*.

raten (*präs* **rät**, *prät* **riet**, *pp* **geraten**) *vt* & *vi (erraten)* indovinare ; *(Rat geben)* consigliare.

Ratenzahlung (*pl* **-en**) *die* pagamento *m* rateale.

Ratgeber (*pl* -) *der (Buch)* guida *f*.

Rathaus (*pl* **-häuser**) *das* municipio *m*.

rationalisieren *vt* & *vi* razionalizzare.

ratlos *adj* perplesso(a).

ratsam *adj* consigliabile.

Ratschlag (*pl* -schläge) *der* consiglio *m*.

Rätsel (*pl* -) *das (Ratespiel)* indovinello *m* ; *(Aufgabe)* enigma *m* ; **ein ~ lösen** *(Ratespiel)* risolvere un indovinello.

Ratskeller (*pl* -) *der ristorante situato nelle cantine del palazzo municipale*.

Ratte (*pl* -n) *die* ratto *m*.

rau *adj (Material)* ruvido(a) ; *(Klima)* rigido(a).

Raub *der (von Geld, Gegenstand)* rapina *f*.

rauben *vt (Geld, Gegenstand)* rapinare.

Raubüberfall (*pl* -fälle) *der* rapina *f*.

Rauch *der* fumo *m*.

rauchen *vi* & *vt* fumare. ◆ *vt* : **bitte nicht ~** si prega di non fumare ; **'Rauchen verboten'** 'vietato fumare'.

Raucher, in (*mpl* -) *der, die (Person)* fumatore *m*, -trice *f*.

Räucheraal (*pl* -e) *der* anguilla *f* affumicata.

Raucherabteil (*pl* -e) *das* scompartimento *m* per fumatori.

Räucherlachs *der* salmone *m* affumicato.

räuchern *vt* affumicare.

rauchfrei *adj* : **~e Zone** *(in Restaurant)* zona non fumatori.

Rauchmelder (*pl* -) *der* rivelatore *m* di fumo.

Rauchverbot *das* divieto *m* di fumare.

rauf *adv fam* = **herauf**.

rauh *adj* = **rau**.

Rauhreif *der* = **Raureif**.

Raum (*pl* **Räume**) *der (Dimension)* spazio *m*.

räumen *vt (Straße, Haus)* sgomberare.

Raumfähre (*pl* -n) *die* navicella *f* spaziale.

Raumfahrt *die* astronautica *f*.

Räumlichkeit (*pl* -en) *die (Gebäude)* locali *mpl*.

Raumschiff (*pl* -e) *das* astronave *f*.

Raumtemperatur (*pl* -en) *die* temperatura *f* ambiente.

Räumungsarbeiten *pl* lavori *mpl* di sgombero.

Räumungsverkauf (*pl* -käufe) *der* liquidazione *f* totale.

Raupe (*pl* -n) *die (Tier, Karussell)* bruco *m*.

Raureif *der* brina *f*.

raus *adv fam* = **heraus** ; **~ hier!** fuori di qui!

Rausch (*pl* **Räusche**) *der* ebbrezza *f*.

rauschen *vi (hat) (Wasser)* scrosciare ; *(Bäume)* stormire. ◆ *vimp (hat)* : **es rauscht** *(im Telefon)* ci sono dei fruscii.

Rauschgift (*pl* -e) *das* stupefacente *m*.

rauschgiftsüchtig *adj* tossicodipendente.

raus|fliegen *vi (unr* & *ist) fam (aus Schule, Lokal)* essere buttato(a) fuori.

raus|halten : sich raushalten *ref (unr) fam* : **sich aus etw** ~ tenersi fuori da qc.

räuspern : sich räuspern *ref* schiarirsi la voce.

raus|schmeißen *vt (unr & hat) fam (Gast, Angestellten)* sbattere fuori.

reagieren *vi* reagire.

Reaktion (*pl* **-en**) *die* reazione *f* ; **allergische** ~ reazione allergica.

real *adj* reale.

realisieren *vt* realizzare.

realistisch *adj* realistico(a).

Realität *die (Wirklichkeit)* realtà *f*.

Realschule (*pl* **-n**) *die scuola secondaria superiore a ciclo breve*.

rebellieren *vi* ribellarsi.

Rebstock (*pl* **-stöcke**) *der* vitigno *m*.

rechnen *vi* fare i calcoli. ◆ *vt* calcolare ; ~ **mit etw** *(erwarten)* aspettarsi qc ; *(sich verlassen auf)* contare su.

Rechner (*pl* -) *der (Computer)* computer *m*.

Rechnung (*pl* **-en**) *die (Rechenaufgabe)* calcolo *m* ; *(für Leistung, Speisen)* conto *m* ; **auf js** ~ a spese di qn ; **die** ~, **bitte!** il conto, per favore!

Rechnungsbetrag (*pl* **-beträge**) *der* importo *m* della fattura.

recht *adj (richtig)* giusto(a).

Recht (*pl* **-e**) *das (Gesetz, Anrecht)* diritto *m* ; **du hast** ~ hai ragione ; **jm** ~ **geben** dar ragione a qn.

rechte, r, s *adj (Seitenangabe)* destro(a) ; *(politisch)* di destra.

Rechte[1] (*pl* **-n**) *die (politisch)* destra *f*.

Rechte[2] *das (das Richtige)* cosa *f* giusta.

rechteckig *adj* rettangolare.

rechtfertigen *vt* giustificare. ■ **sich rechtfertigen** *ref* giustificarsi.

Rechtfertigung (*pl* **-en**) *die* giustificazione *f*.

rechthaberisch *adj* che vuole sempre avere ragione.

rechtlich *adj* legale.

rechts *adv (Seitenangabe)* sulla destra ; *(Richtungsangabe)* a destra ; *(politisch)* a destra ; **nach** ~ a destra ; ~ **von** alla destra di ; **von** ~ da destra.

Rechtsabbieger (*pl* -) *der* veicolo *m* che svolta a destra.

Rechtsanwalt, wältin (*mpl* **-wälte**) *der, die* avvocato *m*, -essa *f*.

Rechtschreibung *die* ortografia *f*.

Rechtskurve (*pl* **-n**) *die* curva *f* a destra.

Rechtsradikale (*pl* **-n**) *der, die* estremista *mf* di destra.

rechtswidrig *adj* illegale.

rechtzeitig *adj (früh genug)* tempestivo(a) ; *(pünktlich)* puntuale. ◆ *adv* in tempo.

recyceln *vt* riciclare.

Recycling *das* riciclaggio *m*.

Redakteur, in (*mpl* -e) *der, die* redattore *m*, -trice *f*.

Rede (*pl* -n) *die (Vortrag)* discorso *m* ; **eine ~ halten** tenere un discorso.

reden *vt* dire ; **kein Wort ~** non dire una parola. ◆ *vi (sprechen)* parlare ; **~ mit** parlare con ; **~ über** *(+A)* parlare di.

Redewendung (*pl* -en) *die* espressione *f* idiomatica.

Redner, in (*mpl* -) *der, die* oratore *m*, -trice *f*.

reduzieren *vt (verringern)* ridurre. ■ **sich reduzieren** *ref (sich verringern)* diminuire.

reduziert *adj* scontato(a) ; **~e Ware** merce scontata.

Reederei (*pl* -en) *die* compagnia *f* armatrice.

Reeperbahn *die nome di una famosa strada di Amburgo.*

REEPERBAHN

La "Reeperbahn" è la via principale di St. Pauli, il famoso quartiere di Amburgo. Il nome della strada è ormai sinonimo di questo quartiere a luci rosse ricco di locali da striptease, night-clubs, case chiuse e sale da gioco.

reflektieren *vt (Licht)* riflettere.

Reflex (*pl* -e) *der (Reaktion)* riflesso *m*.

Reform (*pl* -en) *die* riforma *f*.

Reformhaus (*pl* -häuser) *das* negozio *m* di prodotti naturali.

REFORMHAUS

In questo tipo di negozi, molto diffusi in Germania, è possibile trovare cibi naturali provenienti da coltivazioni biologiche e prodotti di erboristeria per la cura del corpo e per la salute.

reformieren *vt* riformare.

Reformkost *die* alimentazione *f* naturale.

Regal (*pl* -e) *das* scaffale *m*.

Regatta (*pl* **Regatten**) *die* regata *f*.

Regel (*pl* -n) *die (Norm)* regola *f*.

Regelblutung (*pl* -en) *die* mestruazione *f*.

regelmäßig *adj* regolare.

regeln *vt* regolare ; **etw vertraglich ~** regolamentare qc con un contratto ; **eine Sache ~** sistemare una faccenda.

Regelung (*pl* -en) *die (Vorschrift)* regolamento *m*.

Regen *der* pioggia *f* ; **bei ~** in caso di pioggia ; **im ~** sotto la pioggia.

Regenbogen (*pl* -bögen) *der* arcobaleno *m*.

Regenfälle *pl* piogge *fpl*.

Regenjacke (*pl* -n) *die* giacca *f* impermeabile.

Regenmantel (*pl* -mäntel) *der* impermeabile *m*.

Regenschauer (*pl* -) *der* piovasco *m*.

Regenschirm (*pl* -e) *der* ombrello *m*.

Regentropfen (*pl* -) *der* goccia *f* di pioggia.

Regenwurm (*pl* **-würmer**) *der* lombrico *m*.

Regie *die* regia *f*.

regieren *vt (Land)* governare. ◆ *vi (Partei, Politiker)* essere al governo.

Regierung (*pl* **-en**) *die (Personen)* governo *m*.

Regierungssitz (*pl* **-e**) *der* sede *f* del governo.

Region (*pl* **-en**) *die (Gebiet)* zona *f*.

regional *adj* regionale. ◆ *adv* : **~ verschieden** diverso(a) da regione a regione.

Regisseur, in (*mpl* **-e**) *der, die* regista *mf*.

regnen : **es regnet** *vimp* piove.

regnerisch *adj* piovoso(a) ; **es ist ~** è piovoso.

regulär *adj (vorgeschrieben)* regolamentare ; *fam (normal)* regolare.

regulieren *vt (Temperatur, Blende)* regolare.

Reh (*pl* **-e**) *das* capriolo *m*.

Rehrücken (*pl* -) *der* lombata *f* di capriolo.

Reibe (*pl* **-n**) *die* grattugia *f*.

Reibekuchen (*pl* -) *der frittella di patate grattugiate*.

reiben (*prät* **rieb**, *pp* **gerieben**) *vt (Äpfel, Käse)* grattugiare. ◆ *vi (scheuern)* strofinare ; **sich** *(D)* **die Augen/Hände ~** sfregarsi gli occhi/le mani.

Reiberdatschi (*pl* -) *der Süddt frittella di patate grattugiate*.

reibungslos *adj* senza problemi.

reich *adj* ricco(a) ; **~ sein an** *(+D)* essere ricco(a) di.

Reich (*pl* **-e**) *das (Bereich, von König)* regno *m* ; *(von Kaiser)* impero *m*.

reichen *vi (genügen)* bastare ; *(räumlich)* arrivare. ◆ *vt* : **mir reicht es** *fam* ne ho abbastanza ; **das reicht!** *fam* basta!

reichhaltig *adj* ricco(a).

Reichstag *der palazzo, sede del Parlamento tedesco*.

REICHSTAG

Il "Reichstag" fu costruito a Berlino tra il 1884 ed il 1894 e ospitò le riunioni parlamentari fino al 23 febbraio 1933, giorno in cui venne incendiato. L'incendio del "Reichstag" fornì ai nazionalsocialisti un pretesto per perseguitare i loro avversari politici. Dopo un'ulteriore distruzione subita durante la seconda guerra mondiale, l'edifico fu ricostruito, ma utilizzato solo sporadicamente per le sedute del Parlamento federale. In seguito alla riunificazione nel 1990, il "Reichstag" è stato ampliato, restaurato e provvisto di una moderna cupola di vetro. Dal 1999 il Parlamento tedesco si riunisce nuovamente in questa sede.

Reichtum *der (finanziell)* ricchezza *f*.

reif *adj* maturo(a).

Reif *der (Raureif)* brina *f*.

Reifen *(pl -) der (von Fahrrad)* gomma *f*, *(von Auto)* pneumatico *m* ; **den ~ wechseln** cambiare la gomma.

Reifendruck *der* pressione *f* dei pneumatici.

Reifenpanne *(pl* **-n**) *die* foratura *f* della gomma.

Reifenwechsel *(pl -) der* cambio *m* della gomma.

Reihe *(pl* **-n**) *die (Linie, in Theater, Kino)* fila *f*; *(in Heft)* riga *f*; *(in Fernsehen, Zeitung)* serie *f*; **in einer ~ stehen** stare in fila ; **Sie sind an der ~** tocca a Lei.

Reihenfolge *die* ordine *m*.

rein *adj (pur, ungemischt)* puro(a). ◆ *adv (ausschließlich)* puramente ; *fam* = **herein** ; **komm ~!** *fam* entra!

rein|fallen *vi (unr & ist) fam (hineinfallen)* cadere *(dentro)* ; **~ auf** *(+A) fam* farsi imbrogliare da.

reinigen *vt* pulire ; **chemisch ~** pulire a secco.

Reiniger *(pl -) der* detergente *m*.

Reinigung *(pl* **-en**) *die (Geschäft)* tintoria *f*.

Reinigungsmilch *die* latte *m* detergente.

Reinigungsmittel *(pl -) das* detergente *m*.

rein|legen *vt fam (betrügen)* imbrogliare.

rein|reden *vi* : **jm ~** *(jm ins Wort fallen) fam* interrompere qn.

Reis *der* riso *m*.

Reise *(pl* **-n**) *die* viaggio *m* ; **eine ~ machen** fare un viaggio ; **gute ~!** buon viaggio!

Reiseandenken *(pl -) das* souvenir *m*.

Reiseapotheke *(pl* **-n**) *die* farmacia *f* da viaggio.

Reisebegleiter, in *(mpl -) der, die* accompagnatore *m*, -trice *f*.

Reisebüro *(pl* **-s**) *das* agenzia *f* di viaggi.

Reisebus *(pl* **-se**) *der* pullman *m* turistico.

Reiseführer *(pl -) der (Buch, Person)* guida *f* turistica.

Reiseführerin *(pl* **-nen**) *die* guida *f* turistica.

Reisegepäck *das* bagaglio *m*.

Reisegesellschaft *(pl* **-en**) *die (Gruppe)* comitiva *f*; *(Firma)* compagnia *f* di viaggi.

Reisegruppe *(pl* **-n**) *die* comitiva *f*.

reisekrank *adj* chi soffre di cinetosi.

Reiseleiter, in *(mpl -) der, die* guida *f* turistica.

reiselustig *adj* appassionato(a) di viaggi.

reisen *vi (ist)* viaggiare.

Reisende *(pl* **-n**) *der, die* viaggiatore *m*, -trice *f* ; **~ in Richtung Frankfurt** passeggeri in viaggio per Francoforte.

Reisepass *(pl* **-pässe**) *der* passaporto *m*.

Reiseproviant *der* provviste *fpl* per il viaggio.

Reiseroute (*pl* -n) *die* itinerario *m* di viaggio.
Reiseruf (*pl* -e) *der* appello *m* radiofonico *(per chi è in viaggio)*.
Reisescheck (*pl* -s) *der* traveller's chèque *m*.
Reiseveranstalter (*pl* -) *der* operatore *m* turistico.
Reiseverkehr *der* traffico *m* turistico.
Reiseversicherung (*pl* -en) *die* assicurazione *f* di viaggio.
Reisewetterbericht (*pl* -e) *der* previsioni *fpl* meteorologiche turistiche.
Reisezeit (*pl* -en) *die (Saison)* stagione *f* turistica.
Reiseziel (*pl* -e) *das* meta *f* turistica.
reißen (*prät* **riss**, *pp* **gerissen**) *vi (ist) (zerreißen)* strapparsi. ◆ *vi (hat) (ziehen)* : ~ **an etw** *(D)* tirare *(con forza)* qc. ◆ *vt (hat)* strappare.
Reißverschluss (*pl* -schlüsse) *der* cerniera *f* lampo.
Reißzwecke (*pl* -n) *die* puntina *f* da disegno.
reiten (*prät* **ritt**, *pp* **geritten**) *vi (ist) (auf Pferd, Esel)* cavalcare.
Reiter, in (*mpl* -) *der, die* cavallerizzo *m*, -a *f*.
Reitsport *der* equitazione *f*.
Reitstall (*pl* -ställe) *der* scuderia *f*.
Reitweg (*pl* -e) *der* pista *f* equestre.
Reiz (*pl* -e) *der (physikalisch)* stimolo *m* ; *(Schönheit)* fascino *m*.
reizen *vt (verlocken)* attrarre ; *(provozieren)* provocare ; *(Augen, Magen)* irritare.
reizend *adj* delizioso(a).
Reizung (*pl* -en) *die (von Schleimhaut, Magen)* irritazione *f*.
reizvoll *adj (schön)* affascinante.
Reklamation (*pl* -en) *die* reclamo *m*.
Reklame *die* pubblicità *f*.
reklamieren *vi* reclamare.
Rekord (*pl* -e) *der* record *m*.
relativ *adj* relativo(a).
relaxen *vi fam* rilassarsi.
Religion (*pl* -en) *die* religione *f*.
Reling *die (von Schiff)* parapetto *m*.
Remoulade (*pl* -n) *die* salsa *fredda a base di uova, olio ed erbe*.
Renaissance *die* rinascimento *m*.
Rendezvous (*pl* -) *das* appuntamento *m*.
Rennbahn (*pl* -en) *die (für Pferde)* ippodromo *m* ; *(für Autos)* autodromo *m*.
rennen (*prät* **rannte**, *pp* **gerannt**) *vi (ist) (laufen)* correre.
Rennen (*pl* -) *das* corsa *f*.
Rennfahrer, in (*mpl* -) *der, die* pilota *mf (d'auto)*.
Rennrad (*pl* -räder) *das* bicicletta *f* da corsa.
Rennsport *der* corse *fpl*.
Rennwagen (*pl* -) *der* auto *f* da corsa.

renommiert *adj* rinomato(a).

renovieren *vt (Gebäude)* restaurare.

Renovierung (*pl* -en) *die (von Gebäude)* restauro *m* ; **'wegen ~ geschlossen'** 'chiuso per restauro'.

Rente (*pl* -n) *die (Pension)* pensione *f*.

Rentner, in (*mpl* -) *der, die* pensionato *m*, -a *f*.

Reparatur (*pl* -en) *die* riparazione *f*.

reparieren *vt* riparare.

Reportage (*pl* -n) *die* reportage *m*.

Reporter, in (*mpl* -) *der, die* reporter *mf* ; *(Fernsehreporter)* inviato *m*, -a *f* (speciale).

repräsentativ *adj (Wagen, Villa)* di rappresentanza.

Republik (*pl* -en) *die* repubblica *f*.

Reserve (*pl* -n) *die (Vorrat, SPORT)* riserva *f* ; **etw in ~ haben** avere qc in serbo.

Reservekanister (*pl* -) *der* tanica *f* di riserva.

Reserverad (*pl* -räder) *das* ruota *f* di scorta.

Reservereifen (*pl* -) *der* gomma *f* di scorta.

reservieren *vt* prenotare ; **~ für** prenotare per.

reserviert *adj* riservato(a).

Reservierung (*pl* -en) *die* prenotazione *f*.

resignieren *vi* rassegnarsi.

Respekt *der (Achtung)* rispetto *m* ; *(Angst)* timore *m*.

respektieren *vt* rispettare.

Rest (*pl* -e) *der* resto *m*.

Restaurant (*pl* -s) *das* ristorante *m*.

Restbetrag (*pl* -träge) *der* resto *m*.

Restgeld *das* : **'kein ~'** 'la macchina non dà resto' ; **'~ wird erstattet'** 'la macchina dà resto'.

restlich *adj* rimanente.

restlos *adv* completamente.

Resultat (*pl* -e) *das* risultato *m*.

retten *vt* salvare. ■ **sich retten** *ref* salvarsi.

Retter, in (*mpl* -) *der, die* salvatore *m*, -trice *f*.

Rettich (*pl* -e) *der* rafano *m*.

Rettung (*pl* -en) *die (Handlung)* salvataggio *m*.

Rettungsdienst (*pl* -e) *der* servizio *m* di salvataggio.

Rettungsring (*pl* -e) *der* salvagente *m*.

Rettungswagen (*pl* -) *der* ambulanza *f*.

Revier (*pl* -e) *das (von Tier)* territorio *m* ; *(Bezirk)* distretto *m*.

Revolution (*pl* -en) *die* rivoluzione *f*.

Revolver (*pl* -) *der* revolver *m*.

Revue (*pl* -n) *die* rivista *f*.

Rezept (*pl* -e) *das* ricetta *f*.

rezeptfrei *adj* senza obbligo di ricetta medica.

Rezeption (*pl* -en) *die (im Hotel)* reception *f*.

R-Gespräch (*pl* -e) *das* telefonata *f* a carico *(del destinatario)*.

Rhabarber *der* rabarbaro *m*.

Rhein *der* Reno *m*.

rheinisch *adj* renano(a).

Rheinland *das* Renania *f*.

Rheinland-Pfalz *nt* Renania *f* Palatinato.

rhetorisch *adj* retorico(a).

Rheuma *das* reumatismo *m*.

Rhythmus (*pl* Rhythmen) *der* ritmo *m*.

Ribis(e)l (*pl* - ODER -n) *die Österr* ribes *m*.

richten *vt (Augen, Frage)* rivolgere ; *(Brief)* indirizzare. ◆ *vi (urteilen)* giudicare.

Richter, in (*mpl* -) *der, die (vor Gericht)* giudice *mf*.

Richtgeschwindigkeit *die* velocità *f* consigliata.

richtig *adj (fehlerfrei, moralisch, passend)* giusto(a) ; *(echt, wirklich)* vero(a).

richtig stellen *vt* rettificare.

Richtlinie (*pl* -n) *die* direttiva *f*.

Richtung (*pl* -en) *die* direzione *f*; 'alle ~en' 'tutte le direzioni'.

riechen (*prät* roch, *pp* gerochen) *vt (Geruch)* sentire *(l'odore)*. ◆ *vi (duften)* profumare ; *(wahrnehmen)* annusare. ◆ *vimp* : es riecht nach etw c'è odore di qc.

rief *prät* → rufen.

Riegel (*pl* -) *der (Verschluss)* catenaccio *m* ; *(Stück)* stecca *f*.

Riemen (*pl* -) *der (Band)* cinghia *f*.

rieseln *vi (ist) (Pulver, Schnee)* cadere lentamente ; *(Wasser)* scorrere lentamente.

Riesenrad (*pl* -räder) *das* ruota *f* panoramica.

Riesenslalom *der* slalom *m* gigante.

riesig *adj (Person, Gegenstand)* gigantesco(a) ; *fam (Hunger, Durst, Ärger)* enorme.

Riesling (*pl* -e) *der* riesling *m (vino)*.

riet *prät* → raten.

Riff (*pl* -e) *das* scogliera *f*.

Rille (*pl* -n) *die (Spur)* solco *m*.

Rind (*pl* -er) *das (Tier)* bovino *m* ; *(Fleisch)* manzo *m*.

Rinde (*pl* -n) *die (von Brot, Käse)* crosta *f*; *(von Bäumen)* corteccia *f*.

Rinderbraten (*pl* -) *der* arrosto *m* di manzo.

Ring (*pl* -e) *der (Schmuck)* anello *m*.

ringen (*prät* rang, *pp* gerungen) *vi* lottare.

Ringer, in (*mpl* -) *der, die* lottatore *m*, -trice *f*.

Ringkampf (*pl* -kämpfe) *der (im Sport)* incontro *m* di lotta.

ringsherum *adv* tutt'intorno.

Ringstraße (*pl* -n) *die* circonvallazione *f*.

ringsum *adv* tutt'intorno.

rinnen (*prät* rann, *pp* geronnen) *vi (ist) (Wasser, Blut)* colare.

Rinnstein (*pl* -e) *der* canaletta *f* di scolo.

Rippchen (*pl* -) *das* costoletta *f*.

Rippe (*pl* -n) *die (Knochen)* costola *f*.

Risiko (*pl* **Risiken**) *das* rischio *m* ; **auf eigenes ~** a proprio rischio ; **mögliche Risiken und Nebenwirkungen** possibili rischi ed effetti collaterali.

riskant *adj* rischioso(a).

riskieren *vt* rischiare.

riss *prät* → **reißen**.

Riss (*pl* -e) *der (in Stoff)* strappo *m* ; *(in Holz, Wand)* crepa *f*.

Ritt (*pl* -e) *der* cavalcata *f*.

ritt *prät* → **reiten**.

Ritter (*pl* -) *der* cavaliere *m*.

ritzen *vt (gravieren)* incidere.

Rivale (*pl* -n) *der* rivale *m*.

Rivalin (*pl* -nen) *die* rivale *f*.

Roastbeef (*pl* -s) *das* roast beef *m*.

Roboter (*pl* -) *der* robot *m*.

robust *adj* robusto(a).

roch *prät* → **riechen**.

Rock[1] (*pl* **Röcke**) *der (Kleidungsstück)* gonna *f*.

Rock[2] *der (Musik)* rock *m*.

Rockmusik *die* musica *f* rock.

rodeln *vi (ist)* andare in slitta.

Roggen *der* segale *f*.

Roggenbrot (*pl* -e) *das* pane *m* di segale.

roh *adj (nicht gegart)* crudo(a) ; *(Material)* grezzo(a).

Rohkost *die* verdura e/o frutta *f* cruda.

Rohr (*pl* -e) *das (für Wasser, Gas)* tubo *m* ; *(Pflanze)* canna *f*.

Rohrzucker *der* zucchero *m* di canna.

Rokoko *das* rococò *m*.

Rollbahn (*pl* -en) *die* pista *f* di rullaggio.

Rollbraten (*pl* -) *der* rotolo *m* di carne arrosto.

Rolle (*pl* -n) *die (aus Papier, Stoff)* rotolo *m* ; *(im Theater, Funktion)* ruolo *m* ; **keine ~ spielen** non avere importanza.

rollen *vi (ist) (Ball, Steine)* rotolare. ◆ *vt (hat) (Rollstuhl)* spingere ; *(Kugel)* far rotolare.

Roller (*pl* -) *der (mit Motor)* scooter *m* ; *(für Kinder)* monopattino *m*.

Rollerskates *pl* pattini *mpl* in linea.

Rollkragen (*pl* -) *der* collo *m* alto.

Rollladen (*pl* -läden) *der (vor Fenster)* tapparella *f*.

Rollmops (*pl* -möpse) *der* *aringa arrotolata attorno ad un cetriolino o ad una cipollina*.

Rollo (*pl* -s) *das* tenda *f* a rullo.

Rollschuh (*pl* -e) *der* pattino *m* a rotelle.

Rollschuhfahrer, in (*mpl* -) *der, die* pattinatore *m*, -trice *f*.

Rollsplit *der* pietrisco *m*.

Rollstuhl (*pl* -stühle) *der* sedia *f* a rotelle.

Rollstuhlfahrer, in (*mpl* -) *der, die* disabile *mf* su sedia a rotelle.

Rolltreppe (*pl* -n) *die* scala *f* mobile.

Rom *nt* Roma *f*.

Roman (*pl* -e) *der* romanzo *m*.

romanisch *adj* *(Bauwerk, Kunst)* romanico(a) ; *(Sprache)* romanzo(a).

Romantik *die* romanticismo *m*.

romantisch *adj* romantico(a).

Rommé *das* ramino *m*.

röntgen *vt* fare una radiografia a.

Röntgenaufnahme (*pl* -n) *die* radiografia *f*.

rosa *adj* rosa.

Rose (*pl* -n) *die* rosa *f*.

Rosenkohl *der* cavoletto *m* di Bruxelles.

Rosenmontag (*pl* -e) *der* lunedì *m* che precede martedì grasso.

Roséwein (*pl* -e) *der* vino *m* rosé.

Rosine (*pl* -n) *die* uva *f* passa.

Rost (*pl* -e) *der* *(auf Metall)* ruggine *f* ; *(Gitter)* griglia *f*.

Rostbratwurst (*pl* -würste) *die* würstel *m* alla griglia.

rosten *vi* *(hat & ist)* arrugginire.

rösten *vt* arrostire.

rostfrei *adj* *(Stahl)* inossidabile.

Rösti *pl* *Schweiz* ≃ patate *fpl* arrosto.

rostig *adj* arrugginito(a).

rot (*komp* röter ODER roter, *superl* am rötesten ODER rotesten) *adj* *(Farbe)* rosso(a) ; *fam* *(Politik)* di sinistra.

Rot *das* rosso *m* ; 'bei ~ hier halten' 'con semaforo rosso fermarsi qui'.

Rote Kreuz *das* Croce *f* Rossa.

Röteln *pl* rosolia *f*.

rothaarig *adj* rosso(a) *(di capelli)*.

Rotkraut *das* cavolo *m* rosso.

Rotlichtviertel (*pl* -) *das* quartiere *m* a luci rosse.

Rotwein (*pl* -e) *der* vino *m* rosso.

Rouge *das* fard *m*.

Roulade (*pl* -n) *die* involtino *m* di carne.

Roulette (*pl* -s) *das* roulette *f*.

Route (*pl* -n) *die* itinerario *m*.

Routine *die* routine *f*.

rubbeln *vi* *fam* sfregare.

Rübe (*pl* -n) *die* *(Pflanze)* barbabietola *f*.

rüber *adv* *fam* = herüber.

Rubin (*pl* -e) *der* rubino *m*.

Rubrik (*pl* -en) *die* *(Spalte)* rubrica *f*.

Rückbank (*pl* -bänke) *die* sedile *m* posteriore ; umklappbare ~ sedile posteriore ribaltabile.

rücken *vt* *(hat)* *(Gegenstand)* spostare. ◆ *vi* *(ist)* *(Person)* spostarsi ; nach links/rechts ~ spostarsi a sinistra/destra.

Rücken (*pl* -) *der* *(von Person, Tier)* schiena *f* ; *(von Buch)* dorso *m*.

Rückenlage *die* : **in ~** in posizione supina.
Rückenlehne (*pl* **-n**) *die* schienale *m*.
Rückenschmerzen *pl* mal *m* di schiena.
Rückenwind *der* vento *m* da dietro ; *(beim Segeln)* vento *m* di poppa.
Rückerstattung (*pl* **-en**) *die* rimborso *m*.
Rückfahrkarte (*pl* **-n**) *die* biglietto *m* di andata e ritorno.
Rückfahrt (*pl* **-en**) *die* viaggio *m* di ritorno.
Rückfall (*pl* **-fälle**) *der (Krankheit)* ricaduta *f*.
Rückflug (*pl* **-flüge**) *der* volo *m* di ritorno.
Rückgabe *die* restituzione *f*.
rückgängig *adv* : **etw ~ machen** revocare qc.
Rückgrat (*pl* **-e**) *das (Körperteil)* spina *f* dorsale.
Rückkehr *die* ritorno *m*.
rückläufig *adj* in calo.
Rücklicht (*pl* **-er**) *das* luci *fpl* posteriori.
Rückreise (*pl* **-n**) *die* viaggio *m* di ritorno.
Rückreiseverkehr *der* traffico *m* del rientro *(dalle ferie)*.
Rückruf (*pl* **-e**) *der (per Telefon)* : **wir bitten um ~** si prega di richiamare.
Rucksack (*pl* **-säcke**) *der* zaino *m*.
Rucksacktourist, in (*mpl* **-en**) *der, die* saccopelista *mf*.
Rückschritt (*pl* **-e**) *der* regressione *f*.
Rückseite (*pl* **-n**) *die* retro *m*.
Rücksicht (*pl* **-en**) *die* considerazione *f* ; **~ nehmen auf** *(+A)* avere riguardo per.
rücksichtslos *adj* senza riguardo.
rücksichtsvoll *adj* rispettoso(a).
Rücksitz (*pl* **-e**) *der* sedile *m* posteriore.
Rückspiegel (*pl* **-**) *der* specchietto *m* retrovisore.
Rückstrahler (*pl* **-**) *der* catarifrangente *m*.
rückwärts *adv (nach hinten)* (all')indietro ; *(von hinten)* da dietro.
Rückwärtsgang *der* retromarcia *f*.
Rückweg (*pl* **-e**) *der* via *f* del ritorno ; **auf dem ~** sulla via del ritorno.
rückwirkend *adj* retroattivo(a).
Rückzahlung (*pl* **-en**) *die* rimborso *m*.
rüde *adj* rude.
Rüde (*pl* **-n**) *der* cane *m (maschio)*.
Ruder (*pl* **-**) *das (zum Rudern)* remo *m* ; *(zum Steuern)* timone *m*.
Ruderboot (*pl* **-e**) *das* barca *f* a remi.
Ruderer (*pl* **-**) *der* rematore *m*.
Ruderin (*pl* **-nen**) *die* rematrice *f*.
rudern *vi (ist) (mit Boot)* remare.

Ruf (*pl* -e) *der (Rufen)* chiamata *f*; *(Image)* reputazione *f*.

rufen (*prät* **rief**, *pp* **gerufen**) *vt* chiamare. ◆ *vi (schreien)* gridare.

Rufnummer (*pl* -n) *die* numero *m* di telefono.

Ruhe *die (Stille)* quiete *f*; *(Gelassenheit)* tranquillità *f*; **jn in ~ lassen** lasciare in pace qn.

ruhen *vi (stillstehen)* essere fermo(a).

Ruhestand *der* pensione *f*.

Ruhestörung (*pl* -en) *die* disturbo *m* della quiete pubblica; **nächtliche ~** schiammazzi notturni.

Ruhetag (*pl* -e) *der* giorno *m* di riposo; **'montags ~'** 'chiuso il lunedì'.

ruhig *adj* tranquillo(a); *(unbewegt, gelassen)* calmo(a). ◆ *adv* tranquillamente.

Rührei (*pl* -er) *das* uovo *m* strapazzato.

rühren *vt (mit Löffel)* mescolare; *(Person)* commuovere. ◆ *vi (mit Löffel)* mescolare. ■ **sich rühren** *ref (sich bewegen)* muoversi.

Rührteig (*pl* -e) *der* impasto *m* base per dolci.

Ruine (*pl* -n) *die* rovine *fpl*.

rülpsen *vi* ruttare.

rum *adv fam* = **herum**.

Rum *der* rum *m*.

Rummel *der fam (Theater, Trubel)* trambusto *m*.

Rummelplatz (*pl* -plätze) *der* parco *m* della fiera.

Rumpf (*pl* **Rümpfe**) *der (Körperteil)* tronco *m*.

Rumpsteak (*pl* -s) *das* lombata *f* di manzo.

Rumtopf (*pl* -töpfe) *der (Gefäß) recipiente in terracotta nel quale si fa macerare la frutta nel rum*; *(Obst) frutta macerata nel rum*.

rund *adj (kreisförmig)* rotondo(a); *(dick, Summe)* tondo(a). ◆ *adv (ungefähr)* circa; *(im Kreis)* in cerchio; **~ um** attorno a.

Runde (*pl* -n) *die (Strecke)* giro *m*; *(Getränke)* **eine ~ Bier ausgeben** offrire un giro di birre.

Rundfahrt (*pl* -en) *die (mit Auto)* giro *m* in macchina.

Rundflug (*pl* -flüge) *der* giro *m* in aereo.

Rundfunk *der* radio *f*.

Rundfunkprogramm (*pl* -e) *das* programma *m* radiofonico.

Rundgang (*pl* -gänge) *der (Spaziergang)* giro *m (a piedi)*.

rundherum *adv (ringsherum)* tutt'intorno.

Rundreise (*pl* -n) *die* tour *m*.

Rundwanderweg (*pl* -e) *der* sentiero *m* circolare.

runter *adv fam* = **herunter**.

Ruß *der* fuliggine *f*.

Russe (*pl* -n) *der* russo *m*.

Russin (*pl* -nen) *die* russa *f*.

russisch *adj* russo(a).

Russisch(e) *das* russo *m*.

Russland *nt* Russia *f*.

rustikal *adj* rustico(a).
Rüstung (*pl* **-en**) *die (von Rittern)* armatura *f*.
Rutsch *der* scivolone *m* ; **guten ~!** felice anno nuovo!
Rutschbahn (*pl* **-en**) *die* scivolo *m*.
rutschen *vi (ist) (ausrutschen)* scivolare ; *fam (zur Seite rücken)* spostarsi ; *(Hose)* cadere.
rutschig *adj* scivoloso(a).
rütteln *vt* scuotere.

S

s. *abk für* **siehe**.
S (*abk für Süd*) S.
S. (*abk für Seite*) pag.
Saal (*pl* **Säle**) *der* sala *f*.
Saarland *das* Saar *f*.
sabotieren *vt* sabotare.
Sachbearbeiter, in (*mpl* **-**) *der, die* addetto *m*, -a *f*.
Sache (*pl* **-n**) *die* cosa *f* ; *(Thema)* argomento *m* ; **das ist meine ~** sono affari miei.
sachkundig *adj* competente.
sachlich *adj (Person, Gründe)* oggettivo(a) ; *(Stil)* sobrio(a).
sächlich *adj* GRAMM neutro(a).
Sachschaden (*pl* **-schäden**) *der* danno *m* materiale.
Sachsen *nt* Sassonia *f*.
Sachsen-Anhalt *nt* Sassonia-Anhalt *f*.
sacht *adj (Berührung)* delicato(a).
Sack (*pl* **Säcke**) *der (Verpackung)* sacco *m*.
Sackgasse (*pl* **-n**) *die* vicolo *m* cieco.
Safe (*pl* **-s**) *der* cassaforte *f*.
Saft (*pl* **Säfte**) *der* succo *m*.
saftig *adj* succoso(a).
Säge (*pl* **-n**) *die* sega *f*.
sagen *vt* dire ; **jm etw ~** dire qc a qn ; **sich** *(+D)* **etw ~** dirsi qc ; **~ zu** dire a ; **sag mal!** dimmi ; **was sagst du dazu?** che ne dici?
sägen *vt* & *vi* segare.
sah *prät* → **sehen**.
Sahne *die* panna *f* ; **mit/ohne ~** con/senza panna ; **saure ~** panna acida.
Sahnequark *der* quark *m* con panna.
Sahnetorte (*pl* **-n**) *die* torta *f* alla panna.
sahnig *adj* cremoso(a).
Saison (*pl* **-s**) *die* stagione *f*.
Sakko (*pl* **-s**) *das* giacca *f (da uomo)*.
Sakristei (*pl* **-en**) *die* sacrestia *f*.
Salami (*pl* **-s**) *die* salame *m*.
Salat (*pl* **-e**) *der* insalata *f* ; **grüner ~** insalata verde.
Salatbar (*pl* **-s**) *die* buffet *m* di insalate.
Salatsoße (*pl* **-n**) *die* condimento *m* per insalata.
Salbe (*pl* **-n**) *die* pomata *f*.
Salmiak *das* sale *m* ammonico.
Salmonellenvergiftung (*pl* **-en**) *die* salmonellosi *f*.

Sạlz (*pl* -e) *das* sale *m*.

Sạlzburg *nt* Salisburgo *f*.

Sạlzburger Fẹstspiele *pl* Festival *m* di Salisburgo.

SALZBURGER FESTSPIELE

Il Festival di Salisburgo, nato nel 1920, si tiene ogni estate nel mese di agosto. Nel corso del Festival si susseguono numerose rappresentazioni operistiche e concertistiche dedicate in particolare a Mozart, ma che includono anche altri compositori come Verdi e Strauss. Per tradizione, viene riproposta ogni anno l'opera "Jedermann" di Hugo von Hofmannstahl, uno dei fondatori del Festival.

Sạlzburger Nọckerln *pl Österr tipico dolce a base di zucchero ed albumi montati a neve che viene servito caldo.*

sạlzen (*pp* **gesạlzen**) *vt* salare.

sạlzig *adj* salato(a).

Sạlzkartoffeln (*pl* -n) *die* patate *fpl* lesse.

Sạlzstange (*pl* -n) *die* bastoncino *m* salato.

Sạlzstreuer (*pl* -) *der* saliera *f*.

Sạmmelfahrschein (*pl* -e) *der* biglietto *m* collettivo.

sạmmeln *vt* *(Briefmarken)* collezionare ; *(Pilze, Spenden, Unterschriften)* raccogliere.

Sạmmler, in (*mpl* -) *der, die* collezionista *mf*.

Sạmmlung (*pl* -en) *die* *(von Briefmarken, Münzen)* collezione *f* ; *(von Spenden)* raccolta *f*.

Sạmstag (*pl* -e) *der* sabato *m* ; **am ~** di sabato ; **langer ~** *primo sabato del mese in cui i negozi restano aperti fino alle 18.*

Samstagabend *der* sabato *m* sera ; **(am) ~** (il) sabato sera.

Samstagmọrgen *der* sabato *m* mattina ; **(am) ~** (il) sabato mattina.

sạmstags *adv* di sabato.

sạmt *präp (+D)* insieme a.

sạ̈mtlich *adj* tutto(a).

Sanatorium (*pl* **Sanatorien**) *das* sanatorio *m*.

Sạnd *der* sabbia *f*.

Sandale (*pl* -n) *die* sandalo *m*.

sạndig *adj* *(Boden)* sabbioso(a).

Sạndkasten (*pl* **-kästen**) *der* *(auf Spielplatz)* recinto *m* con sabbia.

Sạndstrand (*pl* **-strände**) *der* arenile *m*.

sạndte *prät* → **senden**.

sạnft *adj* *(Berührung, Person)* dolce ; *(Brise)* leggero(a).

sạng *prät* → **singen**.

Sạ̈nger, in (*mpl* -) *der, die* cantante *mf*.

sanitär *adj* sanitario(a) ; **~e Anlagen** impianti igienico-sanitari.

Sanitäter, in (*mpl* -) *der, die* infermiere *m*, -a *f* di pronto intervento.

sạnk *prät* → **sinken**.

Sạnkt Gạllen *nt* San Gallo *m*.

Sardelle (*pl* **-n**) *die* acciuga *f*.
Sardine (*pl* **-n**) *die* sardina *f*.
Sardinien *nt* Sardegna *f*.
Sarg (*pl* **Särge**) *der* bara *f*.
saß *prät* → **sitzen**.
Satellitenfernsehen *das* televisione *f* via satellite.
Satellitenschüssel (*pl* **-n**) *die* antenna *f* parabolica.
Satire (*pl* **-n**) *die* satira *f*.
satt *adj (nicht hungrig)* sazio(a). ◆ *adv (gegessen)* : **sich ~ essen** mangiare a sazietà ; **jn/etw ~ haben** essere stufo(a) di qn/qc.
Sattel (*pl* **Sättel**) *der* sella *f*.
Satz (*pl* **Sätze**) *der* GRAMM frase *f* ; *(im Tennis, Volleyball)* set *m*.
sauber *adj* pulito(a).
sauber machen *vt* pulire.
Sauce = **Soße**.
sauer *adj (Geschmack)* acido(a) ; *(ärgerlich)* seccato(a). ◆ *adv (ärgerlich)* : **~ reagieren** seccarsi ; *(nicht süß)* : **~ schmecken** avere un sapore acido.
Sauerbraten (*pl* **-**) *der arrosto di manzo marinato nell'aceto e insaporito da spezie*.
Sauerkirsche (*pl* **-n**) *die* amarena *f*.
Sauerkraut *das* crauti *mpl*.
Sauerstoff *der* ossigeno *m*.
Sauerstoffmaske (*pl* **-n**) *die* maschera *f* ad ossigeno.
Sauerteig *der* lievito *m* di pasta acida.
saufen (*präs* **säuft**, *prät* **soff**, *pp* **gesoffen**) *vi (Tier)* abbeverarsi ; *fam (Person)* trincare.
säuft *präs* → **saufen**.
saugen (*prät* **sog**, *pp* **gesogen**) *vt (mit Lippen)* succhiare.
saugen *vt (Teppich, Wohnung)* passare con l'aspirapolvere.
Säugling (*pl* **-e**) *der* lattante *m*.
Säule (*pl* **-n**) *die (an Bauwerk)* colonna *f*.
Sauna (*pl* **Saunen**) *die* sauna *f*.
Säure (*pl* **-n**) *die (chemisch)* acidi *mpl*.
Saxofon, Saxophon (*pl* **-e**) *das* sassofono *m*.
SB *abk für* **Selbstbedienung**.
S-Bahn (*pl* **-en**) *die* metropolitana *f* di superficie.
S-Bahnhof (*pl* **-höfe**) *der* stazione *f* della metropolitana di superficie.
Schach *das* scacchi *mpl*.
Schachbrett (*pl* **-er**) *das* scacchiera *f*.
Schachfigur (*pl* **-en**) *die* figura *f* degli scacchi.
Schachspiel (*pl* **-e**) *das* scacchi *mpl*.
Schachtel (*pl* **-n**) *die (aus Pappe)* scatola *f*.
schade *adj* peccato ; **wie ~!** che peccato!
schaden *vi (+D)* nuocere.
Schaden (*pl* **Schäden**) *der* danno *m*.
Schadenersatz *der* risarcimento *m* danni.
Schadenfreude *die* piacere *m* per il male altrui.

Schadensfall (*pl* **-fälle**) *der* sinistro *m*.

schädlich *adj* dannoso(a).

Schadstoff (*pl* **-e**) *der* sostanza *f* nociva.

schadstoffarm *adj* poco nocivo(a).

Schaf (*pl* **-e**) *das (Tier)* pecora *f*.

Schäfer, in (*mpl* **-**) *der, die* pastore *m*, -a *f*.

Schäferhund (*pl* **-e**) *der* cane *m* pastore.

schaffen[1](*präs* **schafft**, *prät* **schaffte**, *pp* **geschafft**) *vt* - **1.** *(zu Ende bringen)* riuscire a finire ; **es ~, etw zu tun** farcela a fare qc ; **geschafft!** fatto!
- **2.** *fam (erschöpfen)* sfinire ; **geschafft sein** essere sfinito(a).
◆ *vi Süddt (arbeiten)* lavorare.

schaffen[2](*präs* **schafft**, *prät* **schuf**, *pp* **geschaffen**) *vt (erschaffen)* creare.

Schaffhausen *nt* Sciaffusa *f*.

Schaffner, in (*mpl* **-**) *der, die* controllore *m*, -a *f*.

Schafskäse *der* formaggio *m* di pecora.

schal *adj* insipido(a).

Schal (*pl* **-s**) *der* sciarpa *f*.

Schale (*pl* **-n**) *die (Außenhaut)* buccia *f*.

schälen *vt (abziehen)* sbucciare. ■ **sich schälen** *ref* sbucciarsi.

Schallplatte (*pl* **-n**) *die* disco *m*.

schalten *vi (im Auto)* cambiare *(marcia)* ; **aufs zweite Programm ~** mettere sul secondo canale.

Schalter (*pl* **-**) *der (Knopf)* interruttore *m* ; *(bei Bank, Bahn)* sportello *m*.

Schalterbeamte, beamtin (*mpl* **-n**) *der, die* sportellista *mf*.

Schalterhalle (*pl* **-n**) *die* sala *f* sportelli.

Schalterschluss *der* chiusura *f* degli sportelli.

Schalthebel (*pl* **-**) *der* leva *f* del cambio.

Schaltung (*pl* **-en**) *die (Gangschaltung)* cambio *m*.

schämen : **sich schämen** *ref* vergognarsi.

Schanze (*pl* **-n**) *die* SPORT trampolino *m*.

scharf (*komp* **schärfer**, *superl* **am schärfsten**) *adj (Messer)* tagliente ; *(Gericht)* piccante ; *(Foto)* nitido(a) ; *(Kurve)* stretto(a) ; *(Augen, Verstand)* acuto(a) ; *fam (erotisch)* sexy. ◆ *adv (bremsen)* forte ; *(sehen, analysieren)* dettagliatamente ; **~ gewürzt** piccante ; **~ sein auf jn/etw** *fam* desiderare molto qc/qn.

Scharnier (*pl* **-e**) *das* cerniera *f*.

Schaschlik (*pl* **-s**) *das* spiedino *m* di carne e verdure.

Schatten *der (von Licht)* ombra *f* ; **im ~** all'ombra.

schattig *adj* ombreggiato(a).

Schatz (*pl* **Schätze**) *der* tesoro *m*.

schätzen *vt (Alter, Größe,*

Schaden) stimare ; *(glauben, meinen)* ritenere ; *(gern haben)* apprezzare.

Schau (*pl* **-en**) *die (Ausstellung)* mostra *f* ; *(im Fernsehen, Theater)* show *m*.

schauen *vi* guardare ; **schau mal!** guarda!

Schauer (*pl* -) *der (Regen)* rovescio *m*.

Schaufel (*pl* **-n**) *die (zum Graben)* pala *f*.

Schaufenster (*pl* -) *das* vetrina *f*.

Schaufensterbummel (*pl* -) *der* giro *m* per vedere le vetrine.

Schaukel (*pl* **-n**) *die (an Seilen)* altalena *f*.

schaukeln *vt* & *vi* dondolare.

Schaum *der (von Bier, Bad)* schiuma *f*.

Schaumbad (*pl* **-bäder**) *das* bagnoschiuma *m*.

Schaumfestiger (*pl* -) *der* schiuma *f* fissante.

Schaumgummi *das* gommapiuma *f*.

Schaumwein (*pl* **-e**) *der* spumante *m*.

Schauspiel (*pl* **-e**) *das (Bühnenstück)* opera *f* teatrale ; *fam (Spektakel)* spettacolo *m*.

Schauspieler, in (*mpl* -) *der, die* attore *m*, -trice *f*.

Schauspielhaus (*pl* **-häuser**) *das* teatro *m (di prosa)*.

Scheck (*pl* **-s**) *der* assegno *m* ; **einen ~ einlösen** incassare un assegno ; **mit ~ bezahlen** pagare con assegno ; **'~s aller Art'** 'si accettano assegni'.

Scheckgebühr (*pl* **-en**) *die* commissione *f* sull'assegno.

Scheckkarte (*pl* **-n**) *die* carta *f* assegni.

Scheibe (*pl* **-n**) *die (von Brot, Käse)* fetta *f* ; *(Fensterscheibe)* vetro *m*.

Scheibenwischer (*pl* -) *der* tergicristallo *m*.

Scheide (*pl* **-n**) *die (Vagina)* vagina *f*.

scheiden (*prät* **schied**, *pp* **geschieden**) *vt (Ehe)* sciogliere ; **sich ~ lassen** divorziare.

Scheidung (*pl* **-en**) *die* divorzio *m*.

Schein (*pl* **-e**) *der (Formular, Bescheinigung)* modulo *m* ; *(Geld)* banconota *f* ; *(Licht)* lume *m*.

scheinbar *adj* apparente.

scheinen (*prät* **schien**, *pp* **geschienen**) *vi (Sonne)* splendere ; *(vermutlich)* sembrare. ◆ *vimp* : **es scheint, als ob** sembra che ; **scheint's** a quanto pare ; **es scheint jm** sembra a qn.

Scheinwerfer (*pl* -) *der (am Auto)* faro *m* ; *(in Halle, Stadion)* riflettore *m*.

Scheiße *die vulg (Kot)* merda *f* ; **Scheiße!** *vulg* merda!

scheißen (*prät* **schiss**, *pp* **geschissen**) *vi vulg* cagare.

Scheitel (*pl* -) *der (Frisur)* riga *f*.

Schelle (*pl* **-n**) *die (an Haustür)* campanello *m*.

schellen *vi* suonare. ◆ *vimp* : **es schellt** suonano.

Schema (*pl* **-ta**) *das* schema *m*.

Schenkel (*pl* **-**) *der* (*von Mensch, Tier*) coscia *f*.

schenken *vt* (*Geschenk*) regalare ; (*Liebe, Vertrauen*) dare ; **jm etw ~** (*Geschenk*) regalare qc a qn.

Scherbe (*pl* **-n**) *die* coccio *m*.

Schere (*pl* **-n**) *die* (*zum Schneiden*) forbici *fpl*.

scheren (*prät* **scherte**, *pp* **geschert**) : **sich scheren** *ref fam* (*kümmern*) : **sich nicht ~ um etw** fregarsene di qc.

Scherz (*pl* **-e**) *der* scherzo *m*.

scherzhaft *adj* scherzoso(a).

scheu *adj* (*Mensch*) timido(a) ; (*Tier*) timoroso(a).

scheuern *vt* (*putzen*) pulire strofinando ; **sich** (*D*) **etw wund ~** sfregarsi qc (*fino a farsi male*).

Scheuerpulver *das* polvere *f* abrasiva.

Scheune (*pl* **-n**) *die* fienile *m*.

scheußlich *adj* orribile.

Schicht (*pl* **-en**) *die* (*von Boden, Torte*) strato *m* ; (*in Gesellschaft*) ceto *m* (*sociale*) ; (*Arbeitszeit*) turno *m*.

schick *adj* chic.

schicken *vt* (*mit Post*) spedire ; (*Person*) mandare ; **jm etw ~** spedire qc a qn ; **~ an** (*+A*) spedire a.

Schicksal (*pl* **-e**) *das* (*Leben*) destino *m*.

Schiebedach (*pl* **-dächer**) *das* tettuccio *m* apribile.

schieben (*prät* **schob**, *pp* **geschoben**) *vt* spingere ; **etw auf jn ~** attribuire qc a qn. ■ **sich schieben** *ref* (*Person*) : **sich durch etw ~** aprirsi un varco attraverso qc.

Schiebetür (*pl* **-en**) *die* porta *f* scorrevole.

schied *prät* → **scheiden**.

Schiedsrichter, in (*mpl* **-**) *der, die* SPORT arbitro *m*, -a *f*.

schief *adj* (*Gegenstand*) storto(a).

schief gehen *vi* (*unr & ist*) *fam* andare storto(a).

schielen *vi* (*wegen Augenfehler*) essere strabico(a).

schien *prät* → **scheinen**.

Schienbein (*pl* **-e**) *das* tibia *f*.

Schiene (*pl* **-n**) *die* (*Gleis*) rotaia *f* ; MED stecca *f*.

schießen (*prät* **schoss**, *pp* **geschossen**) *vi* (*hat*) (*mit Waffe*) sparare ; (*Fußballspieler*) tirare. ◆ *vt* (*hat*) (*Foto*) scattare ; (*Tier*) abbattere ; (*Ball*) tirare.

Schiff (*pl* **-e**) *das* (*Wasserfahrzeug*) nave *f* ; (*von Kirche*) navata *f* ; **mit dem ~** in nave.

Schifffahrt *die* navigazione *f*.

Schiffskarte (*pl* **-n**) *die* (*für Passagier*) biglietto *m* (*per la nave*).

Schiffsreise (*pl* **-n**) *die* viaggio *m* in nave.

Schiffsverkehr *der* navigazione *f*.

schikanieren *vt abw* tormentare.

Schikoree = **Chicorée**.

Schild (*pl* **-er**) *das (Hinweisschild)* cartello *m*; *(Etikett)* etichetta *f*; *(Waffe)* scudo *m*.

Schilddrüse (*pl* **-n**) *die* tiroide *f*.

schildern *vt* descrivere.

Schildkröte (*pl* **-n**) *die* tartaruga *f*.

Schilling (*pl* **-e**) *der* scellino *m*.

Schimmel (*pl* **-**) *der (auf Obst, an Wand)* muffa *f*.

schimm(e)lig *adj* ammuffito(a).

schimpfen *vi* : **mit jm ~** sgridare qn.

Schimpfwort (*pl* **-e**) *das* parolaccia *f*.

Schinken (*pl* **-**) *der (Fleisch)* prosciutto *m*; **roher/gekochter/geräucherter ~** prosciutto crudo/cotto/affumicato.

Schinkenwurst *die affettato a base di carne suina, lardo e prosciutto.*

Schirm (*pl* **-e**) *der (Regenschirm)* ombrello *m*.

schiss *prät* → **scheißen**.

Schlaf *der* sonno *m*.

Schlafanzug (*pl* **-anzüge**) *der* pigiama *m*.

schlafen (*präs* **schläft**, *prät* **schlief**, *pp* **geschlafen**) *vi* dormire ; **~ gehen** andare a dormire ; **~ mit** andare a letto con ; **schlaf gut!** dormi bene!

Schlafgelegenheit (*pl* **-en**) *die* posto *m* letto.

Schlaflosigkeit *die* insonnia *f*.

Schlafmittel (*pl* **-**) *das* sonnifero *m*.

Schlafsaal (*pl* **-säle**) *der* dormitorio *m*.

Schlafsack (*pl* **-säcke**) *der* sacco *m* a pelo.

schläft *präs* → **schlafen**.

Schlaftablette (*pl* **-n**) *die* pastiglia *f* di sonnifero.

Schlafwagen (*pl* **-**) *der* vagone *m* letto.

Schlafwagenplatz (*pl* **-plätze**) *der* posto *m* nel vagone letto.

Schlafzimmer (*pl* **-**) *das* camera *f* da letto.

Schlag (*pl* **Schläge**) *der (mit Hand, Knüppel)* colpo *m*; *(elektrisch)* scossa *f*; *(von Herz, Puls)* battito *m*. ■ **Schläge** *pl (Prügel)* botte *fpl*.

Schlaganfall (*pl* **-anfälle**) *der* colpo *m* apoplettico.

schlagen (*präs* **schlägt**, *prät* **schlug**, *pp* **geschlagen**) *vt (verletzen)* picchiare ; *(besiegen)* battere ; *(Eiweiß, Sahne)* montare ; **einen Nagel in die Wand ~** piantare un chiodo nel muro. ◆ *vi (mit Hand, Faust)* dare un colpo ; *(Uhr, Herz)* battere. ■ **sich schlagen** *ref (sich prügeln)* picchiarsi.

Schlager (*pl* -) *der (Lied)* canzone *f* di successo.

Schläger (*pl* -) *der (für Tennis, Federball)* racchetta *f* ; *(für Golf, Baseball)* mazza *f*.

Schlagloch (*pl* **-löcher**) *das* buca *f (sulla strada)*.

Schlagobers *das Österr* panna *f* da montare, panna *f* montata.

Schlagsahne *die* panna *f* da montare, panna *f* montata.

schlägt *präs* → **schlagen**.

Schlagzeile (*pl* **-n**) *die* titolo *m* di testa.

Schlagzeug (*pl* **-e**) *das (in Band)* batteria *f* ; *(in Orchester)* percussioni *fpl*.

Schlamm *der* fango *m*.

schlampig *adj (Person, Kleidung)* trasandato(a) ; *(Arbeit)* mal fatto(a).

schlang *prät* → **schlingen**.

Schlange (*pl* **-n**) *die (Tier)* serpente *m* ; *(von Autos, Personen)* coda *f* ; ~ **stehen** fare la coda.

schlank *adj (Mensch)* snello(a) ; *(Hände, Hals)* sottile.

schlapp *adj (müde, schwach)* fiacco(a).

schlau *adj* furbo(a) ; **nicht ~ werden aus** non capirci nulla di.

Schlauch (*pl* **Schläuche**) *der (für Wasser)* tubo *m* flessibile ; *(im Reifen)* camera *f* d'aria.

Schlauchboot (*pl* **-e**) *das* gommone *m*.

schlecht *adj* cattivo(a), brutto(a). ◆ *adv (mangelhaft, inakzeptabel)* male ; *(kaum)* difficilmente ; ~ **schmecken/riechen** avere un cattivo sapore/odore ; **jm wird ~** a qc viene la nausea.

schleichen (*prät* **schlich**, *pp* **geschlichen**) *vi (Mensch, Tier)* muoversi silenziosamente ; *(Verkehr, Auto)* procedere lentamente.

Schleife (*pl* **-n**) *die (Band)* fiocco *m* ; *(Kurve)* curva *f*.

schleifen[1] (*präs* **schleift**, *prät* **schleifte**, *pp* **geschleift**) *vt (zerren)* trascinare.

schleifen[2] (*präs* **schleift**, *prät* **schliff**, *pp* **geschliffen**) *vt (Messer, Schere)* affilare.

Schleim *der (menschlich)* muco *m* ; *(von Schnecke)* bava *f*.

Schleimhaut (*pl* **-häute**) *die* mucosa *f*.

schlendern *vi (ist)* andare a spasso.

schleppen *vt (tragen)* trascinare ; *(Fahrzeug)* trainare. ■ **sich schleppen** *ref (Person, Tier)* trascinarsi.

Schlepplift (*pl* **-e**) *der* ski-lift *m*.

Schleswig-Holstein *nt* Schleswig-Holstein *m*.

Schleuder (*pl* **-n**) *die (für Wäsche)* centrifuga *f*.

Schleudergefahr *die* : **'Vorsicht : ~'** 'attenzione, strada sdrucciolevole'.

schleudern *vt (hat) (werfen)* scagliare ; *(Wäsche)* centrifugare. ◆ *vi (ist) (Auto, Fahrer)* sbandare.

Schleudersitz (*pl* -e) *der* seggiolino *m* eiettabile.

Schleuse (*pl* -n) *die (an Kanal)* chiusa *f*.

schlich *prät* → schleichen.

schlicht *adj* semplice.

schlief *prät* → schlafen.

schließen (*prät* schloss, *pp* geschlossen) *vt* chiudere ; *(einschließen)* rinchiudere. ◆ *vi* chiudere.

Schließfach (*pl* -fächer) *das (am Bahnhof)* cassetta *f* per il deposito bagagli.

schließlich *adv (zuletzt)* infine ; *(nämlich)* in fin dei conti.

schliff *prät* → schleifen.

schlimm *adj (Nachricht, Kerl)* cattivo(a) ; *(Krankheit)* grave ; ~e Zeiten tempi duri. ◆ *adv (sich verhalten)* male ; *(sich verletzen)* gravemente.

schlingen (*prät* schlang, *pp* geschlungen) *vt (Mahlzeit)* divorare ; *(Schnur)* annodare.

Schlips (*pl* -e) *der fam* cravatta *f*.

Schlitten (*pl* -) *der (zum Rodeln)* slitta *f*.

Schlittschuh (*pl* -e) *der* pattino *m* da ghiaccio ; ~ laufen pattinare sul ghiaccio.

Schlitz (*pl* -e) *der (Spalt)* fessura *f*.

schloss *prät* → schließen.

Schloss (*pl* Schlösser) *das (Verschluss)* serratura *f* ; *(Gebäude)* castello *m*.

Schlosspark (*pl* -s) *der* parco *m* del castello.

Schlucht (*pl* -en) *die* gola *f*.

schluchzen *vi* singhiozzare.

Schluck (*pl* -e) *der* sorso *m*.

Schluckauf *der* singhiozzo *m*.

schlucken *vi & vt* inghiottire.

Schluckimpfung (*pl* -en) *die* vaccinazione *f* per via orale.

schlug *prät* → schlagen.

Schlüpfer (*pl* -) *der* mutande *fpl*.

schlurfen *vi (ist)* strascicare i piedi.

schlürfen *vt* bere rumorosamente.

Schluss (*pl* Schlüsse) *der (Schlusspunkt, letzter Teil)* fine *f* ; bis zum ~ fino alla fine.

Schlüssel (*pl* -) *der (Gegenstand)* chiave *f*.

Schlüsseldienst (*pl* -e) *der* servizio *m* duplicazione chiavi.

Schlüsselloch (*pl* -löcher) *das* toppa *f*.

Schlussfolgerung (*pl* -en) *die* conclusione *f*.

Schlussleuchte (*pl* -n) *die (Lampe)* fanale *m* posteriore.

Schlussverkauf (*pl* -verkäufe) *der* svendita *f* di fine stagione.

schmal *adj (nicht breit)* stretto(a) ; *(Person)* magro(a).

Schmalz *das (Fett)* strutto *m*.

Schmalznudel (*pl* -n) *die* Ös-

terr dolce a base di pasta lievitata fritta.

Schmankerl (*pl* **-n**) *das Süddt* & *Österr* prelibatezza *f*.

schmatzen *vi* mangiare rumorosamente.

schmecken *vi (Geschmack haben)* avere un sapore ; *(gut schmecken)* essere buono(a) *(di sapore)* ; **gut/schlecht ~** avere un buon/cattivo sapore.

schmeißen (*prät* **schmiss**, *pp* **geschmissen**) *vt fam (werfen)* gettare ; *(aufgeben)* mollare.

schmelzen (*präs* **schmilzt**, *prät* **schmolz**, *pp* **geschmolzen**) *vi (ist) (Eis, Butter)* sciogliersi.

Schmerz (*pl* **-en**) *der* dolore *m*.

schmerzen *vi (körperlich, seelisch)* far male.

Schmerzensgeld *das* risarcimento *m*.

schmerzlos *adj* indolore.

Schmerzmittel (*pl* **-**) *das* analgesico *m*.

schmerzstillend *adj* analgesico(a).

Schmerztablette (*pl* **-n**) *die* compressa *f* di analgesico.

Schmetterling (*pl* **-e**) *der* farfalla *f*.

Schmied (*pl* **-e**) *der* fabbro *m*.

schmieren *vt (Türangel, Maschine)* lubrificare ; *(Butter)* spalmare ; *fam (bestechen)* ungere.

Schmierkäse *der* formaggino *m*.

schmilzt *präs* → **schmelzen**.

Schminke *die* trucco *m*.

schminken *vt* truccare. ■ **sich schminken** *ref* truccarsi.

schmiss *prät* → **schmeißen**.

schmollen *vi* tenere il broncio.

schmolz *prät* → **schmelzen**.

Schmorbraten (*pl* **-**) *der* brasato *m*.

schmoren *vt (Nahrung)* brasare.

Schmuck *der (für Person)* gioielli *mpl*.

schmücken *vt* addobbare.

schmuggeln *vt (Ware)* far passare di contrabbando.

schmunzeln *vi* sorridere *(sotto i baffi)*.

schmusen *vi* farsi le coccole.

Schmutz *der* sporcizia *f*.

schmutzig *adj* sporco(a) ; **sich ~ machen** sporcarsi.

Schnalle (*pl* **-n**) *die (Verschluss)* fibbia *f*.

schnappen *vt (auffangen)* agguantare ; *fam (festnehmen)* acciuffare ; *fam (packen, nehmen)* afferrare. ◆ *vi (Tier)* cercare di addentare.

Schnaps (*pl* **Schnäpse**) *der* acquavite *f*.

Schnapsglas (*pl* **-gläser**) *das* bicchierino *m* da acquavite.

schnarchen *vi* russare.

Schnauze (*pl* **-n**) *die (von Tier)* muso *m* ; **halt die ~!** *vulg* chiudi il becco!

Schnecke (*pl* **-n**) *die (Tier)* chiocciola *f* ; *(Gebäck) dolce a* *base di pasta sfoglia e uvetta fatto a forma di spirale.*

Schnee *der* neve *f*; **es liegt ~** c'è neve.

Schneeball (*pl* **-bälle**) *der* palla *f* di neve.

schneebedeckt *adj* innevato(a).

Schneefall *der* nevicata *f*.

Schneeflocke (*pl* **-n**) *die* fiocco *m* di neve.

schneefrei *adj* sgombro(a) da neve.

Schneeglätte *die* lastra *f* di neve battuta.

Schneegrenze (*pl* **-n**) *die* limite *m* delle nevi perenni.

Schneekette (*pl* **-n**) *die* catene *fpl* da neve.

Schneemann (*pl* **-männer**) *der* pupazzo *m* di neve.

Schneepflug (*pl* **-pflüge**) *der* spazzaneve *m*.

Schneeregen *der* nevischio *m*.

Schneeschmelze *die* disgelo *m*.

Schneesturm (*pl* **-stürme**) *der* bufera *f* di neve.

Schneewehe (*pl* **-n**) *die* muro *m* di neve *(formato dal vento)*.

schneiden (*prät* **schnitt**, *pp* **geschnitten**) *vt* *(mit Messer, Schere)* tagliare ; *(beim Überholen)* tagliare la strada a. ◆ *vi* tagliare ; **etw in Würfel/Stücke ~** tagliare qc a cubetti/a pezzetti. ■ **sich schneiden** *ref (sich verletzen)* tagliarsi ; *(sich kreuzen)* intersecarsi.

Schneider, in (*mpl* **-**) *der, die (Beruf)* sarto *m*, -a *f*.

Schneiderei (*pl* **-en**) *die (Geschäft)* sartoria *f*.

schneien : **es schneit** *vimp* nevica.

schnell *adj* veloce.

Schnelligkeit *die* velocità *f*.

Schnellimbiss (*pl* **-imbisse**) *der* snack-bar *m*.

Schnellstraße (*pl* **-n**) *die (zwischen Städten)* superstrada *f*.

Schnellzug (*pl* **-züge**) *der* treno *m* espresso.

schnitt *prät* → **schneiden**.

Schnitt (*pl* **-e**) *der* taglio *m* ; *(Schnittmuster)* modello *m*.

Schnitte (*pl* **-n**) *die* fetta *f*.

Schnittkäse *der* formaggio *m* da taglio.

Schnittlauch *der* erba *f* cipollina.

Schnittwunde (*pl* **-n**) *die* ferita *f* da taglio.

Schnitzel (*pl* **-**) *das* scaloppina *f*; **Wiener ~** cotoletta *f* alla milanese.

Schnorchel (*pl* **-**) *der* boccaglio *m*.

schnorcheln *vi* fare snorkeling.

Schnuller (*pl* **-**) *der* ciuccio *m*.

Schnupfen *der* raffreddore *m* ; **~ haben/bekommen** avere/prendere il raffreddore.

Schnupftabak (*pl* **-e**) *der* tabacco *m* da fiuto.

Schnur (*pl* **Schnüre**) *die (zum Binden)* spago *m* ; *(Kabel)* filo *m*.

Schnurrbart (*pl* **-bärte**) *der* baffi *mpl*.

Schnürsenkel (*pl* **-**) *der* laccio *m* per le scarpe.

schob *prät* → **schieben**.

Schock (*pl* **-s**) *der (Schreck)* spavento *m* ; *MED* choc *m* ; **unter ~ stehen** essere sotto choc.

schockieren *vt* scandalizzare.

Schokolade (*pl* **-n**) *die (Süßigkeit)* cioccolato *m*.

Scholle (*pl* **-n**) *die (Fisch)* sogliola *f*.

schon *adv* - 1. già ; **~ jetzt** già adesso ; **~ lange** già da molto ; **~ wieder** di nuovo.
- 2. *(zur Beruhigung)* : **das schaffst du ~!** dai, che ce la fai! ; **~ gut!** d'accordo!
- 3. *(zur Einschränkung)* : **es gefällt mir ~, aber** mi piace, però.
- 4. *(Ausdruck eines Wunsches)* : **wenn es nur ~ Sonntag wäre!** ah, se fosse già domenica!

schön *adj* bello(a) ; *(nett)* gentile. ◆ *adv* bene.

schonen *vt* aver riguardo di. ■ **sich schonen** *ref* riguardarsi.

Schönheit (*pl* **-en**) *die* bellezza *f*.

Schonkost *die* dieta *f* leggera.

schön machen : **sich schön machen** *ref fam* farsi bello(a).

Schönwetterlage *die* situazione *f* di bel tempo.

Schoppen (*pl* **-**) *der Süddt & Österr* quarto *m (di vino)*.

Schorf *der* crosta *f*.

Schorle (*pl* **-n**) *die (mit Apfelsaft) succo di mela e acqua minerale ; (mit Wein) vino e acqua minerale*.

Schornstein (*pl* **-e**) *der* camino *m*.

schoss *prät* → **schießen**.

Schoß (*pl* **Schöße**) *der (Körperteil)* grembo *m* ; **auf dem ~ sitzen** sedere in grembo.

schräg *adj (schief)* obliquo(a).

Schramme (*pl* **-n**) *die* graffio *m*.

Schrank (*pl* **Schränke**) *der* armadio *m*.

Schranke (*pl* **-n**) *die (Gegenstand)* sbarra *f*.

Schraube (*pl* **-n**) *die (aus Metall)* vite *f*.

schrauben *vt* avvitare.

Schraubenzieher (*pl* **-**) *der* cacciavite *m*.

Schreck *der* spavento *m*.

schreckhaft *adj* che si spaventa facilmente.

schrecklich *adj* spaventoso(a).

Schrei (*pl* **-e**) *der (Geräusch)* urlo *m*.

schreiben (*präs* **schreibt**, *prät* **schrieb**, *pp* **geschrieben**) *vt* - 1. scrivere ; **etw groß/klein ~** scrivere qc maiuscolo/minuscolo ; **wie schreibt man das?** come si scrive (questo)?

- 2. *(Rechnung, Quittung)* fare.
◆ *vi* scrivere.
■ **sich schreiben** *ref* scriversi.

Schreibmaschine (*pl* -n) *die* macchina *f* per scrivere.

Schreibpapier *das* carta *f* per scrivere.

Schreibtisch (*pl* -e) *der* scrivania *f.*

Schreibwaren *pl* articoli *mpl* di cancelleria.

Schreibwarengeschäft (*pl* -e) *das* cartoleria *f.*

schreien (*prät* **schrie**, *pp* **geschrien**) *vi* & *vt* urlare.

Schreiner, in (*mpl* -) *der, die* falegname *m.*

schreiten (*prät* **schritt**, *pp* **geschritten**) *vi geh (gehen)* avanzare.

schrie *prät* → **schreien**.

schrieb *prät* → **schreiben**.

Schrift (*pl* -en) *die (lateinische, arabische)* scrittura *f*; *(Handschrift)* calligrafia *f*; *(Schriftbild)* carattere *m* ; **die Heilige ~** la Sacra Scrittura.

schriftlich *adj* scritto(a).

Schriftsteller, in (*pl* -) *der, die* scrittore *m*, -trice *f.*

schritt *prät* → **schreiten**.

Schritt (*pl* -e) *der* passo *m.*

Schritttempo *das* : **im ~** a passo d'uomo.

Schrottplatz (*pl* -plätze) *der* parco *m* rottami.

schrubben *vt* & *vi* pulire strofinando.

Schrubber (*pl* -) *der* spazzolone *m.*

Schubkarre (*pl* -n) *die* carriola *f.*

Schublade (*pl* -n) *die* cassetto *m.*

schubsen *vt* spingere.

schüchtern *adj* timido(a).

schuf *prät* → **schaffen**.

Schüfeli *das Schweiz pietanza a base di maiale affumicato.*

Schuh (*pl* -e) *der* scarpa *f.*

Schuhanzieher (*pl* -) *der* calzascarpe *m.*

Schuhbürste (*pl* -n) *die* spazzola *f* per scarpe.

Schuhcreme (*pl* -s) *die* lucido *m* per calzature.

Schuhgeschäft (*pl* -e) *das* negozio *m* di calzature.

Schuhgröße (*pl* -n) *die* numero *m* di scarpe.

Schuhmacher, in (*mpl* -) *der, die* calzolaio *m*, -a *f.*

Schuhsohle (*pl* -n) *die* suola *f (delle scarpe).*

Schulabschluss (*pl* -abschlüsse) *der* diploma *m* di scuola superiore.

Schulbeginn *der* inizio *m* della scuola.

schuld *adj* : **~ sein an** *(+D)* essere colpevole di.

Schuld *die (Verantwortung)* responsabilità *f*; *(Unrecht)* colpa *f*; **~ haben an** *(+D)* avere la colpa di. ■ **Schulden** *pl* debiti *mpl* ; **~en haben/machen** avere/fare debiti.

schuldig *adj (an Verbrechen)* colpevole ; *(Geldbetrag)* : **jm 100 Euro ~ sein** dovere 100 euro a qn.

Schule (*pl* -**n**) *die* scuola *f*; **zur** ODER **in die ~ gehen** andare a scuola.

schulen *vt (Person)* istruire.

Schüler, in (*mpl* -) *der, die (in Schule)* alunno *m*, -a *f*; *(von Meister)* discepolo *m*, -a *f*.

Schülerausweis (*pl* -**e**) *der* tessera *f* di studente.

Schülerkarte (*pl* -**n**) *die (für Verkehrsmittel)* abbonamento *m* ridotto per studenti.

schulfrei *adj* di vacanza *(scolastica)*; **~ haben** non avere scuola.

Schulfreund, in (*mpl* -**e**) *der, die* compagno *m*, -a *f* di scuola.

Schulklasse (*pl* -**n**) *die* classe *f*.

Schulter (*pl* -**n**) *die* spalla *f*.

Schultüte (*pl* -**n**) *die cono pieno di dolciumi per i remigini.*

SCHULTÜTE

Per "addolcire" il primo giorno di scuola ai bambini della prima elementare, i genitori regalano loro un grande cono di cartoncino colorato pieno di dolciumi e regalini che viene aperto in classe con i nuovi compagni.

Schulzeit *die* periodo *m* scolastico.

Schuppe (*pl* -**n**) *die (auf Kopf)* forfora *f*; *(von Fisch)* squama *f*.

Schürfwunde (*pl* -**n**) *die* abrasione *f*.

Schürze (*pl* -**n**) *die* grembiule *m*.

Schuss (*pl* **Schüsse**) *der (mit Pistole, Gewehr)* sparo *m*; *(mit Ball)* tiro *m*; *(kleine Menge)* : **ein ~ Rum** un goccio di rum.

Schüssel (*pl* -**n**) *die (für Essen)* terrina *f*; *(für Wäsche)* bacinella *f*.

Schuster, in (*mpl* -) *der, die* calzolaio *m*, -a *f*.

Schutt *der* calcinacci *mpl*; **'~ abladen verboten'** 'vietato scaricare calcinacci'.

Schüttelfrost *der* brividi *mpl* di febbre.

schütteln *vt* scuotere; **den Kopf ~** scuotere il capo; **vor Gebrauch ~** agitare prima dell'uso. ■ **sich schütteln** *ref* scuotersi.

schütten *vt* versare. ◆ *vimp* : **es schüttet** diluvia.

Schutz *der* protezione *f*.

Schutzblech (*pl* -**e**) *das* parafango *m*.

Schutzbrief (*pl* -**e**) *der* AUTO polizza *f* d'assicurazione *(aggiuntiva)*.

schützen *vt* & *vi* proteggere. ■ **sich schützen** *ref* proteggersi.

Schützenfest (*pl* -**e**) *das festa paesana che include una gara di tiro al bersaglio.*

SCHÜTZENFEST

Si tratta di una grande festa, che si tiene soprattutto in campagna, organizzata dalle associazioni di tiro al bersaglio. In molti paesi, queste associazioni rappresentano spesso il centro della vita sociale e svolgono un ruolo molto importante. La gara di tiro, che è il momento culminante della festa, si conclude con l'incoronazione dello "Schützenkönig", ovvero del re dei tiratori.

Schutzgebiet (*pl* **-e**) *das (von Wasser, Luft)* riserva *f* naturale.

Schutzhütte (*pl* **-n**) *die* rifugio *m* alpino.

schwach (*komp* **schwächer**, *superl* **am schwächsten**) *adj* debole ; *(schlecht)* scarso(a) ; *(Konstruktion)* fragile ; **~er Tee** tè leggero. ◆ *adv (wenig)* poco ; *(schlecht)* male ; *(leicht)* debolmente.

Schwäche (*pl* **-n**) *die (körperlich, charakterlich)* debolezza *f* ; *(von Leistung, Text)* carenza *f*.

schwachsinnig *adj (unsinnig)* deficiente.

Schwachstrom *der* corrente *f* a bassa tensione.

Schwager (*pl* **-**) *der* cognato *m*.

Schwägerin (*pl* **-nen**) *die* cognata *f*.

Schwalbe (*pl* **-n**) *die* rondine *f*.

schwamm *prät* → **schwimmen**.

Schwamm (*pl* **Schwämme**) *der* spugna *f*.

Schwan (*pl* **Schwäne**) *der* cigno *m*.

schwang *prät* → **schwingen**.

schwanger *adj* incinta.

Schwangerschaft (*pl* **-en**) *die* gravidanza *f*.

schwanken *vi (ist)* oscillare ; *(gedanklich, psychisch)* esitare.

Schwanz (*pl* **Schwänze**) *der (von Tier)* coda *f* ; *vulg (von Mann)* cazzo *m*.

Schwarm (*pl* **Schwärme**) *der (von Fischen)* banco *m* ; *(von Vögeln)* stormo *m* ; *(von Insekten)* nuvola *f*.

schwarz *adj (Farbe, Geschäft)* nero(a). ◆ *adv (farbig)* di nero ; *(politisch)* : **~ wählen** votare per la destra ; *(illegal)* in nero ; **Geld ~ tauschen** cambiare valuta in nero. ■ **Schwarz** *das (Farbe)* nero *m*.

Schwarzarbeit *die* lavoro *m* nero.

Schwarzbrot (*pl* **-e**) *das* pane *m* nero.

Schwarze (*pl* **-n**) *der, die (Farbiger)* persona *f* di colore.

schwarz|fahren *vi (unr & ist)* viaggiare senza biglietto.

Schwarzfahrer, in (*mpl* **-**) *der, die* persona *f* che viaggia senza biglietto.

Schwarzmarkt *der* mercato *m* nero.

Schwarzwald *der* Foresta *f* Nera.

schwarzweiß *adj (Foto, Film)* in bianco e nero.

Schwarzweißfilm (*pl* **-e**) *der* film *m* in bianco e nero.

Schwebebahn (*pl* **-en**) *die* treno *m* sospeso.

schweben *vi (fliegen)* librarsi.

Schwede (*pl* -n) *der* svedese *m*.

Schweden *nt* Svezia *f*.

Schwedin (*pl* -nen) *die* svedese *f*.

schwedisch *adj* svedese.

Schwedisch(e) *das* svedese *m*.

Schwefel *der* zolfo *m*.

schweigen (*prät* schwieg, *pp* geschwiegen) *vi* *(Person)* tacere.

Schwein (*pl* -e) *das* *(Tier, Fleisch)* maiale *m* ; *fam* *(Mensch)* porco *m*.

Schweinebraten (*pl* -) *der* arrosto *m* di maiale.

Schweinefleisch *das* carne *f* di maiale.

Schweinerei (*pl* -en) *die* *fam* porcheria *f*.

Schweinshaxe (*pl* -n) *die* *Süddt* stinco *m* di maiale.

Schweiß *der* sudore *m*.

schweißen *vt* saldare.

Schweiz *die* Svizzera *f*.

Schweizer (*pl* -) *der* svizzero *m*.

Schweizerin (*pl* -nen) *die* svizzera *f*.

schwellen (*präs* schwillt, *prät* schwoll, *pp* geschwollen) *vi* *(dick werden)* gonfiarsi.

Schwellung (*pl* -en) *die* gonfiore *m*.

schwer *adj* *(Gewicht, Mahlzeit)* pesante ; *(stark)* forte ; *(schwierig)* difficile.

Schwerbehinderte (*pl* -n) *der, die* invalido *m*, -a *f* grave.

schwerhörig *adj* che non sente bene.

Schwester (*pl* -n) *die* *(Verwandte)* sorella *f*; *(Krankenschwester)* infermiera *f*; *(Nonne)* suora *f*.

schwieg *prät* → schweigen.

Schwiegermutter (*pl* -mütter) *die* suocera *f*.

Schwiegersohn (*pl* -söhne) *der* genero *m*.

Schwiegertochter (*pl* -töchter) *die* nuora *f*.

Schwiegervater (*pl* -väter) *der* suocero *m*.

schwierig *adj* difficile.

Schwierigkeit (*pl* -en) *die* *(Problem)* difficoltà *f*.

schwillt *präs* → schwellen.

Schwimmbad (*pl* -bäder) *das* piscina *f*.

Schwimmbecken (*pl* -) *das* vasca *f*.

schwimmen (*prät* schwamm, *pp* geschwommen) *vi* *(ist)* *(Person, Tier)* nuotare ; *(Gegenstand)* galleggiare. ◆ *vt* *(ist)* *(Strecke)* nuotare.

Schwimmer, in (*mpl* -) *der, die* nuotatore *m*, -trice *f*.

Schwimmflosse (*pl* -n) *die* pinna *f*.

Schwimmflügel (*pl* -) *der* bracciale *m* *(salvagente)*.

Schwimmhalle (*pl* -n) *die* piscina *f* coperta.

Schwimmreifen (*pl* -) *der* salvagente *m*.

Schwimmweste (*pl* **-n**) *die* giubbetto *m* di salvataggio.
schwind(e)lig *adj* : **jm ist ~** qn ha le vertigini.
schwingen (*prät* **schwang**, *pp* **geschwungen**) *vi* *(schaukeln)* oscillare. ◆ *vt (Fahne)* sventolare ; *(Peitsche, Waffe)* brandire.
schwitzen *vi* sudare.
schwoll *prät* → **schwellen**.
schwor *prät* → **schwören**.
schwören (*prät* **schwor**, *pp* **geschworen**) *vt* giurare.
schwul *adj fam* omosessuale.
schwül *adj (Wetter)* afoso(a).
Schwung *der* *(Bewegung, Elan)* slancio *m*.
Schwur (*pl* **Schwüre**) *der* giuramento *m*.
Schwyz *nt* Schwyz *m*.
sechs *num & pron* sei ; **wir waren ~** eravamo in sei ; **fünf vor ~** le sei meno cinque ; **fünf nach ~** le sei e cinque ; **~ Uhr fünfundvierzig** le sei e quarantacinque ; **um ~** alle sei ; **sie ist ~** lei ha sei anni.
sechshundert *num* seicento ; *siehe auch* **sechs**.
sechsmal *adv* sei volte.
sechste, r, s *adj* sesto(a) ; **der ~ Juni** il sei (di) giugno.
Sechste (*pl* **-n**) *der, die, das* sesto *m*, -a *f*.
Sechstel (*pl* **-**) *das* sesto *m*.
sechzehn *num* sedici ; *siehe auch* **sechs**.
sechzig *num* sessanta ; *siehe auch* **sechs**.
See[1] (*pl* **-n**) *der (Teich)* lago *m*.
See[2] *die (Meer)* mare *m* ; **an die ~ fahren** andare al mare.
Seebad (*pl* **-bäder**) *das* stazione *f* balneare.
Seegang *der* : **leichter/hoher ~** mare poco mosso/molto mosso.
seekrank *adj* : **~ sein** avere mal di mare.
Seele (*pl* **-n**) *die* anima *f*.
Seeleute *pl* marinai *mpl*.
seelisch *adj* psichico(a).
Seeluft *die* aria *f* di mare.
Seenot *die* : **in ~ sein** essere in pericolo *(di naufragio)*.
Seereise (*pl* **-n**) *die* viaggio *m* via mare.
Segel (*pl* **-**) *das* vela *f*.
Segelboot (*pl* **-e**) *das* barca *f* a vela.
Segelfliegen *das* volo *m* a vela.
Segelflugzeug (*pl* **-e**) *das* aliante *m*.
segeln *vi (mit Boot)* navigare a vela.
Segelschiff (*pl* **-e**) *das* veliero *m*.
sehen (*präs* **sieht**, *prät* **sah**, *pp* **gesehen**) *vt & vi* vedere ; **gut/schlecht ~** vedere bene/male ; **jm ähnlich ~** assomigliare a qn ; **sieh mal!** guarda! ; **~ nach** *(aufpassen)* dare un'occhiata a.
■ **sich sehen** *ref (sich treffen)* vedersi.
Sehne (*pl* **-n**) *die (von Muskeln)* tendine *m*.
sehnen : sich sehnen *ref*

sich ~ nach etw avere nostalgia di qc.

Sehnsucht *die (nach Heimat, Familie)* nostalgia *f*; *(Verlangen)* desiderio *m*.

sehr *adv* molto ; **bitte ~!** prego! ; **danke ~!** molte grazie! ; **~ viel** moltissimo ; **zu ~** troppo.

seid *präs* → **sein**.

Seide (*pl* **-n**) *die* seta *f*.

Seife (*pl* **-n**) *die* sapone *m*.

Seil (*pl* **-e**) *das* corda *f*.

Seilbahn (*pl* **-en**) *die* funivia *f*.

sein[1] (*präs* **ist**, *prät* **war**, *pp* **gewesen**) *aux (ist)* - 1. *(im Perfekt)* essere ; **sie ist gegangen** è andata.

- 2. *(im Konjunktiv)* essere ; **sie wäre gegangen** sarebbe andata.

◆ *vi (ist)* - 1. essere ; **das Konzert ist um 20 Uhr** il concerto è alle otto ; **wer ist das?** chi è costui (costei)? ; **aus Rom ~** essere di Roma ; **der Ring ist aus Silber** l'anello è d'argento ; **jm ist schlecht** qn sta male ; **jm ist kalt/warm** qn ha freddo/caldo.

- 2. *(Angabe der Meinung)* : **für/gegen etw ~** essere pro/contro qc ; **jm ist etw lieber** qn preferisce qc.

- 3. *(Angabe von Möglichkeit)* : **das ist nicht zu ändern** non ci si può far nulla.

- 4. *(Angabe von Teilnahme)* : **dabei ~** esserci.

- 5. *fam (Angabe von Reihenfolge)* : **du bist dran** tocca a te ; **Sie sind als Nächster dran!** Lei è il prossimo!

◆ *vimp (ist)* : **es ist 21 Uhr** sono le ore 21 ; **es ist kalt/dunkel** è freddo/buio ; **wie wäre es mit ...?** che ne dici ODER dice di ...?

sein[2]**, e** *det* il suo (la sua), i suoi (le sue) *(di lui)*.

seine, r, es ODER **seins** *pron* il suo (la sua), i suoi (le sue) *(di lui)*.

sein lassen *vt (unr) fam* lasciar stare.

seit *konj* da quando. ◆ *präp (+D)* da ; **~ wann?** da quando?

seitdem *adv* da allora.

Seite (*pl* **-n**) *die (Richtung, von Gegenstand, Körper)* lato *m* ; *(von Buch, Heft)* pagina *f* ; **auf der rechten/linken ~** sul lato destro/sinistro ; **zur ~ gehen/treten** farsi da parte.

Seiteneingang (*pl* **-gänge**) *der* entrata *f* laterale.

Seitensprung (*pl* **-sprünge**) *der* scappatella *f*.

Seitenstechen *das* fitte *f* al fianco.

Seitenwind *der* : **'Vorsicht, ~'** 'attenzione, vento laterale!'.

seither *adv* da allora.

Sekretär (*pl* **-e**) *der (Beruf)* segretario *m*.

Sekretärin (*pl* **-nen**) *die* segretaria *f*.

Sekt (*pl* **-e**) *der* spumante *m*.

Sekte (*pl* **-n**) *die* setta *f*.

Sektglas (*pl* **-gläser**) *das* calice *m* da spumante.

Sekunde (*pl* **-n**) *die (Zeitraum)* secondo *m*.

Sekundenkleber (*pl* -) *der* colla *f* ultrarapida.

selber *adv fam* sé stesso (sé stessa) ; **das kann ich ~** lo so fare da me ; **er sagt es ~** lo dice lui stesso.

selbst *adv (selber)* sé stesso (sé stessa) ; *(sogar)* perfino ; **von ~** da sé.

Selbstauslöser (*pl* -) *der* autoscatto *m*.

Selbstbedienung *die* self-service *m*.

Selbstbeteiligung *die (bei Versicherung)* franchigia *f*.

selbstbewusst *adj* sicuro(a) di sé.

Selbstbräuner (*pl* -) *der* autoabbronzante *m*.

selbst gemacht *adj* fatto(a) in casa.

Selbstmord (*pl* -e) *der* suicidio *m*.

selbstsicher *adj* sicuro(a) di sé.

selbstständig *adj (Kind)* autonomo(a) ; *(Staat)* indipendente ; *(Unternehmer)* in proprio.

selbstverständlich *adj* ovvio(a). ◆ *adv* ovviamente.

Selbstverteidigung *die* autodifesa *f*.

Sellerie *der* sedano *m*.

selten *adj* raro(a). ◆ *adv* raramente.

Selters (*pl* -) *die* ODER *das* acqua *f* minerale gassata.

seltsam *adj* strano(a).

Semester (*pl* -) *das* semestre *m*.

Semesterferien *pl periodo di vacanza tra due semestri universitari.*

Semikolon (*pl* -s) *das* punto e virgola *m*.

Seminar (*pl* -e) *das* seminario *m*.

Semmel (*pl* -n) *die* panino *m*.

Semmelknödel (*pl* -) *der Süddt* gnocco *m* di pane.

senden[1] (*prät* **sandte**, *pp* **gesandt**) *vt (Brief, Glückwünsche)* spedire ; **jm etw ~** spedire qc a qn.

senden[2] (*prät* **sendete**, *pp* **gesendet**) *vt (Film, Konzert)* trasmettere.

Sender (*pl* -) *der (Station)* stazione *f* trasmittente.

Sendung (*pl* -en) *die (in Fernsehen, Radio)* trasmissione *f* ; *(Brief, Paket)* spedizione *f*.

Senf (*pl* -e) *der* senape *f*.

Senior, in (*mpl* -en) *der, die (in Firma)* titolare *mf* senior. ■ **Senioren** *pl (Alte)* anziani *mpl* ; SPORT veterani *mpl*.

Seniorenpass (*pl* -pässe) *der* ≃ carta *f* d'argento.

senkrecht *adj* verticale.

Sensation (*pl* -en) *die* scalpore *m*.

sensibel *adj (Mensch)* sensibile.

separat *adj* separato(a).

September *der* settembre *m* ; **am ersten ~** il primo (di) settembre ; **Anfang/Ende/Mitte ~** all'inizio/alla fine/a metà settembre ; **Berlin, den 12. ~ 1999**

Berlino, 12 settembre 1999 ; **im ~** in/a settembre.
Serie (*pl* **-n**) *die* serie *f*.
seriös *adj* serio(a).
Serpentine (*pl* **-n**) *die (Straße)* serpentina *f*.
Service[1] *der (von Firma, Hotel)* servizio *m*.
Service[2] (*pl* **-s**) *das (von Geschirr)* servizio *m (da tavola)*.
servieren *vt* servire.
Serviette (*pl* **-n**) *die* tovagliolo *m*.
servus *interj Süddt & Österr* salve.
Sesam *der* sesamo *m*.
Sessel (*pl* **-**) *der* poltrona *f*.
Sessellift (*pl* **-e**) *der* seggiovia *f*.
setzen *vt (hat) (Person)* far sedere ; *(Gegenstand)* mettere. ◆ *vi (bei Wette, Roulette)* puntare ; **~ auf** *(+A)* puntare su. ■ **sich setzen** *ref (Person, Tier)* sedersi ; **sich ~ zu** sedersi vicino a.
Seuche (*pl* **-n**) *die (Krankheit)* epidemia *f*.
seufzen *vi* sospirare.
Sex *der* sesso *m*.
sexuell *adj* sessuale.
sfr. (*abk für Schweizer Franken*) franco *m* svizzero.
Shampoo (*pl* **-s**) *das* shampoo *m*.
Sherry (*pl* **-s**) *der* sherry *m*.
Shorts *pl* shorts *mpl*.
Show (*pl* **-s**) *die (Veranstaltung, Ausstellung)* show *m*.
Shuttlebus (*pl* **-se**) *der* autobus *m* navetta.
sich *pron (Reflexivpronomen)* si, sé ; **an ~** di per sé.
sicher *adj* sicuro(a).
Sicherheit (*pl* **-en**) *die* sicurezza *f*.
Sicherheitsgurt (*pl* **-e**) *der* cintura *f* di sicurezza.
Sicherheitsnadel (*pl* **-n**) *die* spilla *f* di sicurezza.
sicherlich *adv* sicuramente.
sichern *vt (Ort)* rendere sicuro(a).
Sicherung (*pl* **-en**) *die (elektrisch)* fusibile *m* ; *(Schutz)* salvaguardia *f*.
Sicht *die (Ansicht)* punto *m* di vista ; *(Aussicht)* vista *f* ; **gute ~** buona visibilità.
Sichtvermerk (*pl* **-e**) *der* visto *m*.
Sichtweite *die* visibilità *f* ; **außer/in ~** fuori/in vista.
sie *pron (Singular Nominativ/Akkusativ)* ella, lei, la ; *(Plural Nominativ/Akkusativ)* loro, li, le.
Sie *pron (Singular)* Lei ; *(Plural)* Voi.
Sieb (*pl* **-e**) *das (für Tee)* colino *m* ; *(für Mehl, Sand)* setaccio *m* ; *(für Nudeln)* colapasta *m*.
sieben *num* sette ; *siehe auch* **sechs**. ◆ *vt (Sand)* setacciare ; *(Tee)* colare.
siebenhundert *num* settecento ; *siehe auch* **sechs**.
siebenmal *adv* sette volte.
siebte, r, s *adj* settimo(a) ; *siehe auch* **sechste**.
siebzehn *num* diciassette ; *siehe auch* **sechs**.

siebzig *num* settanta ; *siehe auch* **sechs**.
siedend *adj* bollente.
Siedlung (*pl* **-en**) *die (Ort)* centro *m* abitato ; **römische ~** insediamento romano.
Sieg (*pl* **-e**) *der* vittoria *f*.
siegen *vi* vincere.
Sieger, in (*mpl* **-**) *der, die* vincitore *m*, -trice *f*.
Siegerehrung (*pl* **-en**) *die* premiazione *f*.
siehe *(Imperativ)* → **sehen** ; **~ oben/unten** vedi sopra/sotto.
sieht *präs* → **sehen**.
siezen *vt* dare del Lei a.
Signal (*pl* **-e**) *das* segnale *m*.
Silbe (*pl* **-n**) *die* sillaba *f*.
Silber *das (Metall)* argento *m* ; *(Besteck)* argenteria *f*.
Silvester (*pl* **-**) *das* San Silvestro *m*.

SILVESTER

In Germania, è tradizione festeggiare il capodanno con fuochi d'artificio lanciati dalle finestre, dai giardini e dalle strade. Un'altra usanza legata all'inizio del nuovo anno, è quella di far fondere del piombo e versarlo in una ciotola piena d'acqua cercando poi di leggere il futuro nelle figure che forma solidificandosi.

simultan *adj* simultaneo(a).
sind *präs* → **sein**.
Sinfonie (*pl* **-n**) *die* sinfonia *f*.
Sinfonieorchester (*pl* **-**) *das* orchestra *f* sinfonica.
singen (*prät* **sang**, *pp* **gesungen**) *vt* & *vi* cantare.
sinken (*prät* **sank**, *pp* **gesunken**) *vi (ist) (Schiff)* affondare ; *(Person)* : **zu Boden ~** crollare a terra.
Sinn (*pl* **-e**) *der* senso *m*.
sinnlos *adj (unsinnig)* insensato(a).
sinnvoll *adj* sensato(a).
Sirene (*pl* **-n**) *die (Gerät)* sirena *f*.
Sitte (*pl* **-n**) *die (Gepflogenheit)* usanza *f*. ■ **Sitten** *pl (Benehmen)* costumi *mpl*.
Situation (*pl* **-en**) *die* situazione *f*.
Sitz (*pl* **-e**) *der (zum Sitzen)* posto *m* a sedere.
sitzen (*prät* **saß**, *pp* **gesessen**) *vi* sedere ; **~ auf** *(+D)* essere seduto(a) su.
Sitzgelegenheit (*pl* **-en**) *die* posto *m* a sedere.
Sitzplatz (*pl* **-plätze**) *der* posto *m* a sedere.
Sitzung (*pl* **-en**) *die (Konferenz)* seduta *f*.
Sizilien *nt* Sicilia *f*.
Skandal (*pl* **-e**) *der* scandalo *m*.
Skat *der* skat *m (gioco di carte)*.
Skateboard (*pl* **-s**) *das* skateboard *m*.
Skelett (*pl* **-e**) *das* scheletro *m*.
Ski (*pl* **-er**) *der* sci *m* ; **~ fahren** ODER **laufen** sciare.
Skianzug (*pl* **-züge**) *der* tuta *f* da sci.

Skigebiet (*pl* -e) *das* zona *f* sciistica.
Skihose (*pl* -n) *die* pantaloni *mpl* da sci.
Skikurs (*pl* -e) *der* corso *m* di sci.
Skiläufer, in (*mpl* -) *der, die* sciatore *m*, -trice *f*.
Skilehrer, in (*mpl* -) *der, die* maestro *m*, -a *f* di sci.
Skilift (*pl* -e) *der* ski-lift *m*.
Skipiste (*pl* -n) *die* pista *f* da sci.
Skistock (*pl* -stöcke) *der* bastoncino *m* da sci.
Skiurlaub (*pl* -e) *der* vacanza *f* sulla neve.
Skizze (*pl* -n) *die* schizzo *m*.
Skorpion (*pl* -e) *der* *(Tier)* scorpione *m* ; *(Sternzeichen)* Scorpione *m*.
Skulptur (*pl* -en) *die* scultura *f*.
Slalom (*pl* -s) *der* *(im Sport)* slalom *m*.
Slip (*pl* -s) *der* slip *m*.
Slipeinlage (*pl* -n) *die* proteggi-slip *m*.
Slowakei *die* Slovacchia *f*.
Smog *der* smog *m*.
Smoking (*pl* -s) *der* smoking *m*.
Snowboard (*pl* -s) *das* snowboard *m*.
so *adv* - 1. *(in dieser Art)* così ; **gut ~!** così va bene! ; **~ nicht!** non così!
- 2. *(dermaßen)* così ; **~ ..., dass** così ... che ; **~ ein Pech!** che sfortuna! ; **~ eine nette Frau!** che signora gentile!
- 3. *(mit Geste)* : **~ groß** così grande.
- 4. *fam (umsonst, ohne etwas)* così *(come sta)* ; **ich trinke den Tee lieber ~** preferisco bere il tè senza niente.
- 5. *(vergleichend)* : **~ breit wie hoch** tanto largo quanto alto.
◆ *konj* - 1. *(Ausdruck des Vergleichs)* : **laufen, ~ schnell man kann** correre il più veloce possibile.
- 2. *(Ausdruck der Folge)* : **~ dass = sodass.**
◆ *interj* : **~, das war's** ecco, finito!
■ **so oder so** *adv* in ogni caso.
s. o. *(abk für siehe oben)* → **siehe.**
sobald *konj* non appena.
Socke (*pl* -n) *die* calzino *m*.
sodass *konj* cosicché.
Sodbrennen *das* bruciori *mpl* di stomaco.
Sofa (*pl* -s) *das* divano *m*.
soff *prät* → **saufen.**
sofort *adv* subito.
sog *prät* → **saugen.**
sogar *adv* perfino.
so genannt *adj abw (angeblich)* sedicente.
Sohle (*pl* -n) *die* *(von Schuh)* suola *f* ; *(von Fuß)* pianta *f*.
Sohn (*pl* **Söhne**) *der* figlio *m*.
Soja *die* soia *f*.
solange *konj* fintantoché.
Solarium (*pl* **Solarien**) *das* solarium *m*.
solche, r, s *det* tale.

Soldat (*pl* **-en**) soldato *m*.
solidarisch *adj* solidale.
solide *adj (Material)* solido(a).
Solist, in (*mpl* **-en**) *der, die* solista *mf*.
Soll *das (Schulden)* debito *m*.
sollen¹ (*pp* **-**) *aux (als Aufforderung, Vermutung, Bedingung)* dovere ; **ich soll um 10 Uhr dort sein** devo essere là per le 10.
sollen² (*pp* **gesollt**) *vi* dovere ; **was soll's?** *fam* che ci vuoi fare?
solo *adv* MUS da solista ; *fam (allein)* da solo(a).
Solothurn *nt* Soletta *f*.
Sommer (*pl* **-**) *der* estate *f* ; **im ~** in estate.
Sommerferien *pl* vacanze *fpl* estive.
sommerlich *adj* estivo(a).
Sommerpause (*pl* **-n**) *die* pausa *f* estiva.
Sommerreifen (*pl* **-**) *der* pneumatico *m* estivo.
Sommerschlussverkauf (*pl* **-käufe**) *der* saldi *mpl* estivi.
Sommersprosse (*pl* **-n**) *die* lentiggine *f*.
Sommerzeit *die (Uhrzeit)* ora *f* legale ; *(Sommer)* stagione *f* estiva.
Sonate (*pl* **-n**) *die* sonata *f*.
Sonderangebot (*pl* **-e**) *das* offerta *f* speciale.
Sonderfahrplan (*pl* **-pläne**) *der* orario *m* straordinario.
Sonderfahrt (*pl* **-en**) *die* corsa *f* speciale.
Sonderleistung (*pl* **-en**) *die* *(Extravergütung)* beneficio *m* accessorio.
Sondermaschine (*pl* **-n**) *die* aereo *m* straordinario.
Sondermüll *der* rifiuti *mpl* speciali.
sondern *konj* bensì.
Sonderschule (*pl* **-n**) *die* scuola *f* speciale *(per bambini handicappati o con difficoltà di apprendimento)*.
Sonderzug (*pl* **-züge**) *der* treno *m* speciale.
Sonnabend (*pl* **-e**) *der* sabato *m* ; *siehe auch* **Samstag**.
sonnabends *adv* di sabato ; *siehe auch* **samstags**.
Sonne *die* sole *m* ; **die ~ scheint** splende il sole.
sonnen *ref (in Sonne)* prendere il sole.
Sonnenaufgang (*pl* **-gänge**) *der* sorgere *m* del sole.
Sonnenbad (*pl* **-bäder**) *das* bagno *m* di sole.
Sonnenbank (*pl* **-bänke**) *die* lettino *m* solare.
Sonnenblume (*pl* **-n**) *die* girasole *m*.
Sonnenblumenöl *das* olio *m* di semi di girasole.
Sonnenbrand *der* scottatura *f* solare.
Sonnenbrille (*pl* **-n**) *die* occhiali *mpl* da sole.
Sonnencreme (*pl* **-s**) *die* crema *f* solare.
Sonnendach (*pl* **-dächer**) *das (für Auto)* tettuccio *m* apribile.
Sonnendeck (*pl* **-s**) *das* ponte *m* di passeggio.

Sonnenmilch *die* latte *m* solare.

Sonnenöl (*pl* -e) *das* olio *m* solare.

Sonnenschein *der* splendere *m* del sole.

Sonnenschirm (*pl* -e) *der* ombrellone *m*.

Sonnenschutzfaktor *der* fattore *m* di protezione solare.

Sonnenseite *die (von Gebäude)* parte *f* esposta al sole.

Sonnenstich *der* insolazione *f*.

Sonnenstudio (*pl* -s) *das* centro *m* di abbronzatura.

Sonnenuntergang (*pl* -gänge) *der* tramonto *m*.

sonnig *adj (Tag, Wetter)* soleggiato(a) ; **es ist ~** c'è il sole.

Sonntag (*pl* -e) *der* domenica *f*; *siehe auch* **Samstag**.

sonntags *adv* di domenica ; *siehe auch* **samstags**.

sonn- und feiertags *adv* la domenica e i giorni festivi.

sonst *adv (außerdem)* oltre a ciò ; *(normalerweise)* solitamente ; *(abgesehen davon)* per il resto. ◆ *konj (andernfalls)* altrimenti ; **~ nichts** nient'altro ; **was ~?** *fam* che altro?

sonstig *adj* ulteriore.

sooft *konj* ogni volta che.

Sopran (*pl* -e) *der (Sängerin)* soprano *f*.

Sorge (*pl* -n) *die* preoccupazione *f*; **sich** *(D)* **~n machen um** preoccuparsi per.

sorgen *vi* : *(sich kümmern um)* **für jn ~** occuparsi di qn. ■ **sich sorgen** *ref* preoccuparsi.

sorgfältig *adj (Person)* meticoloso(a).

Sorte (*pl* -n) *die (von Dingen)* tipo *m*.

sortieren *vt* classificare.

Sortiment (*pl* -e) *das* assortimento *m*.

Soße (*pl* -n) *die* salsa *f*.

Souvenir (*pl* -s) *das* souvenir *m*.

souverän *adj (Staat)* sovrano(a) ; *(Person)* sicuro(a).

soviel *konj* per quanto ; **~ ich weiß** per quanto ne so.

so viel *adv* tanto.

soweit *adj* : **es hat ~ geklappt** tutto sommato è andata bene ; **~ ich informiert bin, ist er pleite** per quanto ne so, è al verde.

sowie *konj (und)* nonché.

sowieso *adv* comunque.

sowohl *konj* : **~ ... als auch ...** sia ... sia ...

sozial *adj (gesellschaftlich, Beruf)* sociale.

Sozialdemokrat, in (*mpl* -en) *der, die* socialdemocratico *m*, -a *f*.

sozialdemokratisch *adj* socialdemocratico(a).

Sozialhilfe *die* sussidio *m* sociale.

sozialistisch *adj* socialista.

Sozialversicherung (*pl* -en) *die* assicurazione *f* sociale.

Soziologie *die* sociologia *f*.

Spachtel (*pl* -) *der* spatola *f*.

Spaghetti, Spagetti *pl* spaghetti *mpl*.
Spalte (*pl* **-n**) *die (in Fels, Holz)* crepa *f* ; *(von Text)* colonna *f*.
Spanferkel (*pl* -) *das (Fleisch)* porchetta *f*.
Spange (*pl* **-n**) *die (im Haar)* fermaglio *m* per capelli.
Spanien *nt* Spagna *f*.
Spanier, in (*mpl* -) *der, die* spagnolo *m*, -a *f*.
spanisch *adj* spagnolo(a).
Spanisch(e) *das* spagnolo *m*.
spann *prät* → **spinnen**.
spannend *adj* avvincente.
Spannung (*pl* **-en**) *die* tensione *f*.
Sparbuch (*pl* **-bücher**) *das* libretto *m* di risparmio.
sparen *vt* & *vi* risparmiare ; **~ für/auf** *(+A)* risparmiare per.
Spargel *der* asparago *m*.
Sparkasse (*pl* **-n**) cassa *f* di risparmio.
Sparkonto (*pl* **-konten**) *das* conto *m* di risparmio.
Sparpreis (*pl* **-e**) *der* prezzo *m* economico.
sparsam *adj (Person)* parsimonioso(a) ; *(Auto, Verbrauch)* economico(a).
Sparschwein (*pl* **-e**) *das* salvadanaio *m (a forma di maialino)*.
Spaß (*pl* **Späße**) *der (Vergnügen)* divertimento *m* ; *(Scherz)* scherzo *m* ; **~ machen** scherzare ; **etw macht jm ~** qc diverte qn ; **~ haben** divertirsi ; **viel ~!** buon divertimento!
Spaßbad *das* parco *m* divertimenti acquatico.
spät *adj (Reue, Entschluss)* tardivo(a) ; *(fast beendet)* tardo(a) ; **am ~en Nachmittag** nel tardo pomeriggio. ◆ *adv* tardi ; **zu ~** troppo tardi ; **wie ~ ist es?** che ora è?
Spaten (*pl* -) *der* vanga *f*.
später *adj (zukünftig)* futuro(a). ◆ *adv (dann)* più tardi ; **bis ~!** a più tardi!
spätestens *adv* al più tardi.
Spätlese (*pl* **-n**) *die (Wein) vino pregiato prodotto con uve di vendemmia tardiva*.
Spätsommer *der* tarda estate *f*.
Spätvorstellung (*pl* **-en**) *die* ultimo spettacolo *m*.
Spatz (*pl* **-en**) *der (Vogel)* passero *m*.
Spätzli *pl Schweiz tipo di pasta all'uovo*.
spazieren gehen *vi (unr & ist)* andare a passeggio.
Spaziergang (*pl* **-gänge**) *der* passeggiata *f*.
Speck *der (geräuchert)* pancetta *f* ; *(Fett)* lardo *m*.
Spedition (*pl* **-en**) *die* ditta *f* di spedizioni.
Speiche (*pl* **-n**) *die (am Rad)* raggio *m*.
Speichel *der* saliva *f*.
Speicher (*pl* -) *der (im Dach)* solaio *m* ; *EDV* memoria *f*.
speichern *vt EDV* salvare.
Speise (*pl* **-n**) *die geh* pietanza *f*.

Speisekarte (*pl* -n) *die* menu *m*.
Speiseröhre (*pl* -n) *die* esofago *m*.
Speisesaal (*pl* -säle) *der* sala *f* da pranzo.
Speisewagen (*pl* -) *der* vagone *m* ristorante.
Spende (*pl* -n) *die* offerta *f*.
spenden *vt* fare un'offerta.
spendieren *vt* offrire ; **jm etw ~** offrire qc a qn.
Sperre (*pl* -n) *die* *(auf Straße)* sbarramento *m*.
sperren *vt* *(Straße, Konto)* bloccare.
Sperrgebiet (*pl* -e) *das* : **'militärisches ~'** 'zona militare, vietato l'ingresso'.
Sperrstunde (*pl* -n) *die* orario *m* di chiusura *(dei locali pubblici)*.
Sperrung (*pl* -en) *die* *(von Straße, Konto)* blocco *m*.
Spezi® (*pl* -s) *das* *(Getränk) miscela di Coca-Cola® e Fanta®*.
Spezialist, in (*mpl* -en) *der, die* specialista *mf*.
Spezialität (*pl* -en) *die* specialità *f*.
Spezialitätenrestaurant (*pl* -s) *das* ristorante *m* di specialità.
Spiegel (*pl* -) *der* *(Glas)* specchio *m*.
Spiegelei (*pl* -er) *das* uovo *m* all'occhio di bue.
Spiegelreflexkamera (*pl* -s) *die* macchina *f* fotografica reflex.
Spiel (*pl* -e) *das* gioco *m* ; SPORT partita *f*.
Spielautomat (*pl* -en) *der* slot machine *f*.
spielen *vt* *(SPORT, Gesellschaftsspiel, Glücksspiel)* giocare ; *(Instrument)* suonare ; *(Rolle, Theaterstück)* recitare. ◆ *vi* giocare ; *(Roman, Film)* svolgersi ; *(Musiker)* suonare ; *(Schauspieler)* recitare ; **Karten/Tennis ~** giocare a carte/a tennis.
Spieler, in (*mpl* -) *der, die* giocatore *m*, -trice *f*.
Spielfilm (*pl* -e) *der* film *m* *(d'invenzione)*.
Spielhalle (*pl* -n) *die* *(mit Spielautomaten)* sala *f* giochi.
Spielkasino (*pl* -s) *das* casinò *m*.
Spielplatz (*pl* -plätze) *der* parco *m* giochi.
Spielregel (*pl* -n) *die* regola *f* del gioco.
Spielwaren *pl* giocattoli *mpl*.
Spielzeug *das* giocattolo *m*.
Spieß (*pl* -e) *der* *(für Fleisch)* spiedo *m* ; **am ~** allo spiedo.
Spießchen (*pl* -) *das* spiedino *m*.
Spinat *der* spinacio *m*.
Spinne (*pl* -n) *die* ragno *m*.
spinnen (*prät* **spann**, *pp* **gesponnen**) *vt* *(Wolle)* filare. ◆ *vi fam abw (verrückt sein)* dare i numeri.
spionieren *vi* spiare.
Spirale (*pl* -n) *die* spirale *f*.
Spirituosen *pl* alcolici *mpl*.
Spiritus *m* alcool *m*, alcol *m*.

spitz *adj (Messer, Nadel)* appuntito(a).

Spitze (*pl* -n) *die (von Messer, Nadel)* punta *f*; *(von Berg)* vetta *f*.

Spitzname (*pl* -n) *der* soprannome *m*.

Splitter (*pl* -) *der (aus Holz)* truciolo *m*; *(aus Glas)* scheggia *f*.

spontan *adj* spontaneo(a).

Sport *der* sport *m*; ~ **treiben** praticare sport.

Sportanlage (*pl* -n) *die* impianto *m* sportivo.

Sportartikel (*pl* -) *der* articolo *m* sportivo.

Sportgeschäft (*pl* -e) *das* negozio *m* di articoli sportivi.

Sporthalle (*pl* -n) *die (Turnhalle)* palestra *f*.

Sporthotel (*pl* -s) *das* albergo *m* dotato di attrezzature sportive.

Sportkleidung *die* abbigliamento *m* per lo sport.

Sportler, in (*mpl* -) *der, die* sportivo *m*, -a *f*.

sportlich *adj* sportivo(a).

Sportplatz (*pl* -plätze) *der* campo *m* sportivo.

Sportverein (*pl* -e) *der* associazione *f* sportiva.

Sportwagen (*pl* -) *der* auto *f* sportiva.

spotten *vi* prendersi gioco.

sprach *prät* → **sprechen**.

Sprache (*pl* -n) *die* lingua *f*.

Sprachführer (*pl* -) *der* manuale *m* di conversazione.

Sprachkenntnisse *pl* conoscenze *fpl* di una lingua *(straniera)*.

sprachlich *adj* linguistico(a).

Sprachreise (*pl* -n) *die viaggio studio in un paese straniero per impararne la lingua.*

sprang *prät* → **springen**.

Spray (*pl* -s) *das* spray *m*.

Sprechanlage (*pl* -n) *die* citofono *m*.

sprechen (*prät* **sprach**, *pp* **gesprochen**) *vi* parlare; **mit jm ~** parlare con qn; **über jn/etw ~** parlare di qn/qc; *(am Telefon)*: **wer spricht da bitte?** chi parla? ◆ *vt (Sprache)* parlare; **Deutsch ~** parlare il tedesco; *(Person)* parlare a.

Sprecher, in (*mpl* -) *der, die (im Radio, Fernsehen)* annunciatore *m*, -trice *f*; *(von Gruppe)* portavoce *mf*.

Sprechstunde (*pl* -n) *die (beim Arzt)* orario *m* di visita.

Sprechzimmer (*pl* -) *das (beim Arzt)* ambulatorio *m*.

Sprengstoff (*pl* -e) *der (Substanz)* esplosivo *m*.

spricht *prät* → **sprechen**.

Sprichwort (*pl* -wörter) *das* proverbio *m*.

sprießen (*prät* **spross**, *pp* **gesprossen**) *vi* spuntare.

Springbrunnen (*pl* -) *der* fontana *f* a getto.

springen (*prät* **sprang**, *pp* gesprungen) *vi (Person, Tier)* saltare ; *(Glas)* scheggiarsi.

Springflut (*pl* -en) *die* marea *f* sizigiale.

Sprint (*pl* -s) *der* scatto *m*.

Spritze (*pl* -n) *die (Injektion)* iniezione *f*.

spritzen *vt (Injektion)* iniettare ; *(Wasser, Gift)* spruzzare. ◆ *vi (Wasser, Fett)* schizzare.

spröde *adj (Material)* fragile.

Sprudelwasser (*pl* -) *das* acqua *f* minerale gassata.

sprühen *vt (Wasser)* spruzzare.

Sprung (*pl* Sprünge) *der (Springen)* salto *m* ; *(Riss)* crepa *f*.

Sprungbrett (*pl* -er) *das* trampolino *m (per i tuffi)*.

Sprungschanze (*pl* -n) *die* trampolino *m (per il salto con gli sci)*.

Spucke *die fam* saliva *f*.

spucken *vi (ausspucken)* sputare.

Spüle (*pl* -n) *die* lavello *m*.

spülen *vt (Geschirr)* lavare ; *(Wäsche)* risciacquare. ◆ *vi (an Spüle)* lavare i piatti ; *(in Toilette)* tirare l'acqua.

Spülmaschine (*pl* -n) *die* lavastoviglie *f*.

Spülmittel (*pl* -) *das* detersivo *m* per stoviglie.

Spülung (*pl* -en) *die (von Toilette)* sciacquone *m*.

Spur (*pl* -en) *die (von Füßen, Dieb)* impronta *f* ; *(Fahrspur)* corsia *f*.

spüren *vt* sentire.

Spurrillen *pl (auf Straße)* fondo *m* stradale sconnesso.

Squash *das* squash *m*.

SSV *abk für* Sommerschlussverkauf.

St. (*abk für Sankt*) S.

Staat (*pl* -en) *der* Stato *m*.

staatlich *adj (vom Staat)* statale ; *(Einheit, Unabhängigkeit)* nazionale. ◆ *adv* : ~ **anerkannt** riconosciuto(a) dallo Stato ; ~ **geprüft** certificato(a) dallo Stato.

Staatsangehörigkeit (*pl* -en) *die* cittadinanza *f*.

Staatsbürger, in (*mpl* -) *der, die* cittadino *m*, -a *f*.

Staatsexamen (*pl* -) *das* esame *m* di Stato *(per l'esercizio di una professione)*.

Stäbchen (*pl* -) *das (zum Essen)* bastoncino *m*.

stabil *adj* stabile.

stach *prät* → **stechen**.

Stachel (*pl* -n) *der (von Insekten)* pungiglione *m* ; *(von Pflanzen)* spina *f*.

Stacheldraht (*pl* -drähte) *der* filo *m* spinato.

Stadion (*pl* -dien) *das* stadio *m*.

Stadium (*pl* -dien) *das* stadio *m (fase)*.

Stadt (*pl* Städte) *die* città *f* ; *(Verwaltung)* comune *m*.

Stadtbahn (*pl* -en) *die* metropolitana *f* di superficie.

Stadtbummel (*pl* -) *der fam* giro *m* in centro.

Stạdtepartnerschaft (*pl* -en) *die* gemellaggio *m* tra città.
Stạdtführung (*pl* -en) *die* visita *f* guidata della città.
stạ̈dtisch *adj* *(Kindergarten, Verwaltung)* comunale ; *(Bevölkerung)* urbano(a).
Stạdtmauer (*pl* -n) *die* mura *fpl* cittadine.
Stadtmịtte *die* centro *m* città.
Stạdtpark (*pl* -s) *der* giardino *m* pubblico.
Stạdtplan (*pl* -pläne) *der* pianta *f* della città.
Stạdtrand (*pl* -ränder) *der* periferia *f*.
Stạdtrat (*pl* -räte) *der* *(Organ)* consiglio *m* comunale.
Stạdtrundfahrt (*pl* -en) *die* giro *m* turistico della città.
Stạdtstaat (*pl* -en) *der* città-stato *f*.
Stạdtteil (*pl* -e) *der* quartiere *m* cittadino.
Stạdttor (*pl* -e) *das* porta *f* della città.
Stạdtviertel (*pl* -) *das* quartiere *m* cittadino.
Stạdtzentrum (*pl* -zentren) *das* centro *m* città.
stahl *prät* → **stehlen**.
Stahl *der* acciaio *m*.
Stạll (*pl* **Stạ̈lle**) *der* stalla *f*.
Stạmm (*pl* **Stạ̈mme**) *der* *(von Baum)* tronco *m* ; *(Gruppe)* tribù *f* ; GRAMM radice *f*.
Stạmmgast (*pl* -gäste) *der* habitué *mf*.
Stạmmkunde, kundin (*mpl* -n) *der, die* cliente *mf* abituale.
Stạmmtisch (*pl* -e) *der* *tavolo riservato ai clienti abituali*.

STAMMTISCH

La parola "Stammtisch" si riferisce sia al tavolo, riservato ai clienti abituali, sia al gruppo di amici o colleghi che si ritrovano regolarmente a questo tavolo per bere qualcosa insieme, giocare a carte e discutere un po' di tutto.

---

stạnd *prät* → **stehen**.
Stạnd (*pl* **Stạ̈nde**) *der* *(auf Messe)* stand *m* ; *(auf Markt)* bancarella *f* ; *(in Entwicklung)* stato *m*.
Stand-by (*pl* -s) *der* stand-by *m*.
Stạ̈nder (*pl* -) *der* *(für Kleidung)* attaccapanni *m* ; *(für Fahrräder)* portabiciclette *m*.
stạ̈ndig *adv* continuamente. ◆ *adj* continuo(a).
Stạndpunkt (*pl* -e) *der* punto *m* di vista.
Stạndspur (*pl* -en) *die* *(von Autobahn)* corsia *f* d'emergenza.
Stạnge (*pl* -n) *die* *(aus Metall)* barra *f* ; *(aus Holz)* bastone *m* ; **eine ~ Zigaretten** una stecca di sigarette.
stạnk *prät* → **stinken**.
Stapel (*pl* -) *der* *(Haufen, Turm)* pila *f*.
Star[1] (*pl* -e) *der* *(Vogel)* stornello *m*.
Star[2] (*pl* -s) *der* *(Person)* star *f*.

starb *prät* → **sterben.**

stark (*komp* **stärker**, *superl* **am stärksten**) *adj* forte ; *(intensiv)* intenso(a) ; *fam (toll)* forte. ◆ *adv (intensiv)* forte ; **die Straße ist ~ befahren** la strada è molto trafficata ; *fam (toll)* forte.

Stärke (*pl* **-n**) *die (Kraft, charakterlich)* forza *f* ; *(in Nahrung, für Wäsche)* amido *m* ; *(Dicke)* spessore *m* ; *(Intensität)* intensità *f*.

stärken *vt (körperlich)* rinforzare ; *(Wäsche)* inamidare. ■ **sich stärken** *ref* rinforzarsi.

Starkstrom *der* corrente *f* ad alta tensione.

starren *vi (sehen)* fissare.

Start (*pl* **-s**) *der (von Flugzeug)* decollo *m* ; *(von Rennen)* partenza *f*.

Startbahn (*pl* **-en**) *die* pista *f* di decollo.

starten *vt (Auto, Motor)* avviare. ◆ *vi (Läufer)* prendere il via ; *(Flugzeug)* decollare.

Starthilfe *die (für Auto)* : **jm ~ geben** aiutare qn ad avviare l'auto facendo ponte con i cavi.

Station (*pl* **-en**) *die (von Verkehrsmitteln)* fermata *f* ; *(von Reise)* tappa *f* ; *(im Krankenhaus)* reparto *m*.

stationär *adj (Behandlung)* ospedaliero(a).

Statistik (*pl* **-en**) *die* statistica *f*.

Stativ (*pl* **-e**) *das* treppiede *m*.

statt *konj* & *präp (+G)* invece di.

stattdessen *konj* invece di ciò.

statt|finden *vi (unr)* aver luogo.

Statue (*pl* **-n**) *die* statua *f*.

Stau (*pl* **-s**) *der (im Verkehr)* coda *f* ; **im ~ stehen** rimanere imbottigliati nel traffico.

Staub *der (Schmutz)* polvere *f*.

staubig *adj* polveroso(a).

Staubsauger (*pl* **-**) *der* aspirapolvere *m*.

Staudamm (*pl* **-dämme**) *der* diga *f* di sbarramento.

Staugefahr *die* pericolo *m* di coda.

staunen *vi* stupirsi.

Stausee (*pl* **-n**) *der* lago *m* artificiale.

Stauwarnung (*pl* **-en**) *die* avviso *m* di coda.

Std. (*abk für Stunde*) h.

Steak (*pl* **-s**) *das* bistecca *f*.

Steakhaus (*pl* **-häuser**) *das* ristorante *m* di carne alla griglia.

stechen (*präs* **sticht**, *prät* **stach**, *pp* **gestochen**) *vt* & *vi* pungere. ■ **sich stechen** *ref* pungersi.

Stechmücke (*pl* **-n**) *die* zanzara *f*.

Steckdose (*pl* **-n**) *die* presa *f (di corrente)*.

stecken *vt (einstecken)* infilare. ◆ *vi (Gegenstand)* essere infilato(a) ; *fam (Person)* : **wo habt ihr gesteckt?** dove eravate finiti?

Stecker (*pl* **-**) *der* spina *f*.

Stecknadel (*pl* **-n**) *die* spillo *m*.

Steg (*pl* **-e**) *der (Brücke)* passerella *f*.

stehen (*prät* **stand**, *pp* **gestanden**) *vi* - 1. *(Person, Tier)* stare *(in piedi)*.
- 2. *(Gegenstand, Pflanze)* trovarsi.
- 3. *(Text)* essere scritto(a).
- 4. *(Uhr, Motor)* essere fermo(a).
- 5. *(Kleidung, Frisur)* : **etw steht jm** qc sta bene a qn.
◆ *vimp* - 1. *(im Sport)* : **wie steht es nach der ersten Halbzeit?** a quanto sono dopo il primo tempo?
- 2. *(gesundheitlich)* **es steht schlecht um jn** qn è messo male.

stehen bleiben *vi (unr & ist) (Person, Uhr, Auto)* fermarsi ; *(übrig bleiben)* rimanere.

stehen lassen *vt (unr) (Essen, Tasse)* lasciare ; *(vergessen)* dimenticare ; *(Person)* piantare.

stehlen (*präs* **stiehlt**, *prät* **stahl**, *pp* **gestohlen**) *vt (entwenden)* rubare.

Stehplatz (*pl* **-plätze**) *der (im Theater, Bus)* posto *m* in piedi.

Steiermark *die* Stiria *f*.

steif *adj (Gelenk, Bewegung, Mensch)* rigido(a) ; *(Begrüßung)* formale. ◆ *adv (begrüßen)* formalmente.

steigen (*prät* **stieg**, *pp* **gestiegen**) *vi* salire.

steigern *vt (Wert, Gewinn)* incrementare.

Steigung (*pl* **-en**) *die (von Straße)* salita *f*.

steil *adj (Straße, Berg)* ripido(a).

Steilküste (*pl* **-n**) *die* scogliera *f*.

Stein (*pl* **-e**) *der (Gestein, zum Bauen)* pietra *f* ; *(zum Spielen)* pedina *f*.

Steinbock (*pl* **-böcke**) *der (Tier)* stambecco *m* ; *(Sternzeichen)* Capricorno *m*.

Steinbutt (*pl* **-e**) *der* rombo *m*.

Steinpilz (*pl* **-e**) *der* porcino *m*.

Steinschlag *der* caduta *f* massi.

Stelle (*pl* **-n**) *die (Platz)* luogo *m* ; *(Fleck)* punto *m* ; *(Arbeitsplatz, Rang)* posto *m* ; *(im Text)* passo *m* ; **an ~ = anstelle**.

stellen *vt* - 1. *(hinstellen)* mettere ; **etw kalt ~** *(Speise)* mettere in fresco qc.
- 2. *(einstellen)* : **den Fernseher leiser/lauter ~** abbassare/alzare il volume del televisore.
- 3. *(Diagnose, Prognose)* formulare.
- 4. *(Frage, Bedingung)* porre.
■ **sich stellen** *ref* - 1. *(sich hinstellen)* mettersi.
- 2. *(nicht ausweichen)* affrontare.
- 3. *(sich verstellen)* : **sich krank/dumm ~** fingersi malato(a)/stupido(a).

Stellenangebot (*pl* **-e**) *das* offerta *f* d'impiego.

Stellung (*pl* **-en**) *die (von Kör-*

per, Gegenstand) posizione *f* ; *(Arbeitsstelle)* posto *m*.
Stellvertreter, in (*mpl* -) *der, die* sostituto *m*, -a *f*.
Stempel (*pl* -) *der* timbro *m*.
stempeln *vt (Formular, Brief)* timbrare ; *(Fahrschein)* obliterare.
Steppdecke (*pl* -n) *die* trapunta *f*.
sterben (*präs* **stirbt**, *prät* **starb**, *pp* **gestorben**) *vi (ist)* morire ; ~ **an** morire di.
Stereoanlage (*pl* -n) *die* impianto *m* stereo.
steril *adj (keimfrei)* sterile.
sterilisieren *vt* sterilizzare.
Stern (*pl* -e) *der* stella *f*.
Sternschnuppe (*pl* -n) *die* stella *f* cadente.
Sternzeichen (*pl* -) *das* segno *m* zodiacale.
stets *adv geh* sempre.
Steuer[1] (*pl* -n) *die (Abgabe)* tassa *f*.
Steuer[2] (*pl* -) *das (von Auto)* volante *m* ; *(von Schiff)* timone *m*.
Steuerbord *das* dritta *f*.
steuern *vt (Auto)* guidare ; *(Schiff)* governare.
Steuerrad (*pl* -räder) *das (von Auto)* volante *m* ; *(von Schiff)* ruota *f* del timone.
Steuerung (*pl* -en) *die (Gerät)* comandi *mpl*.
Steward (*pl* -s) *der (im Flugzeug)* steward *m*.
Stewardess (*pl* -en) *die (im Flugzeug)* hostess *f*.
Stich (*pl* -e) *der (Stechen)* colpo *m* ; *(von Insekt)* puntura *f* ; *(beim Nähen)* punto *m* ; *(Schmerz)* fitta *f*.
sticht *präs* → **stechen**.
sticken *vi* ricamare.
Sticker (*pl* -) *der* adesivo *m*.
Stiefbruder (*pl* -brüder) *der* fratellastro *m*.
Stiefel (*pl* -) *der (Schuh)* stivale *m*.
Stiefmutter (*pl* -mütter) *die* matrigna *f*.
Stiefschwester (*pl* -n) *die* sorellastra *f*.
Stiefvater (*pl* -väter) *der* patrigno *m*.
stieg *prät* → **steigen**.
Stiel (*pl* -e) *der (von Blumen)* gambo *m* ; *(von Besen, Pfanne)* manico *m*.
Stier (*pl* -e) *der (Tier)* toro *m* ; *(Sternzeichen)* Toro *m*.
stieß *prät* → **stoßen**.
Stift (*pl* -e) *der (zum Schreiben)* matita *f* ; *(aus Metall)* perno *m*.
Stiftung (*pl* -en) *die (Institution)* fondazione *f*.
Stil (*pl* -e) *der* stile *m*.
stilistisch *adj* stilistico(a).
still *adj (geräuschlos)* silenzioso(a) ; *(zurückhaltend)* riservato(a) ; *(bewegungslos)* calmo(a).
stillen *vt (Baby)* allattare ; *(Schmerz)* lenire.
still halten *vt (unr) (nicht bewegen)* stare fermo(a).
Stimme (*pl* -n) *die (zum Spre-*

chen, von Lied) voce *f* ; *(bei Wahl)* voto *m*.

stimmen *vi (richtig sein)* essere corretto(a) ; *(bei Wahl)* votare. ◆ *vt (Instrument)* accordare ; **das stimmt nicht!** non è vero! ; **stimmt!** è vero! ; **stimmt so!** tenga il resto!

Stimmung (*pl* **-en**) *die (Laune)* stato *m* d'animo ; *(Atmosphäre)* atmosfera *f*.

stinken (*prät* **stank**, *pp* **gestunken**) *vi (schlecht riechen)* puzzare.

Stipendium (*pl* **-dien**) *das* borsa *f* di studio.

stirbt *präs* → **sterben**.

Stirn (*pl* **-en**) *die* fronte *f*.

Stock (*pl* **Stöcke**) *der (aus Holz)* bastone *m* ; *(Etage)* piano *m* ; **im ersten ~** al primo piano.

Stockung (*pl* **-en**) *die (im Verkehr)* rallentamenti *mpl*.

Stoff (*pl* **-e**) *der (Tuch)* stoffa *f* ; *(Substanz)* sostanza *f*.

stöhnen *vi* gemere.

Stollen (*pl* **-**) *der (Kuchen) dolce natalizio a base di uvetta, mandorle e scorze di arancia candita.*

stolpern *vi (ist) (beim Gehen)* inciampare.

stolz *adj (Person)* orgoglioso(a).

stopfen *vt (Socken)* rammendare ; *(hineinstecken)* infilare.

stopp *interj* stop.

Stopp (*pl* **-s**) *der (an der Ampel)* fermata *f*.

stoppen *vt (anhalten)* fermare. ◆ *vi (anhalten)* fermarsi.

Stoppschild (*pl* **-er**) *das* segnale *m* di stop.

Stoppuhr (*pl* **-en**) *die* cronometro *m*.

Stöpsel (*pl* **-**) *der* tappo *m*.

Storch (*pl* **Störche**) *der* cicogna *f*.

stören *vt* & *vi* disturbare ; **'bitte nicht ~!'** 'si prega di non disturbare!'.

stornieren *vt* annullare.

Stornogebühr (*pl* **-en**) *die* penale *f* di annullamento.

Störung (*pl* **-en**) *die (Belästigung)* disturbo *m*.

Stoß (*pl* **Stöße**) *der (Schlag)* colpo *m* ; *(Stapel)* catasta *f*.

Stoßdämpfer (*pl* **-**) *der* ammortizzatore *m*.

stoßen (*präs* **stößt**, *prät* **stieß**, *pp* **gestoßen**) *vt (schubsen)* spingere. ◆ *vi* : **~ gegen/an** *(+A)* sbattere contro. ■ **sich stoßen** *ref* sbattere.

Stoßstange (*pl* **-n**) *die* paraurti *m*.

stößt *präs* → **stoßen**.

Stoßzeit (*pl* **-en**) *die* ora *f* di punta.

stottern *vi* balbettare.

Str. *(abk für Straße)* v.

strafbar *adj* punibile.

Strafe (*pl* **-n**) *die (Bestrafung)* punizione *f* ; *(Geldbuße)* multa *f* ; **zur ~** per punizione.

Straftat (*pl* **-en**) *die* reato *m*.

Strafzettel (*pl* **-**) *der fam* multa *f*.

Strahl (*pl* **-en**) *der (von Wasser)*

getto *m* ; *(von Licht)* raggio *m*. ■ **Strahlen** *pl (von Energie)* radiazioni *fpl*.

strahlen *vi (Licht)* splendere ; *(Person)* essere raggiante ; *(radioaktiv)* emettere radiazioni.

Strähne (*pl* **-n**) *die* ciocca *f*.

strampeln *vi (Säugling)* sgambettare.

Strand (*pl* **Strände**) *der* spiaggia *f*.

Strandkorb (*pl* **-körbe**) *der* poltrona *f* da spiaggia in vimini *(che protegge anche dal vento)*.

Strandpromenade (*pl* **-n**) *die* lungomare *m*.

strapazieren *vt (Material, Nerven)* logorare ; *(Person)* affaticare.

Straßburg *nt* Strasburgo *f*.

Straße (*pl* **-n**) *die* strada *f* ; **zur ~ liegen** dare sulla strada.

Straßenbahn (*pl* **-en**) *die* tram *m*.

Straßencafé (*pl* **-s**) *das* bar *m (con tavolini all'aperto)*.

Straßenfest (*pl* **-e**) *das* festa *f* di quartiere.

Straßenglätte *die* scivolosità *f* della strada *(per ghiaccio o neve)* ; **mit ~ muss gerechnet werden** possibilità di strada sdrucciolevole.

Straßenkarte (*pl* **-n**) *die* carta *f* stradale.

Straßenschäden *pl* strada *f* dissestata.

Straßenschild (*pl* **-er**) *das* cartello *m* stradale.

Straßenverhältnisse *pl* condizioni *fpl* stradali.

Straßenverkehr *der* traffico *m* stradale.

Straßenverkehrsordnung *die* codice *m* della strada.

Strategie (*pl* **-n**) *die* strategia *f*.

Strauch (*pl* **Sträucher**) *der* arbusto *m*.

Strauß[1] (*pl* **Sträuße**) *der (Blumen)* mazzo *m*.

Strauß[2] (*pl* **-e**) *der (Vogel)* struzzo *m*.

Strecke (*pl* **-n**) *die (Weg)* tratto *m* ; *(Entfernung)* distanza *f*.

strecken *vt (Körperteil)* allungare. ■ **sich strecken** *ref (sich recken)* stiracchiarsi.

streckenweise *adv* a tratti.

streicheln *vt* accarezzare.

streichen (*prät* **strich**, *pp* **gestrichen**) *vt (mit Farbe)* pitturare ; *(Salbe, Butter)* spalmare ; *(annullieren)* cancellare. ◆ *vi* : **mit der Hand über etw ~** passare la mano su qc ; **'frisch gestrichen!'** 'pittura fresca'.

Streichholz (*pl* **-hölzer**) *das* fiammifero *m*.

Streichkäse *der* formaggino *m*.

Streifen (*pl* **-**) *der (Muster)* riga *f* ; *(Stück)* striscia *f*.

Streifenkarte (*pl* **-n**) *die biglietto cumulativo per i mezzi pubblici urbani che va obliterato ad ogni corsa*.

Streifenwagen (*pl* -) *der* macchina *f* della polizia.
Streik (*pl* -s) *der* sciopero *m*.
streiken *vi (Arbeiter)* scioperare.
Streit *der* lite *f* ; ~ **haben mit** essere in lite con.
streiten (*prät* **stritt**, *pp* **gestritten**) *vi (zanken)* : ~ **über** *(+A)* litigare per. ■ **sich streiten** *ref (sich zanken)* : **sich** ~ **mit** litigare con.
streng *adj (Eltern, Lehrer)* severo(a) ; *(Diät, Regel)* rigoroso(a).
Stress *der* stress *m*.
streuen *vt (Salz, Kräuter)* cospargere di. ◆ *vi (gegen Eis)* spargere il sale.
Streuselkuchen (*pl* -) *der* *dolce ricoperto di un impasto sbriciolato di pasta frolla.*
strich *prät* → **streichen.**
Strich (*pl* -e) *der (Linie)* linea *f*.
Strick (*pl* -e) *der* fune *f*.
stricken *vt* & *vi* lavorare a maglia.
Strickjacke (*pl* -n) *die* giacca *f* di maglia.
Strickleiter (*pl* -n) *die* scala *f* di corda.
Stricknadel (*pl* -n) *die* ferro *m* *(da calza).*
Strickwaren *pl* maglieria *f*.
Striptease *der* striptease *m*.
stritt *prät* → **streiten.**
Stroh *das* paglia *f*.
Strohhalm (*pl* -e) *der (zum Trinken)* cannuccia *f*.
Strom (*pl* **Ströme**) *der (elektrisch, Fluss)* corrente *f* ; *(Menge)* marea *f* ; **es regnet in Strömen** piove a catinelle.
Stromanschluss (*pl* **-anschlüsse**) *der* allacciamento *m* elettrico.
Stromausfall (*pl* **-ausfälle**) *der* interruzione *f* di corrente.
strömen *vi (ist) (Wasser)* scorrere ; *(Gas)* fuoriuscire.
Strömung (*pl* -en) *die (von Fluss, Meer)* corrente *f*.
Stromverbrauch *der* consumo *m* di energia elettrica.
Strophe (*pl* -n) *die* strofa *f*.
Strudel (*pl* -) *der (im Wasser)* gorgo *m*. ◆ *(Gebäck)* strudel *m*.
Struktur (*pl* -en) *die (Aufbau)* struttura *f*.
Strumpf (*pl* **Strümpfe**) *der* *(Nylonstrumpf)* calza *f* ; *(Kniestrumpf)* calzettone *m*.
Strumpfhose (*pl* -n) *die (aus Nylon)* collant *m* ; *(aus Wolle)* calzamaglia *f*.
Stube (*pl* -n) *die* soggiorno *m*.
Stück (*pl* -e) *das* pezzo *m* ; **ein ~ Zucker** una zolletta di zucchero ; **am** ~ in un pezzo intero.
Student, in (*mpl* -en) *der, die* studente *m*, -essa *f (di università).*
Studentenausweis (*pl* -e) *der* tessera *f* dello studente.
studieren *vt (an Universität, beobachten)* studiare. ◆ *vi* frequentare l'università.
Studium (*pl* **Studien**) *das (an Universität)* studi *mpl* ; *(Beschäftigung)* studio *m*.

Stufe (*pl* **-n**) *die* *(von Treppe)* gradino *m* ; **'Vorsicht ~!'** 'attenzione al gradino!'.

Stuhl (*pl* **Stühle**) *der* *(zum Sitzen)* sedia *f.*

Stuhlgang *der* : **~ haben** andare di corpo.

stumm *adj* muto(a).

stumpf *adj* *(Messer, Schere)* che non taglia ; *(Bleistift)* spuntato(a).

Stunde (*pl* **-n**) *die* *(Zeitspanne)* ora *f* ; *(Unterrichtsstunde)* ora *f* *(di lezione)*.

Stundenkilometer (*pl* **-**) *pl* chilometri *mpl* orari.

stundenlang *adj* che dura ore.

Stundenlohn (*pl* **-löhne**) *der* retribuzione *f* oraria.

stündlich *adj* *(jede Stunde)* che si ripete ad ogni ora.

Sturm (*pl* **Stürme**) *der* *(Wetter)* tempesta *f* ; *(Andrang* & SPORT*)* attacco *m.*

stürmen *vt* *(hat)* *(überrennen)* attaccare. ◆ *vi* *(ist)* *(laufen)* precipitarsi. ◆ *vi* *(hat)* SPORT attaccare. ◆ *vimp* *(hat)* : **es stürmt** c'è tempesta.

Sturmflut (*pl* **-en**) *die* mareggiata *f.*

stürmisch *adj* *(Wetter)* tempestoso(a) ; *(Person, Begrüßung)* irruente ; **es ist ~** c'è tempesta.

Sturz (*pl* **Stürze**) *der* *(Fallen)* caduta *f.*

stürzen *vt* *(hat)* *(stoßen)* buttare *(giù)*. ◆ *vi* *(ist)* *(fallen)* precipitare ; *(laufen)* precipitarsi.

Sturzhelm (*pl* **-e**) *der* casco *m.*

Stute (*pl* **-n**) *die* *(Pferd)* giumenta *f.*

Stuten (*pl* **-**) *der* *pane dolce con uva passa e mandorle.*

stützen *vt* sostenere. ■ **sich stützen** *ref* *(Person)* appoggiarsi.

Subjekt (*pl* **-e**) *das* GRAMM soggetto *m.*

subjektiv *adj* soggettivo(a).

Substanz (*pl* **-en**) *die* sostanza *f.*

Suche *die* ricerca *f.*

suchen *vt* cercare.

süchtig *adj* dipendente.

Süd sud *m.*

Südamerika *nt* Sudamerica *m.*

Süddeutschland *das* Germania *f* meridionale.

Süden *der* sud *m* ; **im ~** a sud ; **nach ~** verso sud.

Südfrucht (*pl* **-früchte**) *die* frutto *m* tropicale.

Südhang (*pl* **-hänge**) *der* versante *m* meridionale.

südlich *adj* *(Gegend)* meridionale ; **in ~er Richtung** verso sud. ◆ *präp* : **~ von** a sud di.

Südosten *der* sudest *m.*

Südwesten *der* sudovest *m.*

Sülze (*pl* **-n**) *die* aspic *m.*

Summe (*pl* **-n**) *die* somma *f.*

Sumpf (*pl* **Sümpfe**) *der* *(Gegend)* palude *f.*

super *adj* & *interj* *fam* fantastico(a).

Super *das* *(Benzin)* super *f* ; **~ verbleit** super con piombo.

Superlativ (*pl* -e) *der* GRAMM superlativo *m*.
Supermarkt (*pl* -märkte) *der* supermercato *m*.
Suppe (*pl* -n) *die* minestra *f*, zuppa *f*.
Suppenlöffel (*pl* -) *der* cucchiaio *m* da minestra.
Suppenteller (*pl* -) *der* piatto *m* fondo.
Surfbrett (*pl* -er) *das* *(mit Segel)* tavola *f* da windsurf ; *(ohne Segel)* tavola *f* da surf.
surfen *vi (ist & hat) (mit Segel)* fare windsurf ; *(ohne Segel)* fare surf.
Surfer, in (*mpl* -) *der, die* surfista *mf*.
Surrealismus *der* surrealismo *m*.
süß *adj (Geschmack, Geruch)* dolce ; *(niedlich)* carino(a).
süßen *vt* dolcificare.
Süßigkeit (*pl* -en) *die* dolciume *m*.
süßsauer *adj* agrodolce.
Süßspeise (*pl* -n) *die* dolce *m*.
Süßstoff (*pl* -e) *der* dolcificante *m*.
Süßwasser *das* acqua *f* dolce.
Swimmingpool (*pl* -s) *der* piscina *f*.
Sylt *nt* Sylt *f*.

i SYLT

Sylt è l'isola più grande dell'arcipelago frisone settentrionale e si trova davanti alla costa dello Schleswig-Holstein e della Danimarca. È una meta turistica molto amata sia per le vacanze che per il relax, famosa per le sue spiagge, le sue lande e per le aree ornitologiche protette. La località di Westerland è una stazione balneare molto esclusiva.

Symbol (*pl* -e) *das* simbolo *m*.
symmetrisch *adj* simmetrico(a).
sympathisch *adj* simpatico(a).
Symphonie (*pl* -n) *die* = **Sinfonie**.
Symptom (*pl* -e) *das (von Krankheit)* sintomo *m*.
Synagoge (*pl* -n) *die* sinagoga *f*.
synthetisch *adj* sintetico(a).
System (*pl* -e) *das* sistema *m*.
Szene (*pl* -n) *die* scena *f* ; *fam (Milieu)* ambiente *m*.

T

Tabak (*pl* -e) *der* tabacco *m*.
Tabakladen (*pl* -läden) *der* tabaccheria *f*.
Tabakwaren *pl* tabacchi *mpl*.
Tabelle (*pl* -n) *die (Liste)* tabella *f*.
Tablett (*pl* -s) *das* vassoio *m*.
Tablette (*pl* -n) *die* pastiglia *f*.
Tachometer (*pl* -) *der* tachimetro *m*.
Tafel (*pl* -n) *die (in Schule)* lavagna *f* ; *geh (Tisch)* tavola *f* ; **eine**

~ **Schokolade** una tavoletta di cioccolato.

tafelfertig *adj* pronto(a) da mettere in tavola.

Tafelwein (*pl* **-e**) *der* vino *m* da tavola.

Tag (*pl* **-e**) *der (24 Stunden)* giorno *m* ; *(von morgens bis abends)* giornata *f* ; **guten ~!** buon giorno! ; **jeden ~** ogni giorno. ■ **Tage** *pl (Menstruation)* : **sie hat/bekommt ihre ~e** ha il ciclo *(mestruale)*.

Tag der Deutschen Einheit *der* festa *f* nazionale dell'unità tedesca.

TAG DER DEUTSCHEN EINHEIT

Il 3 ottobre si commemora in Germania la data ufficiale della riunificazione tedesca. La Germania subì infatti, come conseguenza della seconda guerra mondiale, la separazione in due stati : RFT e RDT. Nel 1990, dopo 41 anni di difficili rapporti, si giunse finalmente alla tanto attesa riunificazione.

Tagebuch (*pl* **-bücher**) *das* diario *m*.

tagelang *adv* per giorni.

Tagesausflug (*pl* **-ausflüge**) *der* gita *f* di una giornata.

Tagescreme (*pl* **-s**) *die* crema *f* da giorno.

Tagesfahrkarte (*pl* **-n**) *die* biglietto *m* giornaliero.

Tagesgericht (*pl* **-e**) *das (in Restaurant)* piatto *m* del giorno.

Tageskarte (*pl* **-n**) *die (Speisekarte)* menù *m* del giorno ; *(Fahrkarte)* biglietto *m* giornaliero.

Tagesschau *die* telegiornale *m*.

Tagestour (*pl* **-en**) *die* gita *f* di una giornata.

Tageszeit (*pl* **-en**) *die* ora *f (del giorno)*.

Tageszeitung (*pl* **-en**) *die* quotidiano *m*.

täglich *adj* quotidiano(a). ◆ *adv* quotidianamente ; **dreimal ~** tre volte al giorno.

tagsüber *adv* di giorno.

Tagung (*pl* **-en**) *die* convegno *m*.

Taille (*pl* **-n**) *die* vita *f*.

tailliert *adj* sfiancato(a).

Takt (*pl* **-e**) *der (musikalische Einheit)* battuta *f* ; *(Rhythmus)* tempo *m* ; *(Feingefühl)* tatto *m*.

Taktik (*pl* **-en**) *die* tattica *f*.

Tal (*pl* **Täler**) *das* valle *f*.

talentiert *adj* dotato(a).

Talkshow (*pl* **-s**) *die* talk show *m*.

Talsperre (*pl* **-n**) *die* diga *f (di sbarramento)*.

Tampon (*pl* **-s**) *der (für Menstruation)* assorbente *m* interno.

Tandem (*pl* **-s**) *das* tandem *m*.

Tang *der* fuco *m (alga rossobruna)*.

Tank (*pl* **-s**) *der (im Auto)* serbatoio *m*.

Tankdeckel (*pl* **-**) *der* tappo *m* del serbatoio.

tanken *vt (Benzin)* far rifornimento di. ◆ *vi* fare rifornimento.

Tankstelle (*pl* -n) *die* distributore *m* di benzina.

Tankwart, in (*mpl* -e) *der, die* benzinaio *m*, -a *f*.

Tanne (*pl* -n) *die* abete *m*.

Tante (*pl* -n) *die* zia *f*.

Tanz (*pl* Tänze) *der (Bewegung)* danza *f*.

tanzen *vi* & *vt* ballare.

Tänzer, in (*mpl* -) *der, die* ballerino *m*, -a *f*.

Tapete (*pl* -n) *die* carta *f* da parati.

tapezieren *vt* tappezzare.

tapfer *adj (mutig)* coraggioso(a).

Tarif (*pl* -e) *der (Preis, von Lohn)* tariffa *f*.

Tarifzone (*pl* -n) *die (von öffentlichen Verkehrsmitteln)* zona *f* tariffaria.

Tasche (*pl* -n) *die (zum Tragen)* borsa *f*; *(in Kleidung)* tasca *f*.

Taschenbuch (*pl* -bücher) *das* libro *m* tascabile.

Taschendieb, in (*mpl* -e) *der, die* borseggiatore *m*, -trice *f*; **'vor ~en wird gewarnt'** 'attenzione ai borseggiatori'.

Taschenkalender (*pl* -) *der* agendina *f*.

Taschenlampe (*pl* -n) *die* pila *f* tascabile.

Taschenmesser (*pl* -) *das* temperino *m*.

Taschenrechner (*pl* -) *der* calcolatrice *f* tascabile.

Taschentuch (*pl* -tücher) *das* fazzoletto *m*.

Tasse (*pl* -n) *die* tazza *f*.

Taste (*pl* -n) *die* tasto *m*.

tasten *vi* tastare ; **nach etw ~** cercare a tastoni qc.

Tastentelefon (*pl* -e) *das* telefono *m* a tastiera.

tat *prät* → **tun**.

Tat (*pl* -en) *die (Handlung)* azione *f*; *(Straftat)* reato *m*.

Tatar *der* bistecca *f* alla tartara.

Täter, in (*mpl* -) *der, die* colpevole *mf*.

Tätigkeit (*pl* -en) *die* attività *f*.

Tätowierung (*pl* -en) *die* tatuaggio *m*.

Tatsache (*pl* -n) *die* fatto *m*.

tatsächlich *adj* vero(a). ◆ *adv* effettivamente.

Tau (*pl* -e) *der (Niederschlag)* rugiada *f*. ◆ *das (Seil)* fune *f*.

taub *adj (Person)* sordo(a) ; *(Hände, Gefühl)* insensibile.

Taube (*pl* -n) *der, die (Person)* sordo *m*, -a *f*. ◆ *die (Vogel)* colomba *f*.

taubstumm *adj* sordomuto(a).

tauchen *vi (hat & ist)* immergersi ; SPORT fare immersioni *(subacquee)*. ◆ *vt (hat) (eintauchen)* immergere.

Taucher, in (*mpl* -) *der, die* sub *mf*.

Taucherbrille (*pl* -n) *die* maschera *f* da sub.

Tauchkurs (*pl* -e) *der* corso *m* sub.
Tauchsieder (*pl* -) *der* scaldaacqua *m* ad immersione.
tauen *vi (ist) (Eis)* sciogliersi. ◆ *vimp (hat)* : **es taut** sgela.
taufen *vt (Person)* battezzare.
tauschen *vt* scambiare. ◆ *vi (auswechseln)* cambiare.
täuschen *vt* & *vi* ingannare. ■ **sich täuschen** *ref* ingannarsi.
tausend *num* mille ; *siehe auch* **sechs**.
Tausend (*pl* - oder -e) *das* mille *m*.
Tausender (*pl* -) *der (Geldschein)* banconota *f* da mille.
Tauwetter *das* disgelo *m*.
Taxi (*pl* -s) *das* taxi *m*.
Taxifahrer, in (*mpl* -) *der, die* tassista *mf*.
Taxi-Rufsäule (*pl* -n) *die colonnina per la chiamata telefonica al servizio taxi*.
Team (*pl* -s) *das* squadra *f*.
Technik (*pl* -en) *die (Wissenschaft, Methode)* tecnica *f*.
Techniker, in (*mpl* -) *der, die* tecnico *m*.
technisch *adj* tecnico(a).
Teddy (*pl* -s) *der* orsetto *m* di peluche.
Tee (*pl* -s) *der (schwarzer Tee)* tè *m* ; *(Kräutertee)* tisana *f*.
Teebeutel (*pl* -) *der* bustina *f* di tè.
Tee-Ei (*pl* -er) *das* filtro *m* per il tè *(a forma di uovo)*.
Teekanne (*pl* -n) *die* teiera *f*.
Teelöffel (*pl* -) *der* cucchiaino *m* da tè.
Teesieb (*pl* -e) *das* colino *m* per il tè.
Teich (*pl* -e) *der* stagno *m*.
Teig (*pl* -e) *der* impasto *m*.
Teigwaren *pl* pasta *f*.
Teil (*pl* -e) *der (Teilmenge, Teilstück)* parte *f*. ◆ *das (Einzelteil)* parte *f*.
teilen *vt* & *vi* dividere ; ~ **mit** dividere con ; **sich** *(D)* **etw** ~ dividersi qc.
Teilnahme *die (an Veranstaltung)* partecipazione *f*.
teil|nehmen *vi (unr)* : ~ **an** partecipare a.
Teilnehmer, in (*mpl* -) *der, die* partecipante *mf*.
teils *adv* in parte. ◆ *konj* : ~ ... ~ *(sowohl ... als auch)* in parte ..., in parte ...
teilweise *adv (zu gewissen Teilen)* parzialmente ; *(zeitweise)* talvolta.
Tel. *(abk für Telefon)* tel.
Telefax (*pl* -e) *das* fax *m*.
Telefon (*pl* -e) *das* telefono *m* ; **bleiben Sie bitte am ~!** rimanga in linea, prego!
Telefonanruf (*pl* -e) *der* telefonata *f*.
Telefonansage (*pl* -n) *die* annuncio *m* telefonico.
Telefonanschluss (*pl* -anschlüsse) *der* allacciamento *m* telefonico.
Telefonat (*pl* -e) *das* telefonata *f*.

Telefonbuch (*pl* **-bücher**) *das* elenco *m* telefonico.

Telefongespräch (*pl* **-e**) *das* conversazione *f* telefonica.

telefonieren *vi* telefonare ; **~ mit** essere al telefono con ; **ohne Münzen ~** chiamare da un telefono a scheda.

telefonisch *adj* telefonico(a).

Telefonkarte (*pl* **-n**) *die* scheda *f* telefonica.

Telefonnummer (*pl* **-n**) *die* numero *m* di telefono.

Telefonverbindung (*pl* **-en**) *die* linea *f* telefonica.

Telefonzelle (*pl* **-n**) *die* cabina *f* telefonica.

telegrafieren *vt* telegrafare.

Telegramm (*pl* **-e**) *das* telegramma *m*.

Telekom *die* ≃ Telecom *f*.

Teleobjektiv (*pl* **-e**) *das* teleobiettivo *m*.

Telex *das* telex *m*.

Teller (*pl* **-**) *der* piatto *m*.

Tellerfleisch *das Süddt lesso misto con verdure e patate.*

Tempel (*pl* **-**) *der* tempio *m*.

Temperament *das* temperamento *m*.

temperamentvoll *adj* pieno(a) di temperamento.

Temperatur (*pl* **-en**) *die* temperatura *f*.

Temperaturanzeige (*pl* **-n**) *die* indicatore *m* di temperatura.

Tempo® (*pl* **-s**) *das fam (Papiertaschentuch)* fazzolettino *m* di carta.

Tempo¹ (*pl* **-s**) *das (Geschwindigkeit)* velocità *f*.

Tempo² (*pl* **Tempi**) *das (von Musik)* tempo *m*.

Tempolimit (*pl* **-s**) *das* limite *m* di velocità.

Tendenz (*pl* **-en**) *die* tendenza *f*.

Tennis *das* tennis *m*.

Tennishalle (*pl* **-n**) *die* campo *m* da tennis coperto.

Tennisplatz (*pl* **-plätze**) *der* campo *m* da tennis.

Tennisschläger (*pl* **-**) *der* racchetta *f* da tennis.

Tennisspieler, in (*mpl* **-**) *der, die* tennista *mf*.

Tenor (*pl* **Tenöre**) *der* tenore *m*.

Teppich (*pl* **-e**) *der (Einzelstück)* tappeto *m* ; *(Teppichboden)* moquette *f*.

Teppichboden (*pl* **-böden**) *der* moquette *f*.

Termin (*pl* **-e**) *der (Zeitpunkt)* scadenza *f* ; *(Vereinbarung)* appuntamento *m*.

Terminal (*pl* **-s**) *der (Gebäude)* terminal *m*.

Terminkalender (*pl* **-**) *der* agenda *f*.

Terpentin *das* trementina *f*.

Terrasse (*pl* **-n**) *die (am Haus)* terrazza *f*.

Terror *der* terrore *m*.

terrorisieren *vt* terrorizzare.

Tesafilm® *der* scotch® *m*.

Tessin *das* Ticino *m*.

Test (*pl* -s) *der* test *m*.
Testament (*pl* -e) *das* testamento *m* ; **das Alte/das Neue ~** il Vecchio/Nuovo Testamento.
Tetanus *der* tetano *m*.
teuer *adj (finanziell)* costoso(a).
Teufel (*pl* -) *der* diavolo *m*.
Text (*pl* -e) *der* testo *m*.
Textilien *pl* prodotti *mpl* tessili.
Theater (*pl* -) *das* teatro *m* ; **ins ~ gehen** andare a teatro.
Theaterkasse (*pl* -n) *die* biglietteria *f (del teatro)*.
Theaterstück (*pl* -e) *das* opera *f* teatrale.
Theatervorstellung (*pl* -en) *die* spettacolo *m* teatrale.
Theke (*pl* -n) *die (Bar, im Geschäft)* bancone *m*.
Thema (*pl* **Themen**) *das (von Text, Gespräch)* argomento *m* ; *(musikalisch)* tema *m*.
theoretisch *adj* teorico(a).
Theorie (*pl* -n) *die* teoria *f*.
Therapeut, in (*mpl* -en) *der, die* terapeuta *mf*.
Therapie (*pl* -n) *die* terapia *f*.
Thermalbad (*pl* -bäder) *das (Schwimmbad)* bagno *m* termale.
Thermometer (*pl* -) *das* termometro *m*.
Thermoskanne (*pl* -n) *die* thermos *m*.
Thermostat (*pl* -e) *das* termostato *m*.
These (*pl* -n) *die* tesi *f*.
Thron (*pl* -e) *der* trono *m*.
Thunfisch (*pl* -e) *der* tonno *m*.
Thurgau *der* Turgovia *f*.
Thüringen *nt* Turingia *f*.
Ticket (*pl* -s) *das* biglietto *m*.
tief *adj* profondo(a) ; *(niedrig)* basso(a) ; *(Ton)* grave.
Tief (*pl* -s) *das (Wetter)* depressione *f*.
Tiefe (*pl* -n) *die* profondità *f* ; *(Ton)* gravità *f*.
Tiefgarage (*pl* -n) *die* parcheggio *m* sotterraneo.
tiefgefroren *adj* surgelato(a).
tiefgekühlt *adj* congelato(a).
Tiefkühlfach (*pl* -fächer) *das* scomparto *m* congelatore.
Tiefkühlkost *die* alimenti *mpl* surgelati.
Tiefkühltruhe (*pl* -n) *die* congelatore *m*.
Tier (*pl* -e) *das* animale *m*.
Tierarzt, ärztin (*mpl* -ärzte) *der, die* veterinario *m*, -a *f*.
tierisch *adj (Erzeugnis, Fett)* animale ; *fam (stark)* bestiale.
Tiernahrung *die* alimenti *mpl* per animali.
Tierpark (*pl* -s) *der* giardino *m* zoologico.
Tiger (*pl* -) *der* tigre *f*.
Tilsiter (*pl* -) *der (Käse)* Tilsit *m (formaggio di)*.
Tinktur (*pl* -en) *die* tintura *f*.
Tinte (*pl* -n) *die* inchiostro *m*.
Tintenfisch (*pl* -e) *der* seppia *f*.
Tipp (*pl* -s) *der (Hinweis)* consi-

glio *m* ; *(bei Wette, bei Rätsel)* pronostico *m* ; **jm einen ~ geben** dare un suggerimento a qn.

tippen *vt (mit Schreibmaschine)* scrivere a macchina. ◆ *vi (vorhersagen)* pronosticare ; *(berühren)* : **an etw** *(A)* **~** toccare leggermente qc ; *fam (bei Lotto, Wette)* scommettere.

Tirol *nt* Tirolo *m*.

Tisch (*pl* **-e**) *der* tavolo *m* ; **den ~ decken** apparecchiare la tavola.

Tischdecke (*pl* **-n**) *die* tovaglia *f*.

Tischler, in (*mpl* -) *der, die* falegname *m*.

Tischtennis *das* ping-pong *m*.

Tischtuch (*pl* **-tücher**) *das* tovaglia *f*.

Titel (*pl* -) *der* titolo *m*.

Toast (*pl* **-s**) *der (Brotscheibe)* fetta *f* di pane tostato.

Toastbrot (*pl* **-e**) *das* pane *m* a/in cassetta.

toasten *vt* tostare.

Toaster (*pl* -) *der* tostapane *m*.

Tochter (*pl* **Töchter**) *die (Verwandte)* figlia *f*.

Tod (*pl* **-e**) *der* morte *f*.

todkrank *adj* malato(a) terminale.

tödlich *adj* mortale.

Tofu *der* tofu *m*.

Toilette (*pl* **-n**) *die (Klo)* toilette *f* ; **zur ~ gehen** andare alla toilette.

Toilettenartikel (*pl* -) *der* articolo *m* da toilette.

Toilettenpapier *das* carta *f* igienica.

tolerant *adj* tollerante.

toll *adj fam (wunderbar)* magnifico(a).

Tollwut *die* MED rabbia *f*.

Tomate (*pl* **-n**) *die* pomodoro *m*.

Tomatenmark *das* concentrato *m* di pomodoro.

Tomatensaft (*pl* **-säfte**) *der* succo *m* di pomodoro.

Tombola (*pl* **-s**) *die* lotteria *f*.

Ton[1] (*pl* **Töne**) *der (Klang, Laut)* suono *m* ; *(Tonfall)* tono *m* ; *(von Farbe)* tonalità *f*.

Ton[2] (*pl* **-e**) *der (Lehm)* argilla *f*.

Tonband (*pl* **-bänder**) *das (Band)* nastro *m* magnetico.

Tonne (*pl* **-n**) *die (Behälter)* bidone *m* ; *(Gewichtseinheit)* tonnellata *f*.

Tönung (*pl* **-en**) *die (Handlung)* colorazione *f* ; *(Färbemittel)* tinta *f*.

Top (*pl* **-s**) *das* top *m*.

Topf (*pl* **Töpfe**) *der (Kochtopf)* pentola *f* ; *(Blumentopf)* vaso *m*.

Topfen *der Süddt* & *Österr* Quark *m*.

Topfenstrudel (*pl* -) *der Süddt* & *Österr* strudel *m* di Quark.

Töpfer, in (*mpl* -) *der, die* vasaio *m*, -a *f*.

Töpferei (*pl* **-en**) *die* laboratorio *m* di vasaio.

Tor (*pl* **-e**) *das (große Tür)* portone *m* ; *(aus Metall)* cancello *m* ; *(bei Fußball, von Stadtmauer)* porta *f*; **ein ~ schießen** segnare un gol.

Toreinfahrt (*pl* **-en**) *die* passo *m* carrabile.

Torf (*pl* **-e**) *der* torba *f*.

Torte (*pl* **-n**) *die* torta *f*.

Tortelett (*pl* **-s**) *das* crostatina *f*.

Torwart, in (*mpl* **-e**) *der, die* portiere *m*, -a *f*.

tot *adj* morto(a). ◆ *adv* : **~ umfallen** cadere morto(a).

total *adj* totale. ◆ *adv* totalmente.

Tote (*pl* **-n**) *der, die* morto *m*, -a *f*.

töten *vt* uccidere.

Totensonntag (*pl* **-e**) *der* giorno *m* dei morti *(protestante)*.

Toto *das* totocalcio *m*.

Toupet (*pl* **-s**) *das* toupet *m*.

toupieren *vt* cotonare.

Tour (*pl* **-en**) *die (Ausflug, Strecke)* giro *m*.

Tourenski (*pl* **-er**) *der* sci *m* da escursionismo.

Tourismus *der* turismo *m*.

Tourist, in (*mpl* **-en**) *der, die* turista *mf*.

Touristenklasse *die* classe *f* turistica.

Touristenort (*pl* **-e**) *der* località *f* turistica.

touristisch *adj* turistico(a).

Tournee (*pl* **-n**) *die* tournée *f*.

Trabrennen (*pl* **-**) *das* corsa *f* di trotto.

Tracht (*pl* **-en**) *die (Kleidung)* costume *m* tradizionale.

Trachtenfest (*pl* **-e**) *das* festa *f* folcloristica.

Trachtenverein (*pl* **-e**) *der* associazione *f* folcloristica.

Tradition (*pl* **-en**) *die* tradizione *f*.

traditionell *adj* tradizionale.

traf *prät* → **treffen**.

Trafik *die Österr* tabaccheria *f*.

TRAFIK

I "Trafik" sono dei piccoli negozi, molto frequenti in Austria, nei quali, oltre a sigarette, sigari ed articoli da fumo, si vendono generi di una certa utilità, come giornali, francobolli, cartoline e biglietti per i mezzi pubblici.

Tragbahre (*pl* **-n**) *die* barella *f*.

tragbar *adj (Gerät)* portatile.

träge *adj (Person)* indolente ; *(Bewegung)* lento(a).

tragen (*präs* **trägt**, *prät* **trug**, *pp* **getragen**) *vt (Kleidung, Frisur, Gegenstand)* portare ; *(Leid, Konsequenzen)* sopportare. ◆ *vi (Wände, Eis)* reggere ; *(Tier)* essere gravida.

Träger (*pl* **-**) *der (Gepäckträger)* facchino *m* ; *(von Kleidung)* bretella *f* ; *(aus Eisen)* putrella *f*.

Tragetasche (*pl* **-n**) *die* borsa *f* per la spesa.

tragisch *adj* tragico(a).

Tragödie (*pl* **-n**) *die* tragedia *f*.

trägt *präs* → **tragen**.

Trainer, in (*mpl* **-**) *der, die* allenatore *m*, -trice *f*.

trainieren *vt* allenare. ◆ *vi* allenarsi.

Training (*pl* **-s**) *das* allenamento *m*.
Trainingsanzug (*pl* **-züge**) *der* tuta *f (sportiva)*.
Traktor (*pl* **Traktoren**) *der* trattore *m*.
Trambahn (*pl* **-en**) *die Süddt* tram *m*.
trampen *vi (hat & ist)* fare l'autostop.
Tramper, in (*mpl* **-**) *der, die* autostoppista *mf*.
Träne (*pl* **-n**) *die* lacrima *f*.
tränen *vi* lacrimare.
Tränengas *das* gas *m* lacrimogeno.
trank *prät* → **trinken**.
Transfusion (*pl* **-en**) *die* trasfusione *f*.
Transitstrecke (*pl* **-n**) *die* percorso *m* di transito.
Transitvisum (*pl* **-visa**) *das* visto *m* di transito.
Transport (*pl* **-e**) *der* trasporto *m*.
transportieren *vt (befördern)* trasportare ; *(Film)* trascinare.
Transportmittel (*pl* **-**) *das* mezzo *m* di trasporto.
Transvestit (*pl* **-en**) *der* travestito *m*.
trat *prät* → **treten**.
Traube (*pl* **-n**) *die (Frucht)* uva *f*.
Traubensaft (*pl* **-säfte**) *der* succo *m* d'uva.
Traubenzucker *der* glucosio *m*.
trauen *vt (Brautpaar)* sposare. ◆ *vi (+D) (vertrauen)* fidarsi. ■ **sich trauen** *ref (wagen)* azzardarsi.
Trauer *die* lutto *m*.
Traum (*pl* **Träume**) *der* sogno *m*.
träumen *vi (im Schlaf, wünschen)* sognare ; *(abwesend sein)* sognare *(ad occhi aperti)*.
traumhaft *adj* da sogno.
traurig *adj* triste.
Trauung (*pl* **-en**) *die* cerimonia *f* nunziale ; **kirchliche/standesamtliche ~** matrimonio religioso/civile.
Travellerscheck (*pl* **-s**) *der* traveller's cheque *m*.
treffen (*präs* **trifft**, *prät* **traf**, *pp* **getroffen**) *vt (hat) (begegnen)* incontrare ; *(Ziel, traurig machen)* colpire ; *(Verabredung, Entscheidung)* prendere. ◆ *vi (hat) (ins Ziel)* fare centro. ■ **sich treffen** *ref* incontrarsi ; **sich ~ mit** incontrarsi con ; **wo sollen wir uns ~?** dove ci incontriamo?
Treffer (*pl* **-**) *der (im Fussball)* rete *f* ; *(Schuss)* centro *m* ; *(bei Lotterie)* biglietto *m* vincente.
Treffpunkt (*pl* **-e**) *der* punto *m* d'incontro.
treiben (*prät* **trieb**, *pp* **getrieben**) *vt (hat) (Tiere)* condurre ; *(ins Wasser, zwingen)* spingere ; *(machen, tun)* fare ; **Sport ~** praticare sport. ◆ *vi (ist) (im Wasser)* galleggiare.
Treibstoff (*pl* **-e**) *der* carburante *m*.
Trend (*pl* **-s**) *der* tendenza *f*.

trennen *vt (Streitende, Gegenstände)* separare. ■ **sich trennen** *ref* separarsi.

Trennung (*pl* -en) *die* separazione *f*; GRAMM divisione *f* in sillabe.

Treppe (*pl* -n) *die* scala *f*.

Treppengeländer (*pl* -) *das* ringhiera *f* delle scale.

Tresen (*pl* -) *der Norddt* bancone *m*.

Tretboot (*pl* -e) *das* pedalò *m*.

treten (*präs* tritt, *prät* trat, *pp* getreten) *vt (hat) (mit Fuß)* dare un calcio a ; *(Bremse, Kupplung)* schiacciare. ◆ *vi (hat) (Pferd, Person)* dare un calcio. ◆ *vi (ist) (gehen)* : **in eine Pfütze ~** finire in una pozzanghera.

treu *adj* fedele.

Treuhand *die istituzione tedesca responsabile della privatizzazione dell'industria dell'ex RDT*.

Triathlon (*pl* -s) *der* triathlon *m*.

Tribüne (*pl* -n) *die* tribuna *f*.

Trichter (*pl* -) *der (Gerät)* imbuto *m*.

Trick (*pl* -s) *der* trucco *m*.

Trickfilm (*pl* -e) *der* cartone *m* animato.

trieb *prät* → **treiben**.

triefen (*prät* triefte ODER troff, *pp* getrieft) *vi* & *vi (ist & hat)* grondare.

trifft *präs* → **treffen**.

Trikot (*pl* -s) *das* maglia *f* sportiva.

Trimester (*pl* -) *das* trimestre *m*.

Trimm-dich-Pfad (*pl* -e) *der* percorso *m* vita.

trinkbar *adj* potabile.

trinken (*prät* trank, *pp* getrunken) *vt* & *vi* bere.

Trinkgeld (*pl* -er) *das* mancia *f*.

Trinkhalle (*pl* -n) *die* chiosco *m*.

Trinkwasser *das* acqua *f* potabile.

Trio (*pl* -s) *das* trio *m*.

tritt *präs* → **treten**.

Tritt (*pl* -e) *der (Stoß)* calcio *m* ; *(Schritt)* passo *m*.

triumphieren *vi (sich freuen)* esultare ; *(siegen)* trionfare.

trivial *adj (Lied)* banale ; *(Literatur)* dozzinale.

trocken *adj (nicht nass)* asciutto(a) ; *(Wein, Haut)* secco(a) ; *fig (Text, Thema)* arido(a).

Trockenheit *die* aridità *f*; *(Wassermangel)* siccità *f*.

trocken|legen *vt (Sumpf)* bonificare ; *(Baby)* cambiare *(il pannolino)*.

trocknen *vt (hat) (Wäsche, Haare)* asciugare. ◆ *vi (ist) (Wäsche, Haare)* asciugarsi.

Trockner (*pl* -) *der (für Wäsche)* asciugatrice *f*.

Trödel (*pl* -) *der (Gegenstände)* ciarpame *m*.

Trödelmarkt (*pl* -märkte) *der* mercatino *m* dell'usato.

trödeln *vi (hat) fam (langsam*

sein) cincischiare. ◆ *vi (ist) fam (langsam gehen)* bighellonare.

troff *prät* → **triefen**.

Trommel (*pl* **-n**) *die (Instrument)* tamburo *m*.

Trommelfell (*pl* **-e**) *das* MED timpano *m*.

Trompete (*pl* **-n**) *die* tromba *f*.

Tropen *pl* tropici *mpl*.

Tropf (*pl* **-e**) *der (Gerät)* flebo *f*.

tropfen *vi (Wasserhahn, Wasser)* gocciolare.

Tropfen (*pl* **-**) *der* goccia *f*.

Tropfsteinhöhle (*pl* **-n**) *die* grotta *f* con stalattiti e stalagmiti.

trösten *vt* consolare. ■ **sich trösten** *ref* consolarsi.

Trottoir (*pl* **-s**) *das Süddt* marciapiede *m*.

trotz *prät (+G)* nonostante.

trotzdem *adv* ciò nonostante.

trotzig *adj* cocciuto(a).

trüb *adj (nicht klar)* torbido(a) ; **ein ~es Wetter** un tempo grigio.

Trüffel (*pl* **-**) *der* tartufo *m*.

trug *prät* → **tragen**.

Truhe (*pl* **-n**) *die* cassapanca *f*.

Trümmer *pl* macerie *fpl*.

Trumpf (*pl* **Trümpfe**) *der (bei Kartenspiel)* briscola *f*.

Trunkenheit *die amt* ubriachezza *f*.

Truthahn (*pl* **-hähne**) *der* tacchino *m*.

Tschechien *nt* Repubblica *f* Ceca.

tschüs, tschüss *interj* ciao.

Tsd. *abk für* **Tausend**.

T-Shirt (*pl* **-s**) *das* T-shirt *f*.

Tube (*pl* **-n**) *die* tubetto *m*.

Tuberkulose *die* tubercolosi *f*.

Tuch (*pl* **Tücher**) *das (Halstuch)* foulard *m* ; *(zum Putzen, Abtrocknen)* panno *m*.

tüchtig *adj (geschickt)* abile ; *fam (groß)* : **eine ~e Portion** una bella porzione. ◆ *adv (geschickt)* molto bene.

Tulpe (*pl* **-n**) *die* tulipano *m*.

Tümpel (*pl* **-**) *der* stagno *m*.

tun (*präs* **tut**, *prät* **tat**, *pp* **getan**) *vt* - 1. *(machen)* fare ; **was kann ich für Sie ~?** cosa posso fare per Lei? ; **etw/viel/nichts ~** fare qc/ molto/nulla.

- 2. *(schaden, antun)* : **jm etwas ~** fare qc a qn ; **sich etw/nichts ~** farsi qc/niente.

◆ *vi* - 1. *(spielen, vortäuschen)* : **so ~, als ob** fare come se ; **beleidigt ~** fare l'offeso.

- 2. *(Ausdruck von Gefühl, Wirkung)* : **jm Leid ~** fare pena a qn ; **jm gut ~** fare bene a qn.

- 3. *(Ausdruck einer Beziehung)* : **zu ~ haben mit** avere a che fare con ; **nichts zu ~ haben mit** non aver nulla a che fare con.

◆ *vimp* : **das tut mir Leid** mi dispiace ; **es tut sich etwas** qc si muove.

Tunesien *nt* Tunisia *f*.

Tunfisch *der* = **Thunfisch**.

tunken *vt* intingere.

Tunnel (*pl* -) *der* tunnel *m.*

Tür (*pl* -en) *die* porta *f.*

Türkei *die* Turchia *f.*

Türklinke (*pl* -n) *die* maniglia *f* della porta.

Turm (*pl* Türme) *der* (*Gebäude*) torre *f* ; (*von Kirche*) campanile *m.*

turnen *vi* SPORT far ginnastica.

Turner, in (*mpl* -) *der, die* ginnasta *mf.*

Turnhalle (*pl* -n) *die* palestra *f.*

Turnier (*pl* -e) *das* SPORT torneo *m.*

Turnschuh (*pl* -e) *der* scarpa *f* da ginnastica.

Türschloss (*pl* -schlösser) *das* serratura *f* della porta.

tuscheln *vi* bisbigliare.

tut *präs* → **tun.**

Tüte (*pl* -n) *die* (*aus Papier, Plastik*) sacchetto *m.*

TÜV *der* (*abk für Technischer Überwachungsverein*) *ente per il controllo periodico degli apparecchi tecnici e in particolare degli autoveicoli.*

TV *das* TV *f.*

Typ (*pl* -en) *der* tipo *m* ; *fam* (*Mann*) tipo *m* ; **er ist nicht mein ~** non è il mio tipo.

typisch *adj* tipico(a).

tyrannisieren *vt* tiranneggiare.

U

u. *abk für* **und.**

u. a. (*abk für unter anderem*) → **andere.**

u. a. m. (*abk für und anderes mehr*) etc.

UB (*pl* -s) *die* (*abk für Universitätsbibliothek*) biblioteca universitaria.

U-Bahn (*pl* -en) *die* metropolitana *f.*

U-Bahn-Haltestelle (*pl* -n) *die* fermata *f* della metropolitana.

übel (*komp* **übler**, *superl* **am übelsten**) *adj* (*schlecht*) cattivo(a) ; **jm ist ~** qn non si sente bene.

Übelkeit (*pl* -en) *die* nausea *f.*

übel nehmen *vt* (*unr*) : **jm etw ~** prendersela con qn per qc.

üben *vt* esercitare. ◆ *vi* fare esercizi.

über *präp* (+*A*) - **1.** (*räumlich : höher*) sopra ; **eine Lampe ~ den Tisch hängen** appendere una lampada sopra il tavolo ; **~ die Mauer springen** saltare il muro.
- **2.** (*räumlich : quer*) : **~ die Straße gehen** attraversare la strada.
- **3.** (*räumlich : Angabe der Route*) per ; **~ Rom nach Neapel fahren** andare a Napoli passando per Roma.
- **4.** (*Angabe des Themas*) su ; **ein Buch ~ Mozart** un libro su Mozart.
- **5.** (*Angabe des Betrages*) di ; ei-

ne Rechnung ~ 50 Euro una fattura di 50 euro.
- 6. *(mehr als)* più di ; **~ eine Stunde** oltre un'ora.
- 7. *(zeitlich)* per ; **~ Ostern ans Meer fahren** passare la Pasqua al mare ; **~ Nacht bleiben** restare per la notte.
◆ *präp (+D)* - 1. *(räumlich : höher)* sopra ; **die Lampe hängt ~ dem Tisch** la lampada è appesa sopra il tavolo ; **~ dem Durchschnitt** sopra la media.
- 2. *(mehr als)* sopra.
◆ *adv (mehr als)* oltre ; **es regnet seit ~ drei Tagen** piove da oltre tre giorni.

überall *adv* dappertutto.

überallhin *adv* ovunque.

überanstrengen *vt* sovraffaticare. ■ **sich überanstrengen** *ref* sovraffaticarsi.

überarbeiten *vt* rielaborare. ■ **sich überarbeiten** *ref* lavorare troppo.

überbacken (*präs* **überbackt** ODER **überbäckt**, *prät* **überbackte** ODER **überbuk**, *pp* -) *vt* gratinare.

überbelichtet *adj* sovraesposto(a).

Überblick (*pl* **-e**) *der (Übersicht)* visione *f* d'insieme.

überbrücken *vt (Zeit)* far passare.

überbucht *adj* prenotato(a) oltre i posti disponibili.

überdurchschnittlich *adj* superiore alla media.

übereinander *adv* l'uno sopra l'altro (l'una sopra l'altra) ; *(sprechen, denken)* l'uno dell'altro (l'una dell'altra).

überein|stimmen *vi (Meinungen)* concordare ; *(Personen)* essere d'accordo.

überfahren (*präs* **überfährt**, *prät* **überfuhr**, *pp* -) *vt (Tier, Person)* investire.

Überfahrt (*pl* **-en**) *die* traversata *f*.

Überfall (*pl* **-fälle**) *der (Angriff)* assalto *m*.

überfallen (*präs* **überfällt**, *prät* **überfiel**, *pp* -) *vt (angreifen)* assalire.

Überfluss *der* abbondanza *f*.

überflüssig *adj* superfluo(a).

überfordert *adj* : **damit bin ich ~** si pretende troppo da me.

Überführung (*pl* **-en**) *die (Brücke)* cavalcavia *m* ; *(Transport)* trasferimento *m*.

überfüllt *adj* strapieno(a).

Übergabe (*pl* **-n**) *die (von Dingen)* consegna *f*.

Übergang (*pl* **-gänge**) *der (Phase)* transizione *f*.

übergeben (*präs* **übergibt**, *prät* **übergab**, *pp* -) *vt (Gegenstand)* consegnare. ■ **sich übergeben** *ref* vomitare.

übergehen (*prät* **überging**, *pp* **übergangen**) *vt (ignorieren)* passare oltre.

über|gehen *vi (unr & ist) (wechseln)* : **zu einem anderen Thema ~** passare ad un altro argomento.

Übergewicht *das* sovrappeso *m*.

Übergröße (*pl* -n) *die* (*von Kleidung*) taglia *f* forte.

überhaupt *adv* veramente ; (*allgemein*) : **das ist ~ eine gute Idee** è proprio una buona idea ; (*eigentlich*) : **was willst du ~** ma cosa vuoi in realtà?

überholen *vt* & *vi* sorpassare.

Überholspur (*pl* -en) *die* corsia *f* di sorpasso.

Überholverbot (*pl* -e) *das* divieto *m* di sorpasso.

überhören *vt* (*nicht hören*) non sentire.

überlassen (*präs* **überlässt**, *prät* **überließ**, *pp* -) *vt* (*leihen*) lasciare.

überlastet *adj* (*Person*) oberato(a) (*di lavoro*).

über|laufen *vi* (*unr, ist*) (*Topf, Wasser*) traboccare.

überlaufen *adj* sovraffollato(a).

überleben *vt* (*Krieg, Krankheit*) sopravvivere a. ◆ *vi* (*weiterleben*) sopravvivere.

überlegen[1] *vt* (*nachdenken*) riflettere su. ◆ *vi* (*nachdenken*) riflettere ; **sich** (*D*) **etw ~** pensare a qc.

überlegen[2] *adj* superiore. ◆ *adv* (*arrogant*) con superiorità.

Überlegung (*pl* -en) *die* riflessione *f*.

übermorgen *adv* dopodomani.

übermüdet *adj* esausto(a).

übernächste, r, s *adj* : **~ Woche** tra due settimane ; **die ~ Haltestelle** la seconda fermata.

übernachten *vi* pernottare.

Übernachtung (*pl* -en) *die* pernottamento *m* ; **~ mit Frühstück** pernottamento e prima colazione.

Übernachtungsmöglichkeit (*pl* -en) *die* possibilità *f* di pernottamento.

übernehmen (*präs* **übernimmt**, *prät* **übernahm**, *pp* **übernommen**) *vt* (*Kosten*) accollarsi ; (*Idee*) adottare.

überprüfen *vt* verificare.

überqueren *vt* attraversare.

überraschen, *vt* & *vi* sorprendere ; **jn mit etw ~** sorprendere qn con qc.

Überraschung (*pl* -en) *die* sorpresa *f*.

überreden *vt* persuadere.

Überrest (*pl* -e) *der* resti *mpl*.

übers *präp fam* = **über** + **das**.

überschlagen (*präs* **überschlägt**, *prät* **überschlug**, *pp* -) *vt* (*Anzahl, Summe*) calcolare approssimativamente. ■ **sich überschlagen** *ref* capovolgersi.

überschneiden (*prät* **überschnitt**, *pp* **überschnitten**) *ref* (*zeitlich*) coincidere.

Überschrift (*pl* -en) *die* titolo *m*.

Überschwemmung (*pl* -en) *die* inondazione *f*.

Übersee *nt* : **aus ~** d'oltreoceano ; **nach ~** oltreoceano.

übersehen (*präs* **übersieht**,

prät **übersah**, *pp* -) *vt (nicht sehen)* non vedere.

übersetzen *vt* tradurre.

Übersetzer, in (*mpl* -) *der, die* traduttore *m*, -trice *f*.

Übersetzung (*pl* **-en**) *die* traduzione *f*.

Übersicht (*pl* **-en**) *die (Zusammenfassung)* panoramica *f*.

übersichtlich *adj (Gebiet)* aperto(a) ; *(Tabelle)* chiaro(a).

Übersichtskarte (*pl* **-n**) *die* carta *f* sinottica.

überstehen (*prät* **überstand**, *prät* **überstanden**) *vt (Ereignis)* superare.

Überstunde (*pl* **-n**) *die* straordinario *m*.

übertragbar *adj (Fahrkarte, Einladung)* trasferibile ; *(Krankheit)* contagioso(a).

übertragen (*präs* **überträgt**, *prät* **übertrug**, *pp* -) *vt (Krankheit, Sendung)* trasmettere ; *(Blut)* trasfondere ; *(anwenden)* : **etw auf etw ~** applicare qc a qc.

Übertragung (*pl* **-en**) *die (von Sendung, Krankheit)* trasmissione *f* ; *(von Blut)* trasfusione *f*.

übertreffen (*präs* **übertrifft**, *prät* **übertraf**, *pp* **übertroffen**) *vt (besser sein)* superare.

übertreiben (*prät* **übertrieb**, *pp* **übertrieben**) *vt* & *vi* esagerare.

übertrieben *pp* → **übertreiben**. ◆ *adj* esagerato(a).

überwachen *vt* sorvegliare.

überweisen (*prät* **überwies**, *pp* **überwiesen**) *vt (Geld)* effettuare un bonifico ; *(Patienten)* mandare ; **jn an den Facharzt ~** mandare qn dallo specialista.

Überweisung (*pl* **-en**) *die (von Geld)* bonifico *m* ; *(von Patienten)* ≃ impegnativa *f*.

überwinden (*prät* **überwand**, *pp* **überwunden**) *vt (Hindernis)* superare. ■ **sich überwinden** *ref* sforzarsi di.

Überzelt (*pl* **-e**) *das* copritenda *m*.

überzeugen *vt* convincere. ■ **sich überzeugen** *ref* convincersi.

überzeugt *adj* convinto(a) ; **~ sein von** essere convinto(a) di.

Überzeugung (*pl* **-en**) *die* convinzione *f*.

überziehen (*prät* **überzog**, *pp* **überzogen**) *vt (Konto)* mandare allo scoperto.

über|ziehen *vt (unr) (Jacke, Pullover)* indossare *(sopra)*.

Überziehungskredit (*pl* **-e**) *der* credito *m* allo scoperto.

üblich *adj* consueto(a).

übrig *adj* restante ; **~ sein** rimanere.

übrig bleiben *vi (unr* & *ist)* restare.

übrigens *adv* del resto.

Übung (*pl* **-en**) *die* esercizio *m*.

Ufer (*pl* -) *das* riva *f* ; **am ~** sulla riva.

Uferstraße (*pl* **-n**) *die (am Meer)* lungomare *m* ; *(am Fluss)* lungofiume *m* ; *(am See)* lungolago *m*.

Uhr (*pl* **-en**) *die (Gerät)* orologio

m ; *(für Zeitangabe)* ora *f* ; **es ist 3 ~** sono le tre ; **um 3 ~** alle tre ; **um wie viel ~?** a che ora? ; **wie viel ~ ist es?** che ore sono?

Uhrzeit (*pl* **-en**) *die* ora *f*.

UKW (*abk für* **Ultrakurzwelle**) *die* FM *f*.

Ultraschall *der* ultrasuono *m*.

um *präp (+A)* - **1.** *(räumlich, ungefähr)* intorno a ; **~ den Tisch herum** intorno al tavolo ; **~ die 150 Euro** intorno ai 150 euro ; **er kommt so ~ 8 Uhr** viene verso le 8.
- **2.** *(Angabe der Uhrzeit)* a ; **~ 10 Uhr** alle 10 ; **~ Mitternacht** a mezzanotte.
- **3.** *(als Unterschiedsbezeichnung)* di ; **etw ~ 5 cm kürzen** accorciare qc di 5 cm.
- **4.** *(als Zweck)* per ; **~ etw kämpfen** lottare per qc.
◆ *konj* : **~ etw zu tun** per fare qc.

umarmen *vt* abbracciare.

Umbau (*pl* **-ten**) *der* ristrutturazione *f*.

um|bauen *vt* ristrutturare.

um|blättern *vt* girare *(pagina)*.

um|bringen *vt (unr)* uccidere.

um|buchen *vt* : **eine Reise ~** modificare la prenotazione di un viaggio.

um|drehen *vt (hat) (Schlüssel, Pfannkuchen)* girare. ◆ *vi (hat & ist) (wenden, umkehren)* tornare indietro. ■ **sich umdrehen** *ref (Person)* voltarsi.

um|fahren *vt (unr) (überfahren)* investire.

umfahren (*präs* **umfährt**, *prät* **umfuhr**, *pp* **-**) *vt (ausweichen)* aggirare.

um|fallen *vi (unr & ist) (umkippen)* cadere *(a terra)*.

Umfang (*pl* **-fänge**) *der (von Gegenstand)* circonferenza *f*.

Umfrage (*pl* **-n**) sondaggio *m*.

um|füllen *vt* travasare.

Umgangssprache *die* lingua *f* parlata.

Umgebung (*pl* **-en**) *die (Gebiet)* dintorni *mpl*.

umgehen (*prät* **umging**, *pp* **umgangen**) *vt (Problem)* evitare.

Umgehungsstraße (*pl* **-n**) *die* circonvallazione *f*.

umgekehrt *adj* opposto(a). ◆ *adv* all'opposto ; **in ~er Richtung** nella direzione opposta ; **vom Italienischen ins Deutsche und ~ übersetzen** tradurre dall'italiano al tedesco e viceversa.

Umhang (*pl* **-hänge**) *der* mantellina *f*.

umher *adv* : **weit ~** tutt'intorno.

um|kehren *vi (ist) (zurückgehen, -fahren)* tornare indietro.

Umkleideraum (*pl* **-räume**) *der* spogliatoio *m*.

Umkreis *der (Gebiet)* dintorni *mpl* ; **im ~ von 50 Km** nel raggio di 50 km.

Umlaut (*pl* **-e**) *der* dieresi *f*.

um|leiten *vt* deviare.

Umleitung (*pl* **-en**) *die* deviazione *f*.

um|rechnen *vt* convertire.

Umrechnungskurs (*pl* -e) *der* cambio *m*.
um|rühren *vt* & *vi* mescolare.
ums *präp* = um + das.
Umsatz (*pl* -sätze) *der* giro *m* d'affari.
um|schalten *vt* (*Programm*) cambiare.
Umschlag (*pl* -schläge) *der* (*für Briefe*) busta *f*; *MED* impacco *m*.
um|schlagen *vi* (*unr* & *ist*) (*Wetter, Laune*) cambiare (*improvvisamente*).
um|sehen : sich umsehen *ref* (*unr*) (*sich umdrehen*) voltarsi ; (*besichtigen*) guardarsi intorno ; sich nach etw ~ (*suchen*) cercare qc (*con lo sguardo*).
um sein *vi* (*unr* & *ist*) *fam* essere terminato(a).
umso *konj* : je ..., ~ ... più ... più ... ; je größer das Auto ist, ~ teurer più l'auto è grande, più è costosa ; ~ besser *fam* tanto meglio.
umsonst *adv* (*erfolglos*) inutilmente ; (*gratis*) gratuitamente. ◆ *adj* : ~ sein (*erfolglos*) essere inutile ; (*gratis*) essere gratuito(a).
umständlich *adj* (*kompliziert*) complicato(a).
Umsteigebahnhof (*pl* -höfe) *der* stazione *f* di cambio.
um|steigen *vi* (*unr* & *ist*) (*beim Reisen*) cambiare (*mezzo di trasporto*) ; in Köln ~ cambiare a Colonia.
Umstellung (*pl* -en) *die* (*Anpassung*) adattamento *m* ; (*Änderung*) cambiamento *m*.
Umtausch *der* cambio *m* ; 'vom ~ ausgeschlossen' 'la merce venduta non si cambia'.
um|tauschen *vt* cambiare ; Euro in Dollar ~ cambiare lire in euro.
Umweg (*pl* -e) *der* giro *m* più lungo.
Umwelt *die* (*ökologisches System*) ambiente *m*.
Umweltbewusstsein *das* coscienza *f* ecologica.

UMWELTBEWUSSTSEIN

La tutela ambientale è uno dei temi più sentiti in Germania, paese che si distingue per l'attivismo in ambito ecologico e nella lotta all'inquinamento. La Germania è stato il primo Stato europeo ad introdurre la marmitta catalitica e ad attuare un programma di riciclaggio dei rifiuti su larga scala. La consapevolezza che l'ambiente e le risorse naturali debbano essere rispettati e protetti si è ormai affermata a tutti i livelli sociali.

umweltfreundlich *adj* ecologico(a).
Umweltpapier *das* carta *f* ecologica.
umweltschädlich *adj* dannoso(a) per l'ambiente.
Umweltschutz *der* tutela *f* ambientale.
Umweltverschmutzung *die* inquinamento *m* ambientale.

ụm|werfen *vt (unr) (umstürzen)* rovesciare.

ụm|ziehen *vi (unr & ist)* traslocare. ◆ *vt (unr & hat)* cambiare *(d'abito)*. ■ **sich umziehen** *ref* cambiarsi *(d'abito)*.

Ụmzug (*pl* **-züge**) *der (Wohnungswechsel)* trasloco *m* ; *(Parade)* corteo *m*.

ụnabhängig *adj* indipendente. ◆ *adv (leben, entscheiden)* in modo indipendente.

Ụnabhängigkeit *die* indipendenza *f*.

ụnabsichtlich *adj* involontario(a).

ụnangenehm *adj (Geschmack, Person)* sgradevole ; *(peinlich)* spiacevole. ◆ *adv* : *(Person)* ~ **auffallen** fare brutta figura.

ụnauffällig *adj* non appariscente.

ụnbeabsichtigt *adj* involontario(a).

ụnbedingt *adv (auf jeden Fall)* assolutamente.

ụnbefriedigend *adj* insoddisfacente.

ụnbefristet *adj* illimitato(a).

ụnbefugt *adj* non autorizzato(a).

Ụnbefugte (*pl* **-n**) *der, die* persona *f* non autorizzata ; **'für ~ Zutritt verboten!'** 'vietato l'accesso ai non autorizzati'.

ụnbegrenzt *adj* illimitato(a).

ụnbekannt *adj* sconosciuto(a).

ụnbeliebt *adj* malvisto(a).

ụnbemerkt *adv* senza farsi notare.

ụnbenutzt *adj* inutilizzato(a).

ụnbequem *adj (Stuhl, Kleidung)* scomodo(a).

ụnberechtigt *adj* non autorizzato(a). ◆ *adv* senza autorizzazione ; ~ **parkende Fahrzeuge** veicoli parcheggiati in divieto di sosta.

ụnbeständig *adj (Wetter)* instabile.

ụnbeteiligt *adj (nicht verwickelt)* estraneo(a).

ụnbewacht *adj* incustodito(a).

ụnbewusst *adj* inconsapevole.

ụnbrauchbar *adj* inutilizzabile.

ụnd *konj* - **1.** *(gen)* e ; ~ **so** *fam* e così via ; ~ **so weiter** eccetera ; **drei ~ drei ist sechs** tre e tre fanno sei.
- **2.** *(Ausdruck einer Intensivierung)* : **er wird fetter ~ fetter** diventa sempre più grasso ; **er kauft ~ kauft** continua a comprare ; ~ **wie!** *fam* eccome!
- **3.** *(Ausdruck eines Widerspruchs)* : *fam* ~ **wenn** anche se ; **der hört nichts, ~ wenn du brüllst** non ti ascolta neppure se alzi la voce.
◆ *interj fam* : **na ~?** e allora?

ụndankbar *adj (Person)* ingrato(a).

ụndeutlich *adj (Aufnahme, Bild)* sfocato(a).

ụndicht *adj* non ermetico(a).

undurchlässig *adj* impermeabile.

uneben *adj* non piano(a) ; **'~e Fahrbahn'** 'strada dissestata'.

unecht *adj* falso(a).

unendlich *adj* infinito(a).

unentbehrlich *adj* indispensabile.

unentgeltlich *adj* gratuito(a).

unentschieden *adj (Frage)* incerto(a) ; **das Spiel endete ~** la partita è finita in pareggio.

unerlässlich *adj* indispensabile.

unerlaubt *adj (ohne Erlaubnis)* vietato(a).

unerträglich *adj* insopportabile.

unerwartet *adj* inaspettato(a).

unerwünscht *adj* indesiderato(a).

UNESCO *die* UNESCO *f*.

unfähig *adj (ungeeignet)* incapace.

unfair *adj (Urteil, Spiel)* scorretto(a).

Unfall (*pl* **-fälle**) *der* incidente *m* ; **einen ~ verursachen** causare un incidente.

Unfallflucht *die* fuga *f* dal luogo dell'incidente.

Unfallschäden *pl* danni *mpl* da sinistro.

Unfallstation (*pl* **-en**) *die* posto *m* di pronto soccorso.

Unfallstelle (*pl* **-n**) *die* luogo *m* dell'incidente.

Unfallversicherung (*pl* **-en**) *die* assicurazione *f* contro gli infortuni.

unfreundlich *adj (Person, Verhalten)* sgarbato(a).

Ungarn *nt* Ungheria *f*.

ungeduldig *adj* impaziente.

ungeeignet *adj* inadatto(a).

ungefähr *adv* circa. ◆ *adj* approssimativo(a).

ungefährlich *adj* non pericoloso(a).

ungehorsam *adj* disubbidiente.

ungemütlich *adj (Raum, Kleidung)* poco confortevole.

ungenau *adj* impreciso(a). ◆ *adv* in modo impreciso.

ungenießbar *adj (nicht essbar)* non commestibile ; *(geschmacklich)* immangiabile.

ungenügend *adj (schlecht, Schulnote)* insufficiente.

ungerecht *adj* ingiusto(a).

ungern *adv* malvolentieri.

ungeschickt *adj (Bewegung)* maldestro(a).

ungesund *adj (Ernährung, Leben)* malsano(a).

ungewiss *adj* incerto(a).

ungewöhnlich *adj* inconsueto(a).

ungewohnt *adj* insolito(a).

Ungeziefer *das* parassiti *mpl*.

unglaublich *adj* incredibile.

Unglück (*pl* **-e**) *das (Unfall, Leid)* disgrazia *f*; *(Pech)* sfortuna *f*.

unglücklich *adj* infelice.

ungültig *adj (Pass, Fahrausweis)* non valido(a).

unheimlich *adj (gruselig)* sinistro(a) ; *fam (riesig)* enorme.

unhöflich *adj* scortese.

Uni (*pl* -s) *die fam* università *f*.

Uniform (*pl* -en) *die* divisa *f*.

Universität (*pl* -en) *die* università *f*.

Universitätsstadt (*pl* -städte) *die* città *f* universitaria.

UNIVERSITÄTSSTADT

Tra le più famose città universitarie tedesche si annoverano Heidelberg, Marburg, Göttingen e Freiburg che con le loro antiche e prestigiose università attirano un gran numero di studenti. Ciò conferisce loro un'atmosfera particolare ed una ricca vita culturale.

unkaputtbar *ad*, indistruttibile mein Handy ist ~ il mio cellulare è indistruttibile.

Unkosten *pl* spese *fpl*.

Unkraut *das* erbacce *fpl*.

unlogisch *adj* illogico(a).

Unmenge (*pl* -n) *die fam* quantità *f* enorme.

unmittelbar *adj* immediato(a).

unmöbliert *adj* non ammobiliato(a).

unmöglich *adj* impossibile. ◆ *adv* : **ich kann ~ um 3 Uhr kommen** è impossibile che io riesca a venire alle 3 ; *(nicht annehmbar)* : **er benimmt sich wirklich ~** si comporta proprio in modo impossibile.

unnötig *adj (Aufwand)* superfluo(a).

UNO *die* ONU *f*.

Unordnung *die* disordine *m*.

unpassierbar *adj* impraticabile.

unpersönlich *adj* impersonale.

unpraktisch *adj* poco pratico(a).

unpünktlich *adj* non puntuale ; **~ sein** non essere puntuale.

Unrecht *das* torto *m* ; **im ~ sein** essere in torto.

unregelmäßig *adj* irregolare.

unreif *adj (Obst)* acerbo(a) ; *(Person)* immaturo(a).

Unruhe (*pl* -n) *die (Gefühl)* inquietudine *f* ; *(Bewegung)* agitazione *f*.

unruhig *adj (Person)* inquieto(a).

uns *pron (Personalpronomen Akk./Dativ)* noi/a noi/ci ; *(Reflexivpronomen Akk./Dativ)* ci.

unschädlich *adj* innocuo(a).

unscharf *adj (Aufnahme)* sfocato(a).

unschuldig *adj* innocente.

unser, e ODER **unsre** *det* il nostro (la nostra), i nostri (le nostre).

unsere, r, s *pron* il nostro (la nostra), i nostri (le nostre). ◆ *det* → **unser**.

unsicher *adj (Person)* insicuro(a) ; *(Zukunft)* incerto(a) ; *(Gegend, Weg)* poco sicuro(a) ;

sich *(D)* ~ **sein** non essere sicuro(a).

Unsinn *der* sciocchezze *fpl.*

Unsumme (*pl* **-n**) *die* somma *f* enorme.

unsympathisch *adj* antipatico(a).

unten *adv (räumlich)* sotto ; *(südlich)* giù ; *(im Text, auf Skala)* in fondo ; **nach ~ gehen** andare giù ; **von ~ kommen** venire da sotto ; **siehe ~** vedi sotto.

unter *präp (+D & +A)*
- 1. *(räumlich, weniger als)* sotto ; **~ dem Tisch liegen** essere sotto al tavolo ; **~ Null** sotto lo zero ; **nicht ~ drei Wochen** non meno di tre settimane.
- 2. *(zwischen Dingen, Personen)* tra ; **~ anderem** tra l' altro ; **Rosinen ~ den Teig mischen** mescolare l'uvetta all'impasto.
- 3. *(Angabe von Umständen, Hierarchie)* sotto ; **~ Stress arbeiten** lavorare sotto stress ; **~ js Leitung** sotto la direzione di qn.

unterbelichtet *adj (Foto, Film)* sottoesposto(a).

Unterbewusstsein *das* subconscio *m.*

unterbrechen (*präs* **unterbricht**, *prät* **unterbrach**, *pp* **unterbrochen**) *vt & vi* interrompere.

Unterbrechung (*pl* **-en**) *die (von Gespräch, Sendung)* interruzione *f.*

unter|bringen *vt (unr) (Gäste)* alloggiare ; *(Gegenstand)* sistemare.

Unterbringung *die (von Gästen)* sistemazione *f.*

unterdessen *adv geh* nel frattempo.

unterdrücken *vt (Person, Widerstand)* reprimere.

untereinander *adv (unter sich)* l'uno con l'altro (l'una con l'altra) ; *(unter das andere)* uno sotto l'altro (una sotto l'altra).

Unterführung (*pl* **-en**) *die* sottopassaggio *m.*

Untergang (*pl* **-gänge**) *der (von Schiff)* affondamento *m* ; *(von Sonne, Mond)* tramonto *m.*

unter|gehen *vi (unr & ist) (Sonne, Mond)* tramontare ; *(Schiff, Person)* affondare.

Untergeschoss (*pl* **-e**) *das* interrato *m.*

Untergewicht *das* sottopeso *m.*

Untergrundbahn (*pl* **-en**) *die* metropolitana *f.*

unterhalb *adv & präp (+G)* al di sotto.

unterhalten (*präs* **unterhält**, *prät* **unterhielt**, *pp* **-**) *vt (amüsieren)* intrattenere ; *(Familie)* mantenere. ■ **sich unterhalten** *ref (reden)* conversare ; *(sich amüsieren)* divertirsi ; **sich ~ mit** *(sprechen)* parlare con.

Unterhaltung (*pl* **-en**) *die (Gespräch)* conversazione *f* ; *(Amüsement)* divertimento *m.*

Unterhemd (*pl* **-en**) *das* maglia *f (intima).*

Unterhose (*pl* **-n**) *die* mutande *fpl.*

Unterkunft (*pl* **-künfte**) *die* alloggio *m.*

Unterleib (*pl* -er) *der* basso ventre *m.*

unternehmen (*präs* unternimmt, *prät* unternahm, *pp* unternommen) *vt* *(Ausflug, Reise)* intraprendere ; **etwas ~** *(zum Zeitvertreib)* fare qc.

Unternehmer, in (*mpl* -) *der, die* imprenditore *m*, -trice *f.*

unternehmungslustig *adj* intraprendente.

Unterricht *der* lezione *f* ; **jm ~ geben** dare lezioni a qn.

unterrichten *vt* insegnare.

untersagt *adj* proibito(a).

unterscheiden (*prät* unterschied, *pp* unterschieden) *vt* distinguere ; **~ zwischen** distinguere tra. ■ **sich unterscheiden** *ref* differenziarsi.

Unterschied (*pl* -e) *der* differenza *f.*

unterschiedlich *adj* differente.

unterschreiben (*prät* unterschrieb, *pp* unterschrieben) *vt* & *vi* firmare.

Unterschrift (*pl* -en) *die* firma *f.*

Unterseeboot (*pl* -e) *das* sottomarino *m.*

unter|stellen *vt* *(Gepäck)* collocare ; *(unter Dach)* mettere al riparo. ■ **sich unterstellen** *ref* ripararsi.

unterstellen *vt* *(Boshaftigkeit, Gemeinheit)* : **jm etw ~** imputare qc a qn *(senza prove).*

unterstreichen (*prät* unterstrich, *pp* unterstrichen) *vt* sottolineare.

unterstützen *vt* sostenere.

Unterstützung (*pl* -en) *die* sostegno *m.*

untersuchen *vt* *(wissenschaftlich)* esaminare ; *(Patient)* visitare ; *(Mordfall)* indagare su.

Untersuchung (*pl* -en) *die* *(beim Arzt)* visita *f* ; *(wissenschaftlich)* ricerca *f* ; *(von Justiz, Polizei)* indagine *f.*

Untertasse (*pl* -n) *die* piattino *m.*

Unterteil (*pl* -e) *der* ODER *das* parte *f* inferiore.

Unterwalden *nt* Unterwalden *m.*

Unterwäsche *die* biancheria *f* intima.

unterwegs *adv* per strada. ◆ *adj* : **~ sein** essere per strada ; **~ sein nach** essere in viaggio verso.

unüberlegt *adj* avventato(a). ◆ *adv* avventatamente.

ununterbrochen *adj* ininterrotto(a).

unverbindlich *adj* *(ohne Verpflichtung)* non vincolante.

unverbleit *adj* senza piombo.

unverheiratet *adj* *(Frau)* nubile ; *(Mann)* celibe.

unverkäuflich *adj* non in vendita.

unvernünftig *adj* irragionevole.

unverschämt *adj* *(taktlos)* sfacciato(a).

unverständlich *adj* incomprensibile.

unverträglich *adj* *(Nahrung)* indigesto(a).

unvorsichtig *adj* imprudente.

unwahrscheinlich *adj* improbabile.

Unwetter (*pl* -) *das* maltempo *m*.

unwichtig *adj* irrilevante.

unwiderstehlich *adj* irresistibile.

unwohl *adj* : *(körperlich)* **sich ~ fühlen** stare poco bene ; *(psychisch)* essere a disagio.

unzerbrechlich *adj* infrangibile.

unzufrieden *adj* insoddisfatto(a) ; **~ mit** insoddisfatto di.

unzugänglich *adv* : **'für Kinder ~ aufbewahren'** 'tenere fuori dalla portata dei bambini'.

üppig *adj* *(Essen)* abbondante.

uralt *adj* *(Gegenstand)* antichissimo(a).

Uraufführung (*pl* **-en**) *die* prima *f*.

Urenkel, in (*mpl* -) *der, die* pronipote *mf*.

Urgroßeltern *pl* bisnonni *mpl*.

Uri *nt* Uri *m*.

Urin *der* orina *f*.

Urkunde (*pl* **-n**) *die* documento *m*.

Urlaub (*pl* **-e**) *der* *(Zeitraum)* ferie *fpl* ; *(Reise)* vacanza *f* ; **im ~ sein** essere in ferie ; **in ~ fahren** partire per le vacanze.

Urlauber, in (*mpl* -) *der, die* vacanziere *m*, -a *f*.

Urlaubsort (*pl* **-e**) *der* località *f* di villeggiatura.

Urlaubszeit (*pl* **-en**) *die* periodo *m* delle vacanze.

Ursache (*pl* **-n**) *die* causa *f* ; **keine ~!** non c'è di che!

Ursprung (*pl* **-sprünge**) *der* origine *f*.

ursprünglich *adj* *(Idee, Meinung)* originario(a).

Urteil (*pl* **-e**) *das* *(vor Gericht)* verdetto *m* ; *(Bewertung)* giudizio *m*.

Urwald (*pl* **-wälder**) *der* foresta *f* originaria.

usw. *(abk für und so weiter)* etc.

Utopie (*pl* **-n**) *die* utopia *f*.

V

Vagina (*pl* **Vaginen**) *die* vagina *f*.

vakuumverpackt *adj* confezionato(a) sotto vuoto.

Vanille *die* vaniglia *f*.

Vanilleeis *das* gelato *m* alla vaniglia.

Vanillezucker *der* zucchero *m* vanigliato.

Varietee, Varieté (*pl* **-s**) *das* varietà *m*.

Vase (*pl* -n) *die* vaso *m*.

Vaseline *die* vaselina *f*.

Vater (*pl* **Väter**) *der* padre *m*.

Vatertag (*pl* -e) *der* festa *f* del papà.

Vatikan *der* Vaticano *m*.

V-Ausschnitt (*pl* -e) *der* scollo *m* a V.

v. Chr. (*abk für vor Christus*) a.C.

Vegetarier, in (*mpl* -) *der, die* vegetariano *m*, -a *f*.

vegetarisch *adj* vegetariano(a).

Vene (*pl* -n) *die* vena *f*.

Venedig *nt* Venezia *f*.

Ventil (*pl* -e) *das* TECH valvola *f*.

Ventilator (*pl* **Ventilatoren**) *der* ventilatore *m*.

verabreden *vt* concordare. ■ **sich verabreden** *ref* darsi appuntamento.

verabredet *adj* concordato(a).

Verabredung (*pl* -en) *die* (*Treffen*) appuntamento *m*.

verabscheuen *vt* detestare.

verabschieden *vt* (*Gast*) congedare. ■ **sich verabschieden** *ref* congedarsi.

Veranda (*pl* -den) *die* veranda *f*.

verändern *vt* cambiare. ■ **sich verändern** *ref* cambiare.

Veränderung (*pl* -en) *die* (*Ergebnis*) cambiamento *m*.

veranlassen *vt* (*Person*) : **jn ~ etw zu tun** indurre qn a fare qc ; (*Änderung*) : **etw ~** predisporre qc.

veranstalten *vt* (*organisieren*) organizzare.

Veranstalter, in (*mpl* -) *der, die* organizzatore *m*, -trice *f*.

Veranstaltung (*pl* -en) *die* (*Ereignis*) manifestazione *f*.

Veranstaltungskalender (*pl* -) *der* calendario *m* delle manifestazioni.

verantwortlich *adj* responsabile.

Verantwortung *die* responsabilità *f*.

Verb (*pl* -en) *das* verbo *m* ; **starkes/schwaches ~** verbo forte/debole.

Verband (*pl* -bände) *der* (*Organisation*) associazione *f* ; (*für Wunde*) fasciatura *f* ; **einen ~ anlegen** applicare una fasciatura.

Verbandkasten (*pl* -kästen) *der* cassetta *f* di primo soccorso.

Verbandzeug *das* necessario *m* per il primo soccorso.

verbarg *prät* → **verbergen**.

verbergen (*präs* **verbirgt**, *prät* **verbarg**, *pp* **verborgen**) *vt* nascondere.

verbessern *vt* (*besser machen*) migliorare ; (*Fehler*) correggere. ■ **sich verbessern** *ref* (*besser werden*) migliorare.

Verbesserung (*pl* -en) *die* (*von Anlage, Angebot*) miglioramento *m*; *(von Fehlern, Text)* correzione *f*.

verbieten (prät **verbat**, pp **verboten**) vt vietare.

verbilligt adj ridotto(a).

verbinden (prät **verband**, pp **verbunden**) vt *(Wunde)* fasciare; *(Einzelteile, Orte)* collegare. ◆ vi *(am Telefon)*: **einen Moment, ich verbinde** un momento prego, Le passo la linea.

Verbindung (*pl* **-en**) die *(von Teilen, Gegenständen, Verkehrsverbindung)* collegamento *m*; *(am Telefon)* linea *f*.

verbleit adj *(Benzin)* con piombo; **Super** ~ super con piombo.

verborgen pp → **verbergen**.

Verbot (*pl* **-e**) das divieto *m*.

verboten pp → **verbieten**. ◆ adj vietato(a); ~ **sein** essere vietato(a); **streng** ~! severamente vietato.

Verbotsschild (*pl* **-er**) das segnale *m* di divieto.

verbrannt pp → **verbrennen**. ◆ adj bruciato(a).

Verbrauch der *(von Nahrung, Benzin)* consumo *m*; **niedriger/hoher** ~ consumo basso/alto.

verbrauchen vt consumare.

Verbraucher, in (mpl -) der, die consumatore *m*, -trice *f*.

Verbrechen (*pl* -) das crimine *m*.

Verbrecher, in (mpl -) der, die criminale *mf*.

verbrennen (prät **verbrannte**, pp **verbrannt**) vt *(hat)* bruciare. ◆ vi *(ist)* bruciare. ■ **sich verbrennen** ref bruciarsi.

Verbrennung (*pl* **-en**) die *(Verletzung)* ustione *f*; *(Verbrennen)* combustione *f*.

verbringen (prät **verbrachte**, pp **verbracht**) vt trascorrere.

verbrühen: **sich verbrühen** ref scottarsi *(con un liquido bollente)*.

Verdacht der sospetto *m*.

verdammt adj fam maledetto(a).

verdarb prät → **verderben**.

verdaulich adj: **leicht** ~ facilmente digeribile; **schwer** ~ indigesto(a).

Verdauung die digestione *f*.

Verdeck (*pl* **-e**) das capote *f*.

verderben (präs **verdirbt**, prät **verdarb**, pp **verdorben**) vt *(hat)* rovinare.

verderblich adj deperibile.

verdienen vt *(Geld)* guadagnare; *(Anerkennung, Kritik)* meritare. ◆ vi fam *(Gehalt bekommen)* guadagnare.

Verdienst (*pl* **-e**) der *(Gehalt)* stipendio *m*; *(Leistung)* merito *m*.

verdirbt präs → **verderben**.

verdoppeln vt raddoppiare. ■ **sich verdoppeln** ref raddoppiarsi.

verdorben pp → **verderben**. ◆ adj *(Lebensmittel)* avariato(a).

verehren vt *(anbeten)* venerare.

Verehrer, in (*mpl* -) *der, die* *(Bewunderer)* ammiratore *m*, -trice *f*.

Verein (*pl* -e) *der* associazione *f*; **eingetragener ~** associazione registrata.

VEREIN

Circoli ed associazioni sono assai diffusi in Germania, dove se ne contano quasi 300.000. Più di metà della popolazione vi si iscrive per trascorrere il proprio tempo libero con attività sportive e culturali assieme ad altri appassionati. Tra le attività preferite vi sono gli sport in generale, la musica e l'allevamento di piccoli animali.

---

vereinbaren *vt* *(Termin, Treffen)* concordare.

Vereinbarung (*pl* -en) *die* accordo *m*.

vereinheitlichen *vt* unificare.

Vereinigte Staaten *pl* Stati *mpl* Uniti.

Vereinigung (*pl* -en) *die* *(Gruppe)* unione *f*; *(Zusammentreffen)* riunione *f*.

Vereinte Nationen *pl* Nazioni *fpl* Unite.

vereist *adj* *(Straße)* ghiacciato(a).

Verf. *abk für* Verfasser.

verfahren (*präs* verfährt, *prät* verfuhr, *pp* -) : **sich verfahren** *ref* sbagliare strada.

verfallen (*präs* verfällt, *prät* verfiel, *pp* -) *vi* *(ist)* *(Gutschein, Garantie)* scadere ; *(Haus)* andare in rovina.

Verfallsdatum (*pl* -daten) *das* data *f* di scadenza.

verfärben : **sich verfärben** *ref* cambiare colore ; **der Himmel verfärbt sich rot** il cielo si tinge di rosso.

Verfasser, in (*mpl* -) *der, die* autore *m*, -trice *f*.

Verfassung (*pl* -en) *die* *(Gesetz)* costituzione *f*; *(Zustand)* condizione *f*.

verfaulen *vi* *(ist)* marcire.

verfeinern *vt* *(Methode, Stil)* perfezionare.

Verfilmung (*pl* -en) *die* adattamento *m* cinematografico.

verfolgen *vt* *(jagen)* inseguire ; *(beobachten)* seguire.

verfügen *vi* : **~ über** *(+A)* disporre di.

Verfügung (*pl* -en) *die* : **zur ~ stehen** essere a disposizione.

verführerisch *adj* *(erotisch)* seducente.

Vergangenheit *die* passato *m*.

Vergaser (*pl* -) *der* carburatore *m*.

vergaß *prät* → **vergessen**.

vergeben (*präs* vergibt, *prät* vergab, *pp* -) *vt* *(verzeihen)* perdonare ; *(Zimmer, Preis)* assegnare.

vergeblich *adj* vano(a).

vergessen (*präs* vergisst, *prät* vergaß, *pp* -) *vt* dimenticare.

vergẹsslich *adj* smemorato(a).

vergewạltigen *vt* violentare.

Vergewạltigung (*pl* -en) *die* stupro *m*.

Vergịftung (*pl* -en) *die* avvelenamento *m* ; *(mit Nahrungsmitteln)* intossicazione *f*.

vergịsst *präs* → vergessen.

Vergleich (*pl* -e) *der* confronto *m* ; im ~ zu in confronto a.

vergleichen (*prät* verglịch, *pp* verglịchen) *vt* confrontare.

Vergnügen *das* piacere *m* ; viel ~! buon divertimento!

Vergnügungspark (*pl* -s) *der* parco *m* dei divertimenti.

Vergnügungsviertel (*pl* -) *das* quartiere *m* dei locali notturni.

vergọldet *adj* dorato(a).

vergrößern *vt* & *vi* ingrandire. ■ **sich vergrößern** *ref* ingrandirsi.

Vergrößerung (*pl* -en) *die* ingrandimento *m*.

Vergụ̈nstigung (*pl* -en) *die* agevolazione *f*.

verhạften *vt* arrestare.

verhạlten (*präs* verhạ̈lt, *prät* verhielt, *pp* verhạlten) : sich verhalten *ref* comportarsi.

Verhạlten *das* comportamento *m*.

Verhạ̈ltnis (*pl* -se) *das* rapporto *m*.

verhạ̈ltnismäßig *adv* relativamente.

verhạndeln *vi* trattare.

Verhạndlung (*pl* -en) *die (Beratung)* trattativa *f* ; *(vor Gericht)* dibattimento *m*.

verheilen *vi (ist)* guarire.

verheimlichen *vt* tenere nascosto(a).

verheiratet *adj* sposato(a).

verhịndern *vt* impedire.

Verhör (*pl* -e) *das* interrogatorio *m*.

verhüten *vi (beim Sex)* usare contraccettivi.

Verhütungsmittel (*pl* -) *das* contraccettivo *m*.

verịrren : sich verirren *ref* perdersi.

verk. *abk für* verkaufen.

Verkauf *der* vendita *f*.

verkaufen *vt* & *vi* vendere ; ~ an *(+A)* vendere a ; zu ~ in vendita.

Verkäufer, in (*mpl* -) *der, die (Beruf)* commesso *m*, -a *f*.

verkäuflich *adj (zum Verkauf bestimmt)* in vendita ; nicht ~ fuori commercio.

Verkaufsstelle (*pl* -n) *die* punto *m* vendita.

verkauft *adj* venduto(a).

Verkehr *der (Straßenverkehr)* traffico *m* ; *amt (Sex)* rapporti *mpl*.

verkehren *vi (Person)* : in einem Lokal ~ frequentare un locale ; *amt (Zug, Bus)* circolare ; 'verkehrt nicht täglich' 'non circola tutti i giorni'.

Verkehrsampel (*pl* -n) *die* semaforo *m*.

Verkehrsaufkommen *das* densità *f* di traffico.

verkehrsberuhigt *adj* a traffico limitato.

Verkehrsführung (*pl* -en) *die* : ~ **beachten** seguire le indicazioni stradali.

Verkehrsfunk *der* ≃ onda *f* verde.

Verkehrsmeldung (*pl* -en) *die* notizie *fpl* sul traffico.

Verkehrsmittel (*pl* -) *das* mezzo *m* di trasporto ; **öffentliche** ~ mezzi di trasporto pubblici.

Verkehrsnachrichten *pl* bollettino *m* sul traffico.

Verkehrspolizist, in (*mpl* -en) *der, die* agente *mf* della polizia stradale.

Verkehrsregel (*pl* -n) *die* norma *f* di circolazione stradale.

Verkehrsschild (*pl* -er) *das* cartello *m* stradale.

Verkehrsunfall (*pl* -unfälle) *der* incidente *m* stradale.

Verkehrsverein (*pl* -e) *der* ente *m* per il turismo.

verkehrt *adj* sbagliato(a). ◆ *adv* in modo sbagliato ; ~ **herum** a rovescio.

verklagen *vt* querelare.

Verkleidung (*pl* -en) *die* *(Kostüm)* travestimento *m*.

Verkleinerung (*pl* -en) *die* *(Foto, Kopie)* riduzione *f*.

verkommen (*prät* **verkam**, *pp* -) *vi (ist) (Lebensmittel)* andare a male ; *(Haus, Wohnung)* andare in rovina. ◆ *adj (Haus, Wohnung)* trascurato(a).

verkraften *vt* sopportare.

verkratzt *adj* graffiato(a).

verkürzen *vt (Gegenstand)* accorciare ; *(zeitlich)* ridurre.

verladen (*präs* **verlädt**, *prät* **verlud**, *pp* -) *vt* caricare.

Verlag (*pl* -e) *der* casa *f* editrice.

verlangen *vt (fordern)* pretendere ; *(im Geschäft, Lokal)* chiedere ; ~ **von** pretendere da ; **jn am Telefon** ~ desiderare qn al telefono.

Verlangen *das (Wunsch)* desiderio *m* ; *(Forderung)* richiesta *f* ; **auf** ~ su richiesta.

verlängern *vt (Zeitraum, Urlaub)* prolungare ; *(Strecke, Rock)* allungare ; *(Pass, Erlaubnis)* prorogare.

Verlängerung (*pl* -en) *die* *(von Zeitraum, Urlaub)* prolungamento *m* ; *(von Strecke, Rock)* allungamento *m* ; *(von Pass, Erlaubnis)* proroga *f*.

verlassen (*präs* **verlässt**, *prät* **verließ**, *pp* -) *vt* abbandonare. ■ **sich verlassen** *ref* : **sich** ~ **auf** *(+A)* fidarsi di.

verlaufen (*präs* **verläuft**, *prät* **verlief**, *pp* -) *vi (ist) (Weg, Strecke)* passare. ■ **sich verlaufen** *ref (sich verirren)* perdersi.

verlegen *vt (Brille, Portmonee)* mettere fuori posto *(non si sa dove)* ; *(Haltestelle)* spostare. ◆ *adj* imbarazzato(a).

Verleger, in (*mpl* -) *der, die* editore *m*, -trice *f*.

Verleih (*pl* -e) *der* noleggio *m*.

verleihen (*prät* verlieh, *pp* verliehen) *vt* *(leihen)* noleggiare ; *(vermieten)* affittare.

verlernen *vt* disimparare.

verletzen *vt* ferire. ■ **sich verletzen** *ref* ferirsi.

verletzt *adj* ferito(a).

Verletzte (*pl* -n) *der, die* ferito *m*, -a *f*.

Verletzung (*pl* -en) *die* ferita *f*.

verlieben : sich verlieben *ref* innamorarsi.

verlieren (*prät* verlor, *pp* verloren) *vt* & *vi* perdere. ■ **sich verlieren** *ref (Personen)* perdersi.

Verlierer, in (*mpl* -) *der, die* perdente *mf*.

verlobt *adj* fidanzato(a).

Verlobung (*pl* -en) *die* fidanzamento *m*.

verlor *prät* → verlieren.

verloren *pp* → verlieren. ◆ *adj* perduto(a).

verloren gehen *vi (unr & ist)* perdersi.

Verlosung (*pl* -en) *die* sorteggio *m*.

Verlust (*pl* -e) *der* perdita *f* ; einen ~ melden denunciare uno smarrimento.

verm. *abk für* vermieten.

vermeiden (*prät* vermied, *pp* vermieden) *vt* evitare.

Vermerk (*pl* -e) *der* nota *f*.

vermerken *vt* annotare.

vermieten *vt* & *vi* affittare ; 'zu ~' 'affittasi'.

Vermieter, in (*mpl* -) *der, die* locatore *m*, -trice *f*.

vermischen *vt (Farben, Zutaten)* mescolare.

vermissen *vt (sehnsüchtig)* sentire la mancanza di ; *(nicht finden)* : etw ~ non trovare più qc.

vermisst *adj (Person)* scomparso(a) ; *(Gegenstand)* smarrito(a).

vermitteln *vt (Job)* procurare ; *(Ehe, Kontakt)* combinare.

Vermittlung (*pl* -en) *die (Telefonzentrale)* centralino *m* ; *(von Mitarbeitern)* collocamento *m* ; *(von Ehen)* agenzia *f* matrimoniale.

Vermittlungsgebühr (*pl* -en) *die* commissione *f*.

Vermögen (*pl* -) *das (Besitz)* patrimonio *m*.

vermuten *vt* presumere.

verneinen *vt* : eine Frage ~ rispondere negativamente ad una domanda.

vernichten *vt* annientare.

Vernissage (*pl* -n) *die* vernissage *m*.

Vernunft *die* ragione *f*.

vernünftig *adj (klug)* ragionevole.

veröffentlichen *vt* pubblicare.

verordnen *vt (Medikament)* prescrivere.

Verordnung (*pl* -en) *die (medizinisch)* prescrizione *f*.

verpạcken *vt* imballare ; **als Geschenk ~** fare una confezione regalo.

Verpạckung (*pl* **-en**) *die* imballaggio *m*.

verpạssen *vt* perdere ; **den Zug/Bus ~** perdere il treno/ l'autobus.

Verpflegung *die (Essen)* vitto *m*.

verpflịchtet *adj* obbligato(a). ◆ *adv* : **sich ~ fühlen** sentirsi obbligato(a).

verprügeln *vt* picchiare.

verraten (*präs* **verrät**, *prät* **verriet**, *pp* **-**) *vt* tradire. ■ **sich verraten** *ref* tradirsi.

verrẹchnen : sich verrechnen *ref (falsch rechnen)* sbagliarsi *(a fare i conti)* ; **sich um 3 Euro ~** sbagliarsi di 3 euro.

Verrẹchnungsscheck (*pl* **-s**) *der* assegno *m* sbarrato.

verregnet *adj* rovinato(a) dalla pioggia.

verreisen *vi (ist)* partire *(per un viaggio)* ; **verreist sein** essere in viaggio.

Verrẹnkung (*pl* **-en**) *die* slogatura *f*.

verrọsten *vi (ist)* arrugginire.

verrụckt *adj (geistesgestört)* matto(a) ; *(ausgefallen)* stravagante ; **~ sein nach** andare pazzo(a) per ; **wie ~** come un pazzo.

versagen *vi (Person)* fallire ; *(Mechanismus)* incepparsi ; **'bei Versagen Knopf drücken'** 'in caso di guasto premere il pulsante'.

versạlzen *vt (Essen)* salare eccessivamente. ◆ *adj (Essen)* troppo salato(o).

versạmmeln *vt* riunire. ■ **sich versammeln** *ref* riunirsi.

Versạmmlung (*pl* **-en**) *die* riunione *f*.

versäumen *vt (verpassen)* perdere.

verschẹnken *vt (Geschenk)* regalare ; **zu ~** in omaggio.

verscheuchen *vt (Hund, Wespe)* cacciar via.

verschịcken *vt (per Post)* spedire.

verschieben (*prät* **verschob**, *pp* **verschoben**) *vt (Termin, Urlaub)* rinviare ; *(Bett, Kommode)* spostare.

verschieden *adj (unterschiedlich)* diverso(a). ◆ *adv (unterschiedlich)* in modo diverso ; **~ groß** di grandezza diversa.

verschịmmelt *adj* ammuffito(a).

verschlafen (*präs* **verschläft**, *prät* **verschlief**, *pp* **-**) *vi* non svegliarsi in tempo. ◆ *vt* : **den Morgen ~** passare la mattina dormendo. ■ **sich verschlafen** *ref* non svegliarsi in tempo.

verschlẹchtern *vt.* : **sich verschlechtern** *ref* peggiorare.

Verschlẹchterung (*pl* **-en**) *die (von Zustand)* peggioramento *m*.

Verschleiß *der (von Material)* logoramento *m*.

verschleißen (*prät* **verschlịss**,

pp **verschlissen)** *vi (ist) (Material)* logorarsi.

verschließen (*prät* **verschloss**, *pp* **verschlossen)** *vt (Haus, Tür, Schrank)* chiudere a chiave ; *(Dose, Flasche)* chiudere.

verschlimmern *vt* aggravare. ■ **sich verschlimmern** *ref* aggravarsi.

verschlossen *pp* → **verschließen**. ◆ *adj (Person, Dose, Briefumschlag)* chiuso(a).

verschlucken *vt (schlucken)* ingoiare. ■ **sich verschlucken** *ref* : **ich habe mich am Brot verschluckt** il pane mi è andato di traverso.

Verschluss (*pl* **-schlüsse**) *der (von Kette, Tasche)* chiusura *f* ; *(von Flaschen)* tappo *m*.

Verschmutzung (*pl* **-en**) *die* inquinamento *m*.

verschneit *adj* innevato(a).

verschreiben (*prät* **verschrieb**, *pp* **verschrieben)** *vt (Medikamente)* prescrivere.

verschreibungspflichtig *adj (Medikament)* soggetto(a) a prescrizione medica.

verschrotten *vt* rottamare.

verschweigen (*prät* **verschwieg**, *pp* **verschwiegen)** *vt* tacere.

verschwenden *vt* sprecare.

verschwinden (*prät* **verschwand**, *pp* **verschwunden)** *vi (ist)* scomparire.

Versehen (*pl* **-**) *das* svista *f* ; **aus ~** per sbaglio.

versenden (*prät* **versandte**, *pp* **versendet)** *vt* spedire.

versichern *vt* assicurare. ■ **sich versichern** *ref* assicurarsi.

versichert *adj* assicurato(a).

Versicherte (*pl* **-n**) *der, die* assicurato *m*, -a *f*.

Versicherung (*pl* **-en**) *die (Vertrag)* assicurazione *f*.

Versicherungskarte (*pl* **-n**) *die* tessera *f* sanitaria ; **grüne ~** carta *f* verde.

versilbert *adj* argentato(a).

versöhnen *vt* riconciliare. ■ **sich versöhnen** *ref* riconciliarsi.

versorgen *vt (Patienten, Tier)* accudire ; **jn mit etw ~** rifornire qn di qc.

Versorgung *die (mit Lebensmitteln)* rifornimento *m* ; *(von Patienten, Tier)* cura *f*.

verspäten : sich verspäten *ref* ritardare.

Verspätung (*pl* **-en**) *die* ritardo *m* ; **mit ~** in ritardo ; **~ haben** essere in ritardo ; **5 Minuten ~** 5 minuti di ritardo.

versprechen (*präs* **verspricht**, *prät* **versprach**, *pp* **versprochen)** *vt (zusagen)* promettere ; **jm etw ~** promettere qc a qn. ■ **sich versprechen** *ref* sbagliare *(parlando)*.

Versprechen (*pl* **-**) *das* promessa *f*.

Verstand *der* intelletto *m*.

verständigen *vt (informieren)* avvertire. ■ **sich verstän-**

digen *ref (kommunizieren)* farsi capire.

Verständigung *die (Kommunikation)* comunicazione *f*; *(Information)* informazione *f*.

verständlich *adj (Handlung, Text)* comprensibile ; *(Stimme)* udibile ; **sich ~ machen** farsi capire.

Verständnis *das* comprensione *f*.

verständnisvoll *adj* comprensivo(a).

verstauchen *vt* : **sich** *(D)* **etw ~** slogarsi qc.

Verstauchung (*pl* **-en**) *die* slogatura *f*.

Versteck (*pl* **-e**) *das* nascondiglio *m*.

verstecken *vt* nascondere. ■ **sich verstecken** *ref* nascondersi.

verstehen (*prät* **verstand**, *pp* **verstanden**) *vt* capire ; **etw ~ von** intendersi di. ■ **sich verstehen** *ref (Personen)* capirsi ; **sich gut ~ mit** andare d'accordo con.

Versteigerung (*pl* **-en**) *die* vendita *f* all'asta.

verstellbar *adj* regolabile.

verstellen *vt (Hebel, Wecker)* spostare ; *(Weg, Tür)* bloccare ; *(Stimme)* contraffare. ■ **sich verstellen** *ref (Person)* fingere.

Verstopfung *die* stitichezza *f*.

Verstoß (*pl* **Verstöße**) *der* infrazione *f*.

Versuch (*pl* **-e**) *der (Handlung)* tentativo *m* ; *(wissenschaftlich)* esperimento *m*.

versuchen *vt (sich bemühen)* tentare ; *(Essen)* assaggiare.

vertauschen *vt* scambiare.

verteidigen *vt* difendere. ■ **sich verteidigen** *ref* difendersi.

verteilen *vt* distribuire.

Vertrag (*pl* **Verträge**) *der* contratto *m*.

vertragen (*präs* **verträgt**, *prät* **vertrug**, *pp* **-**) *vt (Hitze, Kaffee)* sopportare. ■ **sich vertragen** *ref (Personen)* andare d'accordo.

Vertragshändler (*pl* **-**) *der* concessionario *m*.

vertrauen *vi (+D)* fidarsi di.

Vertrauen *das* fiducia *f* ; **~ haben zu** aver fiducia in.

vertreten (*präs* **vertritt**, *prät* **vertrat**, *pp* **-**) *vt (bei Urlaub, Krankheit)* sostituire ; *(Interessen)* rappresentare. ◆ *adj* : **~ sein** essere rappresentato(a).

Vertreter, in (*mpl* **-**) *der, die (bei Urlaub, Krankheit)* sostituto *m*, -a *f*; *(Repräsentant, Beruf)* rappresentante *mf*.

Vertretung (*pl* **-en**) *die (bei Urlaub, Krankheit)* sostituzione *f*.

vertrocknen *vi (ist)* seccarsi.

vertun (*prät* **vertat**, *pp* **vertan**) : **sich vertun** *ref fam (sich irren)* sbagliarsi.

verunglücken *vi (ist) (bei Unfall)* infortunarsi gravemente.

verursachen *vt* causare.

Verurteilung (*pl* -en) *die (vor Gericht)* condanna *f*.
verwackelt *adj (Foto)* mosso(a).
verwählen : sich verwählen *ref* sbagliare numero *(di telefono)*.
verwahren *vt (aufbewahren)* custodire.
verwalten *vt* amministrare.
Verwaltung (*pl* -en) *die* amministrazione *f*.
verwandt *pp* → **verwenden**. ◆ *adj (Personen)* parente ; ~ **sein mit** essere parente di.
Verwandte (*pl* -n) *der, die* parente *mf*.
Verwarnung (*pl* -en) *die (polizeilich)* avvertimento *m* ; *(im Sport)* ammonizione *f*; **gebührenpflichtige** ~ contravvenzione *f*.
verwechseln *vt (Namen, Personen)* confondere ; *(austauschen)* scambiare ; ~ **mit** scambiare per.
verweigern *vt (Mitarbeit)* rifiutare ; **Kriegsdienst** ~ fare l'obiettore *(di coscienza)*.
verwenden (*prät* **verwandte** ODER **verwendete**, *pp* **verwandt** ODER **verwendet**) *vt (benutzen)* utilizzare.
Verwendung *die* utilizzo *m*.
verwirklichen *vt (umsetzen)* realizzare. ■ **sich verwirklichen** *ref (Person)* realizzarsi.
verwirrt *adj (Person)* confuso(a).
verwitwet *adj* vedovo(a).
verwöhnen *vt* viziare.
Verwundete (*pl* -n) *der, die* ferito *m*, -a *f*.
verzählen : sich verzählen *ref* sbagliarsi *(contando)*.
Verzeichnis (*pl* -se) *das* elenco *m* ; **alphabetisches** ~ elenco alfabetico.
verzeihen (*prät* **verzieh**, *pp* **verziehen**) *vt* perdonare ; ~ **Sie bitte!** mi scusi!
Verzeihung *die* perdono *m* ; **Verzeihung!** chiedo scusa!
verzichten *vi* rinunciare ; ~ **auf** *(+A)* rinunciare a.
verzögern *vt (verschieben)* rimandare. ■ **sich verzögern** *ref (sich verspäten)* ritardare.
Verzögerung (*pl* -en) *die (Verspätung)* ritardo *m*.
verzollen *vt* sdoganare ; **haben Sie etwas zu ~?** ha qualcosa da dichiarare?
verzweifeln *vi (ist)* disperare.
verzweifelt *adj* disperato(a).
Vesper (*pl* -n) *die Süddt (Mahlzeit)* merenda *f*.
Vetter (*pl* -n) *der* cugino *m*.
vgl. *(abk für vergleiche)* cfr.
vibrieren *vi* vibrare.
Video (*pl* -s) *das fam* video *m*.
Videofilm (*pl* -e) *der* videofilm *m*.
Videokamera (*pl* -s) *die* videocamera *f*.
Videokassette (*pl* -n) *die* videocassetta *f*.
Videorekorder (*pl* -) *der* videoregistratore *m*.

Videospiel (*pl* **-e**) *das* videogioco *m*.

Videothek (*pl* **-en**) *die* videoteca *f*.

Vieh *das (Tiere)* bestiame *m*.

viel (*komp* **mehr**, *superl* **am meisten**) *adj (Menge)* tutto il (tutta la) ; **mit dem ~en Geld** con tutto quel denaro.

◆ *det* - 1. *(Menge, Anzahl)* molto(a).

- 2. *(in Floskeln)* : **~ Spaß!** buon divertimento! ; **~ Glück!** buona fortuna! ; **~ Erfolg!** auguri! ; **~en Dank!** molte grazie!

◆ *adv* - 1. *(intensiv, oft)* molto.

- 2. *(zum Ausdruck der Verstärkung)* : **~ besser** molto meglio ; **~ mehr** molto di più ; **~ zu teuer/groß** troppo costoso/grande ; **~ zu ~** decisamente troppo ; **zu ~** troppo.

◆ *pron* molto(a).

viele *det* → **viel**. ◆ *pron* molti(e).

Vielfalt *die* molteplicità *f*.

vielleicht *adv (eventuell, ungefähr)* forse.

vielmals *adv* : **danke ~!** tante grazie!

vielseitig *adj (Person)* poliedrico(a).

vier *num* quattro ; *siehe auch* **sechs**.

viereckig *adj (rechteckig)* rettangolare.

vierhundert *num* quattrocento ; *siehe auch* **sechs**.

vierspurig *adj* a quattro corsie.

vierte *adj* quarto(a) ; *siehe auch* **sechste**.

Viertel (*pl* **-**) *das (Teil)* quarto *m* ; *(Stadtteil)* quartiere *m* ; *(Viertelstunde)* **es ist ~ vor 6** sono le 6 meno un quarto ; **es ist ~ nach 6** sono le 6 e un quarto.

Viertelstunde (*pl* **-n**) *die* quarto *m* d'ora.

Vierwaldstätter See *der* lago *m* dei Quattro Cantoni.

vierzehn *num* quattordici ; **~ Tage** due settimane ; *siehe auch* **sechs**.

vierzig *num* quaranta ; *siehe auch* **sechs**.

Villa (*pl* **Villen**) *die* villa *f*.

violett *adj* violetto(a).

Violine (*pl* **-n**) *die* violino *m*.

Virus (*pl* **Viren**) *der (Krankheitserreger)* virus *m*.

Virusinfektion (*pl* **-en**) *die* infezione *f* virale.

Visitenkarte (*pl* **-n**) *die* biglietto *m* da visita.

Visum (*pl* **Visa**) *das* visto *m*.

Vitamin (*pl* **-e**) *das* vitamina *f*.

Vogel (*pl* **Vögel**) *der (Tier)* uccello *m*.

Vokabel (*pl* **-n**) *die* vocabolo *m*.

Vokal (*pl* **-e**) *der* vocale *f*.

Volk (*pl* **Völker**) *das* popolo *m*.

Volksfest (*pl* **-e**) *das* festa *f* popolare.

Volkshochschule (*pl* **-n**) *die* ≃ università *f* popolare.

Volkslied (*pl* **-er**) *das* canzone *f* popolare.

Volkswagen® (*pl* -) *der* Volkswagen® *f*.

voll *adj* pieno(a) ; *(dick)* paffuto(a) ; *(Haar)* folto(a). ◆ *adv* *(ganz)* interamente ; **~ mit/von** pieno(a) di ; **halb ~** mezzo(a) pieno(a) ; **~ sein** *fam (betrunken)* essere ubriaco(a).

Volleyball (*pl* **-bälle**) *der* *(Spiel)* pallavolo *f*.

Vollgas *das* : **mit ~** a tutto gas.

völlig *adj* completo(a). ◆ *adv* completamente.

volljährig *adj* maggiorenne.

Vollkaskoversicherung (*pl* **-en**) *die* polizza *f* kasko totale.

vollkommen *adj* *(perfekt)* perfetto(a) ; *(vollständig, total)* completo(a).

Vollkornbrot (*pl* **-e**) *das* pane *m* integrale.

voll machen *vt* *(Behälter)* riempire.

Vollmacht (*pl* **-en**) *die* delega *f*.

Vollmilch *die* latte *m* intero.

Vollmilchschokolade *die* cioccolato *m* al latte.

Vollmond *der* luna *f* piena.

Vollpension *die* pensione *f* completa.

vollständig *adj* *(Sammlung)* completo(a).

voll tanken *vi* fare il pieno *(di benzina)*.

Vollwaschmittel (*pl* -) *das* detersivo *m* universale.

vollwertig *adj* *(Ernährung)* macrobiotico(a) ; *(gleichwertig)* equivalente.

vollzählig *adj* completo(a).

Volt (*pl* -) *das* volt *m*.

Volumen (*pl* **Volumina**) *das* *(Inhalt, Masse)* volume *m*.

vom *präp* = **von + dem**.

von *präp (+D)* - **1.** *(gen)* da ; **~ heute an** da oggi in poi ; **~ hier aus** da qui ; **~ Köln an** da Colonia in poi ; **~ ... bis** da ... a ; **~ Norden her kommen** venire da nord ; **~ ... nach** da ... a ; **~ hier sein** *fam* essere del posto ; **die Zeitung ~ heute** il giornale di oggi.
- **2.** *(in Passivsätzen)* da ; **der Roman wurde ~ XY geschrieben** il romanzo fu scritto da XY.
- **3.** *(Angabe von Besitz, Zusammengehörigkeit)* di ; **der Bürgermeister ~ Frankfurt** il sindaco di Francoforte.
- **4.** *(Angabe eines Teils)* di ; **ein Stück ~ der Torte** un pezzo di quella torta.
- **5.** *(Angabe der Ursache)* per ; **~ dem vielen Essen war ihr schlecht** stava male per aver mangiato troppo ; **~ mir aus** *fam* per quel che mi riguarda.
- **6.** *(Angabe des Maßes)* di ; **ein Sack ~ 25 Kg** un sacco di 25 kg.

voneinander *adv* l'uno dell'altro (l'una dell'altra).

vor *präp (+D & +A)* - **1.** *(räumlich)* davanti ; **ein Kilometer ~ der Autobahn** un chilometro prima dell'autostrada.
- **2.** *(zeitlich) (+D)* prima ; **um fünf ~ zwölf** alle dodici meno cinque ; **es ist fünf ~ halb neun**

sono le otto e venticinque ; ~ **kurzem** poco tempo fa.
- 3. *(Angabe des Grunds)* da ; ~ **Freude weinen** piangere dalla gioia ; ~ **allem** *(hauptsächlich)* soprattutto.
◆ *adv* avanti.

Vorarlberg *nt* Vorarlberg *m*.

voraus *adv* : **im Voraus** in anticipo.

vorausgesetzt *konj* a condizione che.

Voraussetzung (*pl* **-en**) *die* *(Bedingung)* premessa *f*.

voraussichtlich *adj* previsto(a). ◆ *adv* presumibilmente.

vorbei *adj* : ~ **sein** *(zeitlich)* essere finito(a) ; *(räumlich)* essere passato(a).

vorbei|kommen *vi* *(unr & ist) (an Stadt, Haus)* passare davanti ; *fam (bei Person)* : **bei jm** ~ passare da qn.

vorbei|lassen *vt* *(unr)* lasciar passare.

vor|bereiten *vt* preparare. ■ **sich vorbereiten** *ref* prepararsi ; **sich** ~ **auf** *(+A)* prepararsi per.

Vorbereitung *die* preparazione *f*. ■ **Vorbereitungen** *pl* preparativi *mpl*.

vor|bestellen *vt* prenotare.

Vorbestellung (*pl* **-en**) *die* prenotazione *f*.

vor|beugen *vi* *(+D)* prevenire. ■ **sich vorbeugen** *ref* sporgersi in avanti.

Vorbild (*pl* **-er**) *das* esempio *m*.

Vorderachse (*pl* **-n**) *die* asse *m* anteriore.

vordere *adj* anteriore.

Vordergrund *der* primo piano *m*.

Vorderradantrieb (*pl* **-e**) *der* trazione *f* anteriore.

Vorderseite (*pl* **-n**) *die* facciata *f*.

vordrängen : **sich vordrängen** *ref* *(räumlich)* farsi avanti *(spingendo)*.

vor|fahren *vi* *(unr & ist) (nach vorn)* avanzare ; *fam (voraus)* passare davanti *(con un veicolo)*.

Vorfahrt *die* precedenza *f* ; '~ **gewähren**' 'dare la precedenza' ; '~ **geändert**' 'attenzione : diritto di precedenza variato'.

Vorfall (*pl* **-fälle**) *der* *(Ereignis)* accaduto *m*.

Vorführung (*pl* **-en**) *die* *(im Theater, Kino)* spettacolo *m*.

Vorgänger, in (*mpl* **-**) *der, die* predecessore *m*.

vor|gehen *vi* *(unr & ist) (passieren)* succedere ; *(handeln)* procedere ; *(Uhr, nach vorn)* andare avanti ; *fam (voraus)* andare avanti.

vorgekocht *adj* precotto(a).

vorgesehen *adj* previsto(a) ; ~ **für** previsto per.

Vorgesetzte (*pl* **-n**) *der, die* superiore *mf*.

vorgestern *adv* *(vor zwei Tagen)* l'altro ieri.

vor|haben *vt* *(unr)* avere in programma.

vorhanden *adj* esistente.

Vorhang (*pl* **-hänge**) *der* tenda *f*.

Vorhängeschloss (*pl* **-schlösser**) *das* lucchetto *m*.

vorher *adv* prima.

Vorhersage (*pl* **-n**) *die* previsione *f*.

vorhin *adv* poco fa.

vorige *adj* scorso(a).

vor|kommen *vi (unr & ist) (passieren)* succedere ; *(existieren)* trovarsi.

vor|lassen *vt (unr) fam* far passare avanti.

vorläufig *adj* provvisorio(a).

vor|lesen *vt (unr)* leggere *(ad alta voce)* ; **jm etw ~** leggere qc a qn.

Vorlesung (*pl* **-en**) *die* lezione *f (universitaria)*.

vorletzte *adj* penultimo(a).

vorm. (*abk für vormals*) prima ; (*abk für vormittags*) di mattina.

vor|machen *vt fam (zeigen)* mostrare ; *(vortäuschen)* : **jm etw ~** dare ad intendere qc a qn.

Vormittag (*pl* **-e**) *der* mattino *m* ; **heute/gestern/morgen ~** stamattina/ieri mattina/domani mattina.

vormittags *adv* di mattina.

vorn *adv* davanti ; **da ~** là davanti ; **nach ~** in avanti.

Vorname (*pl* **-n**) *der* nome *m (di battesimo)*.

vorne *adv* = **vorn**.

vornehm *adj* distinto(a).

vor|nehmen *vt* : **sich** *(D)* **etw ~** *(planen)* programmare qc.

Vorort (*pl* **-e**) *der* sobborgo *m*.

vorrangig *adj* prioritario(a).

Vorrat (*pl* **-räte**) *der* scorta *f* ; **etw auf ~ kaufen** far provvista di qc ; **solange der ~ reicht** fino ad esaurimento scorte.

vorrätig *adj* : **etw ~ haben** avere qc in magazzino.

Vorsaison *die* bassa stagione *f*.

Vorsatz (*pl* **-sätze**) *der* proposito *m*.

Vorschau (*pl* **-en**) *die* presentazione *f* dei programmi.

Vorschlag (*pl* **-schläge**) *der* proposta *f*.

vor|schlagen *vt (unr)* proporre ; **jm etw ~** proporre qc a qn.

vor|schreiben *vt (unr) (befehlen)* ordinare.

Vorschrift (*pl* **-en**) *die* disposizione *f*.

Vorschuss (*pl* **-schüsse**) *der* anticipo *m*.

Vorsicht *die* cautela *f* ; **'Vorsicht!'** 'attenzione!'.

vorsichtig *adj* prudente. ◆ *adv* con cautela.

Vorsilbe (*pl* **-n**) *die* prefisso *m*.

Vorspeise (*pl* **-n**) antipasto *m*.

Vorsprung (*pl* **-sprünge**) *der* *(Abstand)* vantaggio *m*.

vor|stellen *vt (Person, Projekt)* presentare ; **sich** *(D)* **etw ~** *(ausdenken)* immaginarsi qc.

Vorstellung (*pl* **-en**) *die (in Kino, Theater)* spettacolo *m* ; *(von Bekannten, bei Firma)* presentazione *f* ; *(Idee)* idea *f* ;

nächste ~ : 20.30 Uhr prossimo spettacolo alle 20.30.
vor|strecken *vt (Geld)* anticipare.
Vorteil (*pl* **-e**) *der* vantaggio *m.*
Vortrag (*pl* **-träge**) *der (Rede)* conferenza *f* ; **einen ~ halten** tenere una conferenza.
vorüber *adj* : **~ sein** essere passato(a).
vorübergehend *adj* passeggero(a). ◆ *adv* temporaneamente ; '**~ geschlossen**' 'temporaneamente chiuso(a)'.
Vor- und Zuname (*pl* **-n**) *der* nome *m* e cognome.
Vorurteil (*pl* **-e**) *das* pregiudizio *m.*
Vorverkauf *der* prevendita *f.*
Vorverkaufskasse (*pl* **-n**) *die* biglietteria *f (per la prevendita).*
Vorwahl (*pl* **-en**) *die (Telefonnummer)* prefisso *m.*
vorwärts *adv (nach vorn)* avanti.
vorwärts kommen *vi (unr & ist)* procedere.
vor|werfen *vt (unr)* rinfacciare.
Vorwurf (*pl* **-würfe**) *der* rimprovero *m.*
vor|zeigen *vt* esibire.
vor|ziehen *vt (unr) (lieber mögen)* preferire ; *(Vorhang)* chiudere *(tirando).*
vorzüglich *adj* eccellente.
vulgär *adj* volgare.
Vulkan (*pl* **-e**) vulcano *m.*

W

W (*abk für West*) O.
Waadt *die* Vaud *m.*
Waage (*pl* **-n**) *die (Gerät)* bilancia *f* ; *(Sternzeichen)* Bilancia *f.*
waag(e)recht *adj* orizzontale.
wach *adj (nicht schlafend)* : **~ sein** essere sveglio(a) ; **~ werden** svegliarsi.
Wache (*pl* **-n**) *die (Wächter)* guardia *f* ; *(Polizeidienststelle)* stazione *f* di polizia.
Wacholder *der (Gewürz)* ginepro *m.*
Wachs *das (von Kerze)* cera *f* ; *(für Skier)* sciolina *f.*
wachsen[1] (*präs* **wächst**, *prät* **wuchs**, *pp* **gewachsen**) *vi (ist) (Lebewesen, Haare)* crescere.
wachsen[2] *vt (Skier)* sciolinare.
Wachsfigurenkabinett (*pl* **-e**) *das* museo *m* delle cere.
wächst *präs* → **wachsen**.
Wachstum *das* crescita *f.*
Wachtel (*pl* **-n**) *die* quaglia *f.*
Wächter, in (*mpl* **-**) *der, die* guardiano *m*, -a *f.*
Wackelkontakt (*pl* **-e**) *der* contatto *m* difettoso.
wackeln *vi (Möbel, Wand)* traballare.
Wackelpeter *der dolce a base di gelatina aromatizzata.*
Wade (*pl* **-n**) *die* polpaccio *m.*
Waffe (*pl* **-n**) *die* arma *f.*

Waffel (*pl* -n) *die* cialda *f*.

Waffeleisen (*pl* -) *das* stampo *m* per cialde *(elettrico)*.

wagen *vt (riskieren)* osare. ■ **sich wagen** *ref (sich trauen)* azzardarsi.

Wagen (*pl* -) *der (Auto)* auto *f* ; *(von Zug, U-Bahn)* carrozza *f* ; *(Pferdewagen)* carro *m* ; '**~ hält**' 'fermata prenotata'.

Wagenheber (*pl* -) *der* cric *m*.

Wagentyp (*pl* -en) *der* tipo *m* di auto.

Wagenwäsche (*pl* -n) *die* lavaggio *m* dell'auto.

Waggon, Wagon (*pl* -s) *der* vagone *m*.

Wahl (*pl* -en) *die (Auswahl)* scelta *f* ; *(Abstimmung)* elezione *f* ; **erste/zweite ~** prima/seconda scelta.

wählen *vt (aussuchen)* scegliere ; *(Telefonnummer)* comporre ; *(Kandidaten)* votare. ◆ *vi (aussuchen)* scegliere ; *(am Telefon)* fare il numero ; *(abstimmen)* votare.

wahlweise *adv* a scelta.

Wahnsinn *der* follia *f* ; **Wahnsinn!** *(toll!)* pazzesco!

wahnsinnig *adj* folle. ◆ *adv* follemente.

wahr *adj (nicht gelogen)* vero(a) ; **nicht ~?** (non è) vero?

während *konj (zeitlich)* mentre. ◆ *präp (+G)* durante.

Wahrheit (*pl* -en) *die* verità *f* ; **in ~** in verità.

wahr|nehmen *vt (unr) (bemerken)* percepire.

Wahrsager, in (*mpl* -) *der, die* indovino *m*, -a *f*.

wahrscheinlich *adj* probabile.

Währung (*pl* -en) *die (Geld)* valuta *f*.

Wahrzeichen (*pl* -) *das* simbolo *m*.

Waise (*pl* -n) *die* orfano *m*, -a *f*.

Wald (*pl* Wälder) *der* bosco *m*.

Waldbrand (*pl* -brände) *der* incendio *m* boschivo.

Wäldchen (*pl* -) *das* boschetto *m*.

waldig *adj* boscoso(a).

Waldlauf (*pl* -läufe) *der* corsa *f* campestre.

Waldmeister *der (Pflanze)* asperula *f*.

Waldorfsalat (*pl* -e) *der insalata mista con sedano, mela e noci condita con salsa mayonnaise.*

Waldsterben *das* moria *f* dei boschi.

WALDSTERBEN

A partire dagli anni '70 i boschi tedeschi, soprattutto quelli di conifere, hanno subito gravi danni dovuti ad un forte inquinamento ambientale. La causa principale di questa moria sono state le piogge acide che provocano l'ingiallimento delle foglie e quindi la morte degli alberi.Circa i 2/3 del patrimonio forestale tedesco sono stati interessati dal fenomeno che, sebbene in modo meno grave, permane ancora oggi.

Waldweg (*pl* -e) *der* sentiero *m* boschivo.
Walkie-Talkie (*pl* -s) *das* walkie-talkie *m*.
Walkman® (*pl* -men) *der* walkman® *m*.
Wallfahrt (*pl* -en) *die* pellegrinaggio *m*.
Wallfahrtsort (*pl* -e) *der* meta *f* di pellegrinaggio.
Wallis *das* Vallese *m*.
Walnuss (*pl* -nüsse) *die* noce *f*.
Walzer (*pl* -) *der* valzer *m*.
wand *prät* → **winden**.
Wand (*pl* **Wände**) *die (von Häusern, Räumen)* parete *f*.
Wanderer (*pl* -) *der* camminatore *m*.
Wanderin (*pl* -nen) *die* camminatrice *f*.
Wanderkarte (*pl* -n) *die* carta *f* dei sentieri.
wandern *vi (ist) (Wanderer)* fare camminate.
Wanderschuh (*pl* -e) *der* pedula *f*.
Wanderweg (*pl* -e) *der* sentiero *m*.
Wandmalerei (*pl* -en) *die* pittura *f* murale.
wandte *prät* → **wenden**.
Wandteppich (*pl* -e) *der* arazzo *m*.
Wange (*pl* -n) *die* guancia *f*.
wann *adv* quando ; **bis ~?** fino a quando? ; **seit ~?** da quando? ; **von ~ bis ~?** da quando a quando?
Wanne (*pl* -n) *die (Badewanne)* vasca *f*.
Wappen (*pl* -) *das* stemma *m*.
war *prät* → **sein**.
warb *prät* → **werben**.
Ware (*pl* -n) *die* merce *f*.
Warenhaus (*pl* -häuser) *das* grande magazzino *m*.
Warenzeichen (& *pl* -) *das* marchio *m* di fabbrica.
warf *prät* → **werfen**.
warm (*komp* **wärmer**, *superl* **am wärmsten**) *adj (Temperatur, Kleidung)* caldo(a) ; *(herzlich)* caloroso(a). ◆ *adv (herzlich)* calorosamente ; **es ist ~** fa caldo ; **jm ist ~** qn ha caldo ; **~ essen** consumare un pasto caldo ; **sich ~ anziehen** coprirsi bene.
Wärme *die (Temperatur, Herzlichkeit)* calore *m*.
wärmen *vt* scaldare. ■ **sich wärmen** *ref* scaldarsi.
Wärmflasche (*pl* -n) *die* borsa *f* dell'acqua calda.
warm laufen *vi (unr & ist) (Motor)* scaldarsi.
Warmmiete (*p* -n) *die fam* affitto *m* con riscaldamento compreso.
Warmwasser *das* acqua *f* calda.
Warnblinkanlage (*pl* -n) *die* lampeggiatori *mpl* di emergenza.
Warndreieck (*pl* -e) *das* triangolo *m (per segnalazioni di emergenza)*.
warnen *vt* avvertire ; **vor ... wird gewarnt** attenzione a ...
Warnschild (*pl* -er) *das* segnale *m* di pericolo.

Warnung (*pl* **-en**) *die* avvertimento *m*.

Warteliste (*pl* **-n**) *die* lista *f* d'attesa.

warten *vi* aspettare ; **~ auf** *(+A)* aspettare ; **hier ~** attendere qui.

Wärter, in (*mpl* **-**) *der, die* custode *mf*.

Wartezimmer (*pl* **-**) *das* sala *f* d'attesa.

Wartung (*pl* **-en**) *die* manutenzione *f*.

warum *adv* perché ; **~ nicht?** perché no?

Warze (*pl* **-n**) *die* verruca *f*.

was *pron (zur Frage nach einer Sache, einer Bedeutung, mit Präposition)* cosa ; *fam (nicht wahr?)* (non è) vero? ; *(Relativpronomen)* ciò che ; *fam (etwas)* qualcosa ; **~ für** che (tipo di) ; **so ~!** incredibile! ; **was?** *fam* cosa?

waschbar *adj* lavabile.

Waschbecken (*pl* **-**) *das* lavandino *m*.

Wäsche *die (Textilien)* biancheria *f* ; *(Waschen)* lavaggio *m*.

Wäscheklammer (*pl* **-n**) *die* molletta *f* per la biancheria.

Wäscheleine (*pl* **-n**) *die* corda *f* per il bucato.

waschen (*präs* **wäscht**, *prät* **wusch**, *pp* **gewaschen**) *vt* lavare. ■ **sich waschen** *ref* lavarsi ; **sich** *(D)* **die Hände ~** lavarsi le mani ; **Waschen und Legen** lavaggio e piega.

Wäscherei (*pl* **-en**) *die* lavanderia *f*.

Wäscheschleuder (*pl* **-n**) *die* centrifuga *f*.

Wäscheständer (*pl* **-**) *der* stendibiancheria *m*.

Wäschestärke *die* amido *m*.

Wäschetrockner (*pl* **-**) *der* *(Maschine)* asciugatrice *f*.

Waschgelegenheit (*pl* **-en**) *die* possibilità *f* di lavarsi.

Waschlappen (*pl* **-**) *der (zum Waschen)* manopola *f* di spugna.

Waschmaschine (*pl* **-n**) *die* lavatrice *f*.

Waschmittel (*pl* **-**) *das* detersivo *m (per bucato)*.

Waschpulver (*pl* **-**) *das* detersivo *m* in polvere *(per bucato)*.

Waschsalon (*pl* **-s**) *der* lavanderia *f* a gettoni.

Waschstraße (*pl* **-n**) *die* impianto *m* di lavaggio *(per automobili)*.

wäscht *präs* → **waschen**.

Wasser (*pl* **Wässer** ODER **-**) *das (Flüssigkeit)* acqua *f* ; *(Mineralwasser)* acqua *f* minerale ; **am ~** vicino all'acqua ; **im ~** in acqua ; **destilliertes ~** acqua distillata ; **stilles ~** acqua minerale non gassata.

wasserdicht *adj* impermeabile.

Wasserfall (*pl* **-fälle**) *der* cascata *f*.

Wasserfarbe (*pl* **-n**) *die* acquerello *m*.

Wasserhahn (*pl* **-hähne**) *der* rubinetto *m (dell'acqua)*.

Wasserleitung (*pl* -en) *die* conduttura *f* dell'acqua.
Wassermangel *der* scarsità *f* d'acqua.
Wassermann *der (Sternzeichen)* Acquario *m*.
Wassermelone (*pl* -n) *die* anguria *f*.
wasserscheu *adj* che ha paura dell'acqua.
Wasserschutzgebiet (*pl* -e) *das* zona *f* di tutela delle acque.
Wasserschutzpolizei *die* polizia *f* marittima.
Wasserski (*pl* -er) *das (Sportart)* sci *m* nautico. ◆ *der (Gerät)* sci *m* d'acqua.
Wasserspiegel (*pl* -) *der (Wasserstand)* livello *m* dell'acqua.
Wassersport *der* sport *m* acquatico.
Wasserspülung (*pl* -en) *die* sciacquone *m*.
wasserundurchlässig *adj* impermeabile.
Wasserversorgung *die* approvvigionamento *m* idrico.
Wasserwerk (*pl* -e) *das* centrale *f* idrica.
Watt[1] (*pl* -en) *das (Küstengebiet) bassofondo costiero sul Mare del Nord soggetto ad inondazioni con l'alta marea.*
Watt[2] (*pl* -) *das (Maßeinheit)* watt *m*.
Watte *die* ovatta *f*.
Wattenmeer (*pl* -e) *das Wattenmeer m.*

WATTENMEER

Il "Wattenmeer" è una zona tra la costa del Mare del Nord ed il mare aperto, percorsa da canali, talvolta anche molto profondi, ed il cui fondale è formato da sabbia e melma. Con la bassa marea quest'area rimane in parte o completamente asciutta, con l'alta marea viene inondata dall'acqua del mare. Il "Wattenmeer" è un fenomeno naturale unico nel suo genere che attira molti visitatori.

Wattestäbchen (*pl* -) *das* bastoncino *m* cotonato.
WC (*pl* -s) *das* wc *m*.
weben (*prät* **webte** ODER **wob**, *pp* **gewebt** ODER **gewoben**) *vt (Teppich, Stoff)* tessere.
Wechsel (*pl* -) *der (Änderung)* cambiamento *m* ; *(von Devisen)* cambio *m*.
Wechselgeld *das* resto *m*.
wechselhaft *adj* variabile.
Wechseljahre *pl* menopausa *f*.
Wechselkurs (*pl* -e) *der* cambio *m*.
wechseln *vt* cambiare. ◆ *vi (sich ändern)* cambiare ; ~ **in** *(+A)* cambiare in.
Wechselrahmen (*pl* -) *der* cornice *f* intercambiabile.
Wechselstrom *der* corrente *f* alternata.
Wechselstube (*pl* -n) *die* ufficio *m* di cambio.
Weckdienst (*pl* -e) *der* sveglia *f* telefonica.

wẹcken *vt* svegliare.

Wẹcker (*pl* -) *der* sveglia *f*.

weder *konj* : ~ ... **noch** né ... né ...

wẹg *adv (fort)* via ; **weit** ~ lontano.

Weg (*pl* -**e**) *der (Pfad)* sentiero *m* ; *(Strecke)* strada *f* ; *(Methode)* via *f* ; **der** ~ **nach** la strada per ; **dem ausgeschilderten** ~ **folgen** seguire il percorso indicato ; **jm im** ~ **sein** essere d'intralcio a qn.

wẹg|bringen *vt (unr)* portar via.

wegen *präp (+G & +D)* a causa di.

wẹg|fahren *vi (unr & ist)* andarsene *(con un veicolo)*. ◆ *vt (unr & hat)* portar via *(con un veicolo)*.

wẹg|gehen *vi (unr & ist) (Person, Fleck)* andar via.

wẹg|lassen *vt (unr) fam (Textstelle)* tralasciare ; *(Gäste)* lasciar andare.

wẹg|laufen *vi (unr & ist)* scappare.

wẹg|legen *vt* riporre.

wẹg|nehmen *vt (unr)* togliere.

wẹg|räumen *vt* sgomberare.

wẹg|schicken *vt (Brief, Packet)* spedire ; *(Person)* mandar via.

wẹg|sehen *vi (unr) (nicht hinsehen)* guardare altrove.

Wegweiser (*pl* -) *der* indicazione *f* stradale.

wẹg|werfen *vt (unr)* gettare via.

wẹg|wischen *vt* togliere *(con un panno)*.

Wehe (*pl* -**n**) *die (Geburtsschmerz)* doglia *f*.

wehen *vi (Wind)* soffiare.

Wehrdienst *der* servizio *m* militare.

wehren : **sich wehren** *ref* difendersi.

weh|tun *vi (schmerzen)* far male ; **jm** ~ far male a qn.

weiblich *adj* femminile.

weich *adj (nicht hart)* morbido(a) ; *(sanft)* dolce. ◆ *adv (sitzen, liegen)* sul morbido.

weich gekocht *adj (Ei)* à la coque.

Weichkäse *der* formaggio *m* tenero.

Weichspüler (*pl* -) *der* ammorbidente *m*.

Weide (*pl* -**n**) *die (mit Gras)* pascolo *m*.

weigern : **sich weigern** *ref* rifiutarsi.

Weihnachten (*pl* -) Natale *m* ; **frohe** ~! Buon Natale!

Weihnachtsabend (*pl* -**e**) *der* vigilia *f* di Natale.

Weihnachtsbaum (*pl* -**bäume**) *der* albero *m* di Natale.

Weihnachtsferien *pl* vacanze *fpl* di Natale.

Weihnachtsgeschenk (*pl* -**e**) *das* regalo *m* di Natale.

Weihnachtslied (*pl* -er) *das* canto *m* di Natale.

Weihnachtsmann (*pl* -männer) *der* Babbo *m* Natale.

Weihnachtsmarkt (*pl* -märkte) *der* mercatino *m* di Natale.

WEIHNACHTSMARKT

In molte città, durante il periodo dell'Avvento, vengono organizzati i mercatini di Natale, che contribuiscono molto a creare la tipica atmosfera natalizia. A questi mercatini si possono acquistare decorazioni natalizie, oggetti realizzati a mano, regali e dolci di Natale, ma si possono anche gustare specialità tipiche locali e vino brûlé. Sono famosi in modo particolare i mercatini di Norimberga e di Dresda.

Weihnachtstag (*pl* -e) *der* giorno *m* di Natale ; **erster ~** giorno di Natale ; **zweiter ~** Santo Stefano.

Weihnachtszeit *die* periodo *m* natalizio.

weil *konj* perché.

Wein (*pl* -e) *der (Getränk)* vino *m* ; *(Pflanze)* vite *f*.

WEIN

Quasi il 90% del vino prodotto in Germania è vino bianco. Le zone vinicole più importanti sono la Renania, la Mosella, la Franconia, la Valle dell'Elba, le regioni di Nahe, di Baden, di Württemberg e di Saale-Unstrut. In Franconia il vino viene imbottigliato in particolari bottiglie panciute dette "Bocksbeutel". In molte zone vinicole, dopo la vendemmia, si organizzano grandi feste durante le quali si può degustare il "Federweisser", vino giovane, dolce e opalino, che si ottiene dalla prima fermentazione del mosto d'uva. In Germania si produce anche un vino spumante, il "Sekt", che si beve nelle occasioni particolari.

Weinberg (*pl* -e) *der* vigneto *m*.

Weinbergschnecke (*pl* -n) *die* chiocciola *f*.

Weinbrand (*pl* -brände) *der* brandy *m*.

weinen *vi* piangere.

Weinkarte (*pl* -n) *die* lista *f* dei vini.

Weinkeller (*pl* -) *der* cantina *f*.

Weinlese (*pl* -n) *die* vendemmia *f*.

Weinprobe (*pl* -n) *die* degustazione *f (di vini)*.

Weinstube (*pl* -n) *die* enoteca *f*.

Weintraube (*pl* -n) *die* uva *f*.

weisen (*prät* wies, *pp* gewiesen) *vt* & *vi (zeigen)* indicare.

Weisheit *die (Klugheit)* saggezza *f*.

weiß *präs* → wissen. ◆ *adj* bianco(a).

Weiß *das* bianco *m*.

Weißbier (*pl* -e) *das birra chiara di frumento*.

Weißbrot (*pl* -e) *das* pane *m* bianco.

Weiße[1] (*pl* -n) *der, die (Mensch)* persona *f* di pelle bianca.

Weiße[2] (*pl* -) *die fam (Weißbier)* birra *f* di frumento ; **Berliner ~** *birra di frumento con sciroppo di lampone (o asperula).*

Weißkohl *der* cavolo *m* cappuccio.

Weißwein (*pl* -e) *der* vino *m* bianco.

Weißwurst (*pl* -würste) *die salsiccia bianca a base di carne di vitello.*

weit *adj (Strecke, Reise)* lungo(a) ; *(Fläche)* ampio(a) ; *(Kleidung)* largo(a). ◆ *adv (beträchtlich)* molto ; *(gehen, fahren)* lontano ; **bei ~em** di gran lunga ; **von ~em** da lontano ; **~ weg** lontano ; **wie ~ ist es bis ...?** quanto dista ... da qui?

weiter *adv (fortgesetzt)* oltre ; *(sonst)* altro ; **und was ~?** e che altro ancora? ; **er sprach immer ~** continuava a parlare ; **nicht ~** *(nicht fortgesetzt)* non oltre ; **und so ~** eccetera.

weitere *adj (kommend, zusätzlich)* ulteriore ; **ohne ~s** *(problemlos)* senza problemi.

weiter|fahren *vi (unr & ist)* proseguire *(con un veicolo).*

Weiterfahrt *die* proseguimento *m* del viaggio.

weiter|geben *vt (unr) (Zettel)* passare ; *(Information)* trasmettere.

weiter|machen *vi* continuare *(a fare).*

weitsichtig *adj* presbite.

Weitwinkelobjektiv (*pl* -e) *das* obiettivo *m* grandangolare.

Weizen *der* frumento *m.*

Weizenbier (*pl* -e) *das birra chiara di frumento.*

welche, r, s *det (zur Einleitung einer Frage)* quale (quali). ◆ *pron (Relativpronomen)* che ; *(Indefinitpronomen)* : **hast du welche?** ne hai? ; *(Interrogativpronomen)* quale (quali).

welk *adj* appassito(a).

Welle (*pl* -n) *die* onda *f.*

Wellenbad (*pl* -bäder) *das* piscina *f* con onde artificiali.

Wellengang *der* moto *m* ondoso ; **hoher ~** mare agitato.

Wellenreiten *das* surf *m.*

wellig *adj* ondulato(a).

Welt (*pl* -en) *die* mondo *m* ; **auf der ~** sulla terra.

Weltall *das* universo *m.*

weltberühmt *adj* di fama mondiale.

Weltkrieg (*pl* -e) *der* guerra *f* mondiale ; **der Erste/Zweite ~** la prima/seconda guerra mondiale.

Weltmeister, in (*mpl* -) *der, die* campione *m*, -essa *f* del mondo.

Weltmeisterschaft (*pl* -en) *die* campionato *m* mondiale.

Weltreise (*pl* -n) *die* viaggio *m* intorno al mondo.

Weltstadt (*pl* **-städte**) *die* metropoli *f*.

weltweit *adj* mondiale. ◆ *adv* in tutto il mondo.

wem *pron* a chi.

wen *pron* chi.

Wendemöglichkeit (*pl* **-en**) *die* : **keine ~** impossibile effettuare manovra d'inversione.

wenden (*prät* **wendete**, *pp* **gewendet**) *vt (Pfannkuchen, Auto)* girare. ◆ *vi (Fahrer)* fare un'inversione.

wenden (*prät* **wandte**, *pp* **gewandt**) *ref* voltarsi ; **sich ~ an (+A)** *(sich richten)* rivolgersi a.

wenig *det* un po' di. ◆ *pron* & *adv* un po' ; **ein ~** un po' ; **zu ~** troppo poco.

weniger *adv* meno.

wenigsten *adv* : **am ~** meno di tutti.

wenigstens *adv* almeno.

wenn *konj (zeitlich)* quando ; *(falls)* se.

wer *pron* chi.

Werbegeschenk (*pl* **-e**) *das* omaggio *m* promozionale.

werben (*präs* **wirbt**, *prät* **warb**, *pp* **geworben**) *vi* fare pubblicità. ◆ *vt (Kunden, Mitglieder)* reclutare.

Werbung *die* pubblicità *f*.

werden (*präs* **wird**, *prät* **wurde**, *pp* **ist geworden** ODER **worden**) *aux* - **1.** *(im Futur)* : **sie wird gleich kommen** arriverà subito ; **es wird sicher schneien** nevicherà sicuramente.
- **2.** *(im Konjunktiv)* : **ich würde gern gehen** me ne andrei volentieri ; **er würde lieber noch bleiben** lui preferirebbe restare ancora ; **würden Sie bitte mitkommen?** potrebbe venire con me?
- **3.** *(pp worden) (im Passiv)* venire ; **das Auto wird gewaschen** la macchina viene lavata ; **er ist gesehen worden** è stato visto ; **jetzt wird gearbeitet** adesso si lavora.
- **4.** *(Ausdruck der Möglichkeit)* : **so wird es wohl gewesen sein** sarà stato così ; **er wird es vergessen haben** l'avrà dimenticato.
◆ *vi (ist & pp geworden)* diventare ; **wie alt wirst du?** quanti anni compi? ; **etw wird schlecht** qc va a male ; **jm wird schlecht** qn si sente male.
◆ *vimp (ist & pp geworden)* farsi ; **es wird langsam spät** si fa tardi ; **es wird bald Sommer** sta arrivando l'estate.

werfen (*präs* **wirft**, *prät* **warf**, *pp* **geworfen**) *vt (Ball, Stein)* lanciare.

Werft (*pl* **-en**) *die* cantiere *m* navale.

Werk (*pl* **-e**) *das (Arbeit)* opera *f*.

Werkstatt (*pl* **-stätten**) *die* officina *f*.

Werktag (*pl* **-e**) *der* giorno *m* feriale.

werktags *adv* nei giorni feriali.

Werkzeug (*pl* **-e**) *das* attrezzo *m*.

Wermut (*pl* -s) *der (Getränk)* vermut *m*.

wert *adj* : ~ **sein** valere.

Wert (*pl* -e) *der* valore *m* ; **im ~ steigen/fallen** acquistare/perdere valore.

wertlos *adj (finanziell)* senza valore.

Wertpapier (*pl* -e) *das* titolo *m*.

Wertsachen *pl* oggetti *mpl* di valore ; **'bitte achten Sie auf Ihre ~!'** 'fare attenzione agli oggetti di valore'.

wertvoll *adj* prezioso(a).

Wesen (*pl* -) *das (Charakter)* indole *f* ; *(Lebewesen)* creatura *f*.

wesentlich *adj (wichtig)* essenziale. ◆ *adv (viel)* considerevolmente.

weshalb *adv* per quale motivo.

Wespe (*pl* -n) *die* vespa *f*.

wessen *pron* di chi.

West *der (Richtung)* ovest *m*.

Westdeutschland *das (westliche Teil)* Germania *f* occidentale ; *(frühere BRD)* Germania *f* Ovest.

Weste (*pl* -n) *die* gilet *m*.

Westen *der (Richtung, politisch)* ovest *m* ; *(Gegend)* occidente *m* ; **im ~** a ovest ; **nach ~** *(Richtung)* verso ovest.

Westeuropa *das* Europa *f* occidentale.

Westküste (*pl* -n) *die* costa *f* occidentale.

westlich *adj* occidentale. ◆ *präp* : ~ **von** a ovest di.

weswegen *adv* per quale motivo.

Wettbewerb (*pl* -e) *der (Veranstaltung)* concorso *m*.

Wette (*pl* -n) *die* scommessa *f*.

wetten *vi* & *vt* scommettere ; ~ **um etw** scommettere qc.

Wetter *das* tempo *m* ; **bei gutem/schlechtem ~** in caso di bel/brutto tempo.

Wetterbericht (*pl* -e) *der* bollettino *m* meteorologico.

wetterfest *adj (Kleidung)* resistente *(alle intemperie)*.

Wetterlage (*pl* -n) *die* condizioni *fpl* meteorologiche.

Wettervorhersage (*pl* -n) *die* previsioni *fpl* del tempo.

Wettkampf (*pl* -kämpfe) *der* gara *f*.

Wettrennen (*pl* -) *das* gara *f* di corsa.

WG (*pl* -s) *die abk für* **Wohngemeinschaft**.

Whg. (*abk für Wohnung*) app.

Whirlpool *der* idromassaggio *m*.

Whiskey (*pl* -s) *der* whisky *m*.

wichtig *adj* importante.

wickeln *vt (Schnur, Papier)* avvolgere ; *(Baby)* cambiare *(il pannolino)*.

Wickelraum (*pl* -räume) *der* stanza *f* con fasciatoio.

Widder *der (Sternzeichen)* Ariete *m*.

widerlich *adj* disgustoso(a).

widerrechtlich *adj* illegale. ◆ *adv* : ~ **abgestellte Fahrzeuge** veicoli in sosta vietata.

widersprechen (*präs* **widerspricht**, *prät* **widersprach**, *pp* **widersprochen**) *vi (+D)* contraddire ; **sich~** contraddirsi.

Widerspruch (*pl* **-sprüche**) *der (in Text, Aussage)* contraddizione *f* ; *(Protest)* obiezione *f*.

Widerstand (*pl* **-stände**) *der (Abwehr)* resistenza *f*.

widerstandsfähig *adj* resistente.

Widmung (*pl* **-en**) *die* dedica *f*.

wie *adv* - 1. *(als Frage)* come ; ~ **bitte?** come, prego? - 2. *(mit Adjektiv, Adverb)* quanto ; ~ **spät ist es?** che ore sono? ; ~ **teuer ist es?** quanto costa? ; ~ **oft?** quante volte? ◆ *konj (zum Vergleich, zur Maßangabe, Qualitätsangabe)* : **sie raucht ~ ein Schlot** fuma come una ciminiera ; **er ist so groß ~ich** è grande come me ; ~ **ich schon gesagt habe** come ho già detto ; **so viel ~ du willst** tanto quanto vuoi ; **und ~!** eccome!

wieder *adv (noch einmal, wie vorher)* di nuovo ; *(Ausdruck von Ärger)* ancora ; **immer ~** ripetutamente ; **nie ~** mai più.

wieder|bekommen *vt (unr)* riavere.

wieder erkennen *vt (unr)* riconoscere.

wieder finden *vt (unr)* ritrovare.

wiederholen *vt* ripetere. ■ **sich wiederholen** *ref* ripetersi ; ~ **Sie bitte!** ripeta, per favore!

Wiederholung (*pl* **-en**) *die* ripetizione *f*.

Wiederhören *das (am Telefon)* : **auf ~!** a risentirci!

wieder kommen *vi (unr & ist) (noch einmal kommen)* ritornare.

Wiedersehen (*pl* **-**) *das* rivedersi *m* ; **auf ~!** arrivederci!

wieder treffen *vt (unr)* rincontrarsi.

Wiedervereinigung (*pl* **-en**) *die* riunificazione *f*.

wiegen (*prät* **wog**, *pp* **gewogen**) *vi* pesare. ■ **sich wiegen** *ref (auf Waage)* pesarsi.

Wien *nt* Vienna *f*.

Wiener Schnitzel (*pl* **-**) *das* cotoletta *f* alla milanese.

wies *prät* → **weisen**.

Wiese (*pl* **-n**) *die* prato *m*.

wieso *pron* come mai.

wie viel *pron* quanto ; ~ **Uhr ist es?** che ore sono?

wievielte, r, s *adj* : **das ~ Glas ist das?** a che bicchiere sei? ; **der Wievielte ist heute?** quanti ne abbiamo oggi?

wild *adj (gefährlich, frei lebend, Pflanze)* selvatico(a) ; **~e Tiere** bestie feroci ; *(heftig)* violento(a). ◆ *adv (unkultiviert)* in modo selvaggio ; *(heftig)* violentemente ; *(illegal)* abusivamente.

Wild *das* selvaggina *f*.

Wildleder *das* pelle *f* di camoscio.

Wildpark (*pl* -s) *der* riserva *f*.

Wildschwein (*pl* -e) *das* cinghiale *m*.

Wildwasser (*pl* -) *das* torrente *m*.

will *präs* → **wollen**.

Willen *der (Fähigkeit)* volontà *f*.

willkommen *adj (erwünscht)* gradito(a) ; **herzlich ~!** benvenuto(a)!

Willkommen *das* benvenuto *m*.

Wimper (*pl* -n) *die* ciglio *m*.

Wimperntusche (*pl* -n) *die* mascara *m*.

Wind (*pl* -e) *der* vento *m* ; **starker/schwacher/böiger ~** vento forte/debole/a raffiche.

Windbeutel (*pl* -) *der* bignè *m* alla panna.

Windel (*pl* -n) *die* pannolino *m*.

winden (*prät* **wand**, *pp* **gewunden**) *ref (Weg, Linie)* serpeggiare.

windgeschützt *adj* riparato(a) dal vento.

windig *adj (Tag, Wetter)* ventoso(a) ; **es ist ~** c'è vento.

Windpocken *pl* varicella *f*.

Windschutzscheibe (*pl* -n) *die* parabrezza *m*.

Windstärke (*pl* -n) *die* intensità *f* del vento.

windstill *adj* senza vento.

Windsurfen *das* windsurf *m*.

Winkel (*pl* -) *der (von Linien, Platz)* angolo *m*.

winken (*pp* **gewinkt** ODER **gewunken**) *vi (+D)* far cenno.

Winter (*pl* -) *der* inverno *m* ; **im ~** in inverno.

Winterausrüstung (*pl* -en) *die* equipaggiamento *m* invernale.

Winterfahrplan (*pl* -fahrpläne) *der* orario *m* invernale.

Winterreifen (*pl* -) *der* pneumatico *m* invernale.

Winterschlussverkauf (*pl* -verkäufe) *der* saldi *mpl* invernali.

Wintersport *der* sport *m* invernale.

Winzer, in (*mpl* -) *der, die* viticoltore *m*, -trice *f*.

winzig *adj* minuscolo(a).

wir *pron* noi.

Wirbelsäule (*pl* -n) *die* colonna *f* vertebrale.

wirbt *präs* → **werben**.

wird *präs* → **werden**.

wirft *präs* → **werfen**.

wirken *vi (erscheinen)* sembrare ; *(Mittel)* essere efficace ; **~ gegen** essere efficace contro.

wirklich *adj* vero(a). ◆ *adv* veramente.

Wirklichkeit (*pl* -en) *die* realtà *f*.

wirksam *adj* efficace.

Wirkung (*pl* -en) *die (von Mittel)* effetto *m*.

Wirsing *der* verza *f*.

Wirt, in (*mpl* -e) *der, die (Gastwirt)* padrone *m*, -a *f (del locale)*.

Wirtschaft (*pl* -en) *die (Öko-*

nomie) economia *f* ; *(Lokal)* osteria *f*.

wirtschaftlich *adj (ökonomisch)* economico(a).

Wirtshaus (*pl* **-häuser**) *das* trattoria *f*.

Wirtsleute *pl (von Lokal)* padroni *mpl (del locale)*.

Wischblatt (*pl* **-blätter**) *das* spazzola *f* del tergicristallo.

wischen *vt* & *vi* pulire *(strofinando)*.

wissen (*präs* **weiß**, *prät* **wusste**, *pp* **gewusst**) *vt* sapere ; **etw ~ über** *(+A)* sapere qc di ; **weißt du was?** sai una cosa? ◆ *vi* : **ich weiß** lo so ; **davon weiß ich nichts** non ne so nulla.

Wissenschaft (*pl* **-en**) *die* scienza *f*.

Wissenschaftler, in (*mpl* **-**) *der, die* scienziato *m*, -a *f*.

Witwe (*pl* **-n**) *die* vedova *f*.

Witwer (*pl* **-**) *der* vedovo *m*.

Witz (*pl* **-e**) *der (Scherz)* scherzo *m* ; *(Anekdote)* barzelletta *f*.

WM (*pl* **-s**) *die abk für* **Weltmeisterschaft**.

wo *adv* & *pron* dove ; **bis ~** fino a dove ; **von ~** da dove.

woanders *adv* altrove.

woandershin *adv* altrove.

wob *prät* → **weben**.

wobei *pron (als Frage)* : **~ ist er erwischt worden?** cosa stava facendo quando l'hanno beccato? ; **~ hilft sie dir?** in che cosa ti aiuta?

Woche (*pl* **-n**) *die* settimana *f* ; **diese/letzte/nächste ~** questa/la scorsa/la prossima settimana.

Wochenende (*pl* **-n**) *das* fine settimana *m* ; **schönes ~!** buon fine settimana!

Wochenkarte (*pl* **-n**) *die* abbonamento *m* settimanale.

Wochenmarkt (*pl* **-märkte**) *der* mercato *m* settimanale.

wochentags *adv* durante la settimana.

wöchentlich *adj* settimanale. ◆ *adv* settimanalmente.

Wodka (*pl* **-s**) *der* vodka *f*.

wofür *pron (als Frage)* per che cosa.

wog *prät* → **wiegen**.

Woge (*pl* **-n**) *die (im Wasser)* onda *f*.

woher *pron (als Fragewort, Relativpronomen)* da dove.

wohin *pron* dove.

wohl (*komp* **wohler** ODER **besser**, *superl* **am wohlsten** ODER **am besten**) *adv* bene ; **sich ~ fühlen** *(gesund)* sentirsi bene ; *(angenehm)* sentirsi a proprio agio.

Wohl *das* : **auf Ihr ~!** alla Sua salute! ; **zum ~!** salute!

Wohlstand *der* benessere *m*.

Wohnanlage (*pl* **-n**) *die* complesso *m* residenziale.

wohnen *vi (dauerhaft)* abitare ; *(vorübergehend)* alloggiare ; **wo ~ Sie?** dove abita?

Wohngemeinschaft (*pl* **-en**) *die* : **in einer ~ leben** dividere l'abitazione.

wohnhaft *adj amt* : **~ in ...** residente a ...

Wohnhaus (*pl* **-häuser**) *das* condominio *m*.

Wohnmobil (*pl* **-e**) *das* camper *m*.

Wohnort (*pl* **-e**) *der* luogo *m* di residenza.

Wohnsitz (*pl* **-e**) *der amt* residenza *f*.

Wohnung (*pl* **-en**) *die* appartamento *m*.

Wohnungsschlüssel (*pl* **-**) *der* chiave *f* dell'appartamento.

Wohnwagen (*pl* **-**) *der* roulotte *f*.

Wohnzimmer (*pl* **-**) *das* soggiorno *m*.

Wolf (*pl* **Wölfe**) *der* lupo *m*.

Wolke (*pl* **-n**) *die* nuvola *f*.

Wolkenkratzer (*pl* **-**) *der* grattacielo *m*.

wolkig *adj* nuvoloso(a).

Wolle *die* lana *f*.

wollen (*präs* **will**, *prät* **wollte**, *pp* **gewollt** ODER **-**) *aux (pp wollen) (Ausdruck einer Absicht)* volere ; **ich wollte gerade gehen** stavo giusto per andarmene.
◆ *vi (pp gewollt)* - 1. *(Ausdruck einer Absicht)* volere ; **wie du willst!** come vuoi! ; **was ~ Sie von mir?** cosa vuoLe da me?
- 2. *(an einen Ort)* voler andare ; **sie will nach Hause** lei vuoLe andare a casa.
◆ *vt (pp gewollt) (wünschen)* volere ; **ich will ein Eis!** voglio un gelato.

Wollwaschmittel (*pl* **-**) *das* detersivo *m* per lana.

womit *pron (als Frage)* con che cosa.

wonach *pron (als Frage)* : **~ schmeckt das?** di che cosa sa? ; **~ suchst du?** che cosa stai cercando?

woran *pron (als Frage)* : **~ denken Sie?** a che cosa sta pensando? ; **~ glaubt er?** in che cosa crede?

worauf *pron (als Frage)* : **~ hoffen sie?** in che cosa sperano? ; **~ stellen wir das?** su che cosa lo mettiamo?

woraus *pron (als Frage)* di che cosa ; **~ ist das?** di che cosa è fatto? ; **~ besteht das?** in che cosa consiste?

worin *pron (als Frage)* in che cosa.

Workshop (*pl* **-s**) *der* workshop *m*.

World Wide Web *das* EDV World Wide Web *m*.

Wort (*pl* **Wörter**) *das* GRAMM parola *f*.

Wörterbuch (*pl* **-bücher**) *das* vocabolario *m*.

wörtlich *adj (Wiederholung)* letterale.

worüber *pron (als Frage)* : **~ habt ihr gesprochen?** di che cosa avete parlato?

worum *pron (als Frage)* : **~ geht es?** di che cosa si tratta?

worunter *pron (als Frage)* : **~ leidet er?** di che cosa soffre?

wovon *pron (als Frage)* di che cosa.

wovor *pron (als Frage)* davanti a che cosa ; ~ **hat sie Angst?** di che cosa ha paura?

wozu *pron (als Frage)* a che scopo.

WSV = **Winterschlussverkauf.**

wuchs *prät* → **wachsen.**

Wühltisch (*pl* **-e**) *der* banco *m* delle offerte speciali.

wund *adj* piagato(a).

Wunde (*pl* **-n**) *die (Verletzung)* ferita *f* ; **offene** ~ ferita aperta.

wunderbar *adj (großartig)* meraviglioso(a).

wundern *vt* meravigliare. ■ **sich wundern** *ref* meravigliarsi.

wunderschön *adj* magnifico(a).

Wundstarrkrampf *der* tetano *m*.

Wunsch (*pl* **Wünsche**) *der* desiderio *m*. ■ **Wünsche** *pl* auguri *mpl* ; **mit meinen besten ~n** con i miei migliori auguri ; **auf** ~ su richiesta ; **nach** ~ a scelta.

wünschen *vt* desiderare ; **jm etw** ~ augurare qc a qn ; **sich** *(D)* **etw** ~ desiderare qc ; **was ~ Sie?** cosa desidera?

wünschenswert *adj* desiderabile.

wurde *prät* → **werden.**

Wurf (*pl* **Würfe**) *der (Werfen)* lancio *m*.

Würfel (*pl* **-**) *der (zum Spielen)* dado *m* ; *(Form)* cubo *m*.

würfeln *vt (Fleisch, Brot)* tagliare a dadini ; *(Zahl)* : **eine sechs** ~ fare sei *(con i dadi)*. ◆ *vi (beim Spielen)* tirare i dadi.

Würfelzucker *der* zucchero *m* in zollette.

Wurm (*pl* **Würmer**) *der (Tier)* verme *m*.

Wurst (*pl* **Würste**) *die (Nahrungsmittel)* salsiccia *f* ; *(Aufschnitt)* insaccati *mpl*.

WURST

La Germania offre una ricca scelta di salumi ed insaccati e quasi ogni regione ha la propria specialità, anche se denominazioni diverse si riferiscono spesso a tipologie molto simili. Le salsicce vengono consumate calde, bollite o alla griglia, come ad esempio i vari "Bratwurst", "Bockwurst", "Wiener" e "Frankfurter Wurst" che si differenziano per il tipo di impasto. Alcuni insaccati, come il "Leberwurst" (a base di fegato) ed il "Fleischwurst", sono a pasta molle e si consumano spalmati sul pane. Altri ancora, come il "Blutwurst" (sanguinaccio) ed i salami in genere, vengono serviti affettati.

Würstchen (*pl* **-**) *das* würstel *m*.

Wurstwaren *pl* insaccati *mpl*.

Würze (*pl* **-n**) *die (Gewürz)* aroma *m*.

Wurzel (*pl* **-n**) *die* radice *f*.

würzen *vt (Speisen)* insaporire.

würzig *adj* saporito(a).

wusch *prät* → **waschen.**

wusste *prät* → **wissen.**

Wüste (*pl* **-n**) *die* deserto *m*.

Wut *die* rabbia *f*.
wütend *adj (Person)* infuriato(a) ; **~ sein auf** *(+A)* essere infuriato(a) con ; **~ sein über** *(+A)* essere infuriato(a) per.

X

x-beliebig *adj fam* qualsiasi.
x-mal *adv fam* un'infinità di volte.

Y

Yacht = **Jacht**.
Yachthafen *(pl* **-häfen***) der* porto *m* turistico.
Yoga = **Joga**.

Z

zäh *adj (Fleisch)* duro(a) ; *(Mensch)* tenace. ◆ *adv* : **~ fließender Verkehr** circolazione rallentata.
Zahl *(pl* **-en***) die (Größe, Anzahl)* numero *m* ; *(Ziffer)* cifra *f* ; **in den roten ~en sein** essere in rosso.
zahlbar *adj* pagabile.
zahlen *vt* & *vi* pagare ; **~, bitte!** il conto, per favore.
zählen *vt* & *vi* contare ; **~ zu** *(gehören)* essere tra.
Zahlgrenze *(pl* **-n***) die (im öffentlichen Nahverkehr)* limite *m* tariffario di zona.
zahlreich *adj* numeroso(a).
Zahlung *(pl* **-en***) die* pagamento *m*.
Zahlungsanweisung *(pl* **-en***) die* ordine *m* di pagamento.
zahm *adj (Tier)* addomesticato(a).
Zahn *(pl* **Zähne***) der (im Mund)* dente *m* ; **sich** *(D)* **die Zähne putzen** lavarsi i denti ; **die dritten Zähne** *(Gebiss)* la dentiera.
Zahnarzt, ärztin *(mpl* **-ärzte***) der, die* dentista *mf*.
Zahnbürste *(pl* **-n***) die* spazzolino *m* da denti.
Zahncreme *(pl* **-s***) die* dentifricio *m*.
Zahnersatz *der* protesi *f* dentaria.
Zahnfleisch *das* gengiva *f*.
Zahnfleischbluten *das* sanguinamento *m* gengivale.
Zahnfüllung *(pl* **-en***) die* otturazione *f*.
Zahnpasta *(pl* **-pasten***) die* dentifricio *m*.
Zahnradbahn *(pl* **-en***) die* ferrovia *f* a cremagliera.
Zahnschmerzen *pl* mal *m* di denti ; **~ haben** avere mal di denti.
Zahnseide *(pl* **-n***) die* filo *m* interdentale.
Zahnspange *(pl* **-n***) die* apparecchio *m* dentario.
Zahnstocher *(pl* **-***) der* stuzzicadenti *m*.

Zange (*pl* -n) *die (Werkzeug)* tenaglia *f*.
Zäpfchen (*pl* -) *das (Medikament)* supposta *f*.
zapfen *vt (Bier, Wein)* spillare.
Zapfsäule (*pl* -n) *die* pompa *f* di benzina.
zart *adj (Fleisch, Gemüse)* tenero(a) ; *(Haut)* delicato(a).
zärtlich *adj (Berührung)* affettuoso(a).
Zauberer (*pl* -) *der (Zauberkünstler)* prestigiatore *m*.
Zauberin (*pl* -nen) *die (Zauberkünstlerin)* prestigiatrice *f*.
Zauberkünstler, in (*mpl* -) *der, die* illusionista *mf*.
zaubern *vt* : **ein Kaninchen aus dem Hut ~** far uscire un coniglio dal cappello. ◆ *vi (Zauberer)* fare delle magie.
Zaun (*pl* **Zäune**) *der* recinto *m*.
z. B. (*abk für zum Beispiel*) p.e.
Zebrastreifen (*pl* -) *der* strisce *fpl* pedonali.
Zechtour (*pl* -en) *die fam* giro *m* dei locali.
Zecke (*pl* -n) *die* zecca *f*.
Zeh (*pl* -en) *der* dito *m* del piede.
Zehe (*pl* -n) *die (Zeh)* dito *m* del piede.
Zehennagel (*pl* -nägel) *der* unghia *f* del piede.
zehn *num* dieci ; *siehe auch* **sechs**.
Zehnerkarte (*pl* -n) *die* biglietto *m* per dieci corse/entrate.
Zehneuroschein (*pl* -e) *der* banconota *f* da dieci euro.
zehnmal *adv* dieci volte.
zehntausend *num* diecimila ; *siehe auch* **sechs**.
zehnte, r, s *adj* decimo(a) ; *siehe auch* **sechste**.
Zehntel (*pl* -) *das* decimo *m*.
Zeichen (*pl* -) *das (Symbol, Symptom)* segno *m* ; *(akustisch, optisch)* segnale *m* ; **ein ~ geben** dare un segno.
Zeichenerklärung (*pl* -en) *die* legenda *f*.
Zeichensprache (*pl* -n) *die* linguaggio *m* dei segni.
Zeichentrickfilm (*pl* -e) *der* cartoni *mpl* animati.
zeichnen *vt* & *vi* disegnare.
Zeichnung (*pl* -en) *die (Bild)* disegno *m*.
zeigen *vt (vorführen, vorzeigen)* mostrare ; *(anzeigen)* indicare ; *(Interesse, Erregung)* manifestare ; **jm etw ~** *(hinweisen)* indicare qc a qn ; *(vorführen, vorzeigen)* mostrare qc a qn. ◆ *vi* : **auf jn/etw ~** indicare qn/qc. ■ **sich zeigen** *ref (sich herausstellen)* rivelarsi ; *(erscheinen)* mostrarsi.
Zeile (*pl* -n) *die (von Text)* riga *f*.
Zeit (*pl* -en) *die* tempo *m* ; *(Zeitpunkt, Uhrzeit)* ora *f* ; *(Zeitabschnitt)* periodo *m* ; **sich** *(D)* **~ lassen** prendersela comoda ; **~ haben** avere tempo ; **zur ~** al momento.
Zeitarbeit *die* lavoro *m* interinale.
Zeitgeist *der* spirito *m* del tempo.
Zeitlupe *die* rallentatore *m*.

Zeitplan (*pl* **-pläne**) *der* orario *m*.
Zeitpunkt (*pl* **-e**) *der* momento *m*.
Zeitraum (*pl* **-räume**) *der* periodo *m*.
Zeitschrift (*pl* **-en**) *die* rivista *f*.
Zeitung (*pl* **-en**) *die* giornale *m*.
Zeitungskiosk (*pl* **-e**) *der* edicola *f*.
Zeitunterschied (*pl* **-e**) *der* SPORT differenza *f* di tempo.
Zeitverschiebung (*pl* **-en**) *die* fuso *m* orario.
zeitweise *adv* *(gelegentlich)* di tanto in tanto ; *(vorübergehend)* temporaneamente.
Zeitzone (*pl* **-n**) *die* fuso *m* orario.
Zelle (*pl* **-n**) *die* *(biologisch)* cellula *f*.
Zellophan *das* cellophane® *m*.
Zellstoff *der* *(Verbandstoff)* cellulosa *f*.
Zelt (*pl* **-e**) *das* tenda *f*.
zelten *vi* campeggiare.
Zeltlager (*pl* **-**) *das* campo *m*.
Zeltplane (*pl* **-n**) *die* telone *m*.
Zeltplatz (*pl* **-plätze**) *der* campeggio *m*.
Zeltstange (*pl* **-n**) *die* paletto *m* per tenda.
Zentimeter (*pl* **-**) *der* centimetro *m*.
Zentimetermaß (*pl* **-e**) *das* metro *m*.
Zentner (*pl* **-**) *der* *unità di misura pari a 50 kg in Germania e a 100 kg in Austria e Svizzera.*
zentral *adj* centrale.
Zentrale (*pl* **-n**) *die* *(Telefonzentrale)* centralino *m*.
Zentralverriegelung (*pl* **-en**) *die* chiusura *f* centralizzata.
Zentrum (*pl* **Zentren**) *das* centro *m*.
zerbrechen (*präs* **zerbricht**, *prät* **zerbrach**, *pp* **zerbrochen**) *vi* *(ist)* *(Gegenstand)* rompersi. ◆ *vt* *(hat)* rompere.
zerbrechlich *adj* *(Gegenstand)* fragile.
Zeremonie (*pl* **-en**) *die* cerimonia *f*.
zerkleinern *vt* sminuzzare.
zerknautscht *adj* spiegazzato(a).
zerkratzen *vt* graffiare.
zerlegen *vt* *(Möbel)* smontare ; *(Braten)* tagliare *(a porzioni)*.
zerreißen (*prät* **zerriss**, *pp* **zerrissen**) *vt* *(hat)* *(Brief, Stoff)* strappare. ◆ *vi* *(ist)* *(Papier, Band)* strapparsi.
zerren *vt* *(ziehen)* tirare ; **sich** *(D)* **etw ~** *(verletzen)* procurarsi uno stiramento.
Zerrung (*pl* **-en**) *die* stiramento *m*.
Zerstäuber (*pl* **-**) *der* nebulizzatore *m*.
zerstören *vt* *(Gegenstand, Stadt)* distruggere.
Zerstörung (*pl* **-en**) *die* *(von Gegenstand, Stadt)* distruzione *f*.
zerstreut *adj* distratto(a).

Zertifikat (*pl* **-e**) *das* certificato *m*.

Zettel (*pl* **-**) *der* foglietto *m*.

Zeug *das fam (Sachen, Kleidung)* roba *f* ; **dummes ~** *fam* stupidaggini.

Zeuge (*pl* **-n**) *der* testimone *m*.

Zeugin (*pl* **-nen**) *die* testimone *f*.

Zeugnis (*pl* **-se**) *das (von Schüler)* pagella *f*.

Zickzack *der* : **im ~** a zigzag.

Ziege (*pl* **-n**) *die (Tier)* capra *f*.

Ziegenkäse *der* formaggio *m* di capra.

ziehen (*prät* **zog**, *pp* **gezogen**) *vt (hat) (bewegen, betätigen)* tirare ; *(herausziehen)* estrarre ; *(auslosen)* sorteggiare. ◆ *vi (hat) (bewegen)* tirare ; *(Tee)* restare in infusione ; **~ an** *(+D)* tirare. ◆ *vimp* : **es zieht** c'è corrente.

Ziel (*pl* **-e**) *das (räumlich)* meta *f* ; *(Zweck)* obiettivo *m* ; SPORT traguardo *m*.

Zielbahnhof (*pl* **-bahnhöfe**) *der* stazione *f* di destinazione.

zielen *vi (mit Waffe, Ball)* mirare.

Zielscheibe (*pl* **-n**) *die* bersaglio *m*.

ziemlich *adv (relativ)* abbastanza ; *(fast)* quasi ; **~ viel** parecchio.

zierlich *adj (Person)* minuto(a).

Ziffer (*pl* **-n**) *die (Zahlensymbol)* cifra *f*.

Zifferblatt (*pl* **-blätter**) *das* quadrante *m*.

zig *num fam* un sacco di.

Zigarette (*pl* **-n**) *die* sigaretta *f*.

Zigarettenautomat (*pl* **-en**) *der* distributore *m* automatico di sigarette.

Zigarettenpapier *das* cartina *f* per sigarette.

Zigarettenschachtel (*pl* **-n**) *die* pacchetto *m* di sigarette.

Zigarillo (*pl* **-s**) *der* sigaretto *m*.

Zigarre (*pl* **-n**) *die* sigaro *m*.

Zigeuner, in (*mpl* **-**) *der, die abw* zingaro *m*, -a *f*.

Zimmer (*pl* **-**) *das (in Wohnung, Büro)* stanza *f* ; *(Hotelzimmer)* camera *f* ; **~ frei** camere libere ; **~ mit Bad** camera con bagno ; **~ mit Frühstück** camera con prima colazione.

Zimmermädchen (*pl* **-**) *das* cameriera *f* ai piani.

Zimmernachweis (*pl* **-e**) *der* servizio *m* alloggi.

Zimmerschlüssel (*pl* **-**) *der* chiave *f* della stanza.

Zimmerservice *der* servizio *m* in camera.

Zimt *der* cannella *f*.

Zinn *das (Metall)* stagno *m*.

Zins (*pl* **-en**) *der* interesse *m*.

Zinssatz (*pl* **-sätze**) *der* tasso *m* d'interesse.

zirka *adv* circa.

Zirkus (*pl* **-se**) *der (Betrieb)* circo *m* ; *fam (Aufregung)* : **um etw ~ machen** fare tante storie per qc.

zischen *vi (Geräusch)* sibilare.

Zitat (*pl* **-e**) *das* citazione *f*.

zitieren *vt* & *vi* citare.
Zitronat *das* cedro *m* candito.
Zitrone (*pl* -n) *die* limone *m*.
Zitronensaft (*pl* -säfte) *der* succo *m* di limone.
Zitruspresse (*pl* -n) *die* spremiagrumi *m*.
zittern *vi (vibrieren)* tremare.
zivil *adj (nicht militärisch)* civile.
Zivildienst *der* servizio *m* civile.
Zivilisation (*pl* -en) *die* civilizzazione *f*.
zog *prät* → **ziehen**.
zögern *vi* esitare.
Zoll (*pl* **Zölle**) *der (Abgabe)* dazio *m* ; *(Behörde)* dogana *f*.
Zollabfertigung *die* sdoganamento *m*.
Zollamt (*pl* -ämter) *das* dogana *f*.
Zollbeamte (*pl* -n) *der* ufficiale *f* di dogana.
Zollbeamtin (*pl* -nen) *die* ufficiale *m* di dogana.
Zollerklärung (*pl* -en) *die* dichiarazione *f* doganale.
zollfrei *adj* franco di dogana.
Zollgebühren *pl* imposte *fpl* doganali.
Zollkontrolle (*pl* -n) *die* controllo *m* doganale.
Zöllner, in (*mpl* -) *der, die* doganiere *m*.
zollpflichtig *adj* soggetto(a) ad imposta doganale.
Zollschranke (*pl* -n) *die* barriera *f* doganale.
Zone (*pl* -n) *die (Gebiet)* zona *f*.
Zoo (*pl* -s) *der* zoo *m*.
Zopf (*pl* **Zöpfe**) *der* treccia *f*.
zornig *adj* adirato(a). ◆ *adv* con ira.
zu *präp (+D)* - 1. *(an Ort)* a ; **~r Post gehen** andare alla posta ; **~ Hause bleiben** rimanere a casa. - 2. *(zu einer Person)* da ; **~m Arzt gehen** andare dal medico. - 3. *(Angabe des Mittels)* a ; **~ Fuss** a piedi. - 4. *(zeitlich)* a ; **~ Ostern/ Weihnachten** a Pasqua/Natale. - 5. *(mit)* con ; **weiße Socken ~m Anzug tragen** portare calzini bianchi con l'abito. - 6. *(Angabe des Grunds)* per ; **~m Spaß** per scherzo ; **~m Geburtstag** per il compleanno. - 7. *(Mengenangabe)* a ; **~ viert sein** essere in quattro ; **eine Tüte ~ 5 kg** una sporta da 5 kg. - 8. SPORT : **eins ~ null** uno a zero.
◆ *adv* - 1. *(mit Adjektiv)* troppo ; **~ teuer** troppo costoso(a). - 2. *fam (zumachen)* : **Tür ~!** chiudere la porta!
◆ *konj (mit Infinitiv)* a ; **es fängt an ~ schneien** inizia a nevicare ; **~ vermieten/verkaufen** affittasi/ vendesi.
Zubehör (*pl* -e) *das* accessori *mpl*.
zu|bereiten *vt* preparare.
Zubereitung *die* preparazione *f*.
zu|binden *vt (unr)* allacciare.
Zucchini (*pl* -s) *die* zucchino *m*.
züchten *vt (Tiere)* allevare ; *(Pflanzen)* coltivare.

Züchter, in (*mpl* -) *der, die* *(von Tieren)* allevatore *m*, -trice *f*.

zucken *vi (Person)* sussultare.

Zucker *der (Nahrungsmittel)* zucchero *m* ; **ohne ~** senza zucchero.

Zuckerdose (*pl* **-n**) *die* zuccheriera *f*.

zuckerkrank *adj* diabetico(a).

zuckern *vt* zuccherare.

Zuckerwatte *die* zucchero *m* filato.

Zuckerzusatz *der* : **ohne ~** senza zuccheri aggiunti.

zu|decken *vt* coprire. ■ **sich zudecken** *ref* coprirsi.

zu|drehen *vt (Wasserhahn)* chiudere *(girando)*.

zueinander *adv (sprechen)* uno con l'altro ; **~ passen** star bene insieme.

zuerst *adv (als Erste, Erster)* per primo(a) ; *(am Anfang)* prima.

Zufahrt (*pl* **-en**) *die* accesso *m*.

Zufall (*pl* **Zufälle**) *der* caso *m*.

zufällig *adj* casuale. ◆ *adv* casualmente.

zufrieden *adj* contento(a) ; **~ sein mit** essere contento(a) di.

zufrieden stellend *adj* soddisfacente.

Zug[1] (*pl* **Züge**) *der (Verkehrsmittel)* treno *m* ; *(Zugluft)* corrente *f* d'aria ; *(mit Spielfigur)* mossa *f* ; **mit dem ~ fahren** andare in treno.

Zug[2] *nt* Zug *f*.

Zugabe (*pl* **-n**) *die (bei Konzert)* bis *m*.

Zugabteil (*pl* **-e**) *das* scompartimento *m*.

Zugang (*pl* **-gänge**) *der (Weg, Zutritt)* accesso *m*.

Zugauskunft (*pl* **-auskünfte**) *die* informazioni *fpl* sui treni.

Zugbegleiter (*pl* **-**) *der (Fahrplanauszug)* prospetto *m* orario *(di un treno)*.

Zugbrücke (*pl* **-n**) *die* ponte *m* levatoio.

zu|geben *vi (unr) (gestehen)* ammettere ; *(hinzutun)* aggiungere.

Zügel (*pl* **-**) *der* redine *f*.

Zuger Kirschtorte *die* *Schweiz dolce a base di meringa alla nocciola, farcito con crema al burro e pan di spagna al kirsch.*

Zugführer, in (*mpl* -) *der, die* capotreno *mf*.

Zugpersonal *das* personale *m* del treno.

zu|greifen *vi (unr)* : **greifen Sie zu!** Si serva pure!

Zugrestaurant (*pl* **-s**) *das* vagone *m* ristorante.

Zugschaffner, in (*mpl* -) *der, die* controllore *m*.

Zugunglück (*pl* **-e**) *das* disastro *m* ferroviario.

zugunsten *präp (+G)* a favore di.

Zugverbindung (*pl* **-en**) *die* collegamento *m* ferroviario.

zu|haben *vi (unr) fam* essere chiuso(a).

Zuhause *das* casa *f*.

zu|hören *vi (+D)* ascoltare.
Zuhörer, in *(mpl -) der, die* ascoltatore *m*, -trice *f*.
zu|kleben *vt* chiudere *(incollando)*.
zu|kommen *vi (unr)* : ~ **auf** *(+A) (Person, Fahrzeug)* avvicinarsi a.
Zukunft *die* futuro *m*.
zu|lassen *vt (unr) (erlauben)* permettere ; *(Auto)* immatricolare ; *fam (nicht öffnen)* lasciare chiuso(a).
zulässig *adj* consentito(a) ; **~e Höchstgeschwindigkeit** velocità massima consentita ; **~es Gesamtgewicht** peso totale consentito.
Zulassung *(pl* **-en***) die (Erlaubnis)* ammissione *f* ; *(für Auto)* permesso *m* di circolazione.
zu|laufen *vi (unr & ist) (Tier)* : **die Katze ist uns zugelaufen** il gatto ci ha adottato ; ~ **auf** *(+A) (Person)* correre verso.
zuletzt *adv (als Letztes)* per ultimo(a) ; *(am Ende)* infine ; *fam (das letzte Mal)* l'ultima volta.
zuliebe *präp (+D)* : **das hat sie ihm ~ getan** l'ha fatto per lui.
zum *präp* = **zu + dem**.
zu|machen *vt & vi fam* chiudere.
zu|muten *vt* pretendere *(troppo)*.
zunächst *adv (als Erstes)* per prima cosa ; *(am Anfang)* in un primo momento.
zünden *vi (Motor)* accendersi.
Zündkerze *(pl* **-n***) die* candela *f (d'accensione)*.
Zündschloss *(pl* **-schlösser***) das* interruttore *m* d'accensione.
Zündschlüssel *(pl* **-***) der* chiave *f* d'accensione.
Zündung *(pl* **-en***) die* AUTO accensione *f*.
zunehmen *vi (unr)* aumentare ; *(dicker werden)* aumentare *(di peso)*.
Zunge *(pl* **-n***) die* lingua *f*.
zur *präp* = **zu + der**.
Zürich *nt* Zurigo *f*.
zurück *adv* indietro ; **der Weg ~** il ritorno ; **~ sein** essere di ritorno.
zurück|bekommen *vt (unr) (Geliehenes)* riavere ; *(Wechselgeld)* ricevere di resto.
zurück|bringen *vt (unr)* riportare.
zurück|erstatten *vt* rimborsare.
zurück|fahren *vi (unr & ist) (an Ausgangspunkt)* ritornare.
zurück|führen *vi (Weg, Straße)* ricondurre.
zurück|geben *vt (unr)* restituire ; **jm etw ~** restituire qc a qn.
zurück|gehen *vi (unr & ist) (zum Ausgangspunkt)* ritornare ; *(Anzahl, Häufigkeit)* diminuire.
zurück|halten *vt (unr) (fest halten)* trattenere. ■ **sich zurückhalten** *ref* trattenersi.
zurück|holen *vt* venire a riprendere.
zurück|kommen *vi (unr & ist) (an Ausgangspunkt)* ritornare.

zurück|lassen *vt (unr) (verlassen)* lasciare.

zurück|legen *vt (wieder hinlegen)* rimettere a posto ; *(reservieren)* mettere da parte ; *(Strecke)* percorrere ; *(Kopf)* appoggiare *(all'indietro)* ; **etw ~ lassen** *(reservieren)* far mettere da parte.

zurück|nehmen *vt (unr) (Gegenstand)* riprendere.

zurück|rufen *vt (unr) (Anrufer)* richiamare. ◆ *vi (unr) (am Telefon)* richiamare.

zurück|schicken *vt (Brief, Paket)* rispedire.

zurück|stellen *vt (wieder hinstellen)* rimettere a posto ; *(Uhr)* mettere indietro.

zurück|treten *vi (unr & ist) (rückwärts)* indietreggiare ; *(Präsident, Vorstand)* dimettersi ; **bitte ~!** indietro, prego!

zurück|verlangen *vt* reclamare.

zurück|zahlen *vt (Geld)* restituire.

zu|sagen *vt (bei Einladung)* accettare.

zusammen *adv (nicht allein)* insieme ; *(insgesamt)* in tutto.

Zusammenarbeit *die* collaborazione *f.*

zusammen|brechen *vi (unr & ist) (Person)* crollare ; *(Verkehr)* collassare.

Zusammenfassung (*pl* **-en**) *die* riassunto *m.*

zusammen|gehören *vi (Gegenstände)* andare insieme ; *(Partner)* essere fatti l'uno per l'altra.

zusammen|halten *vi (unr) (Personen)* essere unito(a).

Zusammenhang (*pl* **-hänge**) *der* contesto *m.*

zusammenklappbar *adj* pieghevole.

zusammen|knüllen *vt* appallottolare.

zusammen|legen *vt (Gruppen, Termine)* riunire ; *(falten)* ripiegare. ◆ *vi (bezahlen)* fare una colletta.

zusammen|nehmen : sich zusammennehmen *ref (unr)* controllarsi.

zusammen|passen *vi (Personen)* stare bene insieme ; *(Einzelteile)* andare bene insieme.

Zusammensetzung (*pl* **-en**) *die* composizione *f.*

Zusammenstoß (*pl* **-stöße**) *der* scontro *m.*

zusammen|stoßen *vi (unr & ist) (Fahrzeuge)* scontrarsi.

zusammen|zählen *vt* addizionare.

zusammen|ziehen *vi (unr & ist) (in Wohnung)* andare ad abitare insieme. ■ **sich zusammenziehen** *ref (enger werden)* restringersi.

zusammen|zucken *vi (ist)* trasalire.

Zusatz (*pl* **Zusätze**) *der (Substanz)* additivo *m.*

zusätzlich *adj* supplementare. ◆ *adv* in più.

zu|schauen *vi* guardare.

Zuschauer, in *(mpl -) der, die* spettatore *m*, -trice *f*.

Zuschauertribüne *(pl* **-n***)* *die* tribuna *f* spettatori.

zu|schicken *vt* spedire.

Zuschlag *(pl* **Zuschläge***)* *der* supplemento *m* ; **~ erforderlich** supplemento obbligatorio.

zuschlagpflichtig *adj* con supplemento.

Zuschuss *(pl* **Zuschüsse***)* *der* sovvenzione *f*.

zu|sehen *vi (unr) (zuschauen)* osservare.

zu sein *vi (unr & ist)* essere chiuso(a).

zu|sichern *vt* assicurare.

Zustand *(pl* **Zustände***)* *der (von Gegenstand, Person)* stato *m*. ■ **Zustände** *pl* condizioni *fpl* ; **die politischen ~** la situazione politica.

zuständig *adj (Beamte, Abteilung)* competente ; **~ sein für** essere responsabile di.

zu|steigen *vi (unr & ist)* salire ; **noch jemand zugestiegen?** biglietti non visti, prego.

zu|stimmen *vi (+D)* acconsentire.

Zustimmung *die* consenso *m*.

zu|stoßen *vi (unr & ist)* : **etw stößt jm zu** qc capita a qn.

Zutat *(pl* **-en***)* *die* ingrediente *m*.

zu|trauen *vt* : **jm etw ~** credere qn capace di qc.

zu|treffen *vi (unr)* essere vero(a) ; **'Zutreffendes bitte ankreuzen'** 'segnare (con una crocetta) le voci che interessano'.

Zutritt *der* accesso *m*.

zuverlässig *adj* affidabile.

zu viel *pron* troppo.

zu|weisen *vt (unr)* assegnare.

zu wenig *pron* troppo poco.

zu|winken *vi (+D)* fare un cenno.

zu|zahlen *vt* pagare in più.

zuzüglich *präp (+G,+D)* più.

zwang *prät* → **zwingen**.

Zwang *(pl* **Zwänge***)* *der* costrizione *f*.

zwanglos *adj* informale.

zwanzig *num* venti ; *siehe auch* **sechs**.

zwanzigste, r, s *adj* ventesimo(a) ; **das ~ Jahrhundert** il ventesimo secolo; *siehe auch* **sechste** .

zwar *adv* : **und ~** *(genauer)* più precisamente ; **~ ... aber** sì ... ma.

Zweck *(pl* **-e***)* *der (Ziel)* scopo *m* ; **es hat keinen ~** non ha alcun senso.

zwecklos *adj* senza scopo.

zweckmäßig *adj* appropriato(a).

zwei *num* due ; *siehe auch* **sechs**.

Zweibettabteil *(pl* **-e***)* *das* scompartimento *m* a due letti.

Zweibettkabine *(pl* **-n***)* *die* cabina *f* a due letti.

Zweibettzimmer *(pl* **-***)* *das* camera *f* doppia.

Zweieurostück *(pl* **-stücke***)* *das* moneta *f* da due euro.

zweifach *adj* doppio(a).

Zweifel (*pl* -) *der* dubbio *m* ; **ohne ~** senza dubbio ; **~ haben an** *(+D)* avere dubbi su.
zweifellos *adv* senza dubbio.
zweifeln *vi* dubitare.
Zweig (*pl* -e) *der (von Baum, Strauch)* ramo *m*.
zweihundert *num* duecento ; *siehe auch* **sechs**.
Zweihunderteuroschein (*pl* -e) *der* banconota *f* da duecento euro.
zweimal *adv* due volte.
Zweirad (*pl* -räder) *das* veicolo *m* a due ruote.
zweisprachig *adj* bilingue.
zweispurig *adj* a due corsie.
zweit *adv* : **zu ~ sein** essere in due.
Zweitakter-Gemisch *das* miscela *f* per motori a due tempi.
zweitbeste *adj* secondo(a).
zweite, r, s *adj* secondo(a) ; *siehe auch* **sechste**.
zweiteilig *adj* in due parti.
zweitens *adv* in secondo luogo.
Zwerchfell (*pl* -e) *das* diaframma *m*.
Zwerg (*pl* -e) *der (Figur)* nano *m*.
Zwetsche (*pl* -n) *die (Frucht)* prugna *f*.
Zwetschgendatschi (*pl* -) *der Süddt dolce alle prugne*.
Zwieback (*pl* **Zwiebäcke**) *der* fetta *f* biscottata.
Zwiebel (*pl* -n) *die (Gemüse)* cipolla *f*.
Zwiebelsuppe (*pl* -n) *die* zuppa *f* di cipolle.
Zwilling (*pl* -e) *der (Geschwister)* gemello *m*, -a *f* ; *(Sternzeichen)* Gemelli *mpl*.
zwingen (*prät* **zwang**, *pp* **gezwungen**) *vt* costringere. ■ **sich zwingen** *ref* costringersi.
zwinkern *vi* ammiccare.
zwischen *präp (+A & +D)* tra.
zwischendurch *adv (zeitlich)* nel frattempo.
Zwischenfall (*pl* -fälle) *der* imprevisto *m*.
Zwischenlandung (*pl* -en) *die* scalo *m* intermedio.
Zwischenraum (*pl* -räume) *der* spazio *m*.
Zwischenstecker (*pl* -) *der* adattatore *m*.
Zwischenstop (*pl* -s) *der* fermata *f* intermedia.
Zwischensumme (*pl* -n) *die* subtotale *m*.
zwölf *num* dodici ; *siehe auch* **sechs**.
zynisch *adj* cinico(a).

UNREGELMÄSSIGE DEUTSCHE VERBEN

Infinitiv	Präsens	Präteritum	Perfekt
beginnen	beginnt	begann	hat begonnen
beißen	beißt	biss	hat gebissen
bitten	bittet	bat	hat gebeten
bleiben	bleibt	blieb	ist geblieben
bringen	bringt	brachte	hat gebracht
denken	denkt	dachte	hat gedacht
dürfen	darf	durfte	hat gedurft/dürfen
essen	isst	aß	hat gegessen
fahren	fährt	fuhr	hat/ist gefahren
finden	findet	fand	hat gefunden
fliegen	fliegt	flog	hat/ist geflogen
fließen	fließt	floss	ist geflossen
geben	gibt	gab	hat gegeben
gehen	geht	ging	ist gegangen
gelten	gilt	galt	hat gegolten
geschehen	geschieht	geschah	ist geschehen
gießen	gießt	goss	hat gegossen
greifen	greift	griff	hat gegriffen
haben	hat	hatte	hat gehabt
halten	hält	hielt	hat gehalten
heben	hebt	hob	hat gehoben
heißen	heißt	hieß	hat geheißen
helfen	hilft	half	hat geholfen
kennen	kennt	kannte	hat gekannt
kommen	kommt	kam	ist gekommen
können	kann	konnte	hat können/gekonnt
lassen	lässt	ließ	hat gelassen/lassen
laufen	läuft	lief	hat/ist gelaufen
leihen	leiht	lieh	hat geliehen
lesen	liest	las	hat gelesen
liegen	liegt	lag	hat gelegen

Infinitiv	Präsens	Präteritum	Perfekt
lügen	lügt	log	hat gelogen
messen	misst	maß	hat gemessen
mögen	mag	mochte	hat gemocht/mögen
müssen	muss	musste	hat gemusst/müssen
nehmen	nimmt	nahm	hat genommen
nennen	nennt	nannte	hat genannt
raten	rät	riet	hat geraten
reißen	reißt	riss	hat/ist gerissen
rennen	rennt	rannte	ist gerannt
riechen	riecht	roch	hat gerochen
rufen	ruft	rief	hat gerufen
schieben	schiebt	schob	hat geschoben
schießen	schießt	schoss	hat/ist geschossen
schlafen	schläft	schlief	hat geschlafen
schlagen	schlägt	schlug	hat/ist geschlagen
schließen	schließt	schloss	hat geschlossen
schneiden	schneidet	schnitt	hat geschnitten
schreiben	schreibt	schrieb	hat geschrieben
schreien	schreit	schrie	hat geschrie(e)n
schwimmen	schwimmt	schwamm	hat/ist geschwommen
sehen	sieht	sah	hat gesehen
sein	ist	war	ist gewesen
singen	singt	sang	hat gesungen
sitzen	sitzt	saß	hat gesessen
sprechen	spricht	sprach	hat gesprochen
springen	springt	sprang	hat/ist gesprungen
stehen	steht	stand	hat gestanden
stehlen	stiehlt	stahl	hat gestohlen
sterben	stirbt	starb	ist gestorben
stoßen	stößt	stieß	hat/ist gestoßen

Infinitiv	Präsens	Präteritum	Perfekt
streiten	streitet	stritt	hat gestritten
tragen	trägt	trug	hat getragen
treten	tritt	trat	hat getreten
trinken	trinkt	trank	hat getrunken
tun	tut	tat	hat getan
verlieren	verliert	verlor	hat verloren
waschen	wäscht	wusch	hat gewaschen
werden	wird	wurde	ist geworden/worden
werfen	wirft	warf	hat geworfen
wissen	weiß	wusste	hat gewusst
wollen	will	wollte	hat gewollt/wollen

CONIUGAZIONE
DEI
VERBI ITALIANI

Abbreviazioni : ***prind*** = presente indicativo, ***imperf*** = imperfetto, ***fut*** = futuro, ***cond*** = condizionale, ***pr cong*** = presente congiuntivo, ***imperat*** = imperativo, ***ger*** = gerundio, ***pp*** = participio passato

essere :

ind pr sono, sei, è, siamo, siete, sono • ***imperf*** ero, eri, era, eravamo, eravate, erano • ***p rem*** fui, fosti, fu, fummo, foste, furono • ***fut*** sarò, sarai, sarà, saremo, sarete, saranno • ***cond pr*** sarei, saresti, sarebbe, saremmo, sareste, sarebbero • ***cong pr*** sia, sia, sia, siamo, siate, siano • ***cong imper*** fossi, fossi, fosse, fossimo, foste, fossero • ***imperat*** sii, sia, siamo, siate, siano • ***ger*** essendo • ***pp*** stato

avere :

ind pr ho, hai, ha, abbiamo, avete, hanno • ***imperf*** avevo, avevi, aveva, avevamo, avevate, avevano • ***p rem*** ebbi, avesti, ebbe, avemmo, aveste, ebbero • ***fut*** avrò, avrai, avrà, avremo, avrete, avranno • ***cond pr*** avrei, avresti, avrebbe, avremmo, avreste, avrebbero • ***cong pr*** abbia, abbia, abbia, abbiamo, abbiate, abbiano • ***cong imper*** avessi, avessi, avesse, avessimo, aveste, avessero • ***imperat*** abbi, abbia, abbiamo, abbiate, abbiano • ***ger*** avendo • ***pp*** avuto

dovere :

ind pr devo *o* debbo, devi, deve, dobbiamo, dovete, devono *o* debbono • ***imperf*** dovevo, dovevi, doveva, dovevamo, dovevate, dovevano • ***p rem*** dovei *o* dovetti, dovesti, dové *o* dovette, dovemmo, doveste, doverono *o* dovettero • ***fut*** dovrò, dovrai, dovrà, dovremo, dovrete, dovranno, ***cond pr*** dovrei, dovresti, dovrebbe, dovremmo, dovreste, dovrebbero • ***cong pr*** deva *o* debba, deva *o* debba, deva *o* debba, dobbiamo, dobbiate, devano *o* debbano • ***cong imper*** dovessi, dovessi, dovesse, dovessimo, doveste, dovessero • ***ger*** dovendo • ***pp*** dovuto

potere :

ind pr posso, puoi, può, possiamo, potete, possono • ***imperf***

potevo, potevi, poteva, potevamo, potevate, potevano • *p rem* potei *o* potetti, potesti, poté *o* potette, potemmo, poteste, poterono *o* potettero • *fut* potrò, potrai, potrà, potremo, potrete, potranno • *cond pr* potrei, potresti, potrebbe, potremmo, potreste, potrebbero • *cong pr* possa, possa, possa, possiamo, possiate, possano • *cong imper* potessi, potessi, potesse, potessimo, poteste, potessero • *ger* potendo • *pp* potuto

volere :

ind pr voglio, vuoi, vuole, vogliamo, volete, vogliono • *imperf* volevo, volevi, voleva, volevamo, volevate, volevano • *p rem* volli, volesti, volle, volemmo, voleste, vollero • *fut* vorrò, vorrai, vorrà, vorremo, vorrete, vorranno • *cond pr* vorrei, vorresti, vorrebbe, vorremmo, vorreste, vorrebbero • *cong pr* voglia, voglia, voglia, vogliamo, vogliate, vogliano • *cong imper* volessi, volessi, volesse, volessimo, voleste, volessero • *ger* volendo • *pp* voluto

parlare :

ind pr parlo, parli, parla, parliamo, parlate, parlano • *imperf* parlavo, parlavi, parlava, parlavamo, parlavate, parlavano • *p rem* parlai, parlasti, parlò, parlammo, parlaste, parlarono • *fut* parlerò, parlerai, parlerà, parleremo, parlerete, parleranno • *cond pr* parlerei, parleresti, parlerebbe, parleremmo, parlereste, parlerebbero • *cong pr* parli, parli, parli, parliamo, parliate, parlino • *cong imper* parlassi, parlassi, parlasse, parlassimo, parlaste, parlassero • *imperat* parla, parli, parliamo, parlate, parlino • *ger* parlando • *pp* parlato

credere :

ind pr credo, credi, crede, crediamo, credete, credono • *imperf* credevo, credevi, credeva, credevamo, credevate, credevano • *p rem* credei *o* credetti, credesti, credé *o* credette, credemmo, credeste, crederono *o* credettero • *fut* crederò, crederai, crederà, crederemo, crederete, crederanno • *cond pr* crederei, crederesti, crederebbe, crederemmo, credereste, crederebbero • *cong pr* creda, creda, creda, crediamo, crediate, credano • *cong imper* credessi, credessi, credesse, credessimo, credeste, credessero • *imperat* credi, creda, crediamo, credete, credano • *ger* credendo • *pp* creduto

partire :

ind pr parto, parti, parte, partiamo, partite, partono • *imperf* partivo, partivi, partiva, partivamo, partivate, partivano • *p rem* partii, partisti, partì, partimmo, partiste, partirono • *fut* partirò, partirai, partirà, partiremo, partirete, partiranno • *cond pr* partirei, partiresti, partirebbe, partiremmo, partireste, partirebbero • *cong pr* parta, parta, parta, partiamo, partiate, partano • *cong imper* partissi, partissi, partisse, partissimo, partiste, partissero • *imperat* parti, parta, partiamo, partite, partano • *ger* partendo • *pp* partito

capire :

ind pr capisco, capisci, capisce, capiamo, capite, capiscono • *cong pr* capisca, capisca, capisca, capiamo, capiate, capiscano • *imperat* capisci, capisca, capiamo, capite, capiscano

applaudire :

ind pr applaudisco *o* applaudo, applaudisci *o* applaudi, applaudisce *o* applaude, applaudiamo, applaudite, applaudiscono *o* applaudono • *cong pr* applaudisca *o* applauda, applaudisca *o* applauda, applaudisca *o* applauda, applaudiamo, applaudiate, applaudiscano *o* applaudano • *imperat* applaudisci *o* applaudi, applaudisca *o* applauda, applaudiamo, applaudite, applaudiscano *o* applaudano

andare :

ind pr vado, vai, va, andiamo, andate, vanno • *p rem* andai, andasti, andò, andammo, andaste, andarono • *fut* andrò, andrai, andrà, andremo, andrete, andranno • *cond pr* andrei, andresti, andrebbe, andremmo, andreste, andrebbero • *cong pr* vada, vada, vada, andiamo, andiate, vadano • *imperat* va *o* vai *o* va', vada, andiamo, vadano

dare :

ind pr do, dai, dà, diamo, date, danno • *p rem* diedi *o* detti, desti, diede *o* dette, demmo, deste, diedero *o* dettero • *fut* darò, darai, darà, daremo, darete, daranno • *cond pr* darei, daresti, darebbe, daremmo, dareste, darebbero • *cong pr* dia, dia, dia, diamo, diate, diano • *cong imper* dessi, dessi, desse, dessimo, deste, dessero • *imperat* dà *o* dai *o* da', dia, diamo, date, diano *ger* dando; *pp* dato

fare :

ind pr faccio, fai, fa, facciamo, fate, fanno • *imperf* facevo, facevi, faceva, facevamo, facevate, facevano • *p rem* feci, facesti, fece, facemmo, faceste, fecero • *fut* farò, farai, farà, faremo, farete, faranno • *cond pr* farei, faresti, farebbe, faremmo, fareste, farebbero • *cong pr* faccia, faccia, faccia, facciamo, facciate, facciano • *cong imper* facessi, facessi, facesse, facessimo, faceste, facessero • *imperat* fa *o* fai *o* fa', faccia, facciamo, fate, facciano • *ger* facendo • *pp* fatto

stare :

ind pr sto, stai, sta, stiamo, state, stanno • *p rem* stetti, stesti, stette, stemmo, steste, stettero • *fut* starò, starai, starà, staremo, starete, staranno • *cond pr* starei, staresti, starebbe, staremmo, stareste, starebbero • *cong pr* stia, stia, stia, stiamo, stiate, stiano • *cong imper* stessi, stessi, stesse, stessimo, steste, stessero • *imperat* sta *o* stai *o* sta', stia, stiamo, state, stiano

cercare :

ind pr cerco, cerchi, cerca, cerchiamo, cercate, cercano • *fut* cercherò, cercherai, cercherà, cercheremo, cercherete, cercheranno • *cond pr* cercherei, cercheresti, cercherebbe, cercheremmo, cerchereste, cercherebbero • *cong pr* cerchi, cerchi, cerchi, cerchiamo, cerchiate, cerchino • *imperat* cerca, cerchi, cerchiamo, cercate, cerchino

pagare :

ind pr pago, paghi, paga, paghiamo, pagate, pagano • *fut* pagherò, pagherai, pagherà, pagheremo, pagherete, pagheranno • *cond pr* pagherei, pagheresti, pagherebbe, pagheremmo, paghereste, pagherebbero • *cong pr* paghi, paghi, paghi, paghiamo, paghiate, paghino • *imperat* paga, paghi, paghiamo, pagate, paghino

cominciare :

ind pr comincio, cominci, comincia, cominciamo, cominciate, cominciano • *fut* comincerò, comincerai, comincerà, cominceremo, comincerete, cominceranno • *cond pr* comincerei, cominceresti, comincerebbe, cominceremmo, comincereste, comincerebbero • *cong pr* cominci, cominci, cominci, cominciamo, cominciate, comincino • *imperat* comincia, cominci, cominciamo, cominciate, comincino

mangiare :

ind pr mangio, mangi, mangia, mangiamo, mangiate, mangiano • *fut* mangerò, mangerai, mangerà, mangeremo, mangerete, mangeranno • *cond pr* mangerei, mangeresti, mangerebbe, mangeremmo, mangereste, mangerebbero • *cong pr* mangi, mangi, mangi, mangiamo, mangiate, mangino • *imperat* mangia, mangi, mangiamo, mangiate, mangino

lasciare :

ind pr lascio, lasci, lascia, lasciamo, lasciate, lasciano • *fut* lascerò, lascerai, lascerà, lasceremo, lascerete, lasceranno • *cond pr* lascerei, lasceresti, lascerebbe, lasceremmo, lascereste, lascerebbero • *cong pr* lasci, lasci, lasci, lasciamo, lasciate, lascino • *imperat* lascia, lasci, lasciamo, lasciate, lascino

cambiare :

ind pr cambio, cambi, cambia, cambiamo, cambiate, cambiano • *cong pr* cambi, cambi, cambi, cambiamo, cambiate, cambino • *imperat* cambia, cambi, cambiamo, cambiate, cambino

sbagliare :

ind pr sbaglio, sbagli, sbaglia, sbagliamo, sbagliate, sbagliano • *cong pr* sbagli, sbagli, sbagli, sbagliamo, sbagliate, sbaglino • *imperat* sbagli, sbaglia, sbagliamo, sbagliate, sbaglino

inviare :

ind pr invio, invii, invia, inviamo, inviate, inviano • *cong pr* invii, invii, invii, inviamo, inviate, inviino

accompagnare :

ind pr accompagno, accompagni, accompagna, accompagniamo *o* accompagnamo, accompagnate, accompagnano • *cong pr* accompagni, accompagni, accompagni, accompagniamo *o* accompagnamo, accompagniate, accompagnino • *imperat* accompagna, accompagni, accompagniamo *o* accompagnamo, accompagnate, accompagnino

creare :

fut creerò, creerai, creerà, creeremo, creerete, creeranno • *cond pr* creerei, creeresti, creerebbe, creeremmo, creereste, creerebbero

torcere :

p rem torsi, torcesti, torse, torcemmo, torceste, torsero • *pp* torto

vincere :

p rem vinsi, vincesti, vinse, vincemmo, vinceste, vinsero • *pp* vinto

conoscere :

p rem conobbi, conoscesti, conobbe, conoscemmo, conosceste, conobbero • *pp* conosciuto

nascere :

p rem nacqui, nascesti, nacque, nascemmo, nasceste, naquero • *pp* nato

chiedere :

p rem chiesi, chiedesti, chiese, chiedemmo, chiedeste, chiesero • *pp* chiesto

decidere :

p rem decisi, decidesti, decise, decidemmo, decideste, decisero • *pp* deciso,

chiudere :

p rem chiusi, chiudesti, chiuse, chiudemmo, chiudeste, chiusero • *pp* chiuso

dissuadere :

p rem dissuasi, dissuadesti, dissuase, dissuademmo, dissuadeste, dissuasero • *pp* dissuaso

perdere :

p rem persi *o* perdei *o* perdetti, perdesti, perse *o* perdé *o* perdette, perdemmo, perdeste, persero *o* perderono *o* perdettero • *pp*, perso *o* perduto

mordere :

p rem morsi, mordesti, morse, mordemmo, mordeste, morsero • *pp* morso

radere :

p rem rasi, radesti, rase, rademmo, radeste, rasero • *pp* raso

rodere :

p rem rosi, rodesti, rose, rodemmo, rodeste, rosero • *pp* roso

esplodere :

p rem esplosi, esplodesti, esplose, esplodemmo, esplodeste, esplosero • *pp* esploso

invadere :

p rem invasi, invadesti, invase, invademmo, invadeste, invasero • *pp* invaso

ledere :

p rem lesi, ledesti, lese, ledemmo, ledeste, lesero • *pp* leso

concedere :

p rem concessi *o* concedei *o* concedetti, concedesti, concesse *o* concedé *o* concedette, concedemmo, concedeste, concessero *o* concederono *o* concedettero • *pp* concesso

espandere :

p rem espansi, espandesti, espanse, espandemmo, espandeste, espansero • *pp* espanso

rispondere :

p rem risposi, rispondesti, rispose, rispondemmo, rispondeste, risposero ●*pp* risposto

prendere :

p rem presi, prendesti, prese, prendemmo, prendeste, presero ●*pp* preso

fondere :

p rem fusi, fondesti, fuse, fondemmo, fondeste, fusero ●*pp* fuso

scindere :

p rem scissi, scindesti, scisse, scindemmo, scindeste, scissero ●*pp* scisso

porgere :

p rem porsi, porgesti, porse, porgemmo, porgeste, porsero ●*pp* porto

assurgere :

p rem assursi, assurgesti, assurse, assurgemmo, assurgeste, assursero ●*pp* assurto

volgere :

p rem volsi, volgesti, volse, volgemmo, volgeste, volsero ●*pp* volto

fingere :

p rem finsi, fingesti, finse, fingemmo, fingeste, finsero ●*pp* finto

legggere :

p rem lessi, leggesti, lesse, leggemmo, leggeste, lessero ●*pp* letto

affiggegre :

p rem affissi, affiggesti, affisse, affiggemmo, affiggeste, affissero ●*pp* affisso

emergere :

p rem emersi, emergesti, emerse, emergemmo, emergeste, emersero ●*pp* emerso

spargere :

p rem sparsi, spargesti, sparse, spargemmo, spargeste, sparsero ●*pp* sparso

rifulgere :

p rem rifulsi, rifulgesti, rifulse, rifulgemmo, rifulgeste, rifulsero • *pp* rifulso

redigere :

p rem redassi, redigesti, redasse, redigemmo, redigeste, redassero • *pp* redatto

dirigere :

p rem diressi, dirigesti, diresse, dirigemmo, dirigeste, diressero • *pp* diretto

stringere :

p rem strinsi, stringesti, strinse, stringemmo, stringeste, strinsero • *pp* stretto

divellere :

p rem , divelsi, divellesti, divelse, divellemmo, divelleste, divelsero • *pp* divelto

eccellere :

rem eccelsi, eccellesti, eccelse, eccellemmo, eccelleste, eccelsero • *pp* eccelso

espellere :

p rem espulsi, espellesti, espulse, espellemmo, espelleste, espulsero • *pp* espulso

assumere :

p rem assunsi, assumesti, assunse, assumemmo, assumeste, assunsero • *pp* assunto

redimere :

p rem redensi, redimesti, redense, redimemmo, redimeste, redensero • *pp* redento

esprimere :

p rem espressi, esprimesti, espresse, esprimemmo, esprimeste, espressero • *pp* espresso

rompere :

p rem ruppi, rompesti, ruppe, rompemmo, rompeste, ruppero • *pp* rotto

correre :

p rem corsi, corresti, corse, corremmo, correste, corsero • *pp* corso

assistere :

pp assistito

connettere :

p rem connettei o connessi, connettesti, connetté *o* connesse, connettemmo, connetteste, connetterono *o* connessero • *pp* connesso

flettere :

p rem flettei o flessi, flettesti, fletté *o* flesse, flettemmo, fletteste, fletterono *o* flessero • *pp* flesso

discutere :

p rem discussi, discutesti, discusse, discutemmo, discuteste, discussero • *pp* discusso

scuotere :

p rem scossi, scuotesti, scosse, scuotemmo, scuoteste, scossero • *pp* scosso

mettere :

p rem misi, mettesti, mise, mettemmo, metteste, misero • *pp* messo

distinguere :

p rem distinsi, distinguesti, distinse, distinguemmo, distingueste, distinsero • *pp* distinto

scrivere :

p rem scrissi, scrivesti, scrisse, scrivemmo, scriveste, scrissero • *pp* scritto

assolvere :

p rem assolsi *o* assolvei *o* assolvetti, assolvesti, assolse *o* assolvé *o* assolvette, assolvemmo, assolveste, assolse *o* assolverono *o* assolvettero • *pp* assolto

devolvere :

pp devoluto

muovere :

p rem mossi, movesti *o* muovesti, mosse, movemmo *o* muovemo, moveste *o* muoveste, mossero • *pp* mosso

sedere :

ind pr siedo, siedi, siede, sediamo, sedete, siedono • *cong pr* sieda, sieda, sieda, sediamo, sediate, siedano • *imperat* siedi, sieda, sediamo, sedete, siedano

godere :

fut godrò, godrai, godrà, godremo, godrete, godranno • *cond pr* godrei, godresti, godrebbe, godremmo, godreste, godrebbero

bere :

ind pr bevo, bevi, beve, beviamo, bevete, bevono • *imperf* bevevo, bevevi, beveva, bevevamo, bevevate, bevevano • *p rem* bevvi, bevesti, bevve, bevemmo, beveste, bevvero • *fut* berrò, berrai, berrà, berremo, berrete, berranno • *cond pr* berrei, berresti, berrebbe, berremmo, berreste, berrebbero • *cong pr* beva, beva, beva, beviamo, beviate, bevano • *cong imper* bevessi, bevessi, bevesse, bevessimo, beveste, bevessero • *imperat* bevi, beva, beviamo, bevete, bevano • *ger* bevendo • *pp* bevuto

sapere :

ind pr so, sai, sa, sappiamo, sapete, sanno • *p rem* seppi, sapesti, seppe, sapemmo, sapeste, seppero • *fut* saprò, saprai, saprà, sapremo, saprete, sapranno • *cond pr* saprei, sapresti, saprebbe, sapremmo, sapreste, saprebbero • *cong pr* sappia, sappia, sappia, sapremmo, sapreste, saprebbero • *imperat* sappi, sappia, sappiamo, sappiate, sappiano

vedere :

p rem vidi, vedesti, vide, vedemmo, vedeste, videro • *fut* vedrò, vedrai, vedrà, vedremo, vedrete, vedranno • *cond pr* vedrei, vedresti, vedrebbe, vedremmo, vedreste, vedrebbero • *pp* visto *o* veduto

prevedere :

p rem previdi, prevedesti, previde, prevedemmo, prevedeste, previdero • *fut* prevedrò, prevedrai, prevedrà, prevedremo, prevedrete, prevedranno • *cond pr* prevedrei, prevedresti, prevedrebbe, prevedremmo, prevedreste, prevedrebbero • *pp* previsto *o* preveduto

vivere :

p rem vissi, vivesti, visse, vivemmo, viveste, vissero, *fut* vivrò, vivrai, vivrà, vivremo, vivrete, vivranno ● *cond pr* vivrei, vivresti, vivrebbe, vivremmo, vivreste, vivrebbero ● *pp* vissuto

cadere :

p rem caddi, cadesti, cadde, cademmo, cadeste, caddero ● *fut* cadrò, cadrai, cadrà, cadremo, cadrete, cadranno ● *cond pr* cadrei, cadresti, cadrebbe, cadremmo, cadreste, cadrebbero

spegnere :

ind pr spengo, spegni, spegne, spegniamo, spegnete, spengono ● *p rem* spensi, spegnesti, spense, spegnemmo, spegneste, spensero ● *cong pr* spenga, spenga, spenga, spegniamo, spegniate, spengano ● *imperat* spegni, spenga, spegniamo, spegnete, spengano ● *pp* spento

togliere :

ind pr tolgo, togli, toglie, togliamo, togliete, tolgono ● *p rem* tolsi, togliesti, tolse, tolgliemmo, toglieste, tolsero ● *cong pr* tolga, tolga, tolga, togliamo, togliate, tolgano ; *imperat* togli, tolga, togliamo, togliete, tolgano ● *pp* tolto

piacere :

ind pr piaccio, piaci, piace, piacciamo, piacete, piacciono ● *p rem* piacqui, piacesti, piacque, piacemmo, piaceste, piacquero ● *cong pr* piaccia, piaccia, piaccia, piacciamo, piacciate, piacciano ● *pp* piaciuto

nuocere :

ind pr nuoccio *o* noccio, nuoci, nuoce, nociamo *o* nuociamo, nocete *o* nuocete, nocciono *o* nuocciono ● *imperf* nocevo *o* nuocevo, *ecc* ; *p rem* nocqui, nocesti *o* nuocesti, nocque, nocemmo *o* nuocemmo, noceste *o* nuoceste, nocquero ● *fut* nocerò *o* nuocerò, *ecc* ; *cond pr* nocerei *o* nuocerei, *ecc* ; *cong pr* noccia *o* nuoccia, noccia *o* nuoccia, noccia *o* nuoccia, nociamo *o* nuociamo, nociate *o* nuociate, nocciano *o* nuocciano • *cong imper* nocessi *o* nuocessi, ecc ; *imperat* nuoci, noccia *o* nuoccia, nociamo *o* nuociamo, nocete *o* nuocete, nocciamo *o* nuocciano • *ger* nocendo *o* nuocendo • *pp* nociuto

cuocere :

ind pr cuocio, cuoci, cuoce, cociamo *o* cuociamo, cocete *o* cuocete, cuociono, *p rem* cossi, cocesti *o* cuocesti, cosse, cuocemmo *o* cocemmo, coceste *o* cuoceste, cossero ; *cong pr* cuocia, cuocia, cuocia, cuociamo, cuociate, cuociano ; *imperat* cuoci, cuocia, cuociamo, cuocete, cuociano ; *pp* cotto

rimanere :

ind pr rimango, rimani, rimane, rimaniamo, rimanete, rimangono • *imperf* rimanevo, rimanevi, ecc ; *p rem* rimasi, rimanesti, rimase, rimanemmo, rimaneste, rimasero ; *fut* rimarrò, rimarrai, rimarrà, rimarremo, rimarrete, rimarranno • *cond pr* rimarrei, rimarresti, rimarrebbe, rimarremmo, rimarreste, rimarrebbero • *cong pr* rimanga, rimanga, rimanga, rimaniamo, rimaniate, rimangano • *imperat* rimani, rimanga, rimaniamo, rimanete, rimangano • *pp* rimasto

valere :

ind pr valgo, vali, vale, valiamo, valete, valgono • *p rem* valsi, valesti, valse, valemmo, valeste, valsero • *fut* varrò, varrai, varrà, varremo, varrete, varranno • *cond pr* varrei, varresti, varrebbe, varremmo, varreste, varrebbero • *cong pr* valga, valga, valga, valiamo, valiate, valgano • *pp* valso

dolere :

ind pr dolgo, duoli, duole, doliamo *o* dogliamo, dolete, dolgono • *p rem* dolsi, dolesti, dolse, dolemmo, doleste, dolsero • *fut* dorrò, dorrai, dorrà, dorremo, dorrete, dorranno • *cond pr* dorrei, dorresti, dorrebbe, dorremmo, dorreste, dorrebbero • *cong pr* dolga, dolga, dolga, doliamo *o* dogliamo, doliate *o* dogliate, dolgano • *imperat* duoli, dolga, doliamo *o* dogliamo, dolete, dolgano

tenere :

ind pr tengo, tieni, tiene, teniamo, tenete, tengono •*p rem* tenni, tenesti, tenne, tenemmo, teneste, tennero, *fut* terrò, terrai, terrà, terremo, terrete, terranno •*cond pr* terrei, terresti, terrebbe, terremmo, terreste, terrebbero •*cong pr* tenga, tenga, tenga, teniamo, teniate, tengano •*imperat* tieni, tenga, teniamo, tenete, tengano

parere :

ind pr paio, pari, pare, paiamo, parete, paiono •*p rem* parvi, paresti, parve, paremmo, pareste, parvero •*fut* parrò, parrai, parrà, parremo, parrete, parranno •*cond pr* parrei, parresti, parrebbe, parremmo, parreste, parrebbero •*cong pr* paia, paia, paia, paiamo, paiate, paiano •*pp* parso

condurre :

ind pr conduco, conduci, conduce, conduciamo, conducete, conducono •*imperf* conducevo, conduceva, ecc ; *p rem* condussi, conducesti, condusse, conducemmo, conduceste, condussero •*fut* condurrò, condurrai, condurrà, condurremo, condurrete, condurranno •*cond pr* condurrei, condurresti, condurrebbe, condurremmo, condurreste, condurrebbero •*cong pr* conduca, conduca, conduca, conduciamo, conduciate, conducano •*cong imper* conducessi, ecc ; *imperat* conduci, conduca, conduciamo, conducete, conducano •*ger* conducendo •*pp* condotto

proporre :

ind pr propongo, proponi, propone, proponiamo, proponete, propongono •*p rem* proposi, proponesti, propose, proponemmo, proponeste, proposero •*fut* proporrò, proporrai, proporrà, proporremo, proporrete, proporranno •*cond pr* proporrei, proporresti, proporrebbe, proporremmo, proporreste, proporrebbero •*cong pr* proponga, proponga, proponga, proponiamo, proponiate, propongano •*cong imper* proponessi, proponessi, proponesse, proponessimo, proponeste, proponessero, *imperat* proponi, proponga, proponiamo, proponete, propongano ● *pp* proposto

trarre :

ind pr traggo, trai, trae, traiamo, traete, traggono ; *imperf* traevo, traevi, *ecc* ; *p rem* trassi, traesti, trasse, traemmo, traeste, trassero ● *fut* trarrò, trarrai, trarrà, trarremo, trarrete, trarranno ● *cond pr* trarrei, trarresti, trarrebbe, trarremmo, trarreste, trarrebbero ● *cong pr* tragga, tragga, tragga, traiamo, traiate, traggano ● *cong imper* traessi, *ecc* ; *imperat* trai, tragga, traiamo, traete, traggano ● *ger* traendo ● *pp* tratto

aprire :

p rem aprii *o* apersi, apristi, aprì *o* aperse, aprimmo, apriste, aprirono *o* apersero ● *pp* aperto ●

cucire :

ind pr cucio, cuci, cuce, cuciamo, cucite, cuciono ● *cong pr* cucia, cucia, cucia, cuciamo, cuciate, cuciano ● *imperat* cuci, cucia, cuciamo, cucite, cuciano

dire :

ind pr dico, dici, dice, diciamo, dite, dicono ● *imperf* dicevo, dicevi, *ecc* ; *p rem* dissi, dicesti, disse, dicemmo, diceste, dissero ● *fut* dirò, dirai, dirà, diremo, direte, diranno ● *cond pr* direi, diresti, direbbe, diremmo, direste, direbbero ● *cong pr* dica, dica, dica, diciamo, diciate, dicano ● *cong imper* dicessi, dicessi, dicesse, dicessimo, diceste, dicessero ● *imperat* di', dica, diciamo, dite, dicano ● *ger* dicendo ● *pp* detto

benedire :

Come bene **[dire]** a parte la seconda imper. sing. : benedici

contraddire :

Come **[dire]** a parte la seconda persona imper. sing. : contraddici

morire :

ind pr muoio, muori, muori, moriamo, morite, muoiono • *cong pr* muoia, muoia, muoia, moriamo, moriate, muoiano • *imperat* muori, muoia, moriamo, morite, muoiano • *pp* morto,

salire :

ind pr salgo, sali, sale, saliamo, salite, salgono • *cong pr* salga, salga, salga, saliamo, salite, salgano • *imperat* sali, salga, saliamo, salite, salgano

scomparire :

ind pr scompaio, scompari, scompare, scompariamo, scomparite, scompaiono • *p rem* scomparvi *o* scomparii, scomparisti, scomparve, scomparimmo, scompariste, scomparvero • *cong pr* scompaia, scompaia, scompaia, scompariamo, scompariate, scompaiano • *imperat* scompari, scompaia, scompariamo, scomparite, scompaiano • *pp* scomparso

seppellire :

Come **[capire]** a parte part. pass. che ha forma doppia: sepolto o seppellito

udire :

ind pr odo, odi, ode, udiamo, udite, odono • *cong pr* oda, oda, oda, udiamo, udite, odano • *imperat* odi, oda, udiamo, udite, odano

uscire :

ind pr esco, esci, esce, usciamo, uscite, escono • *cong pr* esca, esca, esca, usciamo, usciate, escano • *imperat* esci, esca, usciamo, uscite, escano

venire :

ind pr vengo, viene, viene, veniamo, venite, vengono • *p rem* venni, venisti, venne, venimmo, veniste, vennero • *fut* verrò, verrai, *ecc* ; *cond pr* verrei, verresti , *ecc* ; *cong pr* venga, venga, venga, veniamo, veniate, vengano • *imperat* vieni, venga, veniamo, venite, vengano • *pp* venuto

adempiere o adempire :

N.B. riempire si coniuga come adempiere, ma senza le forme

in -isc- e al part. pass. si ha solo riempito
(Solo alla terza persona sing., o nei modi indefiniti)

bisognare :

Come **[accompagnare]** ma non ha il part. pass.

diluviare :

Come **[cambiare]**

ghiacciare :

Come **[credere]**

grandinare :

Come parlare **[parlare]**

imbrunire :

Come **[capire]**

lampeggiare :

Come **[mangiare]**

nevicare :

Come **[cercare]**

piovere :

ind pr piove, piovono | ***imperf*** pioveva, piovevano | ***p rem*** piovve, piovvero | ***fut*** pioverà, pioveranno | ***cond pr*** pioverebbe, pioverebbero | ***cong pr*** piova, piovano | ***cong imper*** piovesse, piovessero | ***ger*** piovendo | ***pp*** piovuto
VERBI DIFFETIVI : solo in alcune persone, tempi *o* modi

benvolere :

Solo al part. pass. benvoluto e all'inf. pres.

malvolere :

Solo al part. pres. malvolente, al part. pass. malvoluto e all'inf. pres.

solere :

Usato nelle forme seguenti :
ind pr soglio, suoli, suole, sogliamo, solete, sogliono • ***imperf*** solevo, solevi, soleva, solevamo, solevate, solevano • ***cong pr*** soglia, soglia, soglia, sogliamo, sogliate, sogliano • ***cong imper*** solessi, solessi, solesse, solessimo, soleste, solessero • ***ger*** solendo • ***pp*** solito

urgere :

Usato nelle forme seguenti e gen. solo alla persona sing. e plur. :
ind pr urge, urgono • *imperf* urgeva, urgevano • *fut* urgerà, urgeranno • *cond pr*, urgerebbe, urgerebbero • *cong pr* urga, urgano • *cong imper* urgesse, urgessero • *ger* urgendo

competere :

Manca part. pass e quindi dei tempi composti. Come **[credere]**

distare :

Manca di part. pass. Come **[stare]**

divergere :

Manca di part pass. Come **[emergere]**

irrompere :

Manca di part. pass. Come **[rompere]**

ITALIANO
TEDESCO

ITALIENISCH
DEUTSCH

ITALIANO-TEDESCO
ITALIENISCH-DEUTSCH

A

a *prep* - 1. *(complemento di termine) wird mit Dativ übersetzt* ; **dare qc a qn** jm etw geben ; **pensare a qc/qn** an jn/etw denken.
- 2. *(stato in luogo)* in *(+D)* ; **abito a Torino** ich wohne in Turin ; **siamo a casa** wir sind zu Hause.
- 3. *(moto a luogo)* in *(+A)* ; *(città)* nach ; **andiamo a letto** lass uns ins Bett gehen ; **mi porti allo stadio?** fährst du mich zum Stadion?
- 4. *(temporale : ora)* um ; *(temporale : fino a)* bis ; **c'è un volo alle 8.30** es gibt einen Flug um 8.30 Uhr ; **al mattino** morgens ; **alla sera** abends.
- 5. *(per modo, mezzo)* : **un pasto all'italiana** ein Gericht auf italienische Art ; **riscaldamento a gas** Gasheizung *die* ; **a piedi** zu Fuß.
- 6. *(per misura)* auf *(+D)* ; **a 3.000 m di altitudine** auf 3 000 Meter Höhe ; **a due chilometri dalla stazione** zwei Kilometer vom Bahnhof entfernt.
- 7. *(per caratteristica)* mit ; **camicia a maniche corte** Hemd *das* mit kurzen Ärmeln ; **finestra a doppi vetri** Doppelfenster *das*.
- 8. *(per rapporto)* in *(+D)* ; **50 chilometri all'ora** 50 Kilometer in der Stunde ; **una volta al mese** einmal im Monat.

A *(abbr di autostrada)* A.

abbạcchio *sm* : ~ **alla romana** Lammbraten auf römische Art *(mit Knoblauch und Rosmarin)*.

abbagliạnti *smpl* : **accendere gli ~** auf|blenden.

abbagliạre *vt (accecare)* blenden.

abbaiạre *vi* bellen.

abbandonạre *vt (persona, luogo)* verlassen.

abbandọno *sm (di persona, luogo)* Verlassen *das* ; *(rinuncia)* Aufgeben *das* ; **lasciare qc in ~** *(edificio)* etw verfallen lassen ; *(terreno)* etw verwildern lassen.

abbassạre *vt (volume, radio, tv)* leiser stellen ; *(voce, livello, testa)* senken ; *(fari)* ab|blenden ; *(finestrino, serranda)* herunter|lassen. ■ **abbassarsi** *vr (chinarsi)* sich bücken ; *(ridursi)* sinken ; **abbassarsi a fare qc** sich dazu herab|lassen, etw zu tun.

abbạsso *esclam* : ~ **la scuola!** nieder mit der Schule!

abbastạnza *avv (a sufficien-*

za) genug, genügend ; *(piuttosto)* ziemlich ; **averne ~ di qc/qn** von etw/jm genug haben.

abbattere *vt (muro)* einlreißen ; *(albero)* fällen ; *(animale)* schlachten ; *(regime)* stürzen ; *(resistenze)* niederlschlagen. ■ **abbattersi** *vr fig (deprimersi)* den Mut verlieren.

abbattuto, a *agg (depresso)* niedergeschlagen.

abbazia *sf* Abtei *die*.

abbeverare *vt (animali)* tränken.

abbigliamento *sm* Kleidung *die* ; **~ donna** Damenbekleidung *die* ; **~ sportivo** Sportkleidung ; **~ uomo** Herrenbekleidung.

abbinare *vt* : **~ qc (a qc)** etw (mit etw) verbinden.

abboccare *vi (pesce)* anlbeißen.

abboccato *agg (vino)* süffig.

abbonamento *sm* Abonnement *das*.

abbonarsi *vr* : **~ a qc** etw abonnieren.

abbonato, a *agg* abonniert. ◆ *sm, f* Abonnent *der*, -in *die*.

abbondante *agg* reichlich ; *(capo di vestiario)* weit.

abbondanza *sf* Überfluss *der*.

abbottonare *vt* zulknöpfen ; **abbottonati il cappotto!** mach deinen Mantel zu!

abbottonatura *sf (azione)* Zuknöpfen *das* ; *(lista di bottoni)* Knopfleiste *die*.

abbracciare *vt (persona)* umarmen ; *(professione)* ergreifen. ■ **abbracciarsi** *vr* sich umarmen.

abbraccio *sm* Umarmung *die*.

abbreviare *vt* ablkürzen.

abbreviazione *sf (forma breve)* Abkürzung *die*.

abbronzante *agg* Bräunungs-. ◆ *sm* Bräunungsmittel *das*.

abbronzare *vt* bräunen. ■ **abbronzarsi** *vr* braun werden.

abbronzato, a *agg* braun (gebrannt).

abbronzatura *sf* Bräune *die*.

abbrustolire *vt (pane)* rösten.

abdicare *vi (al trono)* abldanken.

abete *sm* Tanne *die*.

abile *agg (bravo)* gut ; *(lavoratore, insegnante)* fähig ; *(mossa, manovra)* geschickt ; *(idoneo)* zugelassen ; **~ (a qc)** (zu etw) fähig ; **~ al servizio militare** (wehrdienst)tauglich.

abilità *sf (bravura)* Fähigkeit *die* ; *(astuzia)* Gewandtheit *die*.

abilmente *avv (con bravura)* gewandt ; *(con astuzia)* geschickt.

abitacolo *sm (di auto)* Fahrgastraum *der* ; *(di autocarro)* Kabine *die* ; *(di aereo)* Cockpit *das*.

abitante *smf* Bewohner *der*, -in *die* ; *(di città)* Einwohner *der*, -in *die*.

abitare *vi* wohnen ; **dove abi-**

ta? wo wohnen Sie? ; **abito a Roma** ich wohne in Rom ; **abito in Italia** ich wohne in Italien. ◆ *vt* bewohnen.

abitato, a *agg* bewohnt.

abitazione *sf (casa)* Wohnung *die.*

abito *sm (da donna)* Kleid *das* ; *(da uomo)* Anzug *der* ; *(da donna)* ~ **da sera** Abendkleid ; *(da uomo)* ~ **da sera** eleganter Anzug. ■ **abiti** *smpl (vestiario)* Kleidung *die (ohne pl).*

abituale *agg* üblich.

abitualmente *avv* gewöhnlich.

abituare *vt* : ~ **qn a fare qc** jn daran gewöhnen, etw zu tun. ■ **abituarsi** *vr (adattarsi)* sich ein|gewöhnen ; **abituarsi (a)** sich gewöhnen (an *(+A)*).

abitudine *sf* Gewohnheit *die* ; **aver l'~ di fare qc** es gewöhnt sein, etw zu tun ; **per ~** aus Gewohnheit.

abolire *vt (annullare)* ab|schaffen ; *(eliminare)* weg|lassen.

abortire *vi (accidentalmente)* eine Fehlgeburt haben ; *(volontariamente)* ab|treiben.

aborto *sm (volontario)* Abtreibung *die* ; ~ **spontaneo** Fehlgeburt *die.*

Abruzzo *sm* : **l'~** die Abruzzen *pl.*

abside *sf* Apsis *die.*

abusare : abusare di *v + prep (posizione, potere)* aus|nutzen ; *(alcool, droga)* zu viel konsumieren ; *(persona)* missbrauchen.

abusivo, a *agg* illegal. ◆ *sm, f* Unbefugte *der, die.*

abuso *sm* Missbrauch *der.*

a.C. *(abbr di avanti Cristo)* v. Chr.

accademia *sf (scuola)* Akademie *die* ; ~ **di belle arti** Kunstakademie *die.*

accadere *vi* passieren.

accaduto *sm* : **raccontare l'~** den Vorfall schildern.

accampamento *sm (militare)* Lager *das* ; *(di profughi)* (Flüchtlings)lager *das.*

accampare *vt (truppe)* lagern ; *(richieste)* erheben ; *(diritti)* beanspruchen. ■ **accamparsi** *vr (in tende)* lagern ; *(in alloggio)* sich ein|quartieren.

accanito, a *agg (odio)* verbissen ; *(fumatore)* stark.

accanto *avv* daneben. ◆ *agg inv* nebenan. ◆ *prep* : ~ **a** neben *(+D).*

accappatoio *sm* Bademantel *der.*

accarezzare *vt (persona, animale)* streicheln ; *fig (idea)* liebäugeln mit.

accattone, a *sm, f* Bettler *der,* -in *die.*

accavallare *vt (gambe)* übereinander|schlagen. ■ **accavallarsi** *(eventi)* sich überschlagen ; *(lezione)* sich überschneiden.

accecare *vt* blenden.

accedere : accedere a *v + prep* ein|treten in *(+A)*.

accelerare *vi & vt* beschleunigen.

accelerato, a *agg* beschleunigt. ◆ *sm* Nahverkehrszug *der*.

acceleratore *sm* Gaspedal *das*.

accendere *vt (fuoco, sigaretta)* an|zünden ; *(radio, luce, fornello)* an|machen ; *(motore)* an|lassen ; *(suscitare)* schüren ; **scusi, ha da ~?** Entschuldigung, haben Sie Feuer? ■ **accendersi** *vr (prendere fuoco)* Feuer fangen ; *(luce)* an|gehen.

accendigas *sm* Gasanzünder *der*.

accendino *sm* Feuerzeug *das*.

accennare *vt (menzionare)* an|sprechen ; *(saluto, sorriso)* an|deuten. ◆ *vi* ein Zeichen geben ; **~ di si/no** Zustimmung/Ablehnung andeuten. ■ **accennare a** *v + prep (alludere a)* an|deuten ; *(dare segno di)* hin|weisen auf *(+A)* ; **la pioggia non accenna a smettere** nichts weist darauf hin, dass der Regen bald aufhört.

accensione *sf (di auto)* Zündung *die*.

accentare *vt (parola, sillaba)* betonen.

accento *sm (tonico, grafico)* Akzent *der* ; *(pronuncia)* Betonung *die* ; **mettere l'~ su qc** etw betonen.

accertamento *sm* Ermittlung *die*.

accertare *vt (verificare)* ermitteln. ■ **accertarsi di** *vr + prep* sich vergewissern *(+G)*.

acceso, a *agg (fuoco, sigaretta)* angezündet ; *(radio, luce, motore)* eingeschaltet ; *(colore)* lebhaft.

accessibile *agg (luogo)* zugänglich ; *(prezzo)* erschwinglich.

accesso *sm (entrata)* Zugang *der* ; *(strada)* Zufahrt *die* ; *fig (impeto)* Anfall *der*.

accessori *smpl* Zubehör *das (ohne pl)*.

accettare *vt (assegno, dono, proposta)* an|nehmen ; *(persona)* akzeptieren ; **~ di fare qc** zu|stimmen, etw zu tun.

accettazione *sf (locale)* Annahme *die* ; **'~ bagagli'** 'Gepäckannahme'.

acciacco, chi *sm* Beschwerde *die*.

acciaio *sm* Stahl *der* ; **~ inossidabile** rostfreier (Edel)stahl.

accidentale *agg* zufällig.

accidentalmente *avv* zufällig.

accidentato, a *agg* uneben.

accidenti *esclam (con rabbia)* verdammt noch mal! ; *(con stupore)* na so was!

acciuga, ghe *sf* Sardelle *die* ; **acciughe al limone** Sardellen in Zitronensoße.

accogliente *agg (luogo, casa)* gemütlich.

accoglienza *sf* Aufnahme *die*, Empfang *der*.

accogliere *vt (ricevere)* auf|nehmen, empfangen ; *(accettare)* an|nehmen.

accoltellare *vt* nieder|stechen.

accomodare *vt (riparare)* in Ordung bringen. ■ **accomodarsi** *vr (sedersi)* Platz nehmen ; *(venire avanti)* ein|treten ; **s'accomodi!** *(si sieda)* nehmen Sie doch Platz! ; *(venga avanti)* treten Sie näher!

accompagnamento *sm (musicale)* Begleitung *die*.

accompagnare *vt (persona, con musica)* begleiten ; *(piatto, abito)* passen zu.

accompagnatore, trice *sm, f* Begleiter *der*, -in *die* ; **~ turistico** Reiseleiter *der*, -in *die*.

acconsentire *vi* : **~ (a qc)** (einer Sache *(D)*) zustimmen.

accontentare *vt* zufrieden|stellen. ■ **accontentarsi** *vr* : sich zufrieden|geben. ■ **accontentarsi di** *vr + prep* : sich begnügen mit.

acconto *sm* Anzahlung *die* ; **dare un ~** eine Anzahlung leisten ; **in ~** als Anzahlung.

accorciare *vt* verkürzen.

accordare *vt (strumento)* stimmen ; *(concedere)* bewilligen. ■ **accordarsi** *vr (mettersi d'accordo)* sich einigen.

accordo *sm (armonia)* Übereinstimmung *die* ; *(trovare un accordo)* : **mettersi d'~ con qn** sich mit jm einigen ; *(per appuntamento)* sich mit jm ab|sprechen ; **andare d'~ con qn** sich gut verstehen mit jm ; **essere d'~ con** einverstanden sein mit.

accorgersi : **accorgersi di** *v + prep* bemerken.

accorrere *vi (in aiuto, verso un luogo)* herbei|eilen.

accorto, a *pp* → **accorgersi**.

accostare *vt (persona)* an|sprechen ; *(porta)* an|lehnen ; *(avvicinare)* näher|rücken. ◆ *vi (nave)* an|legen ; *(in auto)* an|halten.

accreditare *vt (denaro)* gut|schreiben.

accrescere *vt* vergrößern ; *(capitale)* vermehren ; *(conoscenze)* erweitern. ■ **accrescersi** *vr (famiglia)* wachsen.

accucciarsi *vr (cane)* kuschen.

accudire *vt (malato, bambino)* versorgen. ■ **accudire a** *v + prep (casa, faccende)* sich kümmern um.

accumulare *vt (denaro)* an|häufen ; *(accatastare)* an|sammeln.

accusa *sf (di una colpa)* Beschuldigung *die* ; DIR Anklage *die*.

accusare *vt* : **~ qn (di qc)** *(incolpare)* jn (einer Sache *(G)*) beschuldigen.

acerbo, a *agg (frutto)* sauer.

acero *sm* Ahorn *der*.

aceto *sm* Essig *der*.

acetone *sm (per unghie)* Nagellackentferner *der*.

ACI *sm (abbr di Automobile Club*

d'Italia) italienischer Automobilklub.

acidità *sf* : ~ **di stomaco** Sodbrennen *das.*

ạcido, a *agg (sapore)* sauer ; *(commento, persona)* bissig. ◆ *sm* Säure *die.*

ạcino *sm* Beere *die.*

ạcne *sf* Akne *die.*

ạcqua *sf* Wasser *das* ; ~ **corrente** fließendes Wasser ; ~ **dolce** Süßwasser ; ~ **minerale (gassata)** Mineralwasser (mit Kohlensäure) ; ~ **minerale naturale** stilles Wasser ; ~ **ossigenata** Wasserstoffsuperoxid *das* ; ~ **potabile** Trinkwasser ; ~ **del rubinetto** Leitungswasser ; ~ **salata** Salzwasser ; **acque termali** Thermalquellen *pl* ; ~ **in bocca!** nicht weiter|erzählen!

acquạio *sm* Ausguss *der.*

acquamarịna *(pl* **acquemarine***)* *sf (pietra)* Aquamarin *der.*

acquarạgia *sf* Terpentin *das.*

acquạrio *sm (vasca, edificio)* Aquarium *das.* ■ **Acquario** *sm* Wassermann *der.*

acquasạnta *sf* Weihwasser *das.*

acquạtico, a, ci, che *agg* Wasser-.

acquavịte *sf* Schnaps *der.*

acquazzọne *sm* Platzregen *der.*

acquedọtto *sm* Wasserleitung *die.*

ạcqueo, a *agg* = **vapore**.

acquerẹllo *sm (dipinto)* Aquarell *das.*

acquirẹnte *smf* Käufer *der,* -in *die.*

acquistạre *vt* erwerben, kaufen.

acquịsto *sm (cosa comprata)* Einkauf *der* ; *(atto)* Kauf *der* ; **fare acquisti** einkaufen gehen.

acquolịna *sf* : **far venire l'~ in bocca (a qn)** (jm) den Mund wässrig machen.

acquọso, a *agg (sostanza)* wässrig.

acrịlico, a, ci, che *agg* Acryl-. ◆ *sm* Acryl *das.*

acrọbata *smf* Akrobat *der,* -in *die.*

acrobazịa *sf (di acrobata, aereo)* Kunststück *das.*

acrọpoli *sf* Akropolis *die.*

acụleo *sm (di animale)* Stachel *der* ; *(di pianta)* Dorn *der.*

acụstico, a, ci, che *agg (sonoro, uditivo)* akustisch.

acụto, a *agg (voce, suono)* schrill ; *(intenso)* durchdringend ; *MAT* spitz.

ad → **a**.

adạgio *avv (lentamente)* gemächlich.

adattamẹnto *sm (adeguamento)* Anpassung *die* ; *(modifica)* Änderung *die.*

adattạre *vt* an|passen. ■ **adattarsi** *vr (adeguarsi)* sich an|passen ; **adattarsi (a qc)** sich (an etw *(A)*) an|passen.

adạtto, a *agg* : ~ **(a)** geeignet

(für) ; ~ **a fare qc** geeignet, etw zu tun.

addebitare *vt (denaro)* berechnen.

addestramento *sm* Ausbildung *die.*

addestrare *vt (persona)* schulen ; *(animale)* dressieren.

addetto, a *agg (persona)* zuständig. ◆ *sm* : ~ **stampa** Pressesprecher *der,* -in *die* ; **gli addetti ai lavori** Fachleute *pl* ; **'vietato l'ingresso ai non addetti ai lavori'** 'Unbefugten ist der Zutritt verboten'.

addio *esclam* adieu.

addirittura *avv (perfino)* sogar. ◆ *esclam* tatsächlich.

addirsi : addirsi a *vr + prep* passen zu.

additivo *sm* Zusatzstoff *der.*

addizione *sf (somma)* Addition *die.*

addobbo *sm* Dekoration *die* ; **addobbi natalizi** Weihnachtsschmuck *der (ohne pl).*

addolcire *vt (dolcificare)* versüßen ; *(fig)* besänftigen.

addolorare *vt* betrüben. ■ **addolorarsi** *vr* sich grämen.

addome *sm* Unterleib *der.*

addomesticare *vt (animale)* zähmen.

addormentare *vt* ein|schläfern. ■ **addormentarsi** *vr* ein|schlafen.

addosso *avv* : **avere ~** *(sulla persona)* an|haben ; *(gioielli, pistola)* tragen ; *(dentro di sé)* bei sich haben. ◆ *prep* : ~ **a** *(su)* auf *(+A)* ; *(contro)* gegen ; **mettersi qc ~** etw an|ziehen ; **dare ~ a qn** *(criticare)* jn kritisieren ; **uno ~ all'altro** dicht gedrängt.

adeguare *vt* : ~ **qc a qc** etw an etw *(A)* an|passen. ■ **adeguarsi** *vr* : **adeguarsi a qc** sich einer Sache *(D)* an|passen.

adeguato, a *agg* angemessen.

adenoidi *sfpl* Polypen *pl.*

aderente *agg (attillato)* anliegend ; *(adesivo)* haftend.

aderire *vi* : ~ **a qc** *(attaccarsi)* an etw *(D)* haften ; *(proposta)* einer Sache *(D)* zustimmen ; ~ **a un partito** einer Partei *(D)* bei|treten.

adesivo, a *agg* selbstklebend. ◆ *sm (etichetta)* Aufkleber *der.*

adesso *avv (ora)* jetzt ; *(tra poco)* gleich ; *(poco fa)* gerade eben.

Adige *sm* : **l'~** die Etsch ; **l'Alto ~** Südtirol *nt.*

adocchiare *vt (scorgere)* erblicken ; *(guardare)* ein Auge auf etw *(A)* werfen.

adolescente *agg* heranwachsend. ◆ *smf* Jugendliche *der, die.*

adolescenza *sf* Jugend *die.*

adoperare *vt* gebrauchen.

adorabile *agg* entzückend.

adorare *vt (persona, cosa)* vergöttern ; *(divinità)* an|beten.

adottare *vt (bambino)* adoptieren ; *(misure)* ergreifen ; *(decisione)* treffen.

adottivo, a *agg (figlio, genitori)* Adoptiv- ; **patria ~** Wahlheimat *die*.
adozione *sf* Adoption *die*.
adriatico, a, ci, che *agg* adriatisch.
Adriatico *sm* : **l'~** die Adria.
adulto, a *agg (di età)* erwachsen ; *fig (maturo)* reif. ◆ *sm, f* Erwachsene *der, die*.
aerare *vt* lüften.
aereo, a *agg* : **posta aerea** Luftpost *die*. ◆ *sm* Flugzeug *das* ; **~ da turismo** Sportflugzeug.
aerobica *sf* Aerobik *die*.
aeronautica *sf* Luftfahrt *die*.
aeroplano *sm* Flugzeug *das*.
aeroporto *sm* Flughafen *der*.
aerosol *sm* Spray *das* o *der*.
A.F. *(abbr di Alta Frequenza)* HF.
afa *sf* Schwüle *die*.
affacciarsi *vr (mostrarsi)* sich zeigen. ■ **affacciarsi su** *vr + prep* blicken auf *(+A)*.
affamato, a *agg* hungrig.
affannare : affannarsi *vr (stancarsi)* sich ab|mühen ; *(agitarsi)* sich Sorgen machen.
affanno *sm (di respiro)* Atemnot *die* ; *(ansia)* Sorge *die*.
affare *sm (commerciale)* Geschäft *das* ; *(faccenda)* Affäre *die* ; *(occasione)* Schnäppchen *das* ; **è un ~** das ist ein Geschäft ; **per affari** geschäftlich ; **fare affari con** Geschäfte machen mit ; **Affari esteri** auswärtige Angelegenheiten.
affascinante *agg* bezaubernd.
affascinare *vt* faszinieren.
affaticarsi *vr* sich ab|mühen.
affatto *avv* ganz und gar ; **non ... ~** gar nicht ; **niente ~** keineswegs.
affermare *vt* behaupten. ■ **affermarsi** *vr* sich durch|setzen.
affermativo, a *agg* bejahend.
affermazione *sf (dichiarazione)* Behauptung *die*.
afferrare *vt (prendere)* packen ; *(capire)* erfassen. ■ **afferrarsi a** *vr + prep* sich klammern an *(+A)*.
affettare *vt* in Scheiben schneiden.
affettato, a *agg (a fette)* aufgeschnitten. ◆ *sm* Aufschnitt *der*.
affetto, a *agg* leidend. ◆ *sm (attaccamento)* : Zuneigung *die* ; **essere ~ da qc** an etw *(D)* leiden.
affettuoso, a *agg* liebevoll.
affezionarsi *vr* : **~ a qn** jn ins Herz schließen.
affezionato, a *agg* zugetan.
affidamento *sm* DIR Pflege *die* ; *(fiducia)* : **fare ~ su** zählen auf *(+A)*.
affidare *vt* an|vertrauen ; **~ qn/qc a qc** jn/etw jm an|vertrauen *(+D)*.
affiggere *vt (cartello, poster)* an|schlagen.
affilare *vt (lama, punta)* schärfen.

affilato, a *agg (lama, punta)* scharf.
affinché *cong* damit.
affinità *sf inv (somiglianza)* Ähnlichkeit *die*.
affissione *sf* Anschlag *der*.
affisso *pp* → **affiggere**.
affittare *vt (dare in affitto)* vermieten ; *(prendere in affitto)* mieten ; **'affittasi'** 'zu vermieten'.
affitto *sm* Miete *die* ; *(terreno)* Pacht *die* ; **dare in ~** verpachten ; **prendere in ~** pachten.
affluente *sm* Nebenfluss *der*.
affluire *vi (fiume)* fließen ; *(gente)* herbeilströmen.
affogare *vi* ertrinken. ◆ *vt* ertränken.
affogato *sm (gelato) Eisbecher mit Kaffee oder Likör.*
affollato, a *agg* überfüllt.
affondare *vi* unterlgehen. ◆ *vt (mandare a fondo)* versenken ; *(conficcare)* einlrammen.
affrancare *vt (lettera)* frankieren.
affrancatura *sf* Frankierung *die*.
affresco, schi *sm (dipinto)* Fresko *das*.
affrettare *vt* beschleunigen. ■ **affrettarsi** *vr* sich beeilen.
affrontare *vt (nemico)* entgegenltreten *(+D)* ; *(spesa)* haben ; *(argomento)* anlgehen.
affronto *sm* Beleidigung *die*.
affumicato, a *agg (cibo)* geräuchert ; *(annerito)* rußig.
afoso, a *agg* schwül.
Africa *sf* : **l'~** Afrika *nt*.
africano, a *agg* afrikanisch. ◆ *sm, f* Afrikaner *der*, -in *die*.
afta *sf* Aphte *die* ; **~ epizootica** Maul- und Klauenseuche *die*.
agenda *sf (diario)* Terminkalender *der*.
agente *smf (incaricato)* Vertreter *der*, -in *die* ; *(sostanza)* Wirkstoff *der* ; **~ di polizia** Polizeibeamte *der*, -tin *die* ; **~ segreto** Geheimagent *der*, -in *die* ; **gli agenti atmosferici** Witterungseinflüsse *pl*.
agenzia *sf (impresa)* Agentur *die* ; *(succursale)* Zweigstelle *die* ; **~ di cambio** Wechselstube *die* ; **~ immobiliare** Immobilienmakler *der* ; **~ di viaggi** Reisebüro *das*.
agevolare *vt (facilitare)* erleichtern ; *(aiutare)* begünstigen.
agevolazione *sf* Vergünstigung *die*.
aggettivo *sm* Adjektiv *das*.
aggiornare *vt (opera)* aktualisieren ; *(persona)* auf dem Laufenden halten ; *(seduta)* vertagen. ■ **aggiornarsi** *vr* sich auf dem Laufenden halten.
aggiornato, a *agg* auf dem neuesten Stand.
aggirare *vt fig (difficoltà, ostacolo)* umgehen. ■ **aggirarsi** *vr (muoversi)* sich herumltreiben. ■ **aggirarsi su** *vr + prep (ammontare)* sich belaufen auf *(+A)*.
aggiungere *vt* hinzulfügen.
aggiunta *sf* : **in ~** als Zugabe.
aggiunto, a *pp* = **aggiungere**.

aggiustare *vt (riparare)* richten. ■ **aggiustarsi** *vr (accordarsi)* sich einigen.

aggrapparsi *vr* sich festlhalten ; ~ **a** sich klammern an *(+ A)*.

aggravare *vt (peggiorare)* verschlimmern. ■ **aggravarsi** *vr* sich verschlechtern.

aggredire *vt (assalire)* anlgreifen.

aggressione *sf* Überfall *der*.

aggressivo, a *agg* aggressiv.

agile *agg (nei movimenti)* beweglich.

agio *sm* : **essere a proprio ~** sich wohllfühlen ; **mettersi a proprio ~** es sich bequem machen.

agire *vi (comportarsi)* handeln ; *(fare da)* : ~ **da** dienen als.

agitare *vt (scuotere)* schütteln ; *(turbare)* beunruhigen. ■ **agitarsi** *vr (turbarsi)* sich auflegen ; *(muoversi)* sich wälzen ; *(mare)* wogen.

agitato, a *agg (inquieto)* unruhig ; *(mare)* bewegt.

agitazione *sf (inquietudine)* Unruhe *die* ; *(subbuglio)* Aufruhr *der*.

agli *(a + gli)* → **a**.

aglio *sm* Knoblauch *der*.

agnello *sm* Lamm *das*.

agnolotti *smpl Ravioliart mit Fleischfüllung*.

ago *(pl* **aghi***) sm* Nadel *die* ; **~di bilancia** Zünglein *das* an der Waage.

agopuntura *sf* Akupunktur *die*.

agosto *sm* August *der* ; *vedi anche* **settembre**.

agricolo, a *agg* landwirtschaftlich.

agricoltore *sm (contadino)* Bauer *der*, -in *die* ; *(imprenditore)* Landwirt *der*, -in *die*.

agricoltura *sf* Landwirtschaft *die*.

agriturismo *sm Ferien auf dem Land*.

AGRITURISMO

„Agriturismo" ist eine besonders kostengünstige und entspannende Form des Sommerurlaubs für Liebhaber von frischer Luft, gesundem Essen und körperlicher Betätigung in schön gelegenen landwirtschaftlichen Betrieben. Die Gäste übernachten in alten Land- und Bauernhäusern und können zum Beispiel bei der Feldarbeit mithelfen oder sich sportlich betätigen.

agrodolce *sm* : **in ~** süßsauer.

agrume *sm (frutto)* Zitrusfrucht *die*.

aguzzare *vt (appuntire)* spitzen.

aguzzo, a *agg (appuntito)* spitz.

ahi *esclam* au!

ai *(a + i)* → **a**.

Aia *sf* : **l'~** Den Haag *nt*.

AIDS *sm & sf* Aids *nt*.

A.I.G. *(abbr di Associazione Italiana Alberghi per la Gioventù)* *italienischer Jugendherbergsverband.*

air-terminal *sm inv* Flughafenhalle *die.*

aiuọla *sf* Beet *das.*

aiutạnte *smf* Gehilfe *der*, -in *die.*

aiutạre *vt* helfen *(+D)* ; **~ qn (a fare qc)** jm (bei einer Sache) helfen.

aiụto *sm (soccorso)* Hilfe *die* ; *(assistente)* Helfer *der*, -in *die* ; **aiuto!** Hilfe! ; **chiedere ~** um Hilfe rufen ; **venire in ~ di qn** jm zu Hilfe eilen.

al *(a + il)* → **a.**

ạla *(pl* **ali**) *sf (di uccello, edificio, sport)* Flügel *der* ; *(di aereo)* Tragfläche *die.*

ạlba *sf* Morgengrauen *das* ; **all'~** bei Tagesanbruch.

albanẹse *agg* albanisch. ◆ *smf* Albanier *der*, -in *die.*

Albanịa *sf* : **l'~** Albanien *nt.*

albergatọre, trịce *sm, f* Hotelbesitzer *der*, -in *die.*

albẹrgo, ghi *sm* Hotel *das* ; **~ diurno** *öffentliche Toilette mit Wasch- und Duschgelegenheit, Frisörsalon.*

ạlbero *sm (pianta)* Baum *der* ; *(di nave)* Mast *der* ; *(di macchina)* Welle *die* ; **~ genealogico** Stammbaum *der* ; **~ di Natale** Weihnachtsbaum *der.*

albicọcca, che *sf* Aprikose *die.*

albịno, a *agg* albinotisch. ◆ *sm, f* Albino *der.*

ạlbum *sm inv* Album *das* ; **~ da disegno** Zeichenblock *der.*

albụme *sm (d'uovo)* Eiweiß *das.*

ạlcol = **alcool.**

alcọlico, a, ci, che *agg* alkoholisch. ◆ *sm* Alkoholika *pl.*

alcolizzạto, a *sm, f* Alkoholiker *der*, -in *die.*

ạlcool, alcol *sm* Alkohol *der.*

alcụno, a *agg s* : **non ... ~** *(nessuno)* kein. ■ **alcuni, e** *agg pl* einige. ◆ *pron pl* manche ; **alcuni di** einige von.

aldilà *sm* : **l'~** das Jenseits.

alfabẹto *sm* Alphabet *das.*

ạlga, ghe *sf* Alge *die.*

ạlgebra *sf* Algebra *die.*

Algerịa *sf* : **l'~** Algerien *nt.*

aliạnte *sm* Segelflugzeug *das.*

ạlibi *sm inv* Alibi *das.*

alịce *sf* Sardelle *die.*

aliẹno, a *sm, f* Außerirdische *der, die.*

alimentạre *agg* Lebensmittel-. ◆ *vt (nutrire)* ernähren ; *(rifornire)* versorgen. ■ **alimentari** *smpl* Nahrungsmittel *pl* ; **negozio di ~** Lebensmittelgeschäft *das.*

alimentaziọne *sf (nutrimento)* Nahrung *die* ; *(rifornimento)* Versorgung *die.*

alimẹnto *sm* Nahrungsmittel *das.*

aliscạfo *sm* Tragflügelboot *das.*

ạlito *sm* Atem *der* ; **l' ~ cattivo** Mundgeruch *der.*

ạll' *(a + l')* → **a.**

alla *sm (a + la)* → a.

allacciare *vt (scarpe)* zu|binden ; *(vestito)* zu|machen ; *(collegare)* an|schließen. ■ **allacciarsi** *vr* zugemacht werden.

allagare *vt* überschwemmen. ■ **allagarsi** *vr* überschwemmt werden.

allargare *vt (ampliare)* verbreitern ; *(aprire)* erweitern. ■ **allargarsi** *vr (ampliarsi)* sich aus|breiten.

allarmare *vt* alarmieren.

allarme *sm (segnale)* Alarm *der* ; ~ **d'incendio** Feueralarm ; **falso** ~ blinder Alarm ; **dare l'**~ Alarm schlagen ; **impianto d'**~ Alarmanlage *die*.

allattare *vt* stillen.

alle *(a + le)* → a.

alleggerire *vt (rendere leggero)* leichter machen ; *(alleviare)* erleichtern.

allegria *sf* Frohsinn *der*.

allegro, a *agg (contento)* heiter ; *(vivace)* fröhlich. ◆ *sm (mus)* Allegro *das*.

allenamento *sm (sportivo)* Training *das* ; **tenersi in** ~ sich fit halten.

allenare *vt* trainieren. ■ **allenarsi** *vr* trainieren.

allenatore, trice *sm, f* Trainer *der*, -in *die*.

allentare *vt (vite, nodo)* lösen ; *(sorveglianza, disciplina)* lockern. ■ **allentarsi** *vr (vite, nodo)* sich lösen.

allergia *sf* Allergie *die*.

allergico, a, ci, che *agg* allergisch ; **essere** ~ **a qc** gegen etw allergisch sein.

allevamento *sm* Zucht *die*.

allevare *vt (animale)* züchten ; *(bambino)* groß|ziehen.

allievo, a *sm, f* Schüler *der*, -in *die*.

alligatore *sm* Alligator *der*.

allineare *vt* aneinander|reihen. ■ **allinearsi** *vr (mettersi in fila)* sich auf|stellen.

allo *(a + lo)* → a.

allodola *sf* Lerche *die*.

alloggiare *vi* wohnen.

alloggio *sm* Wohnung *die*.

allontanare *vt (mandare via)* weg|schicken ; *(pericolo)* bannen. ■ **allontanarsi** *vr* sich entfernen.

allora *avv* damals. ◆ *cong (in tal caso)* dann ; *(ebbene)* nun ; **da** ~ seither.

alloro *sm (pianta)* Lorbeer *der*.

alluce *sm* großer Zeh.

allucinazione *sf* Halluzination *die*.

alluminio *sm* Aluminium *das*.

allungare *vt (accrescere)* länger machen ; *(gambe)* strecken ; *(collo)* recken ; *(diluire)* verdünnen. ■ **allungarsi** *vr (accrescersi)* länger werden ; *(distendersi)* sich recken.

alluvione *sf (allagamento)* Überschwemmung *die*.

almeno *avv* wenigstens.

Alpi *sfpl* : **le** ~ die Alpen.

alpinismo *sm* Alpinismus *der*.

alpinista, i, e *smf* Bergsteiger *der*, -in *die*.

alpino, a *agg* alpin.

alt *esclam* halt!

altalena *sf (gioco)* Schaukel *die*.

altare *sm* Altar *der*.

alterare *vt* verändern. ■ **alterarsi** *vr (merce)* verderben ; *(irritarsi)* sich aufregen.

alternare *vt* ab|wechseln ; **~ qn/qc a** jn/etw folgen lassen auf *(+A)*. ■ **alternarsi** *vr* sich ab|wechseln.

alternativa *sf (opzione)* Alternative *die*.

alternato, a *agg (avvicendato)* abwechselnd ; **corrente alternata** Wechselstrom *der*.

alterno, a *agg* wechselnd.

altezza *sf* Größe *die* ; *(altitudine)* Höhe *die*.

altipiano = **altopiano**.

alto, a *agg (persona, animale)* groß ; *(palazzo, albero, prezzo)* hoch ; *(profondo)* tief ; *(suono, voce)* laut. ◆ *sm* oberster Teil. ◆ *avv* : **è ~ due metri** er ist zwei Meter groß ; **dall'~ in basso** von oben nach unten ; **alta moda** Haute Couture *die* ; **alti e bassi** Höhen und Tiefen ; **in ~** oben.

altoparlante *sm* Lautsprecher *der*.

altopiano *(pl* **altipiani***)* *sm* Hochebene *die*.

altrettanto, a *agg* ebensoviel. ◆ *pron* ebenso. ◆ *avv* ebenfalls ; **auguri! - grazie, ~!** alles Gute! - danke, ebenfalls!

altrimenti *avv (se no)* sonst ; *(diversamente)* ansonsten.

altro, a *agg* - 1. *(diverso)* andere, -r, -s ; **ha un ~ modello?** haben Sie ein anderes Modell? ; **avevo capito un'altra cosa** ich hatte etwas Anderes verstanden ; **d'altra parte** andererseits.
- 2. *(supplementare)* noch ; **un ~ caffè?** noch einen Kaffee?
- 3. *(rimanente)* andere, -r, -s ; **gli altri passeggeri sono pregati di restare al loro posto** die anderen Reisenden werden gebeten, an ihrem Platz zu bleiben.
- 4. *(nel tempo)* : **l'altr'anno** letztes Jahr ; **l'~ giorno** vor ein paar Tagen ; **l'~ ieri** vorgestern.
◆ *pron* : **è tutt'~ che sciocco** er ist alles andere als dumm ; **l'uno o l'~** entweder oder ; **se non ~** zumindest ; **senz'~** ohne weiteres ; **tra l'~** unter anderem ; **gli altri** die Anderen.

altroché *esclam* und ob!

altronde : d'altronde *avv* im Übrigen.

altrove *avv* woanders.

altrui *agg inv* anderer.

altruista, i, e *agg* selbstlos. ◆ *smf* Altruist *der*, -in *die*.

altura *sf (colle)* Anhöhe *die*.

alunno, a *sm, f* Schüler *der*, -in *die*.

alveare *sm* Bienenstock *der*.

alzare *vt (sollevare)* heben ; *(aumentare)* erhöhen. ■ **alzarsi** *vr (dal letto, dalla sedia)* sich er-

heben ; *(aumentare)* steigen ; *(vento)* auflkommen.
amaca, che *sf* Hängematte *die*.
amante *agg (appassionato)* leidenschaftlich. ◆ *smf (innamorato)* Geliebte *der, die* ; **~ di qc** ein Liebhaber von etw.
amare *vt (persona)* lieben ; *(cosa)* mögen.
amarena *sf* Sauerkirsche *die*.
amaretto *sm (biscotto)* Mandelmakrone *die* ; *(liquore)* Mandellikör *der*.
amaro, a *agg (sapore)* bitter ; *(spiacevole)* unangenehm.
ambasciata *sf (sede)* Botschaft *die*.
ambasciatore, trice *sm, f (diplomatico)* Botschafter *der*, -in *die*.
ambedue *agg inv* & *pron* beide.
ambientare *vt (film)* spielen. ■ **ambientarsi** *vr (adattarsi)* sich einlgewöhnen.
ambiente *sm (natura)* Umwelt *die* ; *(cerchia)* Milieu *das*.
ambizione *sf* Ehrgeiz *der*.
ambizioso, a *agg* ehrgeizig.
ambo *agg* beide.
ambra *sf* Bernstein *der*.
ambulante *agg* : **venditore ~** fliegender Händler.
ambulanza *sf* Krankenwagen *der*.
ambulatorio *sm* Arztpraxis *die*.
America *sf* : **l'~** Amerika *nt*.
americano, a *agg* amerikanisch. ◆ *sm, f* Amerikaner *der*, -in *die*.
amianto *sm* Asbest *der*.
amichevole *agg (affettuoso)* freundschaftlich ; **partita ~** Freundschaftsspiel *das*.
amicizia *sf* Freundschaft *die* ; **fare ~ (con qn)** Freundschaft schließen (mit jm).
amico, a, ci, che *sm, f* Freund *der*, -in *die* ; **~ del cuore** bester Freund.
amido *sm* Stärke *die*.
ammaccare *vt* verbeulen.
ammaccatura *sf* Beule *die*.
ammalarsi *vr* erkranken.
ammalato, a *agg* krank. ◆ *sm, f* Kranke *der, die*.
ammazzare *vt* umlbringen. ■ **ammazzarsi** *vr* sich umlbringen ; **ammazzarsi di lavoro** sich zu Tode rackern.
ammenda *sf (multa)* Geldbuße *die*.
ammesso, a *pp* → **ammettere**.
ammettere *vt (riconoscere)* zulgeben ; *(permettere, a esame, scuola)* zullassen.
amministrare *vt* verwalten.
amministratore *sm (di condominio)* Verwalter *der*, -in *die* ; **~ delegato** Geschäftsführer *der*, -in *die*.
ammirare *vt (guardare)* bewundern ; *(stimare)* schätzen.
ammiratore, trice *sm, f (corteggiatore)* Verehrer *der*, -in *die* ; *(sostenitore)* Fan *der*.

ammiraziọne *sf (stima)* Bewunderung *die.*

ammissiọne *sf (a esame)* Zulassung *die.*

ammobiliạto, a *agg* möbliert ; **non ~** unmöbliert.

ammọllo *sm* Einweichen *das* ; **lasciare qc in ~** etw einl-weichen.

ammonịaca *sf* Ammoniak *das.*

ammonịre *vt (rimproverare)* ermahnen ; *SPORT* verwarnen.

ammoniziọne *sf (rimprovero)* Rüge *die* ; *SPORT* Verwarnung *die.*

ammontạre : ammontare a *v + prep* sich belaufen auf *(+A).*

ammorbidẹnte *sm* Weichspüler *der.*

ammorbidịre *vt (rendere morbido)* auflweichen.

ammortizzatọre *sm* Stoßdämpfer *der.*

ammucchiạre *vt* anlhäufen.

ammuffịto, a *agg (con muffa)* verschimmelt.

ạmo *sm* Angelhaken *der.*

amọre *sm* Liebe *die* ; **fare l'~ con qn** mit jm schlafen ; **amor proprio** Eigenliebe *die.*

ạmpio, a *agg (vasto)* weit ; *(abbondante)* reich.

ampliạre *vt* erweitern.

amplificatọre *sm* Verstärker *der.*

amputạre *vt* amputieren.

amulẹto *sm* Amulett *das.*

anabbagliạnti *smpl* Abblendlicht *das.*

anạgrafe *sf (ufficio)* Einwohnermeldeamt *das.*

analcọlico, a, ci, che *agg* alkoholfrei.

analfabẹta, i, e *agg* analphabetisch. ◆ *smf* Analphabet *der*, -in *die.*

anạlisi *sf inv (studio)* Analyse *die* ; *MED* Untersuchung *die* ; **~ del sangue** Blutuntersuchung.

analịsta, i, e *smf* Analytiker *der*, -in *die.*

analizzạre *vt (esaminare)* analysieren.

anạlogo, a, ghi, ghe *agg* analog.

ạnanas *sm inv (frutto)* Ananas *die.*

Ạ.N.A.S. *sf (abbr di Azienda Nazionale Autonoma delle Strade) italienische Straßenbehörde.*

anatomịa *sf (scienza)* Anatomie *die.*

anatọmico, a, ci, che *agg (sedia)* körpergerecht.

ạnatra *sf* Ente *die.*

ạnca, che *sf* Hüfte *die.*

ạnche *cong (pure)* auch ; *(persino)* sogar.

ạncora[1] *sf* Anker *der.*

ancọra[2] *avv (tuttora, persino, di più)* noch ; *(di nuovo)* noch einmal ; **~ più bello** noch schöner ; **~ un po'** noch ein wenig ; **non ~** noch nicht.

andạre *vi* - 1. *(muoversi)* gehen ; **scusi, per ~ alla stazione?** bitte, wie komme ich zum

Bahnhof? ; ~ **avanti** weiterlgehen ; ~ **indietro** zurücklgehen ; ~ **in vacanza** in Urlaub fahren.
- 2. *(strada)* fahren.
- 3. *(indica uno stato)* gehen.
- 4. *(piacere)* mögen.
- 5. *(con participio passato)* gehören.
- 6. *(in espressioni)* gehen.

■ **andarsene** *vr* weglgehen.

andata *sf* Hinfahrt *die* ; **all'~** auf der Hinfahrt ; ~ **e ritorno** Hin- und Rückfahrt.

anello *sm (da dito)* Ring *der* ; *(di catena)* Glied *das*.

anemia *sf* Blutarmut *die*.

anestesia *sf* Narkose *die*.

anestetico, ci *sm* Betäubungsmittel *das*.

anfiteatro *sm* Amphitheater *das*.

anfora *sf* Amphore *die*.

angelo *sm* Engel *der*.

angina *sf* Angina *die* ; ~ **pectoris** Angina pectoris.

anglicano, a *agg* anglikanisch.

angolo *sm (spigolo)* Ecke *die* ; ~ **cottura** Kochnische *die* ; **all'~** an der Ecke.

angora *sf* : **d'~** Angora-.

anguilla *sf* Aal *der*.

anguria *sf* Wassermelone *die*.

anice *sm (spezia, gusto)* Anis *der*.

anidride *sf* : ~ **carbonica** Kohlendioxid *das*.

anima *sf* Seele *die*.

animale *agg (degli animali)* Tier-. ◆ *sm* : ~ **domestico** Haustier *das*.

animatore, trice *sm, f* : ~ **turistico** Animateur *der*, -in *die*.

animo *sm (mente)* Sinn *der* ; *(cuore)* Gemüt *das* ; *(coraggio)* : **perdersi d'~** mutlos werden.

anitra = **anatra**.

annaffiare *vt* gießen.

annaffiatoio *sm* Gießkanne *die*.

annata *sf (di vino)* Jahrgang *der*.

annegare *vi (affogare)* ertrinken. ◆ *vt* ertränken. ■ **annegarsi** *vr* sich ertränken.

anniversario *sm (ricorrenza)* Jahrestag *der* ; **~di matrimonio** Hochzeitstag *der*.

anno *sm (dodici mesi)* Jahr *das* ; **buon anno!** frohes neues Jahr! ; **quanti anni hai?** wie alt bist du? ; **ho 21 anni** ich bin 21 (Jahre alt) ; ~ **accademico** akademisches Jahr ; ~ **bisestile** Schaltjahr ; ~ **scolastico** Schuljahr.

annodare *vt (legare)* verknüpfen.

annoiare *vt* langweilen. ■ **annoiarsi** *vr* sich langweilen.

annotare *vt (prendere nota)* notieren ; *(commentare)* anlmerken.

annuale *agg (per un anno)* Jahres- ; *(di ogni anno)* jährlich.

annuario *sm* Jahrbuch *das*.

annuire *vi (con la testa)* nicken.

annullare *vt (disdire)* ablsagen ; *(revocare)* widerrufen ;

(vanificare) zunichte machen ; *(francobollo)* ab|stempeln.

annunciare *vt* an|kündigen ; *(presentare)* an|sagen.

annunciatore, trice *sm, f* *(radiotelevisivo)* Ansager *der*, -in *die*.

Annunciazione *sf* RELIG : l'~ (Mariä) Verkündigung *die*.

annuncio *sm* *(comunicazione)* Meldung *die* ; ~ **pubblicitario** Werbespot *der* ; **annunci economici** Kleinanzeigen *pl*.

annusare *vt* riechen.

annuvolamento *sm* Bewölkung *die*.

ano *sm* After *der*.

anonimo, a *agg* *(senza nome)* anonym.

anoressia *sf* Magersucht *die*.

anormale *agg* *(anomalo, squilibrato)* anormal.

A.N.S.A. *sf* (*abbr di Agenzia Nazionale Stampa Associata*) *italienische Presseagentur*.

ansia *sf* Besorgnis *die*.

ansioso, a *agg* *(inquieto)* besorgt ; *(impaziente)* : ~ **di fare qc** ungeduldig, etw zu tun.

anta *sf* *(di armadio)* Tür *die* ; *(di finestra)* Flügel *der*.

antartico, a, ci, che *agg* antarktisch.

Antartide *sf* : l'~ die Antarktis.

antenato, a *sm, f* Vorfahr *der*, -in *die*.

antenna *sf* *(di radio, tv)* Antenne *die* ; ~ **parabolica** Parabolantenne.

anteprima *sf* Vorpremiere *die* ; **in** ~ im Voraus.

anteriore *agg* *(nello spazio)* Vorder- ; *(nel tempo)* Vor-.

antiabbaglianti = **anabbaglianti**.

antibiotico, ci *sm* Antibiotikum *das*.

anticamera *sf* Vorzimmer *das*.

antichità *sf inv* *(passato)* Antike *die* ; *(oggetto)* Antiquität *die*.

anticipare *vt* *(partenza)* vor|verlegen ; *(denaro)* vor|strecken.

anticipo *sm* *(di tempo)* Vorsprung *der* ; *(di denaro)* Vorschuss *der* ; **in** ~ vorzeitig.

antico, a, chi, che *agg* *(mobilio)* antik ; *(dell'antichità)* alt.

anticoncezionale *agg* empfängnisverhütend. ◆ *sm* Verhütungsmittel *das*.

anticonformista, i, e *agg* nonkonformistisch. ◆ *smf* Nonkonformist *der*, -in *die*.

anticorpo *sm* Antikörper *der*.

antidoto *sm* *(di veleno)* Gegengift *das*.

antifurto *agg inv* Alarm-. ◆ *sm* Alarmanlage *die*.

antigelo *sm inv* Frostschutzmittel *das*.

Antille *sfpl* : **le** ~ die Antillen *pl*.

antimafia *agg inv* Antimafia-.

antincendio *agg inv* Brandschutz-.

antinebbia *agg inv* Nebel-.

◆ *sm inv (fari)* Nebelscheinwerfer *der*; *(retronebbia)* Nebelschlussleuchte *die*.

antiorario, a *agg* : **in senso ~** gegen den Uhrzeigersinn.

antipasto *sm* Vorspeise *die*.

antipatia *sf* Abneigung *die*.

antipatico, a, ci, che *agg* unsympathisch.

antiquariato *sm (commercio)* Antiquitätenhandel *der*.

antiquario, a *sm, f* Antiquitätenhändler *der*, -in *die*.

antiquato, a *agg* veraltet.

antiruggine *agg inv* Rostschutz-. ◆ *sm* Rostschutzmittel *das*.

antirughe *agg inv* hautstraffend.

antisettico, a, öci, che *agg* antiseptisch. ◆ *sm* Antiseptikum *das*.

antitetanico, a *agg* : **siero ~** Tetanusserum *das*.

antivipera *agg inv* Schlangen-; **siero ~** Schlangenserum *das*.

antivirus *sm inv* INFORM Antivirus *das*.

antologia, gie *sf* Anthologie *die*.

anulare *agg* Ring-. ◆ *sm* Ringfinger *der*.

anzi *cong (al contrario)* : **non mi sorprende, ~** das überrascht mich nicht, ganz im Gegenteil; *(o meglio)* : **lo farò domani, ~ oggi stesso** das mache ich morgen, oder besser noch gleich heute.

anziano, a *agg (di età)* alt; *(di carica)* Dienstälteste *der, die*. ◆ *sm, f (vecchio)* Alte *der, die*.

anziché *cong* statt.

anzitutto *avv* vor allem.

ape *sf* Biene *die*.

aperitivo *sm* Aperitif *der*.

APERITIVO

Der Aperitif ist in ganz Italien sehr beliebt, er kann alkoholisch oder alkoholfrei sein. Man trinkt ihn zu Hause, meist aber in der Bar, vor dem Mittag- und Abendessen und gewöhnlich am Sonntag beim Stadtbummel. Außer den landesüblichen Aperitifs bieten viele Cafés auch hauseigene Spezialitäten an. Zum Aperitif isst man Oliven, Kartoffelchips oder Salzgebäck.

aperto, a *pp* = **aprire**. ◆ *agg (dischiuso)* offen; *(esteso)* weit; *(estroverso)* aufgeschlossen. ◆ *sm* : **all'~** im Freien.

apertura *sf (l'aprire, fenditura)* Öffnung *die*; *(inizio dei lavori)* Aufnahme *die*; *(negozio)* Eröffnung *die*.

apice *sm (culmine)* Höhepunkt *der*; **essere all'~ di qc** auf dem Höhepunkt von etw stehen.

apicoltura *sf* Bienenzucht *die*.

apnea *sf* : **in ~** in Atemnot.

apostolo *sm* RELIG Apostel *der*.

apostrofare *vt (interpellare)* anlsprechen.

apostrofo *sm* Apostroph *der*.

appagare *vt (curiosità)* befriedigen.

appannare *vt (vetro)* beschlagen; *fig (mente)* verwirren. ■ **appannarsi** *vr (vetro)* an|laufen; *fig (vista, mente)* sich trüben.

apparato *sm* ANAT System *das*; *(impianto)* Apparat *der*.

apparecchiare *vt (tavola)* decken.

apparecchio *sm (congegno)* Gerät *das*; *(per i denti)* Zahnspange *die*; ~ **acustico** Hörgerät *das*.

apparente *agg (visibile)* sichtbar; *(illusorio)* Schein-.

apparentemente *avv* scheinbar.

apparenza *sf*: **in** ~ dem Anschein nach.

apparire *vi (mostrarsi)* erscheinen; *(sembrare)* scheinen.

appariscente *agg* auffallend.

appartamento *sm* Wohnung *die*.

appartenere : **appartenere a** *v + prep (essere di)* gehören *(+D)*; *(far parte di)* gehören zu.

appassionato, a *agg* leidenschaftlich. ◆ *sm, f* Liebhaber *der*, -in *die*; **essere ~ di qc** von etw begeistert sein.

appello *sm (chiamata)* Appell *der*; DIR Berufung *die*; **fare ~ a** appellieren an *(+A)*; **fare l'~** den Appell ab|halten.

appena *avv (a fatica)* kaum; *(da poco)* eben erst; *(solo)* erst. ◆ *cong* sobald; **non ~** sobald.

appendere *vt (quadro, cappotto)* auf|hängen.

appendice *sf* ANAT Blinddarm *der*; *(aggiunta)* Anhang *der*.

appendicite *sf* Blinddarmentzündung *die*.

Appennini *smpl*: **gli ~** der Apennin.

appetito *sm (di cibo)* Appetit *der*; **buon ~!** guten Appetit!

appetitoso, a *agg (cibo)* appetitanregend.

appiattire *vt* flach|drücken. ■ **appiattirsi** *vr (al suolo, contro il muro)* sich flach machen; *(diventare piatto)* ab|flachen.

appiccare *vt*: ~ **il fuoco a qc** Feuer an etw *(A)* legen.

appiccicare *vt (francobollo)* auf|kleben. ■ **appiccicarsi** *vr*: **la marmellata si appiccica alle dita** Marmelade klebt an den Fingern.

appiccicoso, a *agg (attaccaticcio)* klebrig; *fig (persona)* aufdringlich.

appiglio *sm (appoggio)* Anhaltspunkt *der*.

appisolarsi *vr* ein|nicken.

applaudire *vt* applaudieren.

applauso *sm* Applaus *der*.

applicare *vt (etichette)* an|bringen; *(regola, principio)* an|wenden. ■ **applicarsi** *vr* sich an|strengen.

applicazione *sf (di cerotto)* Aufkleben *das*; *(di pomata)* Auftragen *das*; *(attuazione)* Anwendung *die*.

appoggiare *vt (per terra, sul*

tavolo - in verticale) stellen ; *(per terra, sul tavolo - in orizzontale)* legen ; *(sostenere)* : ~ **qc a** ○ **contro qc** etw gegen etw *(A)* stützen. ■ **appoggiarsi a** *vr + prep* *(a qc in verticale)* sich lehnen an *(+A)* ; *(a qc in orizzontale)* sich stützen auf *(+A)*.

appoggiatesta Kopfstütze *die*.

apposta *avv* absichtlich ; **fare qc ~** etw absichtlich tun.

apprendere *vt (imparare)* erlernen ; *(notizia)* erfahren.

apprendista, i, e *smf* Auszubildende *der, die*.

appretto *sm* Sprühstärke *die*.

apprezzamento *sm (giudizio)* Wertung *die* ; *(stima, approvazione)* Anerkennung *die*.

apprezzare *vt (stimare, gradire)* schätzen.

approdare *vi (di nave)* anllegen ; **non ~ a niente** zu nichts führen.

approdo *sm (atto)* Landung *die* ; *(luogo)* Landungsplatz *der*.

approfittare : **approfittare di** *v + prep (occasione)* profitieren von ; *(persona)* auslnutzen.

approfondire *vt* vertiefen.

appropriarsi : **appropriarsi di** *v + prep* : ~ **qc** sich *(D)* etw anleignen.

approssimativo, a *agg (calcolo)* ungefähr ; *(conoscenza)* oberflächlich.

approvare *vt (legge)* verabschieden ; *(proposta)* anlnehmen ; *(comportamento)* gut heißen.

approvazione *sf (consenso)* Zustimmung *die*.

appuntamento *sm* Verabredung *die* ; **dare (un) ~ a qn** sich mit jm verabreden ; **prendere un ~ con** ○ **da qn** mit jm einen Termin vereinbaren.

appuntare *vt (fissare)* anlheften.

appunto *sm (annotazione)* Notiz *die*. ◆ *avv (proprio)* eben.

apribottiglie Flaschenöffner *der*.

aprile *sm inv* April *der* ; *vedi anche* **settembre**.

aprire *vt (bottiglia, porta)* öffnen ; *(mano)* auflmachen ; *(gas, acqua)* aufldrehen ; *(iniziare, inaugurare)* eröffnen. ■ **aprirsi** *vr (porta)* sich öffnen ; **nella barca si è aperta una falla** das Boot ist leck geschlagen ; **aprirsi con qc** *(confidarsi)* sich jm anlvertrauen.

apriscatole *sm inv* Dosenöffner *der*.

aquila *sf (uccello)* Adler *der* ; *fig* : **non è un'~** er/sie ist etwas beschränkt.

aquilone *sm (gioco)* Drachen *der*.

Arabia Saudita *sf* : **l'~** Saudi-Arabien *nt*.

arabo, a *agg* arabisch. ◆ *sm, f (persona)* Araber *der*, -in *die*. ◆ *sm (lingua)* Arabisch(e) *das*.

arachide *sf (frutto)* Erdnuss *die*.

aragosta *sf* Languste *die*.

arancia, ce *sf* Orange *die*.
aranciata *sf* Orangeade *die*.
arancio *sm (pianta)* Orangenbaum *der*.
arancione *agg* orange. ◆ *sm (colore)* Orange *das* ; *(membro di setta)* Hare Krischna-Anhänger *der*.
arazzo *sm* Wandteppich *der*.
arbitro *sm* SPORT Schiedsrichter *der*, -in *die*.
arbusto *sm* Strauch *der*.
archeologia *sf* Archäologie *die*.
archeologico, a, ci, che *agg* archäologisch.
architetto *sm (professionista)* Architekt *der*, -in *die*.
architettura *sf (arte)* Architektur *die*.
archivio *sm (luogo, inform)* Archiv *das* ; *(raccolta)* Sammlung *die*.
arcipelago, ghi *sm* Inselgruppe *die*.
arcivescovo *sm* Erzbischof *der*.
arco, chi *sm (arma, volta)* Bogen *der* ; *(durata)* : **nell'~ di due mesi** im Laufe von zwei Monaten.
arcobaleno *sm* Regenbogen *der*.
ardere *vt (bruciare qc col fuoco)* verbrennen. ◆ *vi (essere acceso)* brennen.
ardesia *sf (pietra)* Schiefer *der*.
area *sf (zona)* Gebiet *das* ; INFORM Bereich *der* ; SPORT : **~ di rigore** Strafraum *der* ; **~ di servizio** Autobahntankstelle *die*.
arena *sf (anfiteatro)* Arena *die*.
arenarsi *vr (nave)* auflaufen.
argenteria *sf* Silberzeug *das*.
Argentina *sf* : **l'~** Argentinien *nt*.
argentino, a *agg* argentinisch. ◆ *sm, f* Argentinier *der*, -in *die*.
argento *sm* Silber *das* ; **d'~** silbern.
argilla *sf* Ton *der*.
argine *sm (di fiume)* Damm *der*.
argomento *sm (tema)* Thema *das* ; *(ragionamento)* Argument *das*.
aria *sf (atmosfera)* Luft *die* ; *(aspetto)* Miene *die* ; *(melodia)* Arie *die* ; **questo ha l'~ familiare** das kommt mir bekannt vor ; **cambiare l'~** lüften ; **cambiare ~** *fig* verschwinden ; **all'~ aperta** an ~ der frischen Luft ; **mandare all'~ qc** etw platzen lassen ; **~ condizionata** Klimaanlage *die* ; **darsi delle arie** sich aufspielen.
arido, a *agg (secco)* trocken ; *fig (persona, cuore)* gefühllos.
ariete *sm (animale)* Widder *der*. ■ **Ariete** *sm (zodiaco)* Widder *der*.
aringa, ghe *sf* Hering *der*.
arista *sf* Schweinsrücken *der*.
aristocratico, a, ci, che *agg (nobile)* aristokratisch. ◆ *sm, f* Aristokrat *der*, -in *die*.
aritmetica *sf* Arithmetik *die*.
Arlecchino *sm* Harlekin *der*.

ạrma *sf (strumento)* Waffe *die* ; *(di esercito)* Teilstreitkraft *die* ; **~ da fuoco** Feuerwaffe.

armạdio *sm* Schrank *der* ; **~ a muro** Wandschrank *der*.

armạto, a *agg* bewaffnet.

Armẹnia *sf* : **l'~** Armenien *nt*.

armonịa *sf (di suoni, colori)* Harmonie *die* ; *(concordia)* Einklang *der*.

arnẹse *sm (attrezzo)* Werkzeug *das* ; *fam (oggetto)* Ding *das*.

Ạrno *sm* : **l'~** der Arno.

arọma, i *sm (odore)* Duft *der* ; *(essenza)* Aroma *das* ; *(spezie)* Gewürz *das*.

ạrpa *sf* Harfe *die*.

arpiọne *sm (fiocina)* Harpune *die*.

arrabbiạrsi *vr* sich aufregen.

arrabbiạto, a *agg (adirato)* wütend.

arrabbịata : all'arrabbiata *agg* → **penna**.

arrampicạrsi *vr (su albero)* klettern auf *(+A)* ; *(su pendio)* hinauflklettern auf *(+A)*.

arrangiạrsi *vr (cavarsela)* sich *(D)* behelfen ; **arrangiati!** werde selbst damit fertig!

arredamẹnto *sm (mobili)* Einrichtung *die*.

arredạre *vt* einlrichten.

arrẹndersi *vr* sich ergeben.

arrestạre *vt (catturare)* festlnehmen ; *(emorragia, flusso)* zum Stillstand bringen.

arrẹsto *sm (cattura)* Festnahme *die* ; *(fermata)* Stillstand *der* ; **~ cardiaco** Herzstillstand.

arretrạto, a *agg (lavoro, pagamento)* im Rückstand ; *(giornale)* alt ; *(sorpassato)* überholt. ◆ *sm (credito)* Außenstände *pl* ; *(debito)* Rückstände *pl* ; *(di periodico)* alte Nummer.

arricchịre *vt (rendere ricco)* bereichern. ◆ *vi (diventare ricco)* reich werden. ■ **arricchirsi** *vr* sich bereichern.

arricciacapẹlli *sm inv* Lockenbürste *die*.

arricciạre *vt (capelli, nastro)* kräuseln.

arrivạre *vi (giungere)* einltreffen ; **arriverò a Firenze alle due** ich komme um zwei Uhr in Florenz an. ■ **arrivare a** *v + prep (raggiungere)* erreichen ; **~ a fare qc** *(riuscire)* es schaffen, etw zu tun.

arrivedẹrci *esclam* auf Wiedersehen.

arrivedẹrla *esclam* auf Wiedersehen.

arrịvo *sm (venuta)* Ankunft *die* ; *(luogo)* Zielort *der* ; *(nello sport)* Ziel *das* ; *(sport)* : **'Arrivo'** 'Ziel' ; *(aeroporto)* : **'Arrivi'** 'Ankunft'.

arrossịre *vi (di vergogna, timidezza)* erröten.

arrostịre *vt (cuocere)* braten.

arrọsto *sm* Braten *der*.

arrotolạre *vt* zusammenlrollen.

arrotondạre *vt (render tondo)* ablrunden ; *(per eccesso)* auflrunden ; *(per difetto)* ab|runden ; *(stipendio)* auf|bessern.

arrugginito, a *agg (ferro)* verrostet ; *fig (lento)* eingerostet ; *fig* **il mio francese è ~** mein Französisch ist eingerostet.

arruolarsi *vr* sich an|werben lassen.

arte *sf (attività creativa, arti figurative, abilità)* Kunst *die* ; **storia dell'~** Kunstgeschichte *die*.

arteria *sf* ANAT Arterie *die* ; *(strada)* Ader *die*.

artico, a, ci, che *agg* arktisch.

articolazione *sf (giuntura)* Gelenk *das*.

articolo *sm* GRAMM & DIR Artikel *der* ; **~ di giornale** Zeitungsartikel ; **articoli da regalo** Geschenkartikel *pl*.

Artide *sf* : **l'~** die Arktis.

artificiale *agg (prodotto)* künstlich.

artigianato *sm (attività)* Kunsthandwerk *das*.

artigiano, a *agg* Handwerks-. ◆ *sm, f* Handwerker *der*, -in *die*.

artiglio *sm (di animale)* Kralle *die*.

artista, i, e *smf* Künstler *der*, -in *die*.

artistico, a, ci, che *agg (oggetto)* künstlerisch ; *(ambiente)* Künstler-.

arto *sm* Glied *das*.

artrite *sf* Arthritis *die*.

artrosi *sf* Arthrose *die*.

ascella *sf* Achselhöhle *die*.

ascendente *sm (astrologico)* Aszendent *der*.

Ascensione *sf* : **l'~** Christi Himmelfahrt.

ascensore *sm* Aufzug *der*.

ascesso *sm* Abszess *der*.

ascia (*pl* **asce**) *sf* Axt *die*.

asciugacapelli *sm inv* Föhn *der*.

asciugamano *sm* Handtuch *das*.

asciugare *vt (bagnato)* trocknen. ■ **asciugarsi** *vr (persona)* sich ab|trocknen ; *(tinta, vestiti)* trocknen.

asciutto, a *agg (secco)* trocken ; *(magro)* hager.

ascoltare *vt (sentire)* zu|hören *(+D)* ; *(dar retta a)* hören auf *(+A)*.

ascoltatore, trice *sm, f* Zuhörer *der*, -in *die*.

ascolto *sm (di suono, voci)* Hören *das* ; *(attenzione)* Zuhören *das* ; **dare** ○ **prestare ~ a** Gehör schenken.

asfaltato, a *agg* asphaltiert.

asfalto *sm* Asphalt *der*.

asfissia *sf* Erstickung *die*.

asfissiare *vt (soffocare)* ersticken. ◆ *vi* ersticken.

Asia *sf* : **l'~** Asien *nt*.

asiatico, a, ci, che *agg* asiatisch. ◆ *sm, f* Asiate *der*, -tin *die*.

asilo *sm (scuola)* Kindergarten *der* ; **~ nido** Kinderkrippe *die*.

asino *sm (animale)* Esel *der*.

A.S.L. *(abbr di Azienda Sanitaria Locale)* örtliche Zweigstelle des italienischen Gesundheitswesen.

asma *sf* Asthma *das*.

asola *sf* Knopfloch *das*.

asparago, gi *sm* Spargel *der*.

aspettare *vt (attendere)* warten auf *(+A)*, erwarten ; **mi aspetto una riposta** ich erwarte eine Antwort.

aspettativa *sf (previsione)* Erwartung *die* ; *(congedo)* Wartestand *der*.

aspetto *sm (apparenza)* Aussehen *das* ; *(punto di vista)* Gesichtspunkt *der* ; *(elemento)* Aspekt *der*.

aspirapolvere *sm inv* Staubsauger *der*.

aspirare *vt (inalare)* ein|atmen ; *(risucchiare)* auf|saugen. ■ **aspirare a** *v + prep* streben nach.

aspirina® *sf* Aspirin® *das*.

aspro, a *agg (sapore)* sauer.

assaggiare *vt* kosten *(Speisen)*.

assalire *vt (aggredire)* überfallen.

assassinare *vt (ammazzare)* ermorden.

assassinio *sm* Mord *der*.

assassino, a *sm, f* Mörder *der*, -in *die*.

asse *sf (tavola)* Brett *das*. ◆ *sm (di auto, retta)* Achse *die*.

assegnare *vt (casa, rendita)* zu|weisen ; *(incarico, compiti)* er|teilen ; *(premio)* zu|erkennen ; **~ qc a qn** jm etw zu|teilen.

assegno *sm (bancario)* Scheck *der* ; *(sussidio)* Unterstützung *die* ; **~ a vuoto** ungedeckter Scheck ; **~ circolare** Barscheck *der* ; **~ di viaggio** o **turistico** Reisescheck *der*.

assemblea *sf* Versammlung *die*.

assente *agg (da luogo)* abwesend ; *(distratto)* zerstreut. ◆ *sm, f* Abwesende *der, die*.

assenza *sf (lontananza)* Abwesenheit *die* ; *(mancanza)* Fehlen *das*.

assetato, a *agg (di acqua)* durstig.

assicurare *vt (auto, casa)* versichern ; *(garantire)* garantieren ; *(fissare)* sichern. ■ **assicurarsi** *vr (contro incendi, infortuni)* sich versichern ; **assicurarsi contro** sich versichern gegen.

assicurato, a *agg (con contratto)* Versicherte *der, die*.

assicurazione *sf (contratto)* Versicherung *die* ; *(garanzia)* Garantie *die* ; **~ sulla vita** Lebensversicherung.

Assisi *sf* Assisi *nt*.

assistente *smf (collaboratore)* Assistent *der*, -in *die* ; **~ di volo** Steward *der*, -ess *die* ; **~ sociale** Sozialarbeiter *der*, -in *die*.

assistenza *sf (previdenza)* Fürsorge *die* ; *(soccorso)* Hilfeleistung *die*.

assistere *vt (malato)* pflegen. ■ **assistere (a)** *v (+ prep)* : **~ qc** einer Sache *(D)* bei|wohnen.

asso *sm (carta)* Ass *das* ; *fig* Ass *das* ; **piantare in ~ qn** jn im Stich lassen.

associare *vt (mettere insieme)* verbinden ; *fig (idee, immagini,* *fatti)* in Verbindung setzen ; ~qn/qc a *(rendere partecipe di)* jn/etw in etw *(A)* ein|beziehen.

associazione *sf (unione)* Verein *der*.

assolto, a *pp* → assolvere.

assolutamente *avv (completamente)* absolut ; *(ad ogni costo)* unbedingt.

assoluto, a *agg (totale)* absolut.

assoluzione *sf (accusato)* Freispruch *der*.

assolvere *vt (accusato)* frei|sprechen ; *(penitente)* los|sprechen ; *(compito)* entbinden.

assomigliare *vt* ähneln. ◆ *v + prep* : ~ a qn jm ähneln.

assonnato, a *agg* schläfrig.

assorbente *agg (carta)* saugfähig. ◆ *sm* : ~ (igienico) Damenbinde *die* ; ~ interno Tampon *der*.

assorbire *vt (liquido)* auf|saugen.

assortimento *sm* Sortiment *das*.

assortito, a *agg (vario)* assortiert ; *(accordato)* abgestimmt.

assumere *vt (personale)* ein|stellen ; *(impegno)* übernehmen.

assunto, a *pp* → assumere.

assurdo, a *agg* absurd.

asta *sf (bastone)* Stange *die* ; *(vendita)* Versteigerung *die*.

astemio, a *agg* : essere astemio keinen Alkohol trinken.

astigmatico, a, ci, che *agg* astigmatisch.

astratto, a *agg (teoria, quadro)* abstrakt.

astrologia *sf* Astrologie *die*.

astronauta, i, e *smf* Astronaut *der*, -in *die*.

astronomia *sf* Astronomie *die*.

astuccio *sm (per matite)* Etui *das* ; *(per gioielli)* Kästchen *das*.

astuto, a *agg (persona)* schlau ; *(idea, azione)* listig.

astuzia *sf (furbizia)* Schlauheit *die* ; *(stratagemma)* List *die*.

A.T. *(abbr di Alta Tensione)* Hochspannung *die*.

ateo, a *sm, f* Atheist *der*, -in *die*.

A.T.I. *(abbr di AeroTrasporti Italiani) italienische Fluggesellschaft.*

atlante *sm (anatomia, geografia)* Atlas *der*.

atlantico, a, ci, che *agg* atlantisch.

Atlantico *sm* : l'(Oceano) ~ der Atlantik.

atleta, i, e *smf* Athlet *der*, -in *die*.

atletica *sf* Athletik *die* ; ~ leggera Leichtathletik.

atletico, a, ci, che *agg* athletisch.

atmosfera *sf (di pianeta, situazione)* Atmosphäre *die*.

atmosferico, a, ci, che *agg* atmosphärisch.

atomico, a, ci, che *agg (nucleare)* Atom-.

atomo *sm (particella)* Atom *das*.

attaccante *sm SPORT* Stürmer *der*.

attaccapanni *sm inv* Kleiderständer *der*.

attaccare *vt (unire)* zusammen|kleben ; *(appendere)* befestigen ; *(assalire)* an|greifen ; *(trasmettere)* an|stecken. ■ **attaccarsi** *vr (aderire)* haften.

attacco, chi *sm (assalto)* Angriff *der* ; *(accesso)* Anfall *der* ; *(presa)* Steckdose *die* ; *SPORT* Angriff *der*.

atteggiamento *sm (comportamento)* Verhalten *das*.

attendere *vt (aspettare)* warten auf *(+A)*, erwarten.

attento, a *agg (persona)* aufmerksam ; **stare ~ (a)** auf|passen(auf *(+A)*).

attenzione *sf (concentrazione)* Aufpassen *das* ; *(premura)* Aufmerksamkeit *die* ; **fare ~ (a)** *(concentrarsi)* auf|passen (auf *(+A)*) ; ~! *(essere prudente)* Vorsicht!

atterraggio *sm (di aereo)* Landung *die*.

atterrare *vi (aereo)* landen.

attesa *sf (periodo)* Wartezeit *die*.

attestato *sm* Bescheinigung *die*.

attico, ci *sm (piano)* Penthouse *das*.

attillato, a *agg (aderente)* anliegend.

attimo *sm* Moment *der*.

attirare *vt* an|ziehen.

attività *sf inv (occupazione)* Tätigkeit *die* ; *COMM* Betrieb *der*.

attivo, a *agg (operoso)* aktiv.

atto *sm (azione, gesto)* Tat *die* ; *(documento)* Akte *die* ; *(di dramma)* Akt *der*.

attorcigliare *vt (fili)* verwirren ; *(avvolgere)* umwickeln.

attore, trice *sm (di cinema, teatro)* Schauspieler *der*, -in *die*.

attorno *avv* herum.

attracco, chi *sm (manovra)* Anlegen *das* ; *(luogo)* Anlegestelle *die*.

attraente *agg* anziehend.

attrarre *vt (affascinare)* an|ziehen ; *(richiamare)* an|locken ; **~ l'attenzione di qn su qc/qn** js Aufmerksamkeit auf etw/jn ziehen.

attrattiva *sf (richiamo)* Anziehungskraft *die* ; *(fascino)* Reiz *der*.

attraversamento *sm (passaggio)* Überqueren *das* ; **~ pedonale** Fußgängerübergang *der*.

attraversare *vt (strada)* überqueren ; *(montagne, paese)* durchqueren.

attraverso *prep (da parte a parte, per mezzo di)* durch.

attrazione *sf (fascino)* Reiz *der* ; *(interesse)* Anziehung *die* ; *(di spettacolo)* Attraktion *die*.

attrezzatura *sf* Ausrüstung *die*.

attrezzo *sm (arnese)* Werkzeug *das*.

attribuire : attribuire a *v* +

prep (colpa, merito, opera) zulschreiben *(+D)*.

attrice → **attore**.

attrito *sm (resistenza)* Reibung *die*.

attuale *agg (presente)* derzeitig ; *(moderno)* aktuell.

attualità *sf inv* Aktualität *die* ; **d'~** aktuell.

attualmente *avv* derzeit.

attuare *vt* durchlführen.

attutire *vt (colpo, rumore)* dämpfen.

audace *agg (persona)* verwegen ; *(azione)* kühn.

audacia *sf (coraggio)* Verwegenheit *die*.

audiovisivo, a *agg* audiovisuell.

auditorio *sm* Auditorium *das*.

audizione *sf (musicale)* Vorsingen *das* ; *(teatrale)* Vorspielen *das*.

augurare *vt* : **~ qc a qn** jm etw wünschen ; **augurarsi di fare qc** sich *(D)* wünschen, etw zu tun ; **mi auguro che tutto vada bene** hoffentlich geht alles gut.

augurio *sm (desiderio)* Wunsch *der* ; *(auguri, per compleanno)* Glückwunsch ; **fare gli auguri a qn** jm gratulieren ; **(tanti) auguri!** herzlichen Glückwunsch!

aula *sf (scolastica)* Klassenzimmer *das* ; *(universitaria)* Hörsaal *der*.

aumentare *vt (prezzo)* erhöhen ; *(quantità)* vermehren ; *(intensità)* verstärken. ◆ *vi (peso)* zulnehmen ; *(statura)* wachsen.

aumento *sm (accrescimento)* Zunahme *die* ; **~ di stipendio** Gehaltserhöhung *die* ; *(rincaro)* Steigerung *die*.

auricolare *sm* Kopfhörer *der*.

aurora *sf (alba)* Morgenröte *die* ; **~ boreale** Polarlicht *das*.

Australia *sf* : **l'~** Australien *nt*.

australiano, a *agg* australisch. ◆ *sm, f* Australier *der*, -in *die*.

Austria *sf* : **l'~** Österreich *nt*.

austriaco, a, ci, che *agg* österreichisch. ◆ *sm, f* Österreicher *der*, -in *die*.

autenticare *vt (firma, documento)* beglaubigen.

autentico, a, ci, che *agg (firma, quadro)* authentisch ; *(fatto)* echt ; **è un ~ cretino** er ist ein echter Trottel.

autista, i, e *smf (conducente)* Fahrer *der*, -in *die*.

auto *sf inv* Auto *das*.

autoabbronzante *agg* selbstbräunend.

autoadesivo, a *agg* selbstklebend. ◆ *sm* Aufkleber *der*.

autoambulanza *sf* = **ambulanza**.

autobiografia *sf* Autobiografie *die*.

autobus *sm inv* Bus *der*.

autocarro *sm* Lastwagen *der*.

autocisterna *sf* Tankwagen *der*.

autocontrollo *sm* Selbstbeherrschung *die*.
autodromo *sm* Motodrom *das*.
autogol *sm inv* Eigentor *das*.
autografo *sm (firma)* Autogramm *das*.
autogrill® *sm inv* Autobahnraststätte *die*.
autolinea *sf* Buslinie *die*.
automatico, a, ci, che *agg (meccanismo, gesto, reazione)* automatisch.
automezzo *sm* Kraftfahrzeug *das*.
automobile *sf* Auto *das*.
automobilismo *sm* Autosport *der*.
automobilista, i, e *smf* Autofahrer *der*, -in *die*.
autonoleggio *sm* Autovermietung *die*.
autonomia *sf (indipendenza)* Selbständigkeit *die* ; *(di veicolo)* Reichweite *die*.
autonomo, a *agg (persona)* selbstständig.
autopsia *sf* Obduktion *die*.
autoradio *sf inv (apparecchio)* Autoradio *das*.
autore, trice *sm, f (di libro, quadro)* Autor *der*, -in *die* ; *(di delitto)* Täter *der*, -in *die*.
autorimessa *sf* Garage *die*.
autorità *sf inv (potere, persona)* Autorität *die* ; *(ente)* Behörde *die*.
autoritario, a *agg* autoritär.
autorizzare *vt (permettere)* : **autorizzare qn a fare qc** jm etw genehmigen.
autorizzazione *sf* Genehmigung *die*.
autoscatto *sm* Selbstauslöser *der*.
autoscontro *sm* Autoskooter *der*.
autoscuola *sf* Fahrschule *die*.
autoservizio *sm* Buslinie *die*.
autostop *sm inv* Autostopp *der* ; **fare l'~** trampen.
autostoppista, i, e *smf* Anhalter *der*, -in *die*.
autostrada *sf* Autobahn *die*.
autostradale *agg* Autobahn-.
autoveicolo *sm* Kraftfahrzeug *das*.
autovettura *sf* Personenkraftwagen *der*.
autunno *sm* Herbst *der*.
avambraccio *sm* Unterarm *der*.
avanguardia *sf (movimento)* : **d'~** avantgardistisch ; **essere all'~** seiner Zeit voraus sein.
avanti *avv (di luogo)* vorne ; **venga avanti!** treten Sie näher! ◆ *prep* : **~ a** vor *(+ D)* ; *(di tempo)* : **l'orologio è ~ di cinque minuti** die Uhr geht fünf Minuten vor ; **'avanti!'** *(invito a entrare)* 'herein!' ; **'avanti'** *(al semaforo)* grün *(bei Fußgängerampel)* ; **~ il prossimo** *(in fila)* der Nächste bitte ; **~ e indietro** hin und her ; **andare ~** *(a piedi)* weiter|gehen ; *(con mezzo)* weiter|fahren ; *(continuare)* weiter|machen ; **essere ~** *(nel la-*

voro, studio) fortgeschritten sein ; **farsi ~** sich anlbieten.

avanzare *vt (spostare avanti)* vorlrücken. ◆ *vi (procedere)* voranlgehen ; *(restare)* übriglbleiben.

avanzo *sm (di cibo, di stoffa)* Rest *der.*

avaria *sf (meccanico)* Havarie *die.*

avariato, a *agg* verdorben.

avaro, a *agg (tirchio)* geizig.

avena *sf* Hafer *der.*

avere *vt* **- 1.** *(possedere)* haben ; **ha due fratelli** er hat zwei Brüder ; **non ho più soldi** ich habe kein Geld mehr.
- 2. *(come caratteristica)* haben ; **~ capelli scuri** dunkle Haare haben ; **~ molta immaginazione** viel Fantasie haben.
- 3. *(età)* sein ; **quanti anni hai?** wie alt bist du? ; **ho 18 anni** ich bin 18 (Jahre alt).
- 4. *(portare addosso)* dabeilhaben ; **hai da accendere?** hast du Feuer?
- 5. *(sentire)* : **ho caldo/freddo** mir ist warm/kalt ; **~ sonno** müde sein ; **~ fame** Hunger haben ; **ho mal di testa** ich habe Kopfschmerzen.
- 6. *(ottenere, ricevere)* bekommen.
- 7. *(in espressioni)* : **non ha niente a che fare** ○ **vedere con** das hat nichts zu tun mit ; **non ne ho per molto** ich bin gleich fertig ; **~ da fare** zu tun haben ; **avercela con qn** etwas gegen jn haben ; **quanti ne abbiamo oggi?** den wievielten haben wir heute? ◆ *v aus* haben ; **non ho capito** ich habe nicht verstanden ; **abbiamo prenotato un tavolo** wir haben einen Tisch reserviert. ■ **averi** *smpl* Vermögen *das.*

aviazione *sf* Luftfahrt *die.*

avido, a *agg* gierig.

A.V.I.S. *sf* (*abbr di Associazione Volontari Italiani del Sangue*) *italienischer Verband für freiwillige Blutspender.*

avocado *sm inv* Avocado *die.*

avorio *sm (sostanza)* Elfenbein *das.*

avvantaggiare *vt* begünstigen. ■ **avvantaggiarsi** *vr (beneficiare)* Nutzen ziehen ; *(avanzare)* Vorteil ziehen, Vorsprung gewinnen ; *(prevalere)* voraus sein. ◆ *vr* : **~ di** profitieren von.

avvelenamento *sm* Vergiftung *die.*

avvelenare *vt (persona, cibo)* vergiften ; *(amareggiare)* vermiesen ; **~ la vita a qc** jm das Leben vermiesen.

avvenimento *sm* Ereignis *das.*

avvenire *sm inv (futuro)* Zukunft *die.* ◆ *vi* geschehen.

avventura *sf* Abenteuer *das.*

avventurarsi *vr* sich wagen.

avventuroso, a *agg (persona)* abenteuerlustig ; *(viaggio)* abenteuerlich.

avverarsi *vr* einltreffen.

avverbio *sm* Adverb *das.*

avversario, a *agg* gegnerisch. ◆ *sm, f* Gegner *der*, -in *die*.

avvertenza *sf (avviso)* Hinweis *der*. ■ **avvertenze** *sfpl* Hinweise *pl*.

avvertimento *sm* Warnung *die*.

avvertire *vt (avvisare)* warnen ; *(sentire)* spüren.

avviamento *sm (di motore)* Anlassen *das*.

avviare *vt (iniziare)* anl-fangen. ■ **avviarsi** *vr (incamminarsi)* sich auf den Weg machen.

avvicinare *vt (accostare)* näher rücken. ■ **avvicinarsi** *vr* : **avvicinarsi a qn/qc** *(accostarsi)* sich jm/einer Sache nähern.

avvisare *vt (informare)* benachrichtigen ; *(ammonire)* warnen.

avviso *sm (annuncio)* Hinweis *der*, Bekanntmachung *die* ; *(avvertimento)* Warnung *die*, Bescheid *der* ; **a mio ~** meiner Meinung nach.

avvistare *vt* sichten.

avvitare *vt (girare)* einl-schrauben ; *(fissare con viti)* festl-schrauben.

avvocato *smf* Rechtsanwalt *der*, -in *die*.

avvolgere *vt (arrotolare)* aufl-wickeln ; *(avviluppare)* einl-hüllen. ■ **avvolgersi** *vr (aggrovigliarsi)* sich verwickeln ; *(avvilupparsi)* sich einl-hüllen.

avvolgibile *sm* Rollladen *der*.

avvoltoio *sm* Geier *der*.

azalea *sf* Azalee *die*.

azienda *sf* Betrieb *der* ; **~ agricola** Landwirtschaftsbetrieb.

azionare *vt* bedienen.

azione *sm (atto)* Handlung *die* ; *(effetto)* Wirkung *die*.

azionista, i, e *smf* Aktionär *der*, -in *die*.

azoto *sm* Stickstoff *der*.

azzannare *vt* mit den Zähnen packen.

azzardare : azzardarsi *vr* : **azzardarsi a fare qc** sich (ge)trauen, etw zu tun.

azzardo *sm (rischio)* Wagnis *das* ; **giocare d'~** zocken.

azzeccare *vt* erraten.

azzurro, a *agg* blau. ◆ *sm* Blau *das*. ■ **Azzurri** *smpl* : **gli Azzurri** SPORT *die italienische Nationalmannschaft*.

B

babà *sm inv in Rum getränktes Hefegebäck*.

babbo *sm* Papa *der* ; **Babbo Natale** Weihnachtsmann *der*.

baby-sitter *smf inv* Babysitter *der*.

baccalà *sm inv* Stockfisch *der*.

bacheca, che *sf (vetrina)* Schaukasten *der* ; *(riquadro per avvisi)* schwarzes Brett.

baciare *vt* küssen. ■ **baciarsi** *vr* sich küssen.

bacinella *sf* Schüssel *die*.

bacino *sm* ANAT & GEOG Becken *das*.

bacio *sm* Kuss *der*.
badare *vi* : ~ **a** *(prendersi cura di)* sich kümmern um ; *(fare attenzione a)* auf|passen auf *(+A)*.
baffo *sm* Schnurrbart *der*.
bagagliaio *sm* Kofferraum *der*.
bagaglio (*pl* **bagagli**) *sm* Gepäck *das (ohne pl)* ; ~ **a mano** Handgepäck.
bagnare *vt (inzuppare)* nass machen ; *(inumidire)* an|feuchten ; *(annaffiare)* gießen. ■ **bagnarsi** *vr (fare il bagno)* baden ; *(di pioggia, spruzzi)* nass werden.
bagnato, a *agg* nass ; ~ **fradicio** durchnässt.
bagnino, a *sm, f* Bademeister *der*, -in *die*.
bagno *sm (immersione)* Bad *das* ; *(stanza)* Badezimmer *das* ; **fare il** ~ baden ; ~ **pubblico** öffentlicher Waschraum. ■ **bagni** *smpl (stabilimento)* Strandbad *das*.
bagnomaria *sm* : **cuocere a** ~ im Wasserbad kochen.
bagnoschiuma *sm inv* Schaumbad *das*.
baia *sf (insenatura)* Bucht *die*.
baita *sf* Berghütte *die*.
balbettare *vi* stottern.
balcone *sm* Balkon *der*.
balena *sf* Wal *der*.
balla *sf (pacco)* Ballen *der* ; *fam (bugia)* : **raccontare una** ~ **a qn** jm einen Bären auf|binden.
ballare *vi* tanzen.
ballerina *sf (danzatrice)* Tänzerin *die* ; *(scarpa)* Ballerina *die*.
balletto *sm (rappresentazione)* Ballett *das*.
ballo *sm (attività, giro di danza)* Tanz *der* ; *(festa)* Tanzabend *der* ; ~ **in maschera** Maskenball *der* ; **essere in** ~ *(essere in gioco)* auf dem Spiel stehen ; **tirare in** ~ **qc** etw aufs Tapet bringen ; **tirare in** ~ **qn** jn in eine Sache verwickeln.
balneare *agg* Bade-.
balneazione *sf* Baden *das* ; **'divieto di** ~**'** 'Baden verboten'.
balsamo *sm (per capelli)* Haarbalsam *der*.
Baltico *sm* : **il (Mar)** ~ die Ostsee.
bambinaia *sf* Kindermädchen *das*.
bambino, a *sm, f* Kind *das*.
bambola *sf (giocattolo)* Puppe *die*.
banale *agg* banal.
banana *sf* Banane *die*.
banca *sf (impresa)* Bank *die* ; ~ **dati** Datenbank.
bancarella *sf* Stand *der*.
bancario, a *agg* Bank-. ◆ *sm, f* Bankangestellte *der, die*.
bancarotta *sf* Bankrott *der*.
banchina *sf (di porto)* Kai *der* ; *(di stazione)* Bahnsteig *der*.
banco, chi *sm (di scuola, banca)* Bank *die* ; *(di bar)* Tresen *der* ; *(di negozio)* Ladentisch *der* ; ~ **di sabbia** Sandbank ; ~ **di nebbia** Nebelbank.
bancomat® *sm inv (sistema)* Geldautomat *der* ; *(tessera)* Scheckkarte *die*.
banconota *sf* Geldschein *der*.

bạnda *sf (complesso)* Musikkapelle *die* ; *(striscia)* Band *das* ; *(di malviventi)* Bande *die*.
bandiẹra *sf (drappo)* Fahne *die*.
bandịto *sm* Bandit *der*.
bạndo *sm (annuncio)* Bekanntmachung *die* ; **~ alle chiacchiere!** Schluss mit dem Geschwätz!
bar *sm inv (locale)* Bar *die* ; **~-tabacchi** *Bar mit Tabakwarenverkauf*.

BAR

Eine Bar ist in Italien ein öffentliches Lokal, das von vielen Italienern unabhängig von der Tageszeit auf einen „caffè" und ein „cornetto" (Hörnchen) aufgesucht wird. Am Vormittag kann man dort eine Kleinigkeit essen oder einen Aperitif zu sich nehmen. In allen Bars kann man im Stehen essen und trinken, und manchmal wird auch an kleinen Tischen serviert. Es gibt elegante und teure Bars, aber auch einfachere, wo man sich trifft, um Karten, Billiard oder Toto zu spielen. Alle Bars dürfen alkoholische Getränke verkaufen, manche auch Zigaretten.

---

bạra *sf* Sarg *der*.
barạcca, che *sf (capanna)* Hütte *die* ; *spreg (casa)* Bude *die*.
baraccọne *sm* Jahrmarktsbude *die*.
barạre *vi* schummeln.
barạttolo *sm* Dose *die*.
bạrba *sf* Bart *der* ; **farsi la ~** *(peli)* sich *(A)* rasieren ; **che ~!** *(noia)* so was Ödes!
bạrbaro, a *agg (selvaggio)* barbarisch. ◆ *sm, f* Barbar *der*, -in *die*.
barbecue *sm inv (griglia)* Grill *der* ; *(festa)* Grillparty *die*.
barbiẹre *sm* Herrenfriseur *der*.
barbọne, a *sm, f (vagabondo)* Stadtstreicher *der*, -in *die*.
bạrca, che *sf* Boot *das* ; **~ a remi** Ruderboot ; **~ a vela** Segelboot.
barẹlla *sf (lettiga)* Tragbahre *die*.
barịsta, i, e *smf* Barkeeper *der*.
bạrman *sm inv* Barmann *der*.
Barọlo *sm Piemonteser Rotwein*.
bạrra *sf (asta)* Stange *die* ; *(lineetta)* Strich *der*.
barricạre : barricarsi *vr* sich verbarrikadieren.
barriẹra *sf (sbarramento)* Schranke *die* ; *(limite)* Sperre *die*.
basạre *vt (fondare)* gründen. ■ **barsarsi su** *vr + prep* sich stützen auf *(+A)*.
bạse *sf (parte inferiore)* Sockel *der*, Basis *die* ; *(principio)* Grundlage *die* ; *(luogo)* Stützpunkt *der* ; **alla ~ di qc** einer Sache *(D)* zu Grunde liegen.
baseball *sm inv* Baseball *der*.
basẹtta *sf* Koteletten *pl*.
basịlica, che *sf (chiesa)* Basilika *die*.
basịlico *sm* Basilikum *das*.
bạsso, a *agg (persona)* klein ; *(edificio, livello, numero)* niedrig ;

(poco profondo) seicht ; *(suono)* tief. ◆ *sm (cantante)* Bass *der* ; *(abitazione a Napoli)* Armenviertel ; **in ~** unten.

basta *esclam* Schluss jetzt!, genug davon!

bastare *vi (essere sufficiente)* reichen. ◆ *v impers* reichen ; **basta che** es reicht, wenn ; **basta così** das reicht.

bastone *sm (canna)* Stock *der* ; **~ da passeggio** Spazierstock *der*.

battaglia *sf (scontro)* Schlacht *die*.

battello *sm* Boot *das*.

battere *vt (testa)* an|schlagen ; *(tappeto)* klopfen ; *(tempo, ore)* schlagen ; *(vincere)* schlagen. ◆ *vi (pulsare)* schlagen ; *(pioggia)* prasseln ; *(sole)* brennen ; *(urtare)* stoßen ; **~ contro** ○ **in qc** gegen etw stoßen ; **~ i denti** mit den Zähnen klappern ; **~ a macchina** mit der Maschine schreiben ; **~ le mani** in die Hände klatschen. ■ **battersi** *vr fig (lottare)* kämpfen.

batteria *sf (elettrica)* Batterie *die* ; *(strumento)* Schlagzeug *das*.

battesimo *sm (sacramento)* Taufe *(die)* ; **nome di ~** Vorname *der*.

battezzare *vt* taufen.

battistrada *sm inv (di pneumatico)* Profil *das*.

battito *sm (cardiaco)* Schlag *der*.

battuta *sf (spiritosaggine)* witzige Bemerkung ; *(teatrale)* Einsatz *der* ; *(di tennis)* Aufschlag *der* ; *(di caccia)* Jagdpartie *die*.

baule *sm (valigia)* Koffer *der* ; *(auto)* Kofferraum *der*.

bavaglino *sm* Lätzchen *das*.

bavarese *sf (dolce) Halbgefrorenes aus Milch, Eiern, Sahne und Speisestärke.*

bavero *sm* Kragen *der*.

BCE *(abbr di Banca Centrale Europea) sf* EZB *die*.

beato, a *agg* selig ; **~ te!** du Glücklicher.

beauty-case *sm inv* Schminkkoffer *der*.

beccare *vt (di uccello)* picken ; *fam (sorprendere)* erwischen. ■ **beccarsi** *vr fam (prendere, ricevere)* : **beccarsi qc** sich *(D)* etw holen.

becco, chi *sm (di uccello)* Schnabel *der*.

Befana *sf (personaggio)* Befana *die* ; *(festa)* Dreikönigsfest *das*.

LA BEFANA

Die Befana ist der Volkssage nach eine gutmütige Alte, die auf einem Besen reitend mit einem schweren Sack auf ihrem Buckel dargestellt wird.Traditionsgemäß hängen die Kinder am Abend vom 5. auf den 6. Januar einen Strumpf am Kamin auf, und in der Nacht kommt die Befana durch den Schornstein und füllt den Strumpf. Am Morgen finden die braven Kinder beim Erwachen Geschenke und Süßigkeiten, die bösen Kinder dagegen nur schwarze Kohle vor.

bẹffa *sf* Streich *der*.

beffạrsi : beffarsi di *vr + prep (qn)* verulken ; *(qc)* missachten.

bẹgli → **bello**.

bei → **bello**.

beige *agg inv* beige.

bel → **bello**.

bẹlga, gi, ghe *agg* belgisch.
◆ *smf* Belgier *der*, -in *die*.

Bẹlgio *sm* : **il ~** Belgien *nt*.

bẹlla *sf* SPORT *(gioco di carte)* Entscheidungsspiel *das*.

bellẹzza *sf* Schönheit *die* ; **che ~!** wie schön!

bẹllo, a *agg* **- 1.** *(d'aspetto)* schön ; **farsi ~** sich schön machen ; **le belle arti** die schönen Künste.
- 2. *(piacevole)* nett ; **era una bella serata** es war ein netter Abend.
- 3. *(tempo)* schön ; **fa bello oggi** es ist schön heute.
- 4. *(buono)* gut ; **una bella idea** eine gute Idee.
- 5. *(lodevole)* : **un bel gesto** eine schöne Geste.
- 6. *(grande)* groß ; *(cifra, spesa)* hoch ; **una bella cifra** eine dicke Summe.
- 7. *(rafforzativo)* echt ; **ha una bella fortuna** er hat echtes Glück.
◆ *sm (bellezza)* Schöne *das* ; **il ~ è che** das Beste ist, dass.

bẹlva *sf (animale)* Raubtier *das*.

belvedẹre *sm inv* Aussichtspunkt *der*.

benché *cong (sebbene)* obwohl.

bẹnda *sf* Binde *die*.

bendạre *vt (ferita, occhi)* verbinden.

bẹne *(comp & superl* **meglio***)* *avv* **- 1.** *(in modo soddisfacente)* gut ; **avete mangiato ~?** hat es euch geschmeckt?
- 2. *(nel modo giusto)* gut ; **hai fatto ~ a dirglielo** du hast gut daran getan, es ihm/ihr zu sagen.
- 3. *(in buona salute)* : **stai ~?** geht es dir gut?
- 4. *(a proprio agio)* : **stare ~** sich wohl fühlen.
- 5. *(esteticamente)* : **stai ~ pettinata così** diese Frisur steht dir gut.
- 6. *(rafforzativo)* : **lo credo ~** das glaube ich gern ; **spero ~ che ...** ich hoffe sehr, dass ...
- 7. *(in espressioni)* : **è ~ discuterne prima** man sollte vorher darüber diskutieren ; **ti sta ~** das geschieht dir recht ; **va ~** gut, in Ordnung.
◆ *esclam* gut.
◆ *sm* Gute *das* ; **è per il tuo ~** zu deinem Besten.

benedịre *vt* segnen.

benedizịone *sf (di oggetto, di persona)* Segnung *die* ; *(bene)* Segen *der*.

beneducạto, a *agg* wohlerzogen.

beneficẹnza *sf* Wohltätigkeit *die*.

benẹssere *sm (salute)* Wohlbefinden *das* ; *(ricchezza)* Wohlstand *der*.

benestạnte *agg* wohlhabend.

benvenuto, a *agg* willkommen. ◆ *sm* : **dare il ~ a qn** jn willkommen heißen ; **benvenuti a Roma!** willkommen in Rom!

benzina *sf* Benzin *das* ; **fare ~** tanken.

benzinaio, a *sm, f* Tankwart *der*, -in *die*.

bere *vt* *(ingerire liquidi)* trinken ; *fig (credere)* : **darla da ~ a qn** jn etw glauben lassen ; **bevi qualcosa?** trinkst du etwas? ; **offrire da ~** einen ausgeben.

bermuda *smpl* Bermudas *pl*.

bernoccolo *sm* *(protuberanza)* Beule *die*.

bersaglio *sm* Zielscheibe *die*.

besciamella *sf* Béchamelsoße *die*.

bestemmiare *vt* fluchen.

bestia *sf* *(animale in senso generico)* Tier *das* ; *(animale o persona feroce)* Bestie *die* ; **andare in ~** wild werden.

bestiame *sm* Vieh *das*.

bevanda *sf* Getränk *das*.

biancheria *sf* *(per la casa)* Wäsche *die* ; *(intima)* Unterwäsche *die*.

bianchetto *sm* *(correttore)* Korrekturstift *der*.

bianco, a, chi, che *agg* weiß. ◆ *sm* *(colore)* Weiß *das*. ◆ *sm, f* *(razza)* Weiße *der, die* ; **in ~** *nur mit Butter oder Öl* ; **in ~ e nero** schwarz-weiß.

Bibbia *sf* Bibel *die*.

biberon *sm inv* (Baby)fläschchen *das*.

bibita *sf* Getränk *das*.

biblioteca, che *sf* *(edificio)* Bibliothek *die*.

bicarbonato *sm* : **~ (di sodio)** Natron *das*.

bicchiere *sm* *(di vetro)* Glas *das* ; *(di plastica, di carta)* Becher *der*.

bichini = **bikini®**.

bici *sf inv fam* (Fahr)rad *das*.

bicicletta *sf* Fahrrad *das* ; **andare in ~** Rad fahren.

bidè *sm inv* Bidet *das*.

bidone *sm* *(recipiente)* Eimer *der* ; *fam (imbroglio)* Schwindel *der* ; *(piantare in asso)* : **fare un ~ a qn** jn hereinlegen.

biennale *agg* *(ogni due anni)* alle zwei Jahre ; *(per due anni)* zweijährig. ■ **Biennale** *sf* : **la Biennale** die Biennale.

LA BIENNALE

Die erste internationale Kunstausstellung der „Biennale" wurde 1895 in Venedig ins Leben gerufen. Heute steht sie unter der Leitung des gleichnamigen selbstständigen Verbands und umfasst verschiedene Bereiche: bildende Kunst, Film, Theater, Musik und Architektur. Die im Zweijahresturnus stattfindende Biennale für bildende Kunst ist vor allem Vertretern der künstlerischen Avantgarde gewidmet. Die internationalen Filmfestspiele finden jährlich statt, während die Veranstaltungen der anderen Bereiche keine festen Termine haben.

B.I.G.E. sm (*abbr di Biglietto Individuale Gruppo Studenti*) *Gruppenfahrausweis für Studenten.*
bigiotteria sf (*ornamenti*) Schmuckwaren *pl* ; (*negozio*) Schmuckwarengeschäft *das.*
biglia = **bilia**.
bigliardo = **biliardo**.
bigliettaio, a sm, f Kartenverkäufer *der*, -in *die.*
biglietteria sf Schalter *der* ; ~ **automatica** Kartenautomat *der.*
biglietto sm (*scontrino*) Beleg *der* ; (*messaggio*) Zettel *der* ; (*banconota*) Schein *der* ; **fare il ~** eine Fahrkarte lösen ; **~ d'andata e ritorno** Hin- und Rückfahrkarte *die* ; **~ d'auguri** Glückwunschkarte ; **~ collettivo** Gruppenfahrkarte ; **~ gratuito** Freikarte ; **~ ridotto** ermäßigte Karte ; **~ di (sola) andata** einfache Fahrkarte ; **~ da visita** Visitenkarte.
bignè sm inv (*pasta*) Windbeutel *der.*
bigodino sm Lockenwickler *der.*
bikini® sm inv Bikini *der.*
bilancia, ce sf (*per pesare*) Waage *die.* ■ **Bilancia** sf (*zodiaco*) Waage.
bilia sf (*di vetro*) Murmel *die* ; (*da biliardo*) Billardkugel *die.*
biliardo sm (*gioco*) Billard *das* ; (*tavolo*) Billardtisch *der.*
bilingue agg zweisprachig.
bimbo, a sm, f kleiner Junge, kleines Mädchen.
binario sm (*rotaie*) Gleis *das* ; (*marciapiede*) Bahnsteig *der* ; **'ai binari'** 'zu den Gleisen'.
binocolo sm Fernglas *das.*
biologia sf Biologie *die.*
biondo, a agg blond.
birichino, a sm, f Schelm *der*, -in *die.*
biro® sf inv Kugelschreiber *der.*
birra sf Bier *das* ; **~ chiara** helles Bier ; **~ scura** dunkles Bier ; **~ alla spina** Bier vom Fass.
birreria sf (*locale*) Bierlokal *das* ; (*fabbrica*) Brauerei *die.*
bis avv noch einmal. ◆ *esclam* Zugabe!
bisbigliare vi & vt (*sussurrare*) flüstern.
biscotto sm Keks *der.*
bisessu·ale agg bisexuell. ◆ smf Bisexuelle *der, die.*
bisestile agg Schalt-.
bisnonno, a sm, f Urgroßvater *der*, -mutter *die.*
bisognare vi müssen.
bisogno sm (*necessità*) Bedürfnis *das* ; **aver ~ di qc** etw brauchen.
bistecca, che sf Steak *das* ; **~ al sangue** nicht ganz durchgebratenes Steak ; **~ alla fiorentina** *gegrilltes Steak.*
bisticciare vi streiten.
bitter sm inv Magenbitter *der.*
bivio sm (*stradale*) Abzweigung *die.*
bizzarro, a agg (*stravagante*) bizarr.
bloccare vt (*passaggio*) sperren ; (*meccanismo*) blockieren.

■ **bloccarsi** *vr (sog : ascensore, motore)* blockieren.

blocchẹtto *sm (quaderno)* Notizblock *der*.

blọcco, chi *sm (quaderno, di cemento, ghiaccio)* Block *der* ; *(di meccanismo)* Blockierung *die* ; ~ **stradale** Straßensperre *die*.

blu *agg inv* dunkelblau. ◆ *sm inv (colore)* Dunkelblau *das*.

blue-jeans *smpl* Blue Jeans *pl*.

blụsa *sf (camicetta)* Bluse *die*.

bọa *sf (galleggiante)* Boje *die*. ◆ *sm inv (serpente)* Boa *die*.

bobịna *sf (di auto)* Zündspule *die* ; *(di pellicola)* Spule *die*.

bọcca, che *sf (di persona, animale)* Mund *der* ; GEOG : ~ **di fiume** Flussmündung *die* ; **in ~ al lupo!** Hals und Beinbruch!

boccạccia, ce *sf* : **fare le boccacce** Grimassen schneiden.

boccạle *sm (recipiente)* Krug *der*.

bọccia, ce *sf (palla)* Kugel *die* ; *(recipiente) kugelförmige Glasflasche* ; **giocare a bocce** Boccia spielen.

bocciạre *vt (studente)* durchlfallen lassen ; *(proposta, progetto)* abllehnen.

boccọne *sm (di cibo)* Happen *der*.

boccọni *avv* bäuchlings.

bọlla *sf (vescica, di sapone, di vapore)* Blase *die* ; *(documento)* Schein *der*.

bollẹnte *agg (caldissimo)* (kochend) heiß.

bollẹtta *sf (conto)* Rechnung *die* ; *(ricevuta)* Quittung *die*.

bollettịno *sm (notiziario)* Bericht *der* ; ~ **meteorologico** Wetterbericht.

bollịre *vt* kochen. ◆ *vi (di liquido, di cibo)* kochen.

bollịto, a *agg* gekocht. ◆ *sm* Suppenfleisch *das*.

bollitọre *sm* Kocher *der*.

bọllo *sm (marchio)* Marke *die*.

Bolọgna *sf* Bologna *nt*.

bolognẹse, i *agg* Bologneser.

bọmba *sf (ordigno)* Bombe *die*.

bọmbola *sf* Gasflasche *die*.

bombolọne *sm (dolce) mit Creme gefüllter Krapfen*.

bonạccia *sf (di mare)* Windstille *die*.

bontà *sf (sentimento)* Güte *die*.

borbottạre *vi (brontolare)* brummen.

bordeaux *agg inv* Bordeaux-. ◆ *sm inv (vino)* Bordeaux *der*.

bọrdo *sm (orlo)* Rand *der* ; *(guarnizione)* Besatz *der* ; *(di nave)* Bord *der* ; **a ~ di qc** an Bord einer Sache *(G)*.

borghẹse *agg (classe)* bürgerlich. ◆ *smf* Bürger *der*, -in *die* ; **in ~** in Zivil.

bọrgo, ghi *sm (paesino)* Ortschaft *die*.

borotạlco® *sm* Talkumpuder *der*.

borrạccia, ce *sf* Feldflasche *die*.

bọrsa *sf* Tasche *die* ; ~ **dell'acqua calda** Wärmflasche *die* ;

~ **del ghiaccio** Eisbeutel *der* ; ~ **della spesa** Einkaufstasche ; ~ **di studio** Stipendium *das*. ■ **Borsa** *sf* Börse *die*.

borsellino *sm* Geldbörse *die*.

borsetta *sf* Handtasche *die*.

bosco, schi *sm (foresta)* Wald *der*.

Bosnia *sf* : **la** ~ Bosnien *nt*.

botanico, a, ci, che *agg* botanisch. ◆ *sm, f* Botaniker *der*, -in *die*.

botta *sf (percossa)* Schlag *der* ; **fare a botte** sich prügeln.

botte *sf (recipiente)* Fass *das*.

bottega, ghe *sf (negozio)* Laden *der* ; *(laboratorio)* Werkstatt *die*.

bottegaio, a *sm, f* Krämer *der*, -in *die*.

bottiglia *sf* Flasche *die*.

botto *sm (rumore)* Knall *der*.

bottone *sm (di indumento)* Knopf *der* ; *(pulsante)* Taste *die*.

boutique *sf inv* Boutique *die*.

box *sm inv (garage)* Garage *die* ; *(per bambini)* Laufstall *der* ; *(per cavalli)* Box *die*.

boxe *sf* Boxen *das*.

boy-scout *sm inv* Pfadfinder *der*.

braccetto : a braccetto *avv* Arm in Arm.

bracciale *sm (gioiello, di orologio)* Armband *das* ; *(di stoffa)* Armbinde *die*.

braccialetto *sm* Armband *das*.

braccio (*fpl* **braccia**, *mpl* **bracci**) *sm (fpl : braccia) (arto)* Arm *der* ; ~ **di ferro** *(gioco)* Armdrücken *das* ; **sotto** ~ unterm Arm ; *(mpl : bracci)* : ~ **della bilancia** Waagebalken *der* ; GEOG : ~ **di mare** Meerenge *die*.

bracciolo *sm (di poltrona)* Armlehne *die* ; *(salvagente)* Schwimmflügel *der*.

brace *sf* Glut *die* ; **alla** ~ vom Grill.

braciola *sf* Kotelett *das*.

branco, chi *sm (di animali)* Rudel *das*.

branda *sf (letto)* Liege *die*.

brasato *sm* Schmorbraten *der*.

Brasile *sm* : **il** ~ Brasilien *nt*.

bravo, a *agg (abile)* gut ; *(buono)* brav ; **bravo!** bravo! ; ~ **a fare qc** sich auf etw verstehen ; ~ **in qc** in einer Sache *(D)* gut sein.

bretella *sf (per calzoni)* Hosenträger *der* ; *(autostradale)* Verbindungsstraße *die*.

breve *agg* kurz ; **in** ~ in Kürze ; **tra** ~ bald.

brevetto *sm (d'invenzione)* Patent *das* ; *(di pilota)* Pilotenschein *der*.

bricco *sm (recipiente)* Kännchen *das*.

briciola *sf (di pane)* Krümel *der*.

brillante *agg (lucente)* glänzend ; *(carriera, persona)* brillant. ◆ *sm (diamante)* Brillant *der*.

brillare *vi (splendere)* glänzen.

brillo, a *agg* beschwipst.

brindisi *sm inv* Trinkspruch

der ; **fare un ~ a** an|stoßen auf *(+A)*.

brioche *sf inv* Hörnchen *das*.

britannico, a, ci, che *agg* britisch.

brivido *sm* Schauer *der*.

brocca *sf* Krug *der*.

brodo *sm* Brühe *die* ; **pasta in ~** Nudelsuppe *die*.

bronchite *sf* Bronchitis *die*.

brontolare *vi (lamentarsi)* meckern ; *(stomaco)* knurren.

bronzo *sm (materia)* Bronze *die*.

bruciapelo *avv (alla sprovvista)* : **a ~** unvermittelt ; *(da molto vicino)* aus nächster Nähe.

bruciare *vt (distruggere col fuoco, ustionare)* verbrennen. ◆ *vi (ardere, produrre bruciore)* brennen. ■ **bruciarsi** *vr (scottarsi, danneggiarsi)* sich verbrennen.

bruciato, a *agg (arso, scottato)* verbrannt.

bruciatura *sf (ustione)* Verbrennung *die*.

bruno, a *agg (capelli, persona)* braun.

bruschetta *sf mit Knoblauch und Olivenöl eingeriebenes Röstbrot*.

brutale *agg (violento)* brutal.

brutto, a *agg (di aspetto)* hässlich ; *(tempo, giornata, stagione)* schlecht ; *(spiacevole)* unangenehm ; **una brutta malattia** eine schlimme Krankheit.

Bruxelles *sf* Brüssel *nt*.

BSE (*abbr di bovine spongiform encephalopathy*) *sf* BSE *die*.

buca *sf (fossa)* Grube *die* ; *(apertura)* Loch *das* ; **~ delle lettere** Briefkasten *der*.

bucare *vt (forare)* durch|bohren ; **~ una gomma** eine Reifenpanne haben. ■ **bucarsi** *vr (pungersi)* sich stechen ; *fam (drogarsi)* fixen.

bucato *sm* Wäsche *die*.

buccia, ce *sf (di frutto)* Schale *(einer Frucht) die*.

buco, chi *sm (foro)* Loch *das*.

budino *sm (dolce)* Pudding *der*.

bufera *sf (tempesta)* Sturm *der*.

buffet *sm inv (ristorante)* Gasthaus *das* ; *(mobile)* Anrichte *die*.

buffo, a *agg (che fa ridere)* ulkig.

bugia, gie *sf (menzogna)* Lüge *die*.

bugiardo, a *agg* lügnerisch. ◆ *sm, f* Lügner *der*, -in *die*.

buio *agg (oscuro)* finster. ◆ *sm* Finsternis *die* ; **far ~** dunkel machen.

Bulgaria *sf* : **la ~** Bulgarien *nt*.

bulgaro, a *agg* bulgarisch.

bullone *sm* Bolzen *der*.

buonanotte *esclam* gute Nacht.

buonasera *esclam* guten Abend.

buongiorno *esclam* guten Tag.

buongustaio, a *sm, f* Feinschmecker *der*, -in *die*.

buono, a *(dav sm* **buon** *+ consonante o vocale ;* **buono** *+ gn, ps, s, z o consonante) agg* **- 1.** *(gen)* gut ; **non essere ~ a nulla** zu nichts nutz(e) sein ; **buon appetito!** guten Appetit! ; **buon compleanno!** herzlichen Glückwunsch zum Geburtstag! ; **buona fortuna!** viel Glück! ; **fate buon viaggio!** gute Fahrt!

- 2. *(carattere, temperamento)* gutmütig ; *(bambino)* brav ; **essere di buon umore** guter Laune sein.

- 3. *(in espressioni)* : **~ a sapersi** gut zu wissen ; **buon per te!** um so besser für dich! ; **a buon mercato** preiswert ; **di buon'ora** zu früher Stunde ; **con le buone o con le cattive** ob so oder so.

◆ *sm (aspetto positivo)* guter Mensch ; *(tagliando)* Gutschein *der* ; *(invece di rimborso)* Gutschrift *die* ; **~ sconto** Warengutschein.

buonumọre *sm* gute Laune.

burattịno *sm (marionetta)* Marionette *die*.

burocrazịa *sf (amministrazione)* Bürokratie *die*.

burrạsca, che *sf (tempesta)* Unwetter *das*.

bụrro *sm* Butter *die* ; **~ di cacao** Kakaobutter.

burrọne *sm* Abgrund *der*.

bus *sm inv (abbr di autobus)* Bus *der*.

bussạre *vi (a porta)* klopfen.

bụssola *sf (strumento)* Kompass *der* ; **perdere la ~** den Faden verlieren.

bụsta *sf (involucro)* Umschlag *der* ; *(di plastica)* Hülle *die* ; **~ paga** Gehaltsabrechnung *die*.

bustarẹlla *sf* Schmiergeld *das*.

bụsto *sm (tronco)* Rumpf *der* ; *(scultura)* Büste *die* ; *(guaina)* Korsett *das*.

butạno *sm* Butan *das*.

buttafuọri *sm inv (di locale notturno)* Rausschmeißer *der*.

buttạre *vt (gettare)* werfen ; **~ fuori qn** jn rauswerfen ; **~ giù** *(abbattere)* nieder|reißen ; **~ (via)** *(gettare)* weg|werfen ; *(sprecare)* verschwenden. ■ **buttarsi** *vr (gettarsi)* sich stürzen ; *fig (tentare)* riskieren.

by-pass *sm inv* MED Bypass *der*.

C

cabịna *sf (di nave)* Kabine *die* ; *(spogliatoio)* Umkleidekabine ; *(abitacolo)* Fahrgastraum *der* ; **~ telefonica** Telefonzelle *die*.

cacạo *sm (polvere)* Kakao *der*.

cạccia *sf (di animali, inseguimento)* Jagd *die* ; **~ al tesoro** Schnitzeljagd.

cacciạre *vt (animale)* jagen ; **~ fuori qn** jn hinaus|werfen. ■ **cacciarsi** *vr (mettersi, finire)* : **~ nei guai** in Schwierigkeiten geraten.

cacciatọra *sf* : **alla ~** auf Jägerart.

cacciavịte *sm inv* Schraubenzieher *der*.

cacciụcco *sm Fischsuppe aus Livorno mit Röstscheiben und geriebenem Knoblauch die.*

cachemire *sm inv (tessuto)* Kaschmir *der.*

cạcio *sm* Käse *der.*

cadạvere *sm (di persone)* Leiche *die* ; *(di animali)* Kadaver *der.*

cadẹre *vi (andare giù)* (hinunter|)fallen ; *(scivolare su qc)* hin|fallen ; *(abito)* fallen.

cadụta *sf (capitombolo)* Fall *der* ; **la ~ dei capelli** der Haarausfall.

caffè *sm inv (bevanda)* Kaffee *der* ; *(locale)* Café *das* ; **prendere un ~** einen Kaffee trinken ; **~ corretto** Kaffee mit Schuss ; **~ macchiato** *Kaffee mit wenig Milch.*

CAFFÈ

Der italienische Kaffee, der in der klassischen kleinen Tasse serviert wird, entspricht einem Espresso. Er wird unabhängig von der Tageszeit in einer Bar oder einem Restaurant getrunken. Man kann ihn als „macchiato" (d. h. mit etwas heißer oder kalter Milch), als „corretto" (d. h. mit Schuss) oder auch als koffeinfreien Kaffee bestellen.

caffeịna *sf* Koffein *das.*

caffelạtte, caffellạtte *sm inv* Milchkaffee *der.*

caffettiẹra *sf (bricco)* Kaffeekanne *die.*

C.A.I. *(abbr di Club Alpino Italiano) Italienischer Alpenverein.*

cạla *sf (insenatura)* Bucht *die.*

calabrọne *sm (insetto)* Hornisse *die.*

calamạro *sm* Tintenfisch *der.*

calamịta *sf (magnete)* Magnet *der.*

calạre *vt (abbassare)* herab|lassen. ◆ *vi (prezzo, peso)* sinken ; **il vento è calato** der Wind hat nachgelassen ; *(tramontare)* unter|gehen.

cạlca *sf* Gedränge *das.*

calcạgno *sm* Ferse *die.*

cạlce *sf (composto)* Kalk *der.*

calciatọre, trịce *sm, f (giocatore)* Fußballspieler *der,* -in *die.*

cạlcio *sm (pedata)* Tritt *der* ; *(gioco)* Fußball *der* ; *(elemento chimico)* Kalzium *das* ; **dare un ~ a qn** jm einen Tritt versetzen ; **prendere a calci** mit Füßen treten.

calcolạre *vt (contare)* rechnen ; *(prevedere)* rechnen mit.

calcolatrịce *sf (macchina)* (Taschen)rechner *der.*

cạlcolo *sm (conteggio)* Rechnung *die* ; *(previsione)* Berechnung *die* ; MED Stein *der* ; **~ al rene** Nierenstein ; **~ alla cistifellea** Gallenstein.

caldạia *sf (apparecchio)* Boiler *der.*

cạldo, a *agg (di temperatura)* warm ; *(appassionato)* herzlich ; **ho ~** mir ist warm. ◆ *sm (calore)* Wärme *die* ; **fare ~** warm sein.

calendạrio *sm (almanacco)*

Kalender *der* ; *(programma)* Zeitplan *der*.

calma *sf (tranquillità)* Ruhe *die*. ◆ *esclam* immer mit der Ruhe.

calmante *sm MED* Beruhigungsmittel *das*.

calmare *vt (persona)* beruhigen ; *(dolore)* lindern. ■ **calmarsi** *vr (persona, mare)* sich beruhigen ; *(vento)* sich legen.

calmo, a *agg* ruhig.

calore *sm (caldo)* Wärme *die* ; *fig (entusiasmo)* Begeisterung *die*.

caloria *sf (di cibo)* Kalorie *die*.

calorifero *sm* Heizung *die*.

caloroso, a *agg (cordiale)* herzlich.

calpestare *vt (pestare)* (zer-)trampeln.

calvizie *sf inv* Haarlosigkeit *die*.

calvo, a *agg (pelato)* kahl(köpfig).

calza *sf* Strumpf *der* ; **fare la ~** stricken.

calzamaglia (*pl* **calzamaglie**) *sf* Strumpfhose *die*.

calzante *sm* Schuhlöffel *der*.

calzare *vt (infilare)* an|ziehen.

calzatura *sf* Schuhe *pl*.

calzettone *sm* Kniestrumpf *der*.

calzino *sm* Socke *die*.

calzolaio *sm (riparatore)* Schuster *der*.

calzoleria *sf (negozio)* Schuhgeschäft *das*.

calzoncini *smpl* kurze Hosen *pl*.

calzone *sm (cibo) gefüllte Teigtasche*. ■ **calzoni** *smpl* Hosen *pl*.

cambiale *sf* Wechsel *der*.

cambiamento *sm* Veränderung *die*.

cambiare *vt* wechseln ; *(treno, autobus)* um|steigen ; *(mutare)* verändern. ◆ *vi (diventare diverso)* um|schlagen ; **~ gli euro in dollari** Euro in Dollar um|tauschen ; **~ la marcia** den Gang wechseln ; **~ un biglietto da 50 euro** einen 50-Euro-Schein wechseln. ■ **cambiarsi** *vr (d'abito)* sich um|ziehen.

cambio *sm (sostituzione, denaro)* Wechsel *der* ; *(di automobile)* Schaltung *die* ; **in ~ di qc** statt einer Sache *(+G)* ; **~ automatico** Automatikschaltung.

camera *sf (stanza)* Zimmer *das* ; *(ente)* Kammer *die* ; **~ con bagno** Zimmer mit Bad ; **~ con doccia** Zimmer mit Dusche ; **~ d'aria** Luftschlauch *der* ; **~ da letto** Schlafzimmer ; **~ degli ospiti** Gästezimmer ; **~ doppia** Zweibettzimmer ; **~ matrimoniale** Doppelzimmer ; **~ oscura** Dunkelkammer ; **~ per due persone** Zimmer für zwei Personen ; **~ singola** Einbettzimmer. ■ **Camera dei Deputati** *sf* Abgeordnetenkammer *die*.

cameriere, a *sm, f (di ristorante, bar)* Kellner *der*, -in *die*.

camice *sm (casacca)* Kittel *der*.

camicetta *sf* Bluse *die*.

camịcia, cie *sf (da uomo)* Hemd *das* ; *(da donna)* Bluse *die* ; ~ **da notte** Nachthemd.

caminẹtto *sm* Kamin *der*.

camịno *sm (comignolo)* Schornstein *der* ; *(focolare)* Kamin *der*.

cạmion *sm inv* Lastwagen *der*.

camioncịno *sm* Lieferwagen *der*.

cammẹllo *sm (animale)* Kamel *das* ; *(tessuto)* Kamelhaar *das*.

camminạre *vi (procedere, funzionare)* gehen.

camminạta *sf (passeggiata)* Spaziergang *der*.

cammịno *sm (percorso)* Weg *der* ; **mettersi in** ~ sich auf den Weg machen.

camomịlla *sf (infuso)* Kamillentee *der* ; *(pianta)* Kamille *die*.

camọrra *sf (napoletana) erpresserische Geheimorganisation in Neapel, ähnlich der sizilianischen Mafia*.

camọscio *sm (animale)* Gemse *die* ; *(pelle)* Wildleder *das*.

campạgna *sf (luogo)* Land *das* ; *(propaganda)* Kampagne *die* ; **vivere in** ~ auf dem Land leben ; **andare in** ~ auf das Land gehen.

campạna *sf (strumento)* Glocke *die* ; **sordo come una** ~ stocktaub.

campanẹllo *sm* Klingel *die* ; **suonare il** ~ klingeln.

campanịle *sm (torre)* Glockenturm *der*.

campạre *vi* sich durchlschlagen.

campeggiạre *vi (fare un campeggio)* campen.

campeggiatọre, trịce *sm, f* Camper *der*, -in *die*.

campẹggio *sm (luogo)* Campingplatz *der*.

cạmper *sm inv* Wohnmobil *das*.

Campidọglio *sm* Kapitol *das*.

cạmping *sm inv* Camping *das*.

campionạrio *sm* Musterkollektion *die* ; **Fiera Campionaria** Mustermesse *die*.

campionạto *sm* Meisterschaft *die*.

campiọne, ẹssa *sm, f (giocatore)* Champion *der*. ◆ *sm (esemplare)* Muster *das*.

cạmpo *sm (podere)* Feld *das* ; *(sportivo)* Platz *der* ; *(settore)* Bereich *der* ; *(accampamento)* Lager *das* ; ~ **da tennis** Tennisplatz ; ~ **di golf** Golfplatz ; ~ **di concentramento** Konzentrationslager.

camposạnto (*pl* **campisanti**) *sm* Friedhof *der*.

Cạnada *sm* : **il** ~ Kanada *nt*.

canadẹse *agg (nazionalità)* kanadisch. ◆ *sf (tenda)* Hauszelt *das*.

canạglia *sf (persona)* Kanaille *die*.

canạle *sm (di mare)* Meerenge *die* ; *(artificiale, di radio, tv)* Kanal *der* ; **il primo, il secondo** ~ **TV** der erste, zweite Fernsehkanal ; ~ **navigabile** schiffbarer Kanal.

canapa *sf* Hanf *der*.

canarino *sm (uccello)* Kanarienvogel *der* ; *(colore)* Kanariengelb *das*.

cancellare *vt (con gomma)* auslradieren ; *(con penna)* streichen ; *(annullare)* ablsagen.

cancelleria *sf (materiale)* Bürobedarf *der* ; *(ufficio)* Kanzlei *die*.

cancello *sm* Gittertor *das*.

cancerogeno, a *agg* krebserregend.

cancro *sm (tumore)* Krebs *der*. ■ **Cancro** *sm (zodiaco)* Krebs.

candeggina *sf* Chlorbleiche *die*.

candela *sf (cero)* Kerze *die* ; *(di motore)* Zündkerze *die*.

candelabro *sm* Kandelaber *der*.

candeliere *sm* Kerzenleuchter *der*.

candidato, a *sm, f (a carica, esame)* Kandidat *der*, -in *die*.

candido, a *agg (bianco)* weiß ; *(innocente, puro)* unschuldig.

candito, a *agg* kandiert. ◆ *sm* kandierte Frucht.

cane *sm (animale)* Hund *der* ; *(di pistola)* Hahn *der* ; ~ **da guardia** Wachhund ; ~ **guida** Blindenhund ; ~ **lupo** Wolfshund ; ~ **poliziotto** Polizeihund ; **non c'era un** ~ kein Mensch war da ; **solo come un** ~ mutterseelenallein ; **vita da cani** Hundeleben *das*.

canestro *sm (nel basket, recipiente)* Korb *der*.

canguro *sm* Känguru *das*.

canile *sm (municipale)* Tierheim *das* ; *(allevamento)* Hundezwinger *der*.

canino *sm* Eckzahn *der*.

canna *sf (pianta)* Rohr *das* ; *(di fucile)* Lauf *der* ; *(di bicicletta)* Stange *die* ; ~ **fumaria** Rauchabzug *der* ; ~ **da pesca** Angelrute *die* ; ~ **da zucchero** Zuckerrohr.

cannella *sf (spezia)* Zimt *der* ; *(rubinetto)* Zapfen *der*.

cannelloni *smpl mit Fleisch gefüllte und mit Bechamelsoße und Parmesan überbackene Teigrollen.*

cannibale *smf (antropofago)* Kannibale *der*, -lin *die*.

cannocchiale *sm* Fernrohr *das*.

cannolo *sm* : ~ **alla crema** Schillerlocke *die* ; ~ **alla siciliana** *sizilianisches Gebäck mit Ricottafüllung.*

cannone *sm (arma)* Kanone *die*.

cannuccia, ce *sf (per bere)* Strohhalm *der*.

canoa *sf* SPORT Kanu *das*.

canone *sm (quota)* Gebühr *die* ; ~ **d'affitto** Mietpreis *der*.

canottaggio *sm* Rudern *das*.

canottiera *sf (biancheria)* Unterhemd *das*.

canotto *sm* Schlauchboot

das ; ~ **di salvataggio** Rettungsboot.

cantạnte *smf* Sänger *der*, -in *die*.

cantạre *vt* & *vi* singen.

cantautọre, trịce *sm, f* Liedermacher *der*, -in *die*.

cantiẹre *sm (edile)* Baustelle *die* ; *(navale)* Dock *das*.

cantịna *sf* Keller *der*.

cạnto *sm (arte)* Gesang *der* ; *(canzone)* Lied *das* ; *(di uccello)* Zwitschern *das*.

cantonạta *sf* Straßenecke *die* ; **prendere una** ~ einen Schnitzer machen.

Cantọn Ticịno *sm* : **il** ~ der Kanton Tessin.

cantụccio *sm (angolino)* Winkel *der*. ■ **cantucci** *smpl (biscotti)* mit Anis gewürzte trockene Mandelkekse.

canzọne *sf (brano musicale)* Lied *das*.

C.A.P. *abbr* (*abbr di codice di avviamento postale*) ≃ PLZ.

capạce *agg (esperto)* fähig ; *(ampio)* geräumig ; **essere ~ di fare qc** etw machen können ; **essere ~ di tutto** zu allem fähig sein.

capacità *sf inv (abilità)* Fähigkeit *die* ; *(capienza)* Fassungsvermögen *das*.

capạnna *sf* Hütte *die*.

capannọne *sm (industriale)* Halle *die* ; *(agricolo)* Schuppen *der*.

capạrbio, a *agg* hartnäckig.

capạrra *sf* Anzahlung *die*.

capẹllo *sm* Haar *das* ; **capelli** *(chioma)* Haar ; **averne fin sopra i capelli** etw satt haben.

capẹzzolo *sm* Brustwarze *die*.

capillạre *sm* MED Kapillare *die*.

capịre *vt (intendere, rendersi conto)* verstehen ; *(comprendere)* begreifen. ◆ *vi (essere convenuto)* verstehen ; **non capisco** ich verstehe nicht ; **si capisce!** selbstverständlich! ■ **capirsi** *vr* sich verstehen.

capitạle *sf (città)* Hauptstadt *die*. ◆ *sm* FIN Kapital *das*. ◆ *agg (pena, peccato)* Todes- ; **la pena ~** Todesstrafe *die* ; *(fondamentale)* wesentlich.

capitanerịa *sf* : ~ **di porto** Hafenamt *das*.

capitạno *sm (di nave)* Kapitän *der* ; *(di esercito)* Hauptmann *der*.

capitạre *vi (giungere)* zufällig vorbei|kommen ; **è capitata questa occasione** zufällig ergab sich diese Gelegenheit ; *(accadere)* passieren, vor|kommen ; **sono cose che capitano** so etwas kommt vor ; ~ **a qn** jm passieren.

capitẹllo *sm (di colonna)* Kapitell *das*.

capịtolo *sm (di libro)* Kapitel *das*.

capitọne *sm (anguilla)* Aal *der*.

cạpo *sm (testa)* Kopf *der* ; *(principale)* Chef *der* ; *(estremità)*

Kopfende *das* ; ~ **di vestiario** Kleidungsstück *das* ; **andare a ~** einen Absatz machen ; **da ~** von vorn(e) ; **da un ~ all'altro** von einem Ende zum anderen.

Capodanno *sm* Neujahr *das.*

capolavoro, i *sm (opera)* Meisterwerk *das.*

capolinea (*pl* **capilinea**) *sm* Endstation *die.*

capoluogo (*pl* **capoluoghi** o **capiluoghi**) *sm* Hauptstadt *die* ; ~ **di provincia** Provinzhauptstadt ; ~ **di regione** Bezirkshauptstadt.

capostazione (*mpl* **capistazione**) *smf* Bahnhofsvorsteher *der*, -in *die.*

capotavola (*mpl* **capitavola**) *sm Person, die den Ehrenplatz einnimmt* ; **a ~** am oberen Tischende.

capoufficio (*mpl* **capiufficio**) *smf* Büroleiter *der*, -in *die.*

capovolgere *vt (barca, oggetto)* umlkippen. ■ **capovolgersi** *vr (macchina)* sich überschlagen ; *(barca)* kentern.

capovolto, a *pp* → **capovolgere.**

cappa *sf (di camino)* Rauchfang *der.*

cappella *sf (di chiesa)* Kapelle *die* ; *(di fungo)* Hut *der.*

cappello *sm (copricapo)* Hut *der* ; ~ **di paglia** Strohhut.

cappero *sm* Kaper *die.*

cappone *sm* Kapaun *der.*

cappotto *sm (soprabito)* Mantel *der.*

cappuccino *sm (bevanda)* Cappuccino *der* ; *(frate)* Kapuzinermönch *der.*

cappuccio *sm (copricapo)* Kapuze *die* ; *(di penna)* Hülle *die.*

capra *sf (animale)* Ziege *die.*

capretto *sm (animale)* Zicklein *das* ; *(pelle)* Ziegenleder *das.*

Capri *sf* Capri *nt.*

capriccio *sm (bizza)* üble Laune ; *(voglia)* Laune *die* ; **fare i capricci** launisch sein.

capriccioso, a *agg (bambino)* launisch.

Capricorno *sm (zodiaco)* Steinbock *der.*

capriola *sf (salto)* Kapriole *die* ; *(capitombolo)* Purzelbaum *der.*

capriolo *sm* Reh *das.*

capro *sm (animale)* (Ziegen-)bock *der.*

capsula *sf (di farmaco)* Kapsel *die* ; *(di dente)* Krone *die.*

carabiniere *sm* Karabiniere *der* ; **L'Arma dei Carabinieri** Karabinieri *pl.*

caraffa *sf* Karaffe *die.*

caramella *sf (dolce)* Bonbon *das.*

carato *sm (di oro)* Karat *das.*

carattere *sm (indole)* Charakter *der* ; *(segno grafico)* Schriftzeichen *das.*

caratteristica *sf (qualità)* Merkmal *das.*

caratteristico, a, ci, che *agg* charakteristisch.

caratterizzare *vt (distinguere)* kennzeichnen.

carboidrato *sm* Kohlenhydrat *das.*

carbone *sm (minerale)* Kohle *die* ; *(carbone di legna)* Holzkohle *die.*

carburante *sm* Kraftstoff *der.*

carburatore *sm* Vergaser *der.*

carcassa *sf (di animale)* Skelett *das* ; *(di vettura)* Klapperkiste *die.*

carcerato, a *sm, f* Häftling *der.*

carcere (*fpl* **carceri**) *sm (prigione)* Gefängnis *das.*

carciofo *sm (verdura)* Artischocke *die* ; **~ alla romana** gefüllte Artischocke.

cardiaco, a, ci, che *agg* Herz-.

cardinale *agg* → **punto.** ◆ *sm* Kardinal *der.*

cardine *sm (di porta, persiana)* Angel *die.*

carestia *sf (di viveri)* Hungersnot *die.*

carezza *sf (a persona)* Liebkosung *die* ; *(a animale)* Streicheln *das.*

carezzare *vt (persona)* liebkosen ; *(animale)* streicheln.

carica, che *sf (incarico)* Posten *der* ; *(elettrica)* Ladung *die* ; *(di orologio, di sveglia)* Aufziehen *das* ; *(militare)* Angriff *der* ; **in ~** im Amt.

caricare *vt (mettere su)* aufladen ; *(orologio)* aufziehen ; *(arma)* laden ; **~ qn/qc di qc** *(colmare, gravare)* jn/etw mit einer Sache belasten.

carico, a, chi, che *sm (merce)* Ladung *die* ; *fig (quantità)* Belastung *die* ; *fig (onere)* Last *die.* ◆ *agg (pieno di pesi)* beladen ; *(orologio)* aufgezogen ; *(arma, batteria)* geladen ; *(colore)* kräftig ; *(caffè, tè)* stark ; **~ di qc** mit etw überladen ; **a ~ di qn** *(spesa)* zu js Lasten.

carie *sf inv (dei denti)* Karies *die.*

carino, a *agg (grazioso)* hübsch ; *(gentile)* nett.

carnagione *sf* Teint *der* ; **~ chiara** heller Teint ; **~ scura** dunkler Teint.

carne (*fpl* **carni**) *sf* Fleisch *das* ; **~ di maiale** Schweinefleisch ; **~ di vitello** Kalbfleisch ; **~ macinata** o **tritata** Hackfleisch.

carnevale *sm* Karneval *der.*

caro, a *agg (costoso)* teuer ; **costare ~** teuer sein ; **~ Luca** *(amato)* lieber Luca.

carogna *sm (di animale)* Aas *das* ; *fig (persona)* Schuft *der.*

carota *sf (ortaggio)* Möhre *die,* Karotte *die.*

carrabile *agg* → **passo.**

carraio *agg* → **passo.**

carreggiata *sf (strada)* Fahrspur *die* ; **uscire dalla ~** *fig* auf Abwege geraten.

carrello *sm (della spesa)* Einkaufswagen *der* ; *(portavivande)* Servierwagen *der* ; *(per bagagli)* Kofferkuli *der.*

carriera *sf (professione)* Laufbahn *die* ; *(avanzamento)* Karriere *die* ; **far ~** Karriere machen.

cạrro *sm (veicolo)* Wagen *der* ; **~ armato** Panzer *der* ; **~ attrezzi** Abschleppwagen.

carrọzza *sf (vagone)* Wagen *der* ; *(cocchio)* Kutsche *die*.

carrozzerịa *sf (officina)* Karosseriewerkstatt *die* ; *(di veicolo)* Karosserie *die*.

carrozziẹre *sm* AUTO *(meccanico)* (Karosserie)mechaniker *der*.

carrozzịna *sf* Kinderwagen *der*.

cạrta *sf (materiale)* Papier *das* ; *(tessera)* Karte *die* ; **alla ~** à la carte ; **~ d'argento** *Seniorenkarte für Fahrpreisermäßigungen* ; **~ da bollo** Stempelpapier ; **~ da lettera** Briefpapier ; **~ da pacchi** Packpapier ; **~ da parati** Tapete *die* ; **~ dei vini** Weinkarte ; **~di credito** Kreditkarte ; **~ d'identità** Personalausweis *der* ; **~ d'imbarco** Bordkarte ; **~ geografica** Landkarte ; **~ stradale** Straßenkarte ; **~ verde** grüne Versicherungskarte ; **carte da gioco** Spielkarten.

cartạccia, ce *sf (carta straccia)* Altpapier *das*.

cartapẹsta *sf* Pappmaché *das*.

cartẹlla *sf (per scolari)* Schultasche *die* ; *(raccoglitore)* Schnellhefter *der* ; *(scheda)* Karte *die* ; **~ clinica** Krankenbericht *der*.

cartẹllo *sm (avviso)* Anschlag *der* ; *(pubblicitario)* Plakat *das* ; *(insegna)* Schild *das* ; **~ stradale** Verkehrsschild.

cartellọne *sm (teatrale)* Spielplan *der* ; *(manifesto)* Anschlag *der* ; **~ pubblicitario** Werbeplakat *das*.

cartịna *sf (mappa)* Karte *die* ; *(per sigarette)* Zigarettenpapier *das* ; **~ geografica** Landkarte ; **~ stradale** Straßenkarte.

cartolerịa *sf* Schreibwarengeschäft *das*.

cartolibrerịa *sf* Buch- und Schreibwarenhandlung *die*.

cartolịna *sf (illustrata)* Ansichtskarte *die* ; **~ postale** Postkarte.

cartọne *sm (materiale)* Karton *der* ; **~ animato** Zeichentrickfilm *der*.

cạsa *sf (costruzione, dimora)* Haus *das* ; **andare a ~** nach Hause gehen ; **essere a** ○ **in ~** zu Hause sein ; **~ di cura** ≃ Privatklinik *die*.

casalịnga, ghe *sf* Hausfrau *die*.

casalịngo, a, ghi, ghe *agg (fatto in casa)* hausgemacht ; *(modesto, semplice)* schlicht. ■ **casalinghi** *smpl (articoli per la casa)* Haushaltswaren *pl* ; **negozio di ~** Haushaltswarengeschäft *das*.

cascạta *sf (d'acqua)* Wasserfall *der*.

cascịna *sf (casa)* Bauernhof *der*.

cạsco, schi *sm (protettivo)*

Sturzhelm *der*; *(per capelli)* Haube *die*.

casella *sf (scomparto)* Fach *das*; *(quadretto)* Feld *das*; ~ **postale** Postfach.

casello *sm (di autostrada)* Mautstation *die*.

caserma *sf* Kaserne *die*.

casino *sm fam (confusione)* Chaos *das*.

casinò *sm inv (sala da gioco)* Spielkasino *das*.

caso *sm (combinazione)* Zufall *der*; *(eventualità, vicenda, fatto, in medicina)* Fall *der*; *(sorte)* Schicksal *das*; **a** ~ zufällig; **in** ~ **contrario** andernfalls; **in ogni** ~ auf jeden Fall o jedenfalls; **in questo** ~ in diesem Fall; **nel** ~ **che** im Fall, dass; ~ **mai** eventuell.

cassa *sf (contenitore)* Kiste *die*; *(di negozio)* Kasse *die*; *(di banca)* Kassenschalter *der*; *(amplificatore)* Box *die*; ~ **automatica prelievi** Geldautomat *der*; ~ **continua** Tag- und Nachttresor *der*; ~ **toracica** Brustkorb *der*.

cassaforte (*pl* **casseforti**) *sf* Tresor *der*.

cassata *sf*: ~ **siciliana** *sizilianische Quarktorte mit kandierten Früchten*; *(gelato)* Cassata *das (sizilianische Eissorte mit kandierten Früchten)*.

casseruola *sf* Kasserolle *die*.

cassetta *sf (contenitore)* Kiste *die*; *(nastro registrato)* Kassette *die*; ~ **delle lettere** Briefkasten *der*; ~ **di sicurezza** Schließfach *das*.

cassetto *sm (di mobile)* Schublade *die*.

cassettone *sm (mobile)* Kommode *die*.

cassiere, a *sm, f (di negozio, banca)* Kassierer *der*, -in *die*.

cassonetto *sm (per rifiuti)* Müllcontainer *der*.

castagna *sf (frutto)* Kastanie *die*.

castagnaccio *sm Kuchen aus Kastanienmehl*.

castagno *sm (albero)* Kastanienbaum *der*.

castano, a *agg* dunkelbraun.

castello *sm (edificio)* Schloss *das*.

castigo, ghi *sm (punizione)* Strafe *die*; **mettere qn in** ~ jn bestrafen.

castoro *sm (animale)* Biber *der*.

castrare *vt (animale)* kastrieren.

casual *agg inv* leger.

casuale *agg (fortuito)* zufällig.

catacomba *sf (cimitero)* Katakombe *die*.

catalogare *vt (registrare)* katalogisieren.

catalogo, ghi *sm* Katalog *der*.

catamarano *sm* Katamaran *der*.

catarifrangente *sm* Katzenauge *das*.

catarro *sm* Katarr *der*.

catastrofe *sf (sciagura)* Katastrophe *die*.

categoria *sf (gruppo)* Kategorie *die* ; *(di albergo)* Klasse *die*.

catena *sf* Kette *die* ; **~ di montaggio** Fließband *das* ; **a ~** am laufenden Band. ■ **catene** *sfpl (da neve)* Schneeketten *pl*.

catinella *sf* Waschschüssel *die* ; **piove a catinelle** es regnet in Strömen.

catrame *sm* Teer *der*.

cattedra *sf (scrivania)* Pult *das* ; *(universitaria)* Lehrstuhl *der*.

cattedrale *sf* Kathedrale *die*.

cattiveria *sf (qualità)* Boshaftigkeit *die* ; *(atto)* Gemeinheit *die*.

cattività *sf (di animale)* Gefangenschaft *die*.

cattivo, a *agg (malvagio)* böse ; *(odore)* übel ; *(cibo, bevande)* schlecht.

cattolico, a, ci, che *agg* katholisch. ◆ *sm, f* Katholik *der*, -in *die*.

cattura *sf (arresto)* Festnahme *die*.

catturare *vt (arrestare)* fest|nehmen ; *(animale)* (ein|)fangen ; *(attrarre)* fesseln.

caucciù *sm* Kautschuk *der*.

causa *sf (motivo)* Grund *der* ; DIR Rechtssache *die* ; **a o per ~ di** wegen *(+G)*.

causare *vt* verursachen.

cautela *sf (prudenza)* Vorsicht *die*.

cauto, a *agg* vorsichtig.

cauzione *sf* Kaution *die*.

cava *sf* Grube *die*.

cavalcare *vt (animale)* reiten.

cavalcavia *sm inv* Überführung *die*.

cavalcioni *avv* : **a ~ di qc** rittlings auf etw *(+A)*.

cavaliere *sm (chi cavalca)* Reiter *der* ; *(medioevale)* Ritter *der* ; *(titolo) italienischer Ehrentitel*.

cavalleria *sf* MIL Kavallerie *die* ; *(cortesia)* Ritterlichkeit *die*.

cavallerizzo, a *sm, f (di circo)* Kunstreiter *der*, -in *die*.

cavalletta *sf (insetto)* Heuschrecke *die*.

cavalletto *sm (per quadro)* Staffelei *die* ; *(per macchina fotografica)* Stativ *das*.

cavallo *sm (animale)* Pferd *das* ; *(di pantaloni)* Schritt *der* ; *(negli scacchi)* Springer *der* ; **~ a dondolo** Schaukelpferd ; **~ (vapore)** Pferdestärke *die*.

cavallone *sm (ondata)* Sturzwelle *die*.

cavare *vt (estrarre)* heraus|holen. ■ **cavarsi** *vr* : **cavarsela per un pelo** knapp davon|kommen.

cavatappi *sm inv* Korkenzieher *der*.

caverna *sf (grotta)* Höhle *die*.

cavia *sf (animale)* Meerschweinchen *das*.

caviale *sm* Kaviar *der*.

caviglia *sf* Fessel *die*.

cavità *sf inv (buca)* Hohlraum *der* ; ANAT Höhle *die*.

cavo, a *agg (vuoto)* hohl.

◆ sm *(elettrico, telefonico)* Kabel *das* ; *(corda)* Seil *das*.

cavolfiọre sm Blumenkohl *der*.

cạvolo sm Kohl *der* ; **che ~ vuole?** *fam* was zum Teufel will er/ sie?

cazzọtto sm *fam* : **dare a qn un ~** jm eine verpassen.

CC (*abbr di Carabinieri*) = **Carabinieri**.

c/c (*abbr di Conto Corrente*) Girokonto *das*.

cc (*abbr di Centimetro Cubico*) cm^3.

CD sm inv CD *die*.

CD-ROM sm inv CD-ROM *die*.

ce → **ci**.

cẹce sm *(legume)* Kichererbse *die*.

cẹdere vt *(dare, vendere)* ab|treten ; **~ qc (a qn)** (jm) etw ab|treten. ◆ vi *(soffitto, pavimento)* nach|geben ; *(rinunciare)* auf|geben ; **~ (a qc)** einer Sache *(D)* erliegen.

cẹdro sm *(frutto)* Limone *die*.

ceffọne sm Ohrfeige *die*.

celebrạre vt feiern.

cẹlebre agg berühmt.

celebrità sf inv *(fama)* Ruhm *der* ; *(persona)* Berühmtheit *die*.

celẹste agg *(azzurro)* himmelblau. ◆ sm Himmelblau *das*.

cẹlibe agg ledig.

cẹlla sf Zelle *die*.

cellophane® sm Cellophan® *das*.

cẹllula sf *(animale, vegetale)* Zelle *die* ; **~ fotoelettrica** Fotozelle.

cellulạre sm *(telefono)* Handy *das* ; *(furgone)* grüne Minna.

cemẹnto sm Zement *der* ; **~ armato** Stahlbeton *der*.

cẹna sf Abendessen *das*.

cenạre vi zu Abend essen.

cẹncio sm *(straccio)* Lappen *der*. ■ **cenci** smpl *(dolci)* *Spezialität aus der Toskana : ausgebackene Teigringe oder -streifen.*

cẹnere sf *(polvere)* Asche *die*.

cẹnno sm *(con la mano)* Wink *der* ; *(col capo)* Nicken *das* ; *(con gli occhi)* Zwinkern *das* ; **fare ~ a qn** jm ein Zeichen geben ; **fare ~ di sì** nicken.

cenọne sm *(di Natale, di Capodanno)* Festessen *das*.

censụra sf *(controllo)* Zensur *die*.

centenạrio, a agg *(che ha cento anni)* hundertjährig ; *(ogni cento anni)* Jahrhundert-.

centẹsimo, a num sm *(parte)* Hundertstel *das*. ◆ sm *(centesima parte di un euro)* Cent *der* ; *vedi anche* **sesto**.

centịgrado agg, m → **grado**.

centịmetro sm Zentimeter *der*.

centinạio (*fpl* **centinaia**) sm : **un ~ (di)** etwa hundert ...

cẹnto num, hundert ; **~ per ~** 100 Prozent ; *vedi anche* **sei**.

centomịla num hunderttausend.

centotrẹdici, 113 sm *(nu-*

mero telefonico) Notrufnummer in Italien.

centrale *agg (nel centro)* zentral ; *(principale)* Haupt-. ◆ *sf (sede principale)* Sitz *der* ; **~ elettrica** Kraftwerk *das* ; **~ di polizia** Polizeidienststelle *die*.

centralinista, i, e *smf* Telefonist *der*, -in *die*.

centralino *sm (di compagnia telefonica)* Telefonzentrale *die* ; *(di albergo, ditta)* Vermittlung *die*.

centrare *vt (fare centro)* treffen ; *(inquadrare)* erfassen.

centrifuga, ghe *sf* Schleuder *die* ; *(per succhi di frutta)* Entsafter *der*.

centro *sm (punto, nucleo)* Mitte *die* ; *(di città)* Zentrum *das* ; **vado in ~** ich fahre in die Stadt ; *(terra, attenzione)* Mittelpunkt *der* ; *(istituto)* Institut *das*, Lager *das* ; *POL* ≃ Mitte *die* ; **fare ~** *(colpire)* ins Schwarze treffen ; **~ abitato** Ortschaft *die* ; **~ commerciale** Einkaufszentrum ; **~ storico** Altstadt *die*.

ceppo *sm (di albero)* Baumstumpf *der* ; *(ciocco)* Holzscheit *das*.

cera *sf (d'api)* Wachs *das*.

ceramica *sf (materiale)* Ton *der* ; *(arte, oggetto)* Keramik *die*.

cerbiatto *sm* Rehkitz *das*.

cercare *vt* suchen. ◆ *vi (sforzarsi, tentare)* : **~ di fare qc** versuchen, etw zu tun.

cerchio, chi *sm (circonferenza)* Kreis *der* ; **mettersi in ~ (intorno a)** einen Kreis bilden (um).

cereale *sm* Getreide *das*.

cerimonia *sf (religiosa)* Zeremonie *die* ; *(festa)* Feier *die*.

cerino *sm (fiammifero)* Streichholz *das*.

cernia *sf* Zackenbarsch *der*.

cerniera *sf (di porte, finestre)* Scharnier *das* ; *(chiusura lampo)* Reißverschluss *der*.

cerotto *sm* (Heft)pflaster *das*.

certamente *avv* bestimmt.

certezza *sf (cosa sicura)* Gewissheit *die* ; *(sicurezza)* Sicherheit *die*.

certificato *sm* Bescheinigung *die* ; **~ medico** Attest *das* ; **~ di nascita** Geburtsurkunde *die*.

certo, a *agg* - 1. *(convinto)* sicher ; **sono ~ di aver prenotato** ich bin ganz sicher, dass ich gebucht habe.

- 2. *(assicurato, evidente)* sicher ; **tener qc per ~** etw für sicher halten.

- 3. *(indefinito)* gewiss ; **un ~ Signor Rossi** ein gewisser Herr Rossi.

- 4. *(attenuativo)* gewiss ; **ha un ~ intuito** er hat ein gewisses Gespür.

- 5. *(spregiativo)* gewiss ; **certa gente non ha scrupoli** gewisse Leute haben keinerlei Skrupel.

◆ *avv* bestimmt ; **di ~** bestimmt.

◆ *escl* natürlich ; **vieni anche tu? - ~!** kommst du auch mit? - natürlich!

■ **certi** *smpl (alcune persone)*

manche ; **certi dicono che...** manche sagen, dass ...

certosa *sf (monastero)* Kartause *die.*

cervello *sm ANAT* Gehirn *das* ; *(intelletto)* Verstand *der.*

Cervino *sm* : **il ~** das Matterhorn.

cervo *sm (animale)* Hirsch *der* ; **~ volante** Hirschkäfer *der.*

cesoia *sf (forbici)* Gartenschere *die.*

cespuglio *sm* Busch *der.*

cessare *vt (smettere)* aufl geben ; *(sospendere)* einlstellen. ■ **cessare di** *v + prep* auflhören mit.

cesso *sm volg* Scheißhaus *das.*

cesta *sf* → **cesto.**

cestino *sm (contenitore)* Tüte *die* ; *(per cartacce)* Papierkorb *der.*

cesto *sm* Korb *der.*

cetriolo *sm* Gurke *die.*

C.G.I.L. *sf (abbr di Confederazione Generale Italiana del Lavoro) italienischer Gewerkschaftsbund.*

champagne *sm inv* Champagner *der.*

charter *sm inv (aereo)* Charterflugzeug *das* ; **volo ~** Charterflug *der.*

che *pron relativo* - 1. *(soggetto)* der, die, das ; **il dottore ~ mi ha visitato** der Arzt, der mich untersucht hat ; **il ~** was.
- 2. *(complemento oggetto)* den, die, das ; **il treno ~ abbiamo perso** der Zug, den wir verpasst haben.
◆ *pron interr* was ; **~ ne pensi?** was hältst du davon? ; **~ ti succede?** was ist mit dir los?
◆ *agg interr* welche, -r, -s ; **~ ore sono?** wie spät ist es? ; **~ strana idea!** was für eine komische Idee! ; **~ film hai visto?** welchen Film hast du gesehen?
◆ *cong* - 1. *(dichiarativo)* dass ; **sai ~ non è vero** du weißt, dass das nicht stimmt.
- 2. *(consecutivo)* dass ; **sono così stanca ~ non mi reggo in piedi** ich bin so müde, dass ich mich kaum noch auf den Beinen halten kann.
- 3. *(temporale)* : **è già un anno ~ è partito** es ist schon ein Jahr vergangen, seitdem er fort ist.
- 4. *(comparativo)* als ; **è più furbo ~ intelligente** er ist eher schlau als intelligent.
- 5. *(introduce alternativa)* ob ; **~ tu venga o no, io ci vado** ob du jetzt mitkommst oder nicht, ich gehe hin.

check-in *sm inv* Check-in *das.*

chewing-gum *sm inv* Kaugummi *der* o *das.*

chi *pron relativo* - 1. *(colui che)* wer ; **~ finisce prima vince** wer zuerst fertig ist, hat gewonnen ; **dillo a ~ vuoi** sag es, wem du willst.
- 2. *(qualcuno che)* jemand ; **bisogna trovare ~ se ne occupi** man muss jemanden finden, der sich darum kümmert.
- 3. *(chiunque)* wer ; **entra ~ vuo-**

le es kann hereinkommen, wer will.
◆ *pron interr* wer ; **con ~ parti?** mit wem fährst du weg? ; **~ è stato?** wer ist das gewesen?

chiacchierare *vi (conversare)* reden ; *(spettegolare)* tratschen.

chiacchiere *sf (conversazione)* : **fare due/quattro ~** plaudern ; *(pettegolezzi)* Klatsch *der*.

chiacchierone, a *agg (loquace)* gesprächig ; *(pettegolo)* klatschsüchtig.

chiamare *vt* rufen ; *(telefonare)* an|rufen ; *(dare un nome)* nennen. ■ **chiamarsi** *vr (aver nome)* heißen ; **come ti chiami?** wie heißt du?

chiamata *sf (telefonata)* Anruf *der*.

Chianti *sm (zona, vino)* Chianti *der*.

chiarezza *sf (comprensibilità)* Deutlichkeit *die*.

chiarire *vt (mettere in chiaro)* klären ; *(spiegare)* erklären. ■ **chiarirsi** *vr (equivoco, situazione)* sich auf|klären.

chiaro, a *agg (discorso, idee, limpidezza)* klar ; *(luce, colore)* hell.

chiasso *sm (rumore)* Lärm *der*.

chiave *sf (di serratura)* Schlüssel *der* ; **~ d'accensione** Zündschlüssel ; **~ inglese** Engländer *der*.

chiavetta *sf (dell'acqua, del gas)* Hahn *der* ; *(d'accensione)* Schlüssel *der*.

chic *agg inv* schick.

chicco (*pl* **chicchi**) *sm (di grano)* Korn *das* ; *(caffè)* Bohne *die* ; *(d'uva)* Beere *die*.

chiedere *vt (per sapere)* fragen ; *(per avere)* bitten ; **~ qc a qn** jn um etw bitten. ■ **chiedere di** *v + prep (al telefono)* verlangen nach.

chiesa *sf (edificio)* Kirche *die*.

chiesto, a *pp* → **chiedere**.

chilo *sm (chilogrammo)* Kilo *das* ; **mezzo ~ di pomodori** ein halbes Kilo Tomaten, ein Pfund Tomaten.

chilogrammo *sm* Kilogramm *das*.

chilometro *sm* Kilometer *der*.

chimica *sf (disciplina)* Chemie *die*.

chimico, a, ci, che *agg* chemisch. ◆ *sm, f* Chemiker *der*, -in *die*.

chinotto *sm (bibita)* *alkoholfreies Getränk*.

chiocciola *sf (animale)* Schnecke *die* ; **scala a ~** Wendeltreppe *die*.

chiodo *sm (da falegname)* Nagel *der* ; **chiodi di garofano** Gewürznelken *pl*.

chioma *sf (capigliatura)* Haar *das* ; *(di albero)* Krone *die*.

chiosco, schi *sm (negozio)* Kiosk *der*.

chiostro *sm* Kreuzgang *der* ; *(convento)* Kloster *das*.

chirurgia *sf* Chirurgie *die*.

chissà *avv* wer weiß ; **chissà**

dove ci rivedremo wer weiß, wo wir uns wiederlsehen werden.

chitarra *sf* Gitarre *die*.

chiudere *vt (un'apertura, scuola, negozio)* schließen ; *(acqua, gas)* zuldrehen ; *(strada)* sperren ; *(un libro, un ombrello, la mano)* zulmachen. ■ **chiudersi** *vr (di apertura)* schließen ; **~ qc a chiave** etw ablschließen.

chiunque *pron (indefinito)* jede, -r, -s ; *(relativo)* wer auch immer ; **~ sia** wer es auch immer sei.

chiuso, a *pp* → **chiudere**. ◆ *agg (serrato)* geschlossen, gesperrt ; *(persona)* verschlossen ; **~ per ferie** wegen Betriebsferien geschlossen ; **la strada è chiusa al traffico** die Straße ist gesperrt.

chiusura *sf (di negozio, ufficio)* Schließen *das* ; *(termine)* Ende *das* ; *(dispositivo)* Verschluss *der*.

ci (*diventa* **ce** *se precede lo, la, li, le, ne*) *pron pers* - 1. *(complemento oggetto)* uns ; **~ stanno guardando** sie schauen auf uns.
- 2. *(riflessivo)* uns ; **~ stiamo lavando** wir waschen uns.
- 3. *(reciproco)* uns ; **~ vediamo stasera** wir sehen uns heute Abend.
- 4. *(a noi)* uns ; **~ può fare un favore?** könnten Sie uns einen Gefallen tun?
◆ *pron dimostr* - 1. *(a ciò)* : **~ penso io** darum kümmere ich mich.
- 2. *(in ciò)* : **mettici un po' di entusiasmo!** leg dich doch ein bisschen mehr ins Zeug!
- 3. *(su ciò)* darauf ; **quella sedia è vuota : posso appoggiarci la borsa?** der Stuhl ist leer : kann ich meine Tasche darauf stellen?
◆ *avv* - 1. *(stato in luogo)* da ; **~ restiamo una sola notte** wir bleiben nur für eine Nacht.
- 2. *(moto a luogo)* dahin ; **~ si può andare a piedi** man kann da zu Fuß hingehen.
- 3. *(in espressioni)* : **~ vuole un po' (di tempo)** man braucht etwas Zeit dafür ; **io ~ sto** ich bin dabei.

ciabatta *sf (pantofola)* Hausschuh *der* ; *(pane) langes, flaches Weißbrot.*

cialda *sf (pasta)* Waffel *die*.

ciambella *sf (dolce) kranzförmiger Kuchen aus Rührteig* ; **~ di salvataggio** Rettungsring *der*.

ciao *esclam (all'incontro)* hallo ; *(di commiato)* tschüss.

ciascuno, a *agg* jede, -r, -s ; **ciascuna cosa** alles. ◆ *pron* jede, -r, -s ; **~ di noi** jeder von uns.

cibo *sm (alimento)* Nahrung *die* ; *(per animali)* Futter *das*.

cicala *sf (insetto)* Zikade *die*.

cicatrice *sf (segno)* Narbe *die*.

cicca *sf (mozzicone)* Stummel *der* ; *fam (gomma da masticare)* Kaugummi *der*.

ciccione, a *sm, f fam* Dickerchen *das*.

ciclabile *agg* → **pista**.

ciclamino *sm (fiore)* Alpenveilchen *das*.

ciclismo *sm* Radsport *der*.

ciclista *smf* Radfahrer *der*, -in *die*.

ciclo *sm (periodo)* Zyklus *der*; *(serie)* Reihe *die*.

ciclomotore *sm* Moped *das*.

ciclone *sm (uragano)* Wirbelsturm *der*.

cicogna *sf (uccello)* Storch *der*.

cieco, a, chi, che *agg (non vedente)* blind. ◆ *sm, f* Blinde *der, die*.

cielo *sm (atmosfera, Paradiso)* Himmel *der*.

cifra *sf (numero)* Zahl *die*; *(di denaro)* Summe *die*.

ciglio (*fpl* **ciglia**) *sm (di palpebra)* Wimper *die*; *(margine)* Rand *der*.

cigno *sm (uccello)* Schwan *der*.

cigolare *vi* knarren.

Cile *sm* : **il ~** Chile *nt*.

ciliegia, gie o **ge** *sf* Kirsche *die*.

cilindro *sm (di motore, cappello)* Zylinder *der*.

cima *sf (sommità)* Spitze *die*; *(monte)* Gipfel *der*; *(estremità)* Ende *das*; **in ~ (a qc)** an der Spitze (von etw); **da ~ a fondo** von oben bis unten.

cimice *sf (insetto, microspia)* Wanze *die*.

ciminiera *sf (di fabbrica, nave)* Schornstein *der*.

cimitero *sm (camposanto)* Friedhof *der*.

Cina *sf* : **la ~** China *nt*.

cin cin *esclam* zum Wohl!, Prost!

Cinecittà *sf* Cinecittà.

CINECITTÀ

Der Name bedeutet eigentlich Filmstadt und bezieht sich auf die gesamte Anlage, die 1937 am Stadtrand von Rom entstanden ist. Dort befinden sich zehn Filmstudios, mehrere Tonstudios und unzählige Kulissen.

cinema *sm inv (luogo)* Kino *das*; *(arte)* Film *der*.

cinepresa *sf* Filmkamera *die*.

cinese *agg* chinesisch. ◆ *smf* Chinese *der*, -sin *die*. ◆ *sm (lingua)* Chinesisch(e) *das*.

cinghia *sf (cintura)* Gürtel *der*; *(nastro)* Riemen *der*.

cinghiale *sm (animale)* Wildschwein *das*.

cinguettare *vi (di uccelli)* zwitschern.

cinico, a, ci, che *agg (sprezzante)* zynisch.

ciniglia *sf* Chenille *die*.

cinquanta *num* fünfzig; *vedi anche* **sei**.

cinquantesimo, a *agg* fünfzigste, -r, -s; *vedi anche* **sesto**.

cinquantina *sf (di età)* : **essere sulla ~** um die Fünfzig sein; **una ~ (di)** etwa fünfzig.

cinque *num* fünf; *vedi anche* **sei**.

cinquecento *num* fünfhundert; *vedi anche* **sei**. ■ **Cinquecento** *sm (XVI° secolo)* : **il Cinquecento** das 16. Jahrhundert.

cinta *sf (di mura)* Ringmauer *die.*

cintura *sf (vestiario)* Gürtel *der* ; *(punto vita)* Taille *die* ; ~ **di sicurezza** Sicherheitsgurt *der* ; **'allacciare le cinture di sicurezza'** 'bitte anschnallen'.

ciò *pron* das ; ~ **che** das, was ; ~ **nonostante** trotzdem.

cioccolata *sf (cioccolato)* Schokolade *die* ; *(bevanda)* Kakao *der.*

cioccolatino *sm* Praline *die.*

cioè *avv (vale a dire)* das heißt ; *(anzi)* oder vielmehr.

ciondolo *sm (gioiello)* Anhänger *der.*

ciotola *sf* Schüssel *die.*

cipolla *sf (verdura)* Zwiebel *die.*

cipria *sf* Puder *der.*

cipresso *sm (albero)* Zypresse *die.*

circa *avv* zirka. ◆ *prep (rispetto a)* über *(+A).*

circo, chi *sm (equestre)* Zirkus *der.*

circolare *agg (rotondo)* kreisförmig. ◆ *sf (autobus)* Bus *der* ; *(avviso)* Rundschreiben *das.* ◆ *vi (veicoli)* fahren ; *(persone)* gehen ; *(sangue)* zirkulieren ; *(notizia)* um|gehen ; *(passare di mano)* herum|gehen ; **assegno ~** Barscheck *der.*

circolazione *sf (di merce, moneta, giornali)* Umlauf *der* ; **mettere in ~** *(notizia)* in Umlauf bringen ; ~ **sanguigna** Blutkreislauf *der* ; ~ **stradale** (Straßen)verkehr *der.*

circolo *sm (cerchio)* Kreis *der* ; *(associazione)* Verein *der.*

circondare *vt* umgeben.

circonferenza *sf* Umfang *der.*

circonvallazione *sf (strada)* Umgehungsstraße *die.*

circoscrizione *sf (distretto)* Bezirk *der.*

circostante *agg* umliegend.

circostanza *sf (occasione)* Umstand *der.*

circuito *sm (percorso)* Rennstrecke *die* ; *(elettrico)* Stromkreis *der.*

cisterna *sf (per l'acqua)* Zisterne *die* ; *(serbatoio)* Tank *der.*

cisti *sf inv* Zyste *die.*

citare *vt* DIR vor|laden ; *(opera, autore)* zitieren.

citofono *sm* Sprechanlage *die.*

città *sf (centro abitato)* Stadt *die.* ■ **Città del Vaticano** *sf* Vatikanstadt *die.*

cittadinanza *sf* DIR Staatsangehörigkeit *die* ; *(abitanti)* Einwohnerschaft *die.*

cittadino, a *sm, f (di una città)* Städter *der,* -in *die* ; *(di Stato)* Bürger *der,* -in *die.* ◆ *agg* Stadt-, städtisch.

ciuffo *sm (ciocca, cespuglio)* Büschel *das.*

civetta *sf (uccello)* Kauz *der.*

civico, a, ci, che *agg (di città)* städtisch, Stadt- ; *(di Stato)* bürgerlich, Bürger-.

civile *agg (del cittadino)* bürgerlich ; *(civilizzato)* zivilisiert. ◆ *sm* Zivilist *der*, -in *die*.

civiltà *sf (civilizzazione)* Zivilisation *die*.

clacson *sm inv* Hupe *die*.

clandestino, a *agg (illegale)* illegal ; *(segreto)* heimlich. ◆ *sm, f* blinder Passagier ; **immigrante ~** illegaler Einwanderer.

classe *sf* Klasse *die* ; **~ turistica** Touristenklasse ; **un biglietto di prima/seconda ~** eine Fahrkarte erster/zweiter Klasse.

classico, a, ci, che *agg* klassisch ; **liceo ~** humanistisches Gymnasium.

classifica, che *sf (sportiva)* Rangliste *die* ; *(musicale)* Hitparade *die*.

classificare *vt (ordinare)* klassifizieren ; *(valutare)* bewerten. ■ **classificarsi** *vr* sich platzieren.

clausola *sf* DIR Klausel *die*.

clavicola *sf* ANAT Schlüsselbein *das*.

claxon *sm inv* = **clacson**.

cliccare *vi* INFORM klicken.

cliente *smf (di negozio)* Kunde *der*, -din *die* ; *(di bar, albergo)* Gast *der* ; *(di professionista)* Klient *der*, -in *die*.

clientela *sf (di negozio, bar)* Kundschaft *die* ; *(di professionista)* Klientel *die*.

clima, i *sm (tempo, atmosfera)* Klima *das*.

clinica, che *sf (ospedale)* Klinik *die*.

cloro *sm* Chlor *das*.

club *sm inv (circolo)* Klub *der*.

cm *(abbr di centimetro)* cm.

coagulare *vt (sangue)* koagulieren. ■ **coagularsi** *vr (sangue)* koagulieren.

coca *sf fam* Cola *die* ; *(cocaina)* Koks *der*.

Coca-Cola® *sf* Coca-Cola® *die* o *das*.

cocaina *sf* Kokain *das*.

coccinella *sf* Marienkäfer *der*.

coccio *sm (terracotta)* Tonware *die* ; *(frammento)* Scherbe *die*.

cocciuto, a *agg* dickköpfig.

cocco, chi *sm (albero)* Kokospalme *die* ; *(frutto)* Kokosnuss *die*.

coccodrillo *sm (animale)* Krokodil *das* ; *(pelle)* Krokodilleder *das*.

coccolare *vt* hätscheln.

cocomero *sm (frutto)* Wassermelone *die*.

coda *sf (fila)* Schlange *die* ; *(di animale)* Schwanz *der* ; **fare la ~** Schlange stehen ; **mettersi in ~** sich anlstellen.

codardo, a *agg* feige.

codice *sm (sigla, cifra)* Kode *der* ; **~ (di avviamento) postale** Postleitzahl *die* ; **~ fiscale** Steuernummer *die* ; **~ della strada** Straßenverkehrsordnung *die*.

coerente *agg (costante)* konsequent.

coetaneo, a *agg* gleichaltrig.

cofano *sm (di auto)* Motorhaube *die* ; *(mobile)* Truhe *die*.

cogliere *vt* *(raccogliere)* pflücken ; *fig* *(afferrare)* ergreifen.

cognac *sm inv* Kognac *der*.

cognato, a *sm* Schwager *der*.

cognome *sm* Nachname *der*.

coi *(con + i)* → **con**.

coincidenza *sf* *(caso)* Zufall *der* ; *(di aerei, treni)* Anschluss *der*.

coincidere *vi* : ~ **(con qc)** (mit etw) übereinǀstimmen ; *(di oggetti)* (mit etw) identisch sein ; *(concordare)* (einer Sache *(D)*) entsprechen.

coinvolgere *vt* einǀbeziehen in ; ~ **qn in qc** jn in etw *(A)* verwickeln.

coinvolto, a *pp* → **coinvolgere**.

col *(con + il)* → **con**.

colapasta → **scolapasta**.

colare *vt* *(filtrare)* durchǀseihen. ◆ *vi* *(stillare)* tropfen.

colazione *sf* *(pranzo)* : **(prima)** ~ Frühstück *das* ; **fare** ~ *(al mattino)* frühstücken.

colica, che *sf* MED Kolik *die*.

colino *sm* Sieb *das*.

colla *sf* *(adesivo)* Klebstoff *der*.

collaborare *vi* *(cooperare)* mitǀarbeiten.

collaboratore, trice *sm, f* *(cooperatore)* Mitarbeiter *der*, -in *die*.

collana *sf* *(gioiello)* Kette *die* ; *(serie)* Reihe *die*.

collant *sm pl* Strumpfhose *die*.

collare *sm* *(per cani)* Halsband *das*.

collasso *sm* MED Kollaps *der*.

collaudo *sm* Überprüfung *die*.

collega, ghi, ghe *smf* *(di ufficio, lavoro)* Kollege *der*, -gin *die*.

collegare *vt* *(fili, stanze)* verbinden ; *(idee, fatti)* verknüpfen. ■ **collegarsi con** *vr + prep* *(per telefono, radio, TV)* sich in Verbindung setzen mit.

collegio *sm* *(scuola)* (Lehrer)kollegium *das* ; *(convitto)* Internat *das*.

collera *sf* Wut *die* ; **essere in** ~ wütend sein.

colletta *sf* *(raccolta)* Geldsammlung *die*.

collettivo, a *agg* *(comune)* allgemein ; *(di gruppo)* gemeinsam.

colletto *sm* *(di abito)* Kragen *der*.

collezionare *vt* sammeln.

collezione *sf* *(raccolta)* Sammlung *die*.

collina *sf* *(rilievo)* Anhöhe *die*.

collirio *sm* Augentropfen *pl*.

collisione *sf* *(urto)* Zusammenstoß *der*.

collo *sm* *(nuca gola)* Hals *der* ; *(colletto)* Kragen *der*.

collocamento *sm* *(impiego)* Anstellung *die*.

collocare *vt* *(disporre)* ordnen ; *(in verticale)* stellen ; *(in orizzontale)* legen.

colloquio *sm* *(conversazione)* Unterredung *die* ; ~ **di lavoro** Vorstellungsgespräch *das*.

colmo, a *agg* voll. ◆ *sm* *(api-*

ce) Gipfel *der* ; *(pieno)* : **~ (di qc)** voll (mit etw) ; **è il ~!** das ist die Höhe!

colomba *sf (uccello)* Taube *die* ; *(dolce) Hefekuchen in Taubenform, der in der Osterzeit gegessen wird.*

Colombia *sf* : **la ~** Kolumbien *nt.*

colonia *sf* Kolonie *die* ; **(acqua di) Colonia** Kölnischwasser *das.*

colonna *sf* ARCHEOL Säule *die* ; *(pilastro)* Pfeiler *der* ; *(fila)* Kolonne *die* ; **~ vertebrale** Wirbelsäule.

colorante *sm (per alimenti)* Farbstoff *der* ; *(per tessuti)* Färbemittel *das.*

colorare *vt (tingere)* färben.

colore *sm* Farbe *die* ; **di che ~ è ...?** welche Farbe hat ...? ; **di ~** farbig ; **a colori** bunt.

Colosseo *sm* : **il ~** das Kolosseum.

IL COLOSSEO

Das Kolossum ist eines der meist besuchten Denkmäler in Rom. Das Amphitheater wurde 80 v.Chr. eröffnet, in seiner Arena fanden Gladiatorenkämpfe, Wagenrennen und Seeschlachten statt.

---

colpa *sf (responsabilità)* Schuld *die* ; *(reato)* Vergehen *das* ; **dare la ~ (di qc) a qn** jm die Schuld (an etw *(D)*) geben ; **per ~ di** wegen *(+G & +D).*

colpire *vt (con pugno, arma)* treffen ; *(impressionare)* beeindrucken ; *(sog : malattia)* befallen.

colpo *sm (urto, percossa, evento improvviso)* Schlag *der* ; *(sparo)* Schuss *der* ; *fam (infarto)* Schlaganfall *der* ; *fam (rapina)* Überfall *der* ; *(azione veloce)* : **di ~** plötzlich ; **fare ~ (su qn)** Eindruck machen (auf jn) ; **~ di fulmine** Liebe *die* auf den ersten Blick ; **~ di scena** Knalleffekt *der* ; **~ di sole** Sonnenstich *der* ; **ti dò un ~ di telefono** ich rufe dich an ; **~ di vento** Windstoß *der.*

coltello *sm (strumento)* Messer *das.*

coltivare *vt (terreno)* bestellen ; *(piante)* an|bauen.

colto, a *pp* → **cogliere.** ◆ *agg (istruito)* gebildet.

coma *sm inv* Koma *das.*

comandante *sm (di nave)* Kapitän *der* ; *(di esercito)* Befehlshaber *der.*

comandare *vi* befehlen.

comando *sm (ordine)* Befehl *der* ; *(potere)* Führung *die* ; *(congegno)* Bedienung *die.*

combaciare *vi (bordi)* zusammen|passen ; *(superfici)* überein|stimmen.

combattere *vt (contrastare)* bekämpfen. ◆ *vi (in battaglie)* kämpfen ; *(opporsi)* an|kämpfen gegen.

combinare *vt (accordare)* vereinbaren ; *(organizzare)* zu Stande bringen ; *fam (fare)* an|stellen.

combinazione *sf (caso)* Zufall *der* ; *(accostamento)* Zusammenstellung *die* ; *(di cassaforte)* Kombination *die*.

combustibile *agg* brennbar. ◆ *sm* Brennstoff *der*.

come *avv* - 1. *(comparativo)* wie ; **ho dormito ~ un ghiro** ich habe wie ein Murmeltier geschlafen ; **~ me** wie ich ; **~ sempre** wie immer.
- 2. *(interrogativo)* wie ; **~ stai?** wie geht es dir?
- 3. *(in qualità di)* als, zu ; **viaggiare ~ turista** als Tourist unterwegs sein.
- 4. *(in esclamazioni)* wie ; **~ mi dispiace!** wie mir das Leid tut!
- 5. *(per esempio)* wie ; **mi piacciono i colori accesi ~ il rosso** ich mag kräftige Farben wie zum Beispiel Rot.
◆ *cong* - 1. *(nel modo in cui)* wie ; **spiegami ~ si fa** erklär mir bitte, wie man das macht.
- 2. *(comparativo)* wie ; **non è caldo ~ pensavo** es ist nicht so warm, wie ich dachte.
- 3. *(quanto)* wie, wie sehr ; **sai ~ mi piace il cioccolato** du weißt doch, wie gern ich Schokolade mag.

cometa *sf* Komet *der*.

comfort *sm inv* Komfort *der*.

comico, a, ci, che *agg (buffo)* ulkig ; *(genere)* komisch. ◆ *sm,f (attore)* Komiker *der*, -in *die*.

cominciare *vt (iniziare)* beginnen. ◆ *vi (avere inizio)* an|fangen ; **~ a fare qc** an|fangen, etw zu tun.

comitiva *sf* Gruppe *die* ; *(ragazzi)* Clique *die*.

comizio *sm (raduno)* Versammlung *die*.

commedia *sf (teatrale)* Komödie *die*.

commentare *vt (giudicare)* kommentieren ; *(spiegare)* erläutern.

commento *sm* Kommentar *der*.

commerciale *agg (del commercio)* verkäuflich.

commerciante *smf (mercante)* Händler *der*, -in *die* ; *(negoziante)* Kaufmann *der*, -frau *die*.

commerciare *vt (vendere e comperare)* handeln mit. ◆ *vi (esercitare attività commerciale)* handeln ; **~ in cereali** mit Getreide handeln.

commercio *sm (vendita)* Handel *der* ; **essere in/fuori ~** in/nicht im Handel sein.

commesso, a *pp* → **commettere**. ◆ *sm, f (di negozio)* Verkäufer *der*, -in *die*.

commestibile *agg* essbar. ■ **commestibili** *smpl* Lebensmittel *pl*.

commettere *vt (crimine, errore)* begehen.

commissario, a *sm,f (di polizia)* Kommissar *der* ; *(d'esami)* Mitglied *das* einer Prüfungskommission ; *(sportivo)* : **~ tecnico** Mannschaftstrainer *der*.

commissione *sf (incarico)* Auftrag *der* ; *(percentuale)* Provision *die* ; *(comitato)* Kommission *die*. ■ **commissioni** *sfpl (acquisti)* Besorgungen *pl*.

commọsso, a *pp* → commuovere.

commovẹnte *agg* ergreifend.

commoziọne *sf (emozione)* Ergriffenheit *die*.

commuọvere *vt* ergreifen. ■ **commuoversi** *vr* gerührt sein.

comò *sm inv* Kommode *die*.

comodịno *sm (mobile)* Nachttisch *der*.

comodità *sf inv (qualità)* Komfort *der* ; *(facilitazioni)* Bequemlichkeit *die*.

cọmodo, a *agg (agio, scarpe, abito)* bequem ; *(conveniente)* gelegen ; *(utile)* praktisch. ◆ *sm (ciò che riesce gradito, piacevole, utile)* Bequemlichkeit *die* ; **fare ~** gelegen kommen ; **puoi fare con ~** du kannst dir ruhig Zeit lassen ; **stai ~ su quella sedia?** sitzt du bequem auf diesem Stuhl?

compact-disc *sm inv* Compactdisc *die*.

compagnịa *sf (lo stare insieme)* Gesellschaft *die* ; *(gruppo)* Gruppe *die* ; **~teatrale** Theatertruppe *die* ; *(ditta)* Gesellschaft *die* ; **fare ~ a qn** jm Gesellschaft leisten ; **~ aerea** Fluggesellschaft ; **~ d'assicurazione** Versicherungsgesellschaft.

compạgno, a *sm, f (d'attività)* Gefährte *der*, -tin *die* ; *(conviventé)* Lebensgefährte *der*, -tin *die* ; **~ di scuola** Klassenkamerad *der*, -in *die*.

comparịre *vi (mostrarsi)* erscheinen ; *DIR* auf|treten.

compartimẹnto *sm (di locale, spazio)* Abteilung *die* ; *(di treno)* Abteil *das*.

compạsso *sm* Zirkel *der*.

compatịbile *agg (conciliabile)* vereinbar ; *(di computer)* kompatibel.

compatịre *vt (aver compassione di)* bemitleiden.

compạtto, a *agg (ben unito)* kompakt ; *(folla)* dicht ; *fig (solidale)* geschlossen.

compensạre *vt (bilanciare)* kompensieren.

compẹnso *sm (paga)* Lohn *der* ; *(risarcimento)* Vergütung *die* ; *(ricompensa)* Belohnung *die* ; **in ~** dafür.

comperạre = **comprare**.

cọmpere *sfpl* : **far ~** shoppen gehen.

competẹnte *agg (esperto)* kompetent.

compẹtere *vi (gareggiare)* wetteifern. ■ **competere a** *v + prep (spettare a)* zuständig sein für.

competiziọne *sf (gara)* Wettkampf *der* ; *(rivalità)* Wettstreit *der*.

cọmpiere *vt (eseguire)* aus|führen ; *(concludere)* vollenden ; **~ gli anni** Geburtstag haben.

compilạre *vt (modulo)* aus|füllen.

cọmpito *sm (incarico, dovere)* Aufgabe *die* ; *(in classe)* Klassenarbeit *die*. ■ **compiti** *smpl* Hausaufgaben *pl*.

compleạnno *sm* Geburtstag *der* ; **buon ~!** herzlichen Glückwunsch zum Geburtstag!

complessịvo *agg* gesamt.

complẹsso, a *agg (complicato)* komplex. ◆ *sm (musicale)* Band *die* ; **in** o **nel ~** im Ganzen.

completamẹnte *avv* vollständig.

completạre *vt* vervollständigen.

complẹto, a *agg (totale)* vollständig ; *(pieno, assoluto)* voll. ◆ *sm (vestiario)* Anzug *der*, *(da donna)* Kostüm *das* ; *(di oggetti)* Set *das* ; **al ~** *(hotel, aereo)* ausgebucht ; *(tutti presenti)* vollzählig.

complicạre *vt* komplizieren. ■ **complicarsi** *vr* sich komplizieren.

complicạto, a *agg* kompliziert.

complicaziọne *sf (difficoltà)* Problem *das* ; *(di malattia)* Komplikation *die*.

cọmplice *smf* Komplize *der*, -zin *die*.

complimentạre : complimentarsi con *vr + prep* jm gratulieren zu.

complimẹnto *sm* Kompliment *das* ; **complimenti!** Gratulation! ; **non fare complimenti! Prendine ancora!** Zier dich nicht! Nimm doch noch davon!

componẹnte *smf (che fa parte di un insieme)* Mitglied *das*. ◆ *sm (elemento, sostanza)* Bestandteil *der*.

componịbile *agg (mobile, cucina)* Anbau-.

compọrre *vt (musica, poesia, parola)* schreiben ; *(numero di telefono)* wählen.

comportamẹnto *sm* Verhalten *das*.

comportạre *vt (implicare)* ein|schließen. ■ **comportarsi** *vr* sich benehmen.

compositọre, trice *sm, f (di musica)* Komponist *der*, -in *die*.

composiziọne *sf (di alimento, medicinale, tessuto)* Zusammensetzung *die* ; *(musicale)* Komposition *die*.

compọsto, a *pp* → **comporre**. ◆ *agg (formato da parti)* zusammengesetzt. ◆ *sm* Gemisch *das*.

comprạre *vt (acquistare)* kaufen.

comprẹndere *vt (includere)* enthalten ; *(capire)* verstehen.

comprensiọne *sf (intelligenza)* Begreifen *das* ; *(tolleranza)* Verständnis *das*.

comprensịvo, a *agg (tollerante)* verständnisvoll ; *(inclusivo)* einschließend.

comprẹso, a *pp* → **comprendere**. ◆ *agg (incluso)* inbegriffen ; **~ nel prezzo** im Preis mit inbegriffen.

comprẹssa *sf (pastiglia)* Tablette *die*.

compromẹsso *sm (accordo)* Kompromiss *der*.

computer *sm inv* Computer *der*.

comunale *agg* Gemeinde-.

comune *agg* *(di tutti)* allgemein ; *(a due o più persone)* gemeinsam ; *(usuale)* üblich ; *(ordinario)* gewöhnlich. ◆ *sm* *(edificio)* Rathaus *das* ; *(area)* Gemeinde *die* ; **avere qc in ~ (con qn)** (mit jm) etw gemein haben ; **fuori del ~** außergewöhnlich.

comunicare *vt* *(notizia)* mit|teilen ; *(gioia, ansia)* übertragen. ◆ *vi* *(parlare, corrispondere)* in Verbindung stehen ; *(porta, stanza)* verbunden sein.

comunicazione *sf* *(atto)* Kommunikation *die* ; *(annuncio)* Mitteilung *die* ; *(telefonica)* Verbindung *die* ; **mezzi di ~** Medien *pl*.

comunione *sf* *(di interessi, idee, beni)* Gemeinschaft *die* ; *(Eucarestia (cattolicesimo))* Kommunion *die* ; *(Eucarestia (protestantesimo))* Abendmahl *das*.

comunismo *sm* Kommunismus *der*.

comunista, i, e *agg* kommunistisch. ◆ *smf* Kommunist *der*, -in *die*.

comunità *sf inv* *(di persone)* Gemeinschaft *die*.

comunque *avv* auf jeden Fall. ◆ *cong* *(tuttavia)* doch ; *(in qualsiasi modo)* wie auch immer.

con *prep* mit ; **~ piacere!** mit Vergnügen!

concedere *vt* *(dare, accordare)* gewähren.

concentrare *vt* konzentrieren. ■ **concentrarsi** *vr* sich konzentrieren.

concentrato, a *agg* *(riunito)* versammelt ; *(di cibo, sostanza, persona)* konzentriert. ◆ *sm* *(conserva)* Konzentrat *das* ; **~ di pomodoro** Tomatenmark *das*.

concentrazione *sf* Konzentration *die*.

concepimento *sm* Empfängnis *die* ; Konzeption *die*.

concepire *vt* *(figlio)* empfangen ; *(idea)* ersinnen.

concerto *sm* *(intrattenimento)* Konzert *das*.

concessionario, a *sm, f* Vertragshändler *der*, -in *die*.

concetto *sm* *(idea)* Gedanke *der* ; *(opinione)* Ansicht *die*.

conchiglia *sf* *(di mollusco)* Muschel *die*.

conciliare *vt* *(impegni, attività)* vereinbaren ; **~ il sonno** schläfrig machen ; *(contravvenzione)* gleich bezahlen.

concime *sm* Dünger *der*.

concludere *vt* *(realizzare)* zu Stande bringen ; *(finire)* ab|schließen ; *(dedurre)* folgern. ■ **concludersi** *vr* *(finire)* enden.

conclusione *sf* *(fine)* Abschluss *der* ; *(deduzione)* Schlussfolgerung *die* ; **in ~** letzten Endes.

concordare *vt* *(stabilire)* vereinbaren. ◆ *vi* *(essere d'accordo, combinare parti del discorso)* überein|stimmen.

concorrente *smf* *(in gara, affari)* Konkurrent *der*, -in *die* ; *(ad* *un concorso)* Bewerber *der*, -in *die*.

concorrenza *sf (in affari)* Konkurrenz *die*.

concorso *sm (a premi)* Preisausschreiben *das* ; *(sportivo)* Wettkampf *der* ; *(esame)* Auswahlverfahren *das (im Rahmen einer Stellenausschreibung)*.

concreto, a *agg* konkret.

condanna *sf (sentenza)* Urteil *das* ; *(pena)* Strafe *die* ; *(disapprovazione)* Ablehnung *die*.

condannare *vt* DIR verurteilen ; *(disapprovare)* ab|lehnen.

condimento *sm* Dressing *das*.

condire *vt* würzen ; *(insalata)* an|machen.

condividere *vt (idea, sentimento)* teilen.

condizionale *agg* GRAMM Konditional-.

condizionatore *sm* Klimaanlage *die*.

condizione *sf (stato)* Zustand *der* ; *(patto)* Bedingung *die* ; **a ~ che** unter der Bedingung, dass.

condoglianze *sfpl* Beileid *das*.

condominio *sm (edificio)* Wohngebäude *das*.

condotta *sf (comportamento)* Verhalten *das*.

condotto *pp* → **condurre**. ◆ *sm (tubo)* Leitung *die*.

conducente *smf (di mezzo pubblico)* Fahrer *der* ; **'non parlare al ~'** 'bitte während der Fahrt nicht mit dem Fahrer sprechen'.

condurre *vt (affare, azienda)* leiten ; *(bambino, prigioniero)* bringen ; *(vita)* führen ; *(gas, acqua)* leiten.

conduttore, trice *sm, f (guidatore)* Fahrer *der*, -in *die*. ◆ *sm (di calore, elettricità)* Leiter *der*.

confederazione *sf (di Stati)* Bund *der* ; *(di enti)* Verband *der*.

conferenza *sf (riunione)* Tagung *die* ; *(discorso)* Vortrag *der* ; **~ stampa** Pressekonferenz *die*.

conferma *sf (di impegno, decisione)* Bestätigung *die*.

confermare *vt (dimostrare)* bestätigen ; *(rafforzare)* bekräftigen.

confessare *vt (colpa, peccato)* gestehen. ■ **confessarsi** *vr* RELIG beichten.

confessione *sf (di colpa)* Geständnis *das* ; *(Sacramento)* Beichte *die*.

confetto *sm (dolciume)* Mandeldragee *das* ; *(pastiglia)* Dragée *das*.

confezionare *vt (pacco, merce)* verpacken ; *(vestiario)* nähen.

confezione *sf (involucro)* Verpackung *die* ; *(di vestiario)* Konfektion *die* ; **~ regalo** Geschenkpackung *die* ; **fare una ~ regalo** als Geschenk verpacken.

confidare *vt* : **~ qc a qn** *(segreto)* jm etw an|vertrauen. ■ **confidare in** *v + prep* vertrauen auf *(+A)*. ■ **confidarsi** *vr* : **confidarsi con qn** sich jm an|vertrauen.

confidenziąle *agg* *(riservato)* vertraulich ; *(amichevole)* freundschaftlich.

confinąre *vi* *(essere vicino)* grenzen an *(+A)*. ◆ *vt* *(esiliare)* verbannen.

confįne *sm* *(frontiera, limite)* Grenze *die*.

conflįtto *sm* *(guerra)* Konflikt *der* ; *(contrasto)* Widerspruch *der*.

confǫndere *vt* *(mescolare)* vermischen ; *(scambiare)* verwechseln ; ~ **le idee a qn** jn durcheinander bringen. ■ **confondersi** *vr* *(mescolarsi, turbarsi)* durcheinander kommen ; *(sbagliarsi)* sich irren.

confortąre *vt* *(consolare)* trösten.

confortęvole *agg* *(comodo)* komfortabel.

confrontąre *vt* vergleichen.

confrǫnto *sm* *(paragone)* Vergleich *der* ; **in ~ (a)** im Vergleich (zu) ; **nei miei confronti** mir gegenüber.

confusiǫne *sf* *(caos)* Durcheinander *das* ; *(chiasso)* Lärm *der* ; *(confondersi)* Verwirrung *die* ; **far ~** Lärm machen.

confųso, a *pp* → **confondere**. ◆ *agg* *(vago)* verschwommen ; *(disorientato)* durcheinander ; *(imbarazzato)* verlegen.

congedąre : congedarsi *vr* *(andar via)* sich verabschieden ; MIL seinen Abschied nehmen.

congędo *sm* *(permesso)* Urlaub *der* ; MIL Entlassung *die*.

congęgno *sm* *(dispositivo)* Vorrichtung *die*.

congeląre *vt* ein|frieren. ■ **congelarsi** *vr* *(alimenti, liquidi)* gefrieren ; *fig* *(persona, mani)* erfrieren.

congeląto, a *agg* *(cibo, liquido)* gefroren ; *(persona)* erfroren.

congelatǫre *sm* Gefrierfach *das*.

congęnito, a *agg* angeboren.

congestiǫne *sf* MED Kongestion *die*.

congiųngere *vt* *(unire)* verbinden. ■ **congiungersi** *vr* *(strade)* zusammen|laufen.

congiuntįvo *sm* Konjunktiv *der*.

congiųnto, a *pp* → **congiungere**. ◆ *sm, f* Verwandte *der, die*.

congiunziǫne *sf* GRAMM Konjunktion *die*.

congratuląrsi *vr* : ~ **con qn per qc** jm zu etw gratulieren.

congratulaziǫni *sfpl* Glückwünsche *pl*.

congręsso *sm* *(riunione)* Kongress *der*.

conįglio *sm* Kaninchen *das*.

coniugąto, a *agg* *(sposato)* verheiratet.

cǫniuge *smf* Ehemann *der*, -frau *die*.

connazionąle *smf* Landsmann *der*, -männin *die*.

connęttere *vt* *(collegare)* verknüpfen.

connotạti *smpl* Personenbeschreibung *die*.

cọno *sm (forma)* Kegel *der*; ~ **gelato** Eistüte *die*.

conoscẹnte *smf* Bekannte *der, die*.

conoscẹnza *sf (il sapere)* Kenntnis *die*; *(persona)* Bekanntschaft *die*; **perdere ~** das Bewusstsein verlieren.

conọscere *vt (sapere)* können; *(avere familiarità con)* kennen; *(incontrare)* kennen lernen.

conosciụto, a *pp* → **conoscere.** ◆ *agg (noto)* bekannt.

conquịsta *sf* Eroberung *die*.

conquistạre *vt (impadronirsi di, guadagnarsi psicologicamente)* erobern; *(ottenere)* erringen.

consanguịneo, a *sm, f* Blutsverwandte *der, die*.

consapẹvole *agg* : ~ **di qc** einer Sache *(G)* bewusst.

consẹgna *sf (recapito)* Zustellung *die*; *(custodia)* Obhut *die*.

consegnạre *vt (recapitare)* liefern; *(affidare)* an|vertrauen.

consequẹnza *sf (effetto)* Folge *die*; **di ~** folglich.

conseguịre *vt (ottenere, raggiungere)* erreichen. ◆ *vi (derivare, risultare)* folgen.

consẹnso *sm (approvazione)* Zustimmung *die*.

consentịre *vt* gestatten. ■ **consentire a** *v + prep (accondiscendere a)* ein|gehen auf *(A)*.

consẹrva *sf (alimento)* Konserve *die*; ~ **di frutta** eingemachtes Obst; ~ **di pomodoro** eingedickte Tomatensoße.

conservạnte *sm* Konservierungsstoff *der*.

conservạre *vt (tenere)* auf|bewahren; *(cibo)* ein|machen; ~ **in frigo** im Kühlschrank auf|bewahren. ■ **conservarsi** *vr (cibo)* sich halten.

conservatọre, trịce *sm, f* Konservative *der, die*.

considerạre *vt (esaminare)* bedenken. ■ **considerarsi** *vr* sich halten für.

considerazịone *sf* : **prendere in ~** in Betracht ziehen.

considerẹvole *agg (notevole)* beachtlich.

consigliạre *vt (esortare)* raten; *(indicare)* empfehlen; ~ **a qn di fare qc** jm raten, etw zu tun. ■ **consigliarsi con** *vr + prep* sich beraten mit.

consiglịere *sm (funzionario)* Rat *der*.

consịglio *sm (riunione)* Konferenz *die*; *(suggerimento, organo)* Rat *der*; ~ **d'amministrazione** Vorstand *der*; **Consiglio dei Ministri** Ministerrat *der*.

consistẹnte *agg (solido)* fest.

consịstere : consistere in *v + prep* bestehen in *(+D)*.

consolạre *vt (confortare)* trösten. ■ **consolarsi** *vr (confortarsi)* sich trösten.

consolạto *sm* Konsulat *das*.

cọnsole *sm inv (diplomatico)* Konsul *der*.

consonante *sf* Konsonant *der*.

constatare *vt* festlstellen.

consueto, a *agg* üblich.

consulente *smf* Berater *der*, -in *die*.

consultare *vt* *(vocabolario)* nachlschlagen. ■ **consultarsi** *vr* : **consultarsi con** *(chiedere consiglio)* sich beraten mit.

consultorio *sm* Beratungsstelle *die*.

consumare *sm* *(usare)* verbrauchen ; *(logorare)* verschleißen ; *(mangiare, bere)* verzehren. ■ **consumarsi** *vr* *(logorarsi : oggetti)* sich ablnutzen.

consumatore *sm* Verbraucher *der*.

consumazione *sf* *(bibita)* Getränk *das* ; *(cibo)* Mahlzeit *die* ; **'~ obbligatoria'** *Verzehrzwang*.

consumismo *sm* Konsumverhalten *das*.

consumo *sm* Verbrauch *der*.

contabile *smf* Buchhalter *der*, -in *die*.

contabilità *sf* *(operazioni, ufficio)* Buchhaltung *die* ; *(libri)* Bücher *pl*.

contachilometri *sm inv* Kilometerzähler *der*.

contadino, a *sm, f* *(agricoltore)* Landwirt *der*, -in *die*.

contagiare *vt* anlstecken.

contagio *vt* *(trasmissione)* Ansteckung *die*.

contagocce *sm inv* Pipette *die*.

contante *agg* bar. ◆ *sm* Bargeld *das* ; **pagare in contanti** bar bezahlen.

contare *vt* *(calcolare)* rechnen. ◆ *vi* *(disporre numeri, valere)* zählen ; **avere i soldi contati** knapp bei Kasse sein. ■ **contare di** *v + prep* : **~ di fare qc** beabsichtigen, etw zu tun ; **contare su** zählen auf *(+A)*.

contatore *sm* *(strumento)* Zähler *der*.

contattare *vt* sich in Verbindung setzen mit, kontaktieren.

contatto *sm* *(vicinanza)* Berührung *die* ; *(relazione, elemento conduttore)* Kontakt *der*.

conte, essa *sm, f* Graf *der*, Gräfin *die*.

contemporaneamente *avv* gleichzeitig.

contemporaneo, a *agg* *(dello stesso tempo)* gleichzeitig ; *(attuale)* zeitgenössisch.

contendere *vt* : **~ qc a qn** jm etw streitig machen.

contenere *vt* *(racchiudere)* enthalten. ■ **contenersi** *vr* *(dominarsi)* sich beherrschen.

contenitore *sm* Behälter *der*.

contento, a *agg* *(lieto)* froh ; **sono ~ di vederti** ich freue mich, dich zu sehen ; *(soddisfatto)* : **~ (di)** zufrieden (mit).

contenuto *sm* Inhalt *der*.

contestare *vt* *(criticare)* einlwenden.

contestazione *sf (obiezione)* Einwand *der* ; *(protesta)* Protest *der.*

contesto *sm* Kontext *der.*

contiguo, a *agg* : ~ **(a qc)** angrenzend (an etw *(+A)*).

continentale *agg* Kontinental-.

continente *sm (geografico)* Erdteil *der,* Kontinent *der* ; *(terraferma)* Festland *das.*

continuamente *avv (senza interruzioni)* dauernd ; *(di frequente)* ständig.

continuare *vt (prolungare, seguitare)* weiter|führen. ◆ *vi (durare, perseverare)* an|dauern.

continuazione *sf* Fortsetzung *die.*

continuo, a *agg (incessante)* fortwährend ; *(serie, fila)* fortlaufend ; **di** ~ dauernd.

conto *sm (calcolo)* Berechnung *die* ; *(di ristorante, albergo, negozio)* Rechnung ; *(bancario)* Konto *das* ; **mi porta il ~, per favore?** bringen Sie mir bitte die Rechnung? ; **rendersi ~ di qc** sich über etw *(A)* im Klaren sein ; **tenere ~ di qc** etw berücksichtigen ; ~ **corrente** Girokonto *das* ; **per ~ di qn** im Auftrag von jm ; **fare i conti con qn** mit jm ab|rechnen ; **in fin dei conti** letztendlich.

contorno *sm (di pietanza)* Beilage *die* ; *(linea)* Kontur *die.*

contrabbando *sm* Schmuggel *der.*

contrabbasso *sm* Kontrabass *der.*

contraccambiare *vt* sich revanchieren.

contraccettivo, a *agg* empfängnisverhütend. ◆ *sm* Verhütungsmittel *das.*

contraccolpo *sm* Rückschlag *der.*

contraddire *vt (contestare)* widersprechen *(+D).* ■ **contraddirsi** *vr* sich widersprechen.

contraddizione *sf (dire il contrario)* Widerspruch *der.*

contrariamente *avv* : ~ **a** im Gegensatz zu.

contrario, a *agg (opposto)* entgegengesetzt ; *(sfavorevole)* ungünstig ; **senso** ~ Gegenrichtung *die.* ◆ *sm* Gegenteil *das* ; **essere ~ a qc** gegen etw sein ; **in caso** ~ andernfalls ; **avere qualcosa in** ~ etw dagegen haben ; **al** ~ im Gegenteil.

contrarre *vt (muscolo)* zusammen|ziehen ; *(malattia, debito)* sich zu|ziehen. ■ **contrarsi** *vr (muscolo)* sich zusammen|ziehen.

contrassegno *sm (marchio)* Kennzeichen *das* ; **spedire qc (per)** ~ etw per Nachnahme schicken.

contrastare *vt (ostacolare)* verhindern.

contrasto *sm (contrapposizione)* Kontrast *der* ; *(opinione, esigenza)* : **esser in ~ con qc** im Widerspruch zu etw stehen.

contrattare *vt* verhandeln.

contrattempo *sm (impedimento)* Verhinderung *die* ; **ho**

avuto un ~ mir ist etwas dazwischengekommen.

contratto, a *pp* → **contrarre.** ◆ *sm* Vertrag *der.*

contravvenzione *sf (multa)* gebührenpflichtige Verwarnung.

contribuire : contribuire a *v + prep* beitragen zu.

contributo *sm (partecipazione)* Beitrag *der*; *(tassa)* Abgabe *die.*

contro *prep (in opposizione, verso)* gegen; *(appoggiato a, di fronte)* an; **il letto sta ~ la parete** das Bett steht an der Wand; **~ di me** gegen mich.

controfigura *sf* Double *das.*

controllare *vt (verificare)* überprüfen; *(sorvegliare)* beaufsichtigen. ■ **controllarsi** *vr* sich beherrschen.

controllo *sm (verifica)* Überprüfung *die*; *(sorveglianza)* Aufsicht *die*; **~ doganale** Zollkontrolle *die*; **~ passaporti** Passkontrolle.

controllore *sm (di autobus, treni)* Kontrolleur *der*; *(controllori di volo)* Fluglotse *der.*

contromano *avv (traffico)* in Gegenrichtung.

controsenso *sm* Widerspruch *der.*

controvoglia *avv* widerwillig.

contusione *sf* Prellung *die.*

convalescenza *sf* Genesung *die.*

convalidare *vt (biglietto)* entwerten.

convegno *sm (riunione)* Tagung *die.*

convenevoli *smpl* Höflichkeiten *pl.*

conveniente *agg (vantaggioso)* günstig; *(opportuno)* passend.

convenire *vi* : **conviene fare qc** es ist besser, etw zu tun. ■ **convenire a** *v + prep (essere utile, vantaggioso per)* sich lohnen für.

convento *sm* Kloster *das.*

convenzionale *agg (codice, uso, linguaggio)* konventionell.

convenzione *sf (intesa)* Konvention *die.*

conversazione *sf (chiacchierata)* Unterhaltung *die.*

convertire *vt (cambiare)* verwandeln. ■ **convertirsi** *vr* : **convertirsi (a qc)** *(fede, idea)* sich (zu einer Sache) bekehren.

convincere *vt* : **~ qn di qc** jn von etw überzeugen; **~ qn a fare qc** jn davon überzeugen, etw zu tun.

convinto, a *pp* → **convincere.** ◆ *agg* überzeugt.

convivenza *sf (di coppia)* Zusammenleben *das.*

convocare *vt* ein|berufen.

convoglio *sm (di veicoli)* Konvoi *der.*

convulsioni *sfpl (contrazioni)* Krämpfe *pl.*

cooperativa *sf* Genossenschaft *die.*

coordinare *vt* koordinieren.

coperchio *sm* Deckel *der.*

coperta *sf (da letto)* Decke *die* ; *(di nave)* Deck *das* ; **sotto le coperte** unter der Decke.

copertina *sf (di libro)* Einband *der* ; *(di rivista)* Titelseite *die.*

coperto, a *pp* → **coprire**. ◆ *agg (piscina, campo)* überdacht ; *(vestito)* angezogen ; *(cielo)* bedeckt. ◆ *sm (a tavola, al ristorante)* Gedeck *das* ; **al ~** geschützt.

copertone *sm (pneumatico)* (Reifen)mantel *der.*

copia *sf (duplicato, imitazione)* Kopie *die* ; *(di giornale)* Exemplar *das.*

copiare *vt (riprodurre)* kopieren ; *(imitare)* nachlahmen ; *(a scuola)* ablschreiben.

copione *sm* Drehbuch *das.*

coppa *sf (bicchiere)* Kelch *der* ; *(di gelato)* Becher *der* ; *(trofeo)* Pokal *der* ; *(salume) salamiähnlicher Wurstaufschnitt aus dem Nackenstück vom Schwein* ; **~ dell'olio** Ölwanne *die.*

coppia *sf (paio, di sposi, amanti)* Paar *das* ; **a coppie** zu zweit.

copricostume *sm inv* Strandkleid *das.*

coprifuoco *sm* Sperrstunde *die.*

copriletto *sm* Tagesdecke *die.*

coprire *vt (ricoprire)* bedecken ; *(rischio, spese)* (abl)decken. ■ **coprirsi** *vr (con indumenti)* sich anlziehen ; *(riempirsi)* sich bedecken.

coraggio *sm (forza d'animo)* Mut *der* ; *(impudenza)* Unverfrorenheit *die* ; **avere il ~ di fare qc** *(avere l'animo)* sich etw trauen ; *(avere faccia tosta)* unverfroren sein. ◆ *esclam* : **coraggio!** nur Mut!

coraggioso, a *agg (persona)* mutig ; *(azione)* kühn.

corallo *sm (sostanza)* Koralle *die* ; **i coralli** *(gioielli)* Korallen *pl.*

Corano *sm* : **il ~** Koran *der.*

corazza *sf (armatura)* Rüstung *die* ; *(di animale)* Panzer *der.*

corda *sf (fune)* Seil *das* ; *(spago)* Schnur *die* ; *(di strumenti musicali)* Saite *die* ; **tagliare la ~** sich aus dem Staub machen ; **corde vocali** Stimmbänder *pl.*

cordiale *agg (affettuoso)* herzlich ; **cordiali saluti** freundliche Grüße. ◆ *sm (bevanda) stärkendes alkoholisches Getränk.*

cordialmente *avv* herzlich.

cordone *sm (corda)* Strick *der* ; **~ ombelicale** Nabelschnur *die.*

coreografia *sf* Choreografie *die.*

coriandolo : **coriandoli** *smpl* Konfetti *das.*

coricarsi *vr (andare a letto)* sich hinllegen.

cornamusa *sf* Dudelsack *der.*

cornetta *sf (telefonica)* Hörer *der.*

cornetto *sm (pasta)* Hörnchen *das* ; *(gelato) Eis im Hörnchen das.*

cornice *sf* Rahmen *der*.

cornicione *sm* Gesims *das*.

corno (*mpl* **corni**, *fpl* **corna**) *sm* *(mpl : corni) (strumento)* Horn *das* ; *(fpl : corna) (di animale)* Horn *das* ; *fig* **facciamo le corna!** *fam (per scaramanzia)* klopfen wir auf Holz!

coro *sm (canto)* Choral *der* ; *(gruppo, di chiesa)* Chor *der*.

corona *sf (regale)* Krone *die* ; *(di fiori)* Kranz *der*.

corpo *sm (umano, animale, in fisica)* Körper *der* ; *(cadavere)* Leiche *die* ; *(compagnia, insieme)* Gruppe *die* ; *(militare)* Korps *das* ; ~ **insegnante** Lehrkörper ; ~ **a** ~ Mann gegen Mann.

corporatura *sf* Körperbau *der*.

corporeo, a *agg (del corpo umano, animale)* Körper-.

corredo *sm (da sposa)* Aussteuer *die*.

correggere *vt (rettificare)* korrigieren.

corrente *agg (moneta)* gültig ; *(mese, anno)* laufend ; **il 10 del mese** ~ der Zehnte dieses Monats ; *(comune)* gängig. ◆ *sf (d'aria, d'acqua, tendenza)* Strömung *die* ; *(elettrica)* Strom *der*. ◆ *sm* : **essere al** ~ **(di qc)** (über etw) Bescheid wissen ; **mettere (qn) al** ~ **(di qc)** (jn über etw) informieren ; ~ **alternata** Wechselstrom *der* ; ~ **continua** Gleichstrom *der*.

correntemente *avv (speditamente)* fließend ; *(comunemente)* allgemein.

correre *vi (muoversi)* laufen ; *(affrettarsi)* eilen ; *(intercorrere)* **tra me e mio fratello ci corrono due anni** ich und mein Bruder sind zwei Jahre auseinander. ◆ *vt (gara)* laufen ; ~ **i centro metri** die hundert Meter laufen ; *(rischio, pericolo)* laufen ; ~ **dietro a qn** jm nachlaufen.

corretto, a *pp* → **correggere**. ◆ *agg (esatto,onesto)* korrekt ; **caffè** ~ *Kaffee mit Schuss*.

correzione *sf (di compiti, segno grafico)* Korrektur *die* ; *(modifica)* Berichtigung *die*.

corridoio *sm (di abitazione)* Flur *der* ; *(di treno)* Gang *der*.

corridore *sm (atleta)* Läufer *der*, -in *die* ; *(pilota)* Rennfahrer *der*, -in *die*.

corriera *sf (veicolo)* Linienbus *der*.

corriere *sm (di lettere, merci)* Kurier *der*.

corrimano *sm* Handlauf *der*.

corrispondente *agg (corrispettivo)* entsprechend ; *(adeguato)* passend. ◆ *smf (giornalista)* Korrespondent *der*, -in *die*.

corrispondenza *sf (di lettere)* Briefwechsel *der* ; *(equivalenza)* Entsprechung *die*.

corrispondere *vt (sentimento)* erwidern. ■ **corrispondere a** *v + prep (equivalere)* entsprechen *(+D)*.

corrodere *vt* zerfressen.

corrompere *vt (comprare)* bestechen ; *(traviare)* verderben.

corroso, a *pp* → **corrodere**.

corrọtto, a *pp* → **corrompere.** ◆ *agg (disonesto)* korrupt.

corruziọne *sf (disonestà)* Korruption *die* ; *(con denaro)* Bestechung *die*.

cọrsa *sf (movimento)* Lauf *der* ; *(gara)* Rennen *das* ; *(di mezzo pubblico)* Fahrt *die* ; **fare una ~** *(correre)* laufen ; *fig (sbrigarsi)* schnell machen ; **di ~** *(correndo)* gelaufen ; *fig (in fretta)* in Eile.

corsịa *sf (di strada)* Fahrspur *die* ; *(di ospedale)* Station *die* ; **~ di sorpasso** Überholspur *die*.

Cọrsica *sf* : **la ~** Korsika *nt*.

cọrso *pp* → **correre.** ◆ *sm (di studi)* Kurs *der* ; *(di fiume, anno, giorno)* Lauf *der* ; *(strada)* Hauptstraße *die* ; **seguire un ~ (di qc)** einen Kurs (für etw) besuchen ; **~ d'acqua** Wasserlauf ; **corsi estivi** Sommerkurse ; **corsi serali** Abendkurse ; **in ~** laufend ; **lavori in ~** Bauarbeiten *pl*.

cọrte *sf (reale)* Hof *der* ; **fare la ~ a qn** jm den Hof machen.

cortẹccia, ce *sf (d'albero)* Rinde *die*.

corteggiạre *vt* umwerben.

cortẹo *sm (manifestazione)* Zug *der* ; *(processione)* Umzug *der*.

cortẹse *agg (gentile)* höflich.

cortesịa *sf (qualità)* Höflichkeit *die* ; *(atto)* Gefälligkeit *die* ; **per ~** bitte.

cortịle *sm (di edificio)* Hof *der*.

cọrto, a *agg (di misura, di durata)* kurz.

cortocircụito *sm* Kurzschluss *der*.

cọrvo *sm* Rabe *der*.

cọsa *sf (entità astratta)* Ding *das* ; **devo dirti una ~** ich muss dir was sagen ; *(oggetto)* Sache *die* ; *(faccenda)* Angelegenheit *die* ; **cosa?** was? ; **per prima ~** als Erstes.

cọscia, sce *sf (di uomo)* Oberschenkel *der* ; *(pollo, agnello)* Keule *die*.

cosciẹnte *agg (sveglio)* bewusst ; *(consapevole)* **essere ~ di qc** sich einer Sache *(G)* bewusst sein.

cosciẹnza *sf (senso morale)* Gewissen *das*.

così *avv* **- 1.** *(in questo modo)* so ; **per ~ dire** sozusagen ; **meglio ~** um so besser ; **proprio ~!** genau so! ; **e ~ via** und so weiter.

- 2. *(per descrivere misure)* so ; **una scatola larga ~ e lunga ~** eine so lange und so breite Schachtel.

- 3. *(talmente)* so ; **è ancora ~ presto!** es ist noch so früh! ; **~ poco** so wenig ; **non costa ~ tanto** das kostet gar nicht so viel.

- 4. *(conclusivo)* also ; **~, non hai ancora deciso** also hast du dich noch nicht entschieden.

◆ *cong* **- 1.** *(perciò)* also.

- 2. *(a tal punto)* so ; **~ ... che** so ... dass ; **il divano è ~ grande che non ci sta** das Sofa ist so groß, dass es nicht hineinpasst ; **~ ... da** genug ; **è ~ sciocco da dire di no** er ist dumm genug, nein zu sagen.

- 3. : **~ che** ○ **cosicché** *(affinché)*

damit ; **diglielo, ~ che lo sappia** sag es ihm, damit er es weiß.
◆ *agg inv* solche, -r, -s ; **è meglio non frequentare gente ~** mit solchen Leuten verkehrt man besser nicht.

cosicché *cong* → **così**.

cosiddetto, a *agg* so genannt.

cosmetico, ci *sm* Kosmetikartikel *der*.

coso *sm fam* Dingsbums *das*.

cospargere *vt* : **~ qc di qc** etw mit etw bestreuen.

cosparso *pp* → **cospargere**.

cospicuo, a *agg (considerevole)* beachtlich.

cospirare *vi (complottare)* konspirieren.

costa *sf (riva)* Küste *die* ; *(osso del costato & MED)* Rippe *die*.

costante *agg (stabile, durevole)* beständig ; *(persona)* beharrlich.

costare *vi (valere)* kosten ; **quanto costa?** wie viel kostet das? ; **~ caro** das ist teuer.

costata *sf (manzo)* Rumpsteak *das* ; *(generico)* Rippenstück *das*.

costeggiare *vt (fiancheggiare)* säumen ; *(navigare)* entlang|fahren.

costellazione *sf* Konstellation *die*.

costernato, a *agg* fassungslos.

costiero, a *agg* Küsten-.

costituire *vt (formare)* bilden ; *(fondare)* gründen. ■ **costituirsi** *vr DIR* sich stellen.

costituzione *sf (fisico)* Verfassung *die* ; *(formazione)* Gründung *die* ; **la Costituzione italiana** *(statuto)* die italienische Verfassung.

costo *sm (spesa)* Preis *der* ; **a tutti i costi** um jeden Preis.

costola *sf (osso)* Rippe *die*.

costoletta *sf* Kotelett *das*.

costoso, a *agg (caro)* kostspielig.

costretto, a *pp* → **costringere**.

costringere *vt (obbligare)* zwingen.

costruire *vt (fabbricare)* bauen.

costruzione *sf (atto)* Bau *der* ; *(edificio)* Gebäude *das*.

costume *sm (uso)* Brauch *der* ; *(abito)* Kostüm *das* ; **~ da bagno** Badeanzug *der (für Frauen)*, Badehose *die (für Männer)*.

cotechino *sm (insaccato) Kochsalami aus Schweinefleisch und Schwarte*.

cotoletta *sf* Schnitzel *das* ; **~ alla milanese** *Schnitzel auf Mailänder Art*.

cotone *sm (fibra)* Baumwolle *die* ; **~ idrofilo** Watte *die*.

cotta *sf* : **prendersi una ~ per qn** *fam* sich in jn verknallen.

cotto, a *pp* → **cuocere**. ◆ *agg (cucinato)* gar ; *fam (innamorato)* verknallt ; **ben ~** gut durchgebraten.

cottura *sf* Kochen *das*.

cozza *sf* Miesmuschel *die* ; **cozze alla marinara** *Miesmuscheln in*

Weißweinsud mit Zitrone und Petersilie.

C.P. (*abbr di Casella Postale*) Postfach *das*.

cracker *sm inv* Kräcker *der*.

crampo *sm* Krampf *der*.

cranio *sm* Schädel *der*.

cratere *sm (di vulcano, buca)* Krater *der*.

cravatta *sf (da uomo)* Krawatte *die*.

creare *vt (produrre)* schaffen.

creativo, a *agg (fantasioso)* kreativ.

creatore, trice *sm, f (artefice)* Schöpfer *der*, -in *die*.

creatura *sf (essere)* Kreatur *die*.

credente *smf* Gläubige *der, die*.

credenza *sf (convinzione)* Glaube *der*; *(mobile)* Anrichte *die*.

credere *vt (ritenere)* glauben; **credo di sì/di no** ich glaube, ja/nicht; **credo (che) sia vero** ich glaube, es ist wahr. ■ **credere a** *v + prep (fidarsi di)* glauben *(+D)*. ■ **credere in** *v + prep* glauben an *(+A)*. ■ **credersi** *vr* sich halten für.

credito *sm* COMM Kredit *der*.

crema *sf (dolce, cosmetico)* Creme *die*; *(panna)* Rahm *der*; *(colore)* Creme *das*; **~ depilatoria** Enthaarungscreme; **~ solare** Sonnenschutzcreme; **alla ~** Creme-.

cremazione *sf* Einäscherung *die*.

crème caramel *sm o f inv* Karamellpudding *der*.

cremoso, a *agg (denso)* cremig; *(ricco di crema)* sahnig.

crepaccio *sm (di giacciaio, roccia)* Spalte *die*.

crepapelle : a crepapelle *avv*: **mangiare a ~** sich *(D)* den Bauch vollschlagen.

crepare *vi fam (morire)* krepieren; **~ dal ridere** sich totllachen.

crepuscolo *sm (tramonto)* Dämmerung *die*.

crescere *vi (svilupparsi)* aufl-wachsen, wachsen; *(aumentare)* steigen. ◆ *vt (allevare)* großl-ziehen.

crescita *sf (sviluppo)* Wachstum *das*; *(aumento)* Steigerung *die*.

cresima *sf (per cattolici)* Firmung *die*; *(per protestanti)* Konfirmation *die*.

crespo, a *agg (capelli)* gekräuselt.

cresta *sf (di uccelli)* Kamm *der*.

creta *sf* Ton *der*.

cretino, a *agg (stupido)* blöd.

C.R.I. *sf* (*abbr di Croce Rossa Italiana*): **la ~** das Italienische Rote Kreuz.

cric *sm inv (attrezzo)* Wagenheber *der*.

criminale *agg (criminoso)* kriminell. ◆ *smf* Kriminelle *der, die*.

crimine *sm* Verbrechen *das*.

criniera *sf (di cavallo, leone)* Mähne *die*.

cripta *sf* Krypta *die*.

crịsi *sf (fase difficile)* Krise *die* ; *(attacco)* Anfall *der*.

cristạllo *sm (vetro)* Kristall *das*.

cristianẹsimo *sm* Christentum *das*.

cristiạno, a *agg* christlich. ◆ *sm, f (religioso)* Christ *der*, -in *die*.

Crịsto *sm* Christus.

critẹrio *sm (regola)* Kriterium *das* ; *(buon senso)* Verstand *der*.

crịtica, che *sf (biasimo)* Kritik *die (ohne pl)* ; *(i critici, recensione)* Kritik *die*.

criticạre *vt (disapprovare)* kritisieren.

crịtico, a, ci, che *agg (difficile)* kritisch. ◆ *sm,f* Kritiker *der*, -in *die*.

Croạzia *sf* : **la ~** Kroatien *nt*.

croccạnte *agg* knusprig. ◆ *sm (di mandorle, di noci)* Krokant *der*.

crọce *sf (religiosa, di gioiello)* Kreuz *das*. ■ **la Croce Rossa** *sf* das Rote Kreuz.

crociẹra *sf (viaggio)* Kreuzfahrt *die*.

crocifịsso *sm (oggetto)* Kruzifix *das*.

crollạre *vi (edificio, ponte)* ein|stürzen ; *fig (di stanchezza)* um|fallen.

crọllo *sm (di edificio, monte)* Einsturz *der*.

crọnaca, che *sf (narrazione)* Bericht *der* ; *(di giornale, radio, televisione)* Reportage *die* ; **~ nera** *Berichte über Unglücksfälle und Verbrechen*.

crọnico, a, ci, che *agg (permanente)* : **malattia cronica** chronisches Leiden.

cronịsta, i, e *smf (di giornale, radio, televisione)* Reporter *der*, -in *die*.

cronolọgico, a, ci, che *agg* chronologisch.

crọsta *sf (di pane)* Kruste *die* ; *(di formaggio)* Rinde *die* ; *(di ferita)* Schorf *der* ; **~ terrestre** Erdkruste.

crostạceo *sm* Krustentier *das*.

crostạta *sf* *Mürbeteigkuchen mit Marmelade*.

crostịno *sm (di pane)* Crouton *der* ; *(con salsa)* *geröstete Brotscheibe*.

croupier *sm inv* Croupier *der*.

crucivẹrba *sm inv* Kreuzworträtsel *das*.

crudẹle *agg (spietato)* grausam.

crụdo, a *agg (non cotto)* roh ; **prosciutto ~** roher Schinken.

crụsca *sf (alimento)* Kleie *die*.

cruscọtto *sm* Armaturenbrett *das*.

Cụba *sf* Kuba *nt*.

cụbo *sm (forma)* Würfel *der*.

cuccẹtta *sf (di treno)* Liegewagen *der* ; *(di nave)* Koje *die*.

cucchiaịno *sm (posata)* Teelöffel *der*.

cucchiạio *sm (posata)* Löffel *der*.

cuccia, ce *sf* Hundehütte *die* ; **a ~!** sitz!

cucciolo, a *sm, f (di cane)* Welpe *der* ; *(di altri animali)* Junge *das*.

cucina *sf (stanza)* Küche *die* ; *(cibo)* Kost *die* ; **la ~ italiana** die italienische Küche ; *(elettrodomestico)* Kochherd *der* ; **~ a gas** Gasherd *der*.

cucinare *vt (vivande)* kochen.

cucire *vt* nähen.

cucitura *sf (punti)* Naht *die*.

cuculo *sm* Kuckuck *der*.

cuffia *sf (da bagno)* Haube *die* ; *(per l'ascolto)* Kopfhörer *der* ; *(copricapo)* Mütze *die*.

cugino, a *sm, f* Cousin *der*, -e *die*, Kusine *die*.

cui *pron relativo* - **1.** *(in complementi indiretti : persona)* dem, der ; **la ragazza con ~ esco** die Frau, mit der ich ausgehe ; **il dottore da ~ vado** der Arzt, zu dem ich gehe.
- **2.** *(in complementi indiretti : cosa)* : **i film a ~ mi riferisco** die Filme, auf die ich mich beziehe ; **l'appartamento in ~ vivo** die Wohnung, in der ich lebe.
- **3.** *(tra articolo e nome)* : **la persona alla ~ domanda rispondo** die Person, deren Frage ich beantworte.
■ **per cui** *cong* deswegen ; **sono stanco, per ~ vado a letto** ich bin müde, deswegen gehe ich ins Bett.

culla *sf (lettino)* Wiege *die*.

culmine *sm (apice)* Gipfel *der*.

culo *sm volg* Arsch *der*.

culto *sm (religione)* Kult *der* ; *(adorazione)* Verehrung *die*.

cultura *sf (cognizioni, tradizioni)* Kultur *die* ; *(sapere)* Bildung *die*.

culturismo *sm* Körperkultur *die*.

cumulativo *sm* Sammel-.

cunetta *sf (avvallamento)* Senkung *die*.

cuocere *vt (cucinare)* kochen. ◆ *vi (provocare dolore)* brennen.

cuoco, a, chi, che *sm, f* Koch *der*, Köchin *die*.

cuoio *sm (pelle)* Leder *das* ; **~ capelluto** Kopfhaut *die*.

cuore *sm (muscolo, sede dei sentimenti, centro)* Herz *das* ; **nel ~ della notte** mitten in der Nacht ; **avere a ~** am Herzen liegen.

cupo, a *agg (scuro)* finster ; *(voce)* dunkel.

cupola *sf (volta)* Kuppel *die*.

cura *sf (trattamento, terapia)* Kur *die* ; *(accuratezza)* Sorgfalt *die* ; *(interessamento)* Pflege *die* ; **avere ~ di** auf etw *(A)* achten ; **prendersi ~ di** sich kümmern um ; **~ dimagrante** Schlankheitskur.

curare *vt (malato, malattia)* behandeln.

curiosare *vi* schnüffeln.

curiosità *sf inv (indiscrezione)* Neugier *die* ; *(rarità)* Kuriosität *die*.

curioso, a *agg (insolito)* sonderbar ; *(indiscreto)* neugierig.

curva *sf (di strada)* Kurve *die*.

curvare *vi (veicolo, strada)* ablbiegen. ◆ *vt (sbarra)* biegen.
curvo, a *agg (linea)* krumm ; *(persona, spalle)* gebeugt.
cuscino *sm (da divano)* Kissen *das* ; *(guanciale)* Kopfkissen *das*.
custode *smf* Aufseher *der*, -in *die*.
custodia *sf (cura, controllo)* Aufsicht *die* ; *(astuccio)* Etui *das*.
custodire *vt (assistere)* hüten ; *(conservare)* auf|bewahren.
cute *sf* Haut *die*.

D

da *prep* - 1. *(con verbo passivo)* von ; **il viaggio è pagato dalla ditta** die Fahrt wird von der Firma bezahlt.
- 2. *(stato in luogo)* bei ; **abito ~ una zia** ich wohne bei einer Tante.
- 3. *(moto a luogo)* zu ; **andare dal medico** ich gehe zum Arzt.
- 4. *(moto per luogo)* durch ; **sono entrato dall'ingresso principale** ich bin durch den Haupteingang gekommen.
- 5. *(indica l'origine, la provenienza : moto da luogo)* aus ; **venire ~ Roma** aus Rom kommen.
- 6. *(indica una durata)* seit, von ; **aspetto ~ ore** ich warte seit Stunden ; **lavoro dalle 9 alle 5** ich arbeite von neun bis fünf.
- 7. *(temporale)* : **~ giovane era un grande atleta** als er jung war, war er ein toller Athlet ; **~ grande voglio fare il pompiere** wenn ich groß bin, will ich Feuerwehrmann werden.
- 8. *(indica la causa)* vor *(+D)* ; **tremare dal freddo** vor Kälte zittern.
- 9. *(indica una caratteristica)* mit ; **la ragazza dagli occhi verdi** das Mädchen mit den grünen Augen.
- 10. *(indica il fine)* zu ; **preparare qualcosa ~ mangiare** etw zu essen machen.
- 11. *(indica separazione)* von ; **vedere ~ lontano/vicino** von Weitem/aus der Nähe sehen ; **la piscina è a tre chilometri ~ qui** das Schwimmbad liegt 3 km von hier ; **mettere qc ~ parte** etw auf die Seite legen.
- 12. *(indica prezzo, misura)* zu ; **stanza ~ 100 euro a notte** ein Zimmer zu 100 Euro pro Nacht.
- 13. *(indica modo)* : **trattare qn ~ amico** jn als Freund behandeln ; **non è cosa ~ te!** das hätte ich nicht von dir erwartet!
- 14. *(indica la conseguenza)* : **essere stanco ~ morire** todmüde sein.

daccapo *avv* (noch einmal) von vorn.
dado *sm (gioco, estratto)* Würfel *der* ; *(per vite)* Mutter *die*.
dagli *(da + gli)* → **da**.
dai[1] *(da + i)* → **da**.
dai[2] *esclam* los! ; **ma ~!** ach geh!
daino *sm (animale)* Damhirsch *der* ; *(pelle)* Hirschleder *das*.
dal *(da + il)* → **da**.
dalla *(da + la)* → **da**.

dạlle *(da + le)* → **da.**
dạllo *(da + lo)* → **da.**
daltọnico, a, ci, che *agg* farbenblind.
dạma *sf (gioco)* Damespiel *das* ; *(nel ballo)* Dame *die.*
damigiạna *sf* Korbflasche *die.*
danạro = **denaro.**
dancing *sm inv* Tanzlokal *das.*
danẹse *agg* dänisch. ◆ *smf (persona originaria della Danimarca)* Däne *der*, -in *die.* ◆ *sm (lingua)* Dänisch(e) *das.*
Danimạrca *sf* : **la ~** Dänemark *nt.*
danneggiạre *vt* beschädigen ; *(nuocere a)* schaden *(+D).*
dạnno *sm (materiale,morale)* Schaden *der* ; **pagare i danni** *DIR* Schadenersatz leisten.
dannọso, a *agg* schädlich.
Danụbio *sm* : **il ~** die Donau.
dạnza *sf* Tanz *der.*
dappertụtto *avv* überall.
dapprịma *avv* anfangs.
dạre *vt (consegnare, festa)* geben ; *(film)* laufen ; **~ qc a qn** jm etw geben ; **~ fastidio a qn** jn stören ; **~ la buonanotte a qn** jm eine gute Nacht wünschen ; **~ da bere a qn** jm zu trinken geben ; **~ qc per scontato** etw für selbstverständlich halten ; **darsi il cambio** sich ab|wechseln. ■ **dare su** *v+prep (sog : finestra)* hinaus|gehen auf *(+A).* ■ **darsi a** *vr + prep (dedicarsi a)* sich widmen *(+D).*
dạta *sf* Datum *das* ; **~ di nascita** Geburtsdatum.
dạto, a *pp* → **dare.** ◆ *agg (determinato, certo)* besondere, -r, -s. ◆ *sm (elemento, informazione)* Anhaltspunkt *der* ; **~ che** da.
datọre, trịce *sm, f* : **~ di lavoro** Arbeitgeber *der*, -in *die.*
dạttero *sm (frutto)* Dattel *die.*
davạnti *avv (di faccia, in fila)* gegenüber ; *(avanti, nella parte anteriore)* vorn(e). ◆ *agg inv (anteriore)* Vorder-. ◆ *sm (di auto,casa)* Frontseite *die.* ◆ *prep* : **~ a** vor *(+D)* ; **passare ~ a** vorbei|gehen an *(+D).*
davanzạle *sm* Fensterbank *die.*
davvẹro *avv (molto)* wirklich ; *(sul serio)* ernsthaft ; **davvero?** tatsächlich?
d.C. *(abbr di dopo Cristo)* n.Chr.
dẹa *sf (divinità)* Göttin *die.*
dẹbito *sm (in denaro)* Schulden *pl.*
dẹbole *agg (gracile)* schwächlich ; *(carattere, volontà, persona)* schwach.
debolẹzza *sf (mancanza di forza,difetto)* Schwäche *die.*
debuttạre *vi* debütieren.
decaffeinạto, a *agg* koffeinfrei.
decapitạre *vt (uccidere)* enthaupten.
decappottạbile *sf* Kabrio *das.*
decedụto, a *agg (morto)* verstorben.
decẹnnio *sm* Jahrzehnt *das.*

decẹnte agg *(conforme al pudore, accettabile)* anständig.
decẹsso sm *form (morte)* Ableben *das.*
decịdere vt *(fissare)* beschließen. ◆ vi *(prendere una decisione)* entscheiden. ■ **decidere di** v + prep entscheiden über *(+A)* ; ~ **di fare qc** beschließen, etw zu tun. ■ **decidersi** vr : **decidersi (a fare qc)** sich entscheiden (, etw zu tun).
decimạle agg *(numero, sistema)* Dezimal-.
dẹcimo, a num zehnte, -r, -s; *vedi anche* **sesto**.
decịna sf *(circa dieci)* etwa zehn.
decisiọne sf *(scelta)* Entscheidung *die* ; *(risolutezza)* Entschiedenheit *die* ; **prendere una ~** eine Entscheidung treffen.
decịso, a pp → **decidere**. ◆ agg *(forte)* entschlossen.
decollạre vi *(aereo)* ab|heben.
decọllo sm *(di aereo)* Abflug *der.*
decorạre vt *(ornare)* verzieren ; *(dare una medaglia)* aus|zeichnen.
decọtto sm Aufguss *der.*
decrẹto sm *(atto admministrativo)* Erlass *der.*
dẹdica, che sf *(su libro, foto)* Widmung *die* ; *(alla radio)* Gruß *der.*
dedicạre vt *(dare)* : ~ **qc a qn** jm etw widmen ; *fig (consacrare)* jm etw weihen. ■ **dedicarsi a** vr + prep *(interessarsi di)* sich widmen *(+D).*
dẹdito, a agg : ~ **a qc** einer Sache *(D)* ergeben ; *(droga, alcool)* verfallen.
dedọtto, a pp → **dedurre**.
dedụrre vt *(concludere)* folgern ; *(detrarre)* ab|ziehen.
deduziọne sf *(conclusione)* Schlussfolgerung *die* ; *(detrazione)* Abzug *der.*
deficiẹnte agg *spreg (cretino)* bescheuert.
definịre vt *(descrivere, spiegare)* definieren.
definitịvo, a agg *(conclusivo)* endgültig.
definiziọne sf *(spiegazione, descrizione)* Definition *die.*
deformạre vt *(alterare la forma)* verformen ; *(rendere deforme)* verunstalten. ■ **deformarsi** vr sich verformen.
defụnto, a sm, f *(morto)* Verstorbene *der, die.*
degẹnte smf *(ricoverato)* Krankenhauspatient *der,* -in *die.*
dẹgli *(di + gli)* → **di**.
degnạrsi vr : ~ **di fare qc** sich herab|lassen, etw zu tun.
dẹgno, a agg : **essere ~ di** einer Sache *(G)* wert sein.
degustaziọne sf *(assaggio)* Kostprobe *die* ; *(negozio)* Probierstube *die.*
dẹi *(di + i)* → **di**.
delegạre vt : ~ **qn (a fare qc)** jn ermächtigen (, etw zu tun) ; ~ **qc a qn** jn mit etw betrauen.
delegaziọne sf *(gruppo)* Delegation *die.*

delfino *sm (animale)* Delfin *der.*

delicatezza *sf (l'essere delicato)* Zartheit *die* ; *(gentilezza)* Taktgefühl *das* ; *(atto gentile)* nette Geste.

delicato, a *agg (colore, odore, sapore)* zart ; *(stomaco, salute)* empfindlich ; *(situazione, argomento)* heikel ; *(gentile)* taktvoll.

delineare *vt fig (descrivere)* umreißen. ■ **delinearsi** *vr (essere visibile)* sich ab|zeichnen.

delinquente *smf (criminale)* Verbrecher *der*, -in *die*.

delitto *sm (omicidio)* Verbrechen *das*.

delizioso, a *agg (cibo)* köstlich ; *(gradevole)* entzückend.

della → **di**.

delta *sm inv (foce)* Delta *das*.

deltaplano *sm* Deltagleiter *der*.

deludere *vt* enttäuschen.

delusione *sf* Enttäuschung *die*.

deluso, a *pp* → **deludere**. ◆ *agg* enttäuscht.

democratico, a, ci, che *agg* demokratisch.

democrazia *sf (governo, paese)* Demokratie *die*.

demolire *vt (edificio)* ab|reißen ; *fig (teoria)* widerlegen.

demonio *sm* Dämon *der*.

demoralizzare *vt* entmutigen. ■ **demoralizzarsi** *vr* den Mut verlieren.

denaro *sm (soldi)* Geld *das*.

denominare *vt* bezeichnen.

denominazione *sf* Bezeichnung *die* ; ~ **d'origine controllata** *(vini, formaggi) kontrollierte Herkunftsbezeichnung.*

densità *sf* Dichte *die*.

denso, a *agg (liquido)* dick (flüssig) ; *(nebbia, fumo)* dicht.

dente *sm* Zahn *der* ; ~ **da latte** Milchzahn ; ~ **del giudizio** Weisheitszahn ; **al** ~ bissfest ; **mettere qc sotto i denti** einen Bissen zu sich nehmen.

dentiera *sf (denti finti)* Gebiss *das*.

dentifricio *sm* Zahnpasta *die*.

dentista, i, e *smf* Zahnarzt *der*, -ärztin *die*.

dentro *avv (all'interno)* : **vieni** ~! komm herein! ; **vai** ~! geh hinein! ; *(nell'intimo)* in sich. ◆ *prep (all'interno)* in *(+D)* ; *(nell'intimo)* innerlich ; ~ **di sé** im Innersten ; **qui** ~ hier drinnen ; **là** ~ dahinein ; **dal di** ~ von innen heraus ; **in** ~ nach innen.

denuncia, ce o **cie** *sf* Anzeige *die* ; ~ **dei redditi** Steuererklärung *die*.

denunciare *vt (dichiarare)* an|geben ; *(sporgere denuncia contro)* an|zeigen ; *(rendere noto)* mit|teilen.

deodorante *sm (per il corpo)* Deodorant *das* ; *(per ambiente)* Raumspray *der* o *das*.

deperibile *agg* verderblich ; **merci deperibili** verderbliche Waren.

depilazione *sf (di gambe, ascelle)* Enthaarung *die.*

dépliant *sm inv* Prospekt *der.*

depositare *vt (merce)* ein|lagern ; *(in banca)* ein|zahlen.

deposito *sm (in banca)* Einlage *die* ; *(cauzione)* Pfand *das* ; *(per autobus)* Depot *das* ; **~ bagagli** Gepäckaufbewahrung *die.*

depravato, a *agg* verkommen.

depressione *sf (avvallamento)* Senke *die* ; *fig (economica, stato d'animo)* Depression *die.*

depresso, a *pp* → **deprimere.** ◆ *agg (abbattuto)* deprimiert.

deprimente *agg (lavoro, notizia, persona)* deprimierend.

deprimere *vt (abbattere)* entmutigen. ■ **deprimersi** *vr fig (avvilirsi)* mutlos werden.

deputato, a *smf (parlamentare)* Abgeordnete *der, die.*

derivare : **derivare da** *v + prep (avere origine da)* stammen von.

dermatologo, a, gi o **ghi, ghe** *sm, f* Hautarzt *der,* -ärztin *die.*

derubare *vt* bestehlen.

descritto, a *pp* → **descrivere.**

descrivere *vt (raffigurare)* beschreiben ; *(spiegare)* schildern ; *(tracciare)* ziehen.

descrizione *sf* Beschreibung *die.*

deserto, a *agg (disabitato)* verlassen ; *(senza vegetazione)* öde. ◆ *sm (in geografia)* Wüste *die.*

desiderare *vt (aspirare a)* wünschen ; *(sessualmente)* begehren ; **desidera?** Sie wünschen? ; **desidero prenotare un tavolo** ich möchte einen Tisch reservieren.

desiderio *sm (aspirazione a)* Verlangen *das* ; *(cosa desiderata)* Wunsch *der.*

desideroso, a *agg* : **~ di fare qc** begierig, etw zu tun.

designare *vt (destinare)* bestimmen.

desistere *vi form* auf|hören. ■ **desistere da** *v + prep* ab|lassen von.

destinare *vt* : **~ qn/qc a** *(assegnare, riservare)* jn/etw bestimmen für ; *(indicare)* bezeichnen.

destinatario, a *sm* Empfänger *der,* -in *die.*

destinazione *sf (luogo)* Bestimmungsort *der* ; **arrivare a ~** am Zielort ein|treffen.

destino *sm* Schicksal *das.*

destra *sf (mano)* Rechte *die* ; *(lato)* rechte Seite ; **la ~** *POL* die Rechte ; **tenere la ~** sich rechts halten ; **a ~** rechts ; *(stato in luogo)* rechte Seite ; *(moto a luogo)* : **girare a ~** nach rechts ab|biegen.

destro, a *agg (opposto a sinistra)* rechte, -r, -s.

detenuto, a *sm, f* Gefangene *der, die.*

detenzione *sf* Haft *die.*

detergente *agg (cosmetico)* Reinigungs-. ◆ *sm (cosmetico : latte)* Reinigungsmilch *die* ; *(cosmetico : crema)* Reinigungscreme *die* ; *(detersivo)* Waschmittel *das.*

deteriorare *vt (sostanza, merce)* verderben ; *(materiale)* beschädigen. ■ **deteriorarsi** *vr (merce, sostanza)* sich ab|nutzen.

determinante *agg* entscheidend.

determinare *vt (stabilire)* bestimmen ; *(provocare)* bewirken.

determinazione *sf (risolutezza)* Entschlossenheit *die.*

detersivo *sm* Waschmittel *das.*

detestare *vt* verabscheuen.

detrarre *vt* ab|ziehen.

dettagliato, a *agg* detailliert.

dettaglio *sm* Detail *das.*

dettare *vt (indirizzo, frase, esercizio)* diktieren ; *(stabilire)* vor|schreiben.

dettato *sm* SCOL Diktat *das.*

detto, a *pp* → **dire.** ◆ *agg (soprannominato)* genannt. ◆ *sm (motto)* Redensart *die.*

devastare *vt (distruggere)* verwüsten.

deviare *vt (traffico, corso d'acqua)* um|leiten. ◆ *vi (di direzione)* ab|weichen.

deviazione *sf (del traffico, di fiume)* Umleitung *die.*

devoto, a *agg (molto religioso)* fromm.

di *prep* - 1. *(indica appartenenza)* : **la casa dei miei genitori** das Haus meiner Eltern.
- 2. *(indica l'autore)* von ; **un quadro ~ Giotto** ein Gemälde von Giotto.
- 3. *(partitivo)* : **alcuni ~ noi** einige von uns ; **ho incontrato degli amici** ich habe Freunde getroffen.
- 4. *(indica paragone)* als ; **sono più alto ~ te** ich bin größer als du.
- 5. *(indica argomento)* : **un libro ~ storia** ein Geschichtsbuch ; **dir bene/male ~ qn** von jm gut/schlecht sprechen.
- 6. *(temporale)* : **d'estate** im Sommer ; **~ mattina** morgens.
- 7. *(indica provenienza)* aus ; **sono ~ Messina** ich komme aus Messina.
- 8. *(con nomi propri)* : **la città ~ Palermo** die Stadt Palermo.
- 9. *(indica l'età)* : **un bambino ~ tre anni** ein dreijähriges Kind.
- 10. *(indica la materia)* : **statua ~ marmo** Marmorstatue *die.*
- 11. *(indica misura)* : **una torre ~ 40 m** ein 40 m hoher Turm.
- 12. *(indica la causa)* : **soffrire ~ mal di testa** an Kopfschmerzen leiden.
- 13. *(con frase dichiarativa)* : **pensavo ~ uscire** ich wollte ausgehen.
- 14. *(in espressioni)* : **a causa ~** wegen *(+G)* ; **~ modo che** so dass ; **darsi del tu/Lei** sich duzen/siezen.

diabete *sm* Diabetis *die.*

diabetico, a, ci, che *agg* zuckerkrank.

diaframma, i *sm* ANAT Zwerchfell *das* ; *(anticoncezionale)* Spirale *die.*

diagnosi *sf inv MED* Diagnose *die*.
diagonale *agg (obliquo)* diagonal. ◆ *sf (linea)* Diagonale *die*.
diagramma, i *sm (grafico)* Diagramm *das*.
dialetto *sm* Dialekt *der*.
dialisi *sf MED* Dialyse *die*.
dialogo, ghi *sm (discorso)* Dialog *der*.
diamante *sm* Diamant *der*.
diametro *sm* Durchmesser *der*.
diamine *esclam (certo)* klar ; **che ~ stai facendo?** *(cosa)* was, zum Teufel, tust du da?
diapositiva *sf* Dia *das*.
diario *sm (quaderno, registro)* Tagebuch *das* ; *(a scuola)* Schülerkalender *der*.
diarrea *sf* Durchfall *der*.
diavolo *sm (demonio)* Teufel *der*. ◆ *esclam* zum Teufel! ; **che ~ vuole?** was, zum Teufel, will er/sie?
dibattito *sm* Debatte *die*.
dicembre *sm* Dezember *der*; *vedi anche* **settembre**.
dichiarare *vt (affermare)* behaupten ; *(proclamare)* erklären ; *(rendere noto)* äußern.
dichiarazione *sf (affermazione)* Behauptung *die*.
diciannove *num* neunzehn ; *vedi anche* **sei**.
diciannovesimo, a *agg* neunzehnte, -r, -s ; *vedi anche* **sesto**.
diciassette *num* siebzehn ; *vedi anche* **sei**.
diciassettesimo, a *num* siebzehnte, -r, -s ; *vedi anche* **sesto**.
diciottesimo, a *num* achtzehnte, -r, -s ; *vedi anche* **sesto**.
diciotto *num* achtzehn ; *vedi anche* **sei**.
dieci *num* zehn ; *vedi anche* **sei**.
diecina = **decina**.
diesel *agg inv* Diesel-. ◆ *sm inv (auto)* Diesel *der*.
dieta *sf (regime)* Diät *die* ; **essere a ~** Diät halten ; **~ in bianco** Schonkost *die*.
dietetico, a, ci, che *agg (alimento)* diätetisch.
dietro *avv (nella parte posteriore)* hinten. ◆ *prep (dopo)* nach ; *(di là da)* hinter ; **~ (a)** hinter *(+D)* ; **~ di me** hinter mir ; **di ~** hinten ; **~ pagamento** gegen Zahlung.
difatti *cong* tatsächlich.
difendere *vt (da pericolo, danni)* schützen ; *DIR* verteidigen. ■ **difendersi** *vr (da pericolo)* sich schützen ; *(da accuse)* sich verteidigen.
difensore *sm (avvocato)* Strafverteidiger *der*, -in *die*.
difesa *sf* Verteidigung *die* ; *(protezione)* Schutz *der*.
difeso, a *pp* → **difendere**.
difetto *sm (morale, fisico)* Fehler *der* ; **~ di fabbricazione** Fabrikationsfehler.
difettoso, a *agg (meccanismo)* defekt ; *(vista, abito)* fehlerhaft.
differente *agg* verschieden.
differenza *sf* Unterschied

der ; **non fare ~** keinen Unterschied machen ; **a ~ di** im Unterschied zu.

difficile *agg* schwierig.

difficoltà *sf inv* Schwierigkeit *die*.

diffidare : diffidare di *v + prep* misstrauen *(+D)*.

diffidente *agg* misstrauisch.

diffondere *vt* verbreiten. ■ **diffondersi** *vr* sich verbreiten.

diffusione *sf* Verbreitung *die*.

diffuso, a *pp* → **diffondere**. ◆ *agg* verbreitet.

diga, ghe *sf* Staudamm *der*.

digeribile *agg (alimento)* verdaulich.

digerire *vt* verdauen.

digestione *sf* Verdauung *die*.

digestivo, a *agg (sostanza)* Verdauungs-. ◆ *sm* Magenbitter *der*.

digitale *agg* TECNOL digital.

digitare *vt* INFORM ein|geben.

digiunare *vi (non mangiare)* fasten.

digiuno, a *agg (che non ha mangiato)* nüchtern. ◆ *sm (il non mangiare)* Fasten *das* ; **a ~** auf nüchternen Magen.

dignità *sf (rispetto di sé)* Würde *die*.

dignitoso, a *agg (atteggiamento)* würdevoll ; *(abito)* anständig.

dilagare *vi* sich aus|breiten.

dilatare *vt (accrescere la superficie)* erweitern. ■ **dilatarsi** *vr* sich erweitern.

dilemma, i *sm* Dilemma *das*.

dilettante *smf (amatore)* Amateur *der*, -in *die* ; *spreg (incompetente)* Dilettant *der*, -in *die*.

diligente *agg (persona)* fleißig ; *(lavoro)* sorgfältig.

diluire *vt (sciogliere)* auf|lösen ; *(allungare)* verdünnen.

dilungarsi *vr (attardarsi, estendersi)* sich verbreiten ; **~ in** *(spiegazioni)* sich verbreiten über *(+A)*.

diluvio *sm* Sintflut *die*.

dimagrire *vi* ab|nehmen.

dimenare *vt* schlenkern. ■ **dimenarsi** *vr (agitarsi)* um sich schlagen.

dimensione *sf* MAT Größe *die* ; *(grandezza, volume, superficie)* Ausmaß *das*.

dimenticanza *sf (omissione)* Versehen *das*.

dimenticare *vt (scordare)* vergessen ; *(lasciare)* lassen. ■ **dimenticarsi di** *vr + prep* vergessen ; **dimenticarsi di fare qc** vergessen, etw zu tun.

dimesso, a *pp* → **dimettere**. ◆ *agg (modesto)* bescheiden.

dimestichezza *sf (familiarità)* Vertrautheit *die* ; *(esperienza)* Erfahrung *die*.

dimettere *vt (da ospedale)* entlassen. ■ **dimettersi** *vr (dare le dimissioni)* zurück|treten.

dimezzare *vt* halbieren.

diminuire *vt (prezzo, quantità)* reduzieren. ◆ *vi (caldo, rumore)* nach|lassen.

diminuzione *sf (di tempera-*

tura) Rückgang *der* ; *(di prezzi)* Senkung *die*.

dimissione *sf* Rücktritt *der* ; **dare le dimissioni** den Rücktritt ein|reichen.

dimostrare *vt (manifestare)* zeigen ; *(provare)* beweisen ; *(rivelare, mostrare)* aus|sehen ; **dimostra meno di vent'anni** er sieht jünger aus als 20 (Jahre). ■ **dimostrarsi** *vr* sich erweisen.

dimostrazione *sf (d'affetto, simpatia, teoria)* Beweis *der* ; *(protesta)* Demonstration *die*.

dinamico, a, ci, che *agg (attivo)* dynamisch.

dinamite *sf* Dynamit *das*.

dinamo *sfinv* Dynamo *der*.

dinanzi, dinnanzi *prep* : ~ **a** *(davanti a)* vor *(+D)*.

dinosauro *sm* Dinosaurier *der*.

dintorni *smpl* Umgebung *die* ; **nei ~ di** in der Umgebung von.

dio *(pl* **dei)** *sm* Gott *der*.

diocesi *sf inv (di vescovo)* Bistum *das*.

dipartimento *sm (circoscrizione)* Bezirk *der*.

dipendente *agg (subordinato, grammatica)* abhängig. ◆ *smf* Angestellte *der, die*.

dipendenza *sf (subordinazione)* Abhängigkeit *die* ; *(assuefazione)* Sucht *die* ; **essere alle dipendenze di qn** von jm abhängig sein.

dipendere *vi (essere subordinato)* : ~ **da** ab|hängen von ; *(derivare)* zusammen|hängen ; **dipende** es kommt darauf an.

dipingere *vt (quadro, soggetto)* malen ; *(imbiancare)* streichen.

dipinto, a *pp* → **dipingere**. ◆ *sm* Gemälde *das*.

diploma, i *sm (attestazione)* (Abschluss)zeugnis *das*.

diplomarsi *vr* einen Abschluss machen.

diplomatico, a, ci, che *agg (servizio, corpo)* diplomatisch ; *(con tatto)* gewandt. ◆ *sm (funzionario)* Diplomat *der*, -in *die* ; *(dolce) Blätterteig mit Cremefüllung und Likör*.

diplomazia *sf (organo)* Diplomatie *die* ; *(tatto)* Gewandtheit *die*.

diradare *vt (visite, incontri)* reduzieren. ■ **diradarsi** *vr (nebbia, nubi, vegetazione)* sich lichten.

dire *vt* - 1. *(pronunciare)* sagen.
- 2. *(esprimere)* äußern ; **dica pure** kann ich Ihnen helfen? ; **dimmi tutto** erzähl mal.
- 3. *(ordinare)* : ~ **a qn di fare qc** jm sagen, dass er etw tun soll.
- 4. *(sostenere)* behaupten ; **dice che non è vero** er behauptet, es sei nicht wahr.
- 5. *(tradurre)* : **come si dice "scusi" in francese?** wie sagt man auf Französisch "Entschuldigung"?
- 6. *(pensare)* meinen ; **che ne dite di ...?** was haltet ihr von ...?
- 7. *(sembrare)* : **si direbbe che ...** man könnte meinen, dass ...

- 8. *(in espressioni)* : **a ~ il vero ...** ehrlich gesagt ... ; **vuol ~ che ...** das heißt, dass ...
◆ *v impers* : **si dice che ...** es heißt, dass ... ; **si direbbe che ...** es sieht so aus, als ob ...
◆ *vi* : **dico davvero** ○ **sul serio** ich meine es im Ernst ; **a dir poco** gelinde gesagt ; **volevo ben ~!** wusste ich es doch!

direttamente *avv* direkt.

direttissimo *sm* ≃ D-Zug *der*.

diretto, a *pp* → **dirigere**. ◆ *agg (senza deviazioni)* direkt ; *(immediato)* unmittelbar ; **essere ~ a** *(aereo, passeggero)* direkt gehen nach ; *(indirizzato)* gerichtet sein an *(+A)*. ◆ *sm (treno)* Eilzug *der*.

direttore, trice *sm,f (di impresa)* Vorsitzende *der, die* ; *(di scuola elementare)* Direktor *der*, -in *die* ; **~ d'orchestra** Dirigent *der*, -in *die*.

direzione *sf (senso)* Richtung *die* ; *(di azienda)* Direktion *die*.

dirigente *smf (in azienda)* Leiter *der*, -in *die*.

dirigere *vt (volgere)* lenken ; *(essere a capo di, avere la responsabilità)* führen ; *(orchestra)* dirigieren. ■ **dirigersi** *vr (avviarsi)* zulsteuern auf *(+A)*.

dirimpetto *avv* gegenüber.

diritto, a *agg (in linea retta)* gerade. ◆ *avv* geradeaus. ◆ *sm (prerogativa, disciplina)* Recht *das* ; *(leggi)* Gesetz *das* ; SPORT Vorhand *die* ; *(di maglia, vestito)* rechts ; **sempre ~** immer geradeaus ; **avere ~ a qc** auf etw *(A)* Anspruch haben.

diroccato, a *agg* verfallen.

dirottare *vt (aereo, nave)* entführen ; *(traffico)* umleiten.

dirotto *agg (abbondante, impetuoso)* stark ; **a ~** *(piovere, piangere)* heftig.

dirupo *sm (precipizio)* Abgrund *der*.

disabitato, a *agg* unbewohnt.

disaccordo *sm (dissenso)* Widerspruch *der*.

disadattato, a *agg* verhaltensgestört.

disagio *sm (scomodità)* Unannehmlichkeit *die* ; *(imbarazzo)* Unbehagen *das* ; **essere a ~** sich unbehaglich fühlen.

disapprovare *vt* missbilligen.

disastro *sm (catastrofe)* Unglück *das* ; *(danno)* Verwüstung *die* ; *fig (rovina, disordine)* Katastrophe *die*.

disastroso, a *agg (evento)* katastrophal.

disattento, a *agg* unaufmerksam.

disavventura *sf* Missgeschick *das*.

discapito *sm* : **a ~ di** zum Nachteil von.

discarica, che *sf (di rifiuti)* Müllhalde *die*.

discendente *smf (parente)* Nachkomme *der*.

discepolo, a *sm, f* RELIG Jünger *der*, -in *die*.

discesa *sf (movimento)* Abstieg *der* ; *(pendio)* Abhang *der* ; SPORT *(sci)* Abfahrt *die* ; **in ~** abwärts.
dischetto *sm* INFORM Diskette *die*.
disciplina *sf (ubbidienza)* Disziplin *die* ; *(materia)* Fach *das*.
disciplinato, a *agg (persona)* diszipliniert ; *(svolgimento)* geordnet.
disc-jockey *smf inv* Diskjockey *der*.
disco, schi *sm (musicale)* (Schall)platte *die* ; **~ orario** Parkscheibe *die* ; INFORM **~ rigido** Festplatte *die*.
discolpare *vt* entlasten. ■ **discolparsi** *vr* sich rechtfertigen.
discorrere *vi* plaudern. ■ **discorrere di** *v + prep* plaudern über *(+A)*.
discorso *sm (conversazione)* Gespräch *das* ; *(conferenza)* Vortrag *der*.
discoteca, che *sf (locale)* Disko *die*.
discretamente *avv (abbastanza)* ganz gut ; *(con tatto)* diskret.
discreto, a *agg (persona)* diskret ; *(abbastanza buono)* ziemlich gut.
discrezione *sf (tatto)* Diskretion *die*.
discriminare *vt* diskriminieren.
discussione *sf (dibattito)* Diskussion *die* ; *(litigio)* Auseinandersetzung *die*.
discusso, a *pp* → **discutere**.
discutere *vt (dibattere)* diskutieren ; *(contestare)* bestreiten. ◆ *vi* sprechen ; **~ di/su** sprechen von/über *(+A)*.
disdire *vt (impegno)* ab|sagen.
disegnare *vt (raffigurare, tracciare)* zeichnen ; *(progettare)* entwerfen.
disegno *sm (rappresentazione)* Zeichnung *die* ; *(motivo)* Muster *das* ; *(progetto)* Plan *der*, Entwurf *der*.
disfare *vt* zerstören ; *(valigia)* aus|packen ; *(maglia)* auf|trennen ; *(sciogliere)* auf|lösen. ■ **disfarsi di** *vr + prep* los| werden.
disgelo *sm* Tauwetter *das*.
disgrazia *sf (sventura)* Unglück *das* ; *(incidente)* Unfall *der*.
disgraziato, a *agg (persona)* unglücklich ; *(viaggio, anno)* unglückselig. ◆ *sm, f (sfortunato)* Pechvogel *der* ; *(malvagio)* Schuft *der*.
disgustare *vt* an|widern.
disgusto *sm* Widerwille *der*.
disgustoso, a *agg (sapore, odore)* widerwärtig ; *(riprovevole)* abstoßend.
disidratare *vt* dörren. ■ **disidratarsi** *vr* aus|trocknen.
disinfettante *agg* desinfizierend. ◆ *sm* Desinfektionsmittel *das*.
disinfettare *vt* desinfizieren.
disinteressarsi : disinteressarsi di *vr + prep* sich nicht kümmern um.
disinteresse *sm (indifferenza)* Gleichgültigkeit *die*.

disintossicare *vt* entwöhnen. ■ **disintossicarsi** *vr (da droga)* sich einer Entziehungskur unterziehen.

disintossicazione *sf (da droga)* Entziehungskur *die*.

disinvolto, a *agg (spigliato)* unbefangen.

disinvoltura *sf (naturalezza)* Unbefangenheit *die*.

dislivello *sm (di quota)* Höhenunterschied *der*.

disobbedienza *sf* Ungehorsam *der*.

disoccupato, a *agg* arbeitslos. ◆ *sm,f* Arbeitslose *der, die*.

disoccupazione *sf* Arbeitslosigkeit *die*.

disonesto, a *agg (corrotto)* unehrlich.

disordinato, a *agg (persona, stanza)* unordentlich ; *(vita, racconto)* konfus.

disordine *sm (materiale)* Unordnung *die* ; **sono accaduti gravi disordini** es hat schwere Unruhen gegeben.

disorganizzazione *sf* Desorganisation *die*.

disorientato, a *agg (sperduto)* desorientiert ; *(confuso)* verwirrt.

disotto *avv* → **sotto**.

dispari *agg (numero)* ungerade.

disparte *avv* : **tenersi** o **starsene in ~** abseits stehen.

dispensa *sf (stanza)* Vorratskammer *die* ; *(mobile)* Vorratsschrank *der* ; *(fascicolo)* Skript *das*.

disperatamente *avv (piangere)* verzweifelt.

disperato, a *agg* verzweifelt.

disperazione *sf (sconforto)* Verzweiflung *die*.

disperdere *vt (folla, odore)* zerstreuen ; *(patrimonio)* vergeuden.

disperso, a *pp* → **disperdere**. ◆ *sm,f* Vermisste *der, die*.

dispetto *sm (atto)* Bosheit *die* ; *(stizza)* Trotz *der* ; **fare un ~ a qn** jn ärgern ; **fare qc per ~** etw zum Trotz tun.

dispiacere *sm (dolore)* Kummer *der* ; *(rammarico)* Bedauern *das*. ◆ *vi* : **~ a qn** jm Leid tun ; **Le dispiace se aspetto qui?** macht es Ihnen was aus, wenn ich hier warte?

dispiaciuto, a *pp* → **dispiacere**.

disponibile *agg (stanza, posto)* frei ; *(persona)* hilfsbereit.

disponibilità *sf (di denaro)* Budget *das* ; *(di posto)* Platz *der* ; *(di persona)* Hilfsbereitschaft *die*.

disporre *vt (sistemare)* aufstellen. ■ **disporre di** *v + prep* verfügen über *(+A)*.

dispositivo *sm* Vorrichtung *die*.

disposizione *sf (di mobili, diritto)* Anordnung *die* ; *(comando)* Verfügung *die* ; **essere a ~ di qn** jm zur Verfügung stehen ; **mettere qc a ~ di qn** jm etw zur Verfügung stellen.

dispọsto, a *pp* → **disporre**. ◆ *agg (propenso)* bereit.

disprezzạre *vt (denigrare)* verachten.

disprẹzzo *sm (disdegno)* Verachtung *die*.

dịsputa *sf (dibattito)* Streitgespräch *das* ; *(lite)* Auseinandersetzung *die*.

dissẹnso *sm (disapprovazione)* Meinungsverschiedenheit *die* ; *(contrasto)* Unstimmigkeit *die*.

dissenterịa *sf* Durchfall *der*.

disservịzio *sm unbefriedigende Qualität einer Dienstleistung*.

dissestạto, a *agg (strada)* holprig.

dissịdio *sm* Widerspruch *der*.

dissịmile *agg* unähnlich.

dissolụto, a *agg (vita, condotta)* ausschweifend.

dissọlvere *vt (sciogliere)* auf|lösen ; *(disperdere, dissipare)* zerstreuen.

dissuadẹre *vt* : ~ **qn dal fare qc** jn von etw ab|bringen.

dissuạso, a *pp* → **dissuadere**.

distaccạre *vt (oggetti)* los|machen ; *(persone)* trennen ; *SPORT* ab|hängen. ■ **distaccarsi da** *vr + prep (separarsi da)* sich trennen von.

distạcco, chi *sm (separazione)* Trennung *die* ; *(indifferenza)* Abstand *der*.

distạnte *agg (lontano)* entfernt ; *fig (freddo, indifferente)* distanziert. ◆ *avv* weit weg ; ~ **da** entfernt von.

distạnza *sf (spaziale, temporale)* Abstand *der* ; *(sport)* Distanz *die* ; ~ **di sicurezza** Sicherheitsabstand.

distanziạre *vt (separare)* distanzieren.

distạre *vi* : ~ **(da)** *(essere lontano)* entfernt sein (von).

distẹndere *vt (gamba, mano)* aus|strecken. ■ **distendersi** *vr (sdraiarsi)* sich hin|legen.

distẹsa *sf* Fläche *die*.

distẹso, a *pp* → **distendere**.

distillạto, a *sm (liquore)* Destillat *das*.

distillerịa *sf* Brennerei *die*.

distịnguere *vt (differenziare, riconoscere)* unterscheiden ; *(contrassegnare)* kennzeichnen.

distintịvo, a *sm* Abzeichen *das*.

distịnto, a *pp* → **distinguere**. ◆ *agg (persona)* vornehm ; *(diverso)* verschieden ; *(immagine)* deutlich ; **'distinti saluti'** *(in lettera)* 'mit freundlichen Grüßen'.

distinziọne *sf (differenza)* Unterschied *der*.

distọgliere *vt (allontanare)* ab|wenden ; ~ **da** *(sguardo, attenzione, pensiero)* ab|lenken von.

distọlto, a *pp* → **distogliere**.

distorsiọne *sf MED* Verstauchung *die*.

distrạrre *vt (deconcentrare)* ab|lenken ; *(divertire)* zerstreuen. ■ **distrarsi** *vr (deconcentrarsi, divertirsi)* sich zerstreuen.

distrạtto, a *pp* → **distrarre**. ◆ *agg (sbadato)* zerstreut.

distraziọne *sf* Zerstreuung

die ; *(disattenzione)* Flüchtigkeit *die*, Ablenkung *die* ; *(svago)* Zerstreuung *die*.

distretto *sm* Bezirk *der*.

distribuire *vt (assegnare)* zulteilen ; *(posta, giornali)* ausltragen.

distributore *sm* : ~ **automatico** Automat *der* ; ~ **(di benzina)** Tankstelle *die*.

distribuzione *sf (ripartizione)* Verteilung *die* ; *(consegna)* Zustellung *die* ; *(prodotti)* Vertrieb *der*.

distruggere *vt (cosa)* zerstören.

distrutto, a *pp* → **distruggere**.

distruzione *sf (demolizione)* Zerstörung *die*.

disturbare *vt* stören. ■ **disturbarsi** *vr* sich *(D)* Umstände machen.

disturbo *sm (fastidio)* Störung *die* ; **nessun ~!** gern geschehen! ; *(malessere & MED)* Beschwerde *die*.

disubbidiente *agg* unfolgsam.

disubbidire *vi* : ~ **(a qn)** (jm) nicht gehorchen.

disumano, a *agg (crudele)* unmenschlich.

disuso *sm* : **in ~** *(parola, tradizione)* ungebräuchlich.

ditale *sm (per cucire)* Fingerhut *der*.

dito (*fpl* **dita**) *sm (di mano)* Finger *der* ; *(di piede)* Zehe *die*, Zeh *der* ; *(misura)* : **un ~ di vino** ein Schluck Wein.

ditta *sf* Firma *die*.

dittongo, ghi *sm* GRAMM Diphthong *der*.

diuretico *agg* harntreibend. ◆ *sm* MED Diuretikum *das*.

diurno, a *agg* Tag-.

divano *sm* Sofa *das* ; ~ **letto** Schlafcouch *die*.

divaricare *vt* auseinanderlspreizen.

diventare *vi* werden.

diversificare *vt* unterscheiden.

diversità *sf inv (l'esser diverso)* Andersartigkeit *die* ; *(cose diverse)* Unterschied *der* ; *(varietà)* Vielfalt *die*.

diversivo *sm* Ablenkung *die*.

diverso, a *agg (vario)* unterschiedlich ; *(differente)* : **essere ~ da** anders sein als.

divertente *agg* amüsant.

divertimento *sm (svago)* Zeitvertreib *der*.

divertire *vt (dilettare)* unterhalten. ■ **divertirsi** *vr (svagarsi)* sich vergnügen.

dividere *vt* MAT teilen ; *(fare in parti)* einlteilen, auflteilen ; *(spartire)* verteilen ; *(separare)* trennen ; *(condividere)* teilen. ■ **dividersi** *vr (ripartirsi)* sich auflteilen ; *(divorziare)* sich trennen.

divieto *sm* Verbot *das* ; **'~ di sosta'** 'Halteverbot' ; **'~ di transito'** 'Durchfahrtsverbot'.

divinità *sf inv (dio)* Gottheit *die*.

divino, a *agg* göttlich ; *fig (straordinario)* himmlisch.

divịsa *sf (uniforme)* Uniform *die.*
divisiọne *sf* MAT Teilung *die* ; *(ripartizione)* Aufteilung *die* ; *(delimitazione)* Trennung *die.*
divịso, a *pp* → **dividere.**
divisọrio, a *agg* Trenn-.
dịvo, a *sm, f* Star *der.*
divorạre *vt (mangiare)* verschlingen ; *(consumare)* zerstören.
divorziạre *vi* sich scheiden lassen.
divorziạto, a *sm, f* Geschiedene *der, die.*
divọrzio *sm* Scheidung *die.*
divulgạre *vt (notizia)* verbreiten.
dizionạrio *sm* Wörterbuch *das.*
DNA (*abbr di Acido Desossiribo Nucleico*) *sm inv* DNA *die.*
do *sm inv (nota musicale)* C *das.*
D.O.C. (*abbr di Denominazione di Origine Controllata*) *Qualitätswaren mit geschützter Ursprungsbezeichnung.*
dọccia, ce *sf (istallazione)* Dusche *die* ; **fare la ~** duschen.
docẹnte *agg* Lehr-. ◆ *smf (scuola)* Lehrer *der*, -in *die* ; *(università)* Dozent *der*, -in *die* ; **il corpo ~** Lehrkörper *der.*
dọcile *agg (persona)* gutwillig ; *(animale)* zahm.
documentạre *vt (dimostrare)* belegen. ■ **documentarsi** *vr (informarsi)* sich informieren.
documentạrio *sm* Dokumentarfilm *der.*
documẹnto *sm (certificato)* Dokument *das* ; **~ d'identità** o **di riconoscimento** Ausweis *der.* ■ **documenti** *smpl* Papiere *pl.*
dodicẹsimo, a *agg* zwölfte, -r, -s ; *vedi anche* **sesto.**
dọdici *num* zwölf ; *vedi anche* **sei.**
dogạna *sf (organo)* Zoll *der* ; *(frontiera)* Zollamt *das* ; **passare la ~** verzollt werden.
doganạle *agg* Zoll-.
doganiẹre *sm* Zollbeamte *der*, -in *die.*
dọlce *agg (zuccherato)* süß ; *(suono, musica, voce)* sanft ; *(persona, carattere)* lieb ; *(non ripido)* sanft. ◆ *sm (portata)* Dessert *das* ; *(torta)* Kuchen *der.*
dolcẹzza *sf (sapore)* Süße *die* ; *(bontà)* Güte *die.*
dolcificạnte *sm* Süßstoff *der.*
dolciụmi *smpl* Süßigkeiten *pl.*
dọllaro *sm* Dollar *der.*
Dolomịti *sfpl* : **le ~** die Dolomiten.
dolọre *sm (fisico)* Schmerz *der* ; *(morale)* Kummer *der.*
dolorọso, a *agg (fisicamente)* schmerzhaft ; *(moralmente)* schmerzlich.
domạnda *sf (per sapere)* Frage *die* ; *(per ottenere)* Anfrage *die* ; **fare una ~ a qn** jm eine Frage stellen.
domandạre *vt (per sapere)* fragen nach *(+D)*, fragen ; *(per ottenere)* bitten um. ■ **domandarsi** *vr* sich fragen.
domạni *avv (giorno seguente)* morgen ; *(futuro)* in Zukunft ; **a ~!** bis morgen! ; **~ mattina** mor-

gen früh ; ~ **notte** morgen Nacht ; ~ **pomeriggio** morgen Nachmittag ; ~ **sera** morgen Abend.

domare vt *(animale)* zähmen ; *(rivolta)* niederlschlagen ; *(incendio)* löschen.

domattina avv morgen früh.

domenica, che sf Sonntag *der* ; *vedi anche* **sabato**.

domestico, a, ci, che agg *(della casa, animale)* Haus-. ◆ sm, f Hausangestellte *der, die*.

domicilio sm DIR *(abitazione)* Wohnsitz *der* ; **consegna a ~** Lieferung frei Haus.

dominante agg *(prevalente)* vorherrschend.

dominare vt *(paese, popolo)* herrschen über *(+A)* ; *fig* beherrschen. ◆ vi *(comandare)* herrschen über *(+A)*. ■ **dominarsi** vr sich beherrschen.

dominio sm *(potere, territorio)* Herrschaft *die* ; *(controllo)* Kontrolle *die*.

donare vt *(regalare)* schenken. ◆ vi *(giovare)* stehen ; ~ **il sangue** Blut spenden.

donatore, trice sm, f *(chi dona)* Spender *der*, -in *die* ; ~ **di sangue** Blutspender.

dondolare vt schaukeln. ■ **dondolarsi** vr *(su sedia, amaca)* sich wiegen.

dondolo sm *(altalena per bambini)* Schaukel *die* ; **cavallo a ~** Schaukelpferd *das* ; **sedia a ~** Schaukelstuhl *der*.

donna sf *(persona)* Frau *die* ; *(nelle carte)* Dame *die* ; ~ **di servizio** Haushaltshilfe *die* ; **da ~** Damen-.

dono sm Gabe *die* ; *(atto)* Schenkung *die*.

dopo avv *(più tardi)* nachher ; *(in seguito a)* danach ; *(di luogo)* dahinter. ◆ prep nach ; *(temporale)* nachdem. ◆ cong nachdem. ◆ agg inv darauf ; **a ~!** bis später!

dopobarba sm inv Rasierwasser *das*.

dopodiché avv danach.

dopodomani avv übermorgen.

dopoguerra sm inv Nachkriegszeit *die*.

dopopranzo avv nachmittags.

doposcì sm inv Après-Ski *das*.

doposcuola sm inv Nachmittagsunterricht *der*.

dopotutto avv schließlich.

doppiaggio sm Synchronisation *die*.

doppiare vt *(film)* synchronisieren ; SPORT überrunden.

doppiato, a pp → **doppiare**.

doppio, a agg *(quantità)* doppelt ; *(numero)* Doppel-. ◆ sm *(quantità, numero)* Doppelte *das* ; SPORT Doppel *das*.

doppione sm Duplikat *das*.

doppiopetto sm Zweireiher *der*.

dorato, a agg *(di colore)* golden ; *(ricoperto d'oro)* vergoldet.

dormiglione, a sm, f Langschläfer *der*, -in *die*.

dormire *vi (riposarsi)* schlafen.

dormitorio *sm (di caserma, ricovero, colonia)* Schlafsaal *der*.

dorso *sm* Rücken *der* ; ~ *(nuoto)* Rückenschwimmen *das*.

dosaggio *sm (di medicina)* Dosierung *die*.

dosare *vt (ingredienti, zucchero, sale)* dosieren.

dose *sf (di sale, zucchero, lievito)* Menge *die* ; MED Dosis *die*.

dosso *sm (colle)* Erhebung *die* ; *(di strada)* Buckel *der* ; **togliersi qc di ~** sich etw aus|ziehen.

dotare *vt* : **~ di** *(fornire di)* aus|statten mit.

dotato, a *agg* begabt.

dotazione *sf* : **gli oggetti in ~** das dazugehörige Material.

dote *sf (qualità)* Gabe *die* ; *(di sposa)* Mitgift *die*.

Dott. *(abbr di Dottore) sm* Dr.

dottore, essa *sm, f (medico)* Arzt *der*, Ärztin *die*.

dove *avv (interrogativo, relativo)* wo ; **da ~ vieni?** woher kommst du? ; **dov'è?** wo ist er? ; **~ vai?** wohin gehst du?

dovere *vt* - 1. *(essere debitore di)* : **~ qc a qn** jm etw schulden.
- 2. *(obbligo, bisogno)* : **~ fare qc** etw machen müssen.
- 3. **devi sapere che ...** du musst nämlich wissen, dass ...
- 4. *(bisognare)* : **avresti dovuto pensarci prima** das hättest du dir früher überlegen müssen.
- 5. *(per suggerire)* : **dovrebbe prendersi delle vacanze** er/sie sollte Urlaub machen.
- 6. *(esprime convinzione)* müssen ; **devono essere già le sette** es muss schon sieben sein.
- 7. *(esprime intenzione)* sollen ; **dovevo venire, ma ...** ich hätte kommen sollen, aber ...
◆ *sm (obbligo)* Pflicht *die* ; **avere dei doveri verso qn** gegenüber jm Verpflichtungen haben.

dovunque *avv (in qualunque luogo)* wo auch immer ; *(dappertutto)* überall.

dozzina *sf (dodici)* Dutzend *das*.

drago, ghi *sm (animale)* Drache *der*.

dramma, i *sm* Drama *das*.

drammatico, a, ci, che *agg* dramatisch.

dritto, a *agg* = **diritto**.

drizzare *vt (raddrizzare)* gerade|richten ; *(bandiera, antenna, muro)* auf|richten. ■ **drizzarsi (in piedi)** *vr* sich auf|richten.

droga, ghe *sf (stupefacente)* Rauschgift *das* ; *(spezia)* Gewürz *das*.

drogare *vt* unter Drogen setzen. ■ **drogarsi** *vr* Drogen nehmen ; *(sport)* sich dopen.

drogato, a *sm, f* Drogensüchtige *der, die*.

drogheria *sf* Drogerie *die*.

droghiere, a *sm, f* Drogist *der*, -in *die*.

dromedario *sm* Dromedar *das*.

dubbio, a *agg* zweifelhaft ; *(incerto)* unsicher ; *(equivoco)* missverständlich. ◆ *sm (incer-*

tezza) Zweifel *der*; **mettere in ~ qc** etw in Frage stellen; **essere in ~** im Zweifel sein; **senza ~** zweifellos.

dubbioso, a *agg* unentschlossen.

dubitare *vi (essere incerto)* zweifeln. ◆ *v + prep* : **~ di** *(mettere in discussione)* bezweifeln.

duca, chessa, chi, chesse *sm,f* Herzog *der*, -in *die*.

due *num* zwei; *vedi anche* **sei**.

duecento *num* zweihundert; *vedi anche* **sei**. ■ **il Duecento** *sm (XIII° secolo)* 13. Jahrhundert *das*.

duemila *num* zweitausend; *vedi anche* **sei**.

duepezzi, due pezzi *sm inv (costume)* Bikini *der*, *(abito)* Zweiteiler *der*.

duna *sf* Düne *die*.

dunque *cong (perciò, allora)* also. ◆ *sm* : **venire al ~** zur Sache kommen.

duo *sm inv* Duo *das*.

duomo *sm (cattedrale)* Dom *der*.

duplice *agg (funzione, effetto, conseguenza)* doppelt.

durante *prep* während *(+G)*.

durare *vi (prolungarsi)* dauern; *(mantenersi)* halten.

durata *sf (periodo)* Dauer *die*; *(resistenza)* Ausdauer *die*.

durezza *sf (di materiale)* Härte *die*; *(insensibilità)* Strenge *die*.

duro, a *agg (sostanza, materiale, lavoro)* hart; *fam (ostinato)* stur; *(severo)* streng. ◆ *sm* : **fare il ~** den harten Mann spielen.

E

e *cong (aggiuntiva)* und; *(esortativo)* also; **~ io?** und ich?

E *(abbr di Est)* O.

ebano *sm (legno)* Ebenholz *das*.

ebbene *cong (allora)* nun; *(dunque)* also.

ebbrezza, ebrezza *sf (ubriachezza)* Trunkenheit *die*; *(euforia)* Taumel *der*.

ebollizione *sf (di liquido)* Sieden *das*.

ebraico, a, ci, che *agg* hebräisch. ◆ *sm (lingua)* Hebräisch(e) *das*.

ebreo, a *agg* jüdisch. ◆ *sm, f* Jude *der*, Jüdin *die*.

ecc. *(abbr di eccetera)* etc.

eccedere *vt (superare)* überschreiten. ■ **eccedere in** *v + prep (esagerare nel)* übertreiben mit.

eccellente *agg (ottimo)* hervorragend.

eccellenza *sf (superiorità)* Vorzüglichkeit *die*; *(titolo)* Exzellenz *die*.

eccentrico, a, ci, che *agg (persona, comportamento)* exzentrisch.

eccessivo, a *agg* übermäßig.

eccesso *sm (esagerazione)* Übermaß *das*; **~ di velocità**

Geschwindigkeitsüberschreitung *die* ; **in ~** zuviel.

eccẹtera *avv* und so weiter.

eccẹtto *prep* außer *(+D)*.

eccezionạle *agg* außergewöhnlich.

eccezione *sf* Ausnahme *die* ; **ad ~ di** mit Ausnahme von ; **d'~** außergewöhnlich.

eccitạnte *agg (stimolante)* stimulierend ; *(provocante)* aufreizend. ◆ *sm (sostanza)* Aufputschmittel *das*.

eccitạre *vt* aufregen. ■ **eccitarsi** *vr (entusiasmarsi)* sich begeistern ; *(innervosirsi)* sich aufl-regen ; *(sessualmente)* sich erregen.

eccitazione *sf (mentale)* Aufregung *die* ; *(fisica)* Erregung *die*.

ecclesiạstico, a, ci, che *agg* Kirchen-. ◆ *sm* Geistliche *der*.

ẹcco *avv (dimostrativo)* da ist ; **~ a Lei** bitte schön! ; **~ fatto!** so, fertig! ; **eccolo!** da ist er ja!

eccome *avv* und wie.

E.C.G. (*abbr di electrocardiogramma*) *sm MED* EKG *das*.

eclịssi *sf inv* : **~di sole** Sonnenfinsternis *die*.

ẹco (*mpl* **echi**) *sm* & *sf (di suono)* Echo *das*.

ecologịa *sf* Ökologie *die*.

ecologico, a, ci, che *agg (ambientale)* ökologisch ; *(che rispetta l'ambiente)* umweltfreundlich.

ecologo, a, gi, ghe *sm, f* Ökologe *der*, -in *die*.

economịa *sf (sistema)* Wirtschaft *die* ; *(risparmio)* **fare ~** haushalten.

economico, a, ci, che *agg (dell'ecomonia)* Wirtschafts- ; *(poco costoso)* preiswert.

economịsta, i, e *smf* Wirtschaftswissenschaftler *der*, -in *die*.

ecosistẹma, i *sm* Ökosystem *das*.

eczẹma, i *sm MED* Ekzem *das*.

ed → e.

ẹdera *sf* Efeu *der*.

edịcola *sf (di giornali)* Kiosk *der*.

edifịcio *sm (costruzione)* Gebäude *das*.

edịle *agg* Bau-.

editore, trịce *agg* Verlags-. ◆ *sm (chi pubblica)* Verleger *der*, -in *die*.

editorịa *sf* Verlagswesen *das*.

editoriạle *agg* Verlags-. ◆ *sm* Leitartikel *der*.

edizione *sf* Ausgabe *die* ; **~ speciale** *(di giornale)* Sonderausgabe.

educạre *vt (bambino)* erziehen ; *(corpo)* entwickeln ; *(gusto)* bilden.

educạto, a *agg (cortese)* wohlerzogen.

educazione *sf* Erziehung *die* ; *(cortesia)* Anstand *der* ; **~ fisica** Leibeserziehung.

effervescẹnte *agg (frizzante)* sprudelnd.

effettivamente *avv* in der Tat.
effettivo, a *agg (vero)* effektiv.
effetto *sm (conseguenza, impressione)* Wirkung *die* ; *(ottico, acustico)* Effekt *der* ; **in effetti** tatsächlich.
effettuare *vt* aus|führen.
efficace *agg* wirksam.
efficacia *sf* Wirksamkeit *die*.
efficiente *agg (persona)* leistungsfähig.
efficienza *sf* Leistungsfähigkeit *die*.
Egeo *sm* : **l'~, il Mar ~** die Ägäis.
Egitto *sm* : **l'~** Ägypten *nt*.
egiziano, a *agg* ägyptisch. ◆ *sm, f (abitante)* Ägypter *der*, -in *die*.
egli *pron pers m* er ; **~ stesso** er selbst.
egocentrico, a, ci, che *agg* egozentrisch.
egoismo *sm* Egoismus *der*.
egoista, i, e *agg* egoistisch.
egr. → **egregio**.
egregio, a, gi, gie *agg (nelle lettere)* sehr geehrt.
eguagliare = **uguagliare**.
ehi *esclam (per richiamo, protesta)* he!
E.I. *(abbr di Esercito Italiano) Italienisches Heer*.
elaborare *vt (progetto, piano)* aus|arbeiten.
elaborato, a *agg (ricercato)* kunstvoll.
elaborazione *sf* : **~ dei dati** Datenverarbeitung *die*.
elasticità *sf (flessibilità)* Elastizität *die* ; *(di mente)* Wendigkeit *die*.
elasticizzato, a *agg* Stretch-.
elastico, a, ci, che *agg (flessibile)* elastisch ; *(mente)* rege. ◆ *sm (da ufficio)* Gummi *das* ; *(da cucito)* Gummiband *das*.
Elba *sf* : **l'(isola d') ~** die Insel Elba.
elefante, tessa *sm* Elefant *der*.
elegante *agg (persona, vestito)* elegant.
eleganza *sf* Eleganz *die*.
eleggere *vt (nominare)* wählen.
elementare *agg (fondamentale)* elementar ; *(facile)* kinderleicht.
elemento *sm (componente)* Bauteil *das* ; *(dato)* Element *das*.
elemosina *sf* Almosen *das*.
elencare *vt (enumerare)* auf|zählen.
elenco, chi *sm (lista)* Verzeichnis *das* ; **~ telefonico** Telefonbuch *das*.
eletto, a *pp* → **eleggere**.
elettorale *agg* Wahl-.
elettore, trice *sm, f* Wähler *der*, -in *die*.
elettrauto *sm inv* Autoelektriker *der*.
elettricista, i, e *smf* Elektriker *der*, -in *die*.

elettricità *sf (corrente)* Elektrizität *die*.

elettrico, a, ci, che *agg (energia, corrente)* elektrisch ; *(apparecchio)* Elektro-.

elettrocardiogramma, i *sm MED* Elektrokardiogramm *das*.

elettrodomestico, ci *sm* Haus(halts)gerät *das*.

elettroencefalogramma, i *sm MED* Elektroenzephalogramm *das*.

elettronica *sf* Elektronik *die*.

elettronico, a, ci, che *agg (congegno, sistema)* elektronisch.

elezione *sf (votazione)* Wahl *die* ; **elezioni politiche** Parlamentswahlen ; **elezioni amministrative** Kommunalwahlen.

elica, che *sf (di nave)* Schiffsschraube *die* ; *(di aereo)* Propeller *der*.

elicottero *sm* Hubschrauber *der*.

eliminare *vt (far sparire)* beseitigen.

eliminatoria *sf SPORT* Vorrunde *die*.

ella *pron (femminile)* sie.

eloquente *agg (persona)* redegewandt ; *(sguardo, atteggiamento)* vielsagend.

elvetico, a, ci, che *agg (svizzero)* helvetisch.

emanare *vt (luce, calore)* aus|strahlen ; *(legge)* erlassen. ◆ *vi* aus|gehen.

emancipare *vt (liberare)* emanzipieren. ■ **emanciparsi** *vr* sich emanzipieren.

emancipato, a *agg (libero)* emanzipiert.

emancipazione *sf* Emanzipation *die*.

emarginato, a *sm, f (persona)* Außenseiter *der*, -in *die*.

emarginazione *sf (esclusione)* Ausgrenzung *die*.

ematoma, i *sm MED* Bluterguss *der*.

emergenza *sf (circostanza imprevista)* Notfall *der* ; **'uscita di ~'** 'Notausgang'.

emergere *vi* auf|tauchen ; *(venire a galla)* ans Tageslicht kommen ; *(distinguersi)* hervor|ragen. ■ **emergere da** *v + prep (risultare)* hervor|gehen aus.

emicrania *sf MED* Migräne *die*.

emigrante *smf* Emigrant *der*, -in *die*.

emigrare *vi (persona)* aus|wandern.

emiliano, a *agg* emilianisch. ◆ *sm, f (abitante)* Emilianer *der*, -in *die* ; *(dialetto)* Emilianisch(e) *das*.

Emilia-Romagna *sf* Emilia-Romagna *die*.

emisfero *sm (terrestre)* Erdhalbkugel *die*.

emittente *agg (banca)* Emissions-. ◆ *sf (radio, televisione)* Sender *der* ; **~ locale** Lokalsender.

emorragia *sf* MED Blutung *die*.

emozionante *agg* *(film, vicenda)* aufregend.

emozione *sf* Aufregung *die*.

enciclopedia *sf* Enzyklopädie *die*.

E.N.E.L. *(abbr di Ente Nazionale per l'Energia Elettrica)* italienische Elekrizitätsgesellschaft.

energia *sf* *(solare, atomica)* Energie *die* ; *(vigore)* Kraft *die* ; **~ elettrica** elektrischer Strom.

ennesimo, a *agg* : **per l'ennesima volta** zum x-ten Mal.

enorme *agg* riesig.

enoteca, che *sf* *(raccolta)* Vinothek *die* ; *(negozio)* Weinhandlung *die* ; *(bar)* Weinlokal *das*.

ente *sm* *(istituzione)* Behörde *die*.

entrambi, e *agg* & *pron pl* beide.

entrare *vi* *(porta, acqua)* hinein|gehen ; **~ in** *(trovar posto)* passen in *(+A)* ; *(essere ammesso)* einer Sache *(D)* bei|treten ; *(dare inizio)* ein|treten ; **questo non c'entra niente** das hat damit nichts zu tun.

entrata *sf* *(luogo)* Eingang *der* ; *(ammissione)* Eintritt *der* ; *(inizio)* : **~ in vigore** Inkrafttreten *das*. ■ **entrate** *sfpl* *(incasso)* Einnahmen *pl* ; *(guadagno)* Verdienst *der*.

entro *prep* *(temporale)* innerhalb *(+G)*.

entusiasmare *vt* begeistern. ■ **entusiasmarsi (per qc)** *vr* sich (für etw) begeistern.

entusiasmo *sm* *(fervore)* Begeisterung *die*.

entusiasta, i, e *agg* begeistert.

enunciare *vt* dar|legen.

Eolie *sfpl* : **le (isole) ~** die Äolischen Inseln.

epidemia *sf* *(di malattia)* Epidemie *die*.

epidermide *sf* *(pelle)* Oberhaut *die*.

Epifania *sf* : **l'~** Dreikönigsfest *das*.

episodio *sm* *(vicenda)* Episode *die* ; *(puntata)* Folge *die*.

epoca, che *sf* *(era, età)* Zeitalter *das* ; **d'~** *(mobile, costume)* antik.

eppure *cong* dennoch.

equatore *sm* Äquator *der*.

equazione *sf* MAT Gleichung *die*.

equestre *agg* *(statua)* Reiter-.

equilibrare *vt* aus|gleichen.

equilibrato, a *agg* *(proporzionato)* ausgewogen ; *(persona)* ausgeglichen.

equilibrio *sm* *(stabilità, posizione)* Gleichgewicht *das* ; *(stato)* Ausgewogenheit *die*.

equipaggiamento *sm* *(di nave, aereo ; sportivo)* Ausrüstung *die*.

equipaggio *sm* *(aereo, nave)* Besatzung *die*.

equitazione *sf* Reitsport *der*.

equivalente *agg* gleichwertig. ◆ *sm* Äquivalent *das*.

equivalẹre *vi* gleichwertig sein ; ~ **a** einer Sache *(D)* gleich kommen.

equịvoco, a, ci, che *agg* *(ambiguo)* zweideutig. ◆ *sm* Missverständnis *das.*

ẹra *sf (geologica)* Ära *die.*

ẹrba *sf (prato)* Gras *das* ; *(pianta)* Kraut *das* ; *(marijuana) fam* Hasch *das.*

erboristerịa *sf (negozio)* Reformhaus *das.*

erẹde *smf* DIR Erbe *der*, -in *die* ; *(successore)* Nachfolger *der*, -in *die.*

eredità *sf* DIR Erbschaft *die* ; **lasciare in** ~ vererben.

ereditạre *vt* erben.

ereditạrio, a *agg (dell'eredità)* Erb- ; *(malattia)* erblich.

eresịa *sf* RELIG Ketzerei *die.*

erẹtico, a, ci, che *sm,f* RELIG Ketzer *der*, -in *die.*

ergạstolo *sm (pena)* lebenslängliche Freiheitsstrafe.

ẹrnia *sf* MED Bruch *der.*

erọe *sm (uomo coraggioso, di film, di romanzo)* Held *der*, -in *die.*

erogạre *vt (gas, acqua)* ab|geben.

erọico, a, ci, che *agg (coraggioso)* heldenhaft.

eroịna *sf (donna)* Heldin *die* ; *(droga)* Heroin *das.*

erọtico, a, ci, che *agg (film, romanzo)* erotisch.

errọre *sm (di ortografia, calcolo)* Fehler *der* ; *(colpa)* Schuld *die* ; **per** ~ aus Versehen.

eruziọne *sf (di vulcano)* Ausbruch *der.*

esagerạre *vt,vi* übertreiben.

esagerạto, a *agg (quantità, numero)* übertrieben ; *(persona)* überspannt.

esaltạre *vt (decantare)* preisen. ■ **esaltarsi** *vr (entusiasmarsi)* sich begeistern ; *(eccitarsi)* sich erregen.

esạme *sm (considerazione, scuola)* Prüfung *die* ; *(medico)* Untersuchung *die* ; **fare** o **dare un** ~ eine Prüfung ab|legen ; ~ **del sangue** Blutuntersuchung.

esaminạre *vt (analizzare)* untersuchen ; *(candidato)* prüfen.

esattamẹnte *avv* genau. ◆ *escl (proprio così!)* genau.

esattẹzza *sf (precisione)* Genauigkeit *die.*

esạtto, a *agg (giusto)* richtig ; *(preciso)* genau. ◆ *escl (proprio così!)* genau.

esaurimẹnto *sm (fine)* Ausschöpfung *die* ; ~ **(nervoso)** MED psychophysischer Erschöpfungszustand.

esaurịre *vt (merce, provviste)* auf|brauchen ; *(argomento, tema)* aus|schöpfen ; *(stancare)* erschöpfen. ■ **esaurirsi** *vr (merce)* aus|gehen ; *(miniera, risorse)* versiegen ; *(persona)* sich erschöpfen.

esaurịto, a *agg (pozzo)* versiegt ; *(merce)* ausverkauft ; *(persona, risorse)* erschöpft ; **tutto** ~ ausverkauft.

esaụsto, a *agg (persona)* erschöpft.

ẹsca (*pl* **esche**) *sf (per pesci)* Köder *der*.

eschimẹse *agg* Eskimo-. ◆ *smf* Eskimo *der*, -frau *die*.

esclamạre *vi* aus|rufen.

esclamaziọne *sf (espressione)* Ausruf *der* ; GRAMM Ausrufesatz *das*.

esclụdere *vt* aus|schließen.

esclusịva *sf (di notizia)* Exklusivbericht *der* ; DIR Alleinrecht *das*.

esclusịvo, a *agg (locale, circolo, modello)* exklusiv ; *(uso)* ausschließlich.

esclụso, a *pp* → **escludere**.

escursiọne *sf (gita)* Ausflug *der*.

esecutịvo, a *agg* DIR exekutiv. ◆ *sm* Exekutive *die*.

esecuziọne *sf (attuazione)* Ausführung *die* ; MUS Darbietung *die* ; *(uccisione)* Hinrichtung *die*.

eseguịre *vt (lavoro, ordini)* aus|führen ; MUS vor|tragen.

esẹmpio *sm (modello, fatto particolare)* Beispiel *das* ; **ad** ○ **per ~** zum Beispiel ; **fare un ~** ein Beispiel an|führen.

esercitạre *vt (allenare)* trainieren ; *(professione)* aus|üben ; *(adoperare)* an|wenden. ■ **esercitarsi** *vr* üben.

esẹrcito *sm* MIL Heer *das*.

esercịzio *sm (allenamento)* Übung *die* ; *(di professione)* Ausübung *die* ; *(di potere, forza, diritto)* Anwendung *die* ; *(azienda, funzionamento)* Betrieb *der* ; **essere fuori ~** *(essere fuori allenamento)* aus der Übung sein.

esibịre *vt* vor|zeigen. ■ **esibirsi** *vr* sich produzieren.

esigẹnte *agg* anspruchsvoll.

esigẹnza *sf (bisogno)* Bedürfnis *das* ; *(pretesa)* Anspruch *der*.

esịgere *vt (pretendere)* verlangen ; *(richiedere)* erfordern.

ẹsile *agg (sottile)* dünn ; *(persona)* schmächtig.

esịlio *sm (espatrio)* Exil *das*.

esistẹnte *agg* vorhanden.

esistẹnza *sf (realtà)* Vorhandensein *das* ; *(vita)* Existenz *die*.

esịstere *vi (esserci)* existieren.

esitạre *vi* zögern ; **~ a fare qc** zögern, etw zu tun.

esitaziọne *sf* Zögern *das*.

ẹsito *sm (risultato)* Ergebnis *das*.

esọrdio *sm (inizio)* Anfang *der*.

esortạre *vt* : **~ qn a fare qc** jn auf|fordern, etw zu tun.

esọtico, a, ci, che *agg (che viene da lontano)* exotisch.

espạndere *vt (allargare)* erweitern. ■ **espandersi** *vr (ingrandirsi)* sich aus|dehnen.

espansiọne *sf (allargamento)* Ausbreitung *die*.

espansịvo, a *agg (amichevole)* mitteilsam.

espẹllere *vt (da scuola)* verweisen ; *(catarro)* aus|spucken.

esperiẹnza *sf* Erfahrung *die*.

esperimento *sm (scientifico)* Experiment *das*.

esperto, a *agg (con esperienza)* erfahren. ◆ *sm* Experte *der*, -in *die*.

esplicito, a *agg* deutlich.

esplodere *vi (bomba, dinamite)* explodieren.

esplorare *vt (territorio)* erforschen.

esploratore, trice *sm, f (persona)* Forscher *der*, -in *die*.

esplosione *sf (scoppio)* Explosion *die*.

esplosivo, a *agg (sostanza)* Spreng-. ◆ *sm* Sprengstoff *der*.

esploso, a *pp* → **esplodere**.

esporre *vt (merce)* ausllegen ; *(opera d'arte)* auslstellen ; *(idea, fatto)* erläutern.

esportare *vt* exportieren.

esportazione *sf (spedizione)* Export *der*.

esposizione *sf (di merce)* Ausstellen *das* ; *(mostra)* Ausstellung *die*.

esposto, a *pp* → **esporre**. ◆ *agg* ausgestellt. ◆ *sm* : ~ **a Sud** nach Süden gelegen.

espressione *sf* Ausdruck *der*.

espressivo, a *agg* ausdrucksvoll.

espresso, a *pp* → **esprimere**. ◆ *sm (treno)* Schnellzug *der* ; *(caffè)* Espresso *der* ; *(lettera)* Eilbrief *der*.

esprimere *vt (pensiero, sentimento)* ausldrücken. ■ **esprimersi** *vr (spiegarsi)* sich ausldrücken ; *(parlare)* sprechen.

essenziale *agg (indispensabile)* wesentlich.

essere *vi* - 1. *(per descrivere)* sein ; **sono italiano** ich bin Italiener ; **siamo di Parma** wir sind aus Parma.
- 2. *(trovarsi)* liegen ; **il museo è in centro** das Museum liegt im Zentrum.
- 3. *(esistere)* : **c'è** es gibt ; **ci sono** es gibt.
- 4. *(con data, ora)* sein ; **oggi è martedì** heute ist Dienstag ; **che ora è?, che ore sono?** wie spät ist es? ; **è l'una** es ist eins ; **sono le due** es ist zwei (Uhr).
- 5. *(con prezzo, peso)* : **quant'è? - (sono) 5 euro** wie viel macht das? - (das macht) 5 Euro.
- 6. *(indica appartenenza)* : ~ **di** gehören ; **questa macchina è di Paolo** dieses Auto gehört Paul.
- 7. *(indica obbligo)* : **la camera è da prenotare** das Zimmer muss gebucht werden.
◆ *v impers* sein ; **è vero che ...** es ist wahr, dass... ; **oggi è freddo** heute ist es kalt ; **è così** so ist es.
◆ *v aus* - 1. *(in tempi passati)* sein ; **sono tornato ieri** ich bin gestern zurückgekommen.
- 2. *(in passivi)* sein ; **questo oggetto è fatto a mano** dieser Gegenstand ist handgemacht.
◆ *sm (creatura)* Wesen *das* ; ~ **umano** menschliches Wesen ; **gli esseri viventi** die Lebewesen.

essi → **esso** → **egli**.

esso, a *pron (soggetto)* er (sie) ; *(con preposizione)* ihm (ihr), ihn (sie). ■ **essi, e** *pron pl (soggetto)* sie ; *(con preposizione)* ihnen, sie.

est *sm* Osten *der* ; **a ~ di Milano** östlich von Mailand.

estate *sf* Sommer *der*.

estendere *vt (ampliare)* ausl-dehnen.

esteriore *agg (esterno)* Außen- ; *(apparente)* äußerlich.

esterno, a *agg (muro, facciata)* Außen-. ◆ *sm (lato di fuori)* Außenseite *die* ; **all'~** außen.

estero, a *agg* ausländisch. ◆ *sm* : **l'~** das Ausland ; **vivere all'~** im Ausland leben.

esteso, a *pp* → **estendere**. ◆ *agg* ausgedehnt.

estetista, i, e *smf* Kosmetiker *der*, -in *die*.

estinguere : estinguersi *vr (fuoco)* erlöschen ; *(specie)* ausl-sterben.

estintore *sm* Feuerlöscher *der*.

estivo, a *agg* sommerlich.

Estonia *sf* : **l'~** Estland *nt*.

estraneo, a *agg (persona)* fremd. ◆ *sm, f* Fremde *der, die*.

estrarre *vt (tirar fuori)* herausl-ziehen ; *(dente)* ziehen ; *(sorteggiare)* ausllosen ; *(minerale, petrolio)* fördern.

estratto, a *pp* → **estrarre**. ◆ *sm (di sostanza)* Extrakt *der* ; **~ conto** Kontoauszug.

estrazione *sf (di petrolio)* Förderung *die* ; *(del lotto)* Ziehung *die* ; *(di dente)* Ziehen *das* ; **~ a sorte** Auslosung *die*.

estremità *sf inv (parte estrema)* Ende *das*. ◆ *sf pl* Gliedmaßen *pl*.

estremo, a *agg (grande)* extrem ; *(ultimo)* letzte, -r, -s ; *(punto)* äußerst. ◆ *sm fig (limite)* Äußerste *das*.

estroverso, a *agg* aufgeschlossen.

estuario *sm* Trichtermündung *die*.

esuberante *agg (vivace)* überschäumend.

età *sf inv (anni)* Alter *das* ; *(epoca)* Zeit *die* ; **l'~ della pietra** Steinzeit *die* ; **la maggiore ~** Volljährigkeit *die* ; **di mezza ~** mittleren Alters ; **la terza ~** Senioren *pl*.

eternità *sf inv (tempo, vita eterna)* Ewigkeit *die*.

eterno, a *agg (infinito)* ewig.

eterogeneo, a *agg (non uniforme)* ungleichartig.

eterosessuale *agg* heterosexuell. ◆ *sm, f* Heterosexuelle *der, die*.

etica *sf (principi)* Ethik *die*.

etichetta *sf (di prodotto)* Etikett *das* ; *(cerimoniale)* Etikette *die*.

Etna *sm* : **l'~** der Ätna.

etrusco, a, schi, sche *agg* etruskisch. ■ **gli Etruschi** *smpl* Etrusker *pl*.

ettaro *sm* Hektar *das*.

etto *sm* = **ettogrammo**.

ettogrammo *sm* hundert Gramm.

Eucarestia *sf* : **l'~** heiliges Abendmahl.

euforia *sf* Euphorie *die.*
euro *sm inv* Euro *der.*
Europa *sf* : **l'~** Europa *nt.*
europeo, a *agg* europäisch. ◆ *sm, f* Europäer *der,* -in *die.*
eurovisione *sf* : **in ~** in Eurovision.
evadere *vt (tasse, fisco)* hinterziehen. ◆ *vi* : **~ (da qc)** *(prigione)* auslbrechen (aus etw).
evaporare *vi (diminuire)* verdampfen.
evasione *sf (da luogo)* Ausbruch *der*; *(da realtà)* Flucht *die*; **~ fiscale** Steuerhinterziehung *die.*
evaso, a *pp* → **evadere.** ◆ *sm, f* Ausbrecher *der,* -in *die.*
evenienza *sf* : **per ogni ~** für alle Fälle.
evento *sm* Ereignis *das.*
eventuale *agg* eventuell.
eventualità *sf* Möglichkeit *die.*
eventualmente *avv* eventuell.
evidente *agg (chiaro)* klar; *(ovvio)* offensichtlich.
evidenza *sf* Deutlichkeit *die*; **mettere in ~** hervorlheben.
evitare *vt (scansare)* auslweichen; *(persona)* meiden; **~ di fare qc** es vermeiden, etw zu tun; **~ qc a qn** jm etw ersparen.
evoluto, a *agg (tecnica, paese, persona)* fortschrittlich.
evoluzione *sf (biologica)* Evolution *die*; *(progresso)* Fortschritt *der.*
evviva *esclam* hurra!
ex *prep* : **l'~ presidente** der ehemalige Präsident; **la sua ~ moglie** seine Exfrau.
extra *agg inv (supplementare)* Sonder-; *(eccellente)* extra. ◆ *sm* : **gli ~** die Sonderleistungen.
extracomunitario, a *agg (non appartenente all' UE)* außereuropäisch. ◆ *sm, f* Nicht-EU-Bürger *der,* -in *die.*
extraconiugale *agg* außerehelich.
extraterrestre *smf* Außerirdische *der, die.*

F

fa *avv* → **fare**; vor; **un anno ~** vor einem Jahr; **tempo ~** vor einiger Zeit. ◆ *sm inv (nota musicale)* F *das.*
fabbisogno *sm* Bedarf *der.*
fabbrica, che *sf (stabilimento)* Fabrik *die.*
fabbricare *vt (costruire)* bauen; *(produrre)* herlstellen.
faccenda *sf (questione)* Angelegenheit *die.* ■ **faccende** *sfpl (domestiche)* Hausarbeit *die.*
facchino *sm* Gepäckträger *der.*
faccia, ce *sf (viso, espressione)* Gesicht *das*; *(parte esterna)* Seite *die*; **di ~ a** vor *(+D)*; **~ a ~** Auge in Auge.

facciata *sf (di edificio)* Fassade *die* ; *(di pagina)* Seite *die*.
facile *agg* leicht.
facilità *sf inv (caratteristica)* Leichtigkeit *die*.
facilitare *vt* erleichtern.
facoltà *sf inv (capacità)* Fähigkeit *die* ; *(potere)* Befugnis *die* ; *(universitaria)* Fakultät *die*.
facoltativo, a *agg* wahlfrei.
facsimile *sm inv (copia)* Fax *das*.
fagiano *sm* Fasan *der*.
fagiolino *sm* grüne Bohne.
fagiolo *sm (legume)* Bohne *die*.
fai da te *sm inv* Do-it-yourself.
falange *sf* ANAT Phalanx *die*.
falciare *vt (erba)* mähen.
falda *sf (di cappello)* Krempe *die* ; *(di monte)* Fuß *der* ; *(acquifera)* Schicht *die*.
falegname *sm* Schreiner *der*.
fallimento *sm (insuccesso)* Misserfolg *der*.
fallire *vi* : *(colpo, bersaglio)* verfehlen ; *(non riuscire)* ~ **(in)** scheitern (mit).
fallo *sm* SPORT Foul *das* ; *(pene)* Phallus *der*.
falò *sm inv (per segnalazioni)* Feuer *das* ; *(in campeggio)* Lagerfeuer *das*.
falsificare *vt (firma, documento)* fälschen.
falso, a *agg (non vero)* falsch ; *(imitazione)* unecht ; *(contraffatto)* gefälscht ; *(non sincero)* falsch. ◆ *sm* Fälschung *die*.
fama *sf (notorietà)* Ruhm *der* ; *(reputazione)* Ruf *der*.
fame *sf (appetito)* Hunger *der* ; **aver ~** Hunger haben.
famiglia *sf* Familie *die*.
familiare *agg (della famiglia)* Familien- ; *(noto)* vertraut ; *(atmosfera)* häuslich ; *(informale)* zwanglos. ■ **familiari** *smpl (parenti)* Verwandte *pl*.
famoso, a *agg* berühmt.
fanale *sm (di veicolo)* Scheinwerfer *der*.
fanatico, a, ci, che *agg (esaltato)* fanatisch ; *(appassionato)* begeistert.
fango, ghi *sm* Schlamm *der* ; **fare i fanghi** eine Fangokur machen.
fanno → **fare**.
fannullone, a *sm, f* Nichtstuer *der*, -in *die*.
fantascienza *sf* Science-fiction *die*.
fantasia *agg inv* Fantasie-. ◆ *sf (immaginazione)* Fantasie *die*.
fantasma, i *sm (spettro)* Gespenst *das*.
fantastico, a, ci, che *agg* fantastisch.
fantino *sm* Jockei *der*.
fantoccio *sm (pupazzo)* Marionette *die*.
faraona *sf* Perlhuhn *das*.
farcito, a *agg (pollo, torta)* gefüllt.
fard *sm inv* Rouge *das*.
fare *vt* - 1. machen ; **~ un viaggio** eine Reise machen.

- 2. *(essere occupato in)* machen ; **cosa fai stasera?** was machst du heute Abend? ; **fa il meccanico** er ist Mechaniker.
- 3. *(percorrere)* zurückllegen ; **che strada facciamo per rientrare?** welchen Weg gehen/fahren wir zurück?
- 4. *(suscitare)* tun ; **poverino, mi fa pena** der Arme, er tut mir Leid ; **non fa niente** *(non importa)* das macht nichts ; **farsi male** sich wehltun.
- 5. *(attegiarsi a)* spielen ; **~ lo scemo** den Dummen spielen.
- 6. *(indica il risultato)* : **quanto fa?** wie viel macht das?
- 7. *(credere)* halten für ; **ti facevo più furbo** ich hielt dich für schlauer.
- 8. *(acquisire)* : **farsi degli amici** sich einen Freundeskreis auflbauen.
- 9. *(con infinito)* lassen ; **far credere qc a qn** jn etw glauben machen wollen.
- 10. *(in espressioni)* : **~ il bagno** *(nella vasca)* ein Bad nehmen ; *(al mare)* baden ; **non ~ caso a** nicht beachten ; **non farcela (più)** es nicht (mehr) schaffen ; **far del bene a qn** jm Gutes tun ; **far male a qn** jm wehltun.

◆ *vi* - 1. *(agire)* machen ; **come si fa a uscire?** wie kommt man hier heraus? ; **fai come ti pare!** mach, wie du willst! ; **darsi da ~** sich bemühen.
- 2. *fam (dire)* sagen.

◆ *v impers* werden ; **fa bello/brutto** es ist schön/schlecht ; **fa caldo/freddo** es ist warm/kalt.

■ **farsi** *vr* : **fatti furbo!** *fam* sei schlau!

farfạlla *sf (insetto)* Schmetterling *der* ; *(nuoto)* Schmetterlingsstil *der* ; **cravatta a ~** Fliege *die*.

farịna *sf* Mehl *das* ; **~ gialla** Maismehl.

faringịte *sf* Rachenentzündung *die*.

farmacịa *sf (negozio)* Apotheke *die* ; *(scienza)* Pharmazie *die* ; **'~ di turno'** 'Dienstapotheke'.

farmacịsta, i, e *smf* Apotheker *der*, -in *die*.

fạrmaco, ci *sm* Medikament *das*.

fạro *sm (per navi)* Leuchtturm *der* ; *(di veicoli)* Scheinwerfer *der* ; *(per aerei)* Bake *die*.

fạscia, sce *sf (striscia)* Band *das* ; *(medica)* Binde *die* ; *(di territorio)* Streifen *der* ; *(di popolazione)* Schicht *die*.

fasciạre *vt (braccio)* verbinden.

fasciatụra *sf (bendaggio)* Verband *der*.

fascịcolo *sm (di rivista)* Heft *das* ; *(di documenti)* Akte *die*.

fạscino *sm* Reiz *der*.

fạscio *sm (d'erba, di fiori)* Bund *der* ; *(di luce)* Bündel *das*.

fascịsmo *sm* Faschismus *der*.

fascịsta, i, e *agg* faschistisch. ◆ *smf* Faschist *der*, -in *die*.

fạse *sf (periodo)* Phase *die*.

fastịdio *sm (molestia)* Störung *die* ; *(seccatura)* Belästigung *die* ; *(malessere)* Unwohlsein *das* ; **le**

dà ~ se fumo? stört es Sie, wenn ich rauche?

fastidioso, a agg *(molesto)* lästig.

fata sf *(di favole)* Fee *die*.

fatale agg *(mortale)* verhängnisvoll ; *(donna, sguardo)* unwiderstehlich.

fatalità sf inv *(destino)* Verhängnis *das* ; *(inevitabilità)* Fatalität *die* ; *(disgrazia)* Missgeschick *das*.

fatica, che sf *(stanchezza)* Mühe *die* ; **fare ~ a fare qc** sich schwertun mit etw ; **a ~** mühsam.

faticoso, a agg *(pesante)* anstrengend ; *(difficile)* schwer.

fatidico, a, ci, che agg *(inevitabile)* Schicksals- ; *(atteso)* entscheidend.

fato sm *(sorte)* Schicksal *das*.

fatto, a pp → **fare**. ◆ agg : **~ a mano** handgemacht ; **~ in casa** hausgemacht ; *(cosa concreta)* Tatsache *die*. ◆ sm *(avvenimento)* Ereignis *das* ; **il ~ è che ...** Tatsache ist, dass... ; **cogliere qn sul ~** jn auf frischer Tat ertappen ; **sono fatti miei** das sind meine privaten Angelegenheiten.

fattoria sf Bauernhof *der*.

fattorino sm *(per consegne)* Bote *der*.

fattura sf *(documento)* Rechnung *die* ; *(magia)* böser Zauber ; *(lavorazione)* Anfertigung *die*.

fauna sf Fauna *die*.

favola sf *(fiaba)* Fabel *die*.

favoloso, a agg traumhaft.

favore sm *(piacere)* Gefallen *der* ; **per ~** bitte!

favorevole agg *(circostanze, tempo)* günstig ; *(giudizio, opinione, voto)* : **a favore di** zu Gunsten von.

favorire vt *(promuovere)* fördern ; *(aiutare)* begünstigen.

favorito, a agg *(preferito)* Lieblings-.

fax sm inv Fax *das*.

fazzoletto sm *(da naso)* Taschentuch *das* ; *(per la testa)* Kopftuch *das*.

febbraio sm Februar *der* ; *vedi anche* **settembre**.

febbre sf *(temperatura)* Fieber *das* ; **avere la ~** Fieber haben.

feci sfpl Stuhl *der*.

fecondazione sf Befruchtung *die*.

fede sf *(credenza, religione)* Glaube *der* ; *(fiducia)* Vertrauen *das* ; *(anello)* Trauring *der* ; **aver ~ in** glauben *(+D)* ; **in buona ~** in gutem Glauben.

fedele agg treu ; *(preciso)* wahrheitsgetreu. ◆ smf Gläubige *der, die*.

fedeltà sf *(lealtà)* Treue *die* ; *(precisione)* Genauigkeit *die*.

federa sf Kopfkissenbezug *der*.

federazione sf *(di Stati)* Bund *der* ; *(di enti)* Verband *der* ; *(associazione)* Verein *der*.

fegato sm *(organo)* Leber *die* ; *fig (coraggio)* Mut *der*.

felice agg *(contento)* glücklich.

felicità sf *(contentezza)* Glück *das*.

felicitarsi *vr* : **~ con qn per qc** jm zu etw gratulieren.

felino, a *agg* Katzen-. ◆ *sm* Katze *die*.

felpa *sf (maglia)* Sweatshirt *das*.

femmina *sf (animale)* Weibchen *das* ; *(figlia)* Mädchen *das*.

femminile *agg (sesso, modi)* weiblich ; *(rivista)* Frauen- ; *(moda)* Damen- ; GRAMM weiblich. ◆ *sm* Femininum *das*.

femminismo *sm* Feminismus *der*.

fenomeno *sm (storico, artistico)* Erscheinung *die* ; *(scientifico)* Phänomen *das*.

feriale *agg* : **giorno ~** Werktag *der*.

ferie *sfpl* Ferien *pl* ; **andare in ~** in die Ferien fahren ; **essere in ~** Urlaub haben.

ferire *vt (colpire, addolorare)* verletzen. ■ **ferirsi** *vr* sich verletzen.

ferita *sf (taglio)* Wunde *die*.

ferito, a *agg* verletzt. ◆ *sm, f* Verletzte *der, die*.

fermaglio *sm (di gioiello)* Verschluss *der* ; *(per capelli)* Spange *die*.

fermare *vt (auto, passante)* an|halten ; *(trattenere)* auf|halten. ■ **fermarsi** *vr (arrestarsi)* stehen bleiben ; *(soggiornare)* sich auf|halten ; *(sostare)* bleiben ; **fermarsi a fare qc** auf|hören, etw zu tun.

fermata *sf (di treno, metropolitana)* Station *die* ; **~ dell'autobus** Bushaltestelle *die*.

fermo, a *agg (immobile)* : **il treno è fermo** der Zug steht ; *(mano, voce)* fest ; **stare ~** still halten.

fermoposta *avv* postlagernd. ◆ *sm inv* postlagernde Sendung.

feroce *agg (animale)* wild.

ferragosto *sm* Mariä Himmelfahrt.

FERRAGOSTO

Der Name kommt von dem lateinischen Ausdruck „feriae augustae" (Augustferien). Der fünfzehnte August, das Mariä-Himmelfahrts-Fest, ist in ganz Italien ein Feiertag. Es ist Tradition, Ausflüge ans Meer, ins Gebirge oder an die Seen zu machen. Scharen von Familien und Gruppen junger Leute machen sich auf den Weg und lassen die Städte zurück, als seien sie menschenleer.

ferramenta *sf (articoli)* Eisenwaren *pl* ; *(negozio)* Eisenwarenhandlung *die*.

ferro *sm (metallo)* Eisen *das* ; **toccare ~** auf Holz klopfen ; **~ battuto** Schmiedeeisen ; **~ da calza** Stricknadel *die* ; **~ da stiro** Bügeleisen ; **bistecca ai ferri** gegrilltes Steak.

ferrovia *sf (strada)* Bahnlinie *die* ; Eisenbahn *die* ; **Ferrovie dello Stato (FS)** *Italienische Bahngesellschaft*.

ferroviario, a *agg* Eisenbahn-.

fertile *agg (terreno, donna, uomo)* fruchtbar.

fesso, a *agg fam (sciocco)* blöd.

fessura *sf (apertura)* Spalte *die* ; *(spaccatura)* Sprung *der.*

festa *sf (religiosa)* Fest *das* ; *(giorno festivo)* Feiertag *der* ; *(ricevimento)* Empfang *der* ; *(ricorrenza)* : **la ~ della mamma** Muttertag *der* ; **'buone feste!'** 'schöne Feiertage!'.

LA FESTA DELLE DONNE

Der Tag der Frau wird seit den siebziger Jahren am 8. März gefeiert. An diesem Tag wird auf Tagungen und Konferenzen über die soziale Stellung der Frau debattiert. Die Frauen bekommen kleine Mimosenzweige geschenkt.

festeggiare *vt (ricorrenza, persona)* feiern.

festival *sm inv (musicale, cinematografico)* Festival *das*, Festspiele *pl.*

IL FESTIVAL DI SPOLETO

Dieses Fest in Spoleto ist auch unter dem Namen „Festival der zwei Welten" bekannt und findet seit 1958 jedes Jahr im Juni und Juli statt. Es werden Opern- und Theateraufführungen, musikalische Darbietungen und Ballette höchsten Ranges geboten. Künstler und Gruppen von internationalem Ruf ziehen Zuschauer aus der ganzen Welt an.

IL FESTIVAL DI VENEZIA

Die seit 1938 stattfindenden Internationalen Filmfestspiele von Venedig, die heute von der Filmabteilung der Biennale von Venedig organisiert werden, locken alljährlich zwischen Ende August und Anfang September Kinofans aus dem In- und Ausland in den Filmpalast am Lido von Venedig. Gezeigt werden neben den Werken berühmter Regisseure und Schauspieler auch Erstlingswerke. Der renommierteste der verliehenen Preise ist der Goldene Löwe.

festivo, a *agg* Feier- ; **giorno ~** Feiertag *der.*

festone *sm (da appendere)* Girlande *die.*

festoso, a *agg (allegro)* fröhlich.

feto *sm* Fötus *der.*

fetta *sf (porzione)* : **~ di torta** Stück *das.*

fettuccine *sfpl* Bandnudeln *pl.*

fiaba *sf (racconto)* Märchen *das.*

fiaccola *sf* Fackel *die.*

fiamma *sf (fuoco)* Flamme *die.*

fiammifero *sm* Streichholz *das.*

fianco, chi *sm* Seite *die* ; **di ~ (a)** seitlich (von).

fiasco, schi *sm (recipiente)* Korbflasche *die.*

fiato *sm (respiro)* Atem *der* ; **avere il ~ grosso** außer Atem sein.

fibbia *sf (di cintura, di scarpe)* Schnalle *die*.
fibra *sf* Faser *die*.
ficcanaso *smf inv* neugieriger Mensch.
ficcare *vt (infilare)* stecken. ■ **ficcarsi** *vr* : *fam* ~ **nei pasticci** sich in die Brennnesseln setzen.
fico, chi *sm (frutto)* Feige *die* ; *(albero)* Feigenbaum *der*.
fidanzamento *sm* Verlobung *die*.
fidanzarsi *vr* sich verloben.
fidanzato, a *agg* verlobt. ◆ *sm, f* Verlobte *der, die*.
fidarsi *vr* : ~ **(di)** trauen *(+D)*.
fiducia *sf* Vertrauen *das*.
fiducioso, a *agg* zuversichtlich.
fieno *sm* Heu *das*.
fiera *sf (mercato)* Jahrmarkt *der* ; *(esposizione)* Messe *die*.
fiero, a *agg (orgoglioso)* stolz.
fifa *sf fam (paura)* Bammel *der*.
fifone, a *sm, f fam (vigliacco)* Angsthase *der*.
figlio, a *sm, f* Kind *das* ; ~ *(figlio)* Sohn *der*, *(figlia)* Tochter *die* ; ~ **unico** Einzelkind.
figura *sf (illustrazione)* Abbildung *die* ; **fare bella/brutta** ~ eine gute/schlechte Figur abgeben.
figurare *vi* aufltreten ; *(in elenco)* erscheinen. ◆ *vt* : **figurarsi qc** sich *(D)* etw vorlstellen. ■ **figurarsi** *vr* : **disturbo? Figurati!** störe ich? Überhaupt nicht!
figurina *sf (autoadesiva)* Sammelbild *das*.
fila *sf (di macchine, coda)* Schlange *die* ; *(di posti, serie)* Reihe *die* ; **fare la** ~ anlstehen ; **di** ~ hintereinander.
filare *vt (lana, ragno, baco)* spinnen. ◆ *vi (ragno, baco)* spinnen ; *(formaggio)* Fäden ziehen ; *(discorso)* logisch sein ; *fam (svignarsela)* sich aus dem Staub machen ; **fila via!** verschwinde!
filastrocca, che *sf* Kinderreim *der*.
film *sm inv* Film *der*.
filo *sm (cordicella)* Schnur *die* ; *(tessile)* Faden *der* ; *(cavo)* Draht *der* ; ~ **d'erba** Grashalm *der* ; ~ **spinato** Stacheldraht ; **fil di ferro** Eisendraht.
filobus *sm inv* Obus *der*.
filone *sm (di pane)* Stange *die*.
filosofia *sf (disciplina)* Philosophie *die*.
filtrare *vt (liquido)* filtern. ◆ *vi (penetrare)* durch etw dringen.
filtro *sm (apparecchio, di sigarette)* Filter *der*.
fin → **fino**.
finale *agg (ultimo)* Abschluss-. ◆ *sm (conclusione)* Schluss *der*. ◆ *sf* SPORT Finale *das*.
finalmente *avv* endlich.
finanza *sf (disciplina)* Finanzwissenschaft *die*. ■ **finanze** *sfpl (di Stato, ente)* Finanzen *pl* ; *(di persona)* Geldmittel *pl* ; **la Finanza** *italienisches Polizeikorps für Steuer- und Zollkontrolle*.
finanziere, a *sm,f (banchiere)* Finanzier *der* ; *(guardia) Polizeibeamter der Steuer- und Zollkontrolle*.

finché *cong (per tutto il tempo)* solange ; *(fino a quando)* bis.

fine *agg (sottile)* dünn ; *(polvere, vista, udito)* fein ; *(elegante)* elegant. ◆ *sf (conclusione)* Ende *das.* ◆ *sm (scopo)* Zweck *der.* ◆ *sm inv* : ~ **settimana** Wochenende *das* ; **alla** ~ am Ende.

finestra *sf* Fenster *das.*

finestrino *sm (di auto)* Fenster *das.*

fingere *vt (simulare)* vor|täuschen. ■ **fingersi** *vr* : **fingersi malato** sich krank stellen.

finire *vt (portare a termine)* beenden ; *(esaurire)* auf|brauchen. ◆ *vi (aver fine)* zu Ende sein ; *(esaurirsi)* alle sein ; *(avere esito)* enden ; *(cacciarsi)* stecken ; ~ **di fare qc** etw fertig machen.

finlandese *agg* finnisch. ◆ *smf* Finne *der*, -nin *die.* ◆ *sm (lingua)* Finnisch(e) *das.*

Finlandia *sf* : **la** ~ Finnland *nt.*

fino, a *agg (sottile)* fein ; *(oro, argento)* rein. ◆ *prep* bis ; *(di luogo)* bis ; ~ **a** *(di tempo)* bis ; *(di luogo)* bis zu ; ~ **da** seit ; ~ **qui/lí** bis hierher/dorthin.

finocchio *sm (verdura)* Fenchel *der* ; *fam (omosessuale)* Schwule *der.*

finora *avv* bisher.

finta *sf (finzione)* Vortäuschung *die* ; **fare** ~ **di fare qc** so tun, als ob.

finto, a *pp* → **fingere.** ◆ *agg (artificiale)* künstlich.

fiocco, chi *sm (di nastro)* Schleife *die* ; *(di neve)* Flocke *die.*

fioco, a, chi, che *agg (luce)* matt ; *(suono)* schwach.

fioraio, a *sm, f (persona)* Florist *der*, -in *die*, *(negozio)* Blumengeschäft *das.*

fiore *sm (di pianta)* Blume *die* ; **a fiori** *(stoffa)* geblümt.

fiorentino, a *agg* florentinisch. ◆ *sm, f* Florentiner *der*, -in *die.*

fiorire *vi (pianta)* blühen.

fiorista, e, i *smf* = **fioraio.**

Firenze *sf* Florenz *nt.*

firma *sf (sottoscrizione)* Unterschrift *die* ; *(marca)* Name *der.*

firmare *vt* unterschreiben.

fiscale *agg (del fisco)* Steuer-.

fischiare *vi & vt* pfeifen.

fischio *sm (suono)* Pfiff *der.*

fisco *sm* Fiskus *der.*

fisica *sf* Physik *die.*

fisico, a, ci, che *agg (della fisica)* physikalisch ; *(del corpo)* körperlich. ◆ *sm (corpo)* Körper *der.* ◆ *sm, f* Physiker *der*, -in *die.*

fisionomia *sf (di persona)* äußere Erscheinung.

fissare *vt (guardare)* an|starren ; *(rendere fisso)* befestigen ; *(stabilire)* vereinbaren. ■ **fissarsi** *vr (ostinarsi)* sich versteifen auf *(+A).*

fisso, a *agg* fest.

fitta *sf* Stich *der.*

fitto, a *agg (folto)* dicht ; *(pioggia, nebbia)* stark.

fiume *sm* Fluss *der.*

fiutare *vt (sog : animale)* wittern ; *(tabacco)* schnupfen.

flacọne *sm* Flakon *das* o *der*.
flagrạnte *agg* : **cogliere qn in ~** jn (auf frischer Tat) ertappen.
flash *sm inv (per macchina fotografica)* Blitzlicht *das*.
flessịbile *agg (pieghevole)* biegsam ; *(adattabile)* flexibel.
flessiọne *sf* SPORT Beuge *die* ; *(calo)* Rückgang *der*.
f.lli *(abbr di fratelli)* Gebr.
flora *sf* Flora *die*.
flọtta *sf (navale, aerea)* Flotte *die*.
flụido, a *agg (viscoso)* flüssig. ◆ *sm (sostanza)* Flüssigkeit *die*.
fluịre *vi* fließen.
flụsso *sm (di liquido)* Fluss *der* ; *(di traffico, visitatori)* Strom *der* ; *(di marea)* Flut *die*.
fluttuạre *vi (ondeggiare)* wogen.
fọca *sf* Seehund *der*.
focạccia, ce *sf (pane) gesalzener Fladen mit Olivenöl und Rosmarin* ; *(dolce) flacher kleiner Kuchen*.
fọce *sf* Flussmündung *die*.
focolạre *sm (di camino)* Feuerstelle *die* ; *fig (casa)* Herd *der*.
fọdera *sf* Kleiderfutter *das*.
fọglia *sf (d'albero)* Blatt *das*.
fọglio *sm (di carta, di metallo)* Blatt *das* ; *(documento)* Papier *das* ; **~ rosa** *provisorische Fahrerlaubnis*.
fognatụra *sf* Kanalisation *die*.
folclọre *sm (tradizioni)* Folklore *die*.
folclorịstico, a, ci, che *agg (del folclore)* folkloristisch.
folgorạre *vt (sog : alta tensione)* einen elektrischen Schlag versetzen.
fọlla *sf (di persone)* Menge *die*.
fọlle *agg (pazzo)* verrückt ; **in ~** *(di auto)* im Leerlauf.
follịa *sf (pazzia)* Wahnsinn *der* ; *(atto)* Torheit *die*.
fọlto, a *agg* dicht.
fondạle *sm (di acque)* Grund *der*.
fondamentạle *agg* grundlegend.
fondamẹnto *sm (principio)* Fundament *das*. ■ **fondamenta** *sfpl* Fundamente *pl*.
fondạre *vt* gründen ; *(basare)* **~ qc su** etw gründen auf *(+A)*. ■ **fondarsi su** *vr + prep* sich stützen auf *(+A)*.
fondaziọne *sf (creazione)* Gründung *die* ; *(ente)* Stiftung *die*.
fọndere *vt* schmelzen ; *(unire)* verschmelzen. ■ **fondersi** *vr* verschmelzen.
fọndo, a *agg (profondo)* tief. ◆ *sm (di recipiente)* Boden *der* ; *(di strada, di pagine)* Ende *das* ; *(rimasuglio)* Bodensatz *der* ; *(sfondo)* Hintergrund *der* ; *(sport)* Langstrecke *die* ; **conoscere a ~ qc** sich sehr gut auskennen mit etw ; **in ~** *fig (tutto sommato)* im Grunde genommen ; **andare fino in ~ a qc** *(approfondire)* einer Sache *(D)* auf den Grund gehen ; **in ~ (a qc)** *(al*

termine) am Ende (von etw). ■ **fondi** *smpl (denaro)* Gelder *pl.*

fonetica *sf* Phonetik *die.*

fontana *sf* Brunnen *der.*

fonte *sf (sorgente)* Quelle *die*; *(origine)* Ursprung *der.* ◆ *sm*: **fonte battesimale** Taufbecken *das.*

foraggio *sm* Viehfutter *das.*

forare *vt (praticare un foro)* durchlbohren; *(gomma)* eine Reifenpanne haben; *(biglietto)* lochen.

forbici *sfpl* Schere *die.*

forca, che *sf (attrezzo)* Heugabel *die*; *(patibolo)* Galgen *der.*

forchetta *sf* Gabel *die.*

forcina *sf* Haarnadel *die.*

foresta *sf* Wald *der.*

forestiero, a *agg* fremd. ◆ *sm, f* Fremde *der, die.*

forfora *sf* Schuppen *pl.*

forma *sf* Form *die*; **essere in ~** in Form sein; **a ~ di uovo** eiförmig. ■ **forme** *sfpl (del corpo)* Figur *die.*

formaggino *sm* Käseeckchen *das.*

formaggio *sm* Käse *der.*

FORMAGGIO

Käse ist bei den Italienern sehr beliebt. Als Brotbelag, zum Abschluss des Essens oder als Hauptgericht fehlt er bei keiner Mahlzeit. Es gibt mehr als 300 Arten und je nach Konsistenz unterscheidet man zwei Hauptsorten: Weichkäse und Hartkäse. Frische Weichkäsesorten sind Robiola, Caciotta oder Mozzarella, gereifter Gorgonzola und Bel Paese. Zum Hartkäse gehören der geräucherte Caciocavallo sowie Provolone, Parmesan und Schafskäse. Parmesan und Schafskäse reibt man auch auf „Pastasciutta" und in Suppen.

---

formale *agg (ufficiale)* formell.

formalità *sf inv (procedimento)* Formalität *die*; *(convenzione)* Förmlichkeit *die.*

formare *vt (comporre)* bestehen aus; *(creare)* bilden; *(educare)* erziehen. ■ **formarsi** *vr (prodursi)* sich bilden.

formato *sm (di libro, foglio)* Format *das.*

formattare *vt* INFORM formatieren.

formazione *sf (costituzione)* Bildung *die*; *(istruzione)* Ausbildung *die*; SPORT Aufstellung *die*; **~ professionale** berufliche Ausbildung.

formica, che *sf (insetto)* Ameise *die.*

formicolio *sm (intorpidimento)* Kribbeln *das.*

formidabile *agg (straordinario)* toll.

formula *sf* Formel *die*; **la Formula Uno** die Formel Eins.

fornaio, a *sm, f* Bäcker *der*, -in *die.*

fornello *sm (di elettrodomestico)* Kochstelle *die*; **~ a gas** Gasherd *der*; **~ elettrico** Elektroherd.

fornire *vt*: **~ qc a qn** jm etw liefern.

fornitore, trice *sm, f* Lieferant *der*, -in *die*.

forno *sm (per cucinare)* Backofen *der* ; ~ **a legna** Holzofen *der*.

foro *sm (buco)* Loch *das*.

forse *avv (può darsi (che))* vielleicht ; *(circa)* etwa.

forte *agg (fisicamente, moralmente ; caffè)* stark ; *(suono)* laut ; *(resistente)* fest ; *(intenso)* tief. ◆ *avv* : **tieniti** ~ halt dich fest! ; **piove** ~ es regnet stark ; *(velocemente)* schnell. ◆ *sm (specialità)* Stärke *die*.

fortezza *sf (edificio)* Festung *die*.

fortuito, a *agg* zufällig.

fortuna *sf (buona sorte)* Glück *das* ; *(patrimonio)* Vermögen *das* ; **buona** ~! viel Glück! ; **per** ~ zum Glück.

fortunatamente *avv* glücklicherweise.

fortunato, a *agg (evento)* erfolgreich.

forza *sf (robustezza, in fisica)* Kraft *die* ; *(di carattere)* Stärke *die* ; *(violenza)* Gewalt *die* ; **a** ~ **di** aufgrund *(+G)* ; **per** ~ *(naturalmente)* natürlich ; *(contro la volontà)* gezwungenermaßen.

forzare *vt (porta, finestra)* aufbrechen ; *(obbligare)* ~ **qn a fare qc** jn zwingen, etw zu tun.

foschia *sf* Dunst *der*.

fossa *sf (buca)* Grube *die* ; *(tomba)* Grab *das*.

fossile *sm* Fossil *das*.

fosso *sm* Graben *der*.

foto *sf inv (abbr di fotografia)* Foto *das*.

fotocopia *sf* Fotokopie *die*.

fotocopiare *vt* fotokopieren.

fotogenico, a, ci, che *agg* fotogen.

fotografare *vt* fotografieren.

fotografia *sf (arte)* Fotografie *die* ; *(immagine)* Foto *das* ; ~ **a colori** Farbfoto ; ~ **in bianco e nero** Schwarzweißfoto.

fotografo, a *sm, f* Fotograf *der*, -in *die*.

fototessera *sf* Passbild *das*.

fra = **tra**.

fracasso *sm* Krach *der*.

fradicio, a, ci, ce *agg (bagnato)* durchnässt.

fragile *agg (pacco, merci)* zerbrechlich ; *(persona, legame, salute)* zart.

fragola *sf* Erdbeere *die*.

fraintendere *vt* missverstehen.

frammento *sm (scheggia)* Fragment *das*.

frana *sf (di terreno)* Erdrutsch *der* ; *fig (persona)* : **essere una** ~ eine Flasche sein.

francese *agg* französich. ◆ *smf (abitante)* Franzose *der*, -zösin *die*. ◆ *sm (lingua)* Französisch(e) *das*.

Francia *sf* : **la** ~ Frankreich *nt*.

franco, a, chi, che *agg (sincero)* aufrichtig. ◆ *sm (unità monetaria)* Franc *der* ; **un franco svizzero** ein Schweizer Franken.

francobollo *sm* Briefmarke *die*.

frangia, ge *sf (ciuffo)* Pony *der.*

frantumare *vt (rompere)* zertrümmern. ■ **frantumarsi** *vr* zerschellen.

frantumi *smpl* : **andare in ~** in Stücke gehen.

frappé *sm inv* Eismixgetränk *das.*

frase *sf* GRAMM Satz *der* ; *(espressione)* Ausdruck *der.*

frastuono *sm* Lärm *der.*

frate *sm (monaco)* Mönch *der.*

fratellastro *sm* Stiefbruder *der.*

fratello *sm* Bruder *der.*

frattempo *sm* : **nel ~** in der Zwischenzeit.

frattura *sf* MED Bruch *der.*

frazione *sf (parte)* Bruchteil *der* ; *(di comune)* Ortsteil *der* ; MAT Bruch *der.*

freccia, ce *sf (cartello, per arco)* Pfeil *der* ; *(automobile)* Blinker *der* ; **mettere la ~** blinken.

freddo, a *agg (temperatura)* kalt ; *(persona, atteggiamento)* kühl. ◆ *sm (temperatura)* Kälte *die* ; **aver ~** frieren ; **fa ~** es ist kalt.

freezer *sm inv* Gefrierfach *das.*

fregare *vt (strofinare)* reiben ; *fam (imbrogliare)* übers Ohr hauen ; **~ qc a qn** *fam (rubare)* jm etw klauen ; **fregarsene (di qc)** *volg (infischiarsene)* (auf etw (+A)) pfeifen.

frenare *vi (in auto)* bremsen.

frenata *sf (d'auto)* Vollbremsung *die.*

frenetico, a, ci, che *agg (agitato)* hektisch.

freno *sm (di veicolo)* Bremse *die* ; **~ a mano** Handbremse.

frequentare *vt (corso, scuola)* besuchen ; *(persona)* mit jm verkehren.

frequente *agg* häufig.

fresco, a, schi, sche *agg (di temperatura ; prodotto)* frisch. ◆ *sm (temperatura)* Kühle *die* ; **fa ~** es ist frisch.

fretta *sf (urgenza)* Eile *die* ; *(rapidità)* Hast *die* ; **avere ~** es eilig haben ; **in ~ e furia** in aller Eile.

friggere *vt (cuocere)* fritieren. ◆ *vi (olio)* brutzeln.

frigo *(abbr di frigorifero) sm* Kühlschrank *der.*

frigobar *sm inv* Kühlbar *die.*

frigorifero *sm* Kühlschrank *der.*

frittata *sf* Rührei *das.*

frittella *sf (dolce, salata)* *kleiner Pfannkuchen.*

fritto, a *pp* → **friggere.** ◆ *agg (cotto)* fritiert. ◆ *sm* : **~ misto** gemischte Frittüre.

frizione *sf (di auto)* Kupplung *die.*

frizzante *agg (bevanda)* prickelnd ; **acqua ~** Sprudelwasser *das* ; **vino ~** Schaumwein *der.*

frontale *agg (scontro)* frontal ; *(della fronte)* Stirn-.

fronte *sf* Stirn *die.* ◆ *sm* MIL *(linea)* Front *die* ; **di ~** gegenüber ; **di ~ a** *(posizione)* gegenüber von ; *(in confronto a)* angesichts (+G).

frontiera *sf (di Stato)* Grenze *die.*

frugare *vi* herum|stöbern. ◆ *vt* durch|suchen.

frullare *vt* verquirlen.

frullato *sm* Mixgetränk *das.*

frullatore *sm* Mixer *der.*

frullino *sm* Quirl *der.*

frusta *sf (per animali)* Peitsche *die.*

frustino *sm* Reitgerte *die.*

frutta *sf* Obst *das* ; **~ secca** Trockenobst.

fruttivendolo, a *sm (negozio)* Obstgeschäft *das.*

frutto *sm (di pianta)* Frucht *die* ; *(risultato)* Ergebnis *das.* ■ **frutti di mare** *smpl* Meeresfrüchte *pl.*

FS (*abbr di Ferrovie dello Stato*) *Italienische Bahngesellschaft.*

fu → **essere.**

fucile *sm* Gewehr *das.*

fuga, ghe *sf (allontanamento)* Flucht *die* ; **~ di gas** Gasaustritt *der.*

fuggire *vi (allontanarsi)* flüchten ; *(rifugiarsi)* entfliehen.

fulmine *sm (folgore)* Blitz *der.*

fumare *vt* rauchen. ◆ *vi (emettere fumo)* rauchen ; *(emettere vapore)* dampfen ; **'vietato ~'** 'Rauchen verboten'.

fumatore, trice *sm, f* Raucher *der*, -in *die.*

fumetti *smpl (racconto)* Comics *pl.*

fumo *sm (di combustione, sigaretta)* Rauch *der* ; *(vapore)* Dampf *der.*

fune *sf* Seil *das.*

funebre *agg (rito)* Trauer-.

funerale *sm* Begräbnis *das.*

fungo, ghi *sm* Pilz *der.*

funicolare *sf* Seilbahn *die.*

funivia *sf* Schwebebahn *die.*

funzionare *vi* funktionieren.

funzione *sf (compito)* Aufgabe *die* ; MAT Funktion *die* ; *(religiosa)* Gottesdienst *der* ; **essere in ~** in Betrieb sein.

fuoco, chi *sm (fiamme)* Feuer *das* ; *(fornello)* Kochstelle *die* ; **al ~!** Feuer! ; **dar ~ a qc** etw an|zünden ; **prender ~** Feuer fangen ; **fuochi d'artificio** Feuerwerk *das.*

fuorché *cong* außer.

fuori *avv (esternamente)* draußen ; *(fuori di casa)* außer Haus ; *(all'aperto)* im Freien. ◆ *prep* : **~ (di)** außerhalb *(+G)* ; **essere ~ di sé** außer sich *(D)* sein ; **lasciare ~** aus|schließen ; **tirare ~** heraus|ziehen ; **~ luogo** fehl am Platz ; **~ mano** abgelegen ; **andare ~ strada** von der Fahrbahn ab|kommen ; **essere ~ strada** falsch liegen.

fuoribordo *sm inv (imbarcazione)* Außenbordmotor *der.*

fuoristrada *agg inv (moto)* Gelände-. ◆ *sm inv* Geländewagen *der.*

fuorviare *vt* irre|führen.

furbo, a *agg (idea, persona)* schlau.

furgone *sm* Lieferwagen *der.*

furia *sf (ira)* Wut *die* ; *(impeto)* Gewalt *die* ; **andare su tutte le furie** in Rage geraten.

furioso, a *agg (arrabbiato)* wütend.
furto *sm* Diebstahl *der* ; **~ con scasso** Einbruchdiebstahl.
fusa *sfpl* : **fare le ~** schnurren.
fusione *sf (scioglimento)* Schmelzen *das* ; *(unione)* Fusion *die*.
fuso *pp* → **fondere**. ◆ *sm* : **~ orario** Zeitzone *die*.
fustino *sm (di detersivo)* Packung *die*.
fusto *sm (di pianta)* Stamm *der* ; *(contenitore)* Fass *das*.
futuro, a *agg* zukünftig. ◆ *sm (avvenire)* Zukunft *die*.

G

gabbia *sf (per animali)* Käfig *der*.
gabbiano *sm* Möwe *die*.
gabinetto *sm (bagno)* Toilette *die* ; *(ministero)* Kabinett *das* ; *(studio)* Praxis *die*.
gaffe *sf inv* Fauxpas *der*.
gala *sf (sfarzo)* Gala *die* ; *(festa)* Galaabend *der*.
galassia *sf* Galaxis *die*.
galateo *sm* ≃ Knigge *der*.
galera *sf (prigione)* Gefängnis *das*.
galla *sf* : **stare a ~** sich über Wasser halten ; **venire a ~** *fig (scoprirsi)* herauslkommen.
galleggiante *agg* Schwimm-. ◆ *sm (boa)* Boje *die* ; *(per la pesca)* Schwimmer *der*.
galleria *sf (traforo, strada coperta)* Tunnel *der* ; *(museo ; di teatro, cinema)* Galerie *die*.
gallina *sf* Henne *die*.
gallo *sm* Hahn *der*.
gamba *sf (arto)* Bein *das*.
gamberetto *sm* Garnele *die*.
gambero *sm* Garnele *die*.
gambo *sm (di pianta)* Stiel *der*.
gancio *sm (uncino, pugilato)* Haken *der*.
gara *sf (nello sport)* Wettkampf *der* ; *(concorso)* Ausschreibung *die* ; **fare a ~** wetteifern.
garage *sm inv* Garage *die*.
garantire *vt (prodotto, risultato)* garantieren ; *(dare per certo)* versichern.
garanzia *sf (di merce)* Garantie *die* ; *(di debito)* Bürgschaft *die*.
gareggiare *vi* im Wettstreit liegen.
garza *sf (per bende)* Mull *der*.
gas *sm inv (sostanza aeriforme ; domestico)* Gas *das*.
gasolio *sm* Diesel(kraftstoff) *der*.
gassato, gasato, a *agg (bevanda)* kohlensäurehaltig.
gassosa *sf* Brauselimonade *die*.
gastronomia *sf* Gastronomie *die*.
gastronomico, a, ci, che *agg* gastronomisch.
gatto, a *sm, f (animale)* Katze *die* ; **~ delle nevi** Schneekatze.
gazzetta *sf (giornale)* Zeitung *die*.
gelare *vi* gefrieren. ◆ *vt* er-

starren lassen. ◆ *v impers* frieren.

gelateria *sf* Eisdiele *die*.

gelatina *sf (brodo)* Gallert *das* ; ~ **di frutta** Fruchtgelee *das*.

gelato, a *agg* gefroren. ◆ *sm* Eis *das*.

GELATO

In Italien ist der Konsum von Eis an keine Jahres- oder Tageszeit gebunden. Es wird als Dessert im Restaurant, auf der Terrasse eines Eiscafés oder einfach beim Stadtbummel genossen. Besonders beliebt ist das in einer außergewöhnlichen Vielfalt von Geschmacksrichtungen offen verkaufte Eis, das nach traditionellen Rezepten hergestellt wird und im Becher oder in Waffeln verkauft wird.

---

gelido, a *agg (ghiacciato)* eiskalt.

gelo *sm (freddo)* Frost *der* ; *(ghiaccio)* Eis *das*.

gelosia *sf (in amore)* Eifersucht *die* ; *(persiana)* Jalousie *die*.

geloso, a *agg (in amore)* eifersüchtig.

gemello, a *agg (fratello)* Zwilling *der* ; *(di camicia)* Manschettenknopf *der*. ■ **Gemelli** *smpl (zodiaco)* Zwillinge *pl* ; **sono (dei) Gemelli** ich bin Zwilling.

gemma *sf (pietra)* Edelstein *der* ; *(di pianta)* Knospe *die*.

generale *agg (complessivo)* generell ; *(comune)* allgemein. ◆ *sm (militare)* General *der* ; **in ~** im Allgemeinen.

generalità *sfpl* Personalien *pl*.

generalmente *avv (di solito)* gewöhnlich.

generare *vt (produrre)* erzeugen ; *(causare)* bewirken.

generatore *sm (macchina)* Generator *der*.

generazione *sf (coetanei)* Generation *die* ; *(discendenza)* Nachwuchs *der* ; *(produzione)* Erzeugung *die*.

genere *sm (tipo)* Art *die* ; GRAMM Genus *das* ; **in ~** in der Regel. ■ **generi alimentari** *smpl* Lebensmittel *pl*.

generico, a, ci, che *agg (vago)* allgemein.

genero *sm* Schwiegersohn *der*.

generoso, a *agg* großzügig.

gengiva *sf* Zahnfleisch *das*.

geniale *agg* genial.

genio *sm (talento)* Genie *das*.

genitali *smpl* Geschlechtsorgane *pl*.

genitore *sm* Elternteil *der* ; **genitori** Eltern *pl*.

gennaio *sm* Januar *der* ; *vedi anche* **settembre**.

Genova *sf* Genua *nt*.

gente *sf (persone)* Leute *pl*.

gentile *agg (cortese)* freundlich ; **sii ~** sei so lieb ; **Gentile Signor G. Paoli** Sehr geehrter Herr G. Paoli.

gentilezza *sf (qualità)* Freundlichkeit *die* ; *(atto)* Gefallen *der*.

gentiluọmo (*pl* gentiluomini) *sm (raffinato)* Gentleman *der.*
genuịno, a *agg (naturale)* echt ; *(schietto)* offen.
geografịa *sf* Geografie *die.*
geologịa *sf* Geologie *die.*
geometrịa *sf* Geometrie *die.*
gerạnio *sm* Geranie *die.*
gerarchịa *sf* Hierarchie *die.*
gẹrgo, ghi *sm (di giovani)* Jargon *der* ; *(specialistico)* Fachsprache *die.*
Germạnia *sf* : la ~ Deutschland *nt.*
gẹrme *sm (batterio)* Keim *der.*
gerụndio *sm* Gerundium *das.*
gẹsso *sm (gessetto)* Kreide *die* ; *(per frattura)* Gips *der.*
gestiọne *sf* Leitung *die.*
gestịre *vt (un'impresa)* leiten.
gẹsto *sm* Geste *die.*
gestọre, trice *sm* Leiter *der*, -in *die.*
Gesù *sm* Jesus.
gettạre *vt (lanciare)* werfen ; *(buttar via)* weg|werfen ; *(emettere)* aus|stoßen ; *(scultura)* gießen. ■ **gettarsi** *vr (lanciarsi)* sich stürzen ; *(fiume)* münden.
gẹtto *sm (d'acqua, gas, vapore)* Strahl *der.*
gettọne *sm* Chip *der.*
ghiacciạio *sm* Gletscher *der.*
ghiacciạto, a *agg (coperto di ghiaccio)* vereist ; *(freddo)* eiskalt.
ghiạccio *sm* Eis *das.*
ghiacciọlo *sm (gelato)* Wassereis *das.*
ghiạia *sf (di giardino)* Kies *der.*
ghiạndola *sf* ANAT Drüse *die.*
ghiọtto, a *agg (persona)* naschhaft ; *(cibo)* lecker.
già *avv* schon. ◆ *esclam* ja, ja ; di ~? was, schon?
giạcca, che *sf* Jacke *die* ; ~ a vento Windjacke.
giaccọne *sm* Winterjacke *die.*
giacẹre *vi (stare disteso)* liegen.
giạllo, a *agg (colore)* gelb. ◆ *sm (colore)* Gelb *das* ; *(romanzo, film)* Krimi *der.*
gianduiọtto *sm* Nusspraline *die.*
Giappọne *sm* : il ~ Japan *nt.*
giapponẹse *agg* japanisch. ◆ *smf (abitante)* Japaner *der*, -in *die.* ◆ *sm (lingua)* Japanisch(e) *das.*
giardinạggio *sm* Gartenarbeit *die.*
giardiniẹre, a *sm, f* Gärtner *der*, -in *die.*
giardịno *sm* Garten *der* ; ~ botanico botanischer Garten ; ~ zoologico Tiergarten.
gigạnte *agg (enorme)* Riesen-. ◆ *sm* Riese *der.*
gigantẹsco, a, schi, sche *agg* riesig.
gilè *sm inv* Weste *die.*
gin *sm* Gin *der.*
ginecọlogo, a, gi, ghe *sm, f* Gynäkologe *der*, -gin *die*, Frauenarzt *der*, -ärztin *die.*
ginẹstra *sf (pianta)* Ginster *der.*
Ginẹvra *sf* Genf *nt.*
ginnạstica *sf* Gymnastik *die.*

ginocchio (*mpl* **ginocchi**, *fpl* **ginocchia**) *sm* Knie *das*.

giocare *vi (divertirsi, scommettere al lotto)* spielen ; *(in borsa)* spekulieren. ◆ *vt (carta, numero)* aus|spielen ; SPORT spielen ; **giocarsi il posto** seine Stelle aufs Spiel setzen ; **a che gioco giochiamo?** was wird hier gespielt?

giocatore, trice *sm,f* Spieler *der*, -in *die* ; *(d'azzardo)* Glücksspieler *der*, -in *die*.

giocattolo *sm* Spielzeug *das*.

gioco, chi *sm* Spiel *das* ; ~ **d'azzardo** Glücksspiel ; ~ **di parole** Wortspiel ; **per** ~ zum Spaß.

giocoliere *sm* Jongleur *der*.

gioia *sf (allegria)* Freude *die* ; *(gioiello)* Juwel *das* ; **darsi alla pazza** ~ sich ins Vergnügen stürzen.

gioielleria *sf (negozio)* Juwelier(laden) *der*.

gioiello *sm (ornamento)* Schmuckstück *das* ; *fig (alta qualità)* Juwel *das*.

giornalaio, a *sm,f* Zeitungsverkäufer *der*, -in *die*.

giornale *sm (quotidiano)* Zeitung *die* ; *(rivista)* Zeitschrift *die* ; ~ **radio** Rundfunknachrichten *pl*.

giornaliero, a *agg (quotidiano)* täglich.

giornalista, i, e *smf* Journalist *der*, -in *die*.

giornata *sf (ore di luce, giorno)* Tag *der* ; SPORT Spieltag *der* ; **oggi è una bella** ~ heute ist ein schöner Tag ; ~ **lavorativa** Arbeitstag.

giorno *sm* Tag *der* ; ~ **feriale** Werktag ; ~ **festivo** Feiertag ; ~ **libero** freier Tag ; **al** ~ pro Tag ; **di** ~ tagsüber.

giostra *sf (di luna park)* Karussell *das*.

giovane *agg (persona, mentalità)* jung ; *(vino)* neu ; **da** ~ in der Jugend. ◆ *smpl* : **i giovani d'oggi** die Jugend von heute.

giovanile *agg (età, aspetto)* jugendlich.

giovanotto *sm* junger Mann.

giovare : giovare a *vi + prep (essere benefico)* helfen *(+D)*.

giovedì *sm* Donnerstag *der* ; ~ **grasso** ≃ Altweiberfastnacht *die* ; *vedi anche* **sabato**.

gioventù *sf* Jugend *die*.

giraffa *sf (animale)* Giraffe *die*.

girare *vt (ruotare)* drehen ; *(visitare)* bereisen ; ~ **i negozi** einen Einkaufsbummel machen ; *(filmare)* drehen ; *(assegno, cambiale)* übertragen. ◆ *vi (ruotare)* drehen ; *(svoltare)* ab|biegen ; *(andare in giro)* herum|kommen. ■ **girarsi** *vr (voltarsi)* sich um|drehen.

girarrosto *sm* Bratspieß *der*.

girasole *sm* Sonnenblume *die*.

girello *sm (di carne)* Hinterhachse *die* ; *(per bambini)* Laufstall *der*.

girevole *agg* drehbar.

giro *sm (a piedi)* Bummel *der* ; *(in macchina)* Spazierfahrt *die* ; *(movimento)* Umdrehung *die* ;

(di pista) Runde *die* ; *(su giostra)* Fahrt *die* ; *(circolazione)* Umlauf *der* ; **fare il ~ di qc** sich etw an|sehen ; **fare un ~** *(a piedi)* einen Spaziergang machen ; *(in macchina)* eine Spazierfahrt machen ; *(bicicletta)* spazieren fahren ; **~ di parole** Umschweife *pl* ; **~ di prova** Testfahrt ; **in ~** unterwegs ; **nel ~ di un anno/di qualche giorno** innerhalb eines Jahres/weniger Tage ; **prendere in ~ qn** jn auf den Arm nehmen ; **essere su di giri** in Fahrt sein.

gita *sf* Ausflug *der*.

giù *avv* unten ; **guardare in ~** nach unten schauen ; **dai dieci anni in ~** unter zehn Jahren ; **essere ~** *fig (essere depresso)* niedergeschlagen sein.

giubbotto *sm (giacca)* Sportjacke *die*.

giudicare *vt (valutare)* beurteilen ; *(reputare)* halten für. ◆ *vi (esprimere giudizi)* urteilen.

giudice *sm (magistrato)* Richter *der*, -in *die* ; SPORT Kampfrichter *der*, -in *die*.

giudizio *sm (valutazione)* Urteil *das* ; *(a scuola)* Beurteilung *die* ; *(saggezza)* Verstand *der*.

giugno *sm* Juni *der* ; *vedi anche* **settembre**.

giungere *vi* an|kommen.

giungla *sf (foresta)* Dschungel *der*.

giunta *sf (commissione)* Ausschuss *der* ; **per ~** überdies.

giunto, a *pp* → **giungere**.

giuramento *sm* Eid *der*.

giurare *vt & vi* schwören.

giuria *sf (di gare, concorsi)* Jury *die* ; *(di tribunale)* Gericht *das*.

giustificare *vt* rechtfertigen ; *(legittimare)* legitimieren.

giustificazione *sf (scusa)* Rechtfertigung *die* ; SCOL Entschuldigung *die*.

giustizia *sf (equità)* Gerechtigkeit *die* ; *(leggi, autorità)* Justiz *die*.

giusto, a *agg (equo)* gerecht ; *(esatto)* genau ; *(vero, adeguato)* richtig ; **prezzo ~** angemessener Preis. ◆ *avv (esattamente)* richtig ; *(proprio)* genau.

gli *art mpl* die ; → **il**. ◆ *pron (a lui)* ihm ; *(ad esso)* ihm ; *(a loro)* ihnen ; **glielo hai detto?** hast du es ihm/ihnen gesagt?

gliela → **gli**.

globale *agg* global.

globo *sm (terrestre)* Erdkugel *die*.

globulo *sm* : **~ bianco** weißes Blutkörperchen ; **~ rosso** rotes Blutkörperchen.

gloria *sf (fama)* Ruhm *der*.

gnocchi *smpl kleine Knödel aus Mehl oder Grieß und Ei*.

goal *sm inv* Tor *das (beim Fußball)*.

gobba *sf (su schiena)* Buckel *der* ; *(su naso)* Höcker *der*.

gobbo, a *agg (persona)* bucklig. ◆ *sm (persona)* Bucklige *der*, *die* ; **gobbi alla parmigiana** *mit Käse überbackene Artischockensprosse*.

goccia *sf (di liquido)* Tropfen *der*.

gocciolare *vi* tröpfeln. ◆ *vt* tropfen.
godere *vi* sich freuen. ◆ *vt* : ~ **qc** etw genießen. ■ **godere di** *v + prep* sich erfreuen *(G)*.
goffo, a *agg (persona)* unbeholfen.
gola *sf* ANAT Kehle *die* ; **mal di ~** Halsweh *das* ; *(golosità)* Gefräßigkeit *die*.
golf *sm (maglia)* Strickjacke *die* ; *(sport)* Golf *das*.
golfo *sm* Golf *der*.
goloso, a *agg (ghiotto)* naschhaft.
gomito *sm* ANAT Ellenbogen *der* ; *(di tubo)* Krümmung *die*.
gomma *sf (sostanza)* Gummi *das* ; *(pneumatico)* Reifen *der* ; **bucare** o **forare una ~** eine Reifenpanne haben ; **~ da masticare** Kaugummi *der* o *das*.
gommapiuma® *sf* Schaumgummi *der*.
gommista *sm* Reifenhändler *der*.
gommone *sm (imbarcazione)* Schlauchboot *das*.
gondola *sf* Gondel *die*.
gondoliere *sm* Gondoliere *der*.
gonfiare *vt (pallone, gomme)* aufpumpen ; *(dilatare, ingrossare)* blähen. ■ **gonfiarsi** *vr (piede, dito)* schwellen ; *(fiume)* anlsteigen.
gonfio, a *agg (piede, occhi)* geschwollen ; *(stomaco)* gebläht.
gonna *sf* Rock *der* ; **~ pantalone** Hosenrock.
gorilla *sm inv* Gorilla *der*.
governante *sf (di bambini)* Erzieherin *die* ; *(di casa)* Haushälterin *die*.
governare *vt (stato)* regieren.
governatore *sm (di Banca Centrale)* Präsident *der* ; *(in USA)* Gouverneur *der*.
governo *sm (di Stato)* Regierung *die*.
gracile *agg (fisicamente)* zart.
gradazione *sf (di colori)* Abstufung *die* ; **~ alcolica** Alkoholgehalt *der*.
gradevole *agg* angenehm.
gradinata *sf (scalinata)* Treppe *die* ; *(in stadi, teatri)* Tribüne *die*.
gradino *sm (scalino)* Stufe *die*.
gradire *vt (regalo)* gefallen ; *(desiderare)* möchten ; **gradisce un caffè?** möchten Sie einen Kaffee?
grado *sm (di temperatura, livello)* Grad *der* ; *(di alcool)* Prozent *das* ; MIL Dienstgrad *der* ; **essere in ~ di fare qc** in der Lage sein, etw zu tun.
graduale *agg* stufenweise.
graduatoria *sf* Rangliste *die*.
graffetta *sf (fermaglio)* Heftklammer *die*.
graffiare *vt* kratzen.
graffio *sm* Kratzer *der*.
grafica *sf* Grafik *die*.
grafico, a, ci, che *agg (rappresentazione, arti)* grafisch. ◆ *sm,f (pubblicitario)* Werbegrafiker *der*, -in *die*. ◆ *sm* Grafik *die*.
grammatica, che *sf (disciplina, libro)* Grammatik *die*.

grammo *sm (unità)* Gramm *das.*

grana *sf fam (seccatura)* Schererei *die* ; *fam (soldi)* Kohle *die.* ◆ *sm inv (formaggio) parmesanähnlicher Käse.*

granaio *sm* Getreidespeicher *der.*

Gran Bretagna *sf* : **la ~** Großbritannien *nt.*

granchio *sm (animale)* Krabbe *die.*

grande *(gran) agg (di dimensioni, quantità, adulto)* groß ; *(intensità)* stark ; *(eccellente)* großartig. ◆ *sm (adulto)* Erwachsene *der, die* ; **fare le cose in ~** etw in großem Stil machen ; **un gran bugiardo** ein ausgemachter Lügner.

grandezza *sf* Größe *die.*

grandinare *v impers* hageln.

grandine *sf* Hagel *der.*

granita *sf feingestoßenes Wassereis mit Fruchtsirup.*

grano *sm (pianta)* Weizen *der.*

granoturco, granturco *sm* Mais *der.*

grappolo *sm (di frutti)* Traube *die.*

grasso, a *agg (persona)* dick ; *(cibo, carne)* fett ; *(pelle, capelli)* fettig. ◆ *sm (di persona, animale, cibo)* Fett *das* ; **macchia di ~** Fettfleck *der.*

gratitudine *sf* Dankbarkeit *die.*

grato, a *agg (riconoscente)* dankbar.

grattacielo *sm* Wolkenkratzer *der.*

grattare *vt (raschiare)* kratzen ; *(formaggio, pane)* reiben ; *fam (rubare)* klauen. ■ **grattarsi** *vr* sich kratzen ; **~ il naso/la gamba** sich an der Nase/am Bein kratzen.

grattugia, gie *sf* Reibe *die.*

grattugiare *vt* reiben.

gratuito, a *agg* kostenlos.

grave *agg (malattia, responsabilità, sacrificio)* schwer ; *(grande)* groß ; *(voce, suono)* tief ; *(contegno)* ernst.

gravemente *avv* schwer.

gravidanza *sf* Schwangerschaft *die.*

gravità *sf (in fisica)* Schwerkraft *die* ; *(serietà)* Ernst *der.*

grazia *sf (d'aspetto, modi)* Grazie *die.*

grazie *esclam* danke ; **~ tante** o **mille** vielen o tausend Dank ; **~ di** o **per qc** danke für etw ; **~ a** dank *(+D).*

grazioso, a *agg (bello)* reizend.

Grecia *sf* : **la ~** Griechenland *nt.*

greco, a, ci, che *agg* griechisch. ◆ *sm,f (abitante)* Grieche *der,* -chin *die.* ◆ *sm (lingua)* Griechisch(e) *das.*

gregge (*fpl* **greggi**) *sm (di pecore)* Herde *die.*

greggio, a, gi, ge *agg (tessuto, metallo)* Roh- ; *(diamante)* ungeschliffen. ◆ *sm (petrolio)* Rohöl *das.*

grembiule *sm (da cucina)* Schürze *die* ; *(per bambini)* Lätzchen *das.*

grẹzzo = **greggio**.
gridạre *vi (per chiamare)* rufen ; *(parlare forte, di dolore)* schreien. ◆ *vt (dire)* brüllen.
grịdo (*fpl* **grida**) *sm (di persona)* Schrei *der*.
grịgio, a, gi, gie *agg (colore)* grau. ◆ *sm* Grau *das*.
grịglia *sf (per cucinare)* Rost *der* ; **alla ~** vom Rost.
grigliạta *sf gemischtes Grillgericht.*
grillẹtto *sm* Abzug *der*.
grịllo *sm (animale)* Grille *die*.
grịnta *sf (decisione)* Entschlossenheit *die*.
grinzọso, a *agg (tessuto)* faltig ; *(pelle)* runzlig.
grọlla *sf typischer Holzhumpen aus dem Aostatal.*
grọppa *sf (di animale)* Höcker *der*.
grọppo *sm (nodo)* Knoten *der*.
grossịsta, i, e *smf* Großhändler *der*, -in *die*.
grọsso, a *agg (di volume, grave)* groß ; *(spesso)* dick ; *(importante)* wichtig. ◆ *sm (maggioranza)* Großteil *der* ; **farla grossa** etwas Dummes anstellen ; **sbagliarsi di ~** sich gewaltig irren ; **sale ~** grobes Salz.
grossolạno, a *agg (persona)* ungeschliffen ; *(cosa)* grob.
grọtta *sf (caverna)* Grotte *die*.
groviẹra *sm O f* Gruyère *der*.
grovịglio *sm* Gewirr *das*.
gru *sf inv (macchina)* Kran *der* ; *(uccello)* Kranich *der*.
grụccia, ce *sf (stampella)* Krücke *die* ; *(per abiti)* Kleiderbügel *der*.
grụmo *sm (di sangue)* Gerinsel *das* ; *(di farina)* Klumpen *der*.
grụppo *sm (colleghi)* Gruppe *die* ; *(di oggetti)* Reihe *die* ; *(musicale)* Band *die* ; COMM Konzern *der* ; **~ sanguigno** Blutgruppe.
gruviẹra = **groviera**.
guadagnạre *vt (soldi)* verdienen ; *(ottenere)* gewinnen.
guadạgno *sm (denaro)* Verdienst *der* ; *(tornaconto)* Gewinn *der*.
guạì *esclam* : **~ a te!** wehe (dir)!
guạio *sm (malanno)* Unheil *das* ; *(inconveniente)* Problem *das* ; **essere nei guai** in der Klemme stecken.
guạncia, ce *sf (di viso)* Wange *die*.
guạnto *sm* Handschuh *der*.
guardabọschi *sm, f inv* Förster *der*.
guardacọste *sm inv (persona)* Küstenwächter *der* ; *(milizia)* Küstenwacht *die*.
guardalịnee *sm inv* SPORT Linienrichter *der*, -in *die*.
guardạre *vt (osservare)* betrachten ; *(televisione, film)* anlsehen ; *(custodire)* schauen nach *(+D)* ; *(fare caso a)* bemerken ; *(bambini)* auflpassen auf *(+A)* ; **guarda!** schau mal! ; **~ a** *(edificio)* gehen nach. ■ **guardarsi da** *vr + prep* sich in Acht nehmen vor *(+D)*.
guardarọba *sm inv (armadio)*

Garderobenschrank *der* ; *(di locale, abiti)* Garderobe *die*.

guardia *sf (persona)* Wärter *der*, -in *die* ; *(corpo armato, attività)* Wache *die* ; **fare la ~ a** wachen über *(+A)* ; **mettere qn in ~ contro qc** jn vor einer Sache *(+D)* warnen ; **~ del corpo** Leibwächter *der* ; **~ forestale** Forstschutz *der* ; **~ medica** ärztlicher Bereitschaftsdienst ; **di ~** diensthabend.

guardiano, a *sm, f (custode)* Aufseher *der*, -in *die*.

guardrail *sm inv* Leitplanke *die*.

guarire *vi (persona)* genesen ; *(ferita)* heilen. ◆ *vt (malato, ferita)* heilen.

guarnizione *sf (ornamento)* Verzierung *die* ; *(per recipienti)* Dichtung *die*.

guastafeste *smf inv* Spielverderber *der*, -in *die*.

guastare *vt* kaputt machen. ■ **guastarsi** *vr (meccanismo)* kaputt gehen ; *(cibo)* schlecht werden.

guasto, a *agg (apparecchio)* kaputt ; *(cibo)* verdorben ; *(dente)* faul. ◆ *sm (rottura)* Schaden *der*.

guerra *sf (con armi)* Krieg *der*.

guerriglia *sf* Guerilla *die*.

gufo *sm* Eule *die*.

guida *sf (accompagnatore)* Führer *der*, -in *die* ; *(libro)* Führer *der* ; *(di veicolo)* Lenkung *die* ; **~ a destra** Rechtslenkung *die* ; **~ a sinistra** Linkslenkung *die*.

guidare *vt (veicolo)* fahren ; *(accompagnare)* führen.

guidatore, trice *sm,f* Fahrer *der*, -in *die*.

guinzaglio *sm* Leine *die*.

guscio *sm (di noce, uovo)* Schale *die* ; *(di lumaca)* Gehäuse *das*.

gustare *vt (cibo)* schmecken ; *(godersi)* genießen ; **ho proprio gustato questa pizza** diese Pizza hat mir wirklich geschmeckt.

gusto *sm* Geschmack *der* ; **al ~ di banana** mit Bananengeschmack ; **mangiare di ~** mit Lust essen ; **ridere di ~** von Herzen lachen ; **prendere ~ a qc** an einer Sache *(D)* Gefallen finden.

gustoso, a *agg (cibo)* schmackhaft.

H

ha → **avere**.

habitat *sm inv (ambiente naturale)* Lebensraum *der*.

hall *sf inv* Eingangshalle *die*.

hamburger *sm inv* Hamburger *der*.

handicap *sm inv (minorazione)* Behinderung *die*.

handicappato, a *agg* behindert. ◆ *sm, f* Behinderte *der, die*.

hanno → **avere**.

hg *(abbr di ettogrammo)* hg.

hi-fi *sf inv* Hi-Fi-Anlage *die*.

hi-tech *sm inv* Hightech *die*.

ho → avere.
hobby *sm inv* Hobby *das.*
hockey *sm* Hockey *das* ; ~ **su ghiaccio** Eishockey.
hostess *sf inv* Stewardess *die.*
hotel *sm inv* Hotel *das.*

I

i → il.
iceberg *sm inv* Eisberg *der.*
Iddio *sm* = dio.
idea *sf (nozione)* Ahnung *die* ; *(opinione, impressione)* Meinung *die*, Eindruck *der* ; *(progetto)* Absicht *die* ; *(trovata)* Idee *die* ; **non avere la più pallida ~ di qc** nicht die blasseste Ahnung von etw haben ; **cambiare ~** seine Meinung ändern ; **non ne ho ~** ich habe keine Ahnung.
ideale *agg (perfetto)* ideal. ◆ *sm (modello)* Vorbild *das* ; *(morale)* Ideal *das.*
ideare *vt (metodo, sistema)* erfinden.
identico, a, ci, che *agg* identisch.
identità *sf inv (di persona)* Identität *die* ; **carta d'~** Personalausweis *der.*
ideologia *sf* Ideologie *die.*
idiota, i, e *agg* idiotisch. ◆ *smf* Idiot *der*, -in *die.*
idolo *sm (persona)* Idol *das.*
idoneo, a *agg (adatto)* geeignet ; ~ **(a)** geeignet (zu).
idratante *agg (crema)* feuchtigkeitsspendend.
idraulico, a, ci, che *agg* hydraulisch. ◆ *sm* Klempner *der* -in *die.*
idrofilo *agg* → cotone.
idrogeno *sm* Wasserstoff *der.*
iella *sf fam* Pech *das.*
iena *sf (animale, persona vile)* Hyäne *die.*
ieri *avv* gestern ; ~ **mattina** gestern Morgen ; **l'altro ~** o **~ l'altro** vorgestern.
Iesolo *sf* Jesolo *nt.*
igiene *sf* Hygiene *die.*
igienico, a, ci, che *agg (ambiente, cibo)* hygienisch.
ignorante *agg (incolto)* ungebildet.
ignorare *vt (non sapere)* nicht wissen ; *(trascurare)* ignorieren.
ignoto, a *agg* unbekannt.
il, la (*mpl* **i**, *fpl* **le**) *(dav sm che comincia per s + consonante o per gn, ps, x, y, z :* **lo**, *pl* **gli** *; dav sm che comincia per vocale o h :* **l'**, *pl* **gli** *; dav sf che comincia per vocale o h :* **l'**, *pl* **le***)* *art* - **1.** *(con nome comune)* der, die, das ; ~ **lago** der See ; **la finestra** das Fenster.
- **2.** *(con nome astratto)* : ~ **tempo** die Zeit ; **la vita** das Leben.
- **3.** *(con titolo)* : ~ **Signor Pollini** Herr Pollini.
- **4.** *(con nomi geografici)* : ~ **Po** der Po ; **le Dolomiti** die Dolomiten.
- **5.** *(indica possesso)* : **si è rotto ~ naso** er/sie hat sich das Nasenbein gebrochen.
- **6.** *(indica il tempo)* : **è ~ 29 dicembre** es ist der 29. Dezem-

ber ; **dopo le tre** nach drei (Uhr). - 7. *(ciascuno)* : **2,5 euro l'uno** 2,5 Euro pro Stück ; **l'** → **lo** → **la.**

illẹcito, a agg widerrechtlich.

illegạle agg illegal.

illegịttimo, a agg *(illegale)* unrechtmäßig.

illẹso, a agg unversehrt.

illimitạto, a agg unbegrenzt.

illụdere vt täuschen. ■ **illudersi** vr sich ein|bilden.

illuminạre vt *(stanza, monumento)* beleuchten.

illuminaziọne sf Beleuchtung *die* ; *fig (intuizione)* Erleuchtung *die*.

illusiọne sf *(falsa apparenza)* Schein *der* ; *(falsa speranza)* Illusion *die*.

illụso, a pp → **illudere**. ◆ sm, f Schwärmer *der*, -in *die*.

illustrạre vt *(libro)* illustrieren ; *(spiegare)* erläutern.

illustraziọne sf *(figura)* Abbildung *die*.

imballạggio sm *(scatola)* Verpackung *die*.

imballạre vt *(merce)* verpacken.

imbarazzạnte agg peinlich.

imbarazzạre vt *(mettere a disagio)* in Verlegenheit bringen ; *(movimenti)* behindern.

imbarazzạto, a agg *(a disagio)* verlegen.

imbarcạre vt *(passaggero)* ein|schiffen ; *(merce)* verladen. ■ **imbarcarsi** vr *(salire a bordo)* an Bord gehen.

imbarcaziọne sf Wasserfahrzeug *das*.

imbạrco, chi sm *(salita a bordo)* Einschiffen *das* ; *(carico)* Verladung *die* ; *(luogo)* Kai *der*.

imbạttersi : imbattersi in vr + prep stoßen auf *(+A)*.

imbecịlle agg blöd. ◆ smf Schwachkopf *der*.

imbiancạre vt *(pareti)* (an|)streichen. ◆ vi *(diventare bianco)* weiß werden.

imbianchịno sm Maler *der*, -in *die*.

imboccạre vt *(bambino)* füttern ; *(strada)* ein|schlagen.

imboccatụra sf *(di condotto)* Öffnung *die* ; *(di strada)* Einfahrt *die*.

imbọcco, chi sm Eingang *der*.

imbottigliạre vt *(liquido)* ab|füllen.

imbottịre vt *(giacca)* füttern ; *(cuscino, tacchino)* füllen.

imbottịto, a agg *(cuscino)* gefüllt ; *(indumento)* gefüttert ; **panino ~** belegtes Brötchen.

imbranạto, a agg fam *(goffo)* tapsig.

imbrogliạre vt *(ingannare)* betrügen ; *(ingarbugliare)* verwirren.

imbrọglio sm *(truffa)* Schwindel *der* ; *(situazione confusa)* Wirrwarr *der*.

imbrogliọne, a sm, f Schwindler *der*, -in *die*.

imbronciạto, a agg *(persona)* mürrisch.

imbucare *vt (lettera)* einlwerfen.

imburrare *vt (pane)* mit Butter bestreichen.

imbuto *sm* Trichter *der.*

imitare *vt (copiare)* nachlahmen ; *(mimare)* imitieren.

imitazione *sf (simulazione)* Nachahmung *die.*

immaginare *vt (rappresentarsi)* sich *(D)* vorlstellen ; *(supporre)* : **immagino che tu sia stanco** ich kann mir denken, dass du müde bist.

immaginazione *sf (fantasia)* Vorstellungskraft *die.*

immagine *sf* Bild *das.*

immatricolare *vt (auto)* anlmelden ; *(studente)* sich einlschreiben.

immaturo, a *agg (persona)* unreif.

immedesimarsi : immedesimarsi in *vr + prep* sich einlfühlen in *(+A).*

immediatamente *avv (subito)* sofort.

immenso, a *agg* unermesslich.

immergere *vt (in liquido)* einltauchen. ■ **immergersi** *vr (tuffarsi)* unterltauchen. ■ **immergersi in** *vr + prep (tuffarsi)* sich stürzen in *(+A).*

immersione *sf (in acqua)* Tauchen *das.*

immerso, a *pp* → **immergere.**

immettere *vt* einlführen.

immigrante *smf* Einwanderer *der,* -derin *die.*

immigrato, a *sm,f* Einwanderer *der,* -derin *die.*

imminente *agg (prossimo)* (unmittelbar) bevorstehend.

immobile *agg (fermo)* unbeweglich. ◆ *sm (edificio)* Immobilie *die.*

immondizia *sf* Müll *der.*

immorale *agg* unmoralisch.

immortale *agg* unsterblich.

impacchettare *vt* einlpacken.

impacciato, a *agg (goffo)* unbeholfen ; *(imbarazzato)* verlegen.

impacco, chi *sm* Packung *die.*

impadronirsi : impadronirsi di *vr + prep* sich bemächtigen *(+G).*

impalcatura *sf* Gerüst *das.*

impallidire *vi (sbiancare)* erblassen.

imparare *vt* lernen ; ~ **a fare qc** etw lernen.

imparziale *agg (giudizio)* unvoreingenommen.

impassibile *agg* gleichgültig.

impastare *vt (pane)* verkneten ; *(mescolare)* mischen.

impasto *sm (di farina)* Teig *der* ; *(amalgama)* Mischung *die.*

impatto *sm (urto)* Aufprall *der* ; *(effetto)* Auswirkung *die.*

impaurire *vt* einlschüchtern. ■ **impaurirsi** *vr* erschrecken.

impaziente *agg (intollerante)* ungeduldig ; **essere ~ di fare qc**

(desideroso di) es kaum erwarten können, etw zu tun.

impazzire *vi (ammattire)* verrückt werden.

impedimento *sm (ostacolo)* Hindernis *das.*

impedire *vt (ostacolare)* behindern ; *(vietare)* : ~ **a qn di fare qc** jn daran hindern, etw zu tun.

impegnare *vt (occupare)* in Anspruch nehmen ; *(dare in pegno)* verpfänden. ■ **impegnarsi** *vr* sich verpflichten ; **impegnarsi in qc** sich einer Sache *(D)* widmen.

impegnativo, a *agg (lavoro)* anstrengend ; *(promessa)* bindend.

impegnato, a *agg (occupato)* beschäftigt ; *(militante)* engagiert.

impegno *sm (incombenza)* Beschäftigung *die* ; *(obbligo)* Verpflichtung *die* ; *(applicazione)* Fleiß *der.*

impennarsi *vr (cavallo)* sich auf|bäumen ; *(moto)* auf dem Hinterrad fahren ; *(aereo)* hoch|ziehen.

impensabile *agg* undenkbar.

imperativo *sm* GRAMM Imperativ *der* ; **per me questo è un ~** das ist für mich oberstes Gebot.

imperatore, trice *sm, f (sovrano)* Kaiser *der*, -in *die.*

imperfezione *sf (difetto)* Unvollkommenheit *die.*

impermeabile *agg* wasserdicht. ◆ *sm* Regenmantel *der.*

impero *sm (territorio)* Reich *das.*

impersonale *agg* unpersönlich.

impersonare *vt sog (attore)* dar|stellen.

impertinente *agg (persona, gesto)* unverschämt.

impervio, a *agg (strada)* unwegsam.

impeto *sm (forza)* Wucht *die* ; *(slancio)* Schwung *der.*

impianto *sm (installazione, antifurto)* Installation *die* ; *(elettrico, del gas)* Anlage *die* ; *(macchinario)* Einrichtung *die* ; **~ di riscaldamento** Heizungsanlage ; **~ sportivo** Sportanlage ; **~ di risalita** Skilift *der.*

impiccare *vt* hängen. ■ **impiccarsi** *vr* sich erhängen.

impiccione, a *sm, f eine sich in alles einmischende Person.*

impiegare *vt (tempo)* brauchen ; *(utilizzare)* auf|wenden ; *(assumere)* an|stellen. ■ **impiegarsi** *vr* angestellt werden.

impiegato, a *sm, f* Angestellte *der, die.*

impiego, ghi *sm (lavoro)* Anstellung *die* ; *(uso)* Verwendung *die.*

impigliare *vt* verwickeln. ■ **impigliarsi** *vr* : **~ in qc** sich in einer Sache *(D)* verfangen.

implacabile *agg* unversöhnlich.

implicare *vt (comportare)* mit

sich bringen ; *(coinvolgere)* verwickeln.

implicazione *sf (conseguenza)* Implikation *die*.

implicito, a *agg (sottinteso)* selbstverständlich.

impolverare *vt* ein|stauben. ■ **impolverarsi** *vr* verstauben.

imponente *agg (enorme)* eindrucksvoll.

imporre *vt (volontà, silenzio)* auf|erlegen ; *(costringere)* : **~ a qn di fare qc** jn zu etw zwingen. ■ **imporsi** *vr (farsi ubbidire)* sich durch|setzen ; *(avere successo)* Erfolg haben.

importante *agg (essenziale)* wichtig ; *(autorevole)* bedeutend.

importanza *sf* Wichtigkeit *die* ; **avere ~** Bedeutung haben ; **dare ~ a qc** einer Sache *(D)* Bedeutung bei|messen.

importare *vt (merce)* importieren. ◆ *vi* wichtig sein. ◆ *v impers* eine Rolle spielen ; **non importa!** macht nichts! ; **non me ne importa niente** es ist mir völlig egal.

importazione *sf* Import *der*.

importo *sm (somma)* Betrag *der*.

impossessarsi : impossessarsi di *vr + prep* sich bemächtigen *(+G)*.

impossibile *agg* unmöglich. ◆ *sm* : **fare l'~** alles Mögliche versuchen.

imposta *sf (tassa)* Abgabe *die* ; *(di finestra)* Fensterladen *der*.

impostare *vt (lavoro, vita, ricerca)* planen ; *(questione)* formulieren.

imposto, a *pp* → **imporre**.

impostore, a *sm, f* Hochstapler *der*, -in *die*.

impotente *agg (debole)* ohnmächtig.

impraticabile *agg (luogo)* unzugänglich.

imprecare *vi* fluchen.

imprecazione *sf* Fluch *der*.

imprenditore, trice *sm,f* Unternehmer *der*, -in *die*.

impresa *sf (azione)* Unterfangen *das* ; *(ditta)* Unternehmen *das*.

impresario, a *sm,f (teatrale)* Impresario *der*.

impressionante *agg* beeindruckend.

impressionare *vt (turbare)* erschüttern ; *(colpire)* beeindrucken. ■ **impressionarsi** *vr (turbarsi)* sich beeindrucken lassen.

impressione *sf (sensazione, opinione)* Eindruck *der* ; **ho l'~ di conoscerlo** ich habe das Gefühl, ihn zu kennen ; *(turbamento)* Erschütterung *die* ; **fare buona/cattiva ~** einen guten/schlechten Eindruck machen.

impresso, a *pp* → **imprimere**.

imprevisto, a *agg (inaspettato)* unvorhergesehen. ◆ *sm* unvorhergesehener Zwischenfall.

imprigionare *vt (incarcerare)* ein|sperren ; *(tenere chiuso)* ein|schließen.

imprimere *vt (iniziali)* ein|

gravieren ; *(nella memoria)* einlprägen.

improbabile *agg* unwahrscheinlich.

impronta *sf (di piede, mano, zampa)* Abdruck *der* ; **~ digitale** Fingerabdruck.

improvvisamente *avv* plötzlich.

improvvisare *vt* improvisieren. ■ **improvvisarsi** *vr* : **~ cuoco** den Koch spielen.

improvvisata *sf* Überraschung *die*.

improvviso, a *agg (inatteso)* unerwartet ; *(istantaneo)* spontan ; **all'~** plötzlich.

imprudente *agg (persona)* unvorsichtig ; *(azione)* übereilt.

imprudenza *sf* Leichtsinn *der*.

impugnare *vt (stringere)* ergreifen.

impugnatura *sf (manico)* Griff *der*.

impulsivo, a *agg (istintivo)* impulsiv.

impulso *sm (istinto)* Impuls *der* ; **d'~** impulsiv.

impuntarsi *vr (coi piedi)* sich sträuben ; *fig (ostinarsi)* sich versteifen auf *(+A)*.

imputare *vt* : **~ qc a qn** *(attribuire)* jm etw zulschreiben.

imputato, a *sm,f* Angeklagte *der, die*.

in *prep* - 1. *(stato in luogo)* : **abitare ~ campagna** auf dem Land wohnen ; **~ città** in der Stadt ; **avere qc ~ mente** etw im Sinn haben.
- 2. *(all'interno di)* in *(+D)* ; **nella borsa** in der Tasche.
- 3. *(moto a luogo)* : **andare ~ Italia** nach Italien fahren ; **andare ~ montagna** ins Gebirge fahren.
- 4. *(indica un'epoca)* : **~ primavera** im Frühling ; **nel 1997** 1997 o im Jahr 1997 ; **nel medioevo** im Mittelalter.
- 5. *(indica durata)* : **~ cinque minuti** in fünf Minuten ; **~ giornata** im Laufe des Tages.
- 6. *(indica modo)* in ; **~ abito da sera** im Abendkleid ; **parlare ~ italiano** Italienisch sprechen ; **~ silenzio** schweigend.
- 7. *(indica mezzo)* mit ; **viaggiare ~ macchina** mit dem Auto fahren.
- 8. *(indica fine)* zu ; **accorrere ~ aiuto di qn** jm zu Hilfe eilen ; **~ onore di** zu Ehren von.
- 9. *(con valore distributivo)* : **siamo partiti ~ tre** wir sind zu dritt losgefahren.

inaccessibile *agg (luogo)* unzugänglich.

inaccettabile *agg* unannehmbar.

inadeguato, a *agg (insufficiente)* unzureichend ; *(non idoneo)* ungeeignet.

inagibile *agg (edifici)* unbewohnbar ; *(strada)* unbefahrbar.

inalterato, a *agg* unverändert.

inamidare *vt* stärken.

inammissibile *agg* unzulässig.

inappetenza *sf* Appetitlosigkeit *die*.

inappuntạbile *agg (persona, vestito)* makellos ; *(lavoro)* tadellos.

inarcạre *vt (schiena)* krümmen ; *(sopracciglia)* hochlziehen. ■ **inarcarsi** *vr (curvarsi)* sich krümmen.

inaridịre *vt (seccare)* ausltrocknen. ■ **inaridirsi** *vr (seccarsi)* verdorren.

inaspettạto, a *agg* unerwartet.

inasprịre *vi (diventare aspro)* sauer werden. ■ **inasprirsi** *vr (persona)* sich erbittern.

inattendịbile *agg* unglaubwürdig.

inattẹso, a *agg* unerwartet.

inattività *sf* Untätigkeit *die*.

inaudịto, a *agg* unerhört.

inaugurạre *vt (luogo, mostra)* einlweihen ; *(monumento)* enthüllen ; *(cominciare)* eröffnen.

inavvertitamẹnte *avv* versehentlich.

incagliạrsi *vr (nave)* aufllaufen.

incalcolạbile *agg* unschätzbar.

incallịto *agg (mani, piedi)* schwielig ; *fig (fumatore, giocatore)* eingefleischt.

incalzạre *vt (inseguire)* bedrängen ; *fig (premere)* drängen ; **il tempo incalza** die Zeit drängt.

incamminạre : incamminarsi *vr* sich auf den Weg machen.

incantẹvole *agg* bezaubernd.

incạnto *sm (incantesimo)* Zauber *der*.

incapạce *agg (inetto)* unfähig.

incapacità *sf (inettitudine)* Unfähigkeit *die*.

incappạre : incappare in *v + prep (guaio, difficoltà)* geraten in *(+A)* ; *(persona)* geraten an *(+A)*.

incaricạre *vt* beauftragen ; **~ qn di qc** jn mit etw beauftragen ; **~ qn di fare qc** jm den Auftrag geben, etw zu tun. ■ **incaricarsi di** *vr + prep* übernehmen.

incaricạto, a *agg* beauftragt. ◆ *sm, f* Beauftragte *der, die*.

incạrico, chi *sm (compito)* Auftrag *der*.

incarnạre *vt* verkörpern. ■ **incarnirsi** *vr (unghia)* einlwachsen.

incartạre *vt* einlpacken ; **me lo può ~?** können Sie es mir einpacken?

incassạre *vt (denaro, assegno)* kassieren.

incạsso *sm* Einnahme *die*.

incastrạre *vt (connettere)* zusammenlstecken ; *fam (intrappolare)* hineinlziehen. ■ **incastrarsi** *vr (rimanere bloccato)* sich verkeilen ; *(combaciare)* ineinanderlgreifen.

incạstro *sm (sistema)* Einspannung *die*.

incatenạre *vt* anlketten.

incạuto, a *agg* unvorsichtig.

incạvo *sm* Aushöhlung *die*.

incavolạrsi *vr fam (arrabbiarsi)* wütend werden.

incendiare *vt (dare fuoco a)* an|zünden. ■ **incendiarsi** *vr* in Brand geraten.

incendio *sm* Brand *der.*

incenerire *vt (ridurre in cenere)* ein|äschern.

incenso *sm* Weihrauch *der.*

incensurato, a *agg* nicht vorbestraft.

incentivo *sm* Anreiz *der.*

inceppare : incepparsi *vr (oggetto)* sich verklemmen.

incertezza *sf (indeterminatezza)* Ungewissheit *die* ; *(indecisione)* Unentschiedenheit *die.*

incerto, a *agg (data, risultato, notizia)* ungewiss ; *(titubante)* unsicher ; *(tempo)* unbeständig.

inchiesta *sf (giudiziaria)* Ermittlungsverfahren *das* ; *(giornalistica)* Reportage *die.*

inchinarsi *vr (far l'inchino)* sich verbeugen.

inchino *sm* Verbeugung *die.*

inchiodare *vt (con chiodi)* nageln ; *fam (frenare)* scharf bremsen.

inchiostro *sm* Tinte *die.*

inciampare *vi* stolpern ; ~ **in qc** über etw *(A)* stolpern.

incidente *sm (disgrazia)* Unfall *der* ; ~ **stradale** Autounfall.

incidere *vt (intagliare)* ein|kerben ; MED auf|schneiden ; *(registrare)* auf|nehmen. ◆ *vi* : ~ **(su qc)** sich (auf etw *(+A)*) aus|wirken.

incinta *agg f* schwanger.

incisione *sf (taglio)* Einschnitt *der* ; *(in arte)* Stich *der* ; *(di disco, canzone)* Aufnahme *die* ; MED Schnitt *der.*

incisivo *agg fig (stile)* prägnant. ◆ *sm (dente)* Schneidezahn *der.*

incitare *vt* an|spornen.

incivile *agg (non civilizzato)* unzivilisiert ; *(maleducato)* ungezogen.

inclinazione *sf (pendenza)* Gefälle *das* ; *(attitudine)* Neigung *die.*

includere *vt (accludere)* bei|legen ; *(comprendere)* ein|schließen.

incluso, a *pp* → **includere**. ◆ *agg (accluso)* beiliegend ; *(compreso)* inbegriffen.

incollare *vt (sovrapporre)* kleben ; *(unire)* zusammen|kleben.

incolpare *vt* : ~ **qn di qc** jn einer Sache *(G)* beschuldigen.

incominciare *vt* = **cominciare**.

incompatibile *agg (inconciliabile)* unvereinbar.

incompetente *agg* unfähig.

incompiuto, a *agg* unvollendet.

incompleto, a *agg* unvollständig.

incomprensibile *agg* unverständlich.

inconcepibile *agg (assurdo)* unfassbar.

inconfondibile *agg* unverwechselbar.

inconsapevole *agg* nicht bewußt.

inconscio, a *agg* unbewußt. ◆ *sm* Unbewußte *das*.

incontaminato, a *agg* unberührt.

incontentabile *agg* unersättlich.

incontrare *vt (persona)* treffen ; *(difficoltà, favore)* stoßen auf *(+A)*. ■ **incontrarsi** *vr (vedersi)* sich treffen.

incontro *sm (casuale,sportivo)* Begegnung *die* ; *(appuntamento)* Rendezvous *das* ; *(riunione)* Treffen *das*. ◆ *avv* entgegen ; *(incontrare)* jm begegnen ; *fig (aiutare)* entgegen kommen.

inconveniente *sm* Unannehmlichkeit *die*.

incoraggiare *vt (incitare)* ermutigen ; *(favorire)* fördern.

incosciente *agg (privo di coscienza)* bewusstlos ; *(irresponsabile)* verantwortungslos.

incredibile *agg* unglaublich.

incrementare *vt (aumentare)* steigern.

incremento *sm (aumento)* Zunahme *die*.

incrociare *vt (persona, veicolo)* treffen ; *(strada, piante, animali)* kreuzen ; ~ **le gambe/braccia** die Beine/Arme verschränken ; ~ **le dita** *fig* die Daumen drücken. ■ **incrociarsi** *vr (strade, linee)* sich kreuzen ; *(persone)* sich *(D)* über den Weg laufen ; *(veicoli)* aneinander vorbeifahren.

incrocio *sm (crocevia,combinazione)* Kreuzung *die*.

incubatrice *sf* Brutkasten *der*.

incubo *sm* Albtraum *der*.

incurabile *agg (malattia, malato)* unheilbar.

incuriosire *vt* neugierig machen. ■ **incuriosirsi** *vr* neugierig werden.

incustodito, a *agg* unbewacht.

indaffarato, a *agg* beschäftigt.

indagine *sf (di polizia)* Ermittlung *die* ; *(studio)* Untersuchung *die*.

indebolire *vt* schwächen. ■ **indebolirsi** *vr* schwach werden.

indecente *agg (pornografico)* unanständig ; *(misero, sudicio)* armselig.

indeciso, a *agg* unentschlossen.

indefinito, a *agg* unbestimmt.

indegno, a *agg* unwürdig.

indennità *sf (rimborso)* Vergütung *die* ; *(risarcimento)* Entschädigung *die*.

indescrivibile *agg* unbeschreiblich.

indeterminato, a *agg* unbestimmt.

India *sf* : **l'~** Indien *nt*.

indiano, a *agg (d'America)* indianisch ; *(d'India)* indisch. ◆ *sm, f (d'India)* Inder *der*, -in *die* ; *(d'America)* Indianer *der*, -in *die*.

indicare *vt (mostrare)* zeigen ;

(col dito) zeigen auf *(+A)* ; *(suggerire)* empfehlen.

indicatore *sm* TECNOL Indikator *der* ; **~ di direzione** Blinker *der* ; **~ di velocità** Tachometer *das*.

indicazione *sf (segnalazione)* Angabe *die* ; *(informazione)* Hinweis *der* ; *(prescrizione)* Anweisung *die*.

indice *sm (dito)* Zeigefinger *der* ; *(di libro)* Inhaltsverzeichnis *das*.

indietro *avv (stato in luogo, moto)* zurück ; **essere ~** *(col lavoro)* im Rückstand sein ; *(di orologio)* nach|gehen ; **rimandare ~** zurück|schicken ; **tornare ~** zurück|kehren ; **all'~** rückwärts.

indifeso, a *agg* schutzlos.

indifferente *agg (insensibile)* gleichgültig ; *(irrilevante)* egal.

indigeno, a *sm, f* Eingeborene *der, die*.

indigestione *sf* Verdauungsstörung *die*.

indigesto, a *agg (cibo)* schwer verdaulich.

indimenticabile *agg* unvergesslich.

indipendente *agg* unabhängig.

indipendenza *sf* Unabhängigkeit *die*.

indiretto, a *agg* indirekt.

indirizzare *vt (lettera)* adressieren ; *(mandare)* verweisen an *(+A)*.

indirizzo *sm (recapito)* Anschrift *die* ; *(di studi)* Richtung *die*.

indisciplinato, a *agg (disubbidiente)* undiszipliniert.

indiscreto, a *agg* indiskret.

indiscrezione *sf (invadenza)* Taktlosigkeit *die*.

indiscusso, a *agg (certo)* unbestritten.

indiscutibile *agg* undiskutabel.

indispensabile *agg (di cosa)* unentbehrlich ; *(di persona)* unabkömmlich.

indispettire *vt* verärgern. ■ **indispettirsi** *vr* ärgerlich werden.

indistruttibile *agg* unverwüstlich.

individuale *agg (dell'individuo)* Einzel- ; *(di un individuo)* individuell.

individuare *vt (stabilire)* heraus|finden.

individuo *sm (persona)* Individuum *das*.

indizio *sm (segno)* Hinweis *der* ; DIR Indiz *das*.

indolenzito, a *agg* schmerzend.

indolore *agg* schmerzlos.

indomani *sm* : **l'~** am Tag darauf.

indossare *vt (mettere addosso)* an|ziehen ; *(avere addosso)* tragen.

indossatore, trice *sm, f (machile)* Dressman *der* ; *(femminile)* Model *das*.

indovinare *vt (prevedere)*

vorherlsehen ; *(azzeccare)* treffen.

indovinello *sm* Rätsel *das.*

indovino, a *sm, f* Wahrsager *der,* -in *die.*

indubbiamente *avv* zweifellos.

indugiare *vi (temporeggiare)* zögern.

indugio *sm* Zögern *das* ; **senza ~** ohne Zögern.

indumento *sm* Kleidungsstück *das.*

indurire *vt (rendere duro)* härten. ■ **indurirsi** *vr (diventare duro)* hart werden.

indurre *vt (persuadere)* : **~ qn (a fare qc)** jn dazu bringen (, etw zu tun).

industria *sf (attività)* Industrie *die* ; *(stabilimento)* Industriebetrieb *der.*

industriale *agg* industriell. ◆ *sm* Industrielle *der, die.*

ineccepibile *agg* tadellos.

inedito, a *agg (libro, canzone)* unveröffentlicht.

inefficiente *agg* ineffizient.

inerente *agg* : **~ a** betreffend.

inerme *agg (indifeso)* wehrlos.

inesatto, a *agg* ungenau.

inesauribile *agg* unerschöpflich.

inesistente *agg* inexistent.

inesperienza *sf* Unerfahrenheit *die.*

inesperto, a *agg (non pratico)* unerfahren.

inestimabile *agg (grandezza)* unermesslich ; *(valore)* unschätzbar.

inevitabile *agg* unvermeidlich.

inevitabilmente *avv* zwangsläufig.

in extremis *avv (all'ultimo momento)* im letzten Augenblick ; *(in fin di vita)* in extremis.

infallibile *agg* unfehlbar.

infantile *agg (di, per bambini)* kindlich ; *(immaturo)* kindisch.

infanzia *sf (periodo)* Kindheit *die.*

infarinare *vt (di farina)* bemehlen.

infarto *sm* Infarkt *der.*

infastidire *vt* belästigen. ■ **infastidirsi** *vr* sich ärgern.

infatti *cong (in effetti)* tatsächlich.

infedele *agg* untreu.

infedeltà *sf inv* Untreue *die.*

infelice *agg (afflitto,pieno di tristezza,inopportuno)* unglücklich ; *(sfavorevole)* ungünstig.

infelicità *sf (condizione)* Kummer *der.*

inferiore *agg (sottostante)* Unter- ; *(per qualità)* minderwertig. ◆ *sm, f* Untergebene *der, die* ; **~ a** *(minore)* kleiner als ; *(per peso)* leichter als ; *(per numero)* niedriger als ; *(per carattere)* schlechter als ; *(peggiore)* unterlegen *(+D).*

infermeria *sf* Verbandzimmer *das* ; *(di scuola)* Krankenzimmer *das.*

infermiere, a *sm, f* Krankenpfleger *der,* -in *die.*

infernale *agg (diabolico)* höllisch ; *fam (terribile)* furchtbar.

inferno *sm* Hölle *die*.

inferriata *sf* Gitter *das*.

infestare *vt (parassita)* befallen ; *(piante)* überwuchern ; *(dai fantasmi)* heim|suchen.

infettare *vt (l'acqua, l'aria)* infizieren. ■ **infettarsi** *vr (ferita)* sich infizieren.

infettivo, a *agg* ansteckend.

infezione *sf MED* Infektion *die*.

infiammabile *agg (sostanza)* entflammbar.

infiammare *vt (incendiare)* entflammen. ■ **infiammarsi** *vr (incendiarsi)* sich entflammen.

infiammazione *sf MED* Entzündung *die*.

infilare *vt (introdurre)* ein|führen ; *(ago)* ein|fädeln ; *(anello)* an|stecken. ■ **infilarsi** *vr (mettersi dentro)* hinein|schlüpfen ; *(indossare)* an|ziehen.

infine *avv (alla fine)* schließlich.

infinità *sf (assenza di limiti)* Unendlichkeit *die*.

infinito, a *agg (illimitato)* unendlich ; *(enorme, innumerevole)* unzählig. ◆ *sm (spazio, tempo)* Unendliche *das* ; *GRAMM* Infinitiv *der*.

infischiarsi : **infischiarsene di** *vr + prep fam* pfeifen auf *(+A)*.

inflessibile *agg* unbeugsam.

influente *agg (importante)* einflussreich.

influenza *sf (autorità, azione)* Einfluss *der* ; *(malattia)* Grippe *die* ; **avere ~ su** Einfluss haben auf *(+A)* ; **avere l'~** die Grippe haben.

influenzare *vt* beeinflussen.

influire : **influire su** *v + prep* Einfluss aus|üben auf *(+A)*.

influsso *sm (azione)* Einfluss *der*.

inforcare *vt (bicicletta, moto)* sich schwingen auf *(+A)* ; *(occhiali)* auf|setzen.

informale *agg (non ufficiale)* inoffiziell.

informare *vt (mettere al corrente)* informieren ; **~ qn di qc** jn über etw *(+A)* informieren. ■ **informarsi di** *vr (prendere notizie)* : **informarsi su qn/qc** sich über jn etw informieren.

informatica *sf* Informatik *die*.

informazione *sf (ragguaglio)* Auskunft *die* ; **'Ufficio Informazioni'** 'Informationsbüro' ; **chiedere informazioni (a qn)** (jn) um Auskunft bitten.

infortunio *sm* Unfall *der*.

infradito *sm o f* Zehen (steg)-Sandale *die*.

infrangere *vt (frantumare)* zerbrechen ; *(divieto, accordo)* brechen. ■ **infrangersi** *vr (onde)* sich brechen.

infrangibile *agg* unzerbrechlich.

infranto, a *pp* → **infrangere**.

◆ *agg (oggetto)* zerbrochen ; *(cuore)* gebrochen.

infrazione *sf* Verstoß *der*.

infreddolito, a *agg* fröstelnd.

infuori *avv* : **all'~ di** mit Ausnahme von.

infuso, a *pp* → **infondere**. ◆ *sm (tisana)* Kräutertee *der*.

ingannare *vt (imbrogliare)* täuschen ; *(tempo, attesa)* tot|schlagen.

inganno *sm (imbroglio)* Täuschung *die*.

ingarbugliare *vt (fili)* verheddern ; *fig (situazione, conti)* durcheinander bringen. ■ **ingarbugliarsi** *vr* sich verheddern.

ingegnere *sm* Ingenieur *der*, -in *die*.

ingegneria *sf* Ingenieurwesen *das*.

ingegno *sm (intelligenza)* Geist *der*.

ingegnoso, a *agg* erfinderisch.

ingelosire *vt* eifersüchtig machen. ■ **ingelosirsi** *vr* eifersüchtig werden.

ingenuo, a *agg (persona)* naif ; *(domanda, sguardo)* unschuldig.

ingerire *vt* schlucken.

ingessare *vt MED* ein|gipsen.

Inghilterra *sf* : **l'~** England *nt*.

inghiottire *vt (ingerire)* hinunter|schlucken.

ingiallire *vi* vergilben.

ingigantire *vt fig (problema)* auf|bauschen.

inginocchiarsi *vr* nieder|knien.

ingiù *avv* : **(all')~** nach unten.

ingiustizia *sf* Ungerechtigkeit *die*.

ingiusto, a *agg* ungerecht.

inglese *agg* englisch. ◆ *smf* Engländer *der*, -in *die*. ◆ *sm (lingua)* Englisch(e) *das*.

ingoiare *vt (inghiottire)* hinunter|schlucken.

ingolfare *vt (veicolo, motore)* ab|würgen. ■ **ingolfarsi** *vr sog (veicolo, motore)* ab|saufen.

ingombrante *agg* sperrig.

ingombrare *vt (passaggio, strada)* versperren ; *(tavolo, stanza)* zu|stellen.

ingombro *sm* : **essere d'~** im Weg sein.

ingordo, a *agg (ghiotto)* gierig.

ingorgo, ghi *sm (stradale)* Stau *der*.

ingranaggio *sm (meccanismo)* Räderwerk *das*.

ingranare *vt (marcia)* ein|legen. ◆ *vi (ingranaggio)* greifen.

ingrandimento *sm (ampliamento)* Erweiterung *die* ; *(foto, stampa, ottico)* Vergrößerung *die*.

ingrandire *vt (ampliare)* erweitern ; *(foto, con microscopio, lente)* vergrößern. ■ **ingrandirsi** *vr (di misura)* sich vergrößern ; *(d'importanza)* sich auslweiten.

ingrassare *vi* zulnehmen. ◆ *vt (animali)* mästen.

ingrediente *sm* Zutat *die*.

ingresso *sm (porta)* Eingang *der* ; *(stanza)* Diele *die* ; **'~ gratuito'** 'kostenloser Eintritt' ; **'~ libero'** 'Eintritt frei'.

ingrossare *vt (render più grosso)* anlschwellen lassen. ■ **ingrossarsi** *vr (diventar più grosso)* (anl)schwellen.

ingrosso *avv* : **all'~** *(vendita)* en gros.

inguine *sm* Leiste *die*.

iniettare *vt MED* einlspritzen.

iniezione *sf MED* Injektion *die*.

inimicare : inimicarsi *vr* : **~ qn** sich *(D)* jn zum Feind machen.

inimitabile *agg* unnachahmlich.

ininterrottamente *avv* ununterbrochen.

ininterrotto, a *agg* dauernd.

iniziale *agg* anfänglich. ◆ *sf* Anfangsbuchstabe *der*.

inizialmente *avv* anfangs.

iniziare *vt (cominciare)* anlfangen, beginnen. ◆ *vi* anlfangen, beginnen ; **~ a fare qc** anlfangen, etw zu tun.

iniziativa *sf (attività, azione)* Initiative *die* ; **prendere l'~** die Initiative ergreifen.

inizio *sm (fase)* Anfang *der* ; **all'~** am Anfang ; **dare ~ a qc** den Auftakt zu etw geben.

innaffiare = **annaffiare**.

innamorarsi *vr + prep* sich verlieben in *(+A)*.

innamorato, a *agg* : **~ (di qn)** verliebt (in jn).

innanzitutto *avv* zu allererst.

innervosire *vt* nervös machen. ■ **innervosirsi** *vr* nervös werden.

innescare *vt (bomba)* scharf machen ; *fig (fenomeno, meccanismo)* auslösen.

innestare *vt (pianta)* veredeln ; *(meccanismo)* einllegen ; *(presa)* einlstecken.

inno *sm MUS* Hymne *die* ; **~ nazionale** Nationalhymne.

innocente *agg (persona)* unschuldig ; *(domanda, piacere)* harmlos.

innocuo, a *agg* harmlos.

innovazione *sf (novità)* Neuerung *die*.

innumerevole *agg* unzählig.

inodore *agg* geruchlos.

inoffensivo, a *agg* gutartig.

inoltrare *vt (reclamo, posta)* weiterlleiten. ■ **inoltrarsi** *vr (nel bosco)* einldringen.

inoltrato, a *agg (trasmettere)* übermittelt ; *(stagione)* spät.

inoltre *avv* außerdem.

inondazione *sf (alluvione)* Überschwemmung *die*.

inopportuno, a *agg* unangebracht.

inorridire *vt (destare orrore)*

entsetzen. ◆ *vi (essere preso dall'orrore)* erschaudern.

inosservato, a *agg* : **passare ~** *(non notato)* unbemerkt bleiben.

inquadrare *vt (riprendere)* ins Bild nehmen.

inquadratura *sf (di obiettivo)* Aufnahme *die*.

inquilino, a *sm, f* Mieter *der*, -in *die*.

inquinamento *sm (contaminazione)* Umweltverschmutzung *die*.

inquinare *vt (contaminare)* verschmutzen.

inquinato, a *agg (mare, atmosfera)* verschmutzt.

insaccato, a *sm (salume)* Wurst *die*.

insalata *sf (di verdure, lattuga)* Salat *der* ; **~ mista** gemischter Salat ; **~ di riso** Reissalat.

insalatiera *sf* Salatschüssel *die*.

insaponare *vt (panni, viso)* ein|seifen. ■ **insaponarsi** *vr* sich ein|seifen.

insaporire *vt* würzen.

insegna *sf* Schild *das*.

insegnamento *sm (professione)* Lehrtätigkeit *die* ; *(l'insegnare)* Unterricht *der*.

insegnante *smf* Lehrer *der*, -in *die*.

insegnare *vt (far imparare)* lehren. ◆ *vi* unterrichten ; **~ qc a qn** jn etw lehren ; **~ a qn a fare qc** jm etw bei|bringen.

inseguire *vt* verfolgen.

insensato, a *agg (persona)* unvernünftig ; *(discorso, idea)* unsinnig.

insensibile *agg* unempfindlich ; *(indifferente)* gefühllos.

inserire *vt (introdurre)* stecken ; *(includere)* auf|nehmen. ■ **inserirsi** *vr* : **inserirsi (in qc)** *(entrare a far parte di)* sich (in etw *(A)*) ein|gliedern.

inserto *sm (di giornale)* Beilage *die*.

inserzione *sf (pubblicitaria, economica)* Inserat *das*.

insetticida *sm* Insektenvernichtungsmittelt *das*.

insetto *sm* Insekt *das*.

insicurezza *sf* Unsicherheit *die*.

insicuro, a *agg (persona, carattere)* unsicher.

insieme *avv* gemeinsam. ◆ *sm (totalità)* Gesamtheit *die* ; *(completo)* Ensemble *das* ; MAT Menge *die*. ◆ *prep* : **~ a** ○ **con** zusammen mit ; **tutto ~** alles zusammen ; **tutti ~** alle zusammen ; **nell'~** insgesamt.

insignificante *agg (non importante)* unbedeutend ; *(persona)* unscheinbar.

insinuazione *sf (allusione)* Anspielung *die*.

insipido, a *agg (cibo)* fade.

insistente *agg (persona, richieste)* beharrlich ; *(pioggia, dolore)* anhaltend.

insistere *vi* bestehen ; **~ a** ○ **col** ○ **nel fare qc** auf einer Sache *(D)* bestehen.

insoddisfacente *agg* unbefriedigend.
insoddisfatto, a *agg* : **~ di** unzufrieden mit.
insolazione *sf MED* Sonnenstich *der*.
insolente *agg* unverschämt.
insolito, a *agg* ungewöhnlich.
insomma *avv* also. ◆ *esclam* Herrgott noch mal!
insonne *agg* *(persona)* : **sono ~ per la stanchezza** ich kann vor Müdigkeit nicht schlafen ; *(notte)* schlaflos.
insonnia *sf* Schlaflosigkeit *die*.
insonnolito, a *agg* verschlafen.
insopportabile *agg* unerträglich.
insospettire *vt* misstrauisch machen. ■ **insospettirsi** *vr* Verdacht schöpfen.
insperato, a *agg* unerhofft.
inspiegabile *agg* unerklärlich.
inspirare *vt* *(respirare)* einl-atmen.
installare *vt* *(apparecchio)* installieren.
insù *avv* : **(all')~** aufwärts.
insuccesso *sm* Misserfolg *der*.
insufficiente *agg* ungenügend.
insulina *sf* Insulin *das*.
insultare *vt* beschimpfen.
insulto *sm* *(offesa)* Beleidigung *die*.
intaccare *vt* *(legno)* einl-kerben ; *(risparmi, provviste)* anl-greifen.
intanto *avv* *(nel frattempo)* inzwischen.
intasare *vt* *(condotto, strada)* verstopfen. ■ **intasarsi** *vr* verstopfen.
intatto, a *agg* *(intero)* intakt ; *(mai toccato)* unberührt.
integrale *agg* *(totale)* vollständig ; *(pane, farina)* Vollkorn-.
integrare *vt* *(completare)* vervollständigen. ■ **integrarsi** *vr* *(in gruppo)* sich integrieren.
integrità *sf* *(completezza)* Vollständigkeit *die* ; *(onestà)* Redlichkeit *die*.
integro, a *agg* *(intero)* vollständig ; *(onesto)* rechtschaffen.
intelaiatura *sf* *(struttura)* Gerüst *das*.
intelletto *sm* *(intelligenza)* Verstand *der*.
intellettuale *agg* intellektuell. ◆ *smf* Intellektuelle *der, die*.
intelligente *agg* *(acuto)* intelligent.
intelligenza *sf* *(ingegno)* Intelligenz *die*.
intemperie *sfpl* schlechtes Wetter.
intendere *vt* *(capire)* verstehen ; *(udire)* hören ; *(avere intenzione di)* : **~ fare qc** beabsichtigen, etw zu tun. ■ **intendersi di** *vr + prep* etw verstehen von.
intenditore, trice *sm, f* Kenner *der*, -in *die*.
intensificare *vt* *(aumentare)*

steigern ; *(rendere più frequente)* intensivieren. ■ **intensificarsi** *vr (aumentare)* sich verstärken ; *(diventare più frequente)* sich vermehren.

intensità *sf (forza)* Intensität *die*.

intensivo, a *agg (intenso)* intensiv.

intenso, a *agg* stark.

intento, a *agg* beschäftigt. ◆ *sm* Absicht *die*.

intenzione *sf* Absicht *die* ; **aver ~ di fare qc** beabsichtigen, etw zu tun.

interamente *avv* vollständig.

intercalare *sm* Lieblingsausdruck *der*.

intercettare *vt (lettera)* ab|fangen ; *(telefonata)* ab|hören.

interdetto, a *agg* verblüfft.

interessamento *sm (interesse)* Anteilnahme *die*.

interessante *agg* interessant.

interessare *vt (riguardare)* betreffen ; *(destare l'interesse di)* interessieren. ◆ *vi* : **~ a qn** jn interessieren. ■ **interessarsi a** *vr + prep* sich befassen mit. ■ **interessarsi di** *vr + prep* sich interessieren für ; **~ degli affari altrui** sich in fremde Angelegenheiten ein|mischen.

interessato, a *agg (partecipe)* betroffen ; *(calcolatore)* eigennützig.

interesse *sm (partecipazione)* Interesse *das* ; FIN Zins *der* ; *(tornaconto)* Eigennutz *der* ; **matrimonio d'~** Geldheirat *die*.

interferire *vi (intromettersi)* sich ein|mischen.

interiora *sfpl* Innereien *pl*.

interiore *agg (lato, parte)* Innen-.

interlocutore, trice *sm, f (persona con cui si parla)* Gesprächspartner *der*, -in *die*.

interminabile *agg* endlos.

internazionale *agg* international.

Internet *sm inv* Internet *das*.

interno, a *agg (di dentro)* Innen- ; *(nazionale)* intern ; **politica interna** Innenpolitik *die*. ◆ *sm (di edificio)* Interieur *das* ; *(di paese)* Landesinnere *das* ; **all'~** drinnen ; **dall'~** aus dem Inland ; *(telefono)* Apparat *der* ; *(appartamento)* Wohnung *die*. ■ **interni** *smpl (di film)* Innenaufnahmen *pl* ; **Ministero degli Interni** Innenministerium *das*.

intero, a *agg (bottiglia, vaso)* heil ; *(giorno, anno)* ganz ; *(prezzo)* voll ; *(latte)* Voll- ; **per ~** ganz.

interpretare *vt (parole)* interpretieren ; *(sogno, scritto)* deuten ; *(recitare un ruolo)* spielen.

interprete *smf (traduttore)* Dolmetscher *der*, -in *die* ; *(attore)* Schauspieler *der*, -in *die*.

interrogare *vt (studente)* ab|fragen.

interrogativo, a *agg (sguardo)* fragend ; GRAMM Frage-. ◆ *sm* Frage *die*.

interrogazione *sf (scolastica)* Abfragen *das.*

interrompere *vt (persona, attività)* unterbrechen. ■ **interrompersi** *vr (cessare, fermarsi)* aufhören.

interrotto, a *pp* → **interrompere.** ◆ *agg (linea telefonica, strada)* unterbrochen.

interruttore *sm* Schalter *der.*

interurbana *sf* Ferngespräch *das.*

intervallo *sm (pausa, sospensione)* Pause *die* ; *(distanza)* Abstand *der.*

intervenire *vi (intromettersi)* ein|greifen.

intervento *sm (intromissione)* Eingriff *der* ; *(aiuto)* Eingreifen *das* ; *(discorso)* Rede *die* ; MED Operation *die.*

intervista *sf (giornalistica)* Interview *das.*

intesa *sf (tra persone)* Einvernehmen *das.*

inteso, a *pp* → **intendere.** ◆ *agg* : **resta ~ che** es bleibt dabei, dass ; **siamo intesi?** einverstanden?

intestare *vt (lettera)* adressieren ; **~ qc a qn** *(casa, auto)* etw auf js Namen ein|tragen ; *(assegno)* etw auf jn aus|stellen.

intestino *sm* Darm *der.*

intimidire *vt (spaventare)* ein|schüchtern.

intimità *sf inv (spazio privato)* Privatsphäre *die* ; *(familiarità)* Vertrautheit *die.*

intimo, a *agg (relazione, amico, atmosfera)* intim ; *(cerimonia, festa)* im engsten Kreis ; *(interiore)* innerlich ; *(igiene)* Intim-. ◆ *sm (persona)* Vertraute *der, die* ; *(biancheria)* Unterwäsche *die.*

intitolare *vt (libro, film)* betiteln ; *(via, piazza)* : **~ a** benennen nach. ■ **intitolarsi** *vr* betitelt sein.

intollerabile *agg* unerträglich.

intollerante *agg* intolerant.

intolleranza *sf* Intoleranz *die.*

intonaco (*pl* **-ci** o **-chi**) *sm* Verputz *der.*

intonare *vt (canto)* an|stimmen ; *(vestiti)* farblich ab|stimmen. ■ **intonarsi** *vr* zusammen|passen.

intorno *avv* herum. ◆ *prep* : **~ a** *(attorno a)* um ... herum ; *(verso)* gegen.

intossicare *vt (avvelenare)* vergiften.

intossicato, a *agg* vergiftet.

intossicazione *sf* Vergiftung *die.*

intralciare *vt* behindern.

intramontabile *agg* zeitlos.

intransigente *agg* unnachgiebig.

intraprendente *agg* unternehmungslustig.

intraprendere *vt* unternehmen.

intrattabile *agg (persona)* unverträglich.

intrattenere *vt* unterhalten. ■ **intrattenersi** *vr (divertirsi)* sich unterhalten ; *(soffermarsi)* verweilen.

intrecciare vt *(capelli, paglia, cesti)* flechten. ■ **intrecciarsi** vr *(fili)* sich verflechten.

intrigante agg hinterlistig.

intrigo, ghi sm *(macchinazione)* Intrige *die*.

introdurre vt *(usanza, metodo, argomento)* ein|führen ; *(moneta)* ein|werfen. ■ **introdursi** vr *(entrare)* ein|dringen.

introduzione sf *(inserimento)* Einführung *die* ; *(prefazione)* Einleitung *die*.

introito sm *(incasso)* Einnahmen *pl*.

intromettersi vr *(immischiarsi)* sich ein|mischen.

introvabile agg unauffindbar.

introverso, a agg verschlossen.

intruso, a sm, f Eindringling *der*.

intuire vt *(cogliere)* ahnen ; *(accorgersi)* merken.

intuito sm *(acume)* Spürsinn *der*.

intuizione sf *(facoltà)* Intuition *die* ; *(idea)* Eingebung *die*.

inumidire vt befeuchten. ■ **inumidirsi** vr feucht werden.

inutile agg *(senza utilità)* nutzlos ; **è ~ dire che ...** es ist wohl überflüssig zu sagen, dass ...

inutilmente avv vergebens.

invadente agg aufdringlich.

invadere vt *(diffondersi)* über|greifen.

invaghirsi : invaghirsi di vr + prep sich verlieben in *(+A)*.

invalido, a agg *(attività lavorativa)* arbeitsunfähig ; *(di guerra)* kriegsbeschädigt. ◆ sm, f Invalide *der*, -din *die*.

invano avv umsonst.

invasione sf Invasion *die*.

invecchiare vi *(persona, vino)* altern. ◆ vt *(vino, formaggio)* lagern ; *(far apparire più vecchio)* älter machen.

invece avv aber. ◆ prep : **~ di** anstatt *(+G)*.

inventare vt erfinden ; **inventarsi** sich *(D)* aus|denken.

inventario sm *(registrazione)* Inventur *die*.

inventore, trice sm, f Erfinder *der*, -in *die*.

invenzione sf *(scoperta, bugia)* Erfindung *die*.

invernale agg *(stagione, periodo)* winterlich ; *(cappotto, sport)* Winter-.

inverno sm Winter *der* ; **d'** ○ **in ~** im Winter.

inverosimile agg *(incredibile)* unwahrscheinlich.

inversione sf *(parole)* Inversion *die* ; *(tendenza)* Wende *die* ; *(di marcia)* Wenden *das* ; **~ ad U** Kehrtwendung *die*.

inverso, a agg *(contrario)* entgegengesetzt. ◆ sm Gegenteil *das* ; **all'~** umgekehrt.

invertire vt *(direzione, marcia)* um|kehren ; *(scambiare)* vertauschen ; *(capovolgere)* um|stellen.

invertito, a *agg* *(rovesciato)* verkehrt.
investimento *sm FIN* Investition *die* ; *(con auto)* Anfahren *das*.
investire *vt* *(denaro)* anllegen ; *(persona, animale)* anlfahren.
inviare *vt* *(spedire)* senden ; *(persona)* schicken.
inviato, a *sm, f* *(giornalista)* Korrespondent *der*, -in *die*.
invidia *sf* Neid *der*.
invidiare *vt* beneiden ; **~ qc a qn** jn um etw beneiden.
invidioso, a *agg* neidisch.
invincibile *agg* *(imbattibile)* unschlagbar.
invio *sm* *(spedizione)* Versand *der* ; *(merci)* Zusendung *die*.
invisibile *agg* unsichtbar.
invitare *vt* *(far venire)* einlladen ; **~ qn a fare qc** *(proporre di)* jn dazu einlladen, etw zu tun ; *(sollecitare)* jn dazu auflfordern, etw zu tun.
invitato, a *sm, f* Gast *der*.
invito *sm* *(festa, biglietto)* Einladung *die*.
invocare *vt* *(dio)* anlrufen ; *(chiedere)* anlflehen.
involontario, a *agg* unfreiwillig.
involtino *sm* Roulade *die*.
involucro *sm* *(parte esterna)* Hülle *die*.
inzaccherare *vt* mit Schlamm bespritzen. ■ **inzaccherarsi** *vr* sich mit Schlamm beschmutzen.
inzuppare *vt* *(sog : pioggia)* durchnässen ; *(biscotto)* einltunken.
io *pron* : **sono ~** ich bin's ; **~ stesso** ich persönlich.
iodio *sm* *(elemento)* Jod *das* ; **tintura di ~** Jodtinktur *die*.
iogurt = **yogurt**.
Ionio *sm* : **lo ~, il Mar ~** das Ionische Meer.
ipertensione *sf* Bluthochdruck *der*.
ipnotizzare *vt* hypnotisieren.
ipocrisia *sf* *(falsità)* Heuchelei *die*.
ipocrita, i, e *agg* scheinheilig. ◆ *smf* Heuchler *der*, -in *die*.
ipotesi *sf inv* *(di ragionamento)* Hypothese *die* ; *(supposizione)* Vermutung *die* ; *(eventualità)* Fall *der*.
ippica *sf* Reitsport *der*.
ippico, a, ci, che *agg* Pferde-.
ippodromo *sm* *(impianto)* Pferderennbahn *die*.
ippopotamo *sm* Nilpferd *das*.
iride *sf* *(di occhio)* Iris *die* ; *(arcobaleno)* Regenbogen *der*.
Irlanda *sf* : **l'~** Irland *nt* ; **l'~ del Nord** Nordirland *nt*.
irlandese *agg* irisch. ◆ *smf* Ire *der*, Irin *die*.
ironia *sf* *(sarcasmo)* Ironie *die*.
ironico, a, ci, che *agg* ironisch.
irradiare *vt* *(illuminare)* erleuchten ; *(colpire con radiazioni)*

bestrahlen. ◆ *vi (risplendere)* leuchten.

irraggiungibile *agg* unerreichbar.

irragionevole *agg (sconsiderato)* unvernünftig.

irrazionale *agg (privo di logica)* unlogisch ; *(privo di ragione)* irrational.

irreale *agg* unwirklich.

irrecuperabile *agg (oggetto)* unwiederbringlich.

irregolare *agg (anomalo & GRAMM)* unregelmäßig ; *(viso, tratti)* unebenmäßig ; *(discontinuo)* ungleichmäßig.

irregolarità *sf inv (anormalità)* Unregelmäßigkeit *die* ; *(di viso, tratti)* Unebenmäßigkeit *die* ; *(discontinuità)* Ungleichmäßigkeit *die*.

irreparabile *agg* unersetzlich.

irrequieto, a *agg* unruhig.

irresponsabile *agg (sconsiderato)* unverantwortlich.

irreversibile *agg* irreversibel.

irrigare *vt (terreno)* bewässern.

irrigidirsi *vr (diventare rigido)* steif werden ; *(immobilizzarsi)* erstarren.

irrilevante *agg* belanglos.

irritabile *agg (suscettibile)* reizbar ; *(pelle)* empfindlich.

irritante *agg* irritierend.

irritare *vt (contrariare)* ärgern ; *(pelle)* reizen. ■ **irritarsi** *vr (adirarsi)* sich ärgern ; *(pelle)* gereizt werden.

irruzione *sf* Eindringen *das*.

iscritto, a *pp* → iscrivere. ◆ *agg* : **essere ~ (a qc)** *(ad un circolo, partito)* (bei etw) Mitglied sein ; *(all'università)* immatrikuliert sein ; *(ad un esame)* eingeschrieben sein ; **per ~** schriftlich.

iscrivere *vt (registrare)* : **~ qn a qc** jn in etw *(+D)* einlschreiben. ■ **iscriversi a** *vr + prep (circolo, partito)* beiltreten *(+D)* ; *(università)* sich immatrikulieren ; *(esame)* sich einlschreiben.

iscrizione *sf (all'università)* Immatrikulation *die* ; *(ad un esame)* Einschreibung *die* ; *(ad un partito)* Beitritt *der*.

Islanda *sf* : **l'~** Island *nt*.

islandese *agg* isländisch. ◆ *smf* Isländer *der*, -in *die*. ◆ *sm (lingua)* Isländisch(e) *das*.

isola *sf (terra emersa)* Insel *die* ; **~ pedonale** Fußgängerzone *die*.

isolamento *sm (solitudine)* Zurückgezogenheit *die* ; *(elettrico, termico, acustico)* Isolierung *die*.

isolante *agg* Isolier-. ◆ *sm* Isolierstoff *der*.

isolare *vt* isolieren. ■ **isolarsi** *vr* sich ablsondern.

isolato, a *agg (luogo)* abgelegen ; *(caso)* Einzel-.

ispettore *sm (di polizia)* Kommissar *der*, -in *die*.

ispezionare *vt* inspizieren.

ispezione *sf* Inspektion *die*.

ispirare *vt (simpatia, fiducia)* einlflößen. ■ **ispirarsi a** *vr +*

prep sich inspirieren lassen von.

Israẹle *sm* Israel *nt.*

istantạneo, a *agg (immediato)* sofortig ; *(brevissimo)* augenblicklich.

istạnte *sm (attimo)* Augenblick *der.*

istẹrico, a, ci, che *agg (attacco, persona)* hysterisch.

istigạre *vt* : **~ qn a fare qc** jn dazu an|stiften, etw zu tun.

istịnto *sm* Instinkt *der.*

istituịre *vt (creare)* gründen.

istitụto *sm* Institut *das.*

istituziọne *sf (creazione)* Gründung *die* ; *(ente)* Einrichtung *die* ; **le istituzioni** *(le autorità)* die Institutionen.

ịstrice *sm (animale)* Stachelschwein *das.*

istruịre *vt (insegnare a)* aus|bilden ; *(informare)* unterrichten.

istruịto, a *agg (colto)* gebildet.

istruttọre, trịce *sm (di sport, guida)* Lehrer *der*, -in *die.*

istruziọne *sf (insegnamento)* Unterricht *der* ; *(cultura)* Bildung *die.* ■ **istruzioni** *sfpl (direttive)* Anweisungen *pl* ; **istruzioni (per l'uso)** Gebrauchsanweisung *die.*

Itạlia *sf* : **l'~** Italien *nt.*

italiạno, a *agg* italienisch. ◆ *sm, f* Italiener *der*, -in *die.* ◆ *sm (lingua)* Italienisch(e) *das.*

itinerạrio *sm (percorso)* Reiseweg *der* ; *(descrizione)* Route *die* ; **~ turistico** *(percorso)* Touristentour *die.*

Iugoslạvia *sf* : **la repubblica federale di ~** die Bundesrepublik Jugoslawien.

I.V.A. *(abbr di Imposta sul Valore Aggiunto) sf* MwSt. *die.*

J

jeans *smpl (pantaloni)* Jeans *pl.* ◆ *sm (tessuto)* Jeansstoff *der.*

jolly *sm inv (nelle carte)* Joker *der.*

Jugoslạvia = **Iugoslavia**.

K

karaọke *sm inv (gioco)* Karaoke *das* ; *(locale)* Karaoke-Bar *die.*

karatè *sm inv* Karate *das.*

Kẹnia *sm* : **il ~** Kenia *nt.*

kg *(abbr di chilogrammo)* kg.

kịller *smf inv* Killer *der.*

kit *sm inv (insieme)* Set *das* ; *INFORM* Kit *das.*

kiwi *sm inv (frutto)* Kiwi *die.*

km *(abbr di chilometro)* km.

k.o. *(abbr di knock out)* k.o.

koạla *sm inv* Koala *der.*

Kosovo *sm* : **il ~** der Kosovo ; **nel ~** im Kosovo.

K-way® *sm inv* Regenjacke *die.*

L

la → **il.**

là *avv (stato in luogo)* dort ; *(moto a luogo)* dorthin ; *(rafforzativo)* : **ehilà** heda! ; **di ~** *(nella stanza accanto (stato))* nebenan ; *(moto da luogo)* weg von da ; *(moto per luogo)* dorthin ; **(al) di ~ di qc** jenseits *(+G)* ; *(cifra)* über.

labbro (*mpl* **labbri**, *fpl* **labbra**) *sm (fpl : labbra)* ANAT Lippe *die* ; **un bacio sulle labbra** ein Kuss auf den Mund ; *(mpl : labbri) (bordo)* Ränder *pl.*

labirinto *sm* Labyrinth *das.*

laboratorio *sm (scientifico)* Labor(atorium) *das* ; *(artigianale)* Werkstatt *die* ; **~ linguistico** Sprachlabor *das.*

lacca, che *sf (vernice)* Lack *der* ; *(per capelli)* Haarspray *das.*

laccio, i *sm (cappio)* Schlinge *die* ; *(legaccio, stringa)* Band *das.*

lacerare *vt (strappare)* zerreißen. ■ **lacerarsi** *vr (strapparsi)* zerreißen.

lacrima *sf* Träne *die* ; **in lacrime** unter Tränen.

lacrimogeno *agg* Tränen-. ◆ *sm* Tränengas *das.*

lacuna *sf (di memoria, preparazione, cultura)* Lücke *die.*

ladro, a *sm, f* Dieb *der*, -in *die.*

laggiù *avv (in basso)* dort unten ; *(lontano)* dahinten.

lagnarsi *vr (piagnucolare)* jammern ; *(protestare)* : **~ (di)** sich beklagen (über *(+A)*).

lago, ghi *sm* See *der.*

LAGHI

Die bekanntesten italienischen Seen liegen in Norditalien, so z. B. der „Lago Maggiore", der Comer See und der Gardasee - der größte von ihnen. Alle drei ziehen dank des milden Klimas, einmalig schöner Landschaften und herrlicher Villen inmitten von prachtvollen Parkanlagen alljährlich Tausende von italienischen und ausländischen Touristen an.

---

laguna *sf* Lagune *die.*

laico, a, ci, che *agg (mentalità, educazione)* undogmatisch. ◆ *sm, f (persona)* Laie *der.*

lama *sf (di coltello, rasoio)* Klinge *die.*

lamentarsi *vr (emettere lamenti)* stöhnen ; **~ (di)** *(dimostrarsi insoddisfatto)* sich beschweren (über *(+A)*).

lamentela *sf (reclamo)* Beschwerde *die.*

lametta *sf (di rasoio)* Rasierklinge *die.*

lamiera *sf* Blech *das.*

lampada *sf* Lampe *die* ; **~ da tavolo** Tischlampe ; **~ tascabile** Taschenlampe.

lampadario *sm* Leuchter *der.*

lampadina *sf* Glühbirne *die.*

lampeggiare *vi* blinken.

lampeggiatore *sm (freccia)* Blinker *der* ; *(di ambulanza)* Blinklicht *das.*

lampione *sm* Laterne *die.*

lạmpo *sm (fulmine)* Blitz *der* ; *(bagliore)* Aufleuchten *das.* ◆ *sf (cerniera)* Reißverschluss *der.*

lampọne *sm (frutto)* Himbeere *die.*

lạna *sf (filo, tessuto)* Wolle *die* ; **pura ~ vergine** reine Schurwolle.

lancẹtta *sf (di orologio)* Zeiger *der.*

lạncia (*pl* **-ce**) *sf (arma)* Lanze *die.*

lanciạre *vt (pietra, palla)* werfen ; *(grido)* auslstoßen ; *(moda, prodotto, personaggio)* lancieren. ■ **lanciarsi** *vr (dall'alto)* hinunterlspringen ; *(contro, verso)* sich stürzen auf *(+A)* ; **lanciarsi in qc** *(impresa)* sich in etw *(A)* stürzen.

lạncio *sm* Wurf *der.*

languọre *sm (di stomaco)* Hungergefühl *das.*

lạpide *sf (funeraria)* Grabstein *der* ; *(commemorativa)* Gedenktafel *die.*

lạpis *sm inv* Bleistift *der.*

lạrdo *sm* Schweinespeck *der.*

larghẹzza *sf (dimensione)* Breite *die* ; *(abbondanza)* Fülle *die.*

lạrgo, a, ghi, ghe *agg (nelle misure, grande, ampio)* breit ; *(abbondante)* groß ; *(piazza)* weit. ◆ *sm (alto mare)* : **andare al ~** aufs Meer hinauslfahren ; **farsi ~** sich *(D)* einen Weg bahnen ; **stare** ○ **tenersi alla larga da** Abstand halten von.

lạrva *sf (insetto)* Larve *die.*

lasạgne *sfpl* Lasagne *die.*

lasciạre *vt* - 1. *(cessare di tenere)* freilgeben ; **~ la presa** loslassen.
- 2. *(luogo, persona)* verlassen.
- 3. *(far rimanere)* lassen ; **posso ~ i bagagli in camera?** kann ich das Gepäck auf dem Zimmer lassen? ; **lasciar detto a qn che ...** jm auslrichten lassen, dass ...
- 4. *(in uno stato)* lassen ; **~ qn in pace** jn in Ruhe lassen ; **~ a desiderare** zu wünschen übrig lassen.
- 5. *(rinunciare a)* auflgeben ; **~ il lavoro** die Arbeit aufgeben.
- 6. *(in eredità)* hinterlassen.
- 7. *(permettere)* : **lasciami vedere** lass mich mal sehen ; **lasciar correre** ○ **perdere** sein lassen.
■ **lasciarsi** *vr (separarsi)* sich trennen ; **lasciarsi andare** *(non controllarsi)* sich gehen lassen.

lạser *agg inv* Laser-. ◆ *sm inv* Laser *der.*

lassatịvo, a *agg* abführend. ◆ *sm* Abführmittel *das.*

lassù *avv (in alto, a nord)* dort oben.

lạstra *sf* - 1. *(di ghiaccio, vetro, pietra)* Platte *die.* - 2. *(radiografia)* Röntgenaufnahme *die.*

laterạle *agg (di lato)* seitlich.

latịno, a *agg (mediterraneo)* romanisch. ◆ *sm (lingua)* Latein *das.*

latịno-americạno, a *agg* lateinamerikanisch.

latitụdine *sf (geografica)* Breitengrad *der.*

lạto *sm (fianco, facciata)* Seite *die* ; *(aspetto)* Aspekt *der* ; **a ~ (di**

qc) *(moto)* neben (etw *(+A)*) ; *(stato)* neben (etw *(+D)*).

latta *sf (lamiera)* Weißblech *das.*

lattaio, a *smf* Milchmann *der*, -frau *die.*

latte *sm (di mucca, capra, donna)* Milch *die* ; **~ detergente** Reinigungsmilch ; **~ intero** Vollmilch ; **~ magro** Magermilch ; **~ scremato** entrahmte Milch ; **~ in polvere** Milchpulver *das* ; **~ di soia** Sojamilch.

latteria *sf (negozio)* Milchladen *der* ; *(stabilimento)* Molkerei *die.*

lattina *sf (di bevanda, di prodotto inscatolato)* Dose *die.*

lattuga *sf (insalata)* Kopfsalat *der.*

laurea *sf* ≃ Hochschulabschluss *der.*

laurearsi *vr* : **~ in qc** seinen Abschluss in etw *(D)* machen.

laureato, a *agg* ≃ Diplom-. ◆ *sm, f* ≃ Akademiker *der*, -in *die.*

lavaggio *sm (di panni, di auto)* Wäsche *die* ; **auto ~** Autowaschanlage *die.*

lavagna *sf (di scuola)* Tafel *die.*

lavanda *sf (pianta)* Lavendel *der.*

lavanderia *sf* Wäscherei *die* ; **~ automatica** Schnellwäscherei *die.*

lavandino *sm* Waschbecken *das.*

lavapiatti *sm, f inv (sguattero)* Tellerwäscher *der*, -in *die.*

lavare *vt (pulire)* waschen, *(pavimento)* aufwischen. ■ **lavarsi** *vr* sich waschen ; **~ i denti** sich *(D)* die Zähne putzen ; **~ le mani** sich *(D)* die Hände waschen.

lavasecco *sm, f inv (lavanderia)* (chemische) Reinigung.

lavastoviglie *sf inv* (Geschirr)spülmachine *die.*

lavatrice *sf (lavabiancheria)* Waschmaschine *die.*

lavorare *vi (avere una professione)* arbeiten. ◆ *vt (legno, metallo, lana, terra)* bearbeiten.

lavorativo, a *agg (giorno, settimana)* Arbeits-.

lavorato, a *agg (materiale)* bearbeitet.

lavoratore, tr·ice *sm, f* Arbeiter *der*, -in *die.*

lavorazione *sf (legno, cotone)* Verarbeitung *die.*

lavoro *sm (attività professionale)* Arbeit *die* ; *(realizzazione)* Leistung *die* ; **'lavori in corso'** 'Bauarbeiten' ; **lavori stradali** Straßenarbeiten.

le → **il.**

leale *agg* loyal.

leccalecca *sm inv* Lolli *der.*

leccare *vt (con lingua)* lecken.

lega, ghe *sf (associazione)* Verband *der* ; POL **Lega Nord** Lega Nord *die* ; *(di metalli)* Legierung *die.*

legale *agg (permesso dalla legge)* legal ; *(relativo alla legge)* Gesetzes-. ◆ *smf (avvocato)* Rechtsanwalt *der*, -anwältin *die.*

legąme *sm (sentimentale)* Verhältnis *das* ; *(nesso)* Verbindung *die*.

legąre *vt (con corda, catena, laccio)* zusammenǀbinden ; *(cane)* anǀbinden.

legęnda *sf (didascalia)* Zeichenerklärung *die*.

lęgge *sf (norma statale e scientifica, ordinamento)* Gesetz *das*.

leggęnda *sf (favola)* Legende *die*.

leggendąrio, a *agg (memorabile)* legendär.

lęggere *vt* & *vi* lesen.

leggeręzza *sf (di materiale, corpo)* Leichtigkeit *die*.

leggęro, a *agg* leicht.

legįttimo, a *agg (figlio)* ehelich ; *(desiderio, richiesta)* berechtigt ; **legittima difesa** Notwehr *die*.

lęgno *sm* Holz *das*.

legųmi *smpl (verdure)* Gemüse *das*.

lęi *pron (terza persona)* sie ; *(forma di cortesia)* Sie ; **dare del ~ a qn** jn siezen ; **ho 18 anni e ~ ne ha 20** ich bin 18 und sie ist 20 (Jahre alt).

lentamęnte *avv* langsam.

lęnte *sf (vetro)* Linse *die* ; **~ di ingrandimento** Lupe *die* ; **lenti a contatto** Kontaktlinsen.

lentęzza *sf* Langsamkeit *die*.

lentįcchia *sf* Linse *die*.

lęnto, a *agg (nell'azione, nell'imparare)* langsam ; *(allentato)* locker. ◆ *sm* langsamer Walzer.

lęnza *sf* Angelschnur *die*.

lenzuǫlo, a *sm* Betttuch *das*.

leǫne, leonęssa *sm (animale)* Löwe *der*, -in *die*. ■ **Leone** *sm (segno zodiacale)* Löwe.

leopąrdo *sm (animale)* Leopard *der*.

lępre *sf (animale, pietanza)* Hase *der*.

lęsbica, che *sf* Lesbe *die*.

lesiǫne *sf* MED Läsion *die*.

lęsso, a *agg* gekocht. ◆ *sm* Suppenfleisch *das*.

letąme *sm (concime)* Mist *der*.

lęttera *sf (missiva)* Brief *der* ; *(dell'alfabeto, carattere)* Buchstabe *der* ; **alla ~** wörtlich. ■ **lettere** *sfpl (facoltà)* Literaturwissenschaften *pl*.

letteratųra *sf (opere)* Literatur *die*.

lettįno *sm (del medico)* Untersuchungsliege *die* ; *(per bambini)* Bettchen *das*.

lętto *sm (mobile)* Bett *das* ; **andare a ~** zu Bett gehen ; **~ a castello** Etagenbett ; **~ matrimoniale** ○ **a due piazze** Ehebett ; **~ a una piazza** Einzelbett ; **letti gemelli** Doppelbett.

Lettǫnia *sf* : **la ~** Lettland *nt*.

lettǫre, trįce *sm f (di libro, giornale)* Leser *der*. ◆ *sm (di compact disc)* CD-Player *der*.

lettųra *sf* Lektüre *die*.

lęva *sf (per sollevare)* Hebel *der* ; *(asta)* Hebebaum *der* ; *(mi-*

litare) Einberufung *die* ; ~ **del cambio** Schalthebel.

levare *vt (togliere)* weglnehmen ; ~ **una dente** einen Zahn ziehen ; *(alzare)* heben. ■ **levarsi** *vr (vento)* sich erheben.

levatoio *agg m* → **ponte**.

levigare *vt* glätten.

lezione *sf (insegnamento)* Unterricht *der* ; *fig (punizione)* Denkzettel *der* ; **lezioni private** Privatunterricht *der (ohne pl)* ; **spero ti serva di ~** das ist dir hoffentlich eine Lehre.

lezzo *sm* Gestank *der*.

li → **lo**.

lì *avv (stato in luogo)* da ; *(moto a luogo)* dahin ; *(rafforzativo)* : **quello lì** dieser da ; **eccoli lì** da sind sie ; **alto là** halt ; *(quel punto, momento)* dahin.

Libano *sm* : **il ~** der Libanon.

libeccio *sm* Südwestwind *der*.

libellula *sf* Libelle *die*.

liberare *vt (mettere in libertà)* befreien ; *(rendere disponibile)* räumen. ■ **liberarsi** *vr (annullare un impegno)* sich frei machen. ■ **liberarsi di** *vr + prep (persona, impegno, oggetto)* sich entledigen *(+G)*.

libero, a *agg* frei ; **essere ~ di fare qc** *(avere il potere)* freie Hand haben, etw zu tun.

libertà *sf inv (condizione, permesso)* Freiheit *die*.

libreria *sf (negozio)* Buchhandlung *die* ; *(mobile)* Bücherschrank *der*.

libretto *sm MUS* Libretto *das* ; ~ **degli assegni** Scheckbuch *das* ; ~ **di circolazione** Kraftfahrzeugschein *der* ; ~ **di risparmio** Sparbuch *das* ; ~ **universitario** Studienbuch *das*.

libro *sm* Buch *das* ; ~ **giallo** Krimi *der*.

licenza *sf (autorizzazione)* Lizenz *die* ; *(militare)* Urlaub *der* ; ~ **media** ≃ Mittelschulabschluss *der*.

licenziamento *sm* Kündigung *die*.

licenziare *vt (dal lavoro)* kündigen. ■ **licenziarsi** *vr* kündigen.

liceo *sm (scuola superiore)* Gymnasium *das*.

lido *sm (spiaggia, riva)* Strand *der* ; **il ~ di Venezia** der Lido von Venedig.

lieto, a *agg (contento)* fröhlich ; **molto ~!** sehr erfreut!

lievitare *vi (pasta)* auf|gehen ; *fig (prezzi)* steigen.

lievito *sm (sostanza)* Hefe *die* ; ~ **di birra** Bierhefe.

Liguria *sf* : **la ~** Ligurien *nt*.

lima *sf (utensile)* Feile *die*.

limitare *vt (diminuire, restringere)* beschränken. ■ **limitarsi** *vr* : **limitarsi nel fare qc** sich in etw *(D)* ein|schränken ; **limitarsi a fare qc** sich auf etw *(A)* beschränken.

limitato, a *agg (ridotto)* begrenzt.

limite *sm (confine, punto estremo)* Grenze *die* ; ~ **di velocità** Geschwindigkeitsbegrenzung *die*.

limonata *sf (bibita)* Limonade *die*.

limone *sm (frutto)* Zitrone *die* ; *(albero)* Zitronenbaum *der*.

limpido, a *agg (cielo, acqua, mare)* klar ; *(suono, voce)* hell.

linea *sf* Linie *die* ; *(telefonica)* Leitung *die* ; **mantenere la ~** auf die Linie achten ; **la ~ aerea** die Fluglinie ; **avere qualche ~ di febbre** leichtes Fieber haben ; **in ~ d'aria** in der Luftlinie.

lineare *agg (diritto)* geradlinig.

lineetta *sf (segno tipografico)* Gedankenstrich *der*.

lingua *sf (linguaggio)* Sprache *die* ; *ANAT & CULIN* Zunge *die* ; **~ madre** Muttersprache ; **~ straniera** Fremdsprache.

linguaggio *sm (umano, informatica)* Sprache *die* ; **~ dei segni** Zeichensprache.

linguetta *sf (delle scarpe, di scatola, lattina)* Lasche *die*.

linguistico, a, ci, che *agg* sprachwissenschaftlich.

lino *sm (fibra)* Flachs *der*.

liofilizzato, a *agg* gefriergetrocknet.

liquidare *vt (società)* liquidieren ; *(debiti)* tilgen ; *(merce)* verkaufen ; *(sbarazzarsi di)* entledigen *(+G)*.

liquidazione *sf (di merci)* Ausverkauf *der* ; *(indennità, buonuscita)* Abfindung *die*.

liquido, a *agg (fluido)* flüssig. ◆ *sm (corpo)* Flüssigkeit *die* ; *(denaro)* Bargeld *das*.

liquirizia *sf* Lakritze *die*.

liquore *sm (bevanda)* Likör *der*.

lira *sf (unità monetaria)* Lira *die*.

lirica *sf MUS* Opernmusik *die* ; *(poesia)* Lyrik *die*.

lisca, che *sf (di pesce)* Gräte *die*.

liscio, a, sci, sce *agg (levigato)* glatt ; *(senza ghiaccio)* ohne Eiswürfel. ◆ *sm (ballo) traditionelle Tanzmusik wie Walzer, Polka, Tango*.

lista *sf (elenco)* Liste *die* ; **essere in ~ d'attesa** auf der Warteliste stehen ; **~ dei vini** Weinkarte *die*.

listino *sm* : **~ (dei) prezzi** Preisliste *die* ; **~ dei cambi** Kurszettel *der*.

lite *sf (litigio)* Streit *der*.

litigare *vi (bisticciare)* streiten.

litigio *sm* Streit *der*.

litorale *sm (costa)* Küste *die*.

litro *sm (unità di misura)* Liter *der*.

livello *sm (altezza, piano)* Ebene *die* ; **~ delle acque** Pegel(stand) *der* ; *fig (importanza, grado)* Niveau *das* ; **~ del mare** Meeresspiegel *der*.

livido *sm* blauer Fleck.

lo *art & pron* ihn, es → **il**.

locale *agg (del posto)* lokal. ◆ *sm (stanza)* Raum *der* ; *(luogo pubblico)* Lokal *das* ; **~ notturno** Nachtlokal.

località *sf inv* Ort *der*.
locanda *sf (pensione)* Gasthof *der*.
locandina *sf* Programmzettel *der*.
locomotiva *sf* Lokomotive *die*.
lodare *vt (elogiare)* loben.
lode *sf (elogio)* Lob *das*.
loggione *sm (settore)* Galerie *die*.
logica *sf (facoltà mentale)* Logik *die*.
logico, a, ci, che *agg (razionale, coerente)* logisch.
logorare *vt (consumare)* verschleißen ; *(stancare)* ermüden. ■ **logorarsi** *vr (cosa)* sich ab|nutzen.
Lombardia *sf* : **la ~** die Lombardei.
lombardo, a *agg* lombardisch.
lombrico, chi *sm* Regenwurm *der*.
Londra *sf* London *nt*.
longitudine *sf* Länge *die*.
lontananza *sf (distanza)* Entfernung *die* ; *(assenza)* Abwesenheit *die* ; **in ~** in der Ferne.
lontano, a *agg (luogo)* weit (weg) ; *(nel tempo)* fern ; *(parente)* entfernt. ◆ *avv* weit ; **è ~?** ist es weit? ; **~ da** weit von ; **da ~** von weitem.
loquace *agg (chiacchierone)* gesprächig.
lordo, a *agg (peso, stipendio)* brutto.
loro *pron (soggetto, complemento)* sie ; *form (complemento di termine)* ihnen ; **~ stessi** sie selbst ; **dillo ~** sag es ihnen. ■ **il loro** (*f* **la loro**, *mpl inv*, *fpl* **le loro**) *agg* ihr. ◆ *pron* ihre, -r, -s.
lotta *sf* Kampf *de*.
lottare *vi* kämpfen.
lotteria *sf (gioco)* Lotterie *die*.
lotto *sm (gioco)* Lotto *das* ; *(di terreno)* Parzelle *die*.
lozione *sf* Lotion *die*.
lubrificante *sm* Schmiermittel *das*.
lucchetto *sm* Vorhängeschloss *das*.
luccicare *vi* funkeln.
lucciola *sf (animale)* Glühwürmchen *das*.
luce *sf* Licht *das* ; **luci d'arresto** Bremslichter *pl* ; **luci di direzione** Blinker *der* ; **luci di posizione** Standlicht ; **a luci rosse** Rotlicht-.
lucertola *sf (animale)* Eidechse *die*.
lucidare *vt (scarpe, argenteria)* polieren.
lucidatrice *sf (elettrodomestico)* Bohnermaschine *die*.
lucido, a *agg (pavimento, tessuto, rossetto)* glänzend ; *fig (mente)* klar. ◆ *sm (foglio)* Folie *die* ; **~ da scarpe** Schuhcreme *die*.
luglio *sm* Juli *der* ; *vedi anche* **settembre**.
lui *pron (soggetto)* er ; *(con preposizione)* ihn, ihm ; **ho visto ~, ma lei non c'era** ihn habe ich

gesehen, aber sie war nicht da ; è ~ das ist er ; ~ **stesso** er selbst.

lumạca, che *sf (mollusco, chiocciola)* Schnecke *die*.

lụme *sm (lampada)* Lampe *die* ; **a ~ di candela** bei Kerzenlicht.

luminọso, a *agg* hell.

lụna *sf (satellite)* Mond *der* ; **~ di miele** Flitterwochen *pl* ; **~ park** Vergnügungspark *der* ; **~ piena** Vollmond.

lunedì *sm inv* Montag *der* ; *vedi anche* **sabato**.

lungạrno *sm (a Firenze) Straße am Arnoufer entlang.*

lunghẹzza *sf (misura, temporale)* Länge *die*.

lụngo, a, ghi, ghe *agg (nello spazio, nel tempo)* lang ; *(caffè)* dünn ; **a ~** lange ; **di gran lunga** bei weitem ; **in ~ e in largo** weit und breit.

lungolạgo *sm* Seepromenade *die*.

lungomạre *sm* Strandpromenade *die*.

lungotẹvere *sm (a Roma) Straße am Tiberufer entlang.*

lunọtto *sm* Heckscheibe *die*.

luọgo, ghi *sm (posto)* Ort *der* ; **aver ~** stattlfinden ; **~ comune** Gemeinplatz *der* ; **~ di culto** Kultstätte *die* ; **~ di nascita** Geburtsort ; **del ~** örtlich.

lụpo *sm (animale selvatico)* Wolf *der*.

lụrido, a *agg* verdreckt.

lusingạre *vt (far piacere a)* schmeicheln.

lussạre *vt* auslrenken.

Lussembụrgo *sm* : **il ~** Luxemburg *nt*.

lụsso *sm (sfarzo, oggetto, superfluo)* Luxus *der*.

lussuọso, a *agg* luxuriös.

lussureggiạnte *agg* üppig.

lustrạre *vt (lucidare)* herauslputzen.

lụtto *sm (cordoglio)* Trauer *die* ; **essere in ~** trauern.

M

ma *cong* aber ; **~ no!** ach nein! ; **~ sì!** doch.

macché *esclam* ach was.

maccherọni *smpl (pasta)* Makkaroni *pl* ; **~ alla chitarra** *handgemachte Makkaroni aus den Abruzzen.*

mạcchia *sf* Fleck *der* ; *(bosco)* Macchia *die (dichtes, immergrünes Gehölz in den Mittelmeergebieten).*

macchiạre *vt (sporcare)* beflecken. ■ **macchiarsi** *vr (sporcarsi)* Flecken bekommen.

macchiạto, a *agg (imbrattato)* fleckig.

mạcchina *sf (automobile)* Auto *das* ; *(apparecchio)* Apparat *der* ; **andare in ~** mit dem Auto fahren ; **~ fotografica** Fotoapparat ; **~ da scrivere** Schreibmaschine *die*.

macchinẹtta *sf (caffettiera) traditionelle neapolitanische Kaffeemaschine.*

macchinista *sm (di treno)* Lokführer *der*; *(di nave)* Maschinist *der*.

macedonia *sf (di frutta)* Obstsalat *der*.

Macedonia *sf (stato balcanico)* : **la ~** Mazedonien *nt*.

macellaio, a *sm,f (venditore)* Metzger *der*, -in *die*.

macelleria *sf* Metzgerei *die*.

macinacaffè *sm inv* Kaffeemühle *die*.

macinapepe *sm inv* Pfeffermühle *die*.

macinare *vt (grano, caffè, pepe)* mahlen ; *(carne)* durch den Fleischwolf drehen.

macinato, a *agg* gemahlen. ◆ *sm (carne)* Hackfleisch *das*.

macrobiotico, a, ci, che *agg (negozio, cibo)* makrobiotisch.

madre *sf (mamma)* Mutter *die*; *(suora)* Schwester *die*.

madrelingua *sf* Muttersprache *die*.

madrina *sf (di battesimo)* Taufpatin *die*.

maestra *sf* → **maestro**.

maestrale *sm* Mistral *der*.

maestro, a *sm, f* Lehrer *der*, -in *die*. ◆ *sm MUS* Maestro *der*; *(artigiano, artista)* Meister *der*.

magari *escl* schön wärs! ; **magari potesse venire!** wenn er nur kommen könnte! ◆ *avv (forse)* womöglich.

magazzino *sm (deposito)* Lager *das*.

maggio *sm* Mai *der*; *vedi anche* **settembre**.

maggioranza *sf (maggior parte, numero, di governo)* Mehrheit *die*; **la ~ assoluta** die absolute Mehrheit ; **nella ~ dei casi** in den meisten Fällen.

maggiore *agg (più grande, più numeroso, più importante)* größere, -r, -s ; *(più vecchio)* ältere, -r, -s. ◆ *sm MIL* Major *der*; **la ~ età** Volljährigkeit *die*; **la maggior parte (di)** der größte Teil (von).

maggiorenne *agg* volljährig. ◆ *smf* Volljährige *der, die*.

magia *sf (stregoneria)* Magie *die*; *(incanto)* Zauber *der*.

magico, a, ci, che *agg (stregonesco)* magisch ; *(straordinario, incantevole)* zauberhaft.

maglia *sf (indumento)* Pullover *der*; **la ~ della Juventus** das Trikot von Juventus Turin ; *(tessuto)* Trikotagen *pl*; *(di catena)* Glied *das*; **lavorare a ~** stricken.

maglieria *sf (indumenti)* Strickwaren *pl*.

maglietta *sf (a maniche corte)* T-Shirt *das*.

maglione *sm* dicker Pullover.

magnetico, a, ci, che *agg (forza, campo, ago)* magnetisch.

magnifico, a, ci, che *agg (bellissimo)* prächtig.

mago, a, ghi, ghe *sm,f (stregone)* Zauberer *der*, -berin *die*; *(illusionista)* Zauberkünstler *der*, -in *die*.

magro, a *agg* mager.

mai *avv (nessuna volta, nessun*

caso) nie ; *(qualche volta)* jemals ; **non ... ~** niemals ; **~ più** nie mehr.

maiale *sm (animale, carne)* Schwein *das* ; *fig (sudicione)* Ferkel *das.*

maionese *sf* Majonäse *die.*

mais *sm* Mais *der.*

maiuscola *sf* Großbuchstabe *der.*

maiuscolo, a *agg (lettera)* groß geschrieben.

malandato, a *agg (oggetto, persona)* verwahrlost.

malanno *sm (malattia)* Gebrechen *das.*

malapena : a malapena *avv* mit Müh und Not.

malato, a *agg (infermo)* krank. ◆ *sm,f* Kranke *der, die.*

malattia *sf (affezione)* Krankheit *die* ; **essere in ~** *(congedo)* krankgeschrieben sein.

malconcio, a, ci, ce *agg (cosa, persona)* übel zugerichtet.

maldestro, a *agg (impacciato, goffo)* unbeholfen.

male *sm (ingiustizia)* Böse *das* ; *(dolore)* Schmerzen *pl* ; *(malattia)* Leiden *das* ; **fare del ~ a qn** jm weh tun ; **non c'è ~!** es geht! ; **ti fa ~?** tut es dir weh? ; **mi fanno ~ i piedi** mir tun die Füße weh ; **mal d'aria** Luftkrankheit *die* ; **mal d'auto** Reisekrankheit *die* ; **mal di gola** Halsschmerzen *pl* ; **mal di mare** Seekrankheit *die* ; **mal di pancia** Bauchschmerzen ; **mal di stomaco** Magenschmerzen ; **mal di testa** Kopfschmerzen ; **sentirsi ~** sich nicht wohl fühlen ; **andare a ~** schlecht werden ; **restarci** o **rimanerci ~** enttäuscht sein ; **di ~ in peggio** vom Regen in die Traufe ; **aversela** o **prendersela a ~** gekränkt sein. ◆ *avv* schlecht.

maledetto, a *pp* → **maledire.** ◆ *escl fam (insopportabile)* verflixt. ◆ *agg (sventurato)* verdammt ; *fam (insopportabile)* verflucht.

maledire *vt (imprecare contro)* verwünschen.

maledizione *sf (imprecazione)* Verwünschung *die.*

maleducato, a *agg* ungezogen.

maleducazione *sf (cattiva educazione)* Ungezogenheit *die.*

maleodorante *agg* übelriechend.

malessere *sm (fisico, mentale)* Unwohlsein *das.*

malfamato, a *agg (luogo)* verrufen.

malfermo, a *agg (passo)* unsicher.

malformazione *sf* MED Missbildung *die.*

malgrado *avv* obwohl ; **mio ~** wohl oder übel.

malignità *sm inv (insinuazione)* Bosheit *die.*

maligno, a *agg (persona, commento)* boshaft.

malinconia *sf (stato d'animo)* Schwermut *die.*

malinconico, a, ci, che *agg (persona, atmosfera)* melancholisch.

malincuore : a malincuore *avv* schweren Herzens.

malintenzionato, a *agg* übelgesinnt.

malinteso *sm* Missverständnis *das*.

malizia *sf (contrario di ingenuità)* Arglist *die*.

malizioso, a *agg (persona, sguardo)* aufreizend.

malore *sm* Unwohlsein *das*.

malridotto, a *agg* übel zugerichtet.

malsano, a *agg* ungesund.

Malta *sf* Malta *nt*.

maltempo *sm* schlechtes Wetter.

malto *sm* Malz *das*.

maltrattare *vt* misshandeln.

malumore *sm (cattivo umore)* schlechte Laune ; **essere di ~** schlechter Laune sein.

malvagio, a, gi, gie *agg (azione, persona)* böse.

malvolentieri *avv* ungern.

mamma *sf (madre)* Mutter *die*.

mammella *sf (di donna)* Brust *die* ; *(di animale)* Zitze *die*.

mammifero *sm* Säugetier *das*.

mancanza *sf (scarsità, assenza)* Mangel *der* ; **sentire la ~ di qn** jn vermissen ; **in ~ di** mangels *(+G)*.

mancare *vi (non esserci)* fehlen ; *(essere lontano)* fort sein ; *form (morire)* sterben. ◆ *vt (colpo, bersaglio)* verfehlen ; **mi manchi molto** du fehlst mir sehr ; **mi manca il tempo** mir fehlt die Zeit ; **ci è mancato poco che cadesse** er wäre beinahe hingefallen ; **manca un quarto alle quattro** es ist Viertel vor vier. ■ **mancare di** *v + prep (essere privo)* mangeln an *(+D)*. ■ **mancare a** *v + prep* unterlassen.

mancia, ce *sf* Trinkgeld *das* ; **dare la ~ (a qn)** (jm) ein Trinkgeld geben.

mancino, a *agg (persona)* linkshändig.

manco *avv fam (nemmeno)* nicht einmal ; **~ per idea** nicht im Entferntesten.

mandarancio *sm* Klementine *die*.

mandare *vt (persona, lettera, pacco)* schicken ; **~ a chiamare qn** nach jm schicken ; **~ via qn** jn weg|schicken ; **~ avanti** *(farsi precedere)* voraus|schicken ; *fig (famiglia, azienda)* sorgen für.

mandarino *sm* Mandarine *die*.

mandata *sf (di chiave)* Umdrehung *die* ; **chiudere a doppia ~** den Schlüssel zweimal umdrehen.

mandibola *sf* Unterkiefer *der*.

mandolino *sm* Mandoline *die*.

mandorla *sf* Mandel *die* ; **occhi a ~** Schlitzaugen *pl*.

mandorlato *sm (dolce)* *Gebäck aus gebrannten Mandeln*.

maneggiare *vt (strumenti, denaro)* um|gehen mit.

maneggio *sm (di cavalli)* Reitstall *der.*

manetta : manette *sfpl* Handschellen *pl.*

mangiare *vt (cibo)* essen ; *fig (consumare)* durch|bringen ; *(negli scacchi)* schlagen. ◆ *vi* essen ; **far da ~** Essen machen ; **~ le parole** nuscheln.

mangime *sm* Tierfutter *das.*

mania *sf (fissazione)* Manie *die* ; **avere la ~ di fare qc** die fixe Idee haben, etw zu tun.

maniaco, a, ci, che *agg (atteggiamento, persona)* krankhaft. ◆ *sm,f* Besessene *der, die.*

manica, che *sf (di indumento)* Ärmel *der* ; **a maniche corte** kurzärmelig ; **a mezze maniche** mit halblangen Ärmeln. ■ **Manica** *sf* : **la Manica, il Canale della Manica** der Ärmelkanal.

manichino *sm (abbigliamento)* Schaufensterpuppe *die* ; *(per artisti)* Gliederpuppe *die.*

manico, ci *sm (di scopa, pentola)* Stiel *der* ; *(di coltello, tazza, valigia)* Griff *der* ; *(di borsa, secchio)* Henkel *der.*

manicomio *sm (ospedale)* Irrenanstalt *die.*

manicure *sf inv (persona, trattamento)* Maniküre *die.*

maniera *sf (modo)* Art *die* ; **in ~ che** damit.

manifestare *vt (rendere noto)* kund|geben. ◆ *vi (sfilare)* demonstrieren. ■ **manifestarsi** *vr* in Erscheinung treten.

manifestazione *sf (corteo)* Demonstration *die* ; *(di sentimento)* Äußerung *die* ; *(spettacolo)* Veranstaltung *die.*

manifesto, a *agg (chiaro)* offensichtlich. ◆ *sm (cartellone)* Plakat *das.*

maniglia *sf (di porta)* Klinke *die* ; *(di valigia, autobus)* Griff *der.*

manipolare *vt (con le mani)* behandeln ; *fig (alterare)* manipulieren.

mano, i *sf (parte del corpo)* Hand *die* ; *(nelle carte)* Vorhand *die* ; *(di vernice)* Anstrich *der* ; **dare una ~ a qn** jm unter die Arme greifen ; **darsi la ~** sich *(D)* die Hand reichen ; **fatto a ~** handgearbeitet ; **man ~ che** nach und nach ; **di seconda ~** aus zweiter Hand ; **andare contro ~** gegen die Fahrtrichtung fahren ; **essere alla ~** umgänglich sein ; **fuori ~** abgelegen.

manodopera *sf (lavoratori)* Arbeitskraft *die* ; *(costo)* Arbeitslohn *der.*

manomettere *vt (meccanismo)* manipulieren ; *(serratura)* beschädigen ; *fig (prove)* manipulieren.

manopola *sf (di televisione, radio, termosifone)* Schaltknopf *der* ; *(guanto)* Fäustling *der.*

manovale *sm,f* Hilfsarbeiter *der,* -in *die.*

manovra *sf (operazione, con l'auto, militare)* Manöver *das.*

manovrare *vt (un congegno)* betätigen ; *fig (una persona)* manipulieren. ◆ *vi MIL* manövrieren.

mansarda *sf* Mansarde *die*.

mantello *sm (di animale)* Fell *das* ; *(indumento)* Mantel *der*.

mantenere *vt (conservare)* erhalten ; *(sostentare)* unterhalten ; *(tener fede a)* halten. ■ **mantenersi** *vr (guadagnarsi da vivere)* für seinen Lebensunterhalt aufkommen ; *(conservarsi)* jung bleiben.

mantenimento *sm (conservazione)* Erhaltung *die* ; *(sostentamento)* Unterhalt *der*.

manuale *agg* Hand-. ◆ *sm* Handbuch *das*.

manubrio *sm (di bicicletta, moto)* Lenker *der* ; *(di congegno)* Handgriff *der*.

manutenzione *sf* Wartung *die*.

manzo *sm (animale)* Rind *das* ; *(carne)* Rindfleisch *das*.

mappa *sf (carta)* Landkarte *die* ; *INFORM* Übersichtsseite *die*.

mappamondo *sm (globo)* Globus *der* ; *(su carta)* Weltkarte *die*.

maratona *sf SPORT* Marathon(lauf) *der*.

marca, che *sf (di prodotto, scontrino)* Marke *die* ; **~ da bollo** Stempelmarke ; **prodotto di ~** Markenprodukt *das*.

marcare *vt (contrassegnare)* kennzeichnen ; *SPORT (avversario)* decken.

marchio *sm (segno)* Zeichen *das* ; *(di bestiame)* Brandzeichen *das* ; **~ di fabbrica** Warenzeichen ; **~ registrato** eingetragenes Warenzeichen.

marcia, ce *sf (passo)* Marsch *der* ; *(di auto)* Gang *der* ; **fare ~ indietro** einen Rückzieher machen ; **mettersi in ~** auflbrechen.

marciapiede *sm* Gehsteig *der*.

marcio, cia *agg (cibo, legno, dente)* faul.

marcire *vi (cibo)* verderben ; *(dente)* faulen.

marco, chi *sm (moneta)* Mark *die*.

mare *sm (massa di acqua)* Meer *das* ; **andare al ~** ans Meer fahren ; **Mar Ligure** Ligurisches Meer.

marea *sf (di mare)* Gezeiten *pl* ; **alta ~** Flut *die* ; **bassa ~** Ebbe *die* ; *fig (moltitudine, di gente)* Strom *der*.

mareggiata *sf* Sturmflut *die*.

maresciallo *sm* Unteroffizier *der*.

margarina *sf* Margarine *die*.

margherita *sf (fiore)* Margerite *die*.

margine *sm (di pagina, di strada, bosco)* Rand *der*.

marina *sf (militare)* Marine *die*.

marinaio *sm (militare)* Marinesoldat *der* ; *(civile)* Seemann *der*.

marinare *vt CULIN* marinieren ; **~ la scuola** die Schule schwänzen.

marinaro, a *agg* : **alla ~** *mit Meeresfrüchten*.

marinata *sf* Marinade *die*.

marino, a *agg* See-.
marionetta *sf (pupazzo)* Marionette *die.*
marito *sm* Ehemann *der.*
marittimo, a *agg* See-.
marmellata *sf* Marmelade *die.*
marmitta *sf (di auto, moto)* Auspuff *der.*
marmo *sm (roccia)* Marmor *der.*
marocchino, a *agg (del Marocco)* marokkanisch. ◆ *sm, f* Marokkaner *der,* -in *die.* ◆ *sm (pelletteria)* Maroquin *der* o *das.*
Marocco *sm* : **il ~** Marokko *nt.*
marrone *agg* braun. ◆ *sm (colore)* Braun *das* ; *(frutto)* Esskastanie *die.*
marron glacé *sm inv* glasierte Esskastanien.
marsupio *sm (borsello)* Beutel *der* ; *(di animale)* Brustbeutel *der.*
martedì *sm inv* Dienstag *der* ; *vedi anche* **sabato**.
martellare *vt* & *vi* hämmern.
martello *sm (utensile)* Hammer *der.*
marzapane *sm* Marzipan *das.*
marziale *agg (arte)* Kampfsport-.
marziano, a *sm, f (extraterrestre)* Marsmensch *der.*
marzo *sm* März *der* ; *vedi anche* **settembre**.
mascalzone *sm* Schuft *der.*
mascara *sm inv* Wimperntusche *die.*
mascarpone *sm* Mascarpone *der (süß-sahniger Weichkäse).*
mascella *sf* Oberkiefer *der.*
maschera *sf (finto volto, subacquea, di bellezza)* Maske *die* ; *(di cinema, teatro)* Platzanweiser *der,* -in *die.*
mascherare *vt (volto)* vermummen ; *(dissimulare)* verbergen. ■ **mascherarsi** *vr (travestirsi)* sich verkleiden ; **mascherarsi (da)** sich ausgeben (als).
maschile *agg (grammatica, sesso, anatomia)* männlich ; *(da uomo)* Männer-, Herren- ; *(scuola, spogliatoio)* Jungen-.
maschio, a *agg (di sesso maschile)* männlich. ◆ *sm (ragazzo, neonato)* Junge *der* ; *(animale)* Männchen *das* ; *(adulto)* Mann *der.*
mascotte *sf inv* Maskottchen *das.*
massa *sf (di materia)* Masse *die* ; *(mucchio)* Haufen *der* ; *(gente)* Menge *die* ; **una ~ di** eine Menge von ; **di ~** *(protesta, cultura)* Massen-.
massaggiare *vt* massieren.
massaggiatore, trice *sm, f* Masseur *der,* -rin *die.*
massaggio *sm* Massage *die.*
massaia *sf* Hausfrau *die.*
massiccio, a, ci, ce *agg (corporatura)* kräftig ; **oro ~** reines Gold. ◆ *sm (montagna)* Massiv *das* ; **il ~ del monte Bianco** das Montblanc-Massiv.
massima *sf (detto)* Maxime *die* ; *(regola)* Grundregel *die* ;

(temperatura) Höchsttemperatur *die*.

mạssimo, a *agg (il più grande)* größte, -r, -s. ◆ *sm (il grado più elevato)* : **il ~ dei voti** Höchstnote *die* ; **al ~** höchstens.

mạss mẹdia *smpl* Massenmedien *pl*.

mạsso *sm (sasso)* Felsblock *der*.

masticạre *vt (cibo)* kauen.

mastịno *sm (razza canina)* Bluthund *der*.

matemạtica *sf (disciplina)* Mathematik *die*.

matemạtico, a, ci, che *agg (regola, principio, certezza)* mathematisch. ◆ *sm, f (studioso)* Mathematiker *der*, -in *die*.

materassịno *sm (galleggiante ; da campeggio)* Luftmatratze *die* ; *(da ginnastica)* Matte *die*.

materạsso *sm* Matratze *die*.

matẹria *sf (sostanza)* Materie *die* ; *(materiale)* Stoff *der* ; *(disciplina)* Fach *das* ; *(argomento)* Thema *das* ; **materie prime** Rohstoffe *pl*.

materiạle *agg (concreto)* materiell. ◆ *sm (sostanza, attrezzatura)* Material *das* ; **~ sintetico** Kunststoff *der*.

maternità *sf inv (condizione)* Mutterschaft *die* ; *(di ospedale)* Entbindungsstation *die*.

matẹrno, a *agg (amore, istinto)* mütterlich ; *(zio, nonno)* mütterlicherseits.

matịta *sf (per scrivere)* Bleistift *der* ; *(per occhi, labbra)* Stift *der*.

matrịgna *sf (seconda moglie)* Stiefmutter *die*.

matrimoniạle *agg (del matrimonio)* Ehe- ; **letto ~** Ehebett *das*.

matrimọnio *sm (unione)* Ehe *die* ; *(cerimonia)* Hochzeit *die*.

mattịna *sf* Morgen *der* ; **di prima ~** frühmorgens.

mattinạta *sf (mattina)* Vormittag *der*.

mattiniẹro, a *agg* : **essere ~** ein Frühaufsteher sein.

mattịno *sm* Morgen *der*.

mạtto, a *agg (pazzo)* verrückt. ◆ *sm, f* : **andare ~ per** nach etw verrückt sein.

mattọne *sm (per costruire)* Ziegel *der* ; *fig (pesante, noioso)* Langweiler *der* ; *(libro)* Schinken *der*.

mattonẹlla *sf (piastrella)* Fliese *die*.

maturạre *vt (vegetali, persona)* reifen lassen. ◆ *vi (stagionare)* reifen.

maturità *sf (saggezza, età)* Reife *die* ; *(diploma, esame)* Abitur *das* ; Matura *die Österr & Schweiz*.

LA MATURITÀ

Italienische Schüler legen am Ende der Oberschule mit 18 oder 19 Jahren das Abitur ab. Je nach Schulform spricht man vom humanistischen, naturwissenschaftlichen, fachtechnischen oder musischen Abitur, das zum Besuch einer Hochschule berechtigt. Die Prüfung besteht aus drei schriftlichen und einem mündlichen, interdisziplinären Teil. Gemeinsam für alle Schultypen ist die erste schriftliche Prüfung in Italienisch. Das Gesamtergebnis wird nach einem hundert Punkte umfassenden System berechnet und geht aus den Bewertungen der Prüfungsarbeiten und dem Notendurchschnitt der letzten drei Schuljahre hervor.

---

maturo, a agg *(frutto, responsabilità, di età)* reif.

mazza sf *(bastone)* Knüppel *der* ; **~ da golf** Golfschläger *der*.

mazzo sm *(di fiori)* Strauß *der* ; *(di chiavi)* Bund *der* ; *(di carte)* Spiel *das*.

me pron *(complemento oggetto)* mich ; *(con preposizione)* mir, mich ; *(a me)* mir.

meccanico, a, ci, che agg *(di macchina)* Maschinen- ; *(di meccanica, automatico)* mechanisch. ◆ sm,f Mechaniker *der*, -in *die*.

meccanismo sm *(congegno)* Mechanismus *der*.

mèche sf inv Strähnchen *das*.

medaglia sf *(nello sport, per meriti)* Medaille *die*.

media sf *(a scuola, valore intermedio)* Durchschnitt *der* ; **in ~** durchschnittlich ; **le (scuole) medie** ≃ Mittelschule *die*.

medicare vt *(ferita)* verarzten.

medicina sf *(scienza)* Medizin *die* ; *(farmaco)* Arznei *die*.

medicinale agg Heil-. ◆ sm Medikament *das*.

medico, a, ci, che agg *(di medico, medicina)* ärztlich. ◆ sm *(dottore)* Arzt *der*, Ärztin *die* ; **~ di guardia** Notarzt.

medievale agg *(del Medio Evo)* mittelalterlich.

medio, a agg *(intermedio)* durchschnittlich ; *(di mezzo)* mittlere, -r, -s ; *(calcolato per media)* Durchschnitts-. ■ **(dito) medio** sm Mittelfinger *der*.

mediocre agg *(inferiore alla media, scadente)* ungenügend.

medioevale = **medievale**.

medioevo sm Mittelalter *das*.

meditare vt *(considerare)* überlegen ; *(progettare)* planen. ◆ vi *(fare meditazione)* meditieren.

meditazione sf *(riflessione)* Nachdenken *das* ; *(disciplina orientale)* Meditation *die*.

mediterraneo, a agg *(clima, popolo)* mediterran. ■ **il (Mar) Mediterraneo** sm das Mittelmeer.

medusa sf *(animale)* Qualle *die*.

meglio avv - 1. *(comparativo)* besser ; **mi sento ~ di ieri** ich fühle mich besser als gestern ; **andare ~** besser gehen.
- 2. *(superlativo)* am besten ; **è il dolce che mi riesce ~** dieser Kuchen gelingt mir am besten.
◆ agg inv - 1. *(migliore)* bessere, -r, -s ; **la tua macchina è ~ della mia** dein Auto ist besser als meins.
- 2. *(impersonale)* am besten ; **è ~ rimanere qui** wir bleiben am besten hier.

◆ *sm* : **fare del proprio ~** sein Bestes tun.

◆ *sf* : **avere la ~ su qn** sich gegen jn durchlsetzen ; **alla bell'e ~** recht und schlecht.

mela *sf* Apfel *der* ; **~ cotogna** Quitte *die*.

melagrana *sf* Granatapfel *der*.

melanzana *sf (verdura)* Aubergine *die* ; **melanzane alla parmigiana** *mit Käse überbackene Auberginen*.

melma *sf (fango)* Schlamm *der*.

melo *sm (albero)* Apfelbaum *der*.

melodia *sf (musicale)* Melodie *die*.

melodramma, i *sm* Oper *die*.

melone *sm* Melone *die*.

membro, i *sm (di club, associazione)* Mitglied *das* ; *(arto)* Glied *das*.

memorabile *agg* denkwürdig.

memoria *sf (facoltà)* Gedächtnis *das* ; *(ricordo)* Erinnerung *die* ; INFORM Speicher *der* ; **sapere qc a ~** etw auswendig können.

mendicante *smf* Bettler *der*, -in *die*.

meno *avv* - 1. : **~ (di)** weniger (als) ; **camminate ~ in fretta** geht nicht so schnell ; **sempre ~ spesso** immer seltener ; **un po' di ~** etwas weniger ; **più o ~** mehr oder weniger.

- 2. *(in superlativi)* : **la camera ~ cara** das billigste Zimmer ; **quello che costa di ~** das, was am wenigsten kostet.

- 3. *(no)* : **non so se restare o ~** ich weiß nicht, ob ich noch bleiben soll oder nicht.

- 4. *(nelle ore)* : **le nove ~ un quarto** Viertel vor neun.

- 5. *(nelle temperature)* : **stanotte siamo scesi a ~ sei** heute Nacht ist das Thermometer auf minus sechs Grad gesunken.

- 6. *(in espressioni)* : **a ~ che ...** es sei denn ... ; **non essere da ~ (di qn)** (jm) nicht nachstehen wollen ; **fare a ~ di** ohne etw auslkommen ; **~ male (che)** Gott sei Dank (, dass) ; **tanto ~** um so weniger.

◆ *prep* - 1. *(tranne)* außer ; **c'erano tutti ~ lei** es waren alle da außer ihr ; **~ che mai** weniger denn je.

- 2. MAT : **dieci ~ sei fa quattro** zehn minus sechs macht vier.

◆ *agg inv* weniger ; **oggi c'è ~ gente** heute sind weniger Leute da ; **fare il ~ possibile** so wenig wie möglich tun.

mensa *sf (locale)* Mensa *die* ; *(mensa aziendale)* Kantine *die* ; **mangiare in ~** in der Mensa essen.

mensile *agg (rivista, paga)* monatlich ; *(abbonamento)* Monats-. ◆ *sm (periodico)* Monatsheft *das*.

mensola *sf (ripiano)* Bord *das*.

menta *sf (pianta)* Minze *die* ; *(bevanda)* Pfefferminztee *der* ; *(caramella)* Pfefferminzbonbon *das*.

mentale *agg (della mente)* mental ; *(calcolo, riserva)* still.

mente *sf (intelletto)* Geist *der* ; *(pensiero)* Gedanke *der* ; **avere in ~ di fare qc** etw im Sinne haben ; **sfuggire o passare di ~ a qn** jm entfallen ; **tenere a ~ qc** sich *(D)* etw merken.

mentire *vi* lügen.

mento *sm* Kinn *das.*

mentre *cong (temporale)* während ; *(avversativa)* dabei.

menù *sm inv (lista)* Speisekarte *die* ; INFORM Menü *das.*

meraviglia *sf (stupore)* Erstaunen *das* ; **le sette meraviglie del mondo** die sieben Weltwunder.

meravigliare *vt (stupire)* verwundern. ■ **meravigliarsi di** *vr + prep* sich wundern über *(+A).*

meraviglioso, a *agg (stupendo)* wundervoll.

mercantile *sm (nave, marina)* Handelsschiff *das.*

mercatino *sm (luogo)* Wochenmarkt *der* ; **~ d'antiquariato** *(delle pulci)* Flohmarkt.

mercato *sm* Markt *der* ; **~ dei cambi** Devisenmarkt ; **~ nero** Schwarzmarkt ; **a buon ~** billig. ■ **Mercato Comune Europeo** *sm* Europäische Gemeinschaft.

IL MERCATO

Auch die kleinsten Ortschaften besitzen in Italien ihren Markt. Überdacht oder im Freien stehen zahlreiche Stände und Buden, an denen Obst und Gemüse, Blumen und Grünpflanzen, Wurstwaren, verschiedene Käsesorten und manchmal auch Fisch verkauft werden. Außerdem findet ein- oder zweimal in der Woche an festgesetzten Tagen ein Wochenmarkt statt, auf dem fliegende Händler allerlei Waren anbieten, vor allem Bekleidung, Schuhe und Haushaltswaren. Auf dem Markt sind die Preise gewöhnlich niedriger als in Geschäften oder Supermärkten. In einigen südlichen Regionen Italiens ist es noch Brauch, über den Preis zu verhandeln.

---

merce *sf* Ware *die.*

merceria *sf (negozio)* Kurzwarenhandlung *die.*

mercoledì *sm* Mittwoch *der* ; *vedi anche* **sabato.**

mercurio *sm (metallo)* Quecksilber *das.*

merda *sf volg (escremento)* Scheiße *die.* ◆ *escl volg (accidenti!)* Scheiße!

merenda *sf kleines Vesperbrot.*

meridionale *agg (posto a sud)* Süd- ; *(del sud)* südlich. ◆ *smf* Südländer *der*, -in *die.*

Meridione *sm* : **il ~** der Süden.

meringa, ghe *sf* Baiser *das.*

meringato, a *sf (dolce)* Baisertorte *die.*

meritare *vt (essere degno di)* verdienen. ◆ *vi (valere)* lohnen ; **meritarsi qc** sich *(D)* etw verdienen.

merito *sm (bravura)* Verdienst *das* ; *(riconoscimento)* Anerkennung *die* ; **per ~ di Antonio** dank Antonio *(D)*.

merlętto *sm (pizzo)* Spitze *die*.

mẹrlo, a *sm, f (uccello)* Amsel *die*.

merlụzzo *sm* Dorsch *der*.

meschịno, a *agg (scarso)* dürftig ; *(spregevole)* erbärmlich ; *(infelice)* armselig.

mescolạre *vt (mischiare)* mischen ; *(rimestare)* vermengen ; *(mettere in disordine)* durcheinander|bringen.

mẹse *sm (parte dell'anno, trenta giorni)* Monat *der*.

mẹssa *sf* RELIG Messe *die*.

messạggio *sm (comunicazione)* Nachricht *die* ; *(di film, libro)* Botschaft *die* ; INFORM Meldung *die*.

messicạno, a *agg* mexikanisch. ◆ *sm, f (abitante)* Mexikaner *der*, -in *die* ; **messicani di vitello** *(involtini)* ≃ Kalbsrouladen *pl*.

Mẹssico *sm* : **il ~** Mexiko *nt*.

messinscẹna *sf (teatrale)* Inszenierung *die* ; *(finzione)* Theater *das*.

mẹsso, a *pp* → **mettere**.

mestiẹre *sm (lavoro)* Beruf *der*.

mẹstolo *sm (da cucina)* Kochlöffel *der*.

mestruaziọni *sfpl* Periode *die*.

mẹta *sf (destinazione)* Ziel *das*.

metà *sf inv (parte)* Hälfte *die* ; *(punto di mezzo)* Mitte *die* ; **dividere qc a ~** etw halbieren ; **fare a ~ (con qn)** sich *(D)* etw (mit jm) teilen.

metạllico, a, ci, che *agg (di metallo)* Metall- ; *(rumore, voce)* metallisch.

metạllo *sm (elemento chimico, materiale)* Metall *das*.

metallụrgico, a *agg* metallurgisch.

mẹteo *sm (alla TV o radio)* Wetterbericht *der*.

meteorolọgico, a, ci, che *agg* meteorologisch.

metọdico, a, ci, che *agg (persona, lavoro)* methodisch.

mẹtodo *sm (criterio)* Verfahren *das*.

mẹtrico, a, ci, che *agg (di misurazione)* Maß-. ◆ *sf (ritmo in poesia)* Metrik *die*.

mẹtro *sm (unità di misura)* Meter *der* ; *(strumento)* Metermaß *das* ; **~ cubo** Kubikmeter ; **~ quadrato** o **quadro** Quadratmeter.

metronọtte *sm inv* Nachtwächter *der*.

metrọpoli *sf (grande città)* Metropole *die*.

metropolitạna *sf* U-Bahn *die*.

LA METROPOLITANA

Ein Verkehrsnetz von U-Bahnen zur Entlastung des Straßenverkehrs gibt es in Italien nur in Rom, Mailand und Neapel. Die U-Bahn in Mailand ist modern und gut ausgebaut. Sie umfasst vier Linien.

mẹttere *vt* - **1.** *(collocare (in*

verticale)) stellen ; **~ i piatti in tavola** die Teller auf den Tisch stellen ; **~ le cose in chiaro** *fig* die Dinge klar stellen ; **~ qc in dubbio** etw bezweifeln.

- 2. *(indossare)* : **~ un cappotto** einen Mantel an|ziehen.

- 3. *(supporre)* : **mettiamo che** nehmen wir an, dass.

- 4. *(in uno stato diverso)* : **non ~ la casa in disordine!** bring das Haus nicht in Unordnung!

- 5. *(tempo)* : **ci si mette un'ora per andare** man braucht eine Stunde bis dahin.

- 6. *(far funzionare)* ein|schalten ; **~ gli abbaglianti** die Scheinwerfer einschalten.

■ **mettersi** *vr* - 1. *(porsi)* sich setzen ; **mettersi a tavola** sich zu Tisch setzen ; **mettersi nei guai** Ärger bekommen.

- 2. *(vestirsi)* sich an|ziehen ; **mettersi in pigiama** sich den Schlafsanzug anziehen.

- 3. *(cominciare)* : **mettersi a fare qc** sich an etw *(A)* machen ; **mettersi in viaggio** auf Reisen gehen.

- 4. *(in espressioni)* : **mettersi d'accordo** sich einigen ; **mettersi bene/male** *fam* sich zum Guten / Schlechten wenden ; **mettersi con qn** *(in società)* sich mit jm zusammen|tun ; **si è messo con Chiara** *(in coppia) fam* er geht mit Chiara.

mẹzza *sf* : **la ~** *(mezzogiorno e mezza)* halb eins.

mezzalụna (*pl* **mezzelune**) *sf* *(coltello)* Wiegemesser *das* ; *(figura)* Halbmond *der*.

mezzanọtte *sf* Mitternacht *die*.

mẹzzo, a *agg* *(metà)* halb ; *(medio)* mittlere, -r, -s. ◆ *sm* *(metà)* Hälfte *die* ; **un metro e ~** eineinhalb Meter ; **un'ora e mezza** eineinhalb Stunden ; *(strumento, procedimento)* Mittel *das* ; *(veicolo)* Fahrzeug *das*. ◆ *avv* halb ; **le cinque e mezza** halb sechs ; **mezza pensione** Halbpension *die* ; **mezza stagione** außerhalb der Hochsaison ; **~ chilo** halbes Kilo ; **~ litro** halber Liter ; **mezz'ora** halbe Stunde ; **in ~ a** mitten in *(+D)* ; **per ~ di** mittels *(+G)* ; **andarci di ~** verwickelt werden in *(+A)* ; **mezzi pubblici** öffentliche Verkehrsmittel ; **mezzi di trasporto** Transportmittel *pl*.

mezzogiọrno *sm* *(ora)* Mittag *der* ; *(sud)* Süden *der*.

IL MEZZOGIORNO

Der Name Mezzogiorno steht für Süditalien und umfasst ein geographisches Gebiet, das durch eine geringere Industrialisierung als das übrige Italien gekennzeichnet ist. Dafür ist die Region jedoch für ihr bedeutendes kulturelles und künstlerisches Erbe sowie für ihre einzigartigen landschaftlichen Schönheiten bekannt.

mi *pron* *(complemento oggetto)* mich ; *(a me)* mir ; *(riflessivo)* mich.

miagolạre *vi* *(gatto)* miauen.

mịca *avv fam* : **non sono ~ scemo**

ich bin doch nicht blöd ; ~ **male** nicht schlecht.

micidiale *agg (mortale, dannoso)* mörderisch.

microfono *sm* Mikrofon *das*.

microscopio *sm* Mikroskop *das*.

midollo *sm* ANAT Mark *das* ; CULIN Knochenmark *das*.

miei → **mio**.

miele *sm (cibo)* Honig *der*.

migliaio (*pl* **migliaia**) *sm* Tausend *das* ; **un ~ di** an die tausend ; **a migliaia** zu Tausenden.

miglio (*pl* **miglia**) *sm (unità di misura)* Meile *die*.

miglioramento *sm* Besserung *die*.

migliorare *vt* verbessern. ◆ *vi (diventare migliore)* sich bessern ; *(malato)* besser gehen.

migliore *agg (comparativo)* besser ; **il ~** *(superlativo)* der Beste.

mignolo *sm* kleiner Finger.

mila → **mille**.

milanese *agg* Mailänder. ◆ *smf (abitante)* Mailänder *der*, -in *die* ; CULIN : **alla ~** auf Mailänder Art.

Milano *sf* Mailand *nt*.

miliardo *sm (numero)* Milliarde *die*.

milione *sm (numero)* Million *die*.

militare *agg* Militär-. ◆ *sm* Soldat *der*.

mille (*pl* **mila**) *num* tausend ; *vedi anche* **sei**.

millefoglie *sm inv (dolce)* *mehrschichtige Blätterteigtorte mit Cremefüllung.*

millennio *sm* Jahrtausend *das*.

millepiedi *sm inv* Tausendfüßler *der*.

millesimo, a *agg* tausendste, -r, -s *vedi anche* **sesto**. ◆ *sm (parte)* Tausendstel *das*.

millimetro *sm* Millimeter *der*.

milza *sf* ANAT Milz *die* ; **mal di ~** Seitenstiche *pl*.

mimare *vt* mimisch darstellen.

mimosa *sf (fiore)* Mimose *die*.

min. (*abbr di minuto*) Min. ; (*abbr di minimo*) mind.

mina *sf (esplosiva, di matita)* Mine *die*.

minaccia *sf (intimidazione)* Drohung *die* ; *(pericolo)* Bedrohung *die*.

minacciare *vt (intimidire)* bedrohen ; *(mettere in pericolo)* gefährden ; *(preannunziare)* drohen mit.

minaccioso, a *agg (intimidatorio)* drohend ; *(pericoloso)* bedrohlich.

minatore *sm* Bergarbeiter *der*.

minerale *agg (che contiene minerali)* Mineral-. ◆ *sm (sostanza)* Mineral *das* ; **acqua ~** Mineralwasser *das*.

minerva *smf (fiammiferi)* Streichholzbriefchen *das*.

minestra *sf (primo)* erster Gang ; **~ in brodo** Suppe *die* ; **~ di verdure** Gemüsesuppe *die*.

minestrone *sm (minestra)* dicke Gemüsesuppe.

miniatura *sf (arte, dipinto)* Miniatur *die*.

miniera *sf (giacimento)* Bergwerk *das*.

minigonna *sf* Minirock *der*.

minima *sf (temperatura)* Tiefsttemperatur *die*.

minimo, a *agg (il più piccolo)* Mindest- ; **non avere il ~ sospetto** nicht den geringsten Zweifel haben ; *(molto piccolo)* minimal. ◆ *sm (parte più piccola)* Minimum *das* ; *(di motore)* Standgas *das* ; **un ~ di** ein Minimum an *(+D)*.

ministero *sm (settore amministrativo)* Ministerium *das* ; *(governo)* Regierung *die*.

ministro *sm (di governo)* Minister *der*, -in *die* ; **~ degli Esteri** Außenminister.

minoranza *sf (gruppo meno numeroso)* Minderheit *die* ; **essere in ~** in der Minderheit sein.

minorato, a *agg* behindert. ◆ *sm, f* Behinderte *der, die*.

minore *agg (comparativo)* jünger ; *(superlativo)* : **fratello ~** jüngerer Bruder ; **sorella ~** jüngere Schwester.

minorenne *smf* Minderjährige *der, die*.

minuscola *sf (lettera)* Kleinbuchstabe *der*.

minuscolo, a *agg (scrittura)* Klein- ; *(molto piccolo)* winzig.

minuto *agg (persona, corpo)* zierlich ; *(piccolo)* klein ; *(fine)* fein. ◆ *sm (unità, attimo)* Minute *die*.

mio, a, ei, e *agg* mein. ◆ *pron (appartenenza)* meine, -r, -s ; *(parentela)* : **i miei (genitori)** meine Eltern.

miope *agg* MED kurzsichtig.

mira *sf (di tiro)* Zielen *das* ; *(scopo)* Absicht *die* ; **prendere di ~** es abgesehen haben auf *(+A)*.

miracolo *sm* RELIG *(caso incredibile)* Wunder *das*.

miraggio *sm (ottico)* Luftspiegelung *die*.

mirare *vi (prendere la mira)* zielen. ◆ *v + prep (con arma)* zielen auf *(+A)* ; *(aspirare)* **~ a** streben nach.

mirtillo *sm (frutto)* Heidelbeere *die*.

miscela *sf (miscuglio, di benzina)* Gemisch *das* ; *(di caffè)* Mischung *die*.

mischia *sf (rissa)* Handgemenge *das* ; **buttarsi nella ~** sich in das Gewühl stürzen.

mischiare *vt* mischen. ■ **mischiarsi** *vr + prep* sich vermischen ; **mischiarsi con** sich einlassen mit.

miseria *sf (povertà)* Elend *das* ; *(quantità insufficiente)* : **è costato una ~** es war spottbillig ; **porca ~!** *fam (accidenti)* verflixt noch mal!

misericordia *sf (pietà)* Erbarmen *das* ; **~!** *(mio Dio!)* barmherziger Himmel!

misero, a *agg (povero)* arm ; *(insufficiente)* dürftig.

missile *sm* Rakete *die*.

missionario, a *sm, f* RELIG Missionar *der*, -in *die*.

missione *sf (incarico)* Auftrag *der* ; RELIG Mission *die*.

misterioso, a *agg (inspiegabile)* rätselhaft ; *(segreto)* geheimnisvoll.

mistero *sm (cosa inspiegabile)* Rätsel *das*.

misto, a *agg (mescolato)* gemischt ; *(eterogeneo)* Misch-. ◆ *sm (miscuglio)* Mischung *die*, Gemisch *das* ; **insalata mista** gemischter Salat ; **frutta mista** gemischtes Obst ; ~ **lana** Halbwolle *die* ; ~ **cotone** Baumwollgemisch.

misura *sf (dimensione, moderazione)* Maß *das* ; *(taglia)* Größe *die* ; **prendere le misure** *(di persona)* Maß nehmen ; **su** ~ maßgeschneidert.

misurare *vt (grandezza)* messen ; *(abito)* an|probieren ; *(valutare)* ab|schätzen. ■ **misurarsi con** *vr + prep* sich messen mit.

misurino *sm* Messbecher *der*.

mite *agg (benevolo)* sanft ; *(clima)* mild ; *(animale)* zahm.

mito *sm (leggenda)* Legende *die* ; *(idealizzazione)* Mythos *der*.

mitragliatrice *sf* Maschinengewehr *das*.

mittente *smf* Absender *der*, -in *die*.

mobile *agg (movibile)* beweglich. ◆ *sm (arredamento)* Möbelstück *das* ; **scala** ~ Rolltreppe *die*.

mobilia *sf (insieme di mobili)* Mobiliar *das*.

mobilitare *vt (esercito, un gruppo)* mobilisieren.

moca *sf inv (caffè)* Mokka *der* ; *(caffettiera) neapolitanische Kaffeemaschine*.

mocassino *sm (scarpa)* Halbschuh *der*.

moda *sf (abbigliamento, voga)* Mode *die* ; **alta** ~ Haute Couture *die* ; **essere** ○ **andare di** ~ in Mode sein ; **passare di** ~ aus der Mode kommen ; **alla** ~ nach der neuesten Mode.

modellare *vt (plasmare)* modellieren.

modello, a *sm (esempio)* Vorbild *das* ; *(di vestito, versione, prototipo)* Modell *das* ; *(di documenti, formulari)* Vorlage *die*. ◆ *sm, f (indossatore)* Model *das*.

moderare *vt (mitigare)* ab|schwächen. ■ **moderarsi** *vr (contenersi)* sich mäßigen.

moderato, a *agg (velocità, caldo)* gemäßigt ; *(persona)* maßvoll. ◆ *sm, f* POL Gemäßigte *der, die*.

moderno, a *agg* modern.

modestia *sf (umiltà)* Bescheidenheit *die*.

modesto, a *agg (umile)* bescheiden ; *(semplice)* genügsam ; *(di cattiva qualità)* billig.

modico, a, ci, che *agg* mäßig ; **'prezzi modici'** 'Niedrigpreise'.

modifica, che *sf* Änderung *die*.

modo *sm (maniera)* Art *die* ;

(mezzo) Weg *der* ; *(opportunità)* Möglichkeit *die* ; GRAMM Modus *der* ; **a ~ mio** auf meine Art ; **~ di dire** Redensart ; **in nessun ~** auf keinen Fall ; **in ogni ~** auf jeden Fall ; **in qualche ~** irgendwie ; **in tutti i modi** mit allen Mitteln.

modulo *sm (stampato)* Formular *das*.

moglie *sf* Ehefrau *die*.

mole *sf (massa)* Masse *die* ; **la Mole Antonelliana** *Monumentalbau in Turin mit einem hohen Spitzturm, von dem Architekten Antonelli im 19. Jahrhundert erbaut.*

molestare *vt (infastidire)* belästigen.

molestia *sf (fastidio)* Lästigkeit *die*.

molesto, a *agg* lästig.

molla *sf (meccanica)* Feder *die* ; **materasso a molle** Sprungfedermatratze *die*.

mollare *vt (allentare)* locker lassen ; *(lasciar andare)* los|lassen ; *fam (fidanzato)* : **~ qn** mit jm Schluss machen. ◆ *vi (cedere)* nach|geben ; **~ un ceffone** *fam (dare uno schiaffo)* eine Ohrfeige versetzen.

molle *agg (morbido)* weich.

molletta *sf (per capelli)* Haarklammer *die* ; *(per panni)* Wäscheklammer *die*.

mollica, che *sf (di pane)* Krume *die*.

molo *sm (di porto)* Mole *die*.

moltiplicare *vt* MAT multiplizieren.

moltiplicazione *sf* MAT Multiplikation *die*.

moltitudine *sf (grande quantità)* Vielzahl *die* ; *(folla)* Menge *die*.

molto, a *agg* - 1. *(in grande quantità)* viel ; **non ho ~ tempo** ich habe nicht viel Zeit.
- 2. *(grande, intenso)* groß ; **hai molta fame?** hast du großen Hunger?
- 3. *(di numero elevato)* : **molti(e)** viele ; **ci sono molti turisti** es gibt viele Touristen.

◆ *pron (quantità)* viel ; *(tempo)* lange ; **l'ho pagato ~** ich habe viel dafür bezahlt ; **molti** *(molta gente)* viele ; **molti di noi** viele von uns.

◆ *avv* - 1. *(con verbi)* sehr ; **mi piace ~** es gefällt mir sehr.
- 2. *(con avverbi, aggettivi)* sehr ; *(con comparativi)* viel ; **è ~ meglio così** es ist viel besser so ; **è ~ presto/tardi** es ist sehr früh/spät ; **è ~ semplice** es ist ganz einfach ; **~ volentieri!** sehr gerne!

momentaneo, a *agg* momentan.

momento *sm (attimo)* Augenblick *der* ; **vengo tra un ~** ich komme gleich ; *(circostanza)* Zeit *die* ; **sono i gusti del ~** das ist der Zeitgeschmack ; **all'ultimo ~** im letzten Moment ; **da un ~ all'altro** jeden Moment ; **per il ~** vorläufig ; **a momenti** *(tra poco)* jeden Moment ; *(quasi)* um ein Haar.

monaca, che *sf (suora)* Nonne *die*.

monaco, ci *sm (frate)* Mönch *der*.

monarchia *sf* Monarchie *die*.

monastero *sm (convento)* Kloster *das*.

mondiale *agg (del mondo)* Welt-.

mondo *sm (universo)* Welt *die* ; *(terra)* Erde *die* ; **cose dell'altro ~** haarsträubende Dinge ; **non lo farei per tutto l'oro del ~** ich würde es um nichts in der Welt tun.

moneta *sf (di metallo)* Münze *die* ; *(valuta)* Währung *die* ; **non avere ~** *(spiccioli)* kein Kleingeld haben.

monitor *sm inv (schermo)* Bildschirm *der*.

monolocale *sm* Einzimmerwohnung *die*.

monopolio (*pl* -i) *sm (di mercato)* Monopol *das*. ■ **Monopoli®** *sm* : **il gioco del Monopoli** das Monopoly(spiel).

monotono, a *agg (ripetitivo)* monoton ; *(noioso)* langweilig.

montagna *sf (monte)* Berg *der* ; *(zona)* Gebirge *das* ; **andare in ~** ins Gebirge fahren. ■ **montagne russe** *sfpl* Achterbahn *die*.

montano, a *agg* Gebirgs-.

montare *vi (salire)* steigen ; *(cavalcare)* reiten. ◆ *vt (congegno)* montieren ; *(panna, albumi)* schlagen ; **montarsi la testa** sich *(D)* etw auf sich *(A)* einlbilden.

montatura *sf (di occhiali)* Gestell *das* ; *(di gioiello)* Fassung *die* ; *fig (bugia, esagerazione)* Mache *die*.

monte *sm (altura)* Berg *der* ; **mandare a ~** über den Haufen werfen ; **il Monte Bianco** der Montblanc.

montone *sm (animale)* Schafbock *der* ; *(carne)* Hammelfleisch *das* ; *(giaccone)* Lammfellmantel *der*.

montuoso, a *agg* bergig.

monumento *sm (commemorativo)* Denkmal *das* ; *(costruzione)* Monument *das*.

mora *sf (del rovo)* Brombeere *die*.

morale *agg (problema, valore)* Sitten- ; *(ambiente, libro, intento)* moralisch. ◆ *sf (etica)* Moral *die*. ◆ *sm (stato d'animo)* Stimmung *die* ; **essere giù di ~** niedergeschlagen sein.

morbido, a *agg (soffice, delicato)* weich.

morbillo *sm* Masern *pl*.

morbo *sm* MED Morbus *der* ; *(malattia)* Krankheit *die*.

mordere *vt (morsicare)* beißen.

morfina *sf* Morphium *das*.

moribondo, a *agg* sterbenskrank.

morire *vi (cessare di vivere)* sterben ; *(soffrire)* vergehen ; **~ di fame** verhungern ; **~ di noia** vor Langeweile sterben ; **~ dal ridere** sich totllachen ; **bello da ~** traumhaft schön.

mormorare *vi (bisbigliare)* flüstern.

moro, a *agg (di capelli)* dunkelhaarig ; *(di carnagione)* dunkel(häutig).

morso, a *pp* → **mordere.** ◆ *sm (atto, dei denti)* Biss *der* ; *(pezzetto)* Bissen *der*.

mortadella *sf* : **~ di Bologna** Mortadella *die* aus Bologna.

mortale *agg (letale)* tödlich ; *(soggetto a morire)* sterblich. ◆ *sm,f* Sterbliche *der, die*.

morte *sf (decesso)* Tod *der*.

morto, a *pp* → **morire.** ◆ *agg (deceduto)* tot ; *(città)* verlassen ; *(festa)* todlangweilig. ◆ *sm, f (defunto)* Tote *der, die* ; **fare il ~** *(nell'acqua)* den toten Mann machen.

mosaico, ci *sm (decorazione)* Mosaik *das*.

mosca, sche *sf (insetto)* Fliege *die*.

moscato *sm (vino)* Muskateller *der*.

moscerino *sm (insetto)* Taufliege *die*.

moschettone *sm (per alpinisti)* Karabinerhaken *der*.

moscone *sm (insetto)* Schmeißfliege *die* ; *(imbarcazione (pattino))* Tretboot *das*.

mossa *sf (movimento)* Bewegung *die* ; *(in scacchi)* Zug *der*.

mosso, a *pp* → **muovere.** ◆ *agg (mare)* bewegt ; *(capelli)* gewellt ; *(fotografia)* verwackelt.

mostarda *sf (di senape)* Senf *der* ; *(di frutta) süße Senfsoße mit kandierten Früchten* ; **~ di Cremona** *ganze kandierte Früchte in Zuckersirup oder Senfsoße*.

mostra *sf (rassegna)* Ausstellung *die* ; **far ~ di qc** etw zur Schau stellen ; **mettersi in ~** sich zur Schau stellen ; **in ~** ausgestellt.

mostrare *vt (far vedere, manifestare)* zeigen ; *(indicare)* zeigen auf *(+A)*. ■ **mostrarsi** *vr (apparire)* sich zeigen.

mostro *sm (figura mitologica)* Ungeheuer *das* ; *fig (persona brutta, deforme)* Monster *das*.

mostruoso, a *agg (orrendo)* abscheulich ; *(feroce)* grausam ; *fam (smisurato)* ungeheuerlich.

motel *sm inv* Motel *das*.

motivo *sm (causa)* Grund *der* ; *(di stoffa)* Muster *das* ; *(musicale)* Motiv *das* ; **per quale ~?** aus welchem Grund? ; **senza ~** ohne Grund.

moto *sm (movimento, esercizio)* Bewegung *die* ; *(impulso)* Impuls *der*. ◆ *sf inv (abbr di motocicletta)* Motorrad *das* ; **mettere in ~** in Gang bringen.

motocicletta *sf* Motorrad *das*.

motore *sm (meccanismo, di barca)* Motor *der* ; **a ~** mit Motorantrieb.

motorino *sm (ciclomotore)* Moped *das*.

motoscafo *sm* Motorboot *das*.

mouse *sm inv* INFORM Maus *die*.

movimentato, a *agg (agitato)* bewegt ; *(festa, cena)* unterhaltsam.

movimento *sm (spostamento,*

corrente) Bewegung *die* ; *(animazione)* Schwung *der* ; MUS Satz *der*.

mozzafiato *agg inv* atemberaubend.

mozzare *vt (recidere)* ablhacken.

mozzarella *sf* Mozzarella *die* ; ~ **in carrozza** *ausgebackene Brotscheiben mit Mozzarella* ; ~ **di bufala** Mozzarella aus Büffelkuhmilch.

mozzicone *sm (di sigaretta, di candela)* Stummel *der*.

mozzo, a *agg (reciso)* abgehauen. ◆ *sm (marinaio)* Schiffsjunge *der* ; *(di ruota, elica)* Nabe *die*.

mucca, che *sf* Kuh *die* ; **sindrome della ~ pazza** Rinderwahnsinn *der*.

mucchio *sm (cumulo)* Haufen *der*.

muffa *sf* Schimmel *der*.

mughetto *sm (fiore)* Maiglöckchen *das*.

mulatto, a *agg* Mischlings-. ◆ *sm, f* Mulatte *der*, -tin *die*.

mulino *sm* Mühle *die* ; ~ **a vento** Windmühle.

mulo, a *sm, f* Maulesel *der*.

multa *sf* Geldstrafe *die*.

multare *vt* mit einer Geldstrafe belegen.

multiplo, a *agg* multipel. ◆ *sm* Vielfache *das*.

multiproprietà *sf (comproprietà)* Gemeinschaftseigentum *das*.

mungere *vt (mucca, capra)* melken.

municipio *sm (amministrazione)* Gemeinde *die* ; *(edificio)* Rathaus *das*.

munire *vt* : ~ **qn/qc di qc** *(fornire)* jn/etw mit etw auslstatten. ■ **munirsi di** *vr + prep* sich versehen mit.

muovere *vt (spostare)* bewegen ; *(rivolgere)* erheben. ■ **muoversi** *vr (mettersi in movimento)* sich bewegen ; *fam (sbrigarsi)* sich beeilen ; **muoviti!** mach schon!

mura *fpl* Mauern *pl*.

murale *agg* Wand-. ◆ *sm (affresco)* : **i murali di Orgosolo** die Murales von Orgosolo.

muratore *sm* Maurer *der*.

muro, i (*fpl* **mura**) *sm (costruzione, di città, fortezza)* Mauer *die*.

muscolare *agg* Muskel-.

muscolo *sm* ANAT Muskel *der*. ■ **muscoli** *smpl (forza)* Muskelkraft *die*.

muscoloso, a *agg* muskulös.

museo *sm* Museum *das*.

musica, che *sf (arte, motivo)* Musik *die* ; ~ **classica** klassische Musik ; ~ **folcloristica** Volksmusik ; ~ **leggera** Unterhaltungsmusik.

musicale *agg (di musica)* Musik- ; *(orecchio, lingua, suono)* musikalisch.

musicista, i, e *smf* Musiker *der*, -in *die*.

muso *sm (di animale)* Maul *das* ; *spreg (di persona)* Schnute *die* ; *(di auto)* Vorderteil *der*.

mutande *sfpl* Unterhose *die*.

mutandine *sfpl (da bambino)* Unterhöschen *das* ; *(da donna)* Slip *der*.

mutare *vt (cambiare)* ändern ; *(trasformare)* verwandeln. ◆ *vi* sich verändern.

muto, a *agg* MED stumm ; *(silenzioso)* still.

mutua *sf* ≃ Krankenkasse *die*.

N

N *(abbr di Nord)* N.

nafta *sf (olio combustibile)* Heizöl *das* ; *(gasolio)* Diesel *der*.

naftalina *sf* Mottenkugeln *pl*.

nailon® *sm* Nylon® *das*.

nano, a *agg (pianta, animale)* Zwerg-. ◆ *sm, f (persona)* Zwerg *der*, -in *die*.

napoletana *sf (caffettiera) neapolitanische Kaffeemaschine*.

napoletano, a *agg* neapolitanisch. ◆ *sm, f* Neapolitaner *der*, -in *die* ; **(alla) napoletana** CULIN auf neapolitanische Art.

Napoli *sf* Neapel *nt*.

narice *sf* Nasenloch *das*.

narrare *vt* erzählen.

nasale *agg (del naso)* Nasen- ; *(suono)* nasal.

nascere *vi (bambino, animale)* geboren werden ; *(pianta)* sprießen ; *(sole)* auflgehen ; **sono nata il 31 luglio del 1965** ich bin am 31. Juli 1965 geboren ; **sono nato a Roma** ich bin in Rom geboren.

nascita *sf (di bambino, animale)* Geburt *die* ; *(di pianta)* Sprießen *das* ; **data di ~** Geburtsdatum *das* ; **luogo di ~** Geburtsort *der*.

nascondere *vt (alla vista)* verstecken ; *(dissimulare)* verbergen. ■ **nascondersi** *vr* sich verstecken.

nascondino *sm* : **giocare a ~** Versteck spielen.

nascosto, a *pp* → **nascondere.** ◆ *agg* versteckt ; **di ~** heimlich.

naso *sm* ANAT Nase *die* ; **ficcare il ~ in qc** *fig* die Nase in etw *(A)* stecken.

nastro *sm (di stoffa)* Band *das* ; **~ adesivo** Klebeband ; **~ trasportatore** Förderband.

natale *agg (casa, città)* Geburts-. ■ **Natale** *sm* Weihnachten *(das)*.

nato, a *pp* → **nascere.** ◆ *agg fig (per natura)* geboren ; **nata Mattei** *(da nubile)* geborene Mattei.

N.A.T.O. *sf (abbr di North Atlantic Treaty Organization)* NATO *die*.

natura *sf (universo)* Natur *die* ; *(carattere)* Naturell *das*.

naturale *agg (della natura)* Natur- ; *(normale, spontaneo, innato)* natürlich ; *(genuino)* naturrein.

naturalmente *avv (secondo natura)* naturnah ; *(ovviamente, certamente)* natürlich.

naufragare *vi (nave)* auflaufen ; *(persona)* Schiffbruch erleiden.

naufragio *sm (di nave)* Schiffbruch *der*.

naufrago, a, ghi, ghe *sm, f* Schiffbrüchige *der, die*.

nausea *sf (sensazione)* Übelkeit *die*.

nauseante *agg (disgustoso)* widerwärtig.

nauseare *vt (dare la nausea)* anlekeln.

nautico, a, ci, che *agg* See-.

navale *agg* Schiffs-.

navata *sf (di chiesa)* Schiff *das*.

nave *sf* Schiff *das* ; **~ passeggeri** Passagierschiff ; **~ traghetto** Fährschiff.

navetta *sf (autobus, persona)* Shuttledienst *der* ; *(spaziale)* Raumschiff *das* ; *(tessile)* Schiffchen *das*.

navigare *vi (imbarcazione)* auf dem Wasser fahren ; *(persona)* zur See fahren ; *INFORM* surfen ; **~ su Internet** im Internet surfen.

navigazione *sf* Schifffahrt *die*.

nazionale *agg (della nazione)* National-. ◆ *sf (squadra)* Nationalmannschaft *die*.

nazionalità *sf inv (cittadinanza)* Nationalität *die*.

nazione *sf (stato)* Nation *die*.

ne *pron* - 1. *(di lui, lei, loro)* : **è bravo e ~ apprezzo le capacità** er ist tüchtig und ich schätze an ihm seine Fähigkeiten.
- 2. *(di un insieme)* davon ; **ha dei panini? ~ vorrei due** haben Sie Brötchen? Ich möchte zwei (davon).
- 3. *(di ciò)* darüber ; **non parliamone più** sprechen wir nicht mehr darüber.
- 4. *(da ciò)* davon ; **~ deriva che** daher kommt es, dass.
◆ *avv (valore intensivo)* : **non te ~ andare!** geh nicht fort! ; **vattene!** verschwinde!

né *cong (negativo)* weder ...noch ; **~ l'uno ~ l'altro sono italiani** weder der eine noch der andere ist Italiener ; **non voglio ~ il primo ~ il secondo** ich möchte weder den ersten noch den zweiten.

neanche *avv (negazione di anche)* auch nicht ; *(nemmeno)* nicht einmal. ◆ *cong* auch nicht ; **~ per sogno** ○ **idea!** nicht einmal im Traum!

nebbia *sf (foschia)* Nebel *der*.

necessariamente *avv* zwangsläufig.

necessario, a *agg (indispensabile)* notwendig ; *(occorrente)* nötig. ◆ *sm* Notwendige *das* ; **~ per toeletta** Necessaire *das*.

necessità *sf (bisogno)* Notwendigkeit *die* ; *(povertà)* Not *die*.

necessitare : necessitare di *v + prep (aver bisogno)* benötigen.

necrologio *sm (annuncio)* Todesanzeige *die* ; *(discorso)* Nachruf *der*.

negare *vt (dire di no)* verneinen ; *(smentire)* ableugnen ; **~ di aver fatto qc** bestreiten, etw getan zu haben ; ~ **qc (a q)** (jm) etw verweigern.

negatįvo, a *agg* negativ. ◆ *sm (foto)* Negativ *das.*

negạto, a *agg* vollkommen unbegabt ; **essere ~ per qc** zu etw nicht taugen.

nẹgli *(in + gli)* → **in.**

negoziạnte, i *smf* Kaufmann *der*, -frau *die.*

negọzio *sm (bottega)* Geschäft *das* ; ~ **di giocattoli** Spielzeugladen *der.*

nẹgro, a *agg (musica, arte)* afrikanisch. ◆ *sm, f (persona)* Afrikaner *der*, -in *die.*

nẹi *(in + i)* → **in.**

nel *(in + il)* → **in.**

nẹlla *(in + la)* → **in.**

nẹlle *(in + le)* → **in.**

nẹllo *(in + lo)* → **in.**

nemįco, a, ci, che *agg (in guerra, ostilità)* feindlich. ◆ *sm, f (in guerra)* Feind *der*, -in *die.*

nemmẹno = **neanche.**

nẹo *sm* ANAT Muttermal *das.*

nẹon *sm (lampada)* Neonröhre *die.*

neonạto, a *sm, f* Neugeborene *das.*

neppụre = **neanche.**

nẹro, a *agg (colore, pane)* schwarz ; *(scuro)* dunkel. ◆ *sm (colore)* Schwarz *das* ; *(di razza)* Schwarze *der.*

nẹrvo *sm* ANAT Nerv *der* ; **dare sui nervi a qc** jm auf die Nerven gehen ; **avere i nervi** reizbar sein.

nervosįsmo *sm* Nervosität *die.*

nervọso, a *agg (dei nervi)* Nerven- ; *(agitato)* nervös.

nessụno, a *agg* niemand. ◆ *pron* niemand ; *(qualcuno)* : **c'è ~?** ist jemand da? ; **nessun uomo** kein Mensch ; **nessuna città** keine Stadt ; **da nessuna parte** nirgends ; ~ **di noi** keiner von uns.

net *sm inv* INFORM & SPORT Netz *das.*

nettẹzza *sf* : ~ **urbana** städtische Müllabfuhr.

nẹtto, a *agg (preciso)* klar ; *(peso, stipendio)* netto.

netturbįno *sm* Müllmann *der.*

nẹutro, a *agg (risposta, atteggiamento, colore)* neutral.

nẹve *sf (precipitazione)* Schnee *der.*

nevicạre *v impers* schneien.

nevicạta *sf* Schneefall *der.*

nevįschio *sm* Schneeregen *der.*

nevralgịa *sf* Neuralgie *die.*

nevrọtico, a, ci, che *agg* neurotisch.

nicotịna *sf* Nikotin *das.*

nịdo *sm (di uccello, di mammifero, insetto)* Nest *das.*

niẹnte *pron* - 1. *(nessuna cosa)* nichts ; **non gli va bene ~** nichts ist ihm recht ; **come se ~ fosse** als wäre nichts geschehen ; **non ho bisogno di ~** ich brauche nichts.
- 2. *(qualcosa)* : **(Le) serve ~?** brauchen Sie etwas?
- 3. *(poco)* : **è una cosa da ~** *(rega-*

lo) es ist nur eine Kleinigkeit ; *(incidente)* es ist nichts Ernstes.
◆ *agg inv fam* kein ; **~ paura!** nur keine Angst!
◆ *avv* nichts ; **non me ne importa ~** das ist mir völlig egal ; **non c'entra ~** das tut nichts zur Sache.
◆ *sm* : **basta un ~ per ...** es genügt eine Kleinigkeit, um... ; **un bel ~** gar nichts.

nientemeno *avv* sogar. ◆ *esclam* Donnerwetter!

night(-club) *sm inv* Nachtlokal *das*.

Nilo *sm* : **il ~** der Nil.

ninnananna *sf* Wiegenlied *das*.

nipote *smf (di zii)* Neffe *der*, Nichte *die* ; *(di nonni)* Enkel *der*, -in *die*.

nitido, a *agg (chiaro)* klar ; *(ben delineato)* scharf.

nitrire *vi* wiehern.

no *avv (negazione)* nein ; *(in frasi interrogative)* nicht ; **lo sai, ~, com'è fatto** du weißt doch, wie er ist ; **lo vuoi o ~?** willst du es oder nicht? ; **~ di certo** garantiert nicht ; **~ davvero** wirklich nicht.

NO *(abbr di Nord-Ovest)* N-W.

nobile *agg (aristocratico)* ad(e)lig. ◆ *smf* Ad(e)lige *der, die*.

nobiltà *sf (aristocrazia, elevatezza)* Adel *der*.

nocciola *agg inv (colore)* haselnussbraun. ◆ *sf (frutto)* Haselnuss *die*.

noccioIina *sf* : **~ (americana)** Erdnuss *die*.

nocciolo[1] *sm (di frutto)* Kern *der*.

nocciolo[2] *sm (albero)* Haselstrauch *der*.

noce *sf (frutto)* Nuss *die*. ◆ *sm (albero, legno)* Nussbaum *der* ; **~ di cocco** Kokosnuss ; **~ moscata** Muskatnuss.

nocivo, a *agg* schädlich.

nodo *sm (di corda, nastro, cravatta)* Knoten *der*.

noi *pron* wir ; **entrate voi, ~ aspettiamo** geht ihr nur hinein, wir warten ; **da ~** *(nel nostro paese)* bei uns (zu Lande) ; **~ stessi(e)** wir selbst.

noia *sf (tedio)* Langeweile *die* ; *(fastidio)* Belästigung *die* ; **venire a ~ (a qn)** (für jn) unerträglich werden ; **dar ~ a qn** jn stören ; **avere delle noie con qc/qn** mit jm/einer Sache Ärger haben.

noioso, a *agg (monotono)* langweilig ; *(fastidioso)* lästig.

noleggiare *vt (prendere a nolo)* mieten ; *(dare a nolo)* vermieten.

noleggio *sm (affitto)* Vermietung *die* ; **prendere qc a ~** etw mieten.

nolo *sm (noleggio)* Vermietung *die* ; **prendere qc a ~** etw mieten.

nome *sm* Name *der* ; GRAMM Nomen *das* ; **conoscere qn di ~** jn dem Namen nach kennen ; **a ~ di qn** in js Namen ; **~ di battesimo** Taufname.

nominare *vt (menzionare)* nennen ; *(eleggere)* ernennen.

non *avv* nicht ; **stasera ~ vengo** heute Abend komme ich nicht ; ~ **è vero!** das ist nicht wahr! ; **sono al bar, ~ a casa** ich bin in der Bar, nicht zu Hause? → **affatto**, **ancora**.

nonché *cong (e anche)* sowie.

nonno, a *sm, f (materno, paterno)* Großvater *der*, -mutter *die* ; *fig (un vecchietto)* Alte *der*, *die*.

nonnulla *sm inv* : **un ~** eine Kleinigkeit.

nono, a *num* neunte, -r, -s ; *vedi anche* **sesto**.

nonostante *prep* trotz *(+G)*. ◆ *cong* obwohl.

nord *sm* Norden *der*. ◆ *agg inv* Nord- ; **a ~ (di qc)** nördlich (von etw) ; **nel ~** im Norden.

nord-est *sm (punto cardinale)* Nordosten *der* ; **a ~ (di qc)** nordöstlich (von etw).

nordico, a, ci, che *agg* nordisch.

nord-ovest *sm* Nordwesten *der*.

norma *sf (regola)* Norm *die* ; **di ~** in der Regel.

normale *agg* normal.

normalità *sf (di situazione)* Normalität *die*.

norvegese *agg* norwegisch. ◆ *smf (persona)* Norweger *der*, -in *die*. ◆ *sm (lingua)* Norwegisch(e) *das*.

Norvegia *sf* : **la ~** Norwegen *nt*.

nostalgia *sf* Heimweh *das* ; **avere ~ di** Heimweh haben nach.

nostro, a *agg* unsere, -r, -s ; **~ padre** unser Vater ; **un ~ amico** ein Freund von uns. ■ **il nostro** (*f* **la nostra**, *mpl* **i nostri**, *fpl* **le nostre**) *pron* unsere, -r, -s.

nota *sf (appunto)* Notiz *die* ; *MUS* Note *die* ; *(elenco)* Liste *die* ; **prendere ~ (di qc)** sich *(D)* (etw) aufschreiben.

notaio *sm* Notar *der*, -in *die*.

notare *vt (osservare, accorgersi di)* bemerken ; *(annotare)* aufschreiben ; **farsi ~** auf sich aufmerksam machen.

notevole *agg (differenza, prezzo)* beträchtlich ; *(persona)* bemerkenswert.

notizia *sf (informazione)* Nachricht *die* ; **avere notizie di qn** (von jm) Nachricht haben.

notiziario *sm (alla radio, TV)* Nachrichten *pl*.

noto, a *agg* bekannt.

nottambulo, a *sm, f* Schlafwandler *der*, -in *die*.

notte *sf (parte del giorno)* Nacht *die* ; **di ~** nachts ; **~ in bianco** schlaflose Nacht.

notturno, a *agg* Nacht-.

novanta *num* neunzig ; *vedi anche* **sei**.

novantesimo *num* neunzigste, -r, -s ; *vedi anche* **sesto**.

nove *num* neun ; *vedi anche* **sei**.

novecento *num* neunhundert ; *vedi anche* **sei**. ■ **Novecento** *sm (XX° secolo)* : **il Novecento** das 20. Jahrhundert.

novembre *sm* November *der*; *vedi anche* **settembre**.

novità *sf inv (cosa nuova)* Neuheit *die* ; *(notizia recente)* Neuigkeit *die*.

nozione *sf (senso)* Begriff *der* ;

nozioni *(di matematica, francese)* (Grund)kenntnisse *pl.*

nozze *sfpl* Hochzeit *die* ; **testimone di ~** Trauzeuge *der*, -gin *die* ; **~ d'argento** silberne Hochzeit.

nube *sf (del cielo)* Wolke *die.*

nubile *agg f* ledig.

nuca *sf* Nacken *der.*

nucleare *agg (energia, centrale)* Atom-.

nucleo *sm (di cellula, atomo)* Kern *der* ; *(di persone)* Gruppe *die* ; **~ familiare** Familie *die.*

nudismo *sm* Freikörperkultur *die.*

nudista, i, e *smf* Nudist *der*, -in *die.*

nudo, a *agg (senza vestiti)* nackt ; *(senza rivestimento, ornamenti)* kahl. ◆ *sm ART* Akt *der.*

nulla = **niente.**

nullità *sf inv (di ragionamento, documento)* Nichtigkeit *die* ; *(persona)* Null *die.*

nullo, a *agg (non valido)* nichtig ; *SPORT* ungültig.

numerale *agg* Zahl-. ◆ *sm* Zahlwort *das.*

numero *sm MAT* Zahl *die* ; *(segno, cifra)* Ziffer *die* ; *(quantità)* Anzahl *die* ; *(di scarpe)* Größe *die* ; *(di rivista)* Ausgabe *die* ; **~ civico** Hausnummer *die* ; **~ chiuso** Numerus clausus *der* ; **~ di conto** Kontonummer *die* ; **~ di targa** Autokennzeichen *das* ; **~ di telefono** Telefonnummer *die* ; **~ verde** Infoline *die.*

numeroso, a *agg (grande, molteplice)* zahlreich.

nuocere : nuocere a *v + prep* schaden *(+D).*

nuora *sf* Schwiegertochter *die.*

nuotare *vi (nell'acqua)* schwimmen.

nuoto *sm* Schwimmen *das.*

nuovo, a *agg (fatto, arrivato da poco, sconosciuto)* neu ; **di ~** nochmals ; **~ di zecca** brandneu.

nuraghe, ghi *sm* Nuragen *pl (prähistorisches Bauwerk auf Sardinien).*

nutriente *agg* nahrhaft.

nutrimento *sm (alimento)* Nahrung *die.*

nutrire *vt (con cibo)* ernähren ; *fig (sentimento)* nähren. ■ **nutrirsi di** *vr + prep (cibarsi)* sich ernähren von.

nuvola *sf (del cielo, di polvere)* Wolke *die.*

nuvoloso, a *agg (cielo, tempo)* bewölkt.

O

o *cong (disgiuntivo)* oder ; *(esplicativo)* : **o ... o ...** entweder ... oder...

O *(abbr di Ovest)* W.

obbediente = **ubbidiente.**

obbedire = **ubbidire.**

obbligare *vt* : **~ qn a fare qc** *(costringere)* jn zwingen, etw zu tun.

obbligato, a *agg (percorso, passaggio)* bestimmt ; *(costret-*

to) : **~ a fare qc** gezwungen sein, etw zu tun.

obbligatọrio, a *agg* obligatorisch.

ọbbligo, ghi *sm* Pflicht *die*.

obẹso, a *agg* fettleibig.

obiettịvo, a *agg (imparziale)* objektiv. ◆ *sm (fotografico)* Objektiv *das* ; *(bersaglio, scopo)* Ziel *das*.

obiettọre *sm* Gegner *der* ; **~ di coscienza** Wehrdienstverweigerer *der*.

obitọrio *sm* Leichenschauhaus *das*.

oblịquo, a *agg (inclinato)* schräg.

obliterạre *vt (biglietto)* entwerten.

oblò *sm inv (di nave)* Bullauge *das* ; *(di aereo)* Fenster *das*.

ọca, che *sf (animale, donna stupida)* Gans *die*.

occasiọne *sf (momento favorevole)* Gelegenheit *die* ; *(affare)* Schnäppchen *das* ; *(circostanza)* Anlass *der* ; **cogliere l'~ per fare qc** die Gelegenheit nutzen, um etw zu tun ; **d'~** Gelegenheits-.

occhiạie *sfpl* : **avere le ~** Ringe unter den Augen haben.

occhiạli *smpl* : **~ (da vista)** (Seh)brille *die* ; **~ da sole** Sonnenbrille.

occhiạta *sf* : **dare un'~ a** einen Blick werfen auf *(+A)*.

ọcchio, chi *sm* Auge *das* ; **a ~ nudo** mit bloßem Auge ; **tenere** o **non perdere d'~** im Auge behalten ; **a ~ e croce** Pi mal Daumen ; **un ~ della testa** ein Heidengeld ; **saltare** o **balzare all'~** ins Auge springen ; **a quattr'occhi** unter vier Augen.

occhiolịno *sm* : **fare l'~ (a qn)** (jm) zulblinzeln.

occidentạle *agg (zona)* West-.

occidẹnte *sm (ovest)* Westen *der*. ■ **Occidente** *sm* : **l'Occidente** *(geografico)* der Westen.

occorrẹnza *sf* : **all'~** im Bedarfsfall.

occọrrere *vi (essere necessario)* benötigen ; **mi occorre tempo** ich brauche Zeit.

occupạre *vt (ingombrare)* einlnehmen ; *(prendere possesso)* besetzen ; *(impegnare)* : **il lavoro lo occupa molto** die Arbeit beschäftigt ihn sehr. ■ **occuparsi di** *vr + prep* sich beschäftigen mit ; *(prendersi cura di)* sich kümmern um.

occupạto, a *agg (non disponibile)* besetzt ; *(impegnato)* : **stasera sono occupato** heute Abend habe ich etwas vor.

occupaziọne *sf (impiego)* Tätigkeit *die* ; *(in economia)* Beschäftigung *die*.

Oceạnia *sf* : **l'~** Ozeanien *nt*.

ocẹano *sm* Ozean *der*.

oculịsta, i, e *smf* Augenarzt *der*, -ärztin *die*.

odiạre *vt* hassen.

ọdio *sm (avversione)* Hass *der*.

odiọso, a *agg* widerwärtig.

odorạre *vt (fiutare)* riechen. ■ **odorare di** *v + prep (mandare odore)* riechen nach.

odọre *sm (sensazione)* Geruch

der. ■ **odori** *smpl (spezie)* Kräuter *pl.*

offendere *vt (insultare)* beleidigen. ■ **offendersi** *vr (risentirsi)* beleidigt sein.

offensivo, a *agg (ingiurioso)* beleidigend.

offerto, a *pp* → **offrire**. ◆ *sf (di lavoro)* Angebot *das* ; *(donazione)* Spende *die* ; **offerta speciale** Sonderangebot.

offesa *sf (oltraggio)* Beleidigung *die*.

offeso, a *pp* → **offendere**.

officina *sf (di fabbrica)* Werkhalle *die* ; *(per auto)* Werkstatt *die*.

offrire *vt (mettere a disposizione)* an|bieten ; *(cena, caffè)* ein|laden ; *(dare)* bieten ; ~ **da bere a qn** jn auf ein Glas ein|laden. ■ **offrirsi di** *v + prep* : ~ **fare qc** sich an|bieten, etw zu tun.

oggettivo, a *agg (imparziale, reale)* objektiv.

oggetto *sm (cosa)* Gegenstand *der* ; *(di un'azione)* Objekt *das* ; **(ufficio) oggetti smarriti** Fundbüro *das*.

oggi *avv (il giorno)* heute ; *(attualmente)* zur Zeit ; ~ **pomeriggio** heute Nachmittag ; **il giornale di** ~ die Zeitung von heute.

oggigiorno *avv* heutzutage.

O.G.M. *sf (abbr di Organismo Geneticamente Modificato)* gentechnisch veränderter Organismus.

ogni *agg (tutti)* jede, -r, -s ; *(distributivo)* alle ; ~ **giorno/mese** jeder Tag/Monat ; ~ **anno** jedes Jahr ; ~ **tre giorni** alle drei Tage ; **in** ~ **caso** jedenfalls ; ~ **tanto** ab und zu ; ~ **volta che** jedes Mal, wenn.

Ognissanti *sm* Allerheiligen *nt*.

ognuno, a *pron* jede, -r, -s ; ~ **di voi** jeder von euch.

Olanda *sf* : **l'**~ Holland *nt*.

olandese *agg* holländisch. ◆ *smf* Holländer *der*, -in *die*. ◆ *sm (lingua)* Holländisch(e) *das*.

olfatto *sm* Geruchssinn *der*.

oliare *vt* ölen.

oliera *sf Soße aus Essig und Öl*.

olimpiadi *sfpl* : **le** ~ Olympiade *die*.

olio *sm (vegetale, animale, minerale)* Öl *das* ; ~ **(extra-vergine) d'oliva** (kaltgepresstes) Olivenöl ; ~ **di semi** Sonnenblumenöl ; **sott'**~ in Öl.

oliva *sf* Olive *die*.

olivo *sm (albero)* Olivenbaum *der*.

olmo *sm* Ulme *die*.

oltralpe *avv* jenseits der Alpen.

oltranza : ad oltranza *avv* bis zum Äußersten.

oltre *avv (più in là)* weiter ; *(ancora)* mehr. ◆ *prep (di là da)* darüber hinaus ; *(più di)* über *(+A)* ; *(in aggiunta a)* außer *(+D)* ; ~ **a** *(all'infuori di)* außer *(+D)* ; *(in aggiunta a)* sowohl als auch.

oltrepassare *vt* überschreiten.

omaggio *sm (tributo)* Huldigung *die*; *(regalo)* Geschenk *das*; **in ~** als Geschenk.

ombelico, chi *sm* ANAT Bauchnabel *der*.

ombra *sf (zona, figura)* Schatten *der*; **all'~** im Schatten.

ombrello *sm (da pioggia)* Schirm *der*.

ombrellone *sm* Sonnenschirm *der*.

ombretto *sm* Lidschatten *der*.

omeopatia *sf* Homöopathie *die*.

omeopatico, a *agg (medico, sostanza)* homöopathisch.

omicidio *sm (uccisione)* Mord *der*.

omogeneizzato *sm* Babynahrung *die*.

omogeneo, a *agg (uniforme)* homogen; *(armonico)* einheitlich.

omonimo, a *sm, f (persona)* Namensvetter *der*.

omosessuale *smf* Homosexuelle *der, die*.

O.M.S. *sf (abbr di Organizzazione Mondiale della Sanità)* WHO *die (Weltgesundheitsorganisation)*.

On. *abbr di* **onorevole**.

onda *sf* Welle *die*; **andare in ~** auf Sendung gehen; **mandare in ~ qc** etw übertragen; **onde lunghe/medie/corte** Lang-/Mittel-/Kurzwellen.

ondata *sf (di mare)* Woge *die*; *fig (afflusso)* Welle *die*.

ondulato, a *agg (superficie)* wellig.

onere *sm form (peso)* Last *die*.

onestà *sf* Ehrlichkeit *die*.

onesto, a *agg (persona, comportamento, politica)* ehrlich.

onnipotente *agg* allmächtig. ◆ *sm (dio)* Allmächtige *der*.

onomastico, ci *sm* Namenstag *der*.

ONOMASTICO

Neben dem Geburtstag feiern manche Italiener auch ihren Namenstag, das heißt den Tag, an dem des oder der namengebenden Heiligen gedacht wird. Zu diesem Anlass werden Glückwunschkarten, kleine Geschenke oder einfach Glückwünsche überbracht.

onorare *vt (celebrare)* ehren; *(fare onore a)* Ehre machen *(+D)*.

onorario, a *agg (titolo, professore, cittadinanza)* Ehren-.

onore *sm (buon nome)* Ansehen *das*; *(omaggio)* Ehre *die*; *(vanto)* Stolz *der*; **fare ~ a qc** *(dolce, pranzo)* etw loben; **in ~ di** zu js Ehren; **fare gli onori di casa** die Gäste empfangen; **farsi ~** sich aus|zeichnen.

onorevole *agg (dignitoso, buono)* ehrenhaft. ◆ *smf (parlamentare)* Abgeordnete *der, die*.

O.N.U. *(abbr di Organizzazione delle Nazioni Unite)* UNO *die*.

opaco, a, chi, che *agg (vetro)* undurchsichtig; *(colore, metallo)* matt.

opera *sf (attività, risultato, in*

musica) Werk *das*, *(realizzazione)* Arbeit *die* ; **mettersi all'~** sich an die Arbeit machen ; **~ d'arte** Kunstwerk.

operaio, a *agg (classe, movimento)* Arbeiter-. ◆ *sm, f (di fabbrica)* Arbeiter *der*, -in *die*.

operare *vt (realizzare)* ausführen ; *MED* operieren.

operatore, trice *sm, f (di televisione, cinema)* Techniker *der*, -in *die* ; **~ turistico** Reiseveranstalter *der*, -in *die*.

operazione *sf (di polizia)* Aktion *die* ; *(chirurgica)* Operation *die* ; *MAT* Rechenart *die*.

opinione *sf (idea, parere)* Ansicht *die* ; *(giudizio)* Meinung *die* ; **~ pubblica** öffentliche Meinung.

opporre : opporsi *vr (essere contro)* : **opporsi (a)** sich widersetzen *(+D)*.

opportunità *sf (occasione)* Gelegenheit *die*.

opportuno, a *agg* geeignet.

opposizione *sf (ostilità)* Widerstand *der* ; *(contrasto)* Gegensatz *der* ; *POL* Opposition *die*.

opposto, a *pp* → **opporre**. ◆ *agg (lato, senso)* Gegen- ; *(idee)* gegensätzlich. ◆ *sm* Gegenteil *das*.

oppressione *sf (sensazione)* Bedrückung *die*.

opprimere *vt (popolo)* unterdrücken ; *(angosciare)* bedrücken.

oppure *cong (o invece)* oder ; *(se no)* sonst.

opuscolo *sm (depliant)* Broschüre *die*.

opzione *sf (scelta)* Auswahl *die* ; *INFORM* Option *die* ; **questa gita è in ~** dieser Ausflug steht zur Wahl.

ora *sf (momento del giorno)* Uhrzeit *die* ; *(durata)* Stunde *die* ; *(momento)* : **è arrivata l'~ di salutarsi** wir müssen uns nun verabschieden. ◆ *avv (adesso)* jetzt ; **a che ~ parte il treno?** um wie viel Uhr fährt der Zug? ; **che ~ è?** wie spät ist es? ; **e ~?** und nun? ; **~ come ~** so wie die Dinge stehen ; **è ~ di fare qc** es ist Zeit, etw zu tun ; **~ legale** Sommerzeit ; **~ solare** Sonnenzeit ; **~ locale** Ortszeit ; **~ di punta** Hauptverkehrszeit ; **all'~** pro Stunde ; **di buon'~** zu früher Stunde ; **d'~ in poi** o **in avanti** ab jetzt ; **fare le ore piccole** die Nacht zum Tag machen.

orale *agg (cavità, via)* Mund- ; *(a voce)* mündlich.

oramai = **ormai**.

orario, a *agg (tabella, segnale)* Zeit- ; *(velocità, tariffa)* Stunden-. ◆ *sm (di ufficio, ricevimento)* Stunde *die* ; *(di visita, lavoro, apertura)* Zeit *die* ; *(tabella)* Fahrplan *der* ; **fuori ~** außerhalb der Arbeitszeit ; **in ~** fahrplanmäßig ; **~ di arrivo** Ankunftszeit ; **~ di partenza** Abfahrtszeit.

orata *sf* Goldbrasse *die*.

orchestra *sf (gruppo)* Orchester *das*.

ordinare *vt (al ristorante, bar)* bestellen ; *(disporre in ordine)* ordnen ; *(comandare)* : **~ a qn di fare qc** jm anlordnen, etw zu tun.

ordinario, a *agg (normale)* üblich.

ordinato, a *agg (casa, persona)* ordentlich.

ordinazione *sf (al ristorante, di merce, servizi)* Bestellung *die*.

ordine *sm (sistemazione)* Ordnung *die* ; *(disposizione)* Reihenfolge *die* ; *(comando)* Befehl *der* ; **essere in ~** in Ordnung sein ; **mettere in ~ qc** etw in Ordnung bringen ; **~ pubblico** öffentliche Ordnung.

orecchiette *sfpl (pasta) muschelförmige Nudeln aus Apulien.*

orecchino *sm* Ohrring *der*.

orecchio (*mpl* **orecchi**, *fpl* **orecchie**) *sm* ANAT Ohr *das* ; *(udito)* Gehör *das*.

orecchioni *smpl* Mumps *der*.

oreficeria *sf (negozio)* Juwelier(laden) *der*.

orfano, a *agg* verwaist. ◆ *sm, f* Waise *die*.

organico, a, ci, che *agg (composto, rifiuti)* organisch. ◆ *sm (personale)* Personal *das*.

organismo *sm (essere vivente)* Organismus *der*.

organizzare *vt* organisieren. ■ **organizzarsi** *vr (prepararsi)* sich organisieren.

organizzatore, trice *sm, f* Veranstalter *der*, -in *die*.

organizzazione *sf* Organisation *die*.

organo *sm* MED *(ente)* Organ *das* ; MUS Orgel *die*.

orgasmo *sm (sessuale)* Orgasmus *der*.

orgoglio *sm* Stolz *der*.

orgoglioso, a *agg (fiero, superbo)* stolz.

orientale *agg* orientalisch. ◆ *smf* Orientale *der*, -lin *die*.

orientamento *sm (posizione)* Ausrichtung *die* ; **perdere l'~** die Orientierung verlieren ; **~ professionale** Berufsberatung *die*.

orientare *vt (situare)* orientieren. ■ **orientarsi** *vr (nello spazio)* sich orientieren.

oriente *sm (est)* Osten *der*. ■ **Oriente** *sm* : **l'~** der Orient.

origano *sm* Oregano *der*.

originale *agg (autentico, nuovo)* original ; *(stravagante)* originell. ◆ *sm (documento, opera)* Original *das*.

originario, a *agg (iniziale)* ursprünglich ; *(paese, lingua)* Ur- ; **essere ~ di** stammen aus.

origine *sf (principio, causa)* Ursprung *der* ; *(provenienza)* Abstammung *die*.

orizzontale *agg (piano, posizione)* waag(e)recht.

orizzonte *sm (linea)* Horizont *der*.

orlo *sm (di fosso, bicchiere)* Rand *der* ; *(di gonna, pantaloni)* Saum *der* ; **~ a giorno** Hohlsaum.

orma *sf (di piede)* Spur *die* ; *(di zampa)* Fährte *die*.

ormai *avv (a questo punto)* nun ; *(quasi)* fast.

ormeggiare *vt* vertäuen. ◆ *vi* anlegen.

ormeggio *sm (manovra)* Vertäuung *die* ; *(luogo)* Anlegeplatz *der*.

ormone *sm* Hormon *das*.

ornamento *sm (oggetto)* Schmuck *der*.

ornare *vt (guarnire)* schmücken.

oro *sm (metallo)* Gold *das* ; **d'~** Gold- ; *fig (prezioso, raro)* : **con questo egli ha fatto affari d'~** er hat damit ein Bombengeschäft gemacht ; **d'~** golden.

orologio *sm* Uhr *die*.

oroscopo *sm (predizione)* Horoskop *das*.

orrendo, a *agg (spaventoso, atroce)* entsetzlich.

orribile *agg* schrecklich.

orrore *sm (ribrezzo, paura)* Horror *der*.

orsacchiotto *sm (pupazzo)* Teddybär *der*.

orso *sm (animale)* Bär *der*.

ortaggio *sm* Gemüse *das*.

ortica, che *sf (pianta)* Brennnessel *die*.

orticaria *sf* Nesselsucht *die*.

orto *sm* Gemüsegarten *der*.

ortodosso, a *agg* RELIG orthodox.

ortografia *sf (scrittura)* Rechtschreibung *die*.

orzaiolo *sm* Gerstenkorn *das*.

orzo *sm (spiga)* Gerstenkorn *das* ; *(granaglia)* Gerste *die*.

osare *vt* : **~ (fare qc)** wagen (, etw zu tun).

osceno, a *agg (indecente)* obszön.

oscillare *vi (dondolare)* schwingen.

oscillazione *sf (di pendolo)* Schwingung *die* ; *(di prezzi, temperature)* Schwankung *die*.

oscurità *sf (buio)* Dunkelheit *die*.

oscuro, a *agg (buio, incomprensibile)* dunkel. ◆ *sm* : **essere all'~ di qc** von einer Sache nichts wissen.

ospedale *sm* Krankenhaus *das*.

ospitale *agg (paese, persona)* gastfreundlich.

ospitalità *sf (qualità)* Gastfreundschaft *die*.

ospitare *vt (alloggiare)* unter|bringen.

ospite *smf (chi ospita)* Gastgeber *der*, -in *die* ; *(ospitato)* Gast *der*.

ospizio *sm (per anziani)* Seniorenheim *das*.

ossa *sf* → **osso**.

osservare *vt (guardare)* betrachten ; **far ~ qc a qn** jn auf etw *(A)* hin|weisen.

osservatorio *sm* Observatorium *das*.

osservazione *sf (esame)* Beobachtung *die* ; *(commento, rimprovero)* Bemerkung *die* ; **ricoverare qn in ~** jn zur Beobachtung einliefern.

ossessionare *vt (tormentare)* plagen.

ossessione *sf (idea fissa)* Besessenheit *die*.

ossia *cong (cioè)* das heißt.

ossigeno *sm* Sauerstoff *der*.

osso (*mpl* -i, *fpl* -a) *sm* (*fpl : ossa per umano*) Knochen *der* ; **le ossa della mano** die Fingerknöchel ; (*mpl : ossi per animali*) Knochen *der* ; **ossi di coniglio** Kaninchenknochen *pl*.

ossobuco *sm in Scheiben geschnittene Kalbshaxe mit Knochen und Mark*.

ostacolare *vt* behindern.

ostacolo *sm* (*del terreno, difficoltà, equitazione*) Hindernis *das* ; (*in atletica*) Hürde *die*.

ostaggio *sm* (*di rapinatori, terroristi*) Geisel *die*.

ostello *sm* : ~ **(della gioventù)** Jugendherberge *die*.

osteria *sf Wirtshaus, in dem Wein und einfache Gerichte serviert werden*.

ostetrico, a, i, che *sm, f* Geburtshelfer *der*, -in *die*.

ostia *sf* RELIG Hostie *die* ; (*di torrone*) Oblate *die*.

ostilità *sf inv* (*avversione*) Feindseligkeit *die*.

ostinarsi *vr* : ~ **a fare qc** sich auf etw (*A*) versteifen.

ostinato, a *agg* starrköpfig.

ostinazione *sf* Hartnäckigkeit *die*.

ostrica, che *sf* Auster *die*.

ottanta *num* achtzig ; *vedi anche* **sei**.

ottantesimo, a *num* achzigste, -r, -s ; *vedi anche* **sesto**.

ottavo, a *num* achte, -r, -s; *vedi anche* **sesto**.

ottenere *vt* (*conseguire*) bekommen.

ottico, a, ci, che *agg* (*nervo*) Seh- ; (*fibra*) optisch. ◆ *sm* Optiker *der*, -in *die*.

ottimismo *sm* (*attitudine*) Optimismus *der*.

ottimista, i, e *sm, f* Optimist *der*, -in *die*.

ottimo, a *agg* (*eccellente*) hervorragend. ◆ *sm* (*voto*) ≃ sehr gut.

otto *num* acht ; *vedi anche* **sei**. ◆ *sm* : ~ **volante** Achterbahn *die*.

ottobre *sm* Oktober *der* ; *vedi anche* **settembre**.

ottocento *num* achthundert ; *vedi anche* **sei**. ■ **Ottocento** *sm* (*XIX° secolo*) : **l'Ottocento** das 19. Jahrhundert.

ottone *sm* (*lega*) Messing *das*.

otturare *vt* (*buco*) verstopfen ; (*dente*) füllen.

otturazione *sf* (*di dente*) Füllung *die*.

ottuso, a *agg* (*angolo*) stumpf.

ovatta *sf* Watte *die*.

overdose *sf inv* (*di droga*) Überdosis *die*.

ovest *agg inv* westlich. ◆ *sm* (*punto cardinale, zona*) Westen *der* ; **a ~ (di qc)** westlich (von etw).

ovile *sm* Schafstall *der*.

ovunque = **dovunque**.

ovvero *cong* (*cioè*) das heißt.

ovvio, a *agg* (*chiaro, banale*) offensichtlich.

ozio *sm (inattività)* Muße *die*.

ozono *sm (gas)* Ozon *das* ; **il buco dell'~** Ozonloch *das*.

P

pacca, che *sf (amichevole)* Klaps *der*.

pacchetto *sm* Päckchen *das*.

pacco, chi *sm (postale, regalo)* Paket *das*.

pace *sf (tra paesi, persone)* Frieden *der* ; *(tranquillità)* Ruhe *die* ; **in ~** in Ruhe ; **fare (la) ~** Frieden schließen.

pace-maker *sm inv* Herzschrittmacher *der*.

pacifico, a, ci, che *agg (persona, vita)* friedlich. ■ **Pacifico** *sm* : **il Pacifico** der Pazifik.

pacifista *smf* Pazifist *der*, -in *die*.

padella *sf (da cucina)* Bratpfanne *die*.

padiglione *sm (di fiera)* Halle *die* ; *(di ospedale)* Gebäude *das*.

Padova *sf* Padua *nt*.

padre *sm (genitore)* Vater *der* ; *RELIG* Pater *der*.

padrino *sm (di battesimo)* Taufpate *der*, -tin *die* ; *(mafioso)* Pate *der*.

padrone, a *sm, f (proprietario)* Besitzer *der*, -in *die* ; **~ di casa** Hausherr *der*.

paesaggio *sm (panorama)* Aussicht *die* ; *(conformazione)* Landschaft *die*.

paese *sm (nazione)* Land *das* ; *(villaggio)* Dorf *das* ; **~ di provenienza** Herkunftsland. ■ **Paesi Bassi** *smpl* : **i Paesi Bassi** die Niederlande.

paffuto, a *agg* pausbäckig.

paga, ghe *sf (stipendio)* Lohn *der* ; **giorno di ~** Zahltag *der*.

pagamento *sm (atto, modo di pagare)* Bezahlung *die*.

pagano, a *agg (non cristiano)* heidnisch. ◆ *sm, f* Heide *der*, -din *die*.

pagare *vt (versare il prezzo di)* (be)zahlen ; *(remunerare)* entlohnen ; **~ con assegno** mit Scheck (be)zahlen ; **~ con carta di credito** mit Kreditkarte (be)zahlen ; **~ in contanti** bar (be)zahlen.

pagella *sf* Zeugnis *das*.

pagina *sf* Seite *die*.

paglia *sf (fieno)* Stroh *das* ; **tagliatelle ~ e fieno** *(verdi e gialle)* *grüne und gelbe Bandnudeln*.

pagliaccio *sm (di circo)* Clown *der*.

pagnotta *sf (pane)* Brotlaib *der*.

paio, a *sm* Paar *das* ; **un ~ di** ein Paar.

pala *sf (vanga)* Schaufel *die* ; *(di mulino, elica, ventilatore)* Flügel *der*.

palato *sm ANAT* Gaumen *der*.

palazzo *sm (signorile)* Palast *der* ; *(edificio)* Gebäude *das* ; *(condominio)* Wohnhaus *das* ; **~ Chigi** *Sitz des italienischen Parlaments* ; **~ dello sport** Sportpalast.

pạlco, chi *sm (palcoscenico)* Bühne *die*; *(pedana)* Tribüne *die*; *(a teatro)* Loge *die*.

palcoscẹnico, ci *sm (palco)* Bühne *die*.

Palestịna *sf*: **la ~** Palestina *nt*.

palẹstra *sf (sala per sport)* Turnhalle *die*.

palẹtta *sf (giocattolo, per giardiniere)* Schaufel *die*; *(di polizia, capostazione)* Kelle *die*.

pạlio *sm*: **mettere qc in ~** etw als Preis aus|setzen. ■ **Palio** *sm*: **il Palio (di Siena)** Palio (von Siena) *der*.

IL PALIO DI SIENA

Diese Veranstaltung ist für die ganze Stadt ein bedeutendes Ereignis und zieht jedes Jahr Scharen von Touristen in ihren Bann. Der „Palio" wird am 2. Juli und 15.August auf der „Piazza del Campo" ausgetragen, absoluter Höhepunkt ist der in prunkvollen Renaissance-Kostümen stattfindende Umzug (Comparsa) der 17 Stadtviertel (Rioni). Es folgt ein waghalsiges Pferderennen, in dessen Verlauf sich die Reiter mit Peitschen gegenseitig angreifen. Der Sieger erhält als Auszeichnung das „Palio" (das Siegesbanner mit dem Abbild der Jungfrau Maria) und wird von den Männern seines Viertels im Triumphzug durch die Stadt getragen.

---

pạlla *sf* Ball *der*; *(di ferro, carta)* Kugel *die*; *volg (testicoli)* Eier *pl*; **che palle!** *volg* wie langweilig!

pallacanẹstro *sf* Basketball *der*.

pallanuọto *sf* Wasserball *der*.

pallavọlo *sf* Volleyball *der*.

pạllido, a *agg* blass.

palloncịno *sm (gonfiabile)* Luftballon *der*.

pallọne *sm (palla)* Ball *der*; *(da calcio)* Fußball *der*; .

pallọttola *sf (proiettile)* Kugel *die*.

pạlma *sf (albero)* Palme *die*.

pạlmo *sm (di mano)* Handfläche *die*; *(misura)* Spanne *die*.

pạlo *sm (di legno)* Pfahl *der*; *(di luce, telefono)* Mast *der*.

pạlpebra *sf* Lid *das*.

palụde *sf* Sumpf *der*, Moor *das*.

pạnca, che *sf* Bank *die (zum Sitzen)*.

pancarrè *sm inv* Toastbrot *das*.

pancẹtta *sf* Bauchspeck *der*; **~ coppata** *gerollter, mit Kräutern gewürzter Nackenspeck*.

panchịna *sf (di parco, giardini)* Bank *die*.

pạncia, ce *sf (ventre)* Bauch *der*.

pạnda *sm inv (animale)* Panda *der*.

pandọro *sm (di Verona) italienischer Weihnachtskuchen aus Hefeteig*.

pạne *sm (alimento, forma, pagnotta)* Brot *das*; **~ a cassetta** Kastenbrot; **~ integrale** Schrotbrot ; ~ **tostato** Toast *der* ; **pan di Spagna** Biskuit *das*.

PANE

Als einer der Hauptbestandteile der mediterranen Küche wird Brot in Italien zu allen Mahlzeiten gegessen, im Restaurant muss es in der Regel nicht extra bestellt werden. Die wichtigsten Brotsorten im Handel sind das Weißbrot, das rein (ohne Zusätze) oder speziell mit Öl, Schmalz, Gewürzen oder Samen wie Sesam erhältlich ist, und das Schrotbrot. Es wird in Laiben oder Brotstangen, aber auch in Brötchenform mit, je nach Region und Stadt, unterschiedlicher Gestalt und Bezeichnung verkauft.

---

panetteria *sf* Bäckerei *die*.

panettone *sm (di Milano) Weihnachtskuchen aus Hefeteig mit kandierten Früchten und Rosinen.*

panforte *sm (di Siena) runder Fladenkuchen aus Siena mit Mandeln, Nüssen, kandierten Früchten, Zucker und Gewürzen.*

pangrattato *sm* Paniermehl *das*.

panico *sm* Panik *die*.

panificio *sm (negozio)* Bäckerei *die*.

panino *sm* Brötchen *das* ; ~ **imbottito** o **ripieno** belegtes Brötchen ; ~ **al prosciutto** Schinkenbrötchen.

paninoteca, che *sf Bar, in der vor allem belegte Brötchen verkauft werden.*

panna *sf* : ~ **(montata)** (Schlag)sahne *die* ; ~ **da cucina** Rahm *der*.

panne *sfpl* : **essere in** ~ eine Panne haben.

panno *sm (straccio)* Lappen *der* ; *(tessuto)* Tuch *das*.

pannocchia *sf (di mais)* Maiskolben *der*.

pannolino *sm (per bambini)* Windel *die* ; *(per mestruazioni)* Binde *die*.

panorama *sm (vista)* Aussicht *die*.

panpepato *sm (dolce) Honigkuchen mit Mandeln, kandierten Früchten, Orangenschale und Gewürzen.*

pantaloni *smpl* Hose *die*.

pantera *sf (animale)* Panter *der* ; *(auto di polizia) schwarzer Einsatzwagen der italienischen Staatspolizei.*

pantofola *sf* Pantoffel *die*.

panzanella *sf mit Kräutern, Öl und Salz belegte Brotscheiben.*

panzerotti *smpl mit Käse und Schinken gefüllte, und in Öl ausgebackene Teigtaschen.*

papa *sm (pontefice)* Papst *der*.

papà *sm inv fam (padre)* Papa *der*.

papavero *sm (fiore, semi)* Mohn *der*.

papero, a *sm, f (animale)* Gänserich *der*.

papillon *sm inv (cravatta)* Fliege *die*.

pạppa *sf (per bambini)* Brei *der.*

pappagạllo *sm (animale)* Papagei *der.*

pappardẹlle *sfpl* breite Bandnudeln ; **~ alla lepre** *breite Bandnudeln mit Hasenragout.*

pạprica *sf* Paprikagewürz *das.*

parabrẹzza *sm inv* Windschutzscheibe *die.*

paracadụte *sm inv* Fallschirm *der.*

paradịso *sm* RELIG Paradies *das.*

paradọsso *sm (assurdità)* Paradox *das.*

parafạngo, ghi *sm* Kotflügel *der.*

parafụlmine *sm* Blitzableiter *der.*

parạggi *smpl* : **nei ~** in der Nähe.

paragonạre *vt (confrontare con)* : **~ qn/qc con** ○ **a** jn/etw vergleichen mit.

paragọne *sm (confronto)* Vergleich *der.*

parạgrafo *sm (sezione)* Absatz *der.*

parạlisi *sf inv* MED Lähmung *die* ; *fig (blocco)* Stillstand *der.*

paralizzạre *vt (rendere paralizzato)* lähmen ; *fig (bloccare)* lahm|legen.

parallẹla *sf (retta)* Parallele *die.* ■ **parallele** *sfpl (attrezzo)* Barren *der.*

parallẹlo, a *agg* parallel. ◆ *sm* GEOG Breitenkreis *der.*

paralụme *sm* Lampenschirm *der.*

parapẹtto *sm (di balcone, ponte)* Geländer *das.*

parạre *vt (colpi)* ab|wehren ; SPORT parieren.

parassịta, i *sm (animale)* Parasit *der.*

parạta *sf* Parade *die.*

paraụrti *sm inv (di auto)* Stoßstange *die.*

paravẹnto *sm* Wandschirm *der.*

parcheggiạre *vt (lasciare la macchina)* parken ; *(fare le manovre)* ein|parken.

parchẹggio *sm (area)* Parkplatz *der* ; *(manovra)* Parken *das* ; **~ a pagamento** gebührenpflichtiger Parkplatz ; **~ riservato** Privatparkplatz.

parchịmetro *sm* Parkuhr *die.*

pạrco, chi *sm (giardino)* Park *der* ; **~ giochi** Spielplatz *der* ; **~ dei divertimenti** Vergnügungspark.

PARCHI NAZIONALI

Hier handelt es sich um ausgedehnte Gebiete von besonderer landschaftlicher Schönheit, die zur Erhaltung der Umwelt unter staatlichem Schutz stehen, und für Besucher zugänglich sind. In Italien gibt es fünf solcher Nationalparks : im Zentralappenin den „Parco Nazionale d'Abruzzo", den „Parco del Circeo" und den „Parco Nazionale della Calabria" ; in den Alpen den „Gran Paradiso" und den „Parco dello

Stelvio". Die bekanntesten, unter Schutz stehenden Tierarten sind Steinbock und Gämse.

---

parecchio, a *agg (molto)* ziemlich viel. ◆ *pron* ziemlich viel. ◆ *avv (quantità)* ziemlich ; *(intensità)* ganz schön viel.

pareggiare *vt (capelli, orlo)* gerade schneiden ; *(terreno)* ebnen. ◆ *vi SPORT* unentschieden spielen.

pareggio *sm* Ausgleich *der*.

parente *sm, f (di famiglia)* Verwandte *der, die*.

parentela *sf* Verwandtschaft *die*.

parentesi *sf inv (segno)* Klammer *die* ; **tra ~** in Klammern.

pareo *sm* Pareo *der*.

parere *sm* Meinung *die*. ◆ *vi (apparire, sembrare)* scheinen. ◆ *v impers* : **pare che** es sieht so aus, als ob ; **che te ne pare?** was meinst du dazu? ; **fate come vi pare** macht, wie ihr wollt ; **mi pare di no** ich glaube nicht ; **mi pare di sì** ich glaube schon.

parete *sf* Wand *die*.

pari *agg inv (uguale)* gleich ; *(superficie)* eben ; *(in partite, giochi)* unentschieden ; *(numero)* gerade. ◆ *smf* : **alla ~** au pair ; **essere ~** quitt sein ; **mettersi in ~ con qn** an jn heran|kommen.

Parigi *sf* Paris *nt*.

parlamentare *agg* parlamentarisch. ◆ *sm, f (deputato)* Abgeordnete *der, die*.

parlamento *sm (nazionale, europeo)* Parlament *das*.

parlare *vi (esprimersi)* sprechen ; *(conversare, tenere un discorso, confidare)* reden. ◆ *vt (lingua)* sprechen ; **~ (a qn) di** (mit jm) sprechen über *(+A)* ; **parla italiano?** sprechen Sie Italienisch?

parmigiano, a *agg* : *CULIN* **alla parmigiana** auf parmesanische Art. ◆ *sm (formaggio)* : **~ (reggiano®)** Parmesan *der*.

parola *sf* Wort *das* ; **prendere la ~** das Wort ergreifen ; **rivolgere la ~ a qn** das Wort an jn richten ; **~ d'onore** Ehrenwort ; **~ d'ordine** Kennwort ; **~ crociate** Kreuzworträtsel *das* ; **è una ~!** du hast leicht reden!

parolaccia, ce *sf* Schimpfwort *das*.

parrocchia *sf (zona)* Pfarrei *die*.

parroco, ci *sm* Pfarrer *der*.

parrucca, che *sf (capelli finti)* Perücke *die*.

parrucchiere, a *sm, f (per signora)* Damenfriseur *der*, -friseuse *die*.

parso *pp* → **parere**.

parte *sf (pezzo, sezione)* Teil *der* ; *(lato)* Seite *die* ; *(luogo)* Gegend *die* ; *(direzione)* Richtung *die* ; *(quota)* Anteil *der* ; **fare ~ di qc** zu etw gehören ; **mettere da ~ qc** *(risparmiare)* etw auf die Seite legen ; **stare dalla ~ di** auf js Seite stehen ; **la maggior ~ di** der Großteil von ; **a ~ questo** davon einmal abgesehen ; **a ~**

(pagare, incartare) gesondert ; **da ~ di qn** seitens *(+G)* ; **d'altra ~** andererseits ; **dall'altra ~** auf der anderen Seite ; **da nessuna ~** nirgendwo ; **da qualche ~** irgendwo ; **da questa ~** hier entlang ; **in ~** zum Teil.

partecipare : partecipare a *vi + prep (intervenire)* teillnehmen an *(+D)* ; *(spese)* sich beteiligen an *(+D)* ; *(gioia, dolore)* Anteil nehmen an *(+D)*.

partecipazione *sf (a qc)* Teilnahme *die*.

partenza *sf (atto)* Abfahrt *die* ; *(nello sport)* Start *der* ; **essere in ~ (per Roma)** eine Reise (nach Rom) anltreten ; **'partenze'** 'Abfahrt'.

participio *sm* Partizip *das*.

particolare *agg (individuale)* bestimmt ; *(speciale, caratteristico)* besondere, -r, -s. ◆ *sm* Detail *das* ; **in ~** insbesondere.

partire *vi (persona)* verreisen ; *(aereo)* ablfliegen ; *(treno)* ablfahren ; *(nello sport)* starten ; **a ~ da** ab.

partita *sf (competizione)* Spiel *das* ; *(a tennis)* Match *das*.

partito *sm (politico)* Partei *die*.

parto *sm (nascita)* Geburt *die*.

partorire *vt (figlio)* gebären.

parziale *agg (limitato)* Teil- ; *(ingiusto)* parteiisch.

pascolo *sm (luogo)* Weide *die*.

Pasqua *sf* RELIG Ostern *(das)* ; *(ricorrenza)* : **le vacanze di Pasqua** die Osterferien.

Pasquetta *sf (giorno)* Ostermontag *der*.

PASQUETTA

In vielen Regionen Italiens wird mit „Pasquetta" der Ostermontag bezeichnet, der im ganzen Land ein Feiertag ist. Häufig macht man Ausflüge ins Grüne mit Picknick, die „scampagnate".

---

passaggio *sm (transito)* Durchfahrt *die* ; *(varco)* Durchgang *der* ; *(in macchina)* Mitfahren *das* ; *(velocemente)* : **di ~** flüchtig ; **essere di ~** auf der Durchreise sein ; **~ a livello** Bahnübergang *der* ; **~ pedonale** Fußgängerübergang.

passamontagna *sm inv* Skimütze *die*.

passante *smf (persona)* Passant *der*, -in *die*. ◆ *sm (per cintura)* Schlaufe *die*.

passaporto *sm* Reisepass *der*.

passare *vi (in macchina)* vorbeilfahren ; *(a piedi)* vorbeilgehen ; **~ da Pisa per andare a Firenze** über Pisa nach Florenz fahren ; *(da un'apertura)* einldringen ; *(tempo)* vergehen ; *(fare una visita)* vorbeilkommen. ◆ *vt (attraversare)* durchqueren ; *(trascorrere)* verbringen ; *(superare)* bestehen ; *(oltrepassare)* überqueren ; *(porgere)* reichen ; **come te la passi?** wie geht es dir? ; **mi è passato di mente** ich habe es vergessen ; **ti passo Matteo** *(al telefono)* ich gebe dir Matteo ; **~ avanti a qn** jn überholen ; **~ da** vorbeilschauen bei ; **~ da ○ per scemo**

fig (essere considerato) als Blödian gelten ; ~ **qc a qn** jm etw reichen.

passatempo *sm* Zeitvertreib *der*.

passato, a *agg (trascorso)* vergangen. ◆ *sm* Vergangenheit *die* ; ~ **di verdure** Gemüsecremesuppe *die*.

passeggero, a *agg (temporaneo)* vorübergehend. ◆ *sm, f (viaggiatore)* Passagier *der*, -in *die*.

passeggiare *vi* : **andare a spasso** spazieren|gehen.

passeggiata *sf (camminata)* Spaziergang *der* ; *(strada)* Promenade *die* ; **fare una** ~ einen Spaziergang machen.

PASSEGGIATA

Eine typisch italienische Tradition, die alle Moden überdauert und alle Generationen vereint : Liebespaare, Familien mit Kindern und Jugendliche treffen sich am Sonntagmorgen oder am späten Nachmittag auf der Piazza oder an der Hauptstraße, im Park oder an der Küste, um sich zu unterhalten, einen Schaufensterbummel zu machen und sich zu entspannen. Kommt man unterwegs an einer Bar vorbei, gönnt man sich einen Aperitif oder kauft Kuchen zum Dessert.

passeggino *sm* Kinderwagen *der*.

passerella *sf (passaggio)* Übergang *der* ; *(di aereo, nave)* Gangway *die* ; *(di sfilata)* Laufsteg *der*.

passero *sm (uccello)* Spatz *der*.

passione *sf* Leidenschaft *die*.

passivo, a *agg (inerte)* passiv. ◆ *sm* GRAMM Passiv *das* ; COMM Verlust *der*.

passo *sm (movimento, rumore)* Schritt *der* ; *(andatura)* Gang *der* ; *(valico)* Pass *der* ; **allungare il** ~ den Schritt beschleunigen ; **fare il primo** ~ den ersten Schritt tun ; **a** ~ **d'uomo** Schritttempo *das* ; '~ **carraio** ○ **carrabile**' 'Einfahrt freihalten' ; **fare due** ○ **quattro passi** sich die Beine vertreten ; **a due passi** einen Katzensprung entfernt ; **di questo** ~ auf diese Weise.

pasta *sf (pastasciutta)* Nudeln *pl* ; *(impasto di farina)* Teig *der* ; *(pasticcino)* Gebäck *das* ; *(di vetro, argilla)* Masse *die* ; ~ **in brodo** Suppennudeln ; ~ **frolla** Mürbeteig ; ~ **sfoglia** Blätterteig.

PASTA

Die meisten Italiener essen wenigstens einmal am Tag Pasta, mittags oder abends. Die Pasta ist in einer grenzenlosen Formenvielfalt zu haben : „Spaghetti", „bucatini", „bavette", „penne", „rigatoni", „fusilli" sind nur einige Beispiele für längliche oder kurze Teigwaren. Der Teig besteht eigentlich nur aus Wasser und Mehl, aber durch Verwendung von bestimmten Mehlsorten oder durch Zusatz anderer Zutaten erhält man die verschiedensten Sorten : Schrotnudeln, Eiernudeln, grüne Nudeln (mit Spinat vermischt). In zahlreichen Familien wird die Tradition der hausgemachten Pasta noch gepflegt.

---

pastasciụtta *sf* *Nudeln mit oder ohne Soße und geriebenem Parmesan.*

pastịcca = **pastiglia.**

pasticcerịa *sf (negozio)* Konditorei *die* ; *(paste)* Backwaren *die.*

pasticcịno *sm* Gebäck *das.*

pastịccio *sm (vivanda)* Pastete *die* ; *(confusione)* Pfuscherei *die* ; *(guaio)* Patsche *die* ; **essere nei pasticci** in der Patsche stecken.

pasticciọne, a *sm, f* Pfuscher *der,* -in *die.*

pastiẹra *sf (dolce napoletano) napoletanisches Ostergebäck aus Mürbeteig mit Ricottaquark, kandierten Früchten und Orangenaroma.*

pastịglia *sf (per gola)* Pastille *die.*

pạsto *sm (pranzo, cena)* Mahlzeit *die* ; *(cibo)* Essen *das.*

pastọre *sm (di greggi)* Hirte *der* ; **~ tedesco** deutscher Schäferhund.

patạta *sf (tubero)* Kartoffel *die* ; **patate fritte** Pommes frites *pl.*

patatịne *sfpl* Kartoffelchips *pl.*

paté *sm inv* Pastete *die.*

patẹnte *sf* : **~ (di guida)** Führerschein *der.*

paternità *sf* Vaterschaft *die.*

patẹrno, a *agg (atteggiamento, istinto)* väterlich ; **mio zio ~** mein Onkel väterlicherseits.

pạtria *sf (nazione)* Heimat *die.*

patrịgno *sm* Stiefvater *der.*

patrimọnio *sm (beni)* Vermögen *das* ; *(culturale, spirituale)* Erbe *das* ; **costare un ~** ein Vermögen kosten.

patrọno *sm (santo)* Schutzheilige *der.*

pattinạggio *sm* SPORT : **~ su ghiaccio** Schlittschuhlaufen *das* ; **~ su rotelle** Rollschuhlaufen *das.*

pattinạre *vi* : **~ con pattini** Rollschuh laufen ; **~ su ghiaccio** Schlittschuh laufen.

pạttino[1] *sm* : **pattini a rotelle** Rollschuhe *pl* ; **pattini da ghiaccio** Schlittschuhe *pl.*

pattịno[2] *sm (imbarcazione)* Tretboot *das.*

pạtto *sm (accordo)* Vereinbarung *die.*

pattumiẹra *sf* Abfalleimer *der.*

paụra *sf* Angst *die* ; **avere ~ (di qn/qc)** (vor jm/etw) Angst haben ; **avere ~ di fare qc** Angst haben, etw zu tun ; **fare ~ a qn** jm Angst machen.

paurọso, a *agg (spaventoso)* furchtbar ; *fam (timoroso)* ängstlich.

pạusa *sf (intervallo, in musica)* Pause *die.*

pavesini® *smpl (biscotti) längliche Kekse aus Biskuitteig.*

pavimẹnto *sm* Fußboden *der.*

pavọne *sm (uccello)* Pfau *der.*

paziẹnte *agg (dotato di pa-*

zienza) geduldig. ◆ *smf (malato)* Patient *der*, -in *die*.

pazięnza *sf* Geduld *die* ; **perdere la ~** die Geduld verlieren ; **pazienza!** kann man nichts machen!

pazzęsco, a, schi, sche *agg (incredibile)* verrückt.

pazzịa *sf (malattia)* Wahnsinn *der* ; **fare una ~** etw Verrücktes tun.

pạzzo, a *agg (malato, insensato, eccessivo)* wahnsinnig ; *(stravagante)* verrückt. ◆ *sm, f (malato, insensato)* Wahnsinnige *der, die* ; **andare ~ per qc** auf etw *(A)* verrückt sein ; **essere ~ di qn** nach jm verrückt sein.

peccạre *vi (commettere peccato)* sündigen.

peccạto *sm* RELIG Sünde *die* ; **è un ~ che ...** es ist schade, dass ... ; **(che) ~!** (wie) schade!

pẹcora *sf (animale)* Schaf *das*.

pecorịno *sm (formaggio)* Schafskäse *der*.

pedạggio *sm (autostrada)* Autobahngebühr *die*.

pedalạre *vi* (in die Pedale) treten.

pedạle *sm* Pedal *das* ; **a pedali** Tret-.

pedạna *sf (supporto di legno)* Podest *der* ; *(in atletica)* Sprungbrett *das*.

pedạta *sf (calcio)* Fußtritt *der*.

pediạtra, i, e *smf* Kinderarzt *der*, -ärztin *die*.

pedicụre *smf inv (cura dei piedi)* Fußpflege *die*, Pediküre *die* ; *(persona)* Fußpfleger *der*, -in *die*.

pedịna *sf (nella dama)* Stein *der*.

pedọne *sm (persona)* Fußgänger *der*, -in *die*.

pęggio *avv (in modo peggiore)* schlechter. ◆ *agg inv* schlechter. ◆ *sm, f* : **il/la ~** der/die/das Schlechteste ; **~ per te!** selber Schuld! ; **temere il ~** das Schlimmste befürchten ; **avere la ~** den Kürzeren ziehen ; **alla ~** schlimmstenfalls.

peggioramęnto *sm* Verschlechterung *die*.

peggiorạre *vt (rendere peggiore)* verschlechtern. ◆ *vi* sich verschlechtern.

peggiọre *agg (comparativo)* schlechter ; *(superlativo)* schlechteste. ◆ *sm, f* : **il/la ~** der/die/das Schlechteste.

pelạre *vt (patate, castagne)* schälen.

pelạto, a *agg fam (calvo)* kahl(köpfig). ■ **pelati** *smpl (pomodori in scatola)* geschälte Tomaten.

pęlle *sf (cute)* Haut *die* ; *(conciata)* Leder *das*.

pellegrinạggio *sm* RELIG Wallfahrt *die*.

pelletterịa *sf (prodotti)* Lederwaren *pl* ; *(negozio)* Lederwarengeschäft *das*.

pellịccia, ce *sf (di animale)* Fell *das* ; *(indumento)* Pelz *der*.

pellịcola *sf (fotografica, strato sottile)* Film *der* ; *(rivestimento)* Folie *die* ; **~ a colori** Farbfilm.

pęlo *sm (del corpo)* Haar *das* ;

(di animale) Fell *das* ; **per un ~** um ein Haar.

pelọso, a *agg* behaart.

peluche *sm inv (pupazzo)* Plüschtier *das.*

pẹna *sf (condanna)* Strafe *die* ; *(cruccio)* Leid *das* ; *(pietà)* Mitleid *das* ; **mi fa ~** er/sie tut mir leid ; **(non) vale la ~ di** es lohnt sich (nicht) ; **la ~ di morte** die Todesstrafe.

penalità *sf inv (sanzione)* Strafe *die.*

pendẹnte *agg (appeso)* Hänge- ; *(torre)* schief. ◆ *sm (ciondolo)* Anhänger *der* ; *(orecchino)* herabhängender Ohrring.

pendẹnza *sf (inclinazione)* Gefälle *das.*

pẹndere *vi (essere appeso)* (herab|)hängen ; *(essere inclinato)* sich neigen.

pendịce *sf* Hang *der.*

pendịo *sm (luogo)* Abhang *der.*

pendolạre *smf* Pendler *der,* -in *die.*

pẹndolo *sm (orologio)* Pendeluhr *die.*

pẹne *sm* Penis *der.*

penetrạre *vi (chiodo, proiettile)* ein|dringen ; *(liquido, profumo)* durch|dringen ; **~ in qc** *(entrare)* in etw *(A)* ein|dringen.

penịsola *sf* Halbinsel *die.*

penitẹnza *sf (religiosa)* Buße *die* ; *(nei giochi)* Strafe *die.*

pẹnna *sf (per scrivere)* Stift *der* ; *(di uccello)* Feder *die* ; **~ a sfera** Kugelschreiber *der* ; **~ stilografica** Füllfederhalter *der.*

pennarẹllo *sm* Filzstift *der.*

pennẹllo *sm (da pittore)* Pinsel *der* ; *(per vernici, tinte)* (Streich)bürste *die* ; **~ da barba** Rasierpinsel.

penọmbra *sf (semioscurità)* Halbschatten *der.*

pensạre *vi (riflettere)* überlegen. ◆ *vt (immaginare)* denken ; *(escogitare)* sich *(D)* aus|denken ; **cosa ne pensi?** was hälst du davon? ; **~ a** *(riffletere su, ricordare)* denken an *(+A)* ; *(occuparsi di)* sich kümmern um ; **ci penso io!** darum kümmere ich mich! ; **penso di no** ich denke nicht ; **penso di sì** ich denke schon ; **pensarci su** sich *(D)* genau überlegen.

pensiẹro *sm (facoltà, idea)* Gedanke *der* ; *(preoccupazione)* Sorge *die* ; **stare in ~ per qn** sich um jn sorgen.

pẹnsile *agg (mobile)* Hänge-. ◆ *sm* Hängeschrank *der.*

pensilịna *sf (di stazione)* Überdachung *die.*

pensionạto, a *sm, f (persona)* Rentner *der,* -in *die.*

pensiọne *sf (somma)* Rente *die* ; *(albergo, vitto e alloggio)* Pension *die* ; **andare in ~** in den Ruhestand gehen ; **essere in ~** im Ruhestand sein ; **~ completa** Vollpension ; **mezza ~** Halbpension.

Pentecọste *sf* Pfingsten *(das).*

pentịrsi *vr* : ~ **di qc** etw bereuen.

pentịto, a *sm, f (brigatista, mafioso) zur Zusammenarbeit mit der Justiz bereites Mitglied einer kriminellen Vereinigung.*

pẹntola *sf (recipiente)* Topf *der* ; ~ **a pressione** Dampfkochtopf.

penụltimo, a *agg* vorletzte, -r, -s.

pepạre *vt (mettere del pepe)* pfeffern.

pẹpe *sm (spezia)* Pfeffer *der*.

peperonạta *sf Pfannengericht aus Paprikaschoten, Tomaten und Zwiebeln.*

peperoncịno *sm (verdura)* Chilischote *die*.

peperọne *sm (verdura)* Paprikaschote *die*.

per *prep* - 1. *(destinato a)* für ; **è ~ te** es ist für dich.
- 2. *(attraverso)* durch.
- 3. *(moto a luogo)* : **il treno ~ Genova** der Zug nach Genua ; **partire ~** ab|fahren nach.
- 4. *(indica una durata)* : **ha lavorato ~ tutta la vita** er/sie hat das ganze Leben lang gearbeitet.
- 5. *(indica una scadenza)* : **sarò di ritorno ~ le cinque** ich werde um fünf Uhr zurück sein.
- 6. *(indica il mezzo)* : ~ **telefono** per Telefon.
- 7. *(indica la causa)* : **piangere ~ la rabbia** aus Wut weinen.
- 8. *(indica lo scopo)* : **equipaggiarsi ~ la montagna** sich für das Gebirge aus|rüsten ; ~ **fare qc** um etw zu tun.
- 9. *(indica il modo)* : **viaggiare ~ mare** auf dem Seeweg reisen ; **fare qc ~ scherzo** etw zum Spaß tun.
- 10. *(con valore distributivo)* : **c'è un bagno ~ camera** es gibt ein Bad je Zimmer ; **entrate uno ~ volta** tretet jeweils einzeln ein.
- 11. *(indica il prezzo)* : **lo ha venduto ~ un milione** er/sie hat es für eine Million verkauft.
- 12. *MAT* : **due ~ tre fa sei** zwei mal drei macht sechs.
- 13. *(indica la conseguenza)* : **è troppo bello ~ essere vero** es ist zu schön, um wahr zu sein.
- 14. *(indica limitazione)* : ~ **me, è l'unica soluzione** für mich ist das die einzige Lösung.

pẹra *sf (frutto)* Birne *die*.

perbẹne *agg inv (persone)* anständig ; *(in maniera ordinata)* ordentlich.

percentuạle *sf MAT* Prozent *das*.

percepịre *vt (sentire)* wahr|nehmen ; *(ricevere)* erhalten.

perché *avv (per quale ragione)* warum ; ~ **corri?** warum rennst du? ; **spiegami ~ lo hai fatto** erkläre mir, warum du es getan hast ; ~ **no?** warum nicht? ; **chissà ~** wer weiß warum.

◆ *cong* - 1. *(per il fatto che)* weil ; **vado ~ ho fretta** ich gehe, weil ich es eilig habe ; ~ **te ne vai?** - ~ **sì** warum gehst du? - darum.
- 2. *(affinché)* damit ; **telefona ~ non stiano in pensiero** rufe an, damit sie sich keine Sorgen machen.

- 3. *(così che)* : **è troppo difficile ~ ci riesca** es ist zu schwierig, als dass er/sie es schaffen könnte. ◆ *sm inv* : **senza un ~** ohne einen Grund.

perciò *cong* daher, deshalb.

percorrere *vt (regione)* durchlqueren ; *(distanza)* zurücklegen.

percorso, a *pp* → **percorrere**. ◆ *sm (tragitto)* Strecke *die*.

percosse *sfpl (botte)* Schläge *pl*.

perdere *vt (vista, tempo, partita)* verlieren ; *(lasciarsi sfuggire)* verpassen ; **il rubinetto perde** der Wasserhahn tropft ; **la cucina perde gas** aus dem Küchenherd strömt Gas aus ; **lasciar ~** es sein lassen ; **~ la testa** den Kopf verlieren. ■ **perdersi** *vr (smarrirsi)* sich verirren.

perdita *sf (di patrimonio, vista morte, smarrimento)* Verlust *der* ; *(di acqua, gas)* Austritt *der* ; **una ~ di tempo** ein Zeitverlust ; **a ~ d'occhio** so weit das Auge reicht.

perdonare *vt* verzeihen.

perdono *sm (di colpa, peccato)* Vergebung *die*.

perfettamente *avv (esattamente)* perfekt ; *(assolutamente)* vollkommen.

perfetto, a *agg (eccellente)* perfekt ; *(totale)* völlig.

perfezionare *vt (migliorare)* perfektionieren.

perfezione *sf (assenza di difetti)* Perfektion *die*.

perfido, a *agg* hinterhältig.

perfino *avv* sogar.

pericolante *agg (tetto)* einsturzgefährdet.

pericolo *sm (rischio)* Gefahr *die* ; **essere in/fuori ~** in/außer Gefahr sein.

pericoloso, a *agg (viaggio, luogo)* gefährlich.

periferia *sf (di città)* Stadtrand *der*.

perimetro *sm* Umfang *der*.

periodico, a, ci, che *agg (regolare)* periodisch. ◆ *sm (rivista)* Zeitschrift *die*.

periodo *sm (di tempo)* Zeit *die* ; **un ~ di tre mesi** ein Zeitraum von drei Monaten.

perito *sm (esperto)* Sachverständige *der, die* ; *(titolo di studio) für den Abschluss an einer Fachschule erteilter Titel* ; **~ chimico** Chemiker *der*, -in *die*.

perla *sf* Perle *die*.

permaloso, a *agg* nachtragend.

permanente *agg (costante)* Dauer-. ◆ *sf (riccioli)* Dauerwelle *die*.

permanenza *sf (di crisi, problema)* Andauer *die* ; *(soggiorno)* Aufenthalt *der* ; **in ~** ständig.

permesso, a *pp* → **permettere**. ◆ *sm (autorizzazione)* Erlaubnis *die* ; *(dal lavoro, licenza)* Urlaub *der* ; **~ di soggiorno** Aufenthaltsgenehmigung *die* ; **(è) ~?** *(per entrare)* gestatten Sie? ; *(per passare)* Entschuldigung!

permettere *vt* erlauben ; **~ a qn di fare qc** *(autorizzare)* jm etw erlauben. ■ **permettersi** *vr (spesa, acquisto)* sich *(D)* erlauben; **permettersi di fare qc** *(prendersi la libertà)* sich *(D)* etw herauslnehmen.

pernottamento *sm* Übernachtung *die*.

però *cong (ma)* aber; *(tuttavia)* jedoch.

perpendicolare *agg (retta, strada)* senkrecht.

perplesso, a *agg* perplex.

perquisire *vt (luogo, persona)* durchlsuchen.

perseguitare *vt* verfolgen.

persiana *sf (imposta)* Fensterladen *der*.

persiano, a *agg (tappeto)* Perser-. ◆ *sm (pelliccia)* Persianer *der*; *(gatto)* Perserkatze *die*.

persino = **perfino**.

perso, a *pp* → **perdere**.

persona *sf (essere umano)* Person *die*; **è una brava ~** er/sie ist ein guter Mensch; *(corpo)* Körper *der*; *GRAMM* Person *die*; **conoscere qn di ~** jn persönlich kennen; **in ~** persönlich.

personaggio *sm (di libro, film)* Figur *die*; *(pubblico, politico)* Persönlichkeit *die*.

personale *agg (soggettivo, riservato)* persönlich. ◆ *sm inv (dipendenti)* Personal *das*.

personalità *sf (carattere, autorità)* Persönlichkeit *die*.

persuadere *vt (convincere)* überzeugen; **~ qn a fare qc** jn dazu überreden, etw zu tun; **~ qn di qc** jn von etw überzeugen.

pertanto *cong (perciò)* daher, deshalb.

pesante *agg (di peso elevato)* schwer; *(cibo)* schwer verdaulich; *(abbigliamento)* warm.

pesare *vt (misurare)* wiegen. ◆ *vi (avere un peso)* wiegen; *(essere pesante)* schwer sein; *(essere spiacevole)* schwer fallen. ■ **pesarsi** *vr* sich wiegen.

pesca, pesche *sf (frutto)* Pfirsich *der*; *(con la canna)* : **andare a ~** zum Angeln gehen; *(gioco)* : **~ di beneficenza** Wohltätigkeitslotterie *die*; *(con l'arpone)* : **~ subacquea** Unterwasserjagd *die*.

pescare *vt (con la rete)* fischen; *(con la canna)* angeln; *(carte da gioco)* ziehen; *fig (trovare)* erwischen.

pescatore *sm (persona)* Fischer *der*.

pesce *sm (animale)* Fisch *der*. ■ **Pesci** *smpl (zodiaco)* Fische *pl*; **sono (dei) Pesci** ich bin Fisch.

i PESCE D'APRILE

Der Ausdruck bezeichnet die mehr oder weniger gut ausgedachten Späße, die traditionell am 1.April ausgeführt werden. Kinder vergnügen sich damit, aus Papier ausgeschnittene Fische Freunden oder ahnungslosen Passanten an den Rücken zu heften. Seit einigen Jahren ist es Brauch, dass Zeitungen absichtlich falsche Nachrichten verbreiten.

pescheria *sf (negozio)* Fischhandlung *die*.

pescivẹndolo, a *sm, f* Fischhändler *der*, -in *die*.

pẹso *sm (di corpo, attrezzo)* Gewicht *das* ; *(carico)* Last *die* ; *fig (responsabilità)* Last *die* ; **~ lordo** Bruttogewicht ; **~ netto** Nettogewicht ; **essere di ~ a qn** jm zur Last fallen.

pessimịsmo *sm (sfiducia)* Pessimismus *der*.

pessimịsta, i, e *smf* Pessimist *der*, -in *die*.

pẹssimo, a *agg (cattivissimo)* sehr schlecht.

pestạre *vt (calpestare)* treten ; *fam (picchiare)* prügeln.

pẹsto, a *agg (pestato)* : **buio ~** stockdunkel ; **occhio ~** blaues Auge. ◆ *sm (salsa) Nudelsoße aus zerstoßenem Basilikum, Pinienkernen, Knoblauch, Parmesan und Olivenöl.*

pẹtalo *sm* Blütenblatt *das*.

petạrdo *sm (di carta)* Knallfrosch *der*.

petroliẹra *sf (nave)* Öltanker *der*.

petrọlio *sm* Erdöl *das*.

pettegolẹzzo *sm* Klatsch *der*.

pettinạre *vt (persona)* kämmen. ■ **pettinarsi** *vr* sich kämmen.

pẹttine *sm (per capelli)* Kamm *der*.

pẹtto *sm (torace, seno, carne)* Brust *die* ; **~ di pollo** Hühnerbrust ; **a doppio ~** *(abito)* Zweireiher *der*.

pẹzzo *sm (parte, frammento, di spazio)* Stück *das* ; *(componente)* Teil *das* ; *(di tempo)* : **un (bel) ~** eine ganze Weile ; *(di giornale)* Artikel *der* ; **cadere a pezzi** auseinander fallen ; **~ di ricambio** Ersatzteil ; **due pezzi** *(abito)* Zweiteiler *der* ; **due pezzi** *(costume)* Bikini *der* ; **~ grosso** *fig (persona importante)* hohes Tier.

phon *sm inv (asciugacapelli)* Fön® *der*.

piacẹre *sm (godimento, soddisfazione)* Freude *die* ; *(favore)* Gefallen *der*. ◆ *vi* : **qn/qc mi piace** jd/etw gefällt mir ; **per ~** bitte ; **~ (di conoscerLa)!** es freut mich, Sie kennen zu lernen! ; **~ mio!** ganz meinerseits! ; **a ~** *(a scelta)* nach Wunsch.

piacẹvole *agg* angenehm.

pianẹta *sm (corpo celeste)* Planet *der*.

piạngere *vi (versare lacrime)* weinen.

pianịsta, i, e *smf* Pianist *der*, -in *die*.

piạno, a *agg (piatto)* flach ; *MAT* eben. ◆ *avv (lentamente)* langsam ; *(a bassa voce)* leise. ◆ *sm MAT* Fläche *die* ; *(di edificio)* Stockwerk *das* ; *(di programma, disegno)* Plan *der* ; **andarci ~** behutsam vor|gehen ; **~ ~** *(poco a poco)* nach und nach ; **abitano al primo ~** sie wohnen im ersten Stock ; **il ~ di sopra/sotto** der obere/untere Stock.

pianofọrte *sm* Klavier *das*.

pianotẹrra = **pianterreno**.

piạnta *sf (vegetale)* Pflanze

die ; *(di piede)* Sohle *die* ; *(di città, casa, appartamento)* Plan *der*.

piantare *vt (semi)* pflanzen ; *(conficcare)* ein|schlagen ; *fam (abbandonare)* verlassen ; **piantala!** hör auf!

pianterreno *sm* Erdgeschoss *das*.

pianto, a *pp* → **piangere**. ◆ *sm (il piangere)* Weinen *das*.

pianura *sf* Ebene *die* ; **la Pianura Padana** die Poebene.

piastrella *sf (pavimento)* Fliese *die* ; *(muro)* Kachel *die*.

piattino *sm (per tazza)* Untertasse *die*.

piatto, a *agg (piano, monotono)* flach. ◆ *sm (recipiente)* Platte *die* ; *(vivanda)* Gericht *das* ; *(portata)* Gang *der* ; **~ freddo** kaltes Gericht ; **~ del giorno** Tagesgericht ; **~ tipico** örtliche Spezialität ; **primo ~** erster Gang ; **secondo ~** zweiter Gang ; **lavare i piatti** Geschirr spülen ; **piatti pronti** Fertiggerichte.

piazza *sf (di città)* Platz *der*.

piazzale *sm (piazza)* Platz *der* ; *(di stazione, aeroporto)* Vorplatz *der*.

piazzare *vt (collocare)* auf|stellen ; *(vendere)* an|bringen. ■ **piazzarsi** *vr (in gara)* sich platzieren.

piccante *agg (sapore)* scharf.

picchetto *sm (di tenda)* Hering *der*.

picchiare *vt (dar botte)* schlagen ; *(testa)* stoßen. ◆ *vi (urtare)* an|stoßen ; *(sole)* stechen.
■ **picchiarsi** *vr (darsi botte)* sich prügeln.

piccione *sm (uccello)* Taube *die*.

picco, chi *sm (vetta)* Gipfel *der* ; **a ~** senkrecht.

piccolo, a *agg* klein ; *(breve)* kurz.

piccozza *sf* Eispickel *der*.

picnic *sm inv* Picknick *das*.

pidocchio *sm (insetto)* Laus *die*.

piede *sm* Fuß *der* ; **andare a piedi** zu Fuß gehen ; **essere a piedi** zu Fuß sein ; **in piedi** aufrecht.

piega, ghe *sf (di gonna, grinza)* Falte *die* ; *(di pantaloni)* Bügelfalte *die*.

piegare *vt (fil di ferro)* biegen ; *(braccio, gamba)* beugen ; *(foglio, tovaglia)* falten ; *(letto, sedia)* zusammen|klappen. ■ **piegarsi** *vr (curvarsi)* sich krümmen. ■ **piegarsi a** *vr + prep* sich beugen *(+D)*.

pieghevole *agg (flessibile)* biegsam ; *(sedia, tavolo)* Klapp-.

Piemonte *sm* : **il ~** das Piemont.

piena *sf (di fiume)* Hochwasser *das*.

pieno, a *agg (bicchiere, borsa, armadio, affollato)* voll ; *fam (sazio)* satt ; *(completo)* : **piena guarigione** volle Genesung ; **in piena notte** mitten in der Nacht ; **in ~ inverno** im tiefsten Winter. ◆ *sm (culmine)* : **nel ~ della giovinezza** in der Blüte der Jugend ; **nel ~ delle forze** im Vollbesitz der Kräfte ; **~ di sé** von sich ein-

genommen ; **a stomaco ~** mit vollem Magen ; **fare il ~ (di benzina)** voll|tanken.
pietà *sf (compassione)* Mitleid *das* ; *RELIG* Barmherzigkeit *die* ; **avere ~ di qn** mit jm Mitleid haben.
pietanza *sf* Gericht *das*.
pietoso, a *agg (che ispira pietà)* bemitleidenswert.
pietra *sf (sasso, gioiello)* Stein *der* ; **~ dura** Halbedelstein ; **~ preziosa** Edelstein.
pigiama, i *sm* Pyjama *der*.
pigna *sf (di pianta)* Zapfen *der*.
pignolo, a *agg* pedantisch.
pigrizia *sf* Faulheit *die*.
pigro, a *agg (persona)* faul.
pila *sf (cumulo)* Stoß *der* ; *(batteria)* Batterie *die*.
pilastro *sm* Pfeiler *der*.
pile *sm inv (fibra tessile)* Fleece *das*.
pillola *sf (compressa)* Tablette *die* ; *(anticoncezionale)* Pille *die*.
pilone *sm (di ponte)* Pfeiler *der* ; *(di teleferica)* Mast *der*.
pilota, i, e *smf (di aereo)* Pilot *der*, -in *die* ; *(di nave)* Steuermann *der* ; *(di auto)* Rennfahrer *der*, -in *die*.
pinacoteca, che *sf* Pinakothek *die*.
pineta *sf* Pinienwald *der*.
ping-pong *sm inv* Tischtennis *das*.
pinguino *sm (animale)* Pinguin *der*.
pinna *sf (di pesce)* Flosse *die* ; *(per nuotare)* Schwimmflosse *die*.
pino *sm (albero)* Kiefer *die*.
pinolo *sm* Pinienkern *der*.
pinza *sf (utensile)* Zange *die*.
pinzare *vt (con graffette)* heften.
pinzetta *sf (per cosmesi)* Pinzette *die*.
pinzimonio *sm (salsa)* *Tunke aus gewürztem Öl zum Eintauchen von rohem Gemüse* ; **verdure in ~** *rohes Gemüse zum Eintauchen in Tunke aus gewürztem Öl*.
pioggia, ge *sf (precipitazione)* Regen *der*.
piombare *vi (giungere)* herein|platzen ; *fig* **~ nella disperazione** von Verzweiflung gepackt werden ; **~ su** stürzen auf *(+A)*.
piombo *sm (metallo)* Blei *das*.
piovere *v impers* regnen. ◆ *vi (scendere dall'alto)* prasseln ; *fig (affluire)* hageln.
piovigginare *v impers* nieseln.
piovoso, a *agg (stagione, regione)* regnerisch ; *(che minaccia pioggia)* Regen-.
pipa *sf (per fumare)* Pfeife *die*.
pipì *sf fam (urina)* : **fare (la) ~** Pipi machen.
pipistrello *sm (animale)* Fledermaus *die*.
pirata, i *agg (radio, emittente)* Piraten- ; *(cassetta)* Raub-. ◆ *sm (corsaro)* Seeräuber *der* ; *INFORM* Pirat *der* ; **~ della strada** Verkehrsrowdy *der*.
pirofila *sf (recipiente da forno)* feuerfeste Form.

piroscafo *sm (nave)* Dampfschiff *das.*

Pisa *sf* Pisa *nt* ; **la torre di ~** der schiefe Turm von Pisa.

pisciare *vi volg (urinare)* pissen.

piscina *sf (complesso)* Schwimmbad *das.*

pisello *sm (legume)* Erbse *die.*

pista *sf (per gare sportive, corsia)* Bahn *die* ; *(da sci)* Piste *die* ; *(di aeroporto)* Rollbahn ; **~ da ballo** Tanzfläche *die* ; **~ ciclabile** *(percorso)* Fahrradweg *der.*

pistacchio *sm* Pistazie *die.*

pistola *sf (arma da fuoco)* Pistole *die.*

pittore, trice *sm, f (artista)* Maler *der*, -in *die.*

pittura *sf (arte)* Malerei *die* ; *(opera)* Gemälde *das.*

pitturare *vt (dipingere)* malen ; *(verniciare)* streichen.

più *avv* - 1. *(in comparativi)* : **~ (di)** mehr (als) ; **ho fatto ~ tardi del solito** ich bin später als gewöhnlich dran ; **poco ~ di** etwas mehr als ; **di ~** *(in maggior quantità)* mehr.
- 2. *(in superlativi)* : **la collina ~ alta** der höchste Hügel ; **il ~ grande** der Größte.
- 3. *(oltre)* noch mehr ; **non ... ~** nicht mehr ; **non parlo ~** ich sage nichts mehr ; **mai ~** nie mehr ; **per di ~** außerdem.
◆ *prep* - 1. *(con l'aggiunta di)* zusätzlich ; **siamo in sei ~ gli ospiti** wir sind zu sechst plus Gäste.
- 2. *MAT* : **tre ~ tre fa sei** drei plus drei macht sechs.
◆ *agg inv* - 1. *(in quantità, numero maggiore)* mehr ; **ho fatto ~ punti di te** ich habe mehr Punkte gemacht als du.
- 2. *(diversi)* mehrere ; **l'ho ripetuto ~ volte** ich habe es mehrere Male wiederholt.
◆ *sm inv* - 1. *(la maggior parte)* : **il ~ è fatto** das Meiste ist geschafft ; **il ~ delle volte** meistens ; **parlare del ~ e del meno** über dieses und jenes sprechen.
- 2. *(la maggioranza)* : **i ~** die Meisten.

piuma *sf (penna)* Feder *die.*

piumino *sm (trapunta)* Federbett *das* ; *(giaccone)* Daunenjacke *die* ; *(per cipria)* Puderquaste *die.*

piumone® *sm (trapunta)* Federbett *das.*

piuttosto *avv (di preferenza)* lieber ; *(abbastanza)* ziemlich ; **~ che** lieber als.

pizza *sf (pietanza)* Pizza *die* ; **~ quattro stagioni** *in verschieden belegte Viertel unterteilte Pizza* ; **~ napoletana** *original neapoletanische Pizza, ursprünglich nur mit Gewürzen, Tomatensoße und Mozzarella belegt.*

pizzeria *sf* Pizzeria *die.*

pizzetta *sf (pizza)* Minipizza *die.*

pizzicare *vt (con le dita)* kneifen ; *(pungere)* stechen. ◆ *vi (prudere)* jucken ; *(cibo)* scharf sein.

pizzico, chi *sm (quantità)*

Prise *die* ; **un ~ di sale** eine Prise Salz.

pizzicọtto *sm* Kniff *der*.

pịzzo *sm (merletto)* Spitze *die* ; *(barba)* Spitzbart *der*.

placạre *vt (ira, odio)* besänftigen ; *(fame, sete)* stillen. ■ **placarsi** *vr (vento)* nachllassen ; *(mare)* sich beruhigen ; *(fame)* sich legen.

plạcca, che *sf (targa)* Plakette *die* ; *(dentaria)* Zahnbelag *der*.

placcạre *vt (rivestire)* dublieren ; SPORT fassen ; **placcato d'oro** vergoldet.

plagiạre *vt (libro, canzone)* ein Plagiat begehen ; *(persona)* sich *(D)* hörig machen.

plạgio *sm (imitazione)* Plagiat *das*.

planetạrio, a *agg* planetarisch. ◆ *sm (locale)* Planetarium *das*.

plasmạre *vt (materia)* formen.

plạstica, che *sf (sostanza)* Plastik *das*.

plạstico, a, ci, che *agg (di plastica)* Plastik- ; *(flessibile)* formbar ; *(chirurgia, intervento)* plastisch. ◆ *sm (modellino)* Modell *das* ; *(esplosivo)* Plastiksprengstoff *der*.

plạtano *sm (albero)* Platane *die*.

platẹa *sf (settore)* Parterre *das* ; *(pubblico)* Publikum *das*.

plurạle *agg* GRAMM Plural-. ◆ *sm* GRAMM Plural *der*.

pneumạtico, a *agg (gonfiabile)* Luft- ; **materassino ~** Luftmatratze *die*. ◆ *sm (gomma)* Reifen *der*.

po' = **poco**.

Po *sm* : **il ~** der Po.

pọco, a, chi, che *agg* wenig ; **ho ~ tempo** ich habe wenig Zeit ; **ho pochi amici** ich habe wenige Freunde ; **in poche parole** kurz gesagt.

◆ *sm* : **un ~** eine Kleinigkeit ; **un po'** ein wenig ; **compra un po' di pane** kaufe etwas Brot.

◆ *pron* - 1. *(una piccola quantità, un piccolo numero)* wenig ; **pochi** *(non molta gente)* wenige.

- 2. : *(in espressioni)* **aver ~ da fare** wenig zu tun haben ; **ci vuole ~ a capire che ...** es ist nicht schwer zu verstehen, dass ... ; **siamo tornati da ~** wir sind gerade erst zurückgekommen ; **è una cosa da ~** es ist eine Kleinigkeit ; **per ~ non cadevo** ich wäre beinahe gefallen ; **tra ~** bald ; **a tra ~!** bis bald!

◆ *avv* - 1. *(scarsamente)* wenig ; **abito ~ lontano** ich wohne nicht weit entfernt ; **mangia ~** er/sie isst wenig.

- 2. *(per breve tempo)* kurz ; **durare ~** nicht lange dauern.

pọdio *sm* SPORT Podest *das*.

poesịa *sf (arte)* Poesie *die* ; *(componimento)* Gedicht *das*.

poẹta, ẹssa *sm, f (artista)* Dichter *der*, -in *die*.

poẹtico, a, ci, che *agg (di poesia, romantico)* poetisch ; *(di poeta)* dichterisch.

poggiạre *vt (posare in orizzontale)* legen ; *(posare in verticale)* stellen. ◆ *vi (in orizzontale)* : **~ su qc** auf etw *(A)* legen ; *(in verticale)* auf etw *(A)* stellen.

pọi *avv (dopo)* nachher ; *(nello spazio)* hinter ; *(infine)* schließlich ; **e ~** *(inoltre)* und außerdem.

poiché *cong* da.

polạcco, a, chi, che *agg* polnisch. ◆ *sm, f (abitante)* Pole *der*, -lin *die*. ◆ *sm (lingua)* Polnisch(e) *das*.

polạre *agg (del polo)* Polar- ; *fig (gelido)* sibirisch.

polarọid® *sf inv (macchina)* Polaroidkamera® *die*.

polẹmica, che *sf (controversia)* Polemik *die*.

polẹmico, a, ci, che *agg (persona)* streitlustig ; *(tono, discorso)* polemisch.

polẹnta *sf* Polenta *die*.

poliambulatọrio *sm* Poliklinik *die*.

pọlipo *sm (mollusco)* Tintenfisch *der*.

polịtica, che *sf (scienza, linea di condotta)* Politik *die*.

polịtico, a, ci, che *agg* politisch. ◆ *sm, f (uomo politico)* Politiker *der*, -in *die*.

polizịa *sf (organo)* Polizei *die* ; **~ stradale** Verkehrspolizei.

poliziọtto, a *sm, f* Polizist *der*, -in *die*.

pọlizza *sf* Police *die*.

pollạio *sm (per polli)* Hühnerstall *der*.

pollạme *sm* Geflügel *das*.

pọllice *sm (dito)* Daumen *der* ; *(unità di misura)* Zoll *der*.

pọlline *sm* Pollen *der*.

pọllo *sm* Huhn *das* ; **~ arrosto** Brathuhn ; **~ alla cacciatora** *in einer Soße aus Gemüse, Kräutern und Wein gebratenes Huhn* ; **~ alla diavola** *flach geklopfte Hühnerhälften, gegrillt und in Zitronensoße mariniert.*

polmọne *sm* ANAT Lunge *die*.

polmonịte *sf* Lungenentzündung *die*.

pọlo *sm* GEOG Pol *der* ; *(gioco)* Polo *das* ; **il Polo** *(partito politico) Mitte-Rechts-Bündnis verschiedener Parteien in Italien* ; **il ~ Nord/Sud** der Nord-/Südpol.

Polọnia *sf* : **la ~** Polen *nt*.

polpạccio *sm* Wade *die*.

polpastrẹllo *sm* Fingerkuppe *die*.

polpẹtta *sf (vivanda)* Frikadelle *die*.

polpettọne *sm (vivanda)* Hackbraten *der*.

pọlpo *sm* = **polipo**.

polsịno *sm (di camicia)* Manschette *die*.

pọlso *sm* ANAT Handgelenk *das* ; MED Puls *der* ; **prendere il ~** den Puls fühlen.

poltrọna *sf (sedia)* Sessel *der* ; *(di teatro)* Parkettplatz *der*.

pọlvere *sf (terra)* Staub *der* ; *(di vetro, oro)* Pulver *das* ; **in ~** in Pulverform ; **latte in ~** Milchpulver.

polverọso, a *agg* staubig.

pomata *sf (medicinale)* Salbe *die*.

pomeriggio *sm* Nachmittag *der*; **di ~** nachmittags.

pomo *sm (di bastone, letto)* Knauf *der*; **~ d'Adamo** Adamsapfel *der*.

pomodoro *sm (verdura)* Tomate *die*.

pompa *sf (macchina)* Pumpe *die*; *(sfarzo)* Pracht *die*, Prunk *der*. ■ **pompe funebri** *sfpl (impresa)* Bestattungsinstitut *das*.

pompare *vt* pumpen.

Pompei *sf* Pompeji *nt*.

POMPEI

Pompeji ist eine der berühmtesten Ausgrabungsstätten der Welt. Die in der Nähe von Neapel gelegene Stadt wurde beim Ausbruch des Vesuv im Jahre 79 v. Chr. vollständig unter Lava begraben. Die öffentlich zugänglichen Ausgrabungen bieten dem Besucher einzigartige Einblicke in die Anlage einer römischen Stadt und das römische Alltagsleben.

pompelmo *sm (frutto)* Grapefruit *die*.

pompiere *sm (vigile del fuoco)* Feuerwehrmann *der*.

ponente *sm (ovest)* Westen *der*.

ponte *sm (su acque, cavalcavia, protesi dentaria)* Brücke *die*; *(di nave)* (Kommando)brücke *die*; *(impalcatura)* Gerüst *das*; **~ levatoio** Zugbrücke; **fare il ~** einen Brückentag nehmen.

PONTE VECCHIO

Die älteste Brücke von Florenz (1345) führt über die engste Stelle des Arno. Sie gilt als eine der schönsten Brücken Italiens und ist das Wahrzeichen der Stadt. Eine Vielzahl von Touristen aus dem In- und Ausland besichtigt täglich ihre berühmten Bogengänge, unter denen sich die Geschäfte der Gold- und Silberschmiede befinden. Mit einer Galerie (dem Korridor des Vasari) verbindet sie die Uffizien mit dem Palazzo Pitti.

Pontefice *sm (Papa)* Papst *der*.

pony *sm inv (cavallo)* Pony *das*; **~ express** *Kurierdienst der*.

popolare *agg (noto)* populär; *(dei cittadini)* Volks-; *(non ricco)*: **il quartiere ~** das Arbeiterviertel; **case popolari** Sozialwohnungen. ◆ *vt* bevölkern.

popolarità *sf (fama)* Popularität *die*.

popolazione *sf* Bevölkerung *die*.

popolo *sm* Volk *das*.

poppa *sf* NAUT Heck *das*; *(di mucca)* Euter *das*.

poppare *vt (latte)* saugen.

porcellana *sf (materiale)* Porzellan *das*.

porcellino *sm (maialino)* Schweinchen *das*.

porcino, a *agg (di porco)* Schweine-. ◆ *sm (fungo)* Steinpilz *der* ; **risotto con i porcini** *Reisgericht mit Steinpilzen.*

pọrco, ci *sm* Schwein *das* ; *fig (sudicione)* Dreckschwein *das.*

porcospịno *sm (animale)* Stachelschwein *das.*

pọrgere *vt (dare)* über|bringen ; *(tendere)* reichen.

pornogrạfico, a, ci, che *agg* pornografisch.

pọro *sm (di pelle)* Pore *die.*

pọrre *vt (mettere)* : **~ una condizione** eine Bedingung stellen ; **~ un limite** Grenzen setzen ; *(riporre)* zurück|legen ; *(supporre)* : **poniamo che** nehmen wir an, dass.

pọrro *sm (verdura)* Lauch *der* ; MED Warze *die.*

pọrta *sf (di edificio, mobile)* Tür *die* ; *(di città & SPORT)* Tor *das.*

portabagạgli *sm inv (bagagliaio)* Kofferraum *der* ; *(sul tetto)* Gepäckträger *der.*

portacẹnere *sm inv* Aschenbecher *der.*

portachiạvi *sm inv* Schlüsselanhänger *der.*

portacịpria *sm inv* Puderdose *die.*

portafinẹstra (*pl* **portefinestre**) *sf* Fenstertür *die.*

portafọglio (*pl* **portafogli**) *sm (per denaro)* Brieftasche *die* ; *(in politica, finanza)* Portefeuille *das.*

portagiọie *sm inv* Schmuckkästchen *das.*

portalẹttere = **postino**.

portamonẹte *sm inv* Portmonee *das.*

portapạcchi *sm inv (per bicicletta, moto)* Gepäckträger *der.*

portạre *vt (sostenere su di sé)* tragen ; *(condurre)* bringen ; *(prendere con sé)* (mit|)nehmen ; *(abito, occhiali, barba, capelli lunghi)* tragen ; **~ qc a qn** *(consegnare)* jm etw bringen ; **portar via** *(rubare)* stehlen ; **~ fortuna** Glück bringen.

portasapọne *sm inv* Seifenhalter *der.*

portasigarẹtte *sm inv* Zigarettenetui *das.*

portạta *sf (piatto)* Gang *der* ; *(di veicolo)* Ladegewicht *das* ; **essere a ~ di mano** in greifbarer Nähe sein ; **alla ~ di tutti** für alle erschwinglich.

portạtile *agg* tragbar. ◆ *sm (computer)* Laptop *der.*

portatovagliọlo *sm* Serviettenring *der.*

pọrtico, ci *sm (colonnato)* Arkaden *pl.*

portiẹra *sf (sportello)* Tür *die.*

portiẹre, a *sm, f (portinaio)* Pförtner *der*, -in *die* ; *(di albergo)* Portier *der* ; *(nel calcio)* Torwart *der.*

portinerịa *sf (di palazzo)* Pförtnerloge *die* ; *(di albergo)* Portierloge *die.*

pọrto, a *pp* → **porgere**. ◆ *sm (di mare, fiume)* Hafen *der* ; **~ d'armi** Waffenschein *der.*

Portogạllo *sm* : **il ~** Portugal *nt.*

portoghẹse *agg* portugiesisch. ◆ *smf (abitante)* Portugiese *der*, -sin *die* ; *fig (scroccone, che entra a sbafo) jd, der sich ungeladen Einlass zu einer Veranstaltung verschafft.* ◆ *sm (lingua)* Portugiesisch(e) *das*.

portone *sm* Eingangstor *das*.

porzione *sf (di cibo)* Portion *die* ; *(parte)* Teil *der*.

posa *sf* Pose *die* ; **mettersi in ~** posieren.

posacenere *sm inv* = **portacenere**.

posare *vt (metter giù in orizzontale)* legen ; *(metter giù in verticale)* stellen ; *(metter su qc)* setzen. ◆ *vi (atteggiarsi)* posieren ; *(modello)* Modell stehen. ■ **posarsi** *vr (uccello)* sich niederllassen ; *(sguardo)* ruhen.

posata *sf (arnese)* Besteckteil *das* ; **le posate** Besteck *das*.

posizione *sf (geografica, topografica)* Lage *die* ; *(del corpo)* Haltung *die* ; *fig (situazione, atteggiamento)* Position *die* ; **~ politica** politische Einstellung.

posologia, gie *sf* MED Dosierung *die*.

possedere *vt* besitzen ; *(una conoscenza)* haben.

possesso *sm (di beni)* Besitz *der*.

possibile *agg* möglich ; *(fattibile)* denkbar ; **con tutta l'attenzione ~** mit größtmöglicher Sorgfalt. ◆ *sm (che può accadere, che si può fare)* : **fare tutto il ~ (per fare qc)** das Möglichste tun (, um etw zu tun) ; **se ~** falls möglich ; **il più ~** so viel wie möglich.

possibilità *sf inv (eventualità)* Möglichkeit *die* ; *(occasione)* Gelegenheit *die* ; *(capacità)* : **avere la ~ di fare qc** die Möglichkeit haben, etw zu tun.

posta *sf* Post *die* ; **per ~** per Post ; **~ aerea** Luftpost ; **~ elettronica** E-Mail *die*.

posteggiare *vt (parcheggiare)* parken.

posteggiatore, trice *sm, f (custode)* Parkwächter *der*, -in *die*.

posteggio *sm (parcheggio)* Parkplatz *der* ; **~ a pagamento** kostenpflichtiger Parkplatz.

posteriore *agg (nello spazio)* Hinter- ; *(nel tempo)* später.

posticipare *vt* verschieben.

postino, a *sm, f (portalettere)* Briefträger *der*, -in *die*.

posto *sm* Platz *der* ; *(luogo apposito, impiego)* Stelle *die* ; *(località, locale)* Ort *der* ; **~ di blocco** Straßensperre *die* ; **~ letto** Bett *das* ; **~ di polizia** Polizeirevier *das* ; **al ~ di qn** an js Stelle ; **al ~ di qc** an die Stelle von etw.

potabile *agg* → **acqua**.

potare *vt (albero, siepe)* stutzen.

potente *agg (uomo, stato)* mächtig ; *(getto, farmaco)* stark ; *(auto)* leistungsstark.

potenza *sf (forza)* Stärke *die* ; *(nazione)* Macht *die*.

potere *vi* - 1. *(essere in grado di)* : **poter fare qc** etw tun können ; **puoi farmi un favore?** kannst du mir einen Gefallen tun?
- 2. *(avere il diritto di)* : **poter fare**

qc etw tun dürfen ; **non potete parcheggiare qui** ihr dürft hier nicht parken.
- **3.** *(esprime eventualità)* können ; **potrei sbagliarmi** ich kann mich auch irren ; **può darsi** kann sein.
- **4.** *(in espressioni)* : **non ne posso più** ich halte es nicht mehr aus ; **a più non posso** mit aller Gewalt. ◆ *sm (comando, autorità)* Macht *die* ; *(capacità)* Fähigkeit *die* ; **essere al ~** an der Macht sein ; **ha il ~ di farmi arrabbiare** er/sie schafft es, mich wütend zu machen.

povero, a *agg* arm. ◆ *sm, f* Arme *der, die*.

pozza *sf* Lache *die*.

pozzanghera *sf* Pfütze *die*.

pozzo *sm (d'acqua)* Brunnen *der*.

pranzare *vi* zu Mittag essen.

pranzo *sm (pasto di mezzogiorno)* Mittagessen *das* ; *(di lavoro)* Arbeitsessen *das* ; **invitare qn a ~** jn zum Mittagessen ein|laden.

pratica, che *sf (contrario di teoria)* Praxis *die* ; *(di sport, attività)* Übung *die* ; *(esperienza)* Erfahrung *die* ; **mettere in ~ qc** etw in die Praxis um|setzen ; **in ~** in der Praxis. ■ **pratiche** *sfpl (documenti)* Akten *pl*.

praticamente *avv (quasi, concretamente)* praktisch.

pratico, a, ci, che *agg* praktisch ; **essere ~ di qc** *(esperto)* sich mit/in einer Sache *(D)* aus|kennen.

prato *sm (distesa d'erba)* Wiese *die*.

preavviso *sm (avvertimento)* Benachrichtigung *die*.

precauzione *sf (misura)* Vorsichtsmaßnahme *die*.

precedente *agg (che viene prima)* vorherig. ◆ *sm* : **senza precedenti** ohnegleichen ; **precedenti penali** Vorstrafen *pl*.

precedenza *sf (in auto)* Vorfahrt *die* ; *(priorità)* Vorrang *der* ; **avere la ~** *(in auto)* Vorfahrt haben.

precedere *vt (a piedi, nel tempo)* voraus|gehen ; *(con un veicolo)* voraus|fahren.

precipitare *vi (cadere)* hinab|stürzen. ■ **precipitarsi** *vr (correre)* sich stürzen.

precipitazione *sf (atmosferica)* Niederschlag *der*.

precipizio *sm (dirupo)* Abgrund *der*.

precisare *vt* präzisieren.

precisione *sf (esattezza)* Genauigkeit *die*.

preciso, a *agg (esatto)* genau.

precoce *agg (bambino)* frühreif ; *(vecchiaia)* vorzeitig.

preda *sf (animale)* Beute *die*.

predica, che *sf* RELIG Predigt *die* ; *fam (ramanzina)* Standpauke *die*.

predisporre *vt (piano, misure)* vor|bereiten ; **~ qn/qc a qc** *(persona, organismo)* jn/etw auf etw *(A)* vor|bereiten.

predisposizione *sf (inclinazione)* Veranlagung *die*.

prefabbricato sm *(edificio)* Fertighaus *das*.

preferenza sf Vorliebe *die*.

preferire vt - 1. vor|ziehen. - 2. *(stimare migliore)* lieber mögen ; **preferisco il mare alla montagna** ich mag das Meer lieber als die Berge.

preferito, a agg Lieblings-.

prefiggersi vr : ~ **uno scopo** sich *(D)* ein Ziel setzen.

prefisso, a sm *(telefonico)* Vorwahl *die*.

pregare vt *(dio)* beten ; ~ **qn di fare qc** *(supplicare)* jn anflehen, etw zu tun ; *(chiedere)* jn bitten, etw zu tun ; **i passeggeri sono gentilmente pregati di non fumare** die Passagiere werden gebeten, nicht zu rauchen.

preghiera sf RELIG Gebet *das* ; *(richiesta)* Bitte *die*.

pregiato, a agg hochwertig.

pregio sm *(qualità)* Vorzug *der* ; *(valore)* Wert *der*.

pregiudizio sm *(opinione)* Vorurteil *das*.

prego escl bitte.

prelavaggio sm Vorwäsche *die*.

prelevare vt *(soldi)* ab|heben ; *(campione, sangue)* entnehmen.

prelievo sm *(in banca)* Abhebung *die* ; MED : ~**di sangue** Blutentnahme *die*.

premaman agg inv Umstands-.

prematuro, a agg *(affrettato)* verfrüht. ◆ sm, f *(neonato)* Frühgeborene *das*.

premere vt *(pulsante, tasto)* drücken. ◆ vi : ~ **su** *(pigiare)* drücken auf *(+A)* ; ~ **a qn** jm am Herzen liegen.

premiare vt *(dare un premio)* aus|zeichnen ; *(merito, onestà)* belohnen.

premiazione sf *(atto, cerimonia)* Preisverleihung *die*.

premio sm *(vincita)* Preis *der* ; *(ricompensa)* Belohnung *die* ; ~ **(di assicurazione)** (Versicherungs)prämie *die*.

premuroso, a agg *(sollecito)* aufmerksam.

prendere vt - 1. *(afferrare, portare)* holen ; ~ **qc a qn** jm etw holen.
- 2. *(mezzi di trasporto, strada)* nehmen ; ~ **il treno** den Zug nehmen ; **prenda la prima a destra** nehmen Sie die erste Straße rechts.
- 3. *(al ristorante, bar)* : **andiamo a ~ un caffè** gehen wir einen Kaffee trinken.
- 4. *(ricevere)* bekommen ; ~ **qc in affitto** etw mieten.
- 5. *(considerare)* nehmen ; ~ **qn per ...** jn für ... halten.
- 6. *(catturare, sorprendere)* fangen ; **quanti pesci hai preso?** wie viele Fische hast du gefangen?
- 7. *(malattia)* sich *(D)* etw holen ; ~ **freddo** sich verkühlen ; ~ **il sole** sich sonnen ; ~ **un raffreddore** sich erkälten.
- 8. *(in espressioni)* holen ; **andare a ~ qc** etw holen ; ~ **fuoco** Feuer fangen ; ~ **un impegno**

eine Verpflichtung ein|gehen ; ~ **le misure di** *(oggetto)* ab|messen ; *(persona)* Maß nehmen.
◆ *vi* - 1. *(colla)* aus|härten ; *(cemento)* binden ; *(fuoco)* auf|lodern.
- 2. *(cominciare)* an|fangen.
■ **prendersi** *vr (malattia)* sich *(D)* holen ; **prendersi per mano** sich an der Hand fassen ; **prendersela** *(offendersi)* gekränkt sein ; **non prendertela** mach dir nichts daraus.

prendisọle *sm (abito)* Strandkleid *das.*

prenotạre *vt (teatro, ristorante)* vor|bestellen ; **ho prenotato una camera** ich habe ein Zimmer gebucht.

prenotaziọne *sf* Buchung *die.*

preoccupạre *vt* besorgen. ■ **preoccuparsi** *vr (+ prep)* : ~ **(per)** sich sorgen (um) ; ~ **di** *(occuparsi di)* sich kümmern um.

preoccupạto, a *agg* besorgt.

preoccupaziọne *sf (ansietà)* Besorgnis *die* ; *(pensiero)* Sorge *die* ; *(persona)* Sorgenkind *das.*

preparạre *vt (valigie)* packen ; *(tavola)* decken ; *(discorso,esame)* vor|bereiten. ■ **prepararsi** *vr (vestirsi)* sich fertig|machen.

preparatịvi *smpl* Vorbereitungen *pl.*

preposiziọne *sf* GRAMM Präposition *die.*

prepotẹnte *agg (persona)* arrogant ; *(desiderio)* dringend.
◆ *sm,f* arrogante Person.

prẹsa *sf (il prendere, nello sport)* Griff *der* ; **lasciare la** ~ los|lassen ; *(appiglio)* Halt *der* ; *(di acqua, gas)* Anschluss *der* ; *(di sale, pepe)* Prise *die* ; *(per spina)* : ~ **(di corrente)** Steckdose *die.*

prẹsbite *sm,f* Weitsichtige *der, die.*

prescrịvere *vt (una medicina)* verschreiben.

presentạre *vt (biglietto, documenti)* vor|zeigen ; *(candidatura, domanda, dimissioni)* ein|reichen ; *(scuse)* vor|bringen ; *(spettacolo)* vor|stellen ; *(persona)* : ~ **qn (a)** jn (jm) vor|stellen ; **Le presento mia moglie** darf ich Ihnen meine Frau vorstellen? ■ **presentarsi** *vr (farsi conoscere)* sich vor|stellen ; *(comparire)* erscheinen.

presentatọre, trịce *sm, f (di spettacolo, programma)* Showmaster *der*, -in *die.*

presentaziọne *sf (di documenti, domande, ricorso)* Einreichung *die* ; *(di libro, film, opera)* Vorstellung *die* ; **fare le presentazioni** miteinander bekannt machen.

presẹnte *agg (nel luogo)* anwesend ; *(nel tempo)* derzeitig.
◆ *smf* : **i presenti** die Anwesenden ; **tener ~ che** berücksichtigen, dass.

presentimẹnto *sm* Vorahnung *die.*

presẹnza *sf (in luogo)* Anwesenheit *die*.

presẹpe = presepio.

presẹpio *sm (statuine)* (Weihnachts)krippe *die*.

preservatịvo *sm (profilattico)* Kondom *das*.

prẹside *smf (di scuola)* Rektor *der* ; *(di facoltà)* Dekan *der*.

presidẹnte *sm,f* Vorsitzende *der, die* ; ~ **del Consiglio** Ministerpräsident *der*, -in *die* ; ~ **della Repubblica** Staatspräsident *der*, -in *die*.

prẹso, a *pp* → prendere.

pressapọco, pressappọco *avv* ungefähr.

pressiọne *sf (il premere)* Drücken *das* ; *(di acqua, aria, sangue)* Druck *der* ; **far ~ su qn** auf jn Druck ausǀüben ; **essere sotto ~** *(sotto stress)* unter Druck stehen.

prẹsso *prep (vicino a, alle dipendenze di, a casa di)* bei. ◆ *smpl* : **nei pressi di Siena** in der Nähe von Siena.

prestạre *vt* : ~ **qc (a qn)** *(denaro, oggetti)* (jm) etw leihen. ■ **prestarsi a** *vr + prep* : **prestarsi a fare qc** *(offrirsi)* sich zu etw bereit erklären.

prestigiatọre, trịce *sm, f* Zauberkünstler *der*, -in *die*.

prẹstito *sm (cessione)* Ausleihe *die* ; **prendere qc in ~ (da qn)** etw (von jm) ausǀleihen.

prẹsto *avv (fra poco)* gleich ; *(in fretta)* schnell ; *(nella giornata, nel tempo)* früh ; *(prematuro)* verfrüht ; **fai ~!** mach schnell! ; **a ~!** bis bald! ; **al più ~** so rasch wie möglich.

presuntuọso, a *agg* eingebildet.

prẹte *sm (sacerdote)* Priester *der*.

pretẹndere *vt (a torto)* verlangen ; *(a ragione)* fordern ; *(esigere)* bestehen auf *(+A)* ; *(sostenere)* behaupten ; **pretende che tutti lo ascoltino** er meint, alle müssten ihm zuhören ; ~ **di fare qc** darauf bestehen, etw zu tun.

prevedẹre *vt (futuro, evento)* vorausǀsehen. ■ **prevedere di** *v + prep (pensare)* etw vorǀhaben.

prevenịre *vt (anticipare)* vorwegǀnehmen ; *(precedere)* zuvorǀkommen ; *(evitare)* verhindern.

preventịvo, a *agg (cura, misure)* vorbeugend. ◆ *sm* Kostenvoranschlag *der*.

previdẹnza *sf (qualità)* Voraussicht *die* ; ~ **sociale** Sozialversicherung *die*.

previsiọne *sf (valutazione)* Vorhersage *die* ; *(aspettativa)* Erwartung *die* ; **in ~ di** in Erwartung *(+G)* ; **previsioni del tempo** o **meteorologiche** Wettervorhersage.

prevịsto, a *pp* → prevedere. ◆ *agg* voraussichtlich. ◆ *sm* : **più/meno del ~** *(quantità, durata)* mehr/weniger als erwartet.

preziọso, a *agg (di valore, raro)* wertvoll.

prezzẹmolo *sm* Petersilie *die*.

prezzo *sm (in denaro)* Preis *der* ; ~ **comprensivo del servizio** Preis inklusive Bedienung.

prigione *sf (carcere)* Gefängnis *das*.

prigioniero, a *agg (rinchiuso)* eingesperrt ; *(catturato)* gefangen. ◆ *sm, f (in carcere, di rapitori)* Gefangene *der, die*.

prima *avv (in precedenza)* zuvor, vorher ; *(più presto, un tempo)* früher ; *(per prima cosa, nello spazio)* zuerst. ◆ *sf (di teatro, cinema)* Premiere *die* ; *(marcia)* erster Gang ; *(in treno, aereo, a scuola)* erste Klasse.

primario *sm* MED Chefarzt *der*, -ärztin *die*.

primato *sm* SPORT Rekord *der*.

primavera *sf (stagione)* Frühling *der*.

primitivo, a *agg (uomo, civiltà)* primitiv.

primo, a *agg (in serie, principale, superiore)* erste, -r, -s ; *(nel tempo)* früh ; *vedi anche* **sesto**. ◆ *sm (portata)* erster Gang ; *(giorno)* Erste *der* ; **di prima qualità** von bester Qualität ; **ai primi d'ottobre** Anfang Oktober ; **sulle prime** anfangs.

primogenito, a *sm, f* Erstgeborene *der, die*.

primula *sf (fiore)* Primel *die*.

principale *agg (più importante)* Haupt-, führend. ◆ *sm, f (di ditta, di ufficio)* Chef *der*, -in *die*.

principe *sm (sovrano)* Prinz *der*.

principessa *sf* Prinzessin *die*.

principiante *sm,f* Anfänger *der*, -in *die*.

principio *sm (inizio, origine)* Anfang *der* ; *(concetto, norma)* Prinzip *das* ; **in** ○ **al** ~ am Anfang.

priorità *sf (precedenza)* Vorrang *der*.

privare *vt* : ~ **qn di qc** jn einer Sache *(G)* berauben. ■ **privarsi di** *vr + prep* auf etw *(A)* verzichten.

privato, a *agg (non pubblico, intimo)* privat, Privat-. ◆ *sm, f (cittadino)* Privatperson *die*. ◆ *sm* : **in** ~ unter vier Augen.

privilegiare *vt (avvantaggiare)* bevorzugen.

pro *sm inv* : **i ~ e i contro** das Für und Wider.

probabile *agg* wahrscheinlich.

probabilità *sf inv (possibilità)* Wahrscheinlichkeit *die*.

probabilmente *avv* wahrscheinlich.

problema *sm (questione)* Problem *das* ; *(noia)* Schererei *die* ; MAT Rechenaufgabe *die*.

proboscide *sf (di elefante)* Rüssel *der*.

procedere *vi (avanzare)* voran|gehen ; *(progredire)* fort|schreiten ; *(agire)* vor|gehen.

procedimento *sm (metodo)* Verfahren *das*.

processare *vt* vor Gericht stellen.

processione *sf* RELIG Prozession *die*.

procẹsso *sm* Prozess *der*.

proclamạre *vt (rendere noto)* verkünden.

procurạre *vt* : ~ **qc a qn** *(ottenere)* jm etw besorgen ; **procurarsi qc** sich *(D)* etw besorgen.

prodọtto *pp* → **produrre**. ◆ *sm (cosa)* Erzeugnis *das* ; *fig (risultato)* Produkt *das*.

prodụrre *vt sog (albero)* tragen ; *sog (fabbrica)* her|stellen ; *(provocare)* verursachen.

produziọne *sf (atto)* Herstellung *die* ; *(prodotti, di film, teatrale)* Produktion *die*.

profạno, a *agg (non sacro)* weltlich. ◆ *sm (non iniziato a qc)* Laie *der*.

professionạle *agg (di lavoro)* professionell.

professiọne *sf (mestiere)* Beruf *der*.

professionịsta *smf (avvocato, medico)* Freiberufler *der*, -in *die* ; *(non dilettante)* Profi *der*.

professọre (*f* **professorẹssa**) *sm, f (a scuola)* Lehrer *der*, -in *die* ; *(all'università)* Professor *der*, -in *die*.

profịlo *sm (di viso)* Profil *das* ; **di ~** im Profil.

profiterole *sm inv kleine gefüllte Windbeuteln, mit Schokolade überzogen*.

profịtto *sm* Profit *der*.

profondità *sf (di mare, buco, ferita, pensiero)* Tiefe *die*.

profọndo, a *agg (lago, ferita, sentimento, pensiero)* tief.

prọfugo, a, ghi, ghe *sm, f* Flüchtling *der*.

profumạre *vt (spargere profumo)* parfümieren. ◆ *vi (aver odore)* duften ; ~ **di** duften nach.

profumạto, a *agg* duftend.

profumerịa *sf (negozio)* Parfümerie *die* ; *(articoli)* Kosmetikartikel *pl*.

profụmo *sm (odore)* Duft *der* ; *(cosmetico)* Parfum *das*.

progettạre *vt* planen.

progẹtto *sm (piano)* Projekt *das* ; *(disegno)* Plan *der*.

progrạmma, i *sm* Programm *das*.

programmạre *vt (pianificare)* planen.

progredịre *vi (avanzare)* voran|kommen ; *(migliorare)* sich bessern.

progrẹsso *sm* Fortschritt *der*.

proibịre *vt (vietare)* verbieten ; ~ **a qn di fare qc** jm verbieten, etw zu tun ; **'è proibito fumare'** 'Rauchen verboten'.

proiettạre *vt (film)* zeigen ; *(luce, ombra)* werfen ; *(gettare, lanciare)* schleudern.

proiẹttile *sm (pallottola)* Kugel *die*.

proieziọne *sf (di film)* Vorführung *die*.

prolụnga, ghe *sf (filo)* Verlängerungskabel *das*.

prolungạre *vt (visita, vacanza)* verlängern. ■ **prolungarsi** *vr (sciopero)* sich hin|ziehen.

promẹssa *sf (impegno)* Versprechen *das* ; **mantenere una ~** ein Versprechen halten.

promẹttere *vt (lavoro, aiuto)* versprechen ; **~(a qn) di fare qc** (jm) versprechen, etw zu tun.

promontọrio *sm* Vorgebirge *das.*

promọsso, a *pp* → **promuovere.**

promoziọne *sf* SCOL Versetzung *die* ; *(nel lavoro)* Beförderung *die* ; *(di prodotto)* Verkaufskampagne *die.*

promuọvere *vt* SCOL versetzen ; *(impiegato)* befördern ; *(iniziativa, prodotto)* bekannt machen.

pronọme *sm* Pronomen *das.*

prọnto, a *agg (preparato)* fertig. ◆ *escl* hallo ; **essere ~ a fare qc** bereit sein, etw zu tun ; **~ soccorso** Rettungsdienst *der* ; **~, chi parla?** hallo, mit wem spreche ich?

pronụncia, e *sf (di lingua)* Aussprache *die.*

pronunciạre *vt (parola, lettera)* auslsprechen ; *(dire)* sagen. ■ **pronunciarsi** *vr (parola, lettera)* sich auslsprechen ; *(dichiararsi)* seine Meinung sagen.

propọrre *vt* : **~ qc (a qn)** *(suggerire)* (jm) etw vorlschlagen ; **~ di fare qc** vorlschlagen, etw zu tun. ■ **proporsi** *vr* : **proporsi di fare qc** sich *(D)* etw vorlnehmen.

proporzionạto, a *agg* proportioniert.

proporziọne *sf (rapporto)* Verhältnis *das* ; **in ~ a** im Verhältnis zu.

propọsito *sm (progetto)* Absicht *die* ; **fare qc di ~** etw absichtlich tun ; **a ~ ...** a propos ...

propọsta *sf* Vorschlag *der.*

propọsto, a *pp* → **proporre.**

proprietà *sf inv (beni)* Eigentum *das* ; *(caratteristica)* Eigenschaft *die* ; **'~ privata'** 'Privatgrundstück'.

proprietạrio, a *sm, f* Eigentümer *der*, -in *die.*

prọprio, a *agg (possessivo, tipico)* eigen. ◆ *avv (precisamente)* genau ; *(veramente)* wirklich ; *(affatto)* überhaupt ; **non ne ho ~ idea** ich weiß wirklich nicht ; **~ così** ganz genau ; **non ~** nicht gerade.

prosciụtto *sm* Schinken *der* ; **~ cotto** gekochter Schinken ; **~ crudo** roher Schinken.

proseguịre *vt* fortlsetzen. ◆ *vi* fortlschreiten, fortlfahren.

prospettịva *sf (di disegno)* Perspektive *die* ; *(punto di vista)* Blickpunkt *der* ; *(possibilità futura)* Aussicht *die.*

prọssimo, a *agg (che segue)* nächste, -r, -s. ◆ *sm (umanità)* Nächste *der.*

prostitụta *sf* Prostituierte *die.*

protagonịsta, i, e *smf (di libro)* Hauptfigur *die* ; *(di film)* Hauptdarsteller *der*, -in *die.*

protẹggere *vt* : **~ qn/qc (da)** *(riparare)* jn/etw schützen (vor *(+D)*) ; *(difendere)* sich einlsetzen für.

protẹsta *sf* Protest *der.*

protestạnte *agg (chiesa)* protestantisch. ◆ *sm, f (persona)* Protestant *der*, -in *die*.

protestare *vi* protestieren.

protetto, a *pp* → **proteggere**.

protezione *sf* Schutz *der*.

prova *sf (dimostrazione, conferma & DIR)* Beweis *der*; *(esperimento)* Test *der*; *(di spettacolo)* Probe *die*; **dar ~ di qc** etw unter Beweis stellen; **mettere qn alla ~** jn auf die Probe stellen; **fino a ~ contraria** bis zum Beweis des Gegenteils; **in ~** auf Probe.

provare *vt (cibo)* kosten; *(vestito)* an|probieren; *(sentire)* empfinden; *(dimostrare)* beweisen; *(tentare)*: **~ a fare qc** versuchen, etw zu tun.

provenienza *sf (origine)* Herkunft *die*.

provenire : **provenire da** *v + prep (venire da)* kommen aus/von; **proveniente da** *(mezzo pubblico)* aus.

proverbio *sm* Sprichwort *das*.

provincia, ce *sf (ente, opposta a grandi città)* Provinz *die*.

provinciale *agg (giunta, consiglio)* Provinz-. ◆ *sf* : **(strada) ~** Landstraße *die*.

provino *sm (audizione)* Vorsprechen *das*.

provocante *agg (sexy)* aufreizend.

provocare *vt (causare)* hervor|rufen; *(sfidare)* heraus|fordern.

provocazione *sf (sfida)* Herausforderung *die*.

provolone *sm (formaggio)* roher Hartkäse aus Kuhmilch in runder oder länglicher Form.

provvedere *vi (prendere provvedimenti)* ein|greifen; *(occuparsi)* sorgen; **~ a qc** für etw sorgen.

provvedimento *sm (misura)* Maßnahme *die*.

provvisorio, a *agg (temporaneo)* provisorisch.

provviste *sfpl (rifornimenti)* Vorräte *pl*.

prudente *agg (cauto)* vorsichtig.

prudenza *sf (cautela)* Vorsicht *die*.

prudere *vi (dare prurito)* jucken; **mi prude una gamba** mein Bein juckt.

prugna *sf* Pflaume *die*; **~ secca** Dörrpflaume.

pruno *sm (cespuglio spinoso)* Schlehdorn *der*.

prurito *sm (cutaneo)* Jucken *das*.

P.S. *(abbr di Post Scriptum)* PS.

psicanalisi *sf* Psychoanalyse *die*.

psichiatra *sm, f* Psychiater *der*, -in *die*.

psicologia *sf* Psychologie *die*.

psicologo, a, gi, ghe *sm, f (studioso)* Psychologe *der*, -gin *die*.

P.T. *(abbr di Poste e Telecomunicazioni)* ≃ Post- und Fernmeldewesen *das*.

pubblicare *vt (libro, articolo)* veröffentlichen.

Pubblica Sicurezza *sf (polizia)* ≃ Polizei *die*.

pubblicazione *sf (diffusione)* Veröffentlichung *die* ; *(opera, rivista)* Erscheinen *das*. ■ **pubblicazioni** *sfpl* : **pubblicazioni matrimoniali** Aufgebot *das*.

pubblicità *sf inv (annuncio, attività)* Werbung *die* ; *(divulgazione)* Reklame *die*.

pubblico, a, ci, che *agg* öffentlich. ◆ *sm (utenti)* Öffentlichkeit *die* ; *(spettatori)* Publikum *das*.

pudore *sm (pudicizia)* Scham *die* ; *(ritegno)* Anstand *der*.

pugilato *sm* Boxsport *der*.

pugile *sm* Boxer *der*.

Puglia *sf* : **la ~** Apulien *nt*.

pugnalare *vt (ferire)* einen Dolchstoß versetzen *(+D)* ; *(ammazzare)* erstechen.

pugno *sm (mano)* Faust *die* ; *(colpo)* Faustschlag *der* ; *(quantità)* Handvoll *die*.

pulce *sf (insetto)* Floh *der*.

pulcinella *sm komische Figur aus der „Commedia dell'Arte"*.

pulcino *sm (animale)* Küken *das*.

puledro, a *sm, f* Fohlen *das*.

pulire *vt (lavare)* sauber|machen ; **pulirsi le scarpe** seine Schuhe putzen.

pulita *sf* : **dare una ~** *fam* etw schnell sauber machen.

pulito, a *agg (non sporco)* sauber ; *fig (senza colpa)* rein.

pulizia *sf (stato)* Sauberkeit *die* ; *(atto)* Putzen *das* ; **fare le pulizie** putzen.

pullman *sm inv (autopullman)* Autobus *der*.

pullover *sm inv* Pullover *der*.

pulmino *sm* Kleinbus *der*.

pulsante *agg* : **un dolore ~** ein hämmernder Schmerz. ◆ *sm* Knopf *der (zum Drücken)*.

puma *sm inv* Puma *der*.

pungere *vt* stechen.

pungiglione *sm* Stachel *der*.

punire *vt* bestrafen.

punizione *sf (castigo)* Strafe *die* ; *(nel calcio)* Strafstoß *der*.

punta *sf (estremità)* Spitze *die*.

puntare *vt (gomiti, piedi)* auf|stützen ; *fig* : **~ i piedi** sich sträuben ; *(arma)* zielen ; *(scommettere)* setzen.

puntata *sf (episodio)* Folge *die* ; *(scommessa)* Einsatz *der* ; **a puntate** Fortsetzungs-.

punteggiatura *sf (interpunzione)* Interpunktion *die*.

punteggio *sm* Wertung *die*.

puntina *sf* : **~ da disegno** Reißzwecke *die*.

puntino *sm* : **a ~** wie es sich gehört ; **puntini di sospensione** Auslassungspunkte *pl*.

punto *sm (segno grafico, luogo, argomento, questione, nel gioco)* Punkt *der* ; *(di cucito, ricamo)* Stich *der* ; *(momento)* Augenblick *der* ; **essere in ~ di morte** im Sterben liegen ; *MED* Stich *der* ; **~ esclamativo** Ausrufezeichen *das* ; **~ interrogativo** Fragezeichen *das* ; **~ di riferimento** Bezugspunkt ; ~ **di ritrovo** Treffpunkt ; ~ **di vendita** Verkaufsstelle *die* ; ~ **e virgola** Strichpunkt ; ~ **di vista** Gesichtspunkt ; **punti cardinali** Himmelsrichtungen *pl* ; **essere sul ~ di fare qc** im Begriff stehen, etw zu tun ; **mettere a ~ qc** etw vervollständigen ; **di ~ in bianco** urplötzlich ; **a tal ~ che** soweit, dass ; **le tre in ~** Punkt drei Uhr.

puntuale *agg (in orario, in tempo)* pünktlich.

puntualità *sf* Pünktlichkeit *die*.

puntura *sf (di spillo, insetto)* Stich *der* ; *(iniezione)* Spritze *die*.

punzecchiare *vt (pungere)* stechen ; *fig (infastidire)* sticheln.

pupazzo *sm (fantoccio)* Marionette *die* ; ~ **di neve** Schneemann *der*.

pupilla *sf* ANAT Pupille *die*.

purché *cong* vorausgesetzt, dass.

pure *avv (anche)* auch. ◆ *cong (anche se)* auch o selbst wenn ; **faccia ~!** lassen Sie sich nicht abhalten!

purè *sm inv (di patate)* Püree *das*.

purezza *sf (di diamante)* Reinheit *die* ; *(di persona)* Unschuld *die*.

purga, ghe *sf (lassativo)* Abführmittel *das*.

purgatorio *sm* RELIG Fegefeuer *das*.

puro, a *agg* rein ; **è la ~ verità** das ist die reine Wahrheit ; **è stato per ~ caso** es war reiner Zufall.

purtroppo *avv* leider.

pustola *sf* Pustel *die*.

puttana *sf volg (prostituta)* Nutte *die*.

puzza = **puzzo**.

puzzare *vi (emanare odore sgradevole)* stinken.

puzzo *sm (puzza)* Gestank *der*.

puzzola *sf (animale)* Stinktier *das*.

puzzolente *agg* stinkend.

Q

qua *avv (stato in luogo, moto da luogo)* hier ; *(moto a luogo)* her ; *(rafforzativo)* da ; **di ~ e di là** hüben und drüben ; **per di ~** hier lang.

quaderno *sm* Heft *das*.

quadrante *sm (di orologio)* Zifferblatt *das* ; *(di bussola)* Quadrant *der*.

quadrare *vi (coincidere)* überein|stimmen ; **non mi quadra** *fam* für mich stimmt da etwas nicht.

quadrato *agg (tavolo, stanza)* viereckig. ◆ *sm (quadrangolo)* Quadrat *das* ; *(forma)* Viereck *das*.

quadretto *sm* : **a quadretti** *(tessuto)* kariert ; *(foglio)* Kästchen *das*.

quadrifoglio *sm (pianta)* Glücksklee *der*.

quadrimẹstre *sm* *SCOL* Quartal *das* ; *(periodo)* vier Monate *pl.*

quạdro *sm (pittura)* Gemälde *das.* ■ **quadri** *smpl (nelle carte)* Karo *das.*

quạdruplo, a *agg (4 volte tanto)* vierfach. ◆ *sm (4 volte maggiore)* Vierfache *das.*

quaggiù *avv (in basso)* hier unten.

quạglia *sf (animale)* Wachtel *die.*

quạlche *agg* - 1. *(alcuni)* einige ; **restiamo solo ~ giorno** wir bleiben nur ein paar Tage ; **~ volta** manchmal.
- 2. *(uno)* irgendein ; **in ~ modo** irgendwie ; **da ~ parte** irgendwo.
- 3. *(un certo)* gewiss ; **un dettaglio di ~ importanza** eine Einzelheit von einer gewissen Bedeutung ; **ci siamo frequentati per ~ tempo** wir waren eine Zeit lang befreundet ; **~ cosa = qualcosa.**

qualchedụno, a = **qualcuno.**

qualcọsa *pron (una o più cose)* etwas ; **~ di nuovo** etwas Neues ; **~ da bere** etwas zu trinken ; **qualcos'altro** etwas anderes.

qualcụno *pron (uno)* jemand ; *(alcuni)* einige ; **qualcun altro** jemand anderes ; **~ di voi** jemand von euch.

quạle *agg interr* welche, -r, -s ; **qual è il tuo scrittore preferito?** welcher ist dein Lieblingsschriftsteller? ; **in ~ albergo hai prenotato?** in welchem Hotel hast du gebucht?
◆ *agg relativo (come)* wie ; **è tale (e) ~ il tuo** er/sie ist genau wie deiner.
◆ *pron interr* welche, -r, -s ; **~ vuoLe di questi cappelli?** welchen von diesen Hüten möchten Sie?
◆ *pron relativo (in qualità di)* als ; **vengo ~ accompagnatore** ich komme als Begleiter.
■ **il quale** (*f* **la quale**, *mpl* **i quali**, *fpl* **le quali**) *pron relativo (soggetto)* der, die, das ; *(con preposizioni)* : **con ~** mit dem/der ; **contro ~** gegen den/die/das ; **suo fratello, ~ è un mio amico** sein Bruder, der mit mir befreundet ist ; **l'albergo nel ~ alloggio** das Hotel, in dem ich wohne.

qualịfica, che *sf (professionale)* Berufsbezeichnung *die.*

qualificạre : **qualificarsi** *vr (in gara, concorso)* sich qualifizieren.

qualificatịvo, a *agg* bezeichnend.

qualità *sf inv (buona, cattiva)* Qualität *die* ; *(requisito)* Eigenschaft *die* ; *(pregio)* Vorzug *der* ; *(varietà)* Art *die.*

qualsịasi = **qualunque.**

qualụnque *agg (l'uno o l'altro)* gleich welche, -r, -s, irgendein, -e ; *(ogni)* jede, -r, -s ; *(quale che)* egal welche, -r, -s ; **~ cosa** irgend etwas ; **~ cosa succeda** egal was passiert ; **uno ~** irgendwer.

quạndo *avv* wann. ◆ *cong*

(nel momento in cui, se) wenn ; *(avversativo)* obwohl ; **da ~ sono qui** seitdem ich hier bin ; **da ~ sei qui?** seit wann bist du hier? ; **da ~ in qua** seit wann ; **di ~ in ~** hin und wieder.

quantità *sf* Menge *die*.

quanto, a *agg interr* - 1. *(in frasi interrogative)* wie viel ; **~ tempo ci vuole?** wie lange dauert es? ; **quanti anni hai?** wie alt bist du?
- 2. *(in frasi esclamative)* wie viel ; **quanta fatica sprecata!** wie viel verlorene Mühe!
◆ *agg relativo* soviel ; **puoi restare ~ (tempo) vuoi** du kannst bleiben solange du willst.
◆ *pron interr* wie viel ; **prima di comprare il pane, guarda ~ ce n'è** schau nach, wie viel Brot noch da ist, bevor du welches kaufen gehst ; **quanti ne vuoi?** wie viele möchtest du?
◆ *pron relativo (quello che)* so viel ; **per ~ ne so** soviel ich weiß.
◆ *avv* - 1. *(interrogativo)* wie ; **~ ti fermi?** wie lange bleibst du? ; **~ è alta questa montagna?** wie hoch ist dieser Berg? ; **~ mi dispiace!** das tut mir wirklich leid! ; **~ costa?** was kostet das?
- 2. *(relativo)* so viel ; **mangia ~ vuoi** iss so viel du magst ; **~ prima** so bald wie möglich.
- 3. *(in espressioni)* : **in ~** *(perché)* da ; **per ~ si sforzi, non ci riesce** so sehr er/sie sich auch anstrengt, er/sie schafft es nicht ; **~ meno** mindestens ; **~ più** je mehr.

quaranta *num* vierzig ; *vedi anche* **sei**.

quarantesimo, a *num* vierzigste, -r, -s ; *vedi anche* **sesto**.

quarantina *sf (circa quaranta)* etwa vierzig.

quaresima *sf* RELIG Fastenzeit *die*.

quarta *sf* SCOL : **~ elementare** vierte Klasse ; *(alle superiori)* ≃ 12. Klasse ; *(marcia)* vierter Gang.

quartiere *sm (di città)* Stadtviertel *das*.

quarto, a *num* Viertel *das* ; **un ~ d'ora** eine Viertelstunde ; **le tre e un ~** Viertel nach Drei ; **le tre meno un ~** Viertel vor Drei ; *vedi anche* **sesto**.

quarzo *sm (minerale)* Quarz *der*.

quasi *avv (poco meno di, pressoché)* fast ; *(per poco)* beinahe.
◆ *cong* fast so als ob ; **~ mai** fast nie ; **~ ~ vengo anch'io** ich glaube, ich komme auch mit ; **~ sempre** fast immer.

quassù *avv (in alto)* hier oben.

quattordicesimo, a *num* vierzehnte, -r, -s ; *vedi anche* **sesto**.

quattordici *num* vierzehn ; *vedi anche* **sei**.

quattrini *smpl fam (soldi)* Knete *die*.

quattro *num (numerale)* vier ; **farsi in ~ (per fare qc)** sich *(D)* ein Bein aus|reißen (, um etw zu tun) ; **~ gatti** *fam* ein paar Leutchen ; **in ~ e quattr'otto** im Handumdrehen ; *vedi anche* **sei**.

quattrocento *num* vierhundert ; *vedi anche* **sei**. ■ **Quattrocento** *sm (XV° secolo)* 15. Jahrhundert *das* ; **il Quattrocento** *ART* das Quattrocento.

quello, a (*dav sm* **quel** (*pl* **quei**) + *consonante* ; **quello** (*pl* **quegli**) + *s+consonante, gn, ps, z* ; **quell'** (*pl* **quegli**) + *vocale*) *agg* - 1. (*indica lontananza nel tempo, nello spazio*) der, die, das ; **abito in quella casa** ich wohne in dem Haus dort.
- 2. (*per sottolineare*) dieser, diese, dieses ; **spegni quella tv!** mach diesen Fernseher aus!
◆ *pron* - 1. (*indica lontananza*) der da, die da, das da ; **la mia macchina è quella** mein Auto ist das da ; **prendo ~ in offerta** ich nehme den im Angebot.
- 2. (*con pronome relativo*) den, die, das ; (*indefinito*) was ; **faccio ~ che posso** ich tue, was ich kann.

quercia, ce *sf* (*albero, legno*) Eiche *die*.

quesito *sm* Frage *die*.

questionario *sm* Fragebogen *der*.

questione *sf* (*problema*) Angelegenheit *die*, Problem *das* ; **è solo una ~ di tempo** es ist nur eine Frage der Zeit.

questo, a *agg* - 1. (*indica prossimità*) diese, -r, -s ; **questa finestra è aperta** dieses Fenster steht offen.
- 2. (*simile*) solche, -r, -s ; **non uscire con questa pioggia** geh bei einem solchen Regen nicht aus dem Haus.
- 3. (*riferito a ciò che precede/segue*) diese, -r, -s.
◆ *pron* - 1. (*indica prossimità*) das ; **~ è Franco** das ist Franco ; **prendi anche ~** nimm das auch noch.
- 2. (*per riassumere*) das ; **~ è tutto** das ist alles.

questura *sf* (*organo*) Polizeipräsidium *das*.

qui *avv* (*di luogo, tempo*) hier ; **da ~ in avanti** (*tempo*) von hier an ; **di** o **da ~** von hier ; **di ~ a poco** in Kürze.

quiete *sf* (*calma*) Ruhe *die* ; (*tranquillità*) Stille *die*.

quindi *cong* (*di conseguenza*) also, daher.

quindicesimo, a *num* fünfzehnte, -r, -s ; *vedi anche* **sesto**.

quindici *num* fünfzehn ; **ogni ~ giorni** alle vierzehn Tage ; *vedi anche* **sei**.

quindicina *sf* (*circa quindici*) etwa fünfzehn.

quinta *sf SCOL* fünfte Klasse ; (*marcia*) fünfter Gang. ■ **quinte** *sfpl* (*di teatro*) Kulissen *pl*.

quintale *sm* Doppelzentner *der*.

quinto, a *num* fünfte, -r, -s ; *vedi anche* **sesto**.

quintuplo *sm* : **il ~ del prezzo normale** fünfmal so teuer wie normal.

Quirinale *sm* : **il ~** der Quirinal.

QUIRINALE

Der Quirinalspalast ist seit 1947 der Sitz des italienischen Staatspräsidenten. Vor dem Palast an dem gleichnamigen Platz in Rom halten zwei Kürassiere in Galauniform Ehrenwache. Hier werden auch ausländische Staats- und Regierungschefs empfangen.

---

quọta *sf (altitudine)* Höhe *die* ; *(di denaro)* Anteil *der* ; *(di bene)* Quote *die* ; **perdere ~** an Höhe verlieren ; **~ d'iscrizione** Mitgliedsbeitrag *der*.

quotidianamẹnte *avv (tutti i giorni)* täglich.

quotidiạno, a *agg (giornaliero)* täglich, Tages-. ◆ *sm (giornale)* Tageszeitung *die*.

R

rạbbia *sf (collera)* Zorn *der* ; *(stizza)* Wut *die*.

rabbiọso, a *agg (collerico)* jähzornig.

rabbrividịre *vi (di freddo, paura, orrore)* schaudern.

rabbuiạrsi *vr (oscurarsi)* sich verdunkeln ; *fig (incupirsi)* sich verdüstern.

raccapezzạrsi *vr* : **non mi ci raccapezzo** ich finde mich nicht zurecht.

raccapricciạnte *agg* entsetzlich.

raccattapạlle *smf inv* Balljunge *der*.

raccattạre *vt (da terra)* auf|heben.

racchẹtta *sf (da tennis, ping-pong)* Schläger *der* ; *(da sci)* Skistock *der* ; *(da neve)* Schneeschuh *der*.

raccọgliere *vt (da terra)* auf|heben ; *(frutti, fiori)* auf|sammeln ; *(soldi, voti)* sammeln. ■ **raccogliersi** *vr (radunarsi)* sich versammeln.

raccọlta *sf (collezione)* Sammlung *die* ; *(agricola)* Ernte *die* ; *(di rifiuti)* Müllabfuhr *die* ; **~ differenziata** Mülltrennung *die*.

raccọlto, a *pp* → **raccogliere**. ◆ *agg (tranquillo, isolato)* behaglich. ◆ *sm (agricoltura)* Ernte *die*.

raccomandạre *vt (consigliare)* empfehlen ; *(affidare)* an|vertrauen ; *(per lavoro, concorso)* empfehlen ; **~ a qn di fare qc** jm etw nahe|legen. ■ **raccomandarsi** *vr* : **raccomandarsi a** sich an|vertrauen *(+D)* ; *(affidarsi a)* sich verlassen auf *(+A)* ; **mi raccomando!** bitte!

raccomandạta *sf* Einschreiben *das*.

raccomandạto, a *smf (candidato, impiegato)* Günstling *der*.

raccomandaziọne *sf (consiglio, segnalazione)* Empfehlung *die*.

raccontạre *vt (riferire, dire, narrare)* erzählen.

raccọnto *sm (esposizione)* Erzählung *die* ; *(novella)* Novelle *die* ; **~ breve** Kurzgeschichte *die*.

raccọrdo *sm (di autostrada)* Autobahnzubringer *der* ; **~ anulare** Autobahnring *der*.

racket *sm* Verbrecherring *der*.

raddoppiạre *vt (rendere doppio, aumentare)* verdoppeln. ◆ *vi (diventare doppio)* sich verdoppeln.

radẹnte *agg (volo)* Tief- ; *(tiro)* Flach-.

rạdere *vt (depilare)* rasieren. ■ **radersi** *vr (farsi la barba)* sich rasieren.

radiatọre *sm (termosifone)* Heizkörper *der* ; *(di auto)* Kühler *der*.

radiaziọne *sf (atomica, solare)* Strahlung *die*.

radicạle *agg fig (sostanziale)* radikal.

radịcchio *sm* Radicchio *der (bitter-würzige Salatart)*.

radịce, ci *sf (di pianta, dente)* Wurzel *die* ; *(di parola)* Stamm *der* ; ~ **quadrata** Quadratwurzel.

rạdio *sf inv (apparecchio)* Radio *das* ; *(stazione)* Sender *der* ; **alla** ~ im Radio.

radioamatọre, trịce *sm, f* Funkamateur *der*, -in *die*.

radioattịvo, a *agg* radioaktiv.

radiocomandạto, a *agg* funkgesteuert.

radiografịa *sf (lastra)* Röntgenbild *das*.

radiotạxi *sm inv* Funktaxi *das*.

rạdo, a *agg (pettine)* grob ; *(capelli)* schütter.

radunạre *vt (persone)* versammeln ; *(cose)* zusammenltragen. ■ **radunarsi** *vr* sich versammeln.

radụno *sm* Versammlung *die*.

raffẹrmo, a *agg (pane)* trocken.

rạffica, che *sf (di vento)* Windstoß *der*.

raffigurạre *vt (rappresentare)* darlstellen.

raffiguraziọne *sf (immagine)* Abbildung *die*.

raffinạto, a *agg (persona)* vornehm ; *(pranzo, stile)* erlesen ; *(zucchero, petrolio)* raffiniert.

raffinerịa *sf* Raffinerie *die*.

rafforzạre *vt* stärken.

raffreddạre *vt (bevanda, cibo)* ablkühlen. ■ **raffreddarsi** *vr (bevanda, cibo)* kalt werden ; *fig (persona, amicizia)* ablkühlen ; *(ammalarsi)* sich erkälten.

raffreddạto, a *agg (ammalato)* erkältet.

raffreddọre *sm* Erkältung *die*.

ragạzza *sf (giovane donna)* Mädchen *das* ; *fam (fidanzata)* Freundin *die*.

ragazzạta *sf* Lausbubenstreich *der*.

ragạzzo *sm (giovane)* Junge *der* ; *fam (fidanzato)* Freund *der*.

rạggio *sm (di sole, luna, X, infrarosso)* Strahl *der* ; *(area)* Umkreis *der* ; MAT Radius *der* ; *(di ruota)* Speiche *die*.

raggiụngere *vt (persona)* nachlkommen ; *(luogo)* erreichen ; *fig (fine)* erreichen.

raggiụnto, a *pp* → **raggiungere**.

raggomitolạrsi *vr* sich zusammenlkauern.

raggranellare *vt* zusammen|kratzen.

raggrinzire *vt* zerknittern. ◆ *vi* knittern. ■ **raggrinzirsi** *vr* runzelig werden.

raggruppare *vt (mettere insieme)* zusammen|legen ; *(a gruppi)* gruppieren. ■ **raggrupparsi** *vr* sich zusammen|scharen.

ragionamento *sm (riflessione)* Überlegung *die*.

ragionare *vi* nach|denken.

ragione *sf (intelletto)* Vernunft *die* ; *(motivo)* Grund *der* ; **avere ~** Recht haben ; **dare ~ a qn** jm Recht geben.

ragioneria *sf (materia)* Buchführung *die* ; *(scuola)* Handelsschule *die* ; *(reparto)* Buchhaltung *die*.

ragionevole *agg (persona)* vernünftig ; *(richiesta, prezzo)* angemessen.

ragioniere, a *sm, f* Buchhalter *der*, -in *die*.

ragliare *vi (asino)* schreien.

ragnatela *sf (di ragno)* Spinnwebe *die*.

ragno *sm* Spinne *die*.

ragù *sm inv Nudelsauce aus Hackfleisch und Tomaten.*

RAI *sf öffentliche italienische Rundfunk- und Fernsehanstalt.*

rallegramenti *smpl* Glückwünsche *pl*.

rallentare *vt (velocità)* verlangsamen.

ramanzina *sf fam* Standpauke *die*.

rame *sm (metallo)* Kupfer *das*.

ramino *sm (gioco di carte)* Rommee *das*.

rammaricarsi : rammaricarsi di *vr + prep (rincrescersi)* bedauern.

rammendare *vt* flicken, stopfen.

rammollito, a *agg (persona)* schlapp.

ramo *sm (di pianta)* Ast *der* ; *(di fiume)* Arm *der* ; *(settore)* (Fach)bereich *der*.

ramoscello *sm* Zweig *der*.

rampa *sf (di scale)* Treppe *die*.

rampicante *agg (rosa, vite)* Kletter-. ◆ *sm (pianta)* Kletterpflanze *die*.

rampone *sm (fiocina)* Harpune *die* ; *(in alpinismo)* Steigeisen *das*.

rana *sf* Frosch *der* ; *(stile di nuoto)* Brustschwimmen *das*.

rancido, a *agg (alimento)* ranzig.

rancore *sm* Groll *der*.

randagio, a, gi, gie o **ge** *agg (animale)* streunend.

randello *sm (grosso bastone)* Knüppel *der*.

rango, ghi *sm (schiera)* Reihe *die* ; *(grado)* Rang *der*.

rannicchiarsi *vr* sich zusammen|kauern.

rannuvolarsi *vr (coprirsi di nuvole)* sich bewölken.

ranocchio *sm (rana)* Frosch *der*.

rapa *sf (verdura)* Rübe *die* ; **testa di ~!** *fam* Holzkopf!

rapace *agg (animale)* Raub-. ◆ *sm* Raubvogel *der*.

rapanello *sm* = **ravanello**.

rapare *vt* kahl scheren.

rapida *sf (corrente)* Stromschnelle *die*.

rapidità *sf (velocità)* Schnelligkeit *die*.

rapido, a *agg (svelto)* schnell ; *(breve)* rasch. ◆ *sm (treno)* Schnellzug *der*.

rapimento *sm (sequestro)* Entführung *die*.

rapina *sf (furto)* Überfall *der*.

rapinare *vt (banca, persona)* aus|rauben.

rapinatore, trice *sm, f* Räuber *der*, -in *die*.

rapire *vt (sequestrare)* entführen.

rapitore, trice *sm, f* Entführer *der*, -in *die*.

rapporto *sm (connessione)* Beziehung *die* ; *(tra persone & MAT)* Verhältnis *das* ; *(resoconto)* Bericht *der*.

rapprendersi *vr* gerinnen.

rappresentante *smf (delegato, venditore)* Vertreter *der*, -in *die*.

rappresentare *vt (raffigurare)* dar|stellen ; *(mettere in scena)* auf|führen.

rappresentazione *sf (spettacolo)* Aufführung *die* ; *(raffigurazione)* Darstellung *die*.

rappreso, a *pp* → **rapprendersi**.

raramente *avv* selten.

rarità *sf (scarsità)* Seltenheit *die* ; *(oggetto)* Rarität *die*.

raro, a *agg (poco frequente)* rar ; *(poco comune)* selten.

rasare *vt (barba)* rasieren. ■ **rasarsi** *vr* sich rasieren.

rasato, a *agg (gambe, testa)* glattrasiert ; *(faccia)* rasiert.

raschiare *vt (legno)* ab|schaben.

rasentare *vt (sfiorare)* streifen.

raso, a *pp* → **radere**. ◆ *agg (cucchiaio)* gestrichen ; ~ **terra** den Boden streifend.

rasoio *sm* Rasiermesser *das* ; ~ **elettrico** Rasierapparat *der*.

rassegna *sf (resoconto)* Überblick *der* ; *(cinematografica, teatrale)* Festival *das*.

rassegnare *vt* : ~ **le dimissioni** seinen Rücktritt ein|reichen. ■ **rassegnarsi** *vr* resignieren.

rasserenarsi *vr (tempo)* sich auf|heitern ; *(persona)* heiter werden.

rassicurare *vt* beruhigen. ■ **rassicurarsi** *vr* sich beruhigen.

rassodare *vt (terreno)* festigen ; *(muscoli)* straffen.

rassomigliare : rassomigliare a *v + prep* ähneln *(+D)*.

rastrellare *vt (foglie, fieno)* zusammen|harken.

rastrello *sm (attrezzo)* Rechen *der*.

rata *sf (quota)* Rate *die* ; **pagare qc a rate** etw in Raten zahlen.

ratto *sm (topo)* Ratte *die*.

rattoppare *vt (abito)* flicken.

rattrappire : rattrappirsi *vr* sich verkrampfen.

rattristare *vt* betrüben. ■ **rattristarsi** *vr* traurig werden.

rauco, a, chi, che *agg (voce, persona)* heiser.

ravanello *sm* Radieschen *das.*

ravioli *smpl* Ravioli *pl.*

ravvicinare *vt (avvicinare)* an|nähern. ■ **ravvicinarsi** *vr* einander näher|kommen.

ravvivare *vt (rendere più vivace)* beleben.

razionale *agg (ragionevole)* vernünftig ; *(funzionale)* rationell.

razionalità *sf (di ragionamento)* Rationalität *die.*

razionare *vt (dosare)* rationieren.

razione *sf (quantità assegnata)* Ration *die.*

razza *sf (di persone, animali)* Rasse *die* ; **che ~ di domanda è questa?** *fam* was ist denn das für eine Frage?

razziale *agg* Rassen-.

razzismo *sm* Rassismus *der.*

razzista, i, e *agg* rassistisch. ◆ *sm, f* Rassist *der,* -in *die.*

razzo *sm (fuoco artificiale)* Feuerwerkskörper *der* ; *(missile)* Rakete *die.*

razzolare *vi (galline)* scharren.

re *sm (sovrano)* König *der* ; *(nota musicale)* D *das.*

reagire *vi* : ~ **(a qc)** *(insulto, ingiustizia)* (auf etw *(+A)*) reagieren ; *(cura)* (auf etw *(+A)*) an|sprechen.

reale *agg (vero)* wirklich.

realista, i, e *sm, f (persona concreta)* Realist *der,* -in *die.*

realizzare *vt (progetto, film)* realisieren ; *(sogno)* verwirklichen. ■ **realizzarsi** *vr (persona)* sich verwirklichen ; *(progetto, sogno)* in Erfüllung gehen.

realizzazione *sf (attuazione)* Ausführung *die.*

realmente *avv* wirklich.

realtà *sf inv (situazione effettiva)* Wirklichkeit *die* ; *(verità)* Wahrheit *die* ; **in ~** in Wirklichkeit.

reato *sm* Straftat *die.*

reattore *sm (aereo)* Jet *der* ; *(motore)* Triebwerk *das* ; *(nucleare)* Reaktor *der.*

reazione *sf* Reaktion *die.*

rebus *sm inv (gioco)* Bilderrätsel *das.*

recapitare *vt form* zu|stellen.

recapito *sm (luogo)* Anschrift *die* ; *(consegna)* Zustellung *die* ; ~ **telefonico** Telefonnummer *die.*

recare *vt (portare)* bringen. ■ **recarsi** *vr (andare)* sich begeben.

recensione *sf (critica)* Rezension *die.*

recente *agg* jüngst ; **di ~** unlängst.

recentemente *avv* vor kurzem.

recintare *vt* umzäunen.

recinto *sm (recinzione)* Umzäunung *die*.
recipiente *sm* Gefäß *das*.
reciproco, a, ci, che *agg (mutuo)* gegenseitig.
recita *sf* Aufführung *die*.
recitare *vt (poesia)* vor|tragen ; *(ruolo)* spielen. ◆ *vi (attore)* spielen.
reclamare *vt (pretendere)* verlangen, fordern. ◆ *vi* sich beschweren.
reclamo *sm (protesta)* Beschwerde *die*.
reclinabile *agg* verstellbar.
reclutare *vt (personale, volontari)* an|werben ; MIL rekrutieren.
record *sm inv (primato)* Rekord *der*.
recuperare *vt (riprendere)* wieder|erlangen ; *(svantaggio, tempo)* auf|holen ; *(per riutilizzare)* wieder|verwerten.
redattore, trice *sm, f (di giornale)* Redakteur *der*, -in *die* ; *(di casa editrice)* Lektor *der*, -in *die*.
redazione *sf (stesura)* Abfassen *das* ; *(ufficio, personale)* Redaktion *die*.
redditizio *agg* einträglich.
reddito *sm* Einkommen *das*.
redini *sfpl (briglie)* Zügel *pl*.
referendum *sm inv* DIR Referendum *das*.
referto *sm (di polizia)* Bericht *der* ; *(medico)* Befund *der*.
refrigerare *vt (carne, pesce)* kühlen.
refurtiva *sf* Diebesgut *das*.
regalare *vt* schenken.
regale *agg (da re)* königlich.
regalo *sm (dono)* Geschenk *das*.
regata *sf* Regatta *die*.
reggere *vt (tenere)* halten ; *(sostenere)* aus|halten ; *(sopportare)* vertragen ; *(governare &* GRAMM*)* regieren. ◆ *vi (durare)* halten ; *(essere logico)* überzeugen ; *(resistere)* : **~ a qc** einer Sache *(D)* stand|halten. ■ **reggersi** *vr (sostenersi)* : **non mi reggo in piedi** ich kann mich nicht auf den Beinen halten.
reggia, ge *sf (palazzo reale)* Königspalast *der*.
reggicalze *sm inv* Strumpfhalter *der*.
reggiseno *sm* Büstenhalter *der*.
regia *sf (di film, dramma)* Regie *die*.
regime *sm (politico)* Regime *das* ; *(alimentare)* Diät *die*.
regina *sf (sovrana, moglie del re)* Königin *die*.
regione *sf (unità amministrativa, zona)* Region *die*.

REGIONE

Hierbei handelt es sich um die Gebietskörperschaften, in die Italien verwaltungsmäßig aufgeteilt ist. Jede Region besteht aus mehreren Provinzen und jede Provinz wiederum aus mehreren Gemeinden. Fünf der zwanzig italienischen Regionen haben einen Sonderstatus, der ihnen im Vergleich zu den übrigen Regionen mehr Eigenständigkeit garantiert: Aosta-Tal, Trentino-Südtirol, Friaul-Julisch Venetien, Sizilien und Sardinien.

---

regịsta, i, e *smf (di cinema, teatro)* Regisseur *der*, -in *die*.

registrạre *vt (nascite, morti, veicolo)* registrieren ; *(su cassetta)* auf|nehmen.

registratọre *sm (a cassette)* Kassettenrekorder *der* ; **~ di cassa** Registrierkasse *die*.

registraziọne *sf (di nascita, morte)* Registrierung *die* ; *(di musica, film)* Aufnahme *die* ; *(programma)* Aufzeichnung *die*.

regịstro *sm (libro)* Register *das* ; **~ di classe** Klassenbuch *das*.

regnạre *vi (governare)* herrschen.

rẹgno *sm (stato monarchico)* Königreich *das* ; *(vegetale, animale, ambito)* Reich *das*.

rẹgola *sf (nel gioco, in matematica, grammatica)* Regel *die* ; **essere in ~** den Vorschriften entsprechen ; **fare qc a ~ d'arte** etw nach allen Regeln der Kunst machen.

regolạbile *agg* einstellbar.

regolamẹnto *sm (norma)* Ordnung *die*.

regolạre *agg (usuale)* gewöhnlich ; *(metodico)* regelmäßig ; *(lecito)* ordnungsgemäß. ◆ *vt (apparecchio, macchina)* ein|stellen ; *(questione)* regeln ; *(conto)* begleichen.

■ **regolarsi** *vr* sich mäßigen ; *(comportarsi)* sich verhalten ; *(moderarsi)* : **regolarsi nel fare qc** in einer Sache *(D)* Maß halten.

regolarmẹnte *avv* regelmäßig.

relativamẹnte *avv (abbastanza)* relativ ; **~ a** *(a proposito di)* bezüglich *(+G)*.

relatịvo, a *agg (non assoluto)* relativ ; **~ a** *(attinente a)* in Bezug auf *(+A)*.

relạx *sm inv* Erholung *die*.

relaziọne *sf (nesso)* Zusammenhang *der* ; *(rapporto amoroso)* Verhältnis *das* ; *(tra persone)* Beziehung *die* ; *(resoconto)* Bericht *der*.

relegạre *vt* verbannen.

religiọne *sf (culto)* Religion *die*.

religiọso, a *agg (sacro, pio)* religiös. ◆ *sm, f (che ha preso i voti)* Ordensbruder *der*, -schwester *die*.

relịquia *sf (di santo)* Reliquie *die* ; *(resto)* Überrest *der*.

relịtto *sm (di nave)* Wrack *das* ; *fig (persona)* Wrack *das*.

remạre *vi* rudern.

rẹmo *sm* Ruder *das*.

rẹndere *vt (restituire)* zurück|geben ; *(far diventare)* machen ; *(produrre)* ab|werfen. ◆ *vi (dare buoni risultati)* leisten ; **~ possibile qc** etw möglich machen ; **~ l'idea** eine Vorstellung geben.

■ **rendersi** *vr* : **rendersi utile** sich nützlich machen ; **rendersi**

conto di qc sich über etw *(A)* klar werden.

rendimento *sm* Ertrag *der*; *(di scolaro, macchina, motore)* Leistung *die*.

rendita *sf (reddito)* Einkommen *das*; **vivere di ~** *fig* sich auf seinen Lorbeeren ausruhen.

rene *sm* ANAT Niere *die*.

renna *sf (animale)* Rentier *das*; *(pelle)* Rentierleder *das*.

Reno *sm* : **il ~** der Rhein.

reparto *sm (di negozio & MIL)* Abteilung *die*; *(d'ospedale)* Station *die*.

reperto *sm (resto)* Fund *der*; MED Befund *der*.

repertorio *sm (teatrale)* Repertoire *das*.

replica, che *sf (di spettacolo, programma)* Wiederholung *die*; *(obiezione)* Einwand *der*.

replicare *vt (eseguire di nuovo)* wiederlholen; *(ribattere)* einlwenden.

repressione *sf (di agitazione)* Niederschlagung *die*; *(di impulso, istinto)* Unterdrückung *die*.

represso, a *pp* → **reprimere**.

reprimere *vt (collera, lacrime)* unterdrücken; *(rivolta)* niederlschlagen. ■ **reprimersi** *vr* sich beherrschen.

repubblica *sf* Republik *die*.

Repubblica Ceca *sf* Tschechische Republik *die*.

repulsione *sf (avversione)* Abstoßung *die*.

reputazione *sf* Ruf *der*.

requisito *sm* Erfordernis *die*.

resa *sf (l'arrendersi)* Kapitulation *die*; *(restituzione)* Rückgabe *die*; *(rendimento)* Leistung *die*; **~ dei conti** Abrechnung *die*.

residence *sm inv (albergo)* Hotelanlage *die*; *(case private)* Wohnanlage *die*.

residente *agg* wohnhaft.

residenza *sf (domicilio)* Wohnsitz *der*.

residuo, a *agg (restante)* restlich. ◆ *sm (avanzo)* Rest *der*; *(scoria)* Rückstand *der*.

resistente *agg (robusto)* widerstandsfähig; *(durevole)* haltbar; **~ al calore** *(materiale)* hitzebeständig.

resistenza *sf (di materiale)* Widerstandsfähigkeit *die*; *(a fatica, dolore)* Widerstandskraft *die*.

resistere *vi (opporsi)* widerstehen; *(durare)* standlhalten; *(sopportare)* auslhalten.

reso, a *pp* → **rendere**.

resoconto *sm (rapporto, racconto)* Bericht *der*.

respingere *vt (attacco, aggressore)* zurückldrängen; *(regalo, proposta)* ablehnen; *(innamorato)* ablweisen.

respinto, a *pp* → **respingere**.

respirare *vi (compiere la respirazione)* atmen. ◆ *vt (ossigeno, gas)* einlatmen.

respirazione *sf* Atmung *die*.

respiro *sm (respirazione)* Atem *der*; *(movimento)* Atmen *das*.

responsabile *agg (garante)* verantwortlich; *(colpevole)* schuldig ; *(assennato)* verantwortungsbewußt. ◆ *sm, f (in azienda)* Verantwortliche *der, die* ; *(di negozio)* Geschäftsführer *der,* -in *die* ; *(colpevole)* Schuldige *der, die.*

responsabilità *sf inv (competenza)* Verantwortung *die.*

ressa *sf* Gedränge *das.*

restare *vi (fermarsi, mantenersi)* bleiben ; *(avanzare)* übrig|bleiben ; *(trovarsi)* : ~ **solo** allein(e) bleiben ; ~ **orfano** Waise werden ; **se perdi l'autobus resti a piedi** wenn du den Bus verpasst, musst du zu Fuß gehen ; ~ **sorpreso** überrascht sein.

restaurare *vt (opera d'arte, mobile)* restaurieren.

restauro *sm (riparazione)* Restaurierung *die.*

restituire *vt (ridare)* zurück|geben, wiederher|stellen.

resto *sm (rimanente)* Rest *der* ; *(di denaro)* Restbetrag *der* ; **del ~** im Übrigen. ■ **resti** *smpl (ruderi, di persona, animale)* Überreste *pl* ; *(di cibo)* Reste *pl.*

restringere *vt (dimensioni)* verengen ; *(tessuto)* ein|gehen ; *(limitare)* ein|schränken. ■ **restringersi** *vr (strada)* enger werden ; *(stoffa)* ein|gehen.

resurrezione *sf* Auferstehung *die.*

rete *sf (da pesca, di strade, canali)* Netz *das* ; *(recinzione)* Zaun *der* ; *(radiotelevisiva)* Sender *der* ; *(del letto)* Rost *der* ; SPORT *(porta, goal)* Tor *das* ; *(nel tennis, nella pallavolo)* Netz *das.*

reticolato *sm (intreccio di linee)* Geflecht *das* ; *(recinzione)* Drahtverhau *der.*

retina *sf* ANAT Netzhaut *die.*

retino *sm (per pesca)* Kescher *der* ; *(per farfalle)* Schmetterlingsnetz *das.*

retorico, a, ci, che *agg* rhetorisch.

retribuire *vt form* vergüten.

retribuzione *sf* Vergütung *die.*

retro *sm inv* Rückseite *die* ; **sul ~** umseitig ; **vedi ~** siehe Rückseite.

retrocedere *vi (indietreggiare)* zurück|weichen ; SPORT ab|steigen.

retromarcia *sf (di veicoli)* Rückwärtsgang *der.*

retrovisore *sm* Rückspiegel *der.*

retta *sf (linea)* Gerade *die* ; *(di pensionato)* Kostgeld *das* ; **dar ~ a qn** auf jn hören.

rettangolare *agg* rechteckig.

rettangolo *sm (quadrilatero)* Rechteck *das.*

rettile *sm (animale)* Reptil *das.*

rettilineo, a *agg (diritto)* gerade. ◆ *sm (strada)* Gerade *die* ; SPORT Zielgerade *die.*

retto, a *pp* → **reggere.** ◆ *agg (diritto)* gerade ; **angolo ~** rechter Winkel.

rettore *sm* Rektor *der,* -in *die.*

reumatismo *sm* Rheumatismus *der.*

revisionare *vt* über|prüfen ;

(apparecchio, macchina) überlholen ; *(testo)* korrigieren.

revisione *sf (di apparecchio)* Überholung *die* ; *(di conti)* Prüfung *die* ; *(di scritto)* Korrektur *die*.

revocare *vt (annullare)* widerrufen.

riaggiustare *vt (aggiustare di nuovo)* wieder reparieren.

rialzare *vt* wieder aufl-richten ; *(testa)* anlheben ; *(aumentare l'altezza, i prezzi)* erhöhen. ■ **rialziarsi** *vr (da terra)* wieder auflstehen.

rialzo *sm (di prezzi)* Erhöhung *die* ; *(azioni)* Hausse *die* ; *(del terreno)* Erhebung *die*.

rianimazione *sf (reparto)* Intensivstation *die*.

riapertura *sf (nuova apertura)* Neueröffnung *die* ; *(di attività)* Wiederaufnahme *die* ; ~ **delle scuole** Schulbeginn *der*.

riaprire *vt (aprire di nuovo)* wieder öffnen ; *(attività)* wieder auflnehmen. ◆ *vi* wieder öffnen. ■ **riaprirsi** *vr (aprirsi di nuovo)* sich wieder öffnen ; *(attività)* wieder beginnen.

riassumere *vt (compendiare)* zusammenlfassen ; *(impiegato)* wieder einlstellen.

riassunto, a *pp* → **riassumere**. ◆ *sm* Zusammenfassung *die*.

riattaccare *vt (attaccare di nuovo un bottone)* wieder anlnähen ; *(attaccare di nuovo con la colla)* wieder anlkleben ; *(al telefono)* aufllegen.

riavere *vt (avere di nuovo)* wiederlhaben ; *(avere indietro)* zurücklbekommen. ■ **riaversi da** *vr + prep (da malattia, emozione, spavento)* sich von etw erholen.

ribadire *vt (confermare)* bekräftigen.

ribaltabile *agg* Klapp-.

ribaltare *vt (rovesciare)* umlkippen ; *(sedile)* umlklappen.

ribasso *sm* Senkung *die* ; *(dei prezzi)* Nachlass *der*.

ribattere *vt (contraddire)* einlwenden.

ribellarsi *vr (insorgere)* sich auflehnen ; ~ **a qn** *(disubbidire)* sich jm widersetzen.

ribelle *agg (rivoltoso)* aufständisch ; *(ragazzo, carattere)* rebellisch.

ribellione *sf (rivolta)* Aufstand *der* ; *(opposizione)* Widerstand *der*.

ribes *sm inv (frutto)* Johannesbeere *die*.

ribrezzo *sm (disgusto)* Ekel *der*.

ricadere *vi (cadere di nuovo)* wieder fallen ; *(in errore, vizio)* wieder verfallen *(+D)*. ■ **ricadere su** *v + prep (colpa, responsabilità)* liegen bei.

ricamare *vt (tessuto)* sticken.

ricambiare *vt (sentimento, favore)* erwidern.

ricambio *sm (sostituzione)* Austausch *der*. ■ **ricambi** *smpl* Ersatzteile *pl*.

ricamo *sm (atto)* Sticken *das* ; *(opera)* Stickerei *die*.

ricaricare *vt (macchina fotografica)* einen neuen Film ein|legen ; *(batteria)* auf|laden ; *(orologio)* auf|ziehen ; *(arma)* nach|laden.

ricattare *vt (estorcere)* erpressen.

ricatto *sm* Erpressung *die*.

ricavare *vt (estrarre)* gewinnen ; *(ottenere)* verdienen.

ricavato *sm (guadagno)* Erlös *der*.

ricchezza *sf (condizione, abbondanza)* Reichtum *der* ; *(complesso di averi)* Vermögen *das*.

ricciarelli *sm (dolci) rautenförmiges Gebäck aus Mandelteig* (*Spezialität aus Siena*).

riccio, a *agg (ricciuto)* lockig. ◆ *sm (di capelli)* Locke *die* ; *(mammifero)* Igel *der* ; ~ **di mare** Seeigel.

ricciolo *sm* Löckchen *das*.

ricco, a, chi, che *agg (facoltoso)* reich ; ~ **di qc** reich an etw *(D)*.

ricerca, che *sf (di persona, di cosa)* Suche *die* ; *(analisi, attività)* Forschung *die* ; **essere alla ~ di** auf der Suche sein nach.

ricercare *vt (scienziati)* forschen ; *(ladro)* fahnden nach ; *(oggetto)* suchen.

ricercato, a *agg (elegante)* erlesen ; *(apprezzato)* begehrt. ◆ *sm, f (delinquente)* polizeilich Gesuchte *der, die*.

ricercatore, trice *sm, f (studioso)* Forscher *der*, -in *die*.

ricetta *sf (di cucina)* Rezept *das* ; ~ **medica** (ärztliches) Rezept.

ricevere *vt (lettera, regalo)* erhalten ; *(schiaffo, palla)* bekommen ; *(ospite, cliente)* empfangen ; **questo medico riceve solo di mattina** dieser Arzt hat nur vormittags Sprechstunde.

ricevimento *sm (trattenimento)* Empfang *der* ; **orario di ~** Sprechstunde *die*.

ricevitore *sm (telefonico)* Hörer *der* ; *TECNOL* Empfänger *der*.

ricevuta *sf* Quittung *die* ; **mi può fare una ~?** können Sie mir eine Quittung ausstellen? ; **~ fiscale** Kassenzettel *der*.

richiamare *vt (per far tornare, ritelefonare)* zurück|rufen ; *(rimproverare)* ermahnen.

richiamo *sm (per far tornare)* Aufforderung *die* ; *(vaccinazione)* Nachimpfung *die*.

richiedere *vt (esigere)* fordern ; *(aiuto, spiegazioni)* verlangen ; *(necessitare di)* erfordern.

richiesta *sf (domanda)* Bitte *die* ; *(esigenza)* Forderung *die* ; **a ~** auf Wunsch ; **'~ di fermata'** *(negli autobus)* 'Bus hält nach Bedarf'.

richiesto, a *pp* → **richiedere**. ◆ *agg (prodotto, articolo)* gefragt.

riciclare *vt (riutilizzare)* wieder|verwerten.

ricollegare *vt (città, telefono)* wieder an|schließen. ■ **ricollegarsi** *vr (riferirsi)* an|knüpfen.

ricominciare *vt* wieder beginnen, wieder an|fangen. ◆ *vi (avere inizio)* wieder beginnen, wieder an|fangen ; ~ **a** *(riprendere)* wieder an|fangen zu.

ricompensa *sf* Belohnung *die*.

ricompensare *vt* belohnen.

riconciliare *vt (rappacificare)* versöhnen. ■ **riconciliarsi** *vr* sich versöhnen.

riconferma *sf (conferma ulteriore)* weitere Bestätigung ; *(dimostrazione)* Beweis *der*.

riconoscente *agg* dankbar.

riconoscenza *sf (gratitudine)* Dankbarkeit *die*.

riconoscere *vt (identificare)* erkennen ; *(distinguere)* unterscheiden ; *(ammettere)* zu|geben.

riconquistare *vt (territorio)* zurück|erobern ; *(stima, rispetto)* wieder|gewinnen.

riconsegnare *vt (restituire)* zurück|geben.

ricopiare *vt (in bella copia)* ins Reine schreiben ; *(a mano, macchina)* ab|schreiben.

ricoprire *vt (poltrona, dolce)* über|ziehen ; *(carica)* bekleiden ; ~ **qn/qc di qc** jn/etw mit etw über|häufen.

ricordare *vt (rammentare)* erinnern ; ~ **qc a qn** jn an etw *(A)* erinnern ; **ricordarsi** sich erinnern. ■ **ricordarsi di** *vr + prep* sich erinnern an *(+A)* ; **ricordarsi di fare qc** sich daran erinnern, etw zu tun.

ricordo *sm (memoria)* Erinnerung *die* ; *(oggetto)* Andenken *das* ; **ricordi** *(memorie)* Memoiren *pl*.

ricorrente *agg (fenomeno)* wiederkehrend.

ricorrenza *sf (anniversario)* Jahrestag *der*.

ricorrere *vi (ripetersi)* wieder|kehren. ■ **ricorrere a** *v + prep (rivolgersi a)* sich wenden an *(+A)* ; *(utilizzare)* zurück|greifen auf *(+A)*.

ricostruire *vt (edificio)* wieder auf|bauen ; *(fatto)* rekonstruieren.

ricotta *sf aus Molke hergestellter Frischkäse*.

ricoverare *vt (ammalato)* ein|liefern.

ricreare *vt (creare di nuovo)* neu schaffen.

ricreazione *sf (a scuola)* Pause *die*.

ricredersi *vr* seine Meinung ändern.

ricucire *vt (rammendare)* flicken.

ricuperare = **recuperare**.

ridare *vt (dare di nuovo)* wieder geben ; *(restituire)* zurück|geben.

ridere *vi (persona)* lachen ; **morire dal** ~ sich tot|lachen. ■ **ridere di** *v + prep (beffarsi di)* lachen über *(+A)*.

ridicolo, a *agg (aspetto, situazione)* lächerlich.

ridimensionare *vt* verkleinern ; *fig (ridurre)* reduzieren.

ridire *vt* : **avere qc da ~ (su qn/**

qc) (an jm/einer Sache) etw auszusetzen haben.

ridotto, a *pp* → **ridurre.** ◆ *agg (prezzo)* reduziert ; *(formato)* Klein- ; ~ **male** übel zugerichtet. ◆ *sm (di teatro)* Foyer *das.*

ridurre *vt (diminuire)* verringern ; *(trasformare)* machen zu. ■ **ridursi** *vr (diminuire)* schrumpfen ; *(condursi in condizioni peggiori)* herunterlkommen. ■ **ridursi a** *vr + prep* sich beschränken auf *(+A).*

riduzione *sf (diminuzione)* Verringerung *die* ; *(sconto)* Ermäßigung *die.*

rielaborare *vt* auslarbeiten.

riempire *vt (contenitore, spazio)* füllen ; *(modulo, assegno)* auslfüllen ; ~ **di** füllen mit. ■ **riempirsi di** *vr + prep (stadio, cinema)* sich füllen mit.

rientrare *vi (entrare di nuovo)* wieder einltreten ; *(a casa, in patria)* zurücklkommen.

riepilogo, ghi *sm* Zusammenfassung *die.*

rievocare *vt (ricordare)* erinnern.

rifare *vt (fare di nuovo)* wiederholen ; *(ricostruire)* neu auflbauen ; ~ **il letto** das Bett machen. ■ **rifarsi di** *vr + prep (perdita, spesa)* wieder hereinlholen.

rifatto, a *pp* → **rifare.**

riferimento *sm (connessione)* Bezug *der* ; *(accenno)* Hinweis *der* ; **fare ~ a** Bezug nehmen auf *(+A).*

riferire *vt* : ~ **qc (a qn)** *(fatti, notizie)* (jm) etw berichten. ■ **riferirsi a** *vr + prep (alludere a)* sich beziehen auf *(+A).*

rifilare *vt* : ~ **qc a qn** *(merce) fam* jm etw anldrehen ; *fam (compito)* jm etw zulschieben.

rifinitura *sf* Feinarbeit *die.*

rifiorire *vi (pianta)* wieder blühen ; *fig (persona)* auflblühen.

rifiutare *vt (non accettare)* ablehnen, verweigern ; ~ **di fare qc** sich weigern, etw zu tun.

rifiuto *sm (il rifiutare)* Ablehnung *die* ; *(il negare)* Verweigerung *die.* ■ **rifiuti** *smpl (immondizie)* Abfall *der* ; Müll *der.*

riflessione *sf (pensiero)* Überlegung *die.*

riflessivo, a *agg* nachdenklich ; GRAMM reflexiv.

riflesso, a *pp* → **riflettere.** ◆ *sm (luce & MED)* Reflex *der.*

riflettere *vt (luce, raggi)* reflektieren. ◆ *vi (meditare)* nachldenken ; ~ **su** nachldenken über *(+A).* ■ **riflettersi** *vr (immagine)* sich spiegeln ; *(luce, raggi)* reflektiert werden.

riflettore *sm (faro, di teatro)* Scheinwerfer *der* ; *(di stadio)* Flutlicht *das.*

riforma *sf (modifica)* Reform *die.*

riformare *vt (innovare)* reformieren.

rifornimento *sm* : **fare ~ di qc** sich mit etw versorgen. ■ **rifornimenti** *smpl* Vorräte *pl.*

rifornire *vt* : ~ **qn/qc di** jn/etw

beliefern mit. ■ **rifornirsi di** *vr + prep* sich ein|decken mit.

rifugiarsi *vr (cercare rifugio)* sich flüchten.

rifugiato, a *sm, f* Flüchtling *der*.

rifugio *sm (riparo)* Zuflucht *die* ; *(in montagna)* Hütte *die*.

riga, ghe *sf (linea)* Linie *die* ; *(di testo)* Zeile *die* ; *(di capelli)* Scheitel *der* ; *(righello)* Lineal *das* ; **mettere in ~ qc** jm den Kopf zurecht|rücken ; **a righe** *(tessuto)* gestreift ; *(foglio, quaderno)* liniert.

rigare *vt (macchina, parete)* zerkratzen. ◆ *vi* : **~ diritto** sich anständig benehmen.

rigattiere *sm* Trödler *der*, -in *die*.

rigettare *vt (gettare indietro)* zurück|werfen ; *fam (vomitare)* sich übergeben.

rigidità *sf (di oggetto)* Steife *die* ; *(di clima)* Rauheit *die* ; *(di regolamento, persona)* Strenge *die*.

rigido, a *agg (non elastico, articolato)* steif ; *(clima)* rau ; *(severo)* streng.

rigirare *vt (voltare)* um|drehen ; **~ il discorso** *fam* das Wort im Mund um|drehen *(+D)*. ■ **rigirarsi** *vr (voltarsi)* sich um|drehen ; *(nel letto)* sich wälzen.

rigoglioso, a *agg (pianta)* üppig.

rigore *sm (durezza)* Härte *die* ; *(severità)* Strenge *die* ; *(precisione)* Genauigkeit *die* ; SPORT Elfmeter *der*.

rigoroso, a *agg (severo)* streng ; *(preciso)* genau.

riguardare *vt (guardare di nuovo)* wieder an|schauen ; *(controllare)* durch|sehen ; *(concernere)* betreffen. ■ **riguardarsi** *vr* sich in Acht nehmen ; **riguardati!** pass auf dich auf!

riguardo *sm (attenzione)* Vorsicht *die* ; *(stima)* Achtung *die* ; ~ a was ... betrifft.

rilanciare *vt (lanciare di nuovo)* wieder werfen ; *(moda, prodotto)* wieder ein|führen ; *(offerta, puntata)* über|bieten.

rilasciare *vt (liberare)* frei|lassen ; *(emettere)* aus|stellen.

rilassare *vt (muscoli, mente)* entspannen. ■ **rilassarsi** *vr (distendersi)* sich entspannen.

rilegare *vt (libro)* binden.

rilevante *agg* erheblich.

rilievo *sm (sporgenza)* Vorsprung *der* ; GEOG Erhebung *die* ; *(di scultura)* Relief *das* ; **mettere in ~ qc** etw hervor|heben.

rima *sf* Reim *der*.

rimandare *vt (mandare indietro)* zurück|schicken ; *(riunione, esame)* verschieben ; **~ qn a qc** *(in testo)* jn auf etw *(A)* verweisen ; **~ qc (a)** *(rinviare)* etw verschieben (auf *(+A)*).

rimando *sm (riferimento)* Verweis *der*.

rimanente *agg* restlich. ◆ *sm* Rest *der*.

rimanere *vi (in luogo, nel tempo)* bleiben ; *(avanzare)* übrig|

bleiben ; *(essere)* sein ; *(diventare)* werden ; **mi sono rimasti 5 euro** ich habe (nur) noch 5 Euro ; **siamo rimasti in due** wir sind (nur) noch zu zweit.

rimarginąre *vt (ferita)* heilen. ■ **rimarginarsi** *vr (ferita)* verheilen.

rimąsto, a *pp* → **rimanere**.

rimasụglio *sm* Rest *der*.

rimbalząre *vi (palla)* auf|prallen ; *(proiettile)* ab|prallen.

rimbąlzo *sm (di palla)* Aufprall *der* ; *(di proiettile)* Abprall *der*.

rimbambịto, a *agg fam* vertrottelt.

rimboccąre *vt (lenzuola, coperta)* um|schlagen ; *(maniche, pantaloni)* hoch|krempeln.

rimbombąre *vi* dröhnen.

rimborsąre *vt* zurück|erstatten.

rimbọrso *sm* Rückerstattung *die* ; ~ **spese** Kostenerstattung *die*.

rimediąre *vt fam (procurarsi)* sich *(D)* beschaffen. ◆ *vi (porre rimedio)* ab|helfen ; ~ **a** *(sbaglio, danno)* wieder gut|machen.

rimędio *sm (medicina)* Heilmittel *das* ; **porre ~ a qc** für etw Abhilfe schaffen.

rimescoląre *vt (liquido)* um|rühren ; *(carte)* mischen.

rimęssa *sf (per mezzi pubblici)* Depot *das* ; *(macchine)* Garage *die* ; *(nel calcio)* Einwurf *der*.

rimęsso, a *pp* → **rimettere**.

rimęttere *vt (mettere di nuovo in orizzontale)* wieder hin|legen ; *(mettere di nuovo in verticale)* wieder hin|stellen ; *(vomitare)* erbrechen ; ~ **a posto** wieder auf|räumen ; **rimetterci qc** etw einbüßen. ■ **rimettersi** *vr (guarire)* sich erholen ; **rimettersi al lavoro** sich wieder an die Arbeit machen.

rịmmel® *sm inv* Wimperntusche *die*.

rimodernąre *vt* modernisieren.

rimontąre *vi (recuperare nel gioco)* auf|holen.

rimorchiąre *vt (veicolo)* ab|schleppen ; *fam (ragazza)* auf|reißen.

rimorchiatọre *sm (nave)* Schlepper *der*.

rimọrchio *sm (di veicolo)* Anhänger *der*.

rimọrso *sm* Gewissensbiss *der*.

rimoziọne *sf (spostamento)* Wegschaffen *das* ; *(da carica, impiego)* Entlassung *die* ; **'~ forzata** ○ **coatta'** ‘abgestellte Fahrzeuge werden gebührenpflichtig abgeschleppt’.

rimpatriąre *vi* in die Heimat zurück|kehren.

rimpiąngere *vt (persona)* nach|trauern ; *(azione)* bedauern.

rimpiąnto, a *pp* → **rimpiangere**. ◆ *sm (di azione)* Bedauern *das*.

rimpiattịno *sm (gioco)* Versteckspiel *das* ; *fig* : **fare** ○ **giocare a** ~ Versteck spielen.

rimpiazzare *vt* ersetzen.
rimpicciolire *vt* verkleinern.
rimpinzare : **rimpinzarsi di** *vr + prep* sich volllstopfen mit.
rimproverare *vt (sgridare)* vorlwerfen.
rimprovero *sm* Vorwurf *der*.
rimuginare *vt (meditare)* grübeln über *(+A)*.
rimuovere *vt (spostare)* weglräumen.
Rinascimento *sm* : **il ~** die Renaissance.
rinascita *sf (di foglie, capelli)* Nachwachsen *das* ; *(economica, sociale)* Wiederaufleben *das*.
rincarare *vt (aumentare il prezzo)* verteuern. ◆ *vi (diventare caro)* teurer werden.
rinchiudere *vt* einlsperren. ■ **rinchiudersi in** *vr + prep (chiudersi dentro)* sich einlschließen in *(+D)*.
rinchiuso, a *pp* → **rinchiudere**.
rincorrere *vt* nachllaufen.
rincorsa *sf* Anlauf *der*.
rincrescere *vi (dispiacere)* : **mi rincresce che tu parta** es tut mir leid, dass du abreist.
rinfacciare *vt* : **~ qc a qn** *(colpa, difetto)* jm etw vorlwerfen.
rinforzare *vt (rendere più solido)* verstärken.
rinforzo *sm* Verstärkung *die*. ■ **rinforzi** *smpl* Verstärkung *die*.
rinfrescante *agg* erfrischend.
rinfrescare *vt (atmosfera)* ablkühlen ; *fig (ravvivare)* : **~ la memoria a qn** jm das Gedächtnis auflfrischen. ■ **rinfrescarsi** *vr (ristorarsi)* sich erfrischen.
rinfresco, schi *sm (ad una festa)* Empfang *der*.
rinfusa : **alla rinfusa** *avv* durcheinander.
ringhiare *vi* knurren.
ringhiera *sf (di scala, balcone)* Geländer *das*.
ringiovanire *vt* verjüngen. ◆ *vi* jünger auslsehen.
ringraziamento *sm* Dank *der*.
ringraziare *vt* danken ; **~ qn di qc** jm für etw danken.
rinnegare *vt (persona, fede)* verleugnen.
rinnovamento *sm (cambiamento)* Erneuerung *die* ; *(di impianti, locale)* Renovierung *die*.
rinnovare *vt (rimodernare)* renovieren ; *(sostituire)* erneuern ; *(prolungare)* verlängern.
rinnovo *sm (di contratto)* Verlängerung *die* ; *(di casa)* Renovierung *die* ; *(di guardaroba)* Erneuerung *die*.
rinoceronte *sm* Nashorn *das*.
rinomato, a *agg* renommiert.
rintocco, chi *sm (di campana)* Glockenschlag *der* ; *(di orologio)* Schlag *der*.
rintracciare *vt* auflspüren.
rintronare *vt (assordare, stordire)* betäuben.

rinuncia, ce *sf (rifiuto)* Verzicht *der*; *(privazione)* Entbehrung *die*.

rinunciare : rinunciare a *v + prep (rifiutare)* verzichten auf *(+A)*; *(privarsi di)* sich *(D)* etw versagen.

rinvenire *vt (trovare)* auf|finden. ◆ *vi (riprendere i sensi)* wieder zu sich kommen.

rinviare *vt* : ~ **qc (a)** *(posporre)* etw verschieben (auf *(+A)*).

rinvio *sm (di appuntamento, riunione)* Verschiebung *die*; *(a pagina, capitolo)* Verweis *der*.

rione *sm* Stadtviertel *das*.

riordinare *vt (mettere in ordine)* auf|räumen; *(cambiare ordine)* neu ordnen.

riorganizzare *vt* reorganisieren.

riparare *vt (aggiustare)* reparieren; *(proteggere)* schützen. ■ **ripararsi** *vr* sich unter|stellen; **ripararsi da qc** sich vor etw *(D)* schützen.

riparazione *sf (di automobile)* Reparatur *die*.

riparo *sf (protezione)* Schutz *der*; *(rifugio)* Unterschlupf *der*.

ripartire *vt (eredità, guadagno)* auf|teilen; *(compiti, responsabilità)* verteilen. ◆ *vi (partire di nuovo)* wieder ab|reisen.

ripassare *vt (lezione)* wiederholen. ◆ *vi (passare di nuovo)* wieder vorbei|kommen.

ripensare *vi (riflettere su)* nach|denken; *(cambiare idea)* seine Meinung ändern. ◆ *vi + prep* : **ripensare a** wieder denken an *(+A)*.

ripercuotersi : ripercuotersi su *vr + prep (influire su)* sich auswirken auf *(+A)*.

ripetere *vt (ridire, rifare)* wiederholen. ■ **ripetersi** *vr (ridire, rifare le stesse cose)* sich wiederholen.

ripetizione *sf (replica)* Wiederholung *die*. ■ **ripetizioni** *sfpl (lezioni private)* Nachhilfe *die*.

ripiano *sm (di mobile)* Fach *das*.

ripicca, che *sf* : **per ~** aus Trotz.

ripido, a *agg* steil.

ripiegare *vt (piegare di nuovo)* wieder falten; *(lenzuola, fazzoletto)* zusammen|legen. ■ **ripiegare su** *v + prep* aus|weichen auf *(+A)*.

ripieno, a *agg (pieno)* gefüllt; **~ (di qc)** *(tacchino)* (mit etw) gefüllt; **~ (di qc)** *(panino)* (mit etw) belegt. ◆ *sm (farcia)* Füllung *die*.

riporre *vt (mettere al suo posto in orizzontale)* hin|legen; *(mettere al suo posto in verticale)* hin|stellen; *(mettere via)* ab|legen; **~ fiducia in qn** Vertrauen in jn setzen.

riportare *vt (restituire, ricondurre)* zurück|bringen; *(riferire)* zu|tragen.

riposare *vi (dormire)* ruhen. ■ **riposarsi** *vr (rilassarsi)* sich aus|ruhen; *(dormire)* schlafen.

riposo *sm* Erholung *die*; *(ristoro)* : **giorno di ~** Ruhetag *der*;

(sonno) Ruhe *die* ; **a ~** *(in pensione)* im Ruhestand.

ripostiglio *sm* Abstellkammer *die*.

riposto, a *pp* → **riporre**.

riprendere *vt (prendere di nuovo)* wieder nehmen ; *(rimproverare)* zurecht|weisen ; *(filmare)* auf|nehmen. ◆ *vi (ricominciare)* : **~ a fare qc** wieder an|fangen, etw zu tun. ■ **riprendersi da** *vr + prep (riaversi da)* sich erholen von.

ripresa *sf (dopo interruzione)* Wiederaufnahme *die* ; *(di motore)* Beschleunigung *die* ; *(cinematografica)* Aufnahme *die* ; SPORT *(nel calcio)* zweite Halbzeit ; SPORT *(nel pugilato)* Runde *die*.

ripreso, a *pp* → **riprendere**.

riprodurre *vt (fare copie)* reproduzieren. ■ **riprodursi** *vr (moltiplicarsi)* sich vermehren.

riproduzione *sf (di specie)* Fortpflanzung *die* ; *(copia)* Reproduktion *die*.

ripudiare *vt (moglie, figli)* verstoßen.

ripugnante *agg* widerlich.

ripulire *vt (pulire)* säubern ; *fam (rubare)* aus|räumen.

risalire *vt (scale)* hinauf|steigen ; *(fiume)* flussaufwärts fahren. ◆ *v + prep (epoca)* stammen aus ; *(causa)* zurück|gehen auf *(+A)*.

risaltare *vi (colore, ornamento)* hervor|treten.

risaputo *agg* : **è ~ che ...** es ist bekannt, dass ...

risarcimento *sm* Entschädigung *die* ; **~ dei danni** Schadenersatz *der*.

risarcire *vt* entschädigen.

risata *sf* Lachen *das* ; **farsi quattro risate** sich amüsieren.

riscaldamento *sm (impianto)* Heizung *die* ; SPORT Aufwärmen *das* ; **~ centrale** Zentralheizung.

riscaldare *vt (stanza)* heizen ; *(mani)* wärmen ; *(cibo)* auf|wärmen. ■ **riscaldarsi** *vr (persona)* sich auf|wärmen ; *(diventare caldo)* sich erhitzen.

riscatto *sm (prezzo)* Lösegeld *das*.

rischiarare : rischiararsi *vr* sich auf|heitern.

rischiare *vi* : **~ la vita** sein Leben riskieren.

rischio *sm (pericolo)* Risiko *das* ; **correre il ~** das Risiko ein|gehen ; **a ~** *(persona, categoria)* gefährdet ; **a proprio ~ e pericolo** auf eigene Gefahr.

rischioso, a *agg* riskant.

risciacquo *sm (di lavatrice, lavapiatti)* Spülen *das*.

riscuotere *vt (somma, stipendio, pensione)* bekommen ; *(successo, consenso)* ernten.

risentimento *sm (sdegno)* Ressentiment *das* ; *(rancore)* Groll *der*.

risentire : risentire di *v + prep (essere influenzato da)* unter dem Einfluss stehen *(+G)*. ■ **risentirsi** *vr (offendersi)* : **~ di** o **per qc** wegen einer Sache *(G)* gekränkt sein ; ~ **con qn** Groll gegen jn hegen.

risentito, a *agg (offeso)* gekränkt.

riserva *sf (di caccia, pesca)* Revier *das* ; *(indiana)* Reservat *das* ; *(giocatore)* Ersatzspieler *der* ; **essere in** ~ *(auto)* auf Reserve fahren.

riservare *vt (destinare)* reservieren.

riservato, a *agg (persona, posto prenotato)* reserviert ; *(informazione, lettera)* vertraulich.

risiedere *vi form* wohnhaft sein.

riso *sm (cereale)* Reis *der* ; *(risata)* Lachen *das* ; ~ **integrale** Naturreis ; **risi e bisi** *Reis mit Erbsen (Spezialität aus Venetien).*

risolto, a *pp* → **risolvere**.

risoluzione *sf (di esercizio, problema)* Lösung *die*.

risolvere *vt (problema, caso)* lösen ; *(decidere)* klären. ■ **risolversi** *vr (problema)* sich lösen. ◆ *vr + prep* : **risolversi in** *(andare a finire)* enden mit ; **risolversi a fare qc** *(decidersi a)* sich entschließen, etw zu tun.

risorgere *vi (resuscitare)* auferstehen.

Risorgimento *sm* : **il** ~ *italienische Einigungsbewegung im 19. Jahrhundert.*

risorsa *sf (mezzo)* Mittel *das*. ■ **risorse** *sfpl (naturali, economiche)* Ressourcen *pl*.

risotto *sm* Risotto *der* ○ *das* ; ~ **alla milanese** *Reisgericht mit Safran und geriebenem Parmesan.*

risparmiare *vi (spendere poco)* sparen. ◆ *vt (non consumare)* sparen.

risparmio *sm (somma, di tempo, soldi, fatica)* Ersparnis *die*.

rispettare *vt (avere rispetto per)* respektieren ; *(osservare)* beachten ; **farsi** ~ sich *(D)* Respekt verschaffen.

rispettivamente *avv (nell' ordine)* beziehungsweise.

rispettivo, a *agg* jeweilig.

rispetto *sm (stima)* Respekt *der* ; *(considerazione)* Achtung *die* ; *(osservanza)* Beachtung *die* ; **mancare di** ~ **(a qn)** es (jm gegenüber) an Respekt fehlen lassen ; ~ **a** im Vergleich zu.

rispettoso, a *agg (atteggiamento, persona)* respektvoll.

risplendere *vi (sole, luce)* strahlen.

rispondere *vi* antworten.

risposta *sf (il rispondere, ciò che si risponde)* Antwort *die* ; **in** ~ **alla Sua lettera** in Beantwortung Ihres Briefes.

rissa *sf* Schlägerei *die*.

ristabilire *vt (ripristinare)* wiederherlstellen. ■ **ristabilirsi** *vr (rimettersi in forze)* sich erholen.

ristampa *sf (libro)* Neuauflage *die*.

ristorante *sm* Restaurant *das* ; **andare al** ~ ins Restaurant gehen.

ristretto, a *pp* → **restringere**.

◆ agg *(caffè, brodo)* stark ; *(uso, significato)* beschränkt.

ristrutturare *vt (casa)* um|bauen.

risucchiare *vt (aspirare)* saugen.

risultare *vi (scaturire)* hervor|gehen ; *(rivelarsi, dimostrarsi)* sich heraus|stellen ; **mi risulta che ...** soviel ich weiß, ... ; **non mi risulta** ich wüßte nicht.

risultato *sm (esito)* Resultat *das* ; *MAT* Ergebnis *das*.

risuonare *vi (rimbombare)* dröhnen.

risvegliare *vt (dal sonno)* wecken.

risvolto *sm (di giacca, pantaloni)* Aufschlag *der*.

ritagliare *vt (tagliare fuori)* aus|schneiden.

ritaglio *sm (di giornale)* Ausschnitt *der* ; *(di stoffa)* Stoffrest *der* ; **nei ritagli di tempo** in der Freizeit.

ritardare *vi (sog : orologio, sveglia)* nach|gehen. ◆ *vt (rimandare)* auf|schieben ; *(rallentare)* verlangsamen.

ritardatario, a *sm, f (non puntuale)* Nachzügler *der*, -in *die*.

ritardo *sm (arrivare tardi)* Verspätung *die* ; **in ~** verspätet ; *(mestruazioni)* Verzug *der*.

ritenere *vt (giudicare)* halten für ; *(pensare)* denken.

ritentare *vt (tentare ancora)* noch einmal versuchen.

ritirare *vt (passare a prendere)* ab|holen ; *(insulto, promessa)* zurück|nehmen. ■ **ritirarsi** *vr (da attività)* sich zurück|ziehen ; *(restringersi)* ein|laufen.

ritiro *sm (di pacco)* Abholen *das* ; *(di patente, passaporto)* Entzug *der* ; *(raduno di una squadra)* Trainingslager *das*.

ritmo *sm* Rhythmus *der*.

rito *sm RELIG* Ritus *der* ; *(cerimoniale)* : **di ~** üblich.

ritornare *vi (in luogo)* zurück|kehren.

ritornello *sm (di canzone)* Refrain *der*.

ritorno *sm fig (a stato)* Rückkehr *die* ; **essere di ~** zurück sein.

ritrarre *vt (mano)* zurück|ziehen ; *(raffigurare)* ab|bilden.

ritratto *pp* → **ritrarre.** ◆ *sm (pittura, fotografia)* Portrait *das*.

ritrovare *vt (cosa persa, persona)* wieder|finden ; *fig (riacquistare)* wieder|gewinnen. ■ **ritrovarsi** *vr (incontrarsi)* sich treffen ; *(in situazione)* geraten.

ritrovo *sm (luogo)* Treffpunkt *der*.

riunione *sf (incontro)* Versammlung *die*.

riunire *vt (radunare)* versammeln ; *(mettere insieme)* zusammen|bringen. ■ **riunirsi** *vr (radunarsi)* sich versammeln.

riuscire *vi (avere esito favorevole)* gelingen ; *(aver successo)* erfolgreich sein ; **~ a fare qc** etw tun können ; **~ in qc** in einer Sache *(D)* Erfolg haben ; **~ male** misslingen.

riva sf *(di fiume, lago, mare)* Ufer *das*.

rivale agg rivalisierend. ◆ smf Rivale *der*, -lin *die*.

rivalutare vt FIN auf|werten ; *(persona, opera)* mit anderen Augen sehen.

rivedere vt *(vedere di nuovo)* wieder sehen ; *(riesaminare)* über|prüfen. ■ **rivedersi** vr *(rincontrarsi)* sich wieder|sehen.

rivelare vt *(dichiarare)* enthüllen ; *(dimostrare)* zeigen ; **~ qc a qn** jm etw verraten.

rivelazione sf *(di notizie)* Enthüllung *die*.

rivendicare vt *(diritto)* geltend machen ; *(bene)* fordern.

rivendita sf *(negozio)* Laden *der*.

rivenditore, trice sm, f *(al minuto)* Händler *der*, -in *die* ; **~ autorizzato** Vertragshändler.

riversare : riversarsi vr *(folla)* strömen.

rivestimento sm *(materiale)* Verkleidung *die*.

rivestire vt *(ricoprire, foderare)* verkleiden ; *(carica, ruolo)* bekleiden. ■ **rivestirsi** vr *(vestirsi)* sich wieder an|ziehen.

riviera sf *(regione, zona)* Küstenstreifen *der* ; **la ~ ligure** die Ligurische Riviera.

LA RIVIERA ADRIATICA

Die zahlreichen Badeorte entlang der Adriaküste ziehen jeden jeden Sommer Unmengen von Urlaubern aus dem In- und Ausland an. Das bei Venedig gelegene Jesolo und Rimini an der romagnolischen Küste gehören zu den beliebtesten Urlaubszielen. Rimini, berühmt für seine breiten Strände und seine hervorragende touristische Infrastruktur, ist mit einem pulsierenden Leben bei Tag und Nacht eine Küstenstadt „par excellence".

---

rivincita sf *(di partita, rivalsa)* Revanche *die*.

rivista sf *(periodico)* Zeitschrift *die* ; *(spettacolo)* Revue *die*.

rivolgere vt *(parola, occhiata)* richten ; *(attenzione)* lenken. ■ **rivolgersi a** vr + prep *(indirizzarsi)* sich wenden an *(+A)*.

rivolta sf Revolte *die*.

rivoltare vt *(rigirare)* um|drehen. ■ **rivoltarsi** vr *(ribellarsi)* sich auf|lehnen.

rivoltella sf *(pistola)* Revolver *der*.

rivoluzionario, a agg *(della rivoluzione)* Revolutions- ; *(nuovo)* revolutionär. ◆ sm, f Revolutionär *der*, -in *die*.

rivoluzione sf *(guerra civile)* Revolution *die*.

rizzare vt *(tenda, palo)* auf|stellen. ■ **rizzarsi** vr *(alzarsi, sollevarsi)* sich auf|richten.

roba sf *(cosa)* Sachen *pl* ; **~ da mangiare** Esswaren *pl* ; **~ da matti!** das ist ja Wahnsinn!

robiola sf *sahniger Weichkäse*.

robot sm inv Roboter *der*.

robusto, a agg *(resistente)* robust ; *(vigoroso)* kräftig.

rocca, che *sf (edificio)* Burg *die.*

rocchetto *sm (di filo)* Spule *die.*

roccia, ce *sf (masso)* Felsen *der* ; **fare ~** *(alpinismo)* klettern.

roccioso, a *agg (luogo)* felsig.

roco, a, chi, che *agg (rauco)* heiser.

rodaggio *sm (di macchina)* Einfahren *das* ; **essere in ~** eingefahren werden.

rodere : rodersi *vr + prep (rabbia, gelosia)* : **rodersi di** o **per qc** sich vor etw *(D)* verzehren.

rogna *sf (malattia)* Krätze *die* ; *fam (guaio)* Schererei *die.*

rognone *sm (pietanza)* Niere *die.*

rogo, ghi *sm (incendio)* Brand *der.*

Roma *sf* Rom *nt.*

romanesco *sm (dialetto)* römischer Dialekt.

Romania *sf* : **la ~** Rumänien *nt.*

romanico, a, ci, che *agg* romanisch.

romano, a *agg* römisch. ◆ *sm, f* Römer *der*, -in *die.*

romanticismo *sm (atteggiamento)* Sentimentalität *die* ; *(movimento)* Romantik *die.*

romantico, a, ci, che *agg (sentimentale)* romantisch.

romanzo, a *agg* romanisch. ◆ *sm (libro)* Roman *der.*

rompere *vt* brechen ; *(strappare)* zerreißen ; *(annullare)* lösen. ◆ *vi (litigare)* brechen ; *fam (seccare)* nerven. ■ **rompersi** *vr (guastarsi)* kaputt gehen ; **rompersi una gamba** sich *(D)* ein Bein brechen.

rompicapo *sm (rebus, indovinello)* Rätsel *das.*

rompiscatole *smf inv fam* Nervensäge *die.*

rondine *sf* Schwalbe *die.*

ronzare *vi (insetto piccolo)* summen ; *(insetto grosso)* brummen.

ronzio *sm (di insetti)* Summen *das* ; *(rumore)* Brummen *das.*

rosa *agg inv (di colore)* rosa *inv.* ◆ *sf (fiore)* Rose *die.* ◆ *sm (colore)* Rosa *das.*

rosicchiare *vt* nagen.

rosmarino *sm* Rosmarin *der.*

rosolare *vt* an|braten.

rosolia *sf* Röteln *pl.*

rosone *sm (vetrata)* Fensterrose *die.*

rospo *sm (animale)* Kröte *die.*

rossetto *sm (per labbra)* Lippenstift *der.*

rosso, a *agg (di colore)* rot. ◆ *sm (colore)* Rot *das* ; **~ d'uovo** Eigelb *das.* ■ **il Mar Rosso** *sm* das Rote Meer.

rosticceria *sf Lokal für kleine Imbisse und mit Fertiggerichten zum Mitnehmen, wie Lasagne oder Brathähnchen.*

rotaia *sf (binario)* Schiene *die.*

rotazione *sf (movimento)* Rotation *die* ; *(successione)* Wechsel *der.*

rotella *sf (di ingranaggio)* Rädchen *das* ; *(tagliapasta)* Teigrädchen *das* ; **pattini a rotelle** Rollschuhe *pl* ; **gli manca una ~** *fig (persona bizzarra)* er hat nicht alle Tassen im Schrank.

rotolare *vi (palla, pietra)* rollen. ■ **rotolarsi** *vr* sich wälzen.

rotolo *sm (di carta)* Rolle *die* ; **andare a rotoli** zu Grunde gehen.

rotonda *sf (terrazza)* runde Terrasse.

rotondo, a *agg* rund.

rotta *sf (percorso)* Route *die.*

rottame *sm (ferraglia)* Schrott *der.*

rotto, a *agg (spezzato, infranto)* kaputt ; *(strappato)* zerrissen.

rottura *sf (di argini, guasto)* Bruch *der* ; *(di vetro)* Zerbrechen *das* ; **che ~!** wie nervtötend!

roulotte *sf inv* Wohnwagen *der.*

rovente *agg (caldo)* glühend.

rovescia *sf* : **alla ~** umgekehrt.

rovesciare *vt (liquido)* vergießen ; *(tavolo, sedia)* um|stoßen. ■ **rovesciarsi** *vr (versarsi)* sich ergießen ; *(macchina)* sich über|schlagen ; *(barca)* kentern.

rovescio, sci *sm (di vestito, stoffa)* linke Seite ; *(nel tennis)* Rückhand *die* ; *(maglia)* linke Masche.

rovina *sf (sfacelo)* Ruin *der* ; *(deterioramento)* Verfall *der* ; **andare in ~** zu Grunde gehen. ■ **rovine** *sfpl (ruderi)* Überreste *pl.*

rovinare *vt (sciupare, mandare in miseria)* ruinieren. ■ **rovinarsi** *vr (sciuparsi)* kaputt gehen ; *(andare in rovina)* sich zugrunde richten.

rovo *sm (spinoso)* Brombeerstrauch *der.*

rozzo, a *agg (persona, modi)* grob ; *(oggetto)* roh.

ruba *sf* : **andare a ~** reißenden Absatz finden.

rubare *vt & vi* stehlen.

rubinetto *sm (dell'acqua, del gas)* Hahn *der.*

rubino *sm (pietra)* Rubin *der.* ◆ *agg (colore)* rubinrot.

rubrica, che *sf (di indirizzi, telefono)* Verzeichnis *das.*

rubrica, che *sf (di giornale, trasmissione)* Rubrik *die.*

ruffiano, a *sm, f (adulatore)* Kriecher *der*, -in *die.*

ruggine *sf (di ferro)* Rost *der.*

ruggire *vi (leone)* brüllen.

rugiada *sf* Tau *der.*

rullino *sm (fotografico)* Film *der* ; **un ~ da 24** ein Film mit 24 Aufnahmen.

rullo *sm (rotolo, arnese)* Walze *die.*

rumeno, a *agg (della Romania)* rumänisch. ◆ *sm, f (persona)* Rumäne *der*, -nin *die.* ◆ *sm (lingua)* Rumänisch(e) *das.*

rumore *sm (suono)* Geräusch *das* ; *(baccano)* Krach *der* ; *(chiasso)* Lärm *der.*

rumoroso, a *agg* laut.

ruolo *sm* Rolle *die*.
ruota *sf* Rad *das* ; **~ di scorta** Ersatzrad.
ruotare *vi (girare)* kreisen. ◆ *vt (braccia)* kreisen lassen.
ruscello *sm* Bach *der*.
ruspa *sf* Bagger *der*.
Russia *sf* : **la ~** Russland *nt*.
russo, a *agg* russisch. ◆ *sm, f* Russe *der*, -sin *die*. ◆ *sm (lingua)* Russisch(e) *das*.
rustico, a, ci, che *agg (stile, arredamento)* rustikal. ◆ *sm (casa di campagna)* Landhaus *das*.
rutto *sm* Rülpser *der*.
ruvido, a *agg (non liscio)* rau.
ruzzolone *sm (caduta)* Sturz *der*.

S

sabato *sm* Samstag *der* ; **di o il ~** samstags.
sabbia *sf (di mare, deserto)* Sand *der*.
sacca, che *sf (borsa)* Sack *der*.
saccheggiare *vt (case, villaggi, negozi)* plündern ; *fig (con acquisti)* plündern.
sacchetto *sm (sacco)* Tüte *die*.
sacco, chi *sm (di iuta, carta, nylon)* Sack *der* ; *(borsa, zaino)* Reisesack *der* ; **~da montagna** Rucksack ; **un ~ di** ein Haufen ; **~ a pelo** Schlafsack.
sacerdote, tessa *sm, f (ministro di culto)* Priester *der*, -in *die*.
sacrificare *vt (rinunciare a)* verzichten auf *(+A)*. ■ **sacrificarsi** *vr (fare sacrifici)* sich aufl-opfern.
sacrificio *sm* Opfer *das*.
sacro, a *agg* heilig.
sadico, a, ci, che *agg* sadistisch. ◆ *sm, f* Sadist *der*, -in *die*.
saggezza *sf* Weisheit *die*.
saggio, a, ge *agg* weise. ◆ *sm (recita scolastica)* Aufführung *die* ; *(libro, ricerca)* Abhandlung *die*.
Sagittario *sm (zodiaco)* Schütze *der*.
sagoma *sf (profilo, forma)* Umriss *der*.
sagra *sf* Kirchweihfest *das* ; *(fiera)* Volksfest *das*.

i SAGRA

„Sagra" bezeichnet zum einem ein fast jedes Jahr stattfindendes Volksfest zu Ehren des Schutzheiligen eines Ortes, zum anderen ein Fest zur Einweihung einer Kirche. Außer den religiösen Feierlichkeiten, wie den Prozessionen, gibt es verschiedene Veranstaltungen mit Spiel, Tanz und Musik und einen Jahrmarkt. Den Ausdruck „sagra" verwendet man auch für Volksfeste, die jeweils einem Produkt gewidmet sind : „sagra dell'uva" (Weintraubenfest), „sagra del vino" (Weinfest), „sagra del tartufo" (Trüffelfest).

sagrestano, a *sm, f* Küster *der*, -in *die*.
saint-honoré *sm inv gefüllte Brandteigtorte*.

sala *sf (salotto)* Wohnzimmer *das* ; ~ **d'aspetto** Wartezimmer *das* ; ~ **operatoria** Operationssaal *der* ; ~ **da pranzo** Esszimmer *das*.

salame *sm (insaccato)* Salami *die*.

salare *vt (cibo)* salzen.

salario *sm (di operai)* Lohn *der*.

salatini *smpl* Salzgebäck *das*.

salato, a *agg* gesalzen.

saldare *vt (metalli)* schweißen ; *(debito, conto)* begleichen.

saldo, a *agg (resistente, stabile)* fest, stabil. ◆ *sm (di conto)* Kontostand *der*; *(di debito)* Restbetrag *der* ; **in** ~ *(in offerta)* im Angebot. ■ **saldi** *smpl* Schlussverkauf *der*.

sale *sm* Salz *das* ; ~ **grosso** grobes Salz.

salice *sm* Weide *die* ; ~ **piangente** Trauerweide.

saliera *sf* Salzstreuer *der*.

salire *vi (montare)* einlsteigen ; *(andare in alto)* nach oben fahren ; *(aumentare)* steigen. ◆ *vt (scale)* hochlgehen ; ~ **a bordo** an Bord gehen.

salita *sf (percorso)* Aufstieg *der* ; **in** ~ *(strada)* ansteigend.

saliva *sf* Spucke *die*.

salmone *sm (pesce)* Lachs *der* ; *(colore)* Lachsrot *das*.

salone *sm (sala)* Salon *der* ; *(mostra)* : ~ **dell'automobile** Automobilausstellung *die* ; ~ **del libro** Buchmesse *die*.

salotto *sm* Wohnzimmer *das*.

salpare *vi (partire)* abllegen. ◆ *vt (ancora)* lichten.

salsa *sf (sugo, intingolo)* Soße *die* ; ~ **di pomodoro** Tomatensoße.

salsiccia, ce *sf (insaccato)* Schweinswürstchen *das*.

saltare *vt (scavalcare)* springen über *(+A)* ; *(omettere)* überspringen. ◆ *vi (fare un balzo)* springen ; ~ **fuori** aufltauchen ; ~ **giù** herunterlspringen.

saltimbocca *sm inv (pietanza) kleine Kalbsroulade mit rohem Schinken und Salbei*.

salto *sm (balzo, visita)* Sprung *der*; **fare un** ~ **da qn** (auf einen Sprung bei jm) vorbeilkommen ; ~ **in alto** Hochsprung ; ~ **in lungo** Weitsprung.

salumeria *sf* Feinkostgeschäft *das*.

salumi *smpl* Wurstwaren *pl*.

salutare *vt (amico, conoscente)* grüßen. ■ **salutarsi** *vr (accogliere)* sich begrüßen ; *(congedare)* sich verabschieden.

salute *sf (benessere)* Gesundheit *die* ; **bere alla** ~ **di qn** auf js Wohl trinken.

saluto *sm (cenno, formula)* Gruß *der*.

salvadanaio *sm* Sparbüchse *die*.

salvagente *sm (ciambella)* Rettungsring *der* ; *(giubbotto)* Schwimmweste *die*.

salvare *vt (vita, persona)* retten ; ~ **la faccia** das Gesicht wahren. ■ **salvarsi** *vr (da pericolo, morte)* sich retten.

salvavịta® *sm inv (sistema)* Sicherungsschalter *der*.

sạlve *escl fam* hallo.

salvẹzza *sf (scampo)* Rettung *die*.

sạlvia *sf* Salbei *der*.

sạlvo, a *agg (incolume)* heil. ◆ *prep (eccetto)* außer *(+D)* ; **in ~** in Sicherheit.

san = **santo**.

sạndali *smpl (calzature)* Sandalen *pl*.

Sạn Daniẹle *sm (prosciutto) luftgetrockneter Schinken*.

sạngue *sm* ANAT Blut *das* ; **al ~** *(bistecca)* halb durchgebraten.

sanguinạre *vi (versare sangue)* bluten.

sanità *sf (servizio)* Gesundheitswesen *das*.

sanitạrio, a : **sanitari** *smpl (impianti)* Sanitäranlagen *pl*.

San Marịno *sf* San Marino *nt*.

SAN MARINO

Nicht weit von der Adria entfernt im nördlichen Mittelitalien liegt die Republik San Marino, mit 60 km^2 Fläche einer der kleinsten Staaten der Welt. Wie der Vatikan ist sie ein selbstständiger Staat, der eigene Münze prägt und eigene Briefmarken herausgibt.

sạno, a *agg (in salute, salutare)* gesund ; **~ come un pesce** kerngesund.

San Silvẹstro *sm (31 dicembre)* Silvester *das*.

SAN SILVESTRO

Man feiert Silvester mit einem traditonellen großen Abendessen oder mit einer Party bis in die Morgenstunden. Schlag Mitternacht wird der „Spumante" (Schaumwein) entkorkt, man wünscht sich „buon anno" und lässt Raketen und Knaller hochgehen. In einigen Gegenden ist es noch Sitte, alten Hausrat aus dem Fenster zu werfen.

santità *sf (condizione)* Heiligkeit *die* ; **Sua Santità** *(Papa)* Seine Heiligkeit.

sạnto, a *agg (attributo)* Sankt ; *(sacro)* heilig ; *(rafforzativo)* : **tutto il ~ giorno** den ganzen lieben langen Tag.

SANTO

Heiligenkult und Marienverehrung sind in Italien noch sehr verbreitet. Jede Stadt hat ihren heiligen Schutzpatron, der einmal im Jahr mit Prozessionen, anderen religiösen Riten, aber auch recht weltlichen Volksfesten gefeiert wird. Zu Ehren des Patrons werden die Straßen mit Leuchtgirlanden geschmückt und Buden mit Süßigkeiten aufgestellt, für die Kinder gibt es Karusselle. Die Schüler bekommen sogar an diesem Tag schulfrei.

santuạrio *sm* RELIG Wallfahrtsort *der*.

sapẹre *vt (lingua, lezione)* können; *(ora, fatto, informazione)* wissen; ~ **fare qc** mit etw umgehen können; **far ~ qc a qn** jm Bescheid sagen. ■ **sapere di** *v + prep (sapore)* schmecken nach; *(odore)* riechen nach.

sapọne *sm* Seife *die*; ~ **da bucato** Waschseife.

saponẹtta *sf* Seife *die*.

sapọre *sm (gusto)* Geschmack *der*.

saporịto, a *agg (gustoso)* schmackhaft.

saracinẹsca, che *sf (di negozi, garage)* Rollladen *der*.

Sardẹgna *sf*: **la ~** Sardinien *nt*.

sardịna *sf* Sardine *die*; **sardine in scatola** Ölsardinen.

sạrdo, a *agg* sardisch, sardinisch. ◆ *sm, f* Sardinier *der*, -in *die*; Sarde *der*, -din *die*. ◆ *sm (dialetto)* Sardinisch(e) *das*.

sạrto, a *sm, f* Schneider *der*, -in *die*.

sạsso *sm (pietra, frammento)* Stein *der*; **Sassi di Matera** *aus frühgeschichtlicher Zeit bis nach dem Zweiten Weltkrieg bewohnte Tuffgrotten.*

sassọfono *sm* Saxofon *das*.

satẹllite *sm (naturale, artificiale)* Satellit *der*.

sạuna *sf (luogo)* Sauna *die*.

savoiạrdi *smpl (biscotti)* Löffelbiskuit *der* o *das*.

saziạre *vt (con cibo)* sättigen.

sazietà *sf* Sättigung *die*; **mangiare a ~** sich satt essen.

sạzio, a *agg (di cibo)* satt.

sbadạto, a *agg* zerstreut.

sbadigliạre *vi (di sonno, noia)* gähnen.

sbadịglio *sm* Gähnen *das*.

sbạfo *sm*: **a ~** auf Kosten anderer *(G)*.

sbagliạre *vt (fare un errore)* einen Fehler machen; ~ **mira** das Ziel verfehlen; *(scegliere male)* verfehlen. ◆ *vi (fare un errore)* sich irren; *(sbagliare strada: in macchina)* sich verfahren; *(sbagliare strada: a piedi)* sich verlaufen. ■ **sbagliarsi** *vr* sich irren; **sbagliarsi di grosso** sich gewaltig irren.

sbagliạto, a *agg (erroneo, scorretto)* falsch.

sbạglio *sm (inesattezza, disattenzione)* Fehler *der*; **per ~** aus Versehen.

sbạlzo *sm (di temperatura)* plötzlicher Wechsel.

sbandạre *vi (auto)* ins Schleudern geraten.

sbandạta *sf (di auto, nave)* Schleudern *das*.

sbandato, a *sm, f (delinquente)* Gestrauchelte *der, die*.

sbarạglio *sm*: **mandare allo ~** einer Gefahr aussetzen.

sbarazzạre: **sbarazzarsi di** *vr + prep* sich befreien von.

sbarcạre *vt (merce da nave)* aus|schiffen; *(merce da aereo)* aus|laden. ◆ *vi* landen; *(persone da nave)* an Land gehen; *(persone da aereo)* aus|steigen.

sbạrco, chi *sm (di passeggeri,*

soldati) Landung *die* ; *(di merci)* Ausschiffung *die*.

sbarra *sf (spranga)* Stange *die* ; *(di passaggio a livello)* Schranke *die*.

sbarrare *vt (porta, finestra)* verriegeln ; *(passaggio)* versperren ; ~ **gli occhi** die Augen auf|reißen.

sbarrato, a *agg (strada, passaggio)* gesperrt ; *(occhi)* aufgerissen.

sbattere *vt (porta)* zu|schlagen ; *(tappeti)* aus|klopfen ; *(tovaglia)* aus|schütteln ; *(uova, panna)* schlagen. ◆ *vi (porta, finestra)* schlagen ; ~ **fuori qn** jn hinaus|werfen. ■ **sbattersene** *vr volg* darauf pfeifen.

sbattuto, a *agg (faccia, aria)* abgespannt.

sbavare *vi (mandare bava)* sabbern ; *(rossetto, colore)* verschmieren.

sbiadire *vt* aus|bleichen. ◆ *vi (scolorire)* verblassen. ■ **sbiadirsi** *vr (scolorirsi)* aus|bleichen.

sbiadito, a *agg (colore)* verblasst.

sbiancare *vt (lenzuolo)* bleichen. ◆ *vi (impallidire)* erbleichen.

sbieco, a, chi, che *agg* : **di** ~ *(obliquamente)* schräg.

sbigottito, a *agg (sconcertato)* verblüfft.

sbilanciare *vt (barca, auto)* aus dem Gleichgewicht bringen. ■ **sbilanciarsi** *vr (perdere l'equilibrio)* aus dem Gleichgewicht kommen.

sbirciare *vt (con curiosità, di sfuggita)* einen Blick werfen.

sbizzarrirsi *vr* seiner Laune freien Lauf lassen.

sbloccare *vt (meccanismo)* lösen ; *fig (situazione)* an|gehen. ■ **sbloccarsi** *vr (meccanismo)* sich lösen ; *(situazione)* sich normalisieren.

sboccare : **sboccare in** *v + prep (fiume, strada, corteo)* münden in *(+A)*.

sboccato, a *agg (persona)* vulgär.

sbocciare *vi (fiore)* erblühen.

sbocco, chi *sm (di fiume, strada)* Mündung *die*.

sbornia *sf fam (ubriacatura)* Rausch *der* ; **smaltire la** ~ seinen Rausch aus|schlafen.

sborsare *vt fam (pagare)* locker machen.

sbottonare *vt* auf|knöpfen. ■ **sbottonarsi** *vr (slacciarsi)* sich auf|knöpfen ; *fig fam (confidarsi)* sein Herz aus|schütten.

sbraitare *vi* brüllen.

sbranare *vt (divorare)* zerfleischen.

sbriciolare *vt (ridurre in briciole)* zerkrümeln. ■ **sbriciolarsi** *vr (pane, creta)* zerbröckeln.

sbrigare *vt (faccenda)* erledigen. ■ **sbrigarsi** *vr* sich beeilen.

sbrisolona *sf (torta) eine Art Streuseltorte.*

sbrodolare *vt (tovaglia)* bekleckern. ◆ *vi (versare cibo)* kleckern.

sbronza *sf fam (ubriacatura)* Rausch *der*.

sbronzarsi *vr fam (ubriacarsi)* sich *(D)* einen Rausch an|trinken.

sbronzo, a *agg fam (ubriaco)* besoffen.

sbucare *vi (uscire)* hervor|kommen ; *(saltar fuori)* auf|tauchen.

sbucciare *vt (patate, mela)* schälen. ■ **sbucciarsi** *vr (spellarsi)* : **~ un ginocchio** sich ein Knie auf|schürfen.

sbuffare *vi (per fastidio, noia, caldo)* stöhnen.

scabroso, a *agg fig (delicato)* heikel.

scacciare *vt (persona, animale)* verjagen.

scacco, chi *sm (pezzo)* Schachfigur *die*. ■ **scacchi** *smpl (gioco)* Schach *das* ; **a scacchi** *(tessuto)* kariert.

scadente *agg (prodotto, quadro)* minderwertig.

scadenza *sf (termine)* Frist *die*.

scadere *vi (passaporto, termine, latte)* ab|laufen.

scaffale *sm* Regal *das*.

scafo *sm (di nave, barca)* Rumpf *der*.

scagionare *vt* entlasten.

scaglia *sf (frammento)* Splitter *der* ; *(di pesce)* Schuppe *die*.

scagliare *vt (pietra)* schleudern. ■ **scagliarsi** *vr* : **~ contro** ○ **su qn** *(assalire)* sich auf jn stürzen ; *fig (insultare)* gegen jn wettern.

scala *sf (di edificio)* Treppe *die* ; *(spostabile)* Leiter *die* ; *(rapporto)* Maßstab *der* ; **~ mobile** *(di grandi magazzini)* Rolltreppe.

scalare *vt (mura, montagna)* erklettern ; *(somma)* ab|ziehen ; *(capelli)* stufig schneiden.

scalata *sf (di montagna)* Besteigung *die*.

scalatore, trice *sm, f (di montagna)* Bergsteiger *der*, -in *die*.

scaldabagno *sm* Boiler *der*.

scaldare *vt (acqua, cena)* warm machen ; *(stanza)* heizen. ■ **scaldarsi** *vr (al fuoco, al sole)* sich wärmen.

scalfire *vt (superficie)* ritzen.

scalinata *sf* (Frei)treppe *die*.

scalino *sm (gradino)* Stufe *die* ; *(piolo)* Sprosse *die*.

scalo *sm (aereo)* Zwischenstop *der* ; *(marittimo)* Anlegestelle *die* ; **fare ~** *(in aereo)* zwischen|landen ; *(in nave)* vor Anker gehen ; **~ merci** *(aereo, marittimo)* Umschlagplatz *der*.

scaloppina *sf* Schnitzel *das*.

scalpore *sm (risonanza)* Aufsehen *das*.

scaltro, a *agg* gerissen.

scalzo, a *agg (senza scarpe)* barfuß.

scambiare *vt (oggetti)* tauschen ; *(discutere di)* aus|tauschen, wechseln ; **~ qn/qc per/qn/qc** jn/etw mit jm/einer

Sache verwechseln ; **scambiarsi qc** etw auslltauschen.

scạmbio *sm (regali, opinioni, auguri)* Austausch *der* ; *(confusione)* Verwechslung *die* ; .

scampagnạta *sf* Ausflug *der* ins Grüne.

scampạre *vt (pericolo, prigione)* retten. ◆ *vi + prep* : **scampare a** entrinnen *(+D)*.

scạmpo *sm (salvezza)* Entkommen *das* ; **non c'è (via di) ~** es gibt keinen Ausweg. ■ **scampi** *smpl (crostacei)* Scampi *pl*.

scạmpolo *sm (di stoffa)* Stoffrest *der*.

scandalizzạre *vt (suscitare sdegno in)* schockieren. ■ **scandalizzarsi** *vr (sdegnarsi)* sich empören.

scạndalo *sm (cosa scandalosa)* Skandal *der* ; **dare ~** Anstoß erregen ; **fare ~** einen Skandal verursachen.

scandịre *vt (parole)* deutlich auslsprechen.

scannạre *vt (animale)* ablstechen.

scansafatịche *smf* Drückeberger *der*.

scansạre *vt (spostare)* weglrücken ; *(evitare)* vermeiden. ■ **scansarsi** *vr (spostarsi)* zur Seite treten.

scạnso *sm* : **a ~ di equivoci** um Missverständnissen vorzubeugen.

scantinạto *sm* Kellergeschoss *das*.

scapacciọne *sm (schiaffo)* Klaps *der*.

scapestrạto, a *agg (dissoluto)* liederlich.

scạpito *sm* : **a ~ di** auf Kosten *(+G)*.

scạpolo *sm (celibe)* Junggeselle *der*.

scappamẹnto *sm* → **tubo**.

scappạre *vi (fuggire)* fliehen, weglaufen ; *(andare)* schnell loslmüssen ; *(sfuggire)* entlaufen ; **mi è scappato detto** mir ist herausgerutscht ; **~ di mano** aus der Hand rutschen ; **mi scappa da ridere** ich muss lachen.

scappatẹlla *sf (trasgressione)* Seitensprung *der*.

scappatọia *sf* Ausweg *der*.

scarabocchiạre *vt* & *vi* kritzeln.

scarafạggio *sm* Küchenschabe *die*.

scaramanzịa *sf* Beschwörung *die* ; **fare qc per ~** etw aus Aberglauben tun.

scaraventạre *vt (scagliare)* schleudern. ■ **scaraventarsi** *vr* sich stürzen auf *(+A)*.

scarcerạre *vt* aus der Haft entlassen.

scạrica, che *sf (di pugni, sassi)* Hagel *der* ; *(di pistola, mitra)* Salve *die* ; **~ elettrica** Stromschlag *der*.

scaricạre *vt (batteria, pila)* entladen ; *(valigie, merci, camion)* auslladen. ■ **scaricarsi** *vr (batteria, pila)* sich entladen.

scạrico, a, chi, che *agg (bat-*

teria, camion) leer ; *(arma)* ungeladen. ◆ *sm (di gas)* Auspuff *der* ; *(di rifiuti)* Mülldeponie *die*.

scarpa *sf (calzatura)* Schuh *der* ; **che numero di scarpe porta?** welche Schuhgröße haben Sie? ; **scarpe da ginnastica** Turnschuhe ; **scarpe da tennis** Tennisschuhe.

scarpata *sf (precipizio)* Steilhang *der*.

scarpone *sm (da montagna)* Bergschuh *der* ; ~ **da sci** Skistiefel *der*.

scarseggiare *vi (essere scarso)* knapp sein. ◆ *v + prep (mancare di)* : ~ **di** mangeln an *(+D)*.

scarsità *sf* Knappheit *die*.

scarso, a *agg (poco abbondante)* knapp ; ~ **di parole** wortkarg ; **un chilo** ~ ein knappes Kilo.

scartare *vt (regalo)* auslpacken ; *(eliminare)* auslsortieren ; *(nelle carte)* abllegen.

scarto *sm (cosa scartata)* Abfall *der* ; *(distacco, differenza)* Abstand *der*.

scassato *agg fam (rovinato, rotto)* kaputt.

scassinare *vt* auflbrechen.

scatenare *vt (collera, odio)* entfachen. ■ **scatenarsi** *vr (temporale, vento)* loslbrechen ; *(persona)* sich ausltoben.

scatenato, a *agg (persona, ballo)* ausgelassen.

scatola *sf (contenitore)* Schachtel *die* ; *(contenuto)* Dose *die* ; **in** ~ *(cibo)* aus der Dose, Dosen- ; **rompere le scatole** *fam (disturbare)* auf den Geist gehen.

scattante *agg* flink.

scattare *vt (foto)* schießen. ◆ *vi (balzare)* hoch schnellen ; *(molla, congegno)* zulschnappen ; **far** ~ **qc** *(molla, congegno)* etw ausllösen.

scatto *sm (di congegno)* Losgehen *das* ; *(di ira, paura)* Ausbruch *der* ; *(di foto)* Auslöser *der* ; SPORT Spurt *der* ; **a scatti** stoßweise.

scavalcare *vt (muro, ostacolo)* steigen über *(+A)*.

scavare *vt (fossa, tunnel, pozzo)* graben.

scavo *sm (operazione)* Ausheben *das* ; *(luogo)* Grube *die* ; **scavi archeologici** archäologische Ausgrabungen.

scegliere *vt (optare per)* auslsuchen ; *(selezionare)* wählen.

scelta *sf (atto)* Wahl *die* ; *(varietà, raccolta)* Auswahl *die* ; **non avere** ~ keine Wahl haben ; **a** ~ wahlweise.

scelto, a *pp* → **scegliere**. ◆ *agg (di prima qualità)* erlesen.

scemo, a *agg fam (persona, film, libro)* blöd. ◆ *sm, f* Trottel *der*.

scena *sf* Szene *die* ; **andare in** ~ aufgeführt werden.

scendere *vi (in cantina, strada)* hinunterlgehen ; *(da montagna, cavallo, motorino)* ablsteigen ; *(da auto, pullmann)* auslsteigen ; *(calare)* sinken.

sceneggiạta *sf (messinscena)* Theater *das* ; ~ **napoletana** *neapolitanisches Volksstück.*

sceneggiạto *sm* Fernsehfilm *der.*

sceneggiatụra *sf (copione)* Drehbuch *das.*

scervellạrsi *vr* sich *(D)* den Kopf zerbrechen.

scẹso, a *pp* → **scendere.**

schẹda *sf (cartoncino)* Karteikarte *die* ; *(modulo)* Formular *das* ; ~ **magnetica** Magnetkarte ; ~ **telefonica** Telefonkarte.

schedạrio *sm (raccolta)* Kartei *die* ; *(mobile)* Karteikasten *der.*

schedịna *sf (di totocalcio)* Totoschein *der.*

LA SCHEDINA

So heißt der Wettschein, den man ausfüllt, um Fußballtoto zu spielen. Auf dem Schein werden die vermuteten Ergebnisse von 13 Fußballspielen angekreuzt. Eine 1 steht für den Sieg der Gastgeber, eine 2 für den Sieg der Gastmannschaft und X bedeutet unentschieden. Toto wird von Montag bis Samstag in den meisten Tabakläden oder an den Annahmestellen in einigen Bars gespielt. Bei 12 oder 13 Richtigen kann man ein paar Euro, aber auch Millionenbeträge gewinnen.

---

schẹggia, ge *sf (di legno, vetro)* Splitter *der.*

schẹletro *sm (osseo)* Skelett *das.*

schẹma, i *sm (abbozzo)* Plan *der* ; *(disegno, progetto)* Entwurf *der.*

schẹrma *sf* SPORT Fechten *das.*

schẹrmo *sm (di TV, computer)* Bildschirm *der* ; *(per diapositive, di cinema)* Leinwand *die* ; *(di crema solare)* Schutz *der.*

scherzạre *vi (essere spiritoso)* scherzen ; ~ **su qc** über etw *(A)* scherzen ; **non sto scherzando** ich meine es völlig ernst.

schẹrzo *sm (battuta, gesto)* Spaß *der*, Scherz *der* ; *(brutto tiro)* Streich *der* ; *(cosa facile)* Kinderspiel *das* ; **per** ~ zum Spaß.

scherzọso, a *agg (tono)* scherzhaft.

schiaccianọci *sm inv* Nussknacker *der.*

schiacciạre *vt (comprimere)* zerdrücken ; *(frutta secca)* knacken ; *(pulsante)* drücken. ■ **schiacciarsi** *vr* sich einquetschen.

schiacciạta *sf (focaccia)* Fladenbrot *das* ; SPORT Schmetterball *der.*

schiacciạto, a *agg (piatto)* platt.

schiạffo *sm (ceffone)* Ohrfeige *die.*

schiamạzzi *smpl* Geschrei *das.*

schiantạre : schiantarsi *vr (fracassarsi)* : ~ **con la macchina contro un albero** mit dem Auto gegen einen Baum fahren.

schiạnto *sm (incidente)* Zusammenstoß *der* ; *(rumore)*

Krach *der* ; **è uno ~!** *(cosa, donna bella)* das/sie ist eine Wucht!

schiarire *vt (capelli, colore)* auf|hellen. ■ **schiarirsi** *vr (cielo)* sich auf|hellen ; **schiarirsi la voce** sich räuspern.

schiavitù *sf inv (l'esser schiavo)* Sklaverei *die*.

schiavo, a *sm, f* : **~ di** *(dipendente) fig* Sklave *der*, -vin *die* von.

schiena *sf* ANAT Rücken *der* ; *(dietro)* : **l'ho visto solo di ~** ich habe ihn nur von hinten gesehen.

schienale *sm (di sedia, divano)* Rückenlehne *die*.

schierare : schierarsi *vr (prendere posizione)* Partei ergreifen.

schietto, a *agg (persona)* ehrlich ; *(vino)* rein.

schifezza *sf (cosa schifosa) fam* : **essere una ~** scheußlich sein.

schifo *sm (disgusto)* Ekel *der* ; **mi fa ~** das ekelt mich an.

schifoso, a *agg (ripugnante, disgustoso)* ek(e)lig.

schioccare *vt (frusta, dita, lingua)* schnalzen.

schiuma *sf (di sapone)* Schaum *der* ; **~ da barba** Rasierschaum.

schivare *vt (evitare)* meiden.

schivo, a *agg (timido, ritroso)* scheu.

schizzare *vt (insudiciare)* bespritzen. ◆ *vi (acqua, getto)* spritzen.

schizzo *sm (spruzzo)* Spritzer *der* ; *(disegno)* Skizze *die*.

sci *sm inv (attrezzo)* Ski *der* ; **~ d'acqua** *(attrezzo)* Wasserski ; **~ di fondo** Skilanglauf *der*.

scia *sf (d'acqua)* Kielwasser *das*.

sciabola *sf (spada)* Säbel *der*.

sciacquare *vt (panni, piatti)* spülen ; **sciacquarsi la bocca** sich *(D)* den Mund aus|spülen.

sciacquone *sm* Wasserspülung *die* ; **tirare lo ~** spülen.

sciagura *sf (disgrazia)* Unglück *das*.

sciagurato, a *agg (scellerato)* ruchlos.

scialbo, a *agg (colore)* blass ; *(persona, sapore)* fade.

scialle *sm* Schultertuch *das*.

scialuppa *sf* : **~ di salvataggio** Rettungsboot *das*.

sciame *sm* Schwarm *der*.

sciangai *sm (gioco)* Mikado *das*.

sciare *vi (su neve)* Ski laufen/fahren.

sciarpa *sf (di lana)* Schal *der*.

sciatica *sf (nevralgia)* Ischias *der*.

sciatore, trice *sm, f* Skiläufer *der*, -in *die*, Skifahrer *der*, -in *die*.

sciatto, a *agg (nel vestire)* schlampig.

scientifico, a, ci, che *agg (ricerca, facoltà, metodo)* wissenschaftlich.

scienza *sf (studio)* Wissenschaft *die* ; *(sapere)* Wissen *das*.

■ **scienze** *sfpl (discipline)* Wissenschaften *pl* ; *(matematica, fisica)* Naturwissenschaften.

scienziato, a *sm, f* Wissenschaftler *der*, -in *die*.

scimmia *sf (animale)* Affe *der*.

scindere *vt (dividere)* trennen.

scintilla *sf* Funke *der*.

scintillare *vi (brillare)* glitzern.

scioccare *vt* schockieren.

sciocchezza *sf (cosa stupida)* Dummheit *die* ; *(cosa da poco)* Kleinigkeit *die*.

sciocco, a, chi, che *agg (persona)* dumm.

sciogliere *vt (nodo, capelli, mistero)* lösen ; *(animale)* los|binden ; *(ghiaccio)* schmelzen ; *(società, assemblea, in acqua)* auf|lösen. ■ **sciogliersi** *vr (neve, burro)* schmelzen ; *(nodo)* sich lösen ; *(assemblea, società)* sich auf|lösen.

sciolina *sf (per sci di fondo)* Skiwachs *das*.

sciolto, a *pp* → **sciogliere**. ◆ *agg (disinvolto)* unbefangen ; *(agile)* gewandt.

sciopero *sm* Streik *der* ; **fare ~** streiken.

scippare *vt (derubare)* : **~ qn** jn berauben.

scippo *sm* Beraubung *die*.

sciroppo *sm (medicina)* Saft *der* ; *(di frutta)* Sirup *der*.

scisso, a *pp* → **scindere**.

sciupare *vt (vestito)* ruinieren ; *(libro)* beschädigen. ■ **sciuparsi** *vr (rovinarsi)* sich ruinieren ; *(deperire)* angegriffen sein.

scivolare *vi (scorrere)* gleiten ; *(perdere l'equilibrio)* aus|rutschen.

scivolo *sm (gioco)* Rutsche *die*.

scivoloso, a *agg (sdrucciolevole)* rutschig.

scocciare *vt fam (importunare)* nerven. ■ **scocciarsi** *vr fam (annoiarsi)* es satt haben.

scodella *sf (tazza)* Schüssel *die*.

scodinzolare *vi (cane)* wedeln.

scogliera *sf* Riff *das*.

scoglio *sm (roccia)* Felsen *der*.

scoiattolo *sm* Eichhörnchen *das*.

scolapasta *sm inv* Sieb *das*.

scolapiatti *sm inv* Abtropfständer *der*.

scolare *vt (pasta)* ab|gießen. ■ **scolarsi** *vr (bere)* aus|trinken.

scolaro, a *sm, f (alunno)* Schüler *der*, -in *die*.

scollare : **scollarsi** *vr (staccarsi)* sich ab|lösen.

scollato, a *agg (abito, donna)* dekolletiert ; *(mobile, oggetto)* aus dem Leim gegangen.

scollatura *sf (di vestito)* Dekolleté *das*.

scolorire *vt (sbiadire)* aus|bleichen. ■ **scolorirsi** *vr (stingersi)* aus|bleichen.

scolpire *vt (pietra, marmo)* behauen ; *(legno)* schnitzen.

scommessa *sf (patto)* Wette *die* ; *(somma)* Einsatz *der*.
scommettere *vt (pattuire)* wetten ; *(puntare)* setzen auf *(+A)*.
scomodare *vt* bemühen. ■ **scomodarsi** *vr* sich bemühen ; *(muoversi, alzarsi)* : **non Si scomodi!** bitte bleiben Sie sitzen!
scomodo, a *agg (poltrona)* unbequem ; *(orario)* ungünstig.
scomparire *vi (sparire)* verschwinden.
scomparso, a *pp* → **scomparire**.
scompartimento *sm (di treno)* Abteil *das*.
scomparto *sm (di valigia, portafogli)* Fach *das*.
scompiglio *sm* Durcheinander *das*.
scomporre : **scomporsi** *vr (perdere il controllo)* die Fassung verlieren.
sconcio, a *agg (osceno)* unanständig.
sconfiggere *vt (nemico)* besiegen ; *(in sport, politica)* schlagen.
sconfinare *vi (uscire dai confini)* die Grenze überschreiten ; *fig (da tema, argomento)* ab|weichen.
sconfinato, a *agg* unbegrenzt.
sconfitta *sf* Niederlage *die*.
sconfitto, a *pp* → **sconfiggere**.
scongelare *vt* auf|tauen.
scongiurare *vt (supplicare)* beschwören.
sconosciuto, a *agg (non famoso, mai visto)* unbekannt. ◆ *sm, f* Fremde *der, die*.
sconsiderato, a *agg* unbesonnen.
sconsigliare *vt* ab|raten ; **~ qc a qn** jm von einer Sache ab|raten ; **~ (a) qn di fare qc** jm (davon) ab|raten, etw zu tun.
scontare *vt (detrarre)* ab|ziehen ; *(pena)* ab|büßen.
scontato, a *agg (prezzo)* herabgesetzt ; *(previsto)* voraussehbar ; **dare qc per ~** etw für selbstverständlich halten.
scontento, a *agg* unzufrieden ; **essere ~ (di)** unzufrieden sein (mit).
sconto *sm (ribasso)* Preisnachlass *der*.
scontrarsi *vr (urtarsi)* zusammen|stoßen ; *(combattere)* aufeinander stoßen.
scontrino *sm (ricevuta d'acquisto)* Kassenzettel *der* ; *(tagliando)* Kontrollabschnitt *der*.
scontro *sm (urto)* Zusammenstoß *der* ; *(di opinioni, interessi)* Auseinandersetzung *die*.
scontroso, a *agg* mürrisch.
sconveniente *agg (indecente)* unschicklich.
sconvolgente *agg* überwältigend.
sconvolgere *vt (persona)* erschüttern ; *(mettere sottosopra)* durcheinander bringen.

sconvolto, a *pp* → sconvolgere.

scopa *sf (arnese)* Besen *der* ; *(gioco di carte) neapolitanisches Kartenspiel.*

scoperta *sf (scientifica, archeologica)* Entdeckung *die.*

scoperto, a *pp* → scoprire. ◆ *agg (piscina, terrazzo)* ohne Überdachung ; *(tegame, contenitore)* offen ; *(capo, braccia)* entblößt ; **assegno ~** ungedeckter Scheck.

scopo *sm* Zweck *der* ; **allo ~ di** um ... zu ; **a che ~?** wozu?

scoppiare *vi (spaccarsi)* brechen ; *(esplodere)* explodieren ; *(dalla rabbia, impazienza)* platzen ; *(guerra)* auslbrechen ; **~ dal caldo** vor Hitze umlkommen ; **~ a piangere** in Weinen auslbrechen ; **~ a ridere** in Lachen auslbrechen.

scoppio *sm (di pneumatico, palloncino)* Platzen *das* ; *(rumore)* Knall *der* ; *(manifestazione improvvisa)* Ausbruch *der* ; **~ di risa** Gelächter *das.*

scoprire *vt (liberare da copertura)* abldecken ; *(cose, luoghi sconosciuti)* entdecken. ■ **scoprirsi** *vr (svestirsi)* sich auslziehen ; *(rivelarsi)* sich verraten.

scoraggiare *vt* entmutigen. ■ **scoraggiarsi** *vr* den Mut verlieren.

scorciatoia *sf (strada)* Abkürzung *die.*

scordare *vt* vergessen. ■ **scordarsi di** *vr + prep* vergessen ; **scordarsi di fare qc** vergessen, etw zu tun.

scorgere *vt (intravedere)* erkennen.

scorpacciata *sf* : **fare una ~ (di qc)** sich *(D)* den Bauch volllschlagen.

scorpione *sm (animale)* Skorpion *der.* ■ **Scorpione** *sm (zodiaco)* Skorpion *der.*

scorrere *vi (liquido, fiume, traffico)* fließen ; *(tempo)* vergehen. ◆ *vt (giornale, libro)* überfliegen.

scorretto, a *agg (errato)* fehlerhaft ; *(sleale)* unfair.

scorrevole *agg (porta)* Schiebe- ; *(traffico, stile, discorso)* flüssig.

scorso, a *pp* → scorrere. ◆ *agg (anno, settimana)* vorig.

scorta *sf* : **fare ~ di qc** etw auf Vorrat kaufen ; **di ~** Ersatz-.

scortese *agg* unhöflich.

scorza *sf (di albero)* Rinde *die* ; *(di frutto)* Schale *die.*

scosceso, a *agg* steil.

scossa *sf (movimento)* Stoß *der* ; *(elettrica)* Schlag *der.*

scosso, a *pp* → scuotere. ◆ *agg* erschüttert.

scossone *sm (movimento)* heftiger Stoß.

scostare *vt (allontanare)* weglrücken. ■ **scostarsi** *vr (allontanarsi)* weglgehen.

scotch®[1] *sm inv (nastro adesivo)* Tesafilm® *der.*

scotch[2] *sm inv (whisky)* Scotch *der.*

scottare *vt (ustionare)* verbrennen ; *(cuocere)* ab|brühen. ◆ *vi (bevanda, pietanza)* heiß sein. ■ **scottarsi** *vr (ustionarsi)* sich verbrennen ; *(al sole)* sich einen Sonnenbrand holen.

scottatura *sf (ustione)* Verbrennung *die* ; *(solare)* Sonnenbrand *der.*

scotto, a *agg (pasta, riso)* verkocht.

scovare *vt (negozio, ristorante)* ausfindig machen.

Scozia *sf* Schottland *nt.*

scozzese *agg (tessuto)* Schotten- ; *(whisky)* schottisch. ◆ *smf (persona)* Schotte *der,* -tin *die.*

screpolare : screpolarsi *vr* rissig werden.

screzio *sm (discordia)* Unstimmigkeit *die.*

scricchiolare *vi (legno)* knarren.

scricchiolio *sm (del legno)* Knarren *das.*

scritta *sf (parola, frase)* Aufschrift *die.*

scritto, a *pp* → **scrivere**. ◆ *agg (espresso per iscritto)* schriftlich. ◆ *sm (opera)* Werk *das* ; *(esame)* schriftliche Prüfung.

scrittore, tr·ice *sm, f (artista)* Schriftsteller *der,* -in *die.*

scrittura *sf (calligrafia)* Schrift *die.*

scrivania *sf* Schreibtisch *der.*

scrivere *vt* & *vi* schreiben. ■ **scriversi** *vr (corrispondenza, parola)* sich *(D)* schreiben ; **come si scrive cuore?** wie schreibt man Herz?

scroccare *vt fam (pranzo, sigaretta)* schnorren.

scrollare *vt (agitare)* schütteln ; **~ le spalle** mit den Schultern zucken. ■ **scrollarsi** *vr (scuotersi)* sich auf|raffen ; **scrollarsi qc di dosso** etw (von sich) ab|schütteln.

scrosciare *vi (pioggia)* prasseln ; *(applausi)* brausen.

scroscio *sm (d'acqua)* Rauschen *das.*

scrostare *vt (intonaco)* ab|kratzen. ■ **scrostarsi** *vr (pareti, tegame)* ab|blättern.

scrupolo *sm (timore)* Skrupel *der* ; **senza scrupoli** skrupellos.

scrupoloso, a *agg (con coscienza)* gewissenhaft ; *(con accuratezza)* sorgfältig.

scucire *vt (cucitura)* auf|trennen. ■ **scucirsi** *vr* auf|gehen.

scudetto *sm* SPORT Meistertitel *der.*

scudo *sm (arma difensiva)* Schild *der.*

sculacciare *vt* den Hintern versohlen.

scultore, tr·ice *sm, f* Bildhauer *der,* -in *die.*

scultura *sf (arte)* Bildhauerei *die* ; *(opera)* Skulptur *die.*

scuola *sf (istituzione, edificio)* Schule *die* ; **~ elementare** Grundschule ; **~ guida** Fahrschule ; **~ materna** ≃ Kindergarten *der* ; **~ dell'obbligo** schulpflichtige Jahre ; ~ **serale** Abendschule.

scuọtere *vt (scrollare)* schütteln ; *(spalle)* zucken ; *(turbare)* erschüttern. ■ **scuotersi** *vr (scrollarsi)* sich auf|rütteln.

scurịre *vt* dunkel machen. ■ **scurirsi** *vr* dunkel werden.

scụro, a *agg* dunkel. ◆ *sm (buio)* Dunkel *das.*

scụsa *sf (giustificazione)* Entschuldigung *die* ; *(pretesto)* Vorwand *der* ; **chiedere ~ (a qn)** (jn) um Verzeihung bitten.

scusạre *vt (perdonare)* verzeihen ; *(giustificare)* entschuldigen. ■ **scusarsi** *vr* sich entschuldigen ; **scusi!** Entschuldigung! ○ Verzeihung!

sdebitạrsi *vr* : ~ **con qn di qc** sich bei jm für etw revanchieren.

sdentạto, a *agg* zahnlos.

sdolcinạto, a *agg (svenevole)* rührselig.

sdraiạrsi *vr* sich hin|legen.

sdrạio *sf inv* : **(sedia a) ~** Liegestuhl *der.*

sdrammatizzạre *vt* entdramatisieren.

se *cong* - **1.** *(nel caso in cui)* wenn ; ~ **è possibile** wenn es möglich ist ; ~ **fossi in te** wenn ich du wäre.
- **2.** *(dato che)* wenn ; ~ **lo dici, sarà vero** wenn du es sagst, wird es schon stimmen.
- **3.** *(in formule di cortesia)* : ~ **ho ben capito ...** wenn ich recht verstanden habe ... ; ~ **non sbaglio ...** wenn ich mich nicht irre ...
- **4.** *(con frase dubitativa, interrogativa)* ob ; **vedrò ~ posso fare qualcosa** ich werde sehen, ob sich da etwas machen läßt.
- **5.** *(in espressioni)* : **fai come ~ non ci fossi** lass dich (durch meine Anwesenheit) nicht stören ; **come ~ niente fosse** als ob nichts geschehen wäre ; ~ **non altro** wenigstens.
◆ *pron* = **si**.
◆ *sm (incertezza)* Wenn *das* ; **hai ragione, però c'è un ~** du hast Recht, aber da gibt es ein Wenn.

sé *pron (lui, lei, loro)* sich ; **pensa solo a ~ stesso** er denkt nur an sich selbst.

sebbẹne *cong* obwohl.

sec. (*abbr di secolo*) Jh. ; (*abbr di secondo*) Sek.

seccạre *vt (essicare)* trocknen ; *(prosciugare)* trocken|legen ; *(infastidire)* plagen. ■ **seccarsi** *vr (asciugarsi)* vertrocknen ; *(prosciugarsi)* aus|trocknen ; *(infastidirsi)* sich ärgern über *(+A)*.

seccạto, a *agg (infastidito)* verärgert ; *(essiccato)* getrocknet.

seccatụra *sf (fastidio)* Schererei *die.*

secchiẹllo *sm (contenitore)* Eimerchen *das.*

sẹcchio *sm* Eimer *der.*

secchiọne, a *sm, f fam (alunno studioso)* Streber *der*, -in *die.*

sẹcco, a, chi, che *agg (asciutto)* trocken ; *(essiccato)* dürr ; **frutta secca** Dörrobst *das* ; **fun-**

ghi secchi getrocknete Pilze ; *(brusco)* barsch ; **essere a ~ di qc** *fig (non avere)* ohne etw sein.

secolo *sm* Jahrhundert *das* ; *(periodo lungo)* Ewigkeit *die*.

seconda *sf (marcia)* zweiter Gang ; **viaggiare in ~** 2. Klasse reisen ; **a ~** je nach.

secondario, a *agg (meno importante)* zweitrangig.

secondo, a ◆ *agg (altro)* zweite, -r, -s. ◆ *sm (frazione di minuto, attimo)* Sekunde *die* ; *(portata)* Hauptgericht *das*. ◆ *prep (stando a)* nach ; *(in base a)* laut *(+G)* ; **~ me** meiner Meinung nach ; *vedi anche* **sesto**.

sedano *sm (ortaggio)* Sellerie *der*.

sedativo *sm* Beruhigungsmittel *das*.

sede *sf* Sitz *der*.

sedere *sm (parte del corpo)* Hintern *der*. ■ **sedersi** *vr* sich setzen.

sedia *sf* Stuhl *der* ; **~ a sdraio** Liegestuhl *der*.

sedicesimo, a *agg* sechzehnte, -r, -s ; *vedi anche* **sesto**.

sedici *num* sechzehn ; *vedi anche* **sei**.

sedile *sm (di veicolo)* Sitz *der* ; *(panchina)* Sitzbank *die*.

sedotto, a *pp* → **sedurre**.

seducente *agg (uomo, donna)* verführerisch.

sedurre *vt (uomo, donna)* verführen.

seduta *sf* Sitzung *die*.

seduttore, trice *sm, f* Verführer *der*, -in *die*.

sega, ghe *sf (attrezzo)* Säge *die*.

segale *sf (cereale)* Roggen *der*.

segare *vt (tronco, tavola)* sägen.

seggiolino *sm (sedia pieghevole)* Klappstuhl *der*.

seggiolone *sm (per bambini)* (Kinder)hochstuhl *der*.

seggiovia *sf* Sessellift *der*.

segnalare *vt (fare segni)* signalisieren.

segnalazione *sf (indicazione)* Hinweis *der*.

segnale *sm* Zeichen *das* ; *(stradale)* Schild *das* ; **~ acustico** akustisches Signal ; **~ d'allarme** Alarmsignal *das* ; **~ orario** Zeitansage *die*.

segnaletica *sf* Verkehrszeichen *das*.

segnalibro *sm* Lesezeichen *das*.

segnaposto *sm* Tischkarte *die*.

segnare *vt (mettere un segno)* markieren ; *(indicare)* zeigen auf *(+A)* ; SPORT Punkte machen ; **~ un goal** ein Tor schießen. ■ **segnarsi** *vr (annotare)* : **segnarsi qc** sich *(D)* etw auf|schreiben.

segno *sm* Zeichen *das* ; *(traccia)* Spur *die* ; **fare ~ di no** *(con la mano)* ab|winken ; *(con la testa)* den Kopf schütteln ; **fare ~ di sì** nicken ; **perdere il ~** die Stelle nicht finden ; **cogliere** o **colpire**

nel ~ *(indovinare)* ins Schwarze treffen.

segretario, a *sm, f* Sekretär *der*, -in *die*.

segreteria *sf (di azienda, scuola)* Sekretariat *das*. ■ **segreteria telefonica** *sf* Anrufbeantworter *der*.

segreto, a *agg (nascosto)* geheim. ◆ *sm (cosa celata, metodo)* Geheimnis *das*.

seguente *agg* folgend.

seguire *vt* & *vi* folgen *(+D)*.

seguito *sm (proseguimento)* Fortsetzung *die* ; *(risultato)* Folgen *pl* ; *(favore)* Zustimmung *die* ; **in ~ a qc** infolge *(+G)* ; **di ~** hintereinander.

sei *num* sechs ; **ha ~ anni** er/sie ist sechs Jahre alt ; **sono le ~** es ist sechs Uhr ; **pagina ~** Seite sechs ; **erano in ~** sie waren zu sechst → **essere**.

seicento *num* sechshundert ; *vedi anche* **sei**. ■ **il Seicento** *sm (XVII° secolo)* das 17. Jahrhundert.

selezione *sf (scelta, raccolta)* Auswahl *die*.

self-service *sm inv (ristorante)* Selbstbedienungsgaststätte *die* ; *(negozio)* Selbstbedienungsladen *der*.

sella *sf* Sattel *der*.

selvaggina *sf* Wild *das*.

selvaggio, a, gi, ge *agg (animale, luogo, tribù)* wild. ◆ *sm, f* Wilde *der, die*.

selvatico, a, ci, che *agg* wild.

semaforo *sm (apparecchio)* (Verkehrs)ampel *die*.

sembrare *vi* zu sein scheinen. ◆ *v impers* vorlkommen ; **mi sembra di conoscerlo** er kommt mir bekannt vor.

seme *sm (di pianta)* Samen *der* ; *(di carte da gioco)* Farbe *die*.

semestre *sm (periodo)* Semester *das* ; SCOL Halbjahr *das*.

semifinale *sf* Halbfinale *das*.

semifreddo *sm* Halbgefrorene *das (Eis)*.

seminare *vt (sementi)* säen ; *(terreno)* besäen.

seminterrato *sm* Kellergeschoss *das*.

semmai = **se mai**.

semolino *sm (farina)* Grieß *der*.

semplice *agg (facile)* leicht ; *(stile, abito)* schlicht ; *(ingenuo)* einfältig ; *(di un solo elemento)* einfach ; **è una ~ proposta** es ist bloß ein Vorschlag.

semplicemente *avv (con semplicità)* einfach ; *(soltanto)* nur.

semplicità *sf (facilità)* Einfachheit *die* ; *(sobrietà)* Schlichtheit *die*.

semplificare *vt* vereinfachen.

sempre *avv (senza interruzione)* ständig ; *(tutte le volte)* immer ; *(ancora)* (immer) noch ; **~ che ci riesca** vorausgesetzt, er/sie schafft es ; **da ~** seit jeher ; **per ~** für immer.

senape *sf* Senf *der*.

senạto *sm (di Parlamento)* Senat *der.*

senatọre, tr·ice *sm, f* Senator *der*, -in *die.*

sennò *avv (altrimenti)* sonst.

sẹno *sm (petto)* Brust *die* ; *(mammella)* Busen *der.*

sensaziọne *sf (percezione)* Eindruck *der* ; *(sentimento)* Gefühl *das.*

sensịbile *agg (persona)* sensibel ; *(delicato)* empfindlich ; **essere ~ a** *(patire)* empfindlich sein gegen.

sensibilità *sf (fisica, di strumento)* Empfindlichkeit *die* ; *(d'animo)* Sensibilität *die.*

sẹnso *sm (facoltà, significato)* Sinn *der* ; *(direzione)* Richtung *die* ; **non avere ~** keinen Sinn haben ; **~ unico** Einbahnstraße *die* ; **~ vietato** Einfahrverbot *das* ; **in ~ orario** im Uhrzeigersinn.

sensuạle *agg (erotico)* sinnlich.

sentẹnza *sf* DIR Urteil *das.*

sentiẹro *sm (viottolo)* Pfad *der.*

sentimentạle *agg (romantico)* sentimental.

sentimẹnto *sm (moto dell'animo)* Gefühl *das.*

sentịre *vt (udire)* hören ; *(sensazione fisica)* spüren ; *(sapore)* schmecken ; *(con il tatto)* fühlen ; *(sentimento)* empfinden ; *(presentire)* das Gefühl haben. ■ **sentirsi** *vr (fisicamente)* sich fühlen ; *(essere in uno stato d'animo)* sein ; *(al telefono)* voneinander hören ; **sentirsi di fare qc** sich in der Lage fühlen, etw zu tun ; **sentirsi bene** sich wohl fühlen ; **sentirsi in forma** sich fit fühlen.

sẹnza *prep (privo di, in assenza di)* ohne. ◆ *cong* ohne ; **senz'altro** bestimmt ; **~ dubbio** zweifellos.

separạre *vt* trennen. ■ **separarsi** *vr* sich trennen ; **separarsi da** *(coniuge)* sich trennen von.

separạto, a *agg (disgiunto)* getrennt.

separaziọne *sf* Trennung *die.*

sepọlto, a *pp* → **seppellire**.

seppellịre *vt (morto)* begraben.

sẹppia *sf* Tintenfisch *der* ; **risotto al nero di ~** *Risotto mit dem schwarzen Pigment des Tintenfisches.*

sequẹnza *sf (serie)* Reihenfolge *die.*

sequestrạre *vt* DIR beschlagnahmen.

sequẹstro *sm* DIR Beschlagnahme *die.*

sẹra *sf (parte del giorno)* Abend *der* ; **di ~** abends.

serạle *agg (della sera)* Abend- ; *(che ha luogo di sera)* abendlich.

serạta *sf* Abend *der.*

serbatọio *sm (di veicolo)* Tank *der.*

Sẹrbia *sf* Serbien *nt.*

sẹrbo, a *agg (della Serbia)* serbisch. ◆ *sm, f (persona)* Serbe *der*, -bin *die.* ◆ *sm (lingua)* Serbisch(e) *das.*

serenata *sf (canto)* Ständchen *das.*

sereno, a *agg (tempo, cielo)* heiter ; *(tranquillo)* ruhig. ◆ *sm (bel tempo)* heiteres Wetter.

serie *sf inv (successione)* Reihe *die* ; *(insieme)* Serie *die* ; **in ~** serienmäßig.

serietà *sf* Ernsthaftigkeit *die, (coscienziosità)* Zuverlässigkeit *die.*

serio, a *agg (coscienzioso)* zuverlässig ; *(comportamento, aspetto, gravità)* ernst. ◆ *sm* : **sul ~** *(davvero)* im Ernst ; **prendere sul ~** ernst nehmen.

serpente *sm (animale)* Schlange *die* ; *(pelle)* Schlangenleder *das.*

serra *sf (per piante)* Treibhaus *das* ; **effetto ~** Treibhauseffekt *der.*

serratura *sf* Schloss *das.*

servire *vt (pranzo, bevande)* servieren ; *(in negozio)* bedienen. ◆ *vi (essere utile)* nützen ; **~ a fare qc** zu etw dienen ; **mi serve un paio di forbici** *(occorrere)* ich brauche eine Schere ; **~ da/di** dienen als. ■ **servirsi** *vr (+ prep) (prendere da mangiare)* sich bedienen ; **servirsi di** *(utilizzare)* benutzen ; **servirsi da** *(acquistare)* einlkaufen bei.

servitù *sf (personale)* Dienerschaft *die.*

servizio *sm (lavoro)* Dienst *der* ; *(al ristorante)* Bedienung *die* ; *(di piatti, bicchieri)* Service *das* ; *(nel tennis)* Aufschlag *der* ; **~ compreso** Bedienung inbegriffen. ■ **servizi** *smpl (di abitazione)* Bad und Toilette ; *(gabinetto)* Toilette *die* ; **posso andare ai servizi?** darf ich das Bad benutzen?

sessanta *num* sechzig ; *vedi anche* **sei**.

sessantesimo, a *agg* sechzigste, -r, -s ; *vedi anche* **sesto**.

sesso *sm (maschile, femminile)* Geschlecht *das* ; *(attività sessuale)* Sex *der.*

sesto, a *agg num* sechste, -r, -s. ◆ *pron num* Sechste *der, die, das.* ◆ *sm (frazione)* Sechstel *das.*

seta *sf (fibra)* Seide *die.*

sete *sf (di acqua)* Durst *der* ; **avere ~** Durst haben.

settanta *num* siebzig ; *vedi anche* **sei**.

settantesimo, a *agg* siebzigste, -r, -s ; *vedi anche* **sesto**.

sette *num* sieben ; *vedi anche* **sei**.

settecento *num* siebenhundert ; *vedi anche* **sei**. ■ **il Settecento** *sm (XVIII° secolo)* das 18. Jahrhundert.

settembre *sm* September *der* ; **a** o **in ~** im September ; **lo scorso ~** letzten September ; **il prossimo ~** nächsten September ; **all'inizio di ~** Anfang September ; **alla fine di ~** Ende September ; **il due ~** am zweiten September.

settentrionale *agg (a setten-*

trione) nördlich. ◆ *smf (del settentrione)* Nordländer *der*, -in *die*.

settimana *sf (periodo)* Woche *die*.

settimanale *agg (di ogni settimana)* Wochen-. ◆ *sm (rivista)* Wochenzeitschrift *die*.

settimo, a *num* siebte, -r, -s ; *vedi anche* **sesto**.

settore *sm (zona)* Sektor *der* ; *(campo)* Bereich *der*.

severo, a *agg (intransigente)* streng.

sezione *sf (parte)* Abschnitt *der*.

sfacciato, a *agg (persona)* unverschämt.

sfamare *vt* ernähren. ■ **sfamarsi** *vr* satt werden.

sfarzo *sm* Prunk *der*.

sfasciare *vt (rompere)* zerschlagen. ■ **sfasciarsi** *vr (rompersi)* zerbrechen.

sfaticato, a *agg* arbeitsscheu.

sfavorevole *agg* ungünstig.

sfera *sf (solido)* Kugel *die*.

sfida *sf (gara)* Herausforderung *die* ; *(provocazione)* Provokation *die*.

sfidare *vt (in gara, pericolo, morte)* heraus|fordern ; **~ qn a fare qc** *(incitare)* jn zu etw heraus|fordern.

sfiducia *sf* Misstrauen *das*.

sfigurare *vt (alterare)* entstellen. ◆ *vi (fare una figuraccia)* blamieren.

sfilare *vt (togliere)* heraus|ziehen. ◆ *vi (marciare)* vorbei|ziehen. ■ **sfilarsi** *vr (togliersi)* aus|ziehen.

sfilata *sf (corteo)* Umzug *der* ; *(di moda)* Modenschau *die*.

sfinire *vt* erschöpfen.

sfiorare *vt (toccare)* streifen.

sfiorire *vi (appassire)* verwelken.

sfizio *sm* Laune *die*.

sfocato, a = **sfuocato**.

sfociare : sfociare in *v + prep* münden in *(+A)*.

sfoderare *vt (giacca)* das Futter heraus|nehmen ; *fig (mostrare)* hervor|holen.

sfoderato, a *agg* ungefüttert.

sfogare *vi (uscire)* ab|ziehen. ■ **sfogarsi** *vr (aprirsi)* seinem Herzen Luft machen ; **sfogarsi su qn** *(scaricare la collera)* sich an jm aus|lassen.

sfoggiare *vt (vestito, pelliccia)* vor|führen.

sfogliare *vt (giornale)* durch|blättern.

sfogo, ghi *sm (passaggio)* Ausgang *der* ; *(di sentimenti)* Ausbruch *der* ; *fam (eruzione cutanea)* Ausschlag *der*.

sfoltire *vt (bosco)* lichten ; *(capelli)* aus|dünnen.

sfondare *vt (contenitore)* durch|stoßen ; *(porta)* ein|schlagen. ■ **sfondarsi** *vr (contenitore)* durch|brechen.

sfondo *sm (di quadro, foto)* Hintergrund *der* ; *(di palcoscenico)* Bühnenbild *das*.

sformạto *agg (deformato)* unförmig. ◆ *sm (pietanza)* Auflauf *der*.

sfornạre *vt (pane, dolci)* aus dem Ofen ziehen.

sfortụna *sf* Unglück *das* ; **portare ~** Unglück bringen.

sfortunatamẹnte *avv* unglücklicherweise.

sfortunạto, a *agg (anno, esito)* Unglücks- ; **persona sfortunata** Pechvogel *der*.

sforzạre : sforzarsi *vr* sich an|strengen.

sfọrzo *sm* Anstrengung *die* ; **fare uno ~** sich *(D)* Mühe geben.

sfọttere *vt fam (prendere in giro)* auf|ziehen.

sfrạtto *sm* Kündigung *die*.

sfrecciạre *vi* flitzen.

sfregạre *vt (strofinare)* reiben.

sfrenạto, a *agg* zügellos.

sfrontạto, a *agg* dreist.

sfruttamẹnto *sm* Ausbeutung *die*.

sfruttạre *vt (risorse)* aus|beuten ; *(persona, occasione, opportunità)* aus|nutzen.

sfuggịre *vi (scappare)* fliehen ; *(di mano)* entgleiten ; *(di bocca)* entschlüpfen. ■ **sfuggire a** *v + prep (sottrarsi a)* entkommen *(+D)*.

sfuggịta : di sfuggita *avv* flüchtig.

sfumạre *vt (colore)* nuancieren ; *(capelli)* ab|stufen. ◆ *vi (svanire)* verrinnen.

sfumatụra *sf (tonalità)* Abstufung *die* ; *fig (piccola differenza)* Nuance *die* ; *(di capelli)* Fassonschnitt *der*.

sfuocạto, a *agg* unscharf.

sfuriạta *sf (scenata)* Wutausbruch *der*.

sgabẹllo *sm* Hocker *der*.

sgabuzzịno *sm* Besenkammer *die*.

sgambẹtto *sm* : **fare lo ~ a qn** *(far inciampare)* jm ein Bein stellen.

sganciạre *vt (vestito, allacciatura)* auf|machen ; *(rimorchio, vagone)* ab|koppeln. ■ **sganciarsi** *vr (staccarsi)* sich los|machen.

sgarbạto, a *agg (scortese)* unhöflich.

sghignazzạre *vi* grinsen.

sgobbạre *vi fam* schuften.

sgọmbero *sm (evacuazione)* Räumung *die*.

sgombrạre, sgomberare *vt* räumen.

sgonfiạre *vt (canotto, palloncino)* die Luft ab|lassen. ■ **sgonfiarsi** *vr (canotto)* ohne Luft sein ; *(caviglia)* ab|schwellen.

sgọrbio *sm (scarabocchio)* Gekritzel *das*.

sgradẹvole *agg* unangenehm.

sgradịto, a *agg* unerwünscht.

sgranchịrsi *vt* : **~ le gambe** sich *(D)* die Beine vertreten.

sgranocchiạre *vt* knabbern.

sgraziạto, a *agg* hässlich.

sgretolạre *vt (frantumare)* zerbröckeln. ■ **sgretolarsi** *vr* ab|bröckeln.

sgridạre *vt* aus|schimpfen.

sguaiạto, a *agg (volgare)* ordinär.

sgualcịre *vt* zerknittern. ■ **sgualcirsi** *vr* knittern.

sguạrdo *sm (occhiata)* Blick *der*; *(espressione)* Ausdruck *der*.

sguinzagliạre *vt (cane)* los|lassen.

shampoo, shampo *sm inv* Shampoo *das*.

shock *sm inv (emozione, in medicina)* Schock *der*.

si *pron* - 1. *(riflessivo)* sich; **~ sta preparando** er/sie bereitet sich gerade vor; **se ne è sbarazzato** er ist ihn/sie/es losgeworden.
- 2. *(con verbo transitivo)* sich; **~ è tolto la giacca** er/sie hat sich die Jacke ausgezogen.
- 3. *(reciproco)* sich; **~ sono conosciuti a Roma** sie haben sich in Rom kennengelernt.
- 4. *(impersonale)* man; **~ dice che ...** man sagt, dass ...; **'~ prega di non fumare'** 'bitte nicht rauchen'.
- 5. *(passivo)* sich; **è un prodotto che ~ vende bene** das Produkt verkauft sich gut.

sì *avv (affermativo)* ja; *(rafforzativo)*: **questa sì che è bella!** das ist wirklich schön! ◆ *sm (voto favorevole)* Jastimme *die*; **dire di ~** ja sagen; **uno ~ e uno no** jeder zweite.

sịa *cong*: **~ ... che ...** sowohl ... als auch ...; **~ che ...** sei es, dass ...; → **essere**.

sicché *cong (e quindi)* und so.

siccọme *cong (poiché)* da.

Sicịlia *sf*: **la ~** Sizilien *nt*.

siciliạno, a *agg* sizilianisch. ◆ *sm, f* Sizilianer *der*, -in *die*.

sicurẹzza *sf (mancanza di pericolo)* Sicherheit *die*; *(certezza)* Gewissheit *die*; **cintura di ~** Sicherheitsgurt *der*; **'uscita di ~'** 'Notausgang'.

sicụro, a *agg (senza pericolo, protetto, certo)* sicher; *(fiducioso)* zuversichtlich. ◆ *avv* gewiss; **di ~** sicherlich; **andare sul ~** auf Nummer sicher gehen; **essere ~ di sé** selbstsicher sein; **al ~** in Sicherheit.

siẹpe *sf (di piante)* Hecke *die*.

sieropositịvo, a *agg* HIV-positiv.

Sig. *(abbr di signor)* Herr.

sigarẹtta *sf (da fumare)* Zigarette *die*.

sịgaro *sm* Zigarre *die*.

sịgla *sf (abbreviazione)* Abkürzung *die*.

significạre *vt (voler dire)* bedeuten; **che cosa significa?** was bedeutet das?

significạto *sm (senso)* Bedeutung *die*.

signọr *sm* → **signore**.

signọra *sf (titolo, donna)* Frau; **la ~ Poli** Frau Poli; **signore e signori!** meine Damen und Herren!

signọre *sm (titolo)* Herr; *(uomo)* Mann *der*; **i Signori Rossi**

(marito e moglie) Herr und Frau Rossi ; **il signor Martini** Herr Martini.

signorina *sf (titolo)* Fräulein *das* ; *(ragazza)* (junge) Frau *die*.

Sig.ra (*abbr di signora*) Fr.

silenzio *sm (assenza di suoni)* Ruhe *die* ; *(il tacere)* Schweigen *das* ; **fare ~** still sein.

silenzioso, a *agg (luogo)* still ; *(persona)* schweigsam ; *(motore, auto)* leise.

sillaba *sf (di parola)* Silbe *die*.

simbolico, a, ci, che *agg (dono, gesto, valore)* symbolisch.

simbolo *sm (segno convenzionale)* Zeichen *das* ; *(emblema)* Symbol *das*.

simile *agg (analogo)* ähnlich ; *(tale)* so ; **~ a** ähnlich *(+D)*.

simpatia *sf (qualità)* Sympathie *die*.

simpatico, a, ci, che *agg (amabile)* sympathisch.

simultaneo, a *agg* gleichzeitig.

sin = **sino**.

sincero, a *agg (persona)* ehrlich ; *(dolore, gioia)* aufrichtig.

sindacato *sm (organizzazione)* Gewerkschaft *die*.

sindaco, ci *smf (di comune)* Bürgermeister *der*, -in *die*.

singhiozzo *sm (avere il singhiozzo)* Schluckauf *der* ; **singhiozzi** *(pianto)* Schluchzen *das* ; **a ~** *fig* stoßweise.

singolare *agg (originale)* einzigartig ; GRAMM im Singular. ◆ *sm* GRAMM Singular *der*.

singolo, a *agg (individuale)* einzeln ; **camera singola** Einzelzimmer *das* ; *(separato)* Einzel-.

sinistra *sf (parte)* linke Seite ; *(mano, partiti)* Linke *die* ; **a ~** links ; **a ~ di** links von.

sinistro, a *agg (a sinistra)* linke, -r, -s ; **la mano sinistra** die linke Hand ; *(minaccioso)* finster.

sino = **fino**.

sinonimo *sm* Synonym *das*.

sintesi *sf (riassunto)* Zusammenfassung *die*.

sintetico, a, ci, che *agg (artificiale)* Kunst- ; *(breve)* knapp.

sintomo *sm (di malattia)* Symptom *das* ; *(indizio)* Anzeichen *das*.

sintonizzare *vt* ab|stimmen. ■ **sintonizzarsi su** *vr + prep (frequenza)* ein|stellen auf *(+A)*.

sipario *sm (di teatro)* Vorhang *der* ; **calare il ~** den Vorhang fallen lassen.

sirena *sf* Sirene *die*.

Siria *sf* : **la ~** Syrien *nt*.

siringa, ghe *sf (per iniezioni)* Spritze *die*.

sistema, i *sm* System *das*.

sistemare *vt (ordinare)* auf|räumen ; *(risolvere)* erledigen. ■ **sistemarsi** *vr (risolversi)* in Ordnung kommen ; *(trovare alloggio)* sich einquartieren ; *fam (trovare lavoro)* unter|kommen.

sistemazione *sf (disposizione)* Anordnung *die* ; *(alloggio)* Unterbringung *die* ; *fam (lavoro)* Beschäftigung *die*.

situare *vt* liegen ; **la casa è si-**

tuata in collina das Haus liegt in den Hügeln.

situazione *sf (condizione)* Lage *die* ; *(circostanza)* Situation *die*.

slacciare *vt* auf|machen ; **~ le scarpe** die Schuhe auf|schnüren. ■ **slacciarsi** *vr* auf|gehen.

slanciato, a *agg* schlank.

slancio *sm (balzo)* Schwung *der* ; *fig (impeto)* Anwandlung *die*.

slavina *sf* Lawine *die*.

slavo, a *agg* slawisch. ◆ *sm, f* Slawe *der*, -win *die*.

sleale *agg (persona)* unfair ; *(azione)* unlauter.

slegare *vt (sciogliere)* los|binden.

slitta *sf (da neve)* Schlitten *der*.

slittare *vi (scivolare)* rutschen.

slogare *vt* verrenken. ■ **slogarsi** *vr* : **slogarsi una caviglia** sich *(D)* den Knöchel verstauchen.

slogatura *sf* Verstauchung *die*, Verrenkung *die*.

Slovacchia *sf* Slowakei *die*.

Slovenia *sf* : **la ~** Slowenien *nt*.

smacchiatore *sm (sostanza)* Fleckenentferner *der*.

smagliante *agg (tinta, bianco)* glänzend ; *(sorriso)* strahlend.

smagliatura *sf (di calze)* Laufmasche *die* ; *(della pelle)* Hautstreifen *der*.

smaltire *vt (merce)* ab|setzen ; *(rifiuti)* entsorgen ; *(cibo)* verdauen.

smalto *sm (rivestimento)* Email *das* ; *(per unghie)* Nagellack *der* ; *(di denti)* Zahnschmelz *der*.

smarrire *vt* verlieren. ■ **smarrirsi** *vr (perdersi)* sich verirren.

smarrito, a *agg (oggetto)* verloren.

smascherare *vt (scoprire)* auf|decken.

smemorato, a *agg (sbadato)* vergesslich.

smentire *vt (notizia)* dementieren ; *(persona)* Lügen strafen.

smentita *sf (di notizia)* Dementi *das*.

smeraldo *sm (pietra)* Smaragd *der*.

smesso, a *pp* → **smettere**.

smettere *vt (abbandonare)* auf|geben ; *(abito)* ab|legen ; **~ di fare qc** *(sospendere)* aufhören, etw zu tun ; **smettila!** hör auf!

smistamento *sm (di posta, pacchi)* Sortierung *die*.

smistare *vt (posta)* sortieren ; *(treni)* rangieren.

smisurato, a *agg* unermesslich.

smontabile *agg* zerlegbar.

smontare *vt (macchina, libreria)* zerlegen ; *fig (far perdere l'entusiasmo)* entmutigen. ◆ *vi (da cavallo)* ab|sitzen ; *(da turno di lavoro)* Feierabend machen.

smorfia *sf (del viso)* Grimasse *die*.

smorfioso, a *agg (nell'atteggiamento)* zimperlich.

smottamento *sm* Erdrutsch *der*.

smunto, a *agg* abgezehrt.

smuovere *vt (spostare)* verrücken ; *(da proposito, intenzione)* ab|bringen von.

smussare *vt (spigolo)* ab|schleifen.

snello, a *agg (slanciato)* schlank.

snervante *agg* nervenaufreibend.

snodare *vt (slegare)* auf|knoten ; *(arti)* lockern. ■ **snodarsi** *vr (strada, fiume)* sich winden ; *(tubatura)* sich krümmen.

sobbalzare *vi (trasalire)* zusammen|fahren.

sobborgo, ghi *sm (periferia)* Vorort *der*.

sobrio, a *agg (moderato)* mäßig ; *(non ubriaco)* nüchtern.

socchiudere *vt (porta)* an|lehnen ; *(occhi)* halb schließen.

socchiuso, a *pp* → **socchiudere**.

soccorrere *vt* zu Hilfe kommen.

soccorso, a *pp* → **soccorrere**. ◆ *sm (aiuto)* Hilfe *die* ; **~ stradale** Straßenwacht *die* ; **'Pronto Soccorso'** 'Notaufnahme'.

sociale *agg (doveri, problemi)* sozial ; *(servizio, centro)* Sozial- ; *(attività, capitale)* Gesellschafts-.

socialista, i, e *agg* sozialistisch. ◆ *smf* Sozialist *der*, -in *die*.

socializzare *vi* : **~ (con qc)** Kontakt (mit jm) knüpfen.

società *sf inv* Gesellschaft *die*.

socievole *agg (espansivo)* gesellig.

socio, a *sm, f (di circolo)* Mitglied *das* ; COMM Teilhaber *der*, -in *die*.

soddisfacente *agg* befriedigend.

soddisfare *vt (persona)* zufrieden|stellen ; *(richiesta, desiderio)* befriedigen ; *(adempiere)* : **~ un debito** Schulden bezahlen ; **~ un obbligo** eine Pflicht erfüllen.

soddisfatto, a *agg (appagato)* zufrieden ; **essere ~ di** *(contento)* zufrieden sein mit.

soddisfazione *sf (compiacimento)* Befriedigung *die*.

sodo, a *agg (compatto)* fest ; **uovo ~** hartgekochtes Ei.

sofà *sf inv* Sofa *das*.

sofferto, a *pp* → **soffrire**.

soffiare *vi (persona)* blasen ; **~ sulle candeline della torta** die Kerzen auf der Torte aus|blasen ; *(vento)* wehen. ■ **soffiarsi** *vr* : **soffiarsi il naso** sich *(D)* die Nase putzen.

soffice *agg* weich.

soffio *sm (di fiato, vento)* Hauch *der*.

soffitta *sf* Dachboden *der*.

soffitto *sm* Decke *die*.

soffocạnte *agg (gas)* erstickend ; *(atmosfera, afa)* stickig.

soffocạre *vt (asfissiare)* ersticken ; *(sog : caldo)* erdrücken. ◆ *vi (asfissiare)* ersticken ; *(dal caldo)* um|kommen.

soffrịggere *vt* an|dünsten. ◆ *vi* an|braten.

soffrịre *vt (patire)* leiden ; *(sopportare)* aus|stehen. ◆ *vi (patire)* leiden. ◆ *v + prep* : ~ **di** leiden an *(+D)*.

soffrịtto *sm leicht angebratene Zwiebeln und Gewürze.*

sofisticạto, a *agg (raffinato)* kultiviert ; *(congegno)* kompliziert.

soggẹtto, a *agg* : **essere ~ a qc** *(esposto)* einer Sache *(D)* unterliegen ; *(sottomesso)* von einer Sache abhängig sein ; *(argomento)* Gegenstand *der* ; GRAMM Subjekt *das*.

soggeziọne *sf (sottomissione)* Unterordnung *die* ; **fare ~ a qn** jn in Verlegenheit bringen.

soggiọrno *sm (permanenza)* Aufenthalt *der* ; *(stanza)* Wohnzimmer *das*.

sọglia *sf* Schwelle *die*.

sọgliola *sf (pesce)* Seezunge *die*.

sognạre *vt (nel sonno)* träumen ; *(desiderare)* träumen von. ◆ *vi (fare sogni)* träumen ; ~ **ad occhi aperti** mit offenen Augen träumen.

sọgno *sm* Traum *der*.

solạio *sm (soffitta)* Dachboden *der*.

solamẹnte *avv* nur.

solạre *agg (del sole)* Sonnen- ; *(pannello, energia)* Solar-.

soldạto *sm (militare)* Soldat *der* ; ~ **semplice** gemeiner Soldat.

sọldo *sm* : **non avere un ~** pleite sein. ■ **soldi** *smpl (denaro)* Geld *das*.

sọle *sm (stella, luce solare)* Sonne *die* ; *(bel tempo)* Sonnenschein *der* ; **prendere il ~** sich sonnen.

soleggiạto, a *agg* sonnig.

solẹnne *agg (cerimonia, giuramento, promessa)* feierlich ; *(portamento, tono)* ernst.

solẹtta *sf (suola)* Einlegesohle *die*.

solidạle *agg* : **essere ~ (con qn)** (mit jm) solidarisch sein.

solidarietà *sf* Solidarität *die*.

sọlido, a *agg (resistente)* fest ; *fig (ben fondato)* solid(e). ◆ *sm (corpo)* Festkörper *der*.

solịsta, i, e *smf* MUS Solist *der*, -in *die*.

solitạrio, a *agg* einsam. ◆ *sm (persona)* Einzelgänger *der*, -in *die* ; *(di carte)* Patience *die* ; *(brillante)* Solitär *der* ; **lui è sempre stato un ~** er war schon immer ein Einzelgänger.

sọlito, a *agg (abituale)* üblich ; *(stesso)* gleich ; **essere ~ fare qc** gewohnt sein, etw zu tun ; **(come) al ~** wie üblich ; **di ~** normalerweise.

solitụdine *sf (condizione)* Einsamkeit *die*.

solletico *sm* Kitzeln *das* ; **soffrire il ~** kitzlig sein.

sollevamento *sm (spostamento)* Heben *das*.

sollevare *vt (tirare su)* heben ; *(dar sollievo)* erleichtern. ■ **sollevarsi** *vr (da terra)* sich erheben.

sollevato, a *agg (confortato)* erleichtert.

sollievo *sm* Erleichterung *die*.

solo, a *agg (senza compagnia)* allein ; *(isolato)* einsam ; *(unico)* : **c'è un ~ posto a sedere** es gibt nur einen Sitzplatz. ◆ *avv (soltanto)* : **sono ~ le cinque** es ist erst fünf ; **da ~** allein ; **ho ~ 2,5 euro** ich habe nur 2,5 Euro ; **non ~ ... ma anche** nicht nur... sondern auch.

soltanto *avv* erst, nur.

solubile *agg (caffè, sostanza)* löslich.

soluzione *sf* Lösung *die*.

somaro, a *sm, f* Esel *der*.

somiglianza *sf* Ähnlichkeit *die*.

somigliare : somigliare a *v + prep (nell'aspetto)* ähneln *(+D)* ; *(nel modo di essere)* gleichen *(+D)*. ■ **somigliarsi** *vr* sich *(D)* ähneln.

somma *sf* MAT Summe *die*.

sommare *vt* MAT addieren ; *(aggiungere)* hinzu|rechnen.

sommario, a *sm (di libro)* Inhaltsverzeichnis *das*.

sommergere *vt (ricoprire di liquido)* überschwemmen ; *(coperto)* überhäufen ; **~ di** *fig (coprire di)* überhäufen mit.

sommergibile *sm* U-Boot *das*.

sommerso *pp* → **sommergere**. ◆ *agg (isola, città)* überschwemmt.

somministrare *vt* verabreichen.

sommità *sf inv (cima)* Gipfel *der*.

sommozzatore, tr·ice *sm, f (subacqueo)* Taucher *der*, -in *die*.

sondaggio *sm (indagine)* Umfrage *die*.

sonnambulo, a *sm, f* Schlafwandler *der*, -in *die*.

sonnellino *sm* Nickerchen *das*.

sonnifero *sm* Schlafmittel *das*.

sonno *sm (il dormire)* Schlaf *der* ; *(voglia di dormire)* Müdigkeit *die* ; **avere ~** müde sein ; **prendere ~** ein|schlafen.

sonoro, a *agg (campo, onde)* Schall- ; *(cinema, film)* Ton- ; *(voce, risata, schiaffo)* schallend. ◆ *sm (di film)* Tonfilm *der*.

sontuoso, a *agg* prunkvoll.

soppalco, chi *sm (in locale)* Hängeboden *der*.

sopportare *vt (peso, carico)* tragen ; *(dolore)* ertragen ; *(tollerare)* aus|stehen.

soppresso, a *pp* → **sopprimere**.

sopprimere *vt (cancellare)* ab|schaffen ; *(uccidere)* ein|schläfern.

sopra *prep (su)* auf *(+D, +A)* ; *(al di là di)* über. ◆ *avv (in alto)* darüber ; *(in lettera, scritto)* oben ; **al di ~ di** oberhalb ; **di ~** *(piano)* oben ; **vado di ~** ich gehe nach oben.

soprabito *sm* leichter Mantel.

sopracciglio (*mpl* **sopraccigli**, *fpl* **sopracciglia**) *sm* Augenbraue *die*.

sopraggiungere *vi (giungere all'improvviso)* auf|tauchen.

soprammobile *sm* Nippes *pl*.

soprannaturale *agg (fenomeno, forza, potere)* übernatürlich.

soprannome *sm* Spitzname *der*.

soprassalto : **di soprassalto** *avv* ganz plötzlich.

soprattutto *avv* vor allem.

sopravvalutare *vt* überschätzen.

sopravvento *sm* : **prendere il ~ su** die Oberhand gewinnen über *(+A)*.

sopravvissuto, a *pp* → **sopravvivere**. ◆ *sm, f (superstite)* Überlebende *der, die*.

sopravvivere *vi (continuare a vivere)* überleben. ◆ *v + prep (persona)* : **~ a** überleben ; *(sciagura)* überleben.

soprintendenza *sf (ufficio)* Leitung *die*.

sopruso *sm* Missbrauch *der*.

soqquadro *sm* : **mettere qc a ~** etw durcheinander|bringen.

sorbire *vt (bevanda)* schlürfen ; **sorbirsi qn/qc** *fig (sopportare)* jn/etw aus|halten.

sordina *sf MUS* Dämpfer *der* ; **in ~** heimlich.

sordo, a *agg (non udente)* taub ; *(rumore, tonfo)* dumpf. ◆ *sm, f* Taube *der, die*.

sordomuto, a *sm, f* Taubstumme *der, die*.

sorella *sf* Schwester *die*.

sorellastra *sf* Stiefschwester *die*.

sorgente *sf* Quelle *die*.

sorgere *vi (sole)* auf|gehen ; *(sospetto, dubbio)* auf|kommen.

sorpassare *vt (auto)* überholen ; *(superare)* überragen.

sorpassato, a *agg* überholt.

sorpasso *sm (di veicolo)* Überholen *das*.

sorprendere *vt sog (temporale, morte, notizia)* überraschen. ■ **sorprendersi** *vr* sich wundern.

sorpresa *sf (cosa inaspettata, in patatine, uova di Pasqua)* Überraschung *die* ; **di ~** überraschend.

sorpreso, a *pp* → **sorprendere**.

sorreggere *vt (sostenere)* stützen.

sorretto, a *pp* → **sorreggere**.

sorridente *agg* lächelnd.

sorridere *vi (ridere)* lächeln.

sorriso *pp* → **sorridere**. ◆ *sm (riso)* Lächeln *das*.

sorso *sm (sorsata, piccola quantità)* Schluck *der*.

sorte *sf (destino)* Los *das* ; **tirare a ~** das Los ziehen.

sorteggio *sm* Verlosung *die*.

sorveglianza *sf* Aufsicht *die*.

sorvegliare *vt (persona)* beaufsichtigen ; *(luogo, casa)* bewachen.

sorvolare *vt (territorio)* überfliegen.

S.O.S. *sm* SOS ; **lanciare un ~** einen SOS-Ruf senden.

sosia *smf inv* Doppelgänger *der*, -in *die*.

sospendere *vt (attaccare)* auf|hängen ; *(interrompere)* ab|brechen ; *(da carica, attività)* suspendieren.

sospensione *sf (interruzione)* Unterbrechung *die* ; *(sanzione)* Suspendierung *die* ; AUTO Aufhängung *die*.

sospeso, a *pp* → **sospendere**. ◆ *agg (interrotto)* abgebrochen ; **lasciare qc in ~** etw offen lassen.

sospettare *vt (credere colpevole)* verdächtigen ; *(credere)* vermuten. ◆ *vi* : **~ di qn** *(avere sospetti su)* jn verdächtigen.

sospetto, a *agg* verdächtig. ◆ *sm, f (persona)* Verdächtige *der, die*. ◆ *sm (dubbio)* Verdacht *der*.

sospirare *vi (emettere sospiri)* seufzen.

sospiro *sm (inspirazione e espirazione)* Atemzug *der* ; **tirare un ~ di sollievo** auflatmen.

sosta *sf (in luogo)* Halt *der* ; *(pausa)* Pause *die* ; **fare ~ a/in** Halt machen in ; **'divieto di ~'** 'Halteverbot'.

sostantivo *sm* Substantiv *das*.

sostanza *sf (materia)* Substanz *die* ; *(parte essenziale)* Wesen *das*.

sostare *vi (in luogo)* halten.

sostegno *sm (struttura)* Stütze *die* ; *fig (economico, morale)* Unterstützung *die*.

sostenere *vt (sorreggere)* stützen ; *(moralmente, economicamente)* unterstützen ; *(idea, tesi)* vertreten ; **~ che** behaupten, dass. ■ **sostenersi** *vr (tenersi su)* sich stützen.

sostenitore, trice *sm, f (di idea, teoria)* Befürworter *der*, -in *die* ; *(di persona)* Anhänger *der*, -in *die*.

sostenuto, a *agg (ritmo, velocità)* erhöht.

sostituire *vt (rimpiazzare)* ersetzen ; **~ qn/qccon** jn/etw aus|tauschen mit ; **~ qn/qc a** jn/etw an die Stelle setzen für.

sostituto, a *sm, f* Vertreter *der*, -in *die*.

sostituzione *sf* Ersetzung *die*.

sottaceti *smpl* Mixed-Pickles *pl*.

sottana *sf spreg (gonna)* Rock *der*.

sotterraneo, a *agg (sotto terra)* unterirdisch ; *fig (segreto)* geheim. ◆ *sm* Untergeschoss *das*.

sottigliezza *sf (l'essere sottile)*

Dünne *die* ; *(dettaglio)* Haarspalterei *die*.

sottile *agg (non spesso)* dünn ; *(odorato)* fein ; **non andare per il ~** es nicht so genau nehmen.

sottintendere *vt (intendere)* an|deuten ; *(tacere)* verschweigen.

sottinteso, a *pp* → **sottintendere**. ◆ *sm* Anspielung *die*.

sotto *prep* unter *(+D, +A)* ; *(durante)* bei. ◆ *avv (ai piani inferiori, in lettera, scritto)* unten ; **c'è ~ qualcosa** da steckt etwas dahinter ; **al di ~ di** unterhalb *(+G)* ; **di ~** *(in basso)* unten ; **~ vuoto** vakuumverpackt.

sottobicchiere *sm* Untersetzer *der* ; *(per birra)* Bierdeckel *der*.

sottobosco, schi *sm (arbusti)* Unterholz *das*.

sottobraccio *avv* Arm in Arm.

sottofondo *sm* MUS Untermalung *die*.

sottolineare *vt (con penna)* unterstreichen ; *fig (dare risalto)* hervor|heben.

sottomarino, a *agg* Untersee-. ◆ *sm* U-Boot *das*.

sottomesso, a *pp* → **sottomettere**. ◆ *agg* fügsam.

sottomettere *vt (al proprio dominio)* unterwerfen. ■ **sottomettersi a** *vr + prep* sich fügen *(+D)*.

sottopassaggio *sm* Unterführung *die*.

sottoporre *vt (a sforzo)* aus|setzen ; *(presentare)* unterbreiten ; **~ un progetto agli esperti** den Experten ein Projekt unterbreiten. ■ **sottoporsi a** *vr + prep (subire)* sich unterziehen *(+D)*.

sottoscala *sm inv* Raum unter einer Treppe.

sottoscritto, a *pp* → **sottoscrivere**. ◆ *sm, f* Unterzeichnete *der, die*.

sottoscrivere *vt (firmare)* unterzeichnen ; *(aderire a)* einer Sache *(D)* zulstimmen.

sottosopra *avv (in disordine)* drunter und drüber ; *(alla rovescia)* verkehrt herum ; *(in agitazione)* durcheinander.

sottosuolo *sm (di terreno)* Untergrund *der*.

sottosviluppato, a *agg* unterentwickelt.

sottotitolo *sm (di TV, cinema)* Untertitel *der*.

sottovalutare *vt* unterschätzen.

sottoveste *sf* Unterrock *der*.

sottovoce *avv* leise.

sottrarre *vt* MAT ab|ziehen ; **~ qc a qn** *(rubare)* jm etw weg|nehmen. ■ **sottrarsi a** *vr + prep* sich einer Sache *(D)* entziehen.

sottrazione *sf* MAT Subtraktion *die* ; *(furto)* Unterschlagung *die*.

sovraccaricare *vt (di peso)* überladen ; *(di lavoro)* überlasten.

sovrano, a *agg (del re)* souverän. ◆ *sm, f (regnante)* Herrscher *der*, -in *die*.

sovrapporre *vt (porre uno sull'altro)* übereinander legen.

sovrapposto, a *pp* → **sovrapporre**.

spaccare *vt* zerschlagen. ■ **spaccarsi** *vr* zerbrechen.

spacciare *vt (droga)* dealen. ■ **spacciarsi per** *vr + prep (fingersi)* sich aus|geben für.

spacciatore, tr·ice *sm, f (di droga)* Dealer *der*, -in *die*.

spaccio *sm (bottega)* Laden *der*; *(di droga)* Drogenhandel *der*.

spacco, chi *sm* Spalte *die*; *(di gonna)* Schlitz *der*.

spada *sf (arma)* Schwert *das*.

spaghetteria *sf (locale)* Spagettirestaurant *das*.

spaghetti *smpl* Spagetti *pl*.

Spagna *sf*: **la ~** Spanien *nt*; **pan di ~** Biskuit *der*.

spagnolo, a *agg* spanisch. ◆ *sm, f* Spanier *der*, -in *die*. ◆ *sm (lingua)* Spanisch(e) *das*.

spago, ghi *sm* Schnur *die*.

spalancare *vt (porta, finestra)* auf|reißen; *(occhi, bocca)* auf|sperren.

spalla *sf* Schulter *die*; **voltare le spalle a** jm den Rücken kehren; **di spalle** von hinten.

spalliera *sf (di letto)* Kopfende *das*; *(di sedia, poltrona)* Rückenlehne *die*.

spallina *sf (di reggiseno, sottoveste)* Träger *der*; *(imbottitura)* Schulterpolster *das*.

spalmare *vt* streichen.

spandere *vt (versare)* aus|schütten; *(spargere)* verstreuen. ■ **spandersi** *vr (sparpagliarsi)* sich verstreuen.

sparare *vi (con arma)* schießen. ◆ *vt (colpo, fucilata)* ab|feuern.

sparecchiare *vt*: **~ la tavola** den Tisch ab|decken.

spareggio *sm* SPORT Entscheidungsspiel *das*.

spargere *vt (sparpagliare)* verstreuen; *(divulgare)* verbreiten. ■ **spargersi** *vr (sparpagliarsi)* sich verstreuen; *(divulgarsi)* sich verbreiten.

sparire *vi* verschwinden.

sparlare: **sparlare di** *v + prep (parlare male di)* her|ziehen über *(+A)*.

sparo *sm (rumore)* Schuss *der*.

sparpagliare *vt (oggetti)* umher|streuen. ■ **sparpagliarsi** *vr (oggetti)* sich zerstreuen; *(persone)* sich verlaufen.

sparso, a *pp* → **spargere**. ◆ *agg (sparpagliato)* verstreut.

spartire *vt (dividere)* teilen.

spartitraffico *sm inv* Mittelstreifen *der*.

spassarsela *vr* es sich *(D)* gut gehen lassen.

spasso *sm (film, scena)* Spaß *der*; *(persona)* Witzbold *der*; *(passeggiata)*: **andare a ~** spazieren|gehen.

spaventapasseri *sm inv (fantoccio)* Vogelscheuche *die*.

spaventare *vt (far paura a)*

erschrecken. ■ **spaventarsi** *vr* sich erschrecken.

spavẹnto *sm (paura)* Schrecken *der.*

spaventọso, a *agg (che fa paura)* schrecklich.

spạzio *sm (estensione)* Platz *der* ; *(astronomico)* Weltraum *der.*

spaziọso, a *agg* geräumig.

spazzanẹve *sm inv (macchina, nello sci)* Schneepflug *der.*

spazzạre *vt (pavimento)* fegen ; *(sporco, foglie)* kehren ; *(neve)* räumen.

spazzatụra *sf (rifiuti)* Müll *der.*

spazzịno, a *sm, f* Straßenkehrer *der*, -in *die.*

spạzzola *sf (per capelli, abiti)* Bürste *die* ; ~ **da scarpe** Schuhbürste.

spazzolạre *vt* bürsten.

spazzolịno *sm* : ~ **(da denti)** Zahnbürste *die.*

spazzolọne *sm* Schrubber *der.*

specchiạrsi *vr (in specchio, vetrina)* sich spiegeln.

specchiẹtto *sm (da borsetta)* Handspiegel *der* ; *(prospetto)* Übersicht *die* ; ~ **(retrovisore)** Rückspiegel.

spẹcchio *sm (per guardarsi)* Spiegel *der.*

speciạle *agg (non ordinario)* Sonder- ; *(particolare)* speziell.

specialịsta, i, e *sm, f (esperto)* Experte *der*, -tin *die* ; *(medico)* Facharzt *der*, -ärztin *die.*

specialità *sf inv* CULIN Spezialität *die* ; SPORT Sportart *die* ; ~ **della casa** Spezialität des Hauses.

specialmẹnte *avv* insbesondere.

spẹcie *sf inv (di piante, animali)* Art *die* ; *(sorta)* Sorte *die.* ◆ *avv (specialmente)* besonders ; **una ~ di** eine Art.

specificạre *vt* einzeln an|geben.

specịfico, a, ci, che *agg (proprio)* spezifisch ; *(determinato)* bestimmt.

spẹdire *vt (lettera, pacco)* ab|schicken.

spedizịone *sf (di lettera, merci)* Versand *der* ; *(viaggio)* Expedition *die.*

spẹgnere *vt (fuoco)* löschen ; *(sigaretta)* aus|drücken ; *(luce)* aus|machen ; *(TV)* aus|schalten ; *(gas)* ab|drehen.

spellạre *vt (coniglio)* häuten. ■ **spellarsi** *vr* sich häuten.

spẹndere *vt (denaro)* aus|geben ; *fig (tempo, energia)* auf|wenden. ◆ *vi* aus|geben.

spensierạto, a *agg (persona)* heiter ; *(vita)* unbeschwert.

spẹnto, a *pp* → **spegnere**. ◆ *agg (colore, sguardo)* matt.

sperạnza *sf* Hoffnung *die.*

sperạre *vt (auspicare)* hoffen ; **spero di sì** ich hoffe es ; ~ **di fare qc** hoffen, etw zu tun. ◆ *v + prep* : ~ **in** hoffen auf *(+A).*

sperdụto, a *agg (luogo)* abgelegen ; *(persona)* verloren.

spericolạto, a *agg* waghalsig.

sperimentạre *vt* experimentieren ; *(mettere alla prova)* testen ; *(fare esperienza di)* erleben.

spẹsa *sf (somma)* Ausgabe *die* ; *(acquisti)* Einkauf *der* ; **fare la ~** *(comprare da mangiare)* ein|kaufen ; **fare spese** *(acquisti)* Einkäufe machen. ■ **spese** *sfpl (uscite)* Nebenkosten *pl* ; **spese postali** Porto *das* ; **spese di viaggio** Reisekosten *pl* ; **a spese di** auf Kosten von.

spẹsso, a *agg (non sottile)* dick ; *(fitto)* dicht. ◆ *avv (sovente)* oft.

spessọre *sm (dimensione)* Dicke *die*.

spettạcolo *sm (teatrale)* Aufführung *die* ; *(comico)* Vorstellung *die* ; *(televisivo)* Show *die* ; *(vista)* Anblick *der*.

spettạre : spettare a *v + prep* jm zu|stehen ; **spetta a te dirglielo** es ist deine Aufgabe, es ihr/ihm zu sagen.

spettatọre, tr·ice *sm, f (di spettacolo)* Zuschauer *der*, -in *die* ; *(di avvenimento)* Zeuge *der*, -gin *die*.

spettinạre *vt* zerzausen. ■ **spettinarsi** *vr* sich *(D)* die Haare zerzausen.

spẹzia *sf* Gewürz *das*.

spezzạre *vt (rompere)* zerbrechen ; *(viaggio, giornata)* unterbrechen ; **~ il cuore a qn** jm das Herz brechen. ■ **spezzarsi** *vr (rompersi)* zerbrechen.

spezzatịno *sm* Gulasch *das* o *der*.

spezzạto, a *agg (diviso)* zerbrochen. ◆ *sm (vestito)* Kombination *die*.

spịa *sf (agente)* Spion *der*, -in *die* ; *(luminosa)* Kontrollleuchte *die* ; **fare la ~** aus|spionieren.

spiacẹnte *agg* : **sono ~ (di)** es tut mir leid, dass.

spiacẹvole *agg* unangenehm.

spiạggia, ge *sf (costa)* Strand *der* ; **~ privata** Privatstrand.

spiạre *vt (osservare di nascosto)* bespitzeln.

spiạzzo *sm* freier Platz.

spiccạre *vt (salto)* : **~ un balzo** einen Sprung machen. ◆ *vi (risaltare)* heraus|ragen ; **~ il volo** weg|fliegen.

spiccạto, a *agg (marcato)* ausgeprägt.

spịcchio *sm (d'arancia, mandarino, mela, pera)* Schnitz *der* ; **~ d'aglio** Knoblauchzehe *die*.

spicciạrsi *vr* sich sputen.

spịccioli *smpl* Kleingeld *das*.

spiedịno *sm (pietanza)* Spießchen *das*.

spiẹdo *sm (per arrosti)* Spieß *der* ; **allo ~** vom Spieß.

spiegạre *vt (gen)* erklären ; *(distendere)* aus|breiten ; **~ qc a qn** jm etw erklären. ■ **spiegarsi** *vr (farsi capire)* sich verständlich machen ; *(diventare chiaro)* sich erklären ; *(dopo lite)* sich aus|sprechen.

spiegaziọne *sf (di parola,*

fenomeno) Erklärung *die* ; *(di discorso, comportamento)* Grund *der*.

spietạto, a *agg (senza pietà)* erbarmungslos.

spịga, ghe *sf (di grano, orzo)* Ähre *die*.

spịgolo *sm (di mobile, muro)* Kante *die*.

spịlla *sf (gioiello)* Brosche *die* ; **~ da balia** Sicherheitsnadel *die*.

spịllo *sm (da sarto)* Stecknadel *die*.

spịna *sf (di pianta)* Dorn *der* ; *(elettrica, di telefono)* Stecker *der* ; **birra alla ~** Bier *das* vom Fass ; **~ dorsale** Wirbelsäule *die*.

spinạci *smpl* Spinat *der*.

spinẹllo *sm fam (sigaretta di hashish)* Joint *der*.

spịngere *vt (porta, bottone, pulsante)* drücken ; *(macchina)* schieben. ◆ *vi (dare spinte)* drängeln ; **~ qn a fare qc** *(indurre)* jn dazu bewegen, etw zu tun. ■ **spingersi** *vr (inoltrarsi)* sich vor|wagen.

spinọso, a *agg (ramo, pianta)* dornig ; *fig (questione, argomento)* heikel.

spịnta *sf (pressione, urto)* Stoß *der* ; *(raccommandazione)* **dare una ~ a** bei einer Sache seine Beziehungen spielen lassen.

spịnto, a *pp* → **spingere**. ◆ *agg (scabroso)* anstößig.

spioncịno *sm* Gucklock *das*.

spirạglio *sm (fessura)* Spalt *der* ; *(di luce)* Lichtstrahl *der* ; *fam (via d'uscita)* Hoffnungsschimmer *der*.

spịrito *sm (gen)* Geist *der* ; *(pratico)* Sinn *der* ; *(senso dell'umorismo)* Witz *der* ; *(alcool)* : **ciliegie sotto ~** (in Alkohol) eingelegte Kirschen. ■ **Spirito Santo** *sm* Heilige Geist *der*.

spiritọso, a *agg (divertente)* geistreich.

spirituạle *agg (valori, beni)* geistig.

splendẹnte *agg* glänzend.

splẹndere *vi (stelle)* leuchten ; *(sole)* strahlen.

splẹndido, a *agg (bellissimo)* herrlich.

splendọre *sm (luce)* Glanz *der* ; *(sfarzo)* Prunk *der* ; *(di anni, bellezza)* Pracht *die*.

spogliạre *vt (svestire)* entkleiden. ■ **spogliarsi** *vr (svestirsi)* sich aus|ziehen.

spogliatọio *sm (di palestra, piscina)* Umkleideraum *der* ; *(di abitazione)* Ankleideraum *der*.

spolpạre *vt (pollo, osso)* ab|nagen.

spolverạre *vt (mobili, casa)* ab|stauben ; *(di zucchero, cacao)* bestäuben. ◆ *vi* Staub wischen.

spọnda *sf (di fiume, lago)* Ufer *das* ; *(di letto)* Bettkante *die* ; *(di biliardo)* Bande *die*.

sponsorizzạre *vt (in spettacolo, sport)* sponsern.

spontạneo, a *agg (di propria iniziativa)* spontan ; *(non artificioso)* ungekünstelt ; *(combustio-*

ne) selbstentzündlich ; *(vegetazione)* wild.

spopolare *vi (fare furore)* großen Erfolg haben. ■ **spopolarsi** *vr (diventare deserto)* sich entvölkern.

sporcare *vt (insudiciare)* beschmutzen. ■ **sporcarsi** *vr (insudiciarsi)* sich beschmutzen ; *fig (compromettersi)* sich kompromittieren ; **sporcarsi le mani** sich *(D)* die Hände schmutzig machen.

sporcizia *sf (l'essere sporco)* Schmutzigkeit *die* ; *(cosa sporca)* Schmutz *der*.

sporco, a, chi, che *agg (imbrattato)* schmutzig ; *fig (disonesto)* unsauber ; *fig (osceno)* unanständig. ◆ *sm* Schmutz *der*.

sporgente *agg* hervor|stehend.

sporgere *vt (protendere)* hinaus|strecken. ◆ *vi (venire in fuori)* vor|stehen. ■ **sporgersi** *vr* sich hinaus|lehnen ; **'è vietato sporgersi dal finestrino'** 'nicht aus dem Fenster lehnen'.

sport *sm inv (attività fisica)* Sport *der*.

sportello *sm (imposta)* Tür *die* ; *(d'ufficio)* Schalter *der* ; **~ automatico** Geldautomat *der*.

sportivo, a *agg (dello sport)* Sport- ; *(che pratica sport, comportamento)* sportlich ; *(abbigliamento)* salopp. ◆ *sm, f* Sportler *der*, -in *die*.

sposare *vt (uomo, donna)* heiraten ; *(unire in matrimonio)* trauen. ■ **sposarsi** *vr* heiraten. ■ **sposarsi con** *vr + prep* heiraten.

sposato, a *agg* verheiratet.

sposo, a *sm, f (chi si sposa)* Bräutigam *der*, Braut *die* ; **gli sposi** Hochzeitspaar *das*.

spostare *vt (da posizione)* verschieben ; *(da luogo)* verlegen ; *(rimandare)* auf|schieben. ■ **spostarsi** *vr (scansarsi)* beiseite treten ; *(muoversi)* den Platz wechseln ; *(traslocare)* um|ziehen.

spranga, ghe *sf* Stange *die*.

sprecare *vt (tempo, fatica, denaro)* vergeuden.

spreco, chi *sm* Vergeudung *die*.

spremere *vt (arancia, limone)* aus|pressen.

spremiagrumi *sm inv* Zitruspresse *die*.

spremuta *sf (bibita)* : **~ di arancia** frisch gepresster Orangensaft.

sprizzare *vi* sprühen.

sprofondare *vi (crollare)* ein|stürzen ; *(nel mare, in disperazione)* versinken.

sproporzionato, a *agg (esagerato)* übertrieben ; **~ (rispetto) a** im Missverhältnis zu.

sproposito *sm (atto fuori luogo)* Dummheit *die* ; *(strafalcione)* Unding *das* ; *(somma esagerata)* Unsumme *die* ; **parlare a ~** ohne Überlegung reden.

sprovveduto, a *agg (impre-*

parato) unvorbereitet. ◆ *sm, f* Naivling *der.*

sprovvịsto, a *agg* : ~ **di** ohne ; **cogliere (qn) alla sprovvista** (jn) überrumpeln.

spruzzạre *vt (profumo, acqua)* versprühen ; *(persona)* bespritzen.

spruzzatọre *sm (di profumo)* Sprühflasche *die* ; *(di vernice)* Spritzdüse *die.*

sprụzzo *sm (di liquido)* Spritzer *der.*

spụgna *sf (da bagno)* Schwamm *der* ; *(tessuto)* Frottee *das.*

spụma *sf (di mare, birra, champagne)* Schaum *der.*

spumạnte *sm (vino)* Schaumwein *der.*

SPUMANTE

„Spumante" ist ein süßer weißer Schaumwein, der oft als Aperitif oder zum Dessert getrunken wird. Die edelsten Arten tragen die Bezeichnung VSQPRD (in begrenzten Anbaugebieten hergestellter Qualitätsschaumwein). Traditionsgemäß wird bei Geburtstagen, Hochzeiten und in der Sylvesternacht eine Flasche Spumante entkorkt.

---

spumọne *sm (dolce) gefrorene Nachspeise aus Eischaum, Milch und Zucker.*

spuntạre *vi (apparire)* auf|gehen. ◆ *vt (tagliare la punta di)* die Spitze ab|brechen ; ~ **i capelli** die Spitzen nachschneiden lassen ; **spuntarla** seinen Willen durch|setzen.

spuntịno *sm* Imbiss *der.*

sputạre *vt (gomma, nocciolo)* aus|spucken. ◆ *vi* spucken.

spụto *sm* Spucke *die.*

squạdra *sf (di operai, pompieri)* Trupp *der* ; SPORT Mannschaft *die* ; *(strumento)* Winkelmaß *das.*

squagliạre : **squagliarsi** *vr (sciogliersi)* zergehen ; **squagliarsela** *fam* sich aus dem Staub machen.

squalificạre *vt (da concorso, gioco)* disqualifizieren ; SPORT sperren.

squạllido, a *agg (luogo)* schäbig ; *(persona)* ungepflegt ; *(situazione)* trostlos.

squạlo *sm* Hai *der.*

squạma *sf (di pesce, rettile)* Schuppe *die.*

squarciạre *vt (lacerare)* zerreißen.

squartạre *vt* zerlegen.

squattrinạto, a *agg fam* abgebrannt.

squilibrạto, a *agg (carico, auto)* nicht ausbalanciert ; *(persona, comportamento)* psychisch labil.

squilịbrio *sm (fisico)* Ungleichgewicht *das* ; *(psichico)* Geistesgestörtheit *die* ; *(disparità)* Ungleichheit *die.*

squịllo *sm (di telefono, campanello)* Klingeln *das* ; *(di tromba)* Trompetenstoß *der.*

squisito, a *agg (cibo)* vorzüglich ; *(raffinato)* exquisit.

sradicare *vt (albero, pianta)* entwurzeln.

srotolare *vt* auf|rollen.

stabile *agg (costruzione)* stabil ; *(lavoro, occupazione)* fest ; *(persona, carattere)* ausgeglichen. ◆ *sm (edificio)* Gebäude *das*.

stabilimento *sm (complesso)* Anlage *die* ; ~ **balneare** Strandbad *das*.

STABILIMENTI BALNEARI

Strandbäder gibt es in allen Badeorten am Meer in großer Zahl - klein und bescheiden oder exklusiv und schick, aber immer mit einer Bar und Annehmlichkeiten wie Duschen und Umkleidekabinen und Verleih von Sonnenschirmen, Liegestühlen und Tretbooten. Manche Bademeister organisieren auch Volleyballturniere, Schnitzeljagden und Tanzabende.

stabilire *vt (fissare)* fest|legen ; ~ **che** *(decidere)* beschließen, dass. ■ **stabilirsi** *vr (abitare)* sich nieder|lassen.

staccare *vt (separare)* ab|trennen ; *SPORT* ab|hängen. ◆ *vi fam (finire il lavoro)* Feierabend machen. ■ **staccarsi** *vr (bottone, cerotto)* ab|gehen ; **staccarsi da** *(venir via da)* sich trennen von.

stadio *sm (edificio)* Stadion *das* ; *(fase)* Stadium *das*.

staffa *sf (di sella)* Steigbügel *der* ; *(di pantalone)* Steg *der* ; **perdere le staffe** die Selbstkontrolle verlieren.

staffetta *sf SPORT* Staffel *die*.

stagionale *agg (prodotti, lavoro, malattia)* Saison-. ◆ *sm, f* Saisonarbeiter *der*, -in *die*.

stagionato, a *agg (formaggio, salume)* gelagert.

stagione *sf (parte dell'anno)* Jahreszeit *die* ; *(teatrale)* Spielzeit *die* ; *(di semina, raccolta, per turismo)* Saison *die* ; **alta ~** Hochsaison ; **bassa ~** Nebensaison ; **mezza ~** außerhalb der Hochsaison.

stagno, a *sm (laghetto)* Tümpel *der* ; *(metallo)* Zinn *das*.

stagnola *sf (per alimenti)* Alufolie *die*.

stalla *sf (edificio)* Stall *der*.

stamattina *avv* heute Morgen.

stambecco, chi *sm* Steinbock *der*.

stampa *sf (tecnica, opera)* Druck *der* ; *(pubblicazioni, giornalisti)* Presse *die* ; *(con stampante)* Ausdruck *der*.

stampante *sf INFORM* Drucker *der*.

stampare *vt (giornale, libro)* drucken ; *INFORM* aus|drucken.

stampatello *sm* Druckbuchstabe *der*.

stampella *sf (per abiti)* Kleiderbügel *der* ; *(ortopedica)* Krücke *die*.

stampo *sm (per dolci, in fabbrica)* Form *die*.

stancare *vt (affaticare)* ermüden ; *(stufare)* langweilen. ■ **stancarsi** *vr (affaticarsi)* ermüden ; **stancarsi di qc** *(stufarsi di)* etw leid werden.

stanchẹzza *sf* Müdigkeit *die*.

stạnco, a, chi, che *agg (affaticato)* müde ; *(stufo)* leid ; **~ morto** todmüde.

stanghẹtta *sf (di occhiali)* Bügel *der*.

stanọtte *avv (nella notte in corso)* heute Nacht.

stạnza *sf (camera)* Zimmer *das* ; **~ da bagno** Badezimmer ; **~ da letto** Schlafzimmer.

stạre *vi (rimanere)* bleiben ; *(abitare)* wohnen ; **come sta?** wie geht es Ihnen? ; **ti sta bene!** das geschieht dir recht! ; **ci stai?** machst du mit? ; **sta a voi decidere** die Entscheidung liegt bei euch ; **queste scarpe mi stanno strette** diese Schuhe drücken ; **~ per fare qc** im Begriff stehen, etw zu tun ; **~ bene/male** sich wohl/unwohl fühlen ; **~ a guardare** (tatenlos) zulschauen ; **~ seduto** sitzen bleiben ; **~ simpatico a qn** *fam* jm sympathisch sein ; **starci** hineinlpassen.

starnutịre *vi* niesen.

starnụto *sm* Niesen *das*.

stasẹra *avv* heute Abend.

statạle *agg* staatlich. ◆ *sm,f* Beamte *der*, -tin *die*. ◆ *sf (strada)* Bundesstraße *die*.

Stạti Unịti (d'Amẹrica) *smpl* : **gli ~** die Vereinigten Staaten (von Amerika).

stạto *sm (condizione)* Zustand *der* ; *(nazione)* Staat *der* ; **~ d'animo** Gemütsverfassung *die* ; **~ civile** Familienstand *der*.

stạtua *sf (scultura)* Statue *die*.

statunitẹnse *agg* US-amerikanisch. ◆ *smf* US-Amerikaner *der*, -in *die*.

statụra *sf (fisica)* Größe *die*.

staziọne *sf (di treni)* Bahnhof *der* ; *(di pullman)* Busbahnhof *der* ; *(di metropolitana)* U-Bahn-Station *die* ; **~ balneare** Badeort *der* ; **~ centrale** Hauptbahnhof ; **~ ferroviaria** Bahnhof ; **~ di polizia** Polizeistation ; **~ sciistica** Skiort *der* ; **~ di servizio** Tankstelle *die* ; **~ termale** Thermalkurort *der*.

stẹcca, che *sf (asticella)* Stab *der* ; *(di sigarette)* Stange *die* ; *(da biliardo)* Queue *das*.

stẹlla *sf (astro)* Stern *der* ; *(di cinema, TV)* Star *der* ; **stelle filanti** Papierschlange *die* ; **albergo a tre stelle** Drei-Sterne-Hotel *das*.

stellạto, a *agg* sternklar.

stẹlo *sm (di fiore, bicchiere)* Stiel *der*.

stẹmma, i *sm (di famiglia, città)* Wappen *das*.

stẹndere *vt (allungare)* auslbreiten ; *(panni, vele)* auflhängen. ■ **stendersi** *vr (sdraiarsi)* sich hinllegen.

stẹnto *sm* : **a ~** mit Mühe. ■ **stenti** *smpl (privazioni)* Entbehrungen *pl*.

stẹreo *sm inv* Stereoanlage *die*.

stẹrile *agg (uomo, donna)* steril ; *(terreno)* unfruchtbar.

sterlina *sf* Pfund *das*.
sterminare *vt* auslrotten.
sterminato, a *agg* endlos.
sterzare *vi (manovrare)* lenken.
sterzo *sm* Lenkrad *das*.
stesso, a *agg (identità, uguaglianza)* gleiche, -r, -s ; *(in persona, proprio, con pron personale)* : **pensa a te stesso** denk an dich selbst. ◆ *sm* Gleiche *das*. ◆ *pron* derselbe, dieselbe, dasselbe ; **fa** ○ **è lo ~** *(non importa)* das macht nichts ; **fare qc lo ~** *(ugualmente)* etw trotzdem tun.
stile *sm* Stil *der* ; **~ libero** Freistil.
stilista, i, e *sm, f (di moda)* Modeschöpfer *der*, -in *die*.
stilografica, che *sf* Füllfederhalter *der*.
stima *sf (valutazione)* Schätzung *die* ; *(apprezzamento)* Achtung *die* ; **fare la ~ di qc** den Wert einer Sache *(G)* abschätzen ; **avere ~ di qn** jn achten.
stimare *vt (valutare, apprezzare)* schätzen ; *(ritenere)* halten für.
stimolare *vt (appetito)* anlregen ; *(curiosità)* erwecken ; **~ qn a fare qc** *(incitare)* jn anlspornen, etw zu tun.
stimolo *sm (incentivo)* Anreiz *der* ; *(della fame)* Gefühl *das* ; *(dei sensi)* Reiz *der*.
stipendio *sm (paga)* Gehalt *das*.
stipite *sm (di porta, finestra)* Türpfosten *der*.
stirare *vt (con il ferro)* bügeln.
stiro *sm* Bügeln *das*? → **ferro**.
stitichezza *sf* Verstopfung *die*.
stivale *sm (calzatura)* Stiefel *der* ; **lo ~** *(l'Italia)* der Stiefel.
stizzirsi *vr* sich ärgern.
stoffa *sf (tessuto)* Stoff *der* ; **avere la ~** das Zeug dazu haben.
stomaco (*pl* **-chi** ○ **-ci**) *sm* ANAT Magen *der*.
stonato, a *agg* MUS : **una nota stonata** eine falsche Note.
stop *sm inv (segnale)* Stoppschild *das* ; AUTO *(luce)* Stopplicht *das*. ◆ *esclam* halt!
storcere *vt (piegare)* verbiegen ; **~ il naso** die Nase rümpfen. ■ **storcersi** *vr* sich verbiegen ; **storcersi una caviglia** sich *(D)* den Knöchel verstauchen.
stordire *vt (intontire)* verwirren ; *(assordare)* betäuben.
stordito, a *agg (intontito)* benommen ; *(sbalordito)* verblüfft.
storia *sf* Geschichte *die*.
storico, a, ci, che *agg (della storia)* geschichtlich ; *(personaggio, fatto, edificio)* historisch. ◆ *sm, f* Historiker *der*, -in *die*.
stormo *sm (di uccelli)* Schwarm *der*.
storta *sf* : **prendere una ~** sich *(D)* den Fuß verstauchen.
storto, a *agg (non diritto)* krumm ; *(di traverso)* schräg ; **andare ~** schief gehen.
stoviglie *sfpl* Geschirr *das*.
strabico, a, ci, che *agg* schielend.

stracciare vt *(vestito, foglio)* zerreißen ; *fam (sconfiggere)* haushoch schlagen.

stracciatella sf *(gelato)* Stracciatella *das (Sahneeis mit Schokosplitter)* ; *(minestra) Fleischbrühe mit Eierstich.*

straccio sm *(per pulizie)* Lappen *der* ; *fam (vestito vecchio)* Lumpen *der*.

strada sf *(per transito)* Straße *die* ; *(percorso)* Weg *der* ; **tagliare la ~ a qn** jn schneiden ; **'~ transitabile con catene'** 'nur mit Schneeketten passierbar' ; **~ panoramica** Panoramastraße ; **~ senza uscita** Sackgasse *die*.

stradale agg Straßen-. ◆ sf *(polizia)* Verkehrspolizei *die*.

strafalcione sm *(sproposito)* grober Fehler.

strage sf *(sterminio)* Massaker *das*.

strangolare vt *(strozzare)* erwürgen.

straniero, a agg fremd. ◆ sm, f *(persona)* Fremde *der, die*.

strano, a agg *(insolito)* seltsam ; *(stravagante)* komisch.

straordinario, a agg *(eccezionale)* außerordentlich ; *(notevole)* außergewöhnlich. ◆ sm *(lavoro)* Überstunden *pl*.

strapazzare vt *(persona)* misshandeln ; *(oggetto)* ramponieren. ■ **strapazzarsi** vr sich überanstrengen.

strappo sm *(in tessuto)* Riss *der* ; MED Muskelriss *der* ; **dare uno ~** *fam (passaggio)* im Auto mitlnehmen ; **fare uno ~ alla regola** eine Ausnahme machen.

straripare vi über die Ufer treten.

strascico, chi sm *(di abito)* Schleppe *die*.

stratagemma sm List *die*.

strategia sf Strategie *die*.

strato sm *(di polvere, vernice)* Schicht *die*.

stravolgere vt *(lineamenti)* entstellen ; *(verità)* verzerren.

stravolto, a pp → **stravolgere**.

strazio sm : **essere uno ~** *(spettacolo, film)* eine Qual sein ; *(persona)* eine Katastrophe sein.

strega, ghe sf Hexe *die*.

stregone sm *(mago)* Zauberer *der*.

stremo sm : **essere allo ~ delle forze** am Rand seiner Kräfte sein.

strepitoso, a agg *(eccezionale)* grandios.

stretta sf *(stringimento)* Engstelle *die* ; **~ di mano** Händedruck *der* ; **mettere alle strette** in die Enge treiben.

stretto, a pp → **stringere**. ◆ agg *(strada, stanza)* schmal ; *(vestito, scarpe, senso)* eng ; *(rigoroso)* streng. ◆ sm *(di mare)* Meerenge *die* ; **parenti stretti** nahe Verwandte *pl*.

strettoia sf *(restringimento)* Engpass *der*.

strillare vi *(urlare)* schreien.

strillo sm Schrei *der*.

striminzito, a *agg (vestito)* armselig ; *(persona)* dürr.

stringa, ghe *sf* Schnürsenkel *der.*

stringere *vt* drücken, pressen ; *(tenaglie)* zu|drücken ; *(vite)* an|ziehen ; *(denti)* zusammen|beißen ; *(pugno)* ballen ; *(tenere stretto)* fest|halten ; *(abito)* enger machen ; *(patto, accordo)* schließen. ◆ *vi (scarpe)* drücken ; **questa gonna mi stringe** dieser Rock engt mich ein ; **~ tra le braccia** in die Arme schließen ; **~ la mano a qn** jm die Hand drücken ; **~ i tempi** *(accelerare)* beschleunigen ; **il tempo stringe** die Zeit drängt. ■ **stringersi** *vr (accostarsi)* zusammen|rücken ; *(abbracciarsi)* sich umarmen.

striscia, sce *sf (nastro)* Streifen *der* ; *(riga)* Strich *der* ; **strisce pedonali** Zebrastreifen *der.*

strisciare *vi (serpente, lumaca)* kriechen. ◆ *vt (piedi, oggetti)* schleifen.

striscione *sm* Transparent *das.*

strizzare *vt (panni)* aus|wringen ; **~ l'occhio a qn** jm zu|zwinkern.

strofinaccio *sm* Geschirrtuch *das.*

strofinare *vt* reiben.

stroncare *vt (rivolta)* nieder|schlagen ; *(libro, film)* verreißen.

stropicciare *vt (mani, occhi)* reiben ; *(vestito)* zerknittern.

strozzare *vt (strangolare)* erwürgen. ■ **strozzarsi** *vr (soffocare)* ersticken.

strumento *sm (musicale, di precisione)* Instrument *das* ; *(arnese)* Werkzeug *das* ; *(mezzo)* Mittel *das.*

strutto *sm* Schmalz *das.*

struttura *sf (di edificio, organismo, opera)* Struktur *die.*

struzzo *sm* Strauß *der.*

stucco, chi *sm (malta)* Spachtelmasse *die* ; *(decorazione)* Stuck *der* ; **rimanere di ~** verblüfft sein.

studente, ·essa *sm, f (universitario)* Student *der,* -in *die* ; *(di liceo)* Schüler *der,* -in *die.*

studentesco, a, schi, sche *agg (universitario)* Studenten- ; *(di liceo)* Schüler-.

studentessa → **studente**.

studiare *vt (a scuola)* lernen ; *(all' università)* studieren. ◆ *vi (fare degli studi)* studieren.

studio *sm (attività)* Lernen *das* ; *(ricerca)* Nachforschungen *pl* ; *(stanza)* Studierzimmer *das* ; *(di medico)* Praxis *die* ; *(legale, notarile)* Kanzlei *die* ; *(di televisione, radio)* Studio *das.*

stufa *sf* Ofen *der.*

stufare *vt fam (seccare)* an|öden. ■ **stufarsi di** *vr + prep (stancarsi)* einer Sache *(G)* überdrüssig werden.

stufato *sm* Schmorbraten *der.*

stufo, a *agg* : **essere ~ di** *fam* die Nase voll haben von.

stupefacente *agg (sorprendente)* verblüffend. ◆ *sm (droga)* Rauschmittel *das.*

stupẹndo, a *agg* herrlich.

stupidạggine *sf (azione, affermazione)* Dummheit *die.*

stụpido, a *agg (persona, azione, discorso)* dumm.

stupịre *vt* erstaunen. ■ **stupirsi di** *vr + prep* sich wundern (über *(+A)*).

stupọre *sm* Verwunderung *die.*

stụpro *sm* Vergewaltigung *die.*

stuzzicadẹnti *sm inv (per denti)* Zahnstocher *der.*

su *prep* - 1. *(stato in luogo)* auf *(+D)* ; **le chiavi sono sul tavolo** die Schlüssel liegen auf dem Tisch ; **a 2.000 m sul livello del mare** 2000 m über dem Meeresspiegel.
- 2. *(moto a luogo)* auf *(+A)* ; **salire sul pullman** in den Bus steigen.
- 3. *(argomento)* über *(+A)* ; **un libro sulla vita di Napoleone** ein Buch über das Leben Napoleons.
- 4. *(tempo)* : **vengo sul tardi** ich komme eher spät ; **sul momento** momentan.
- 5. *(prezzo e misura)* etwa ; **costerà sui 100 euro** es kostet an die 100 Euro ; **peserà sui tre chili** es wiegt etwa 3 kg ; **un uomo sulla quarantina** ein Mann um die Vierzig.
- 6. *(modo)* : **vestito ~ misura** maßgeschneiderter Anzug ; **parlare sul serio** es ernst meinen. ◆ *avv* - 1. *(in alto)* oben ; **montare ~** steigen auf *(+A)* ; **da Bari in ~** von Bari an nordwärts ; **dai 18 anni in ~** ab 18.
- 2. *(per esortare)* auf ; **~, sbrigatevi!** na los, wird's bald? ; **~ con la vita!** Kopf hoch!

subạcqueo, a *agg* Unterwasser-. ◆ *sm, f* Taucher *der,* -in *die.*

subbụglio *sm* Durcheinander *das* ; **essere in ~** durcheinander sein.

subịre *vt (torto, ingiustizia)* erleiden ; *(conseguenze)* hin|nehmen ; *(operazione)* sich einer Sache *(D)* unterziehen.

sụbito *avv (immediatamente)* sofort.

subordinạto, a *agg* : **~ a** *(dipendente da)* untergeordnet *(+D).*

succẹdere *vi (accadere)* passieren ; **~ a qn** *(subentrare)* jm nach|folgen ; **(che) cos'è successo?** was ist passiert? ■ **succedersi** *vr (susseguirsi)* aufeinander folgen.

successivamẹnte *avv (in seguito)* nacheinander.

successịvo, a *agg* folgend.

succẹsso *sm (buona riuscita)* Erfolg *der* ; **di ~** erfolgreich.

successọre *sm (erede)* Nachfolger *der.*

succhiạre *vt (liquido)* schlürfen ; *(caramella, dito)* lutschen ; *(sog : insetto)* saugen ; **~ il sangue a qn** jn aus|saugen.

succhiọtto *sm* Schnuller *der.*

sụcco, chi *sm (sugo)* Saft *der* ; **~ di frutta** Fruchtsaft.

sud *sm (punto cardinale, di terri-*

torio) Süden *der* ; **a ~ di qc** südlich von ; **(a) ~-est** südöstlich (von) ; **(a) ~-ovest** südwestlich (von).

Sudafrica *sm* : **il ~** Südafrika *nt.*

Sudamerica *sm* : **il ~** Südamerika *nt.*

sudare *vi (traspirare)* schwitzen.

suddividere *vt (dividere)* unterteilen.

sudore *sm (traspirazione)* Schweiß *der.*

sufficiente *agg (che basta, a scuola)* ausreichend ; *(tono, atteggiamento)* herablassend.

suggerimento *sm (consiglio)* Ratschlag *der.*

suggerire *vt (consigliare)* raten ; *(risposta)* vor|sagen.

suggestionare *vt* beeinflussen.

suggestivo, a *agg (emozionante)* bezaubernd.

sughero *sm (materiale)* Kork *der.*

sugli *(su + gli)* → **su.**

sugo, sughi *sm (condimento)* (Nudel)sauce *die* ; *(di carne)* (Braten)saft *der* ; **~ di pomodoro** Tomatensaft.

sui *(su + i)* → **su.**

suicidarsi *vr* sich *(D)* das Leben nehmen.

suicidio *sm* Selbstmord *der.*

suino, a *agg* Schweine-. ◆ *sm* Schwein *das.*

sul *(su + il)* → **su.**

sulla *(su + la)* → **su.**

sulle *(su + le)* → **su.**

sullo *(su + lo)* → **su.**

suo (*f* **sua**) *agg (maschile, neutro)* sein ; *(femminile)* ihr ; *(forma di cortesia)* Ihr. ◆ *pron (maschile, neutro)* seine, -r, -s ; *(femminile)* ihre, -r, -s ; *(forma di cortesia)* Ihre, -r, -s.

suocero, a *sm, f* Schwiegervater *der,* -mutter *die.* ■ **suoceri** *smpl* Schwiegereltern *pl.*

suola *sf (di scarpa)* Sohle *die.*

suolo *sm (superficie)* Boden *der* ; *(terra)* Erde *die.*

suonare *vt (strumento)* spielen ; *(campanello)* klingeln ; *(clacson)* hupen. ◆ *vi (musicista)* spielen ; *(telefono)* klingeln ; *(sveglia)* läuten.

suono *sm (rumore)* Geräusch *das* ; *(di strumento)* Klang *der.*

suora *sf* RELIG Nonne *die.*

superare *vt (luogo)* überschreiten ; *(veicolo)* überholen ; *(esame, concorso)* bestehen ; *(crisi, pericolo)* überwinden ; *(le aspettative)* übersteigen.

superficiale *agg (strato, ferita)* oberflächlich ; *(persona, amicizia)* flüchtig.

superficie, ci *sf* MAT *(estensione)* Fläche *die* ; *(esteriorità)* Oberfläche *die.*

superfluo, a *agg* überflüssig.

superiore, a *agg (più in alto)* Ober- ; *(maggiore : quantità, numero)* größer ; *(maggiore : statura, età, prezzo)* höher ; *(migliore)* besser. ◆ *sm, f (capo)* Vorgesetzte *der, die.* ◆ *sm, f (di convento)* Prior *der,* -in *die.*

supermercạto *sm* Supermarkt *der*.
superstrạda *sf* Schnellstraße *die*.
supplementạre *agg* *(aggiuntivo)* zusätzlich.
supplemẹnto *sm* *(aggiunta)* Ergänzung *die* ; *(di prezzo)* Zuschlag *der* ; *(di giornale)* Beilage *die* ; *(enciclopedia)* Ergänzungsband *der*.
supplẹnte *smf* SCOL Vertretung *die*.
suppọrre *vt* vermuten.
suppọsta *sf* Zäpfchen *das*.
suppọsto, a *pp* → **supporre**.
surriscaldạre *vt* *(riscaldare troppo)* überheizen.
suscitạre *vt* *(provocare)* erwecken.
susịna *sf* Zwetschge *die*.
sussịdio *sm* *(sovvenzione)* Beihilfe *die*.
sussultạre *vi* *(trasalire)* zusammen|zucken.
sussurrạre *vt* *(bisbigliare)* flüstern.
svagạrsi *vr* *(divertirsi)* sich amüsieren ; *(distrarsi)* sich zerstreuen.
svạgo, ghi *sm* *(divertimento)* Zerstreuung *die* ; *(mezzo di divertimento)* Zeitvertreib *der*.
svaligiạre *vt* aus|rauben.
svalutạre *vt* *(moneta)* ab|werten ; *(sminuire)* herab|setzen.
svanịre *vi* *(odore, nebbia)* sich auf|lösen.
svantạggio *sm* *(aspetto negativo)* Nachteil *der* ; SPORT Rückstand *der* ; **essere in ~ (rispetto a)** (gegenüber jm) im Rückstand sein.
svedẹse *agg* schwedisch. ◆ *sm, f* Schwede *der*, -din *die*. ◆ *sm* *(lingua)* Schwedisch(e) *das*.
svẹglia *sf* *(orologio)* Wecker *der* ; *(risveglio)* Weckruf *der*.
svegliạre *vt* *(destare)* wecken. ■ **svegliarsi** *vr* *(destarsi)* erwachen.
svẹglio, a *agg* *(desto)* wach ; *(intelligente)* aufgeweckt.
svelạre *vt* *(segreto, mistero)* enthüllen.
svẹlto, a *agg* *(rapido)* rasch ; **alla svelta** schnell.
svẹndita *sf* COMM Ausverkauf *der*.
svenịre *vi* ohnmächtig werden.
sventolạre *vt* *(bandiera, fazzoletto)* schwenken. ◆ *vi* flattern.
sventụra *sf* *(sfortuna)* Pech *das* ; *(disgrazia)* Unglück *das*.
svestịre *vt* *(spogliare)* entkleiden. ■ **svestirsi** *vr* sich aus|ziehen.
Svẹzia *sf* : **la ~** Schweden *nt*.
svignạrsela *vr* *fam* sich aus dem Staub machen.
svilupp ạre *vt* *(far aumentare, una pellicola)* entwickeln. ■ **svilupparsi** *vr* *(ragazzo, industria, attività)* sich entwickeln ; *(incendio, infezione)* sich aus|breiten.
svilụppo *sm* *(crescita, di pelli-

cola) Entwicklung *die* ; *(incremento)* Wachstum *das*.

svịncolo *sm (stradale)* Autobahnkreuz *das*.

svitạre *vt* ab|schrauben.

Svịzzera *sf* : **la ~** die Schweiz.

svịzzero, a *agg* schweizerisch. ◆ *sm, f* Schweizer *der*, -in *die*.

svọlgere *vt (attività, lavoro)* aus|üben ; *(srotolare)* entrollen. ■ **svolgersi** *vr (srotolarsi)* sich entrollen ; *(fatto, avvenimento)* sich ereignen.

svọlta *sf (curva)* Kehre *die* ; *(manovra)* Wendung *die*.

svoltạre *vi* ab|biegen ; **~ a sinistra** links ab|biegen.

svọlto, a *pp* → **svolgere**.

svuotạre *vt (contenitore)* entleeren.

T

T (*abbr di tabaccheria*) Tabakwarengeschäft *das*.

tabaccạio, a *sm, f* Tabakwarenhändler *der*, -in *die*.

tabaccherịa *sf* Tabakwarengeschäft *das*.

tabạcco, chi *sm (prodotto)* Tabak *der*. ■ **tabacchi** *smpl (articoli)* Tabakwaren *pl*.

tabẹlla *sf* Tabelle *die*.

tabellọne *sm (con orari)* Anzeigetafel *die*.

tacchịno, a *sm, f* Truthahn *der*, -henne *die*.

tạcco, chi *sm (di scarpa)* Absatz *der* ; **tacchi a spillo** Pfennigabsätze.

taccuịno *sm* Notizblock *der*.

tacẹre *vi (non parlare, smettere di parlare)* schweigen. ◆ *vt (non rivelare)* verschweigen.

tachịmetro *sm* Tachometer *der*.

tacitụrno, a *agg* schweigsam.

tạfano *sm (insetto)* Bremse *die*.

tạglia *sf (misura)* Größe *die* ; *(corporatura)* Statur *die* ; **~ unica** Einheitsgröße.

tagliạndo *sm* Abschnitt *der*.

tagliạre *vt* schneiden ; *(affettare)* auf|schneiden ; *(recidere)* ab|schneiden ; *(spaccare)* hacken ; *(intersecare)* kreuzen ; *(vino)* (ver)schneiden ; *(vestito)* zu|schneiden ; *(abbreviare)* kürzen ; **~ corto** sich kurz fassen ; **~ la strada a qn** jn schneiden. ■ **tagliarsi** *vr* sich schneiden ; **tagliarsi i capelli/le unghie** sich *(D)* die Haare/die Nägel schneiden.

tagliatẹlle *sfpl* Bandnudeln *pl*.

tagliẹnte *agg (lama)* scharf.

tagliẹre *sm* Nudelbrett *das*.

tạglio *sm (operazione, di stoffa)* Schnitt *der* ; *(su carta, tessuto)* Zuschnitt *der* ; *(ferita)* Schnittwunde *die* ; *(parte tagliente)* Schneide *die* ; **~ cesareo** *MED* Kaiserschnitt ; **banconote di piccolo/grosso ~** Banknoten in kleiner/großer Stückelung.

tailleur *sm inv* Kostüm *das.*

talco, chi *sm (cosmetico)* Talkpuder *der.*

tale *agg dimostrativo* - 1. *(di questo tipo)* so ein ; **non ammetto tali atteggiamenti** so ein Verhalten dulde ich nicht.
- 2. *(così grande)* so ein ; **fa una ~ confusione!** er macht so ein Chaos! ; **c'è una nebbia ~ che non si vede niente** es ist so ein dichter Nebel, dass man nichts sieht.
- 3. *(in paragoni)* wie ... so ; **~ madre ~ figlia** wie die Mutter, so die Tochter ; **è ~ quale lo ricordavo** er ist genau so, wie ich ihn in Erinnerung hatte.
◆ *agg indefinito* gewiss ; **ti cerca un ~ Signor Verdi** dich sucht ein gewisser Herr Verdi.
◆ *pron indefinito (persona non precisata)* jemand ; **un ~ mi ha chiesto di te** jemand hat nach dir gefragt ; **quel ~** jene, -r, -s.

taleggio *sm Edelschimmelkäse aus der Lombardei.*

talento *sm (capacità)* Talent *das.*

tallone *sm* Ferse *die.*

talmente *avv* dermaßen, so.

talpa *sf* Maulwurf *der.*

talvolta *avv* manchmal.

tamburello *sm (strumento)* Tamburin *das* ; *(per giocare)* Handtrommel *die.*

tamburo *sm (strumento)* Trommel *die.*

tamponamento *sm (di auto)* Auffahrunfall *der.*

tamponare *vt (ferita)* ausstopfen ; *(auto)* auffahren.

tampone *sm (assorbente interno)* Tampon *der* o *das.*

tana *sf (di animali)* Höhle *die* ; *fig (nascondiglio)* Schlupfwinkel *der.*

tangenziale *sf (strada)* Umgehungsstraße *die.*

tango *sm (danza)* Tango *der.*

tanica, che *sf (recipiente)* Kanister *der.*

tantino : un tantino *avv (un po')* ein wenig.

tanto, a *agg* - 1. *(in grande quantità)* so viel ; **abbiamo ancora ~ tempo** wir haben noch so viel Zeit.
- 2. *(in numero elevato)* eine Menge ; **tanti(e)** viele ; **tanti auguri!** herzlichen Glückwunsch! ; **tanti saluti!** viele Grüße!
- 3. *(in paragoni)* viel ; **~ ... quanto** so viel ... wie ; **ha tanti fratelli quante sorelle** er hat ebenso viele Brüder wie Schwestern.
◆ *pron* - 1. *(una grande quantità)* viel ; **mi piace il cioccolato e ne mangio ~** ich mag Schokolade und esse viel davon.
- 2. *(un grande numero)* viele ; **tanti(-e)** viele ; **è una ragazza come tante** sie ist ein Mädchen wie viele andere.
- 3. *(una quantità indeterminata)* soundso viel ; **di questi soldi tanti sono per la casa, tanti per le tue spese** soundso viel Geld ist für das Haus und soundso viel für deine Ausgaben ; **pago un ~ al**

mese ich zahle soundso viel im Monat.
- 4. *(in espressioni)* : **~ vale ricominciare da capo!** dann besser gleich von vorn beginnen! ; **di ~ in ~** ab und zu ; **ogni ~** manchmal.
◆ *avv* - 1. *(molto)* viel ; *(con aggettivo)* sehr ; **ti ringrazio ~** ich danke dir sehr o vielmals ; **non ~** *(poco)* nicht viel.
- 2. *(così)* genug ; **è ~ sciocco da crederci** er/sie ist dumm genug, es zu glauben.
- 3. *(soltanto)* nur ; **~ per divertirsi** nur so zum Spaß ; **una volta ~** nur einmal.
◆ *cong* schließlich.

tappa *sf (fermata)* Rast *die* ; SPORT Etappe *die*.

tappare *vt (buco, falla)* stopfen ; *(bottiglia)* verschließen ; **tapparsi le orecchie** sich *(D)* die Ohren zulhalten.

tapparella *sf* Rollladen *der*.

tappeto *sm (da pavimento)* Teppich *der*.

tappezzare *vt (pareti, mobili)* tapezieren.

tappezzeria *sf (tessuto)* Bezug *der* ; *(carta da parati)* Tapete *die*.

tappo *sm (di plastica, metallo)* Verschluss *der* ; *(di sughero)* Korken *der* ; *fam (persona bassa)* Knirps *der*.

tarantola *sf (ragno)* Tarantel *die*.

tarchiato, a *agg* untersetzt.

tardare *vt (ritardare)* verzögern. ◆ *vi (arrivare tardi)* sich verspäten ; **~ a fare qc** *(arrivare, decidere)* mit etw zögern.

tardi *avv* spät ; **fare ~** sich verspäten ; **al più ~** spätestens ; **sul ~** etwas spät.

targa, ghe *sf (di auto)* Kennzeichen *das* ; *(con indicazione)* Schild *das*.

targhetta *sf (su campanello)* Namensschild *das*.

tariffa *sf (prezzo)* Tarif *der* ; **~ ridotta** Spartarif ; **~ unica** Einheitstarif.

tarlo *sm (insetto)* Holzwurm *der*.

tarma *sf* Motte *die*.

tarocco *sm (arancia) Orangensorte*. ■ **tarocchi** *smpl (gioco)* Tarock *der* o *das*.

tartaro *sm (di denti)* Zahnstein *der*.

tartaruga, ghe *sf (animale)* Schildkröte *die* ; *(materia)* Schildpatt *das*.

tartina *sf* Schnittchen *das*.

tartufo *sm (fungo, dolce)* Trüffel *die*.

tasca, sche *sf (di giacca, pantaloni, borse)* Tasche *die*.

tascabile *agg (libro, calcolatrice)* Taschen-. ◆ *sm* Taschenbuch *das*.

taschino *sm* Täschchen *das* ; *(di giacca)* Brusttasche *die*.

tassa *sf (per servizio)* Gebühr *die* ; *fam (imposta)* Steuer *die* ; **~ d'iscrizione** Einschreibegebühr.

tassare *vt (reddito)* besteuern.

tassì *sm* = **taxi**.

tassista, i, e *smf* Taxifahrer *der*, -in *die*.

tasso *sm (indice)* Rate *die* ; *(percentuale)* Satz *der* ; *(albero)* Eibe *die* ; *(animale)* Dachs *der* ; **~ di cambio** Wechselkurs *der*.

tastare *vt (polso)* fühlen ; *fam (toccare)* ab|tasten ; **~ il terreno** vor|fühlen.

tastiera *sf* Tastatur *die*.

tasto *sm (di pianoforte, computer)* Taste *die* ; *(di TV, radio)* Knopf *der*.

tatto *sm (senso)* Tastsinn *der* ; *fig (accortezza)* Takt *der*.

tatuaggio *sm* Tätowierung *die*.

tavola *sf (asse)* Brett *das* ; *(mobile)* Tisch *der* ; MAT Tabelle *die* ; **mettersi** o **andare a ~** sich zu Tisch setzen ; **~ calda** warme Küche ; **~ pieghevole** Klapptisch.

tavolata *sf* Tafelrunde *die*.

tavolino *sm (da salotto)* Couchtisch *der* ; *(di bar)* Tisch *der* ; *(scrivania)* Schreibtisch *der*.

tavolo *sm (da pranzo, da gioco)* Tisch *der*.

taxi *sm inv* Taxi *das*.

tazza *sf (da caffè, tè, latte)* Tasse *die* ; *(del water)* Schüssel *die* ; **una ~ di caffè** *(contenuto)* eine Tasse Kaffee.

tazzina *sf (da caffè)* Mokkatasse *die*.

T.C.I. *sm (abbr di Touring Club Italiano) italienischer Touring-Club*.

te *pron (complemento oggetto)* dich ; *(con preposizione)* : **con/insieme a ~** mit/zusammen mit dir ; **per/senza di ~** für/ohne dich ; *(complemento di termine)* dir.

tè *sm inv (bevanda)* Tee *der*.

teatrale *agg (spettacolo)* Theater- ; *spreg (gesto, atteggiamento)* theatralisch.

teatro *sm* Theater *das* ; **~ tenda** Wanderbühne *die*.

tecnica, che *sf* Technik *die* ; *(progresso scientifico)* Technologie *die*.

tecnico, a, ci, che *agg (della tecnica scientifica)* technisch ; *(di una tecnica)* Fach-. ◆ *sm, f* Techniker *der*, -in *die* ; SPORT Technik *die*.

tecnologia *sf (studio della tecnica)* Technologie *die*.

tedesco, a, schi, sche *agg* deutsch. ◆ *sm, f* Deutsche *der*, *die*. ◆ *sm (lingua)* Deutsch(e) *das*.

tegame *sm* Pfanne *die*.

teglia *sf* Backform *die*.

tegola *sf (di tetto)* Ziegel *der*.

teiera *sf* Teekanne *die*.

tela *sf (tessuto)* Tuch *das* ; *(quadro)* Leinwand *die*.

telaio *sm (macchina)* Chassis *das* ; *(letto)* Gestell *das* ; *(di finestra)* Rahmen *der*.

telecamera *sf* Videokamera *die*.

telecomando *sm* Fernbedienung *die*.

telecronaca, che *sf* Fernsehübertragung *die*.

teleferica, che *sf* Schwebebahn *die*.

telefilm *sm inv* Fernsehfilm *der*.

telefonare *vi* an|rufen ; **~ a qn** jn an|rufen.

telefonata *sf* Telefonanruf *der* ; **~ a carico (del destinatario)** R-Gespräch *das*.

telefonino *sm (cellulare)* Handy *das*.

telefono *sm* Telefon *das* ; **~ cellulare** Mobiltelefon ; **~ pubblico** öffentlicher Fernsprecher ; **~ a scatti** Münztelefon ; **~ a scheda (magnetica)** Kartentelefon ; **sono al ~** ich bin am Telefon ; **per ~** telefonisch.

telegiornale *sm* Nachrichten *pl*.

telegrafare *vt & vi* telegrafieren.

telegramma *sm* Telegramm *das*.

Telepass® *sm inv Mautkarte mit elektronischer Abbuchung*.

teleromanzo *sm* Fernsehserie *die*.

teleschermo *sm (televisione)* Fernsehschirm *der*.

telescopio *sm* Teleskop *das*.

telespettatore, trice *sm, f* Fernsehzuschauer *der*, -in *die*.

televideo *sm* Bildschirmtext *der*.

televisione *sf (apparecchio)* Fernseher *der* ; *(istituzione, sistema, stazione)* Fernsehen *das* ; **alla ~** im Fernsehen.

televisivo, a *agg (programma, stazione)* Fernseh-.

televisore *sm* Fernseher *der* ; **~ a colori** Farbfernseher.

telo *sm (pezzo di tela)* Stoffbahn *die* ; *(asciugamano)* Badetuch *das*.

tema *sm (argomento, soggetto, musicale)* Thema *das* ; SCOL Aufsatz *der*.

temere *vt (aver paura di)* befürchten. ◆ *vi (aver paura)* sich fürchten ; **temo che non venga** ich fürchte, er kommt nicht ; **temo di no/sì** ich fürchte nein/ja. ◆ *v + prep (preoccuparsi di)* : **temere per** bangen um.

temperamatite *sm inv* Anspitzer *der*.

temperato, a *agg (clima, stagione)* gemäßigt.

temperatura *sf* Temperatur *die*.

temperino *sm (coltello)* Taschenmesser *das* ; *(temperamatite)* (Bleistift)spitzer *der*.

tempesta *sf (atmosferica)* Sturm *der* ; **~ di neve** Schneesturm.

tempestivo, a *agg* rechtzeitig.

tempestoso, a *agg* stürmisch.

tempia *sf* ANAT Schläfe *die*.

tempio *sm (greco, romano)* Tempel *der*.

tempo *sm (durata, periodo)* Zeit *die* ; **tempi duri** schwere

Zeiten ; *(meteorologico)* Wetter *das* ; GRAMM Tempus *das* ; *(di partita, film)* Dauer *die* ; **alzarsi per ~** rechtzeitig auf|stehen ; **perdere ~** Zeit verlieren ; **~ di cottura** Kochzeit ; **~ libero** Freizeit ; **~ fa** vor einiger Zeit ; **in ~** rechtzeitig ; **allo stesso ~** zur gleichen Zeit.

temporale *sm* Gewitter *das*.

temporaneo, a *agg (provvisorio)* vorübergehend.

tenacia *sf* Hartnäckigkeit *die*.

tenaglia *sf (attrezzo)* Kneifzange *die*.

tenda *sf (di finestra)* Vorhang *der* ; *(da campeggio)* Zelt *das* ; **~ canadese** Hauszelt.

tendenza *sf (propensione)* Tendenz *die* ; *(politica, culturale)* Trend *der*.

tendere *vt (distendere)* spannen ; *(porgere)* aus|strecken.
◆ *vt + prep* : **~ a qc** *(propendere per)* zu einer Sache neigen ; *(essere simile a)* an etw grenzen.

tendine *sm* Sehne *die*.

tenebre *sfpl (buio)* Finsternis *die*.

tenente *smf* Oberleutnant *der*.

tenere *vt* halten ; **~ un segreto** ein Geheimnis hüten ; *(conservare)* behalten.
◆ *vi (resistere)* halten ; **~ compagnia a qn** jm Gesellschaft leisten ; **~ conto di** bedenken ; **~ la destra/la sinistra** sich rechts/links halten ; **~ un discorso** eine Rede halten ; **~ d'occhio** im Auge behalten.
◆ *v + prep (dare importanza a)* : **~ a** Wert legen auf *(+A)*.

tenerezza *sf (sentimento)* Zärtlichkeit *die*.

tenero, a *agg (cibo)* zart ; *(materia)* weich ; *(persona)* zärtlich.

tennis *sm (gioco)* Tennis *das* ; **~ da tavolo** Tischtennis.

tennista, i, e *smf* Tennisspieler *der*, -in *die*.

tenore *sm* MUS Tenor *der* ; **~ di vita** Lebensstandard *der*.

tensione *sf (di muscolo, tessuto)* Spannung *die* ; *(nervosa)* Anspannung *die* ; **alta ~** Hochspannung.

tentacolo *sm (di polpo)* Fangarm *der*.

tentare *vt (sperimentare)* aus|probieren ; *(allettare)* verlocken ; **~ di fare qc** versuchen, etw zu tun.

tentativo *sm* Versuch *der*.

tentazione *sf (desiderio)* Versuchung *die* ; *(cosa allettante)* Verlockung *die*.

tentoni *avv* : **andare (a) ~** sich vor|tasten.

tenue *agg (colore)* zart ; *fig (speranza)* schwach.

tenuta *sf (abbigliamento)* Kleidung *die* ; *(possedimento)* Landsitz *der* ; *(resistenza fisica)* Ausdauer *die* ; **a ~ d'aria** luftdicht ; **~ di strada** Bodenhaftung *die*.

teoria *sf (contrario di pratica, opinione)* Theorie *die* ; *(filosofica, scientifica)* Lehre *die* ; **in ~** theoretisch.

teọrico, a, ci, che *agg* theoretisch.

teppịsta, i, e *smf (delinquente)* Rowdy *der*.

terapẹutico, a, ci, che *agg (curativo)* therapeutisch.

terapịa *sf (cura)* Therapie *die*.

tergicristạllo *sm* Scheibenwischer *der*.

termạle *agg (acqua, stabilimento)* Thermal-.

tẹrme *sfpl (stabilimento)* Thermalbad *das* ; *(nell'antica Roma)* Thermen *pl*.

tẹrminal *sm inv (di aeroporto)* Terminal *der* ; *(di autobus)* Busbahnhof *der*.

terminạre *vt (finire)* beenden. ◆ *vi (cessare)* enden ; *(arrivare al termine)* zu Ende sein.

tẹrmine *sm (di viaggio, spettacolo)* Ende *das* ; *(scadenza)* Frist *die* ; *(parola)* Begriff *der* ; **portare** ○ **condurre a ~** etw zu Ende bringen ; **a breve/lungo ~** kurzfristig/langfristig. ■ **termini** *smpl (di questione, discussione)* Bedingungen *pl* ; **senza mezzi termini** ohne ein Blatt vor den Mund zu nehmen.

termọmetro *sm* Thermometer *das*.

tẹrmos = **thermos**.

termosifọne *sm (radiatore)* Heizkörper *der*.

tẹrra *sf (pianeta, sostanza)* Erde *die* ; *(opposto a mare, territorio)* Land *das* ; *(suolo)* Boden *der* ; **~ battuta** SPORT Hartplatz *der* ; **a** ○ **per ~** am Boden ; **essere a ~** am Boden sein.

terracọtta *sf (materiale)* Terrakotta *die* ; *(oggetto)* Tongefäß *das*.

terrafẹrma *sf* Festland *das*.

terrạzza *sf* Terrasse *die*.

terrạzzo *sm* → **terrazza**.

terremọto *sm (scossa)* Erdbeben *das* ; *fig (persona vivace)* Wirbelwind *der*.

terrẹno, a *agg (vita, beni)* irdisch. ◆ *sm (suolo)* Boden *der* ; *(appezzamento)* Grundstück *das* ; SPORT Spielfeld *das*.

terrẹstre *agg (superficie, diametro)* Erd- ; *(battaglia, scontro)* Land-.

terrịbile *agg (spaventoso)* furchtbar ; *(crudele)* schrecklich.

terrificạnte *agg* erschreckend.

terrịna *sf (recipiente)* Schüssel *die*.

territoriạle *agg* territorial ; **confine ~** Staatsgrenze *die* ; **acque territoriali** Hoheitsgewässer *pl*.

territọrio *sm (nazionale, straniero)* Territorium *das* ; *(montuoso, desertico)* Gebiet *das*.

terrọre *sm (paura)* Schrecken *der*.

terrorịsta, i, e *smf* Terrorist *der*, -in *die*.

tẹrza *sf* SCOL dritte Klasse ; *(marcia)* dritter Gang.

terzịno, a *smf* SPORT Verteidiger *der*.

tẹrzo, a *agg num* dritte, -r, -s ; *vedi anche* **sesto.** ■ **terzi** *smpl (altri)* Dritte *pl* ; **per conto terzi** für andere.

terzụltimo, a *sm, f* Drittletzte *der, die, das.*

tẹschio *sm* Totenschädel *der.*

tẹsi *sf inv (teoria)* These *die* ; ~ **(di laurea)** Diplomarbeit *die.*

tẹso, a *agg (corda, filo, situazione, rapporti)* gespannt ; *(faccia, lineamenti)* angespannt.

tesọro *sm (oggetti preziosi, denaro)* Schatz *der* ; *(naturale)* Ressourcen *pl* ; *fam (appellativo)* Liebling *der.*

tẹssera *sf (di club, partito)* Ausweis *der* ; ~ **magnetica** Magnetkarte *die.*

tessẹrino *sm* Ausweis *der.*

tẹssile *agg* Textil-.

tessụto *sm* Gewebe *das.*

test *sm inv (prova, questionario)* Test *der* ; ~ **di gravidanza** Schwangerschaftstest.

tẹsta *sf* Kopf *der* ; **mettersi in ~ di fare qc** sich *(D)* in den Kopf setzen, etw zu tun ; **dalla ~ ai piedi** von Kopf bis Fuß ; **essere in ~** führen ; **fare di ~ propria** den eigenen Kopf durch|setzen ; **montarsi la ~** sich anmaßen ; **perdere la ~** den Kopf verlieren ; **dare alla ~** zu Kopf steigen ; **essere fuori di ~** verrückt sein ; **fare a ~ o croce** die Münze werfen ; **a ~** pro Kopf.

testamẹnto *sm (atto)* Testament *das.*

testạrdo, a *agg* dickköpfig.

testịcolo *sm* Hoden *der.*

testimọne *smf (di affermazione, avvenimento, teste)* Zeuge *der,* -gin *die* ; *(di matrimonio)* Trauzeuge *der,* -gin *die.*

testimoniạre *vt (il vero, falso)* bezeugen ; *(provare)* beweisen. ◆ *vi (deporre)* aus|sagen.

tẹsto *sm* Text *der.*

testụggine *sf (tartaruga)* Schildkröte *die.*

tẹtano *sm* Wundstarrkrampf *der.*

tẹtta *sf fam* Busen *der.*

tẹtto *sm (di edificio, veicolo)* Dach *das* ; *fig (abitazione)* Unterkunft *die* ; **i senzatetto** die Obdachlosen.

tettọia *sf (copertura)* Vordach *das.*

Tẹvere *sm* : **il ~** der Tiber.

thẹrmos *sm inv* Thermosflasche *die.*

ti *pron (complemento oggetto, riflessivo)* dich ; *(a te)* dir.

tịbia *sf* ANAT Schienbein *das.*

ticchettịo *sm* Ticken *das.*

ticket *sm inv (scontrino)* Wettschein *der* ; MED *Selbstbeteiligung an Arztkosten.*

tiẹpido, a *agg (caldo)* lauwarm ; *(poco entusiasta)* kühl.

tifạre : tifare per *v + prep* SPORT an|spornen.

tifọne *sm (vento tropicale)* Taifun *der.*

tifọso, a *sm, f* Fan *der.*

tịglio *sm (albero, legno)* Linde

die ; **tisana di ~** Lindenblütentee *der*.

tigre *sf (animale)* Tiger *der*.

timbrare *vt (biglietto, francobollo)* ab|stempeln ; *(in fabbrica)* stempeln.

timbro *sm (arnese, marchio)* Stempel *der* ; *(di voce)* Klangfarbe *die*.

timer *sm inv* Zeitschaltuhr *die*.

timidezza *sf* Schüchternheit *die*.

timido, a *agg (persona, sguardo)* schüchtern ; *(tentativo, accenno)* zaghaft.

timo *sm (erba aromatica)* Thymian *der*.

timone *sm (di imbarcazioni)* Ruder *das*.

timore *sm (paura)* Furcht *die*.

tinello *sm (saletta da pranzo)* kleines Esszimmer.

tingere *vt (vestito, tessuto)* färben ; **~ i capelli** die Haare färben.

tinta *sf (materiale)* Farbstoff *der* ; *(colore)* Farbe *die* ; **farsi la ~** *(dal parrucchiere) fam* sich *(D)* die Haare färben lassen ; **in ~ unita** einfarbig.

tintarella *sf fam (abbronzatura)* Bräune *die*.

tinto, a *pp* → **tingere**. ◆ *agg* gefärbt.

tintoria *sf (negozio)* Reinigung *die*.

tipico, a, ci, che *agg (di persona, razza, popolo)* charakteristisch ; *(cucina, prodotti)* typisch.

tipo *sm (specie)* Art *die* ; *(fisionomia)* Typ *der* ; *fam (individuo)* Typ *der*.

tipografia *sf (stabilimento)* Druckerei *die*.

tipografo, a *sm, f (operaio)* Drucker *der*, -in *die*.

tiramisù *sm inv* Tiramisù *das (kalte Süßspeise aus in Kaffee getränktem Löffelbiskuit und Mascarpone, mit Kakao bestäubt)*.

tirare *vt (verso di sé)* ziehen an *(+D)* ; *(trainare, tracciare)* ziehen ; *(lanciare)* werfen ; *(sparare)* schießen. ◆ *vi (vestito)* zu eng sein ; **tira vento** es ist windig ; **~ diritto** seinen Weg gehen ; **~ a indovinare** raten ; **~ su** *(raccogliere)* auf|heben. ■ **tirarsi** *vr* : **tirarsi indietro** *(rinunciare)* sich zurück|ziehen ; **tirarsi su** *(alzarsi)* sich auf|richten.

tiratura *sf (editoria)* Auflage *die*.

tirchio, chia *agg fam* knausrig.

tiro *sm (d'arma)* Schießen *das* ; SPORT Schuss *der* ; *(traino)* : **animali da ~** Zugtiere *pl* ; **~ con l'arco** Bogenschießen ; **giocare un brutto ~ a qn** jm einen üblen Streich spielen.

tirocinio *sm* Lehre *die*.

tiroide *sf* Schilddrüse *die*.

Tirreno *sm* : **il (Mar) ~** das tyrrhenische Meer.

tisana *sf* Kräutertee *der*.

titolare *smf (proprietario)* Inhaber *der*, -in *die*.

titolo *sm* Titel *der* ; ~ **di studio** Schulbildung *die*.

tizio, a *sm, f fam (individuo)* Typ *der*.

toast *sm inv (panino caldo)* Toast *der*.

toccare *vt (gen)* berühren ; *(con mano)* an|fassen ; *(argomento)* streifen. ◆ *vi (nell'acqua)* : **qui si tocca ancora** hier kann man noch stehen. ■ **toccare a** *v + prep (spettare)* an der Reihe sein ; *(capitare)* ein|treten ; **a chi tocca?** wer ist dran? ; **mi tocca ricomprarlo** *(essere costretto a)* ich muss es neu kaufen.

togliere *vt (rimuovere)* entfernen ; *(privare di)* nehmen ; ~ **il saluto a qn** jn nicht mehr grüßen ; *(liberare)* heraus|ziehen aus *(+D)* ; ~ **qc a qn** jm etw nehmen ; **ciò non toglie che** das ändert nichts daran, dass. ■ **togliersi** *vr* : **togliersi gli occhiali** die Brille ab|setzen.

toilette *sf inv (bagno, acconciatura e trucco)* Toilette *die*.

tollerabile *agg* erträglich.

tollerante *agg* tolerant.

tollerare *vt (cibi, caldo)* vertragen ; *(dolore)* ertragen ; *(opinioni, religioni)* tolerieren ; *(ammettere)* dulden.

tolto, a *pp* → **togliere**.

tomba *sf (sepoltura)* Grab *das*.

tombino *sm (di fogna)* Kanaldeckel *der*.

tombola *sf (gioco)* Tombola *die*.

tonalità *sf inv (di colore)* Farbton *der* ; MUS Tonart *die*.

tondo, a *agg (circolare)* rund ; **cifra tonda** runde Summe.

tonfo *sm (rumore)* dumpfes Geräusch ; *(caduta)* Plumps *der*.

tonico, a, ci, che *agg (bevanda, preparato)* stärkend. ◆ *sm* Tonikum *das*.

tonnellata *sf* Tonne *die*.

tonno *sm* Thunfisch *der* ; ~ **in scatola** Thunfisch aus der Dose.

tono *sm* MUS *(di scritto, discorso)* Ton *der* ; *(di voce, suono)* Tonart *die* ; *(di muscoli, pelle)* Tonus *der*.

tonsilla *sf* (Rachen)mandel *die*.

tonto, a *agg* dumm.

topaia *sf (luogo malsano)* Loch *das*.

topazio *sm* Topas *der*.

topless *sm inv* Monokini *der*. ◆ *agg* oben ohne.

topo *sm (animale)* Maus *die*.

toppa *sf (di stoffa)* Flicken *der* ; *(di serratura)* Schlüsselloch *das*.

torace, ci *sm* ANAT Brustkorb *der*.

torbido, a *agg* trüb(e).

torcere *vt (avvolgere)* winden ; *(piegare)* biegen. ■ **torcersi** *vr* sich winden.

torcia, ce *sf (elettrica)* Taschenlampe *die*.

torcicollo *sm (dolore)* Halsstarre *die*.

torero, a *sm, f* Stierkämpfer *der*, -in *die*.

Torino *sf* Turin *nt*.

tormẹnta *sf* Schneesturm *der*.

tormentạre *vt (angosciare)* quälen. ■ **tormentarsi** *vr (angosciarsi)* sich quälen.

tormẹnto *sm (angoscia)* Qual *die* ; *(fastidio)* Ärgernis *das*.

tornạnte *sm (curva)* Kehre *die*.

tornạre *vi (rientrare)* zurück|kehren ; *(venire di nuovo)* wieder kommen ; *(andare di nuovo)* wieder hin|gehen ; *(ridiventare)* wieder ... werden ; *(riuscire giusto)* stimmen ; **i conti tornano** die Rechnung stimmt ; **~ utile (a qn)** (jm) nützen ; **~ a casa** nach Hause gehen o kommen.

tornẹo *sm (gara)* Turnier *das*.

tọro *sm (animale)* Stier *der*. ■ **Toro** *sm (zodiaco)* Stier *der*.

tọrre *sf (edificio, negli scacchi)* Turm *der* ; **~ di controllo** Kontrollturm ; **~ di Pisa** der Schiefe Turm von Pisa.

LA TORRE DI PISA

Der Glockenturm des Doms, besser bekannt als Schiefer Turm von Pisa, erhebt sich über dem berühmten Campo dei Miracoli. Seine Erbauung geht auf das Ende des 11. Jahrhunderts zurück, der Turm ist vor allem aufgrund seiner charakteristischen Schrägstellung und seiner typischen Zylinderform in aller Welt bekannt. Aus Sicherheitsgründen ist Besuchern seit einigen Jahren der Zutritt in das Innere des Turms untersagt.

torrefaziọne *sf (tostatura)* Rösten *das*.

torrẹnte *sm (corso d'acqua)* Wildbach *der*.

tọrrido, a *agg* heiß.

torrọne *sm* ≃ türkischer Honig.

tọrso *sm (torace)* Rumpf *der* ; **a ~ nudo** mit nacktem Oberkörper.

tọrsolo *sm (di frutto)* Kerngehäuse *das*.

tọrta *sf (dolce)* Torte *die*, Kuchen *der* ; *(salata)* (herzhafter) Kuchen *der* ; **~ gelato** Eistorte ; **~ di mele** Apfelkuchen.

tortellịni *sm kleine Teigtaschen gefüllt mit gewürztem Schweinefleisch, Schinken und Parmesan, meist als Suppeneinlage.*

tọrto, a *pp* → **torcere**. ◆ *sm (ingiustizia)* Unrecht *das* ; *(colpa)* : **avere ~** im Unrecht sein ; **a ~** zu Unrecht.

tortụra *sf (sevizia)* Folter *die*.

torturạre *vt (seviziare)* foltern.

tosaẹrba *sm inv* Rasenmäher *der*.

tosạre *vt (pecora)* scheren ; *(prato)* mähen.

Toscạna *sf* : **la ~** die Toskana.

toscạno, a *agg* toskanisch. ◆ *sm, f* Toskaner *der*, -in *die*. ◆ *sm (sigaro) starke Zigarrensorte.*

tọsse *sf* Husten *der*.

tọssico, a, ci, che *agg (velenoso)* giftig. ◆ *sm, f fam (drogato)* Drogensüchtige *der, die*.

tossicodipendẹnte *smf* Drogenabhängige *der, die.*

tossịre *vi* husten.

tostapạne *sm inv* Toaster *der.*

tostạre *vt (pane)* rösten.

tọt *agg inv (imprecisato)* soundso viel. ◆ *sm inv* unbestimmte Anzahl.

totạle *agg* Gesamt-. ◆ *sm* Gesamtsumme *die* ; **in ~** insgesamt.

tọtano *sm (calamaro)* Tintenfisch *der.*

totịp *sm* Pferdetoto *der* o *das.*

totocạlcio *sm* Fußballtoto *der* o *das* ; **giocare al ~** im Fußballtoto tippen.

tovạglia *sf (da tavola)* Tischdecke *die.*

tovagliọlo *sm* Serviette *die.*

tọzzo, a *agg (tarchiato)* gedrungen. ◆ *sm (di pane)* Stück *das.*

tra *prep (in mezzo a due)* zwischen *(+D)* ; *(in mezzo a molti)* unter *(+D)* ; *(di tempo)* in *(+D)* ; *(di distanza)* nach *(+D)* ; *(partitivo)* von ; *(di relazione)* zwischen *(+D)* ; **detto ~ (di) noi** unter uns gesagt ; **~ breve** in Kürze ; **~ poco** gleich ; **~ sé e sé** zu sich selbst.

traballạre *vi (persona)* wanken ; *(tavolo)* wackeln.

traboccạre *vi* über|laufen.

trabocchẹtto *sm (tranello)* Falle *die.*

trạccia, ce *sf (segno)* Zeichen *das* ; *(indizio)* Spur *die* ; *(schema)* Skizze *die.*

tracciạre *vt (linea, cerchio)* zeichnen.

tracciạto *sm (percorso)* Trasse *die.*

trachẹa *sf* Luftröhre *die.*

tracọlla *sf (ad armacollo)* Traggurt *der* ; **borsa a ~** Umhängetasche *die* ; **a ~** umgehängt.

tradimẹnto *sm (slealtà)* Verrat *der* ; *(adulterio)* Untreue *die* ; **a ~** hinterrücks.

tradịre *vt (essere sleale)* verraten ; *(coniuge)* betrügen. ■ **tradirsi** *vr* sich verraten.

traditọre, tr·ice *sm, f* Verräter *der,* -in *die.*

tradizionạle *agg* traditionell.

tradiziọne *sf (usanza)* Tradition *die.*

tradụrre *vt (scritto, discorso)* übersetzen.

traduttọre, tr·ice *sm, f (persona)* Übersetzer *der,* -in *die.*

traduziọne *sf (di scritto, discorso)* Übersetzung *die.*

trafficạnte *smf (di droga, armi)* Händler *der,* -in *die.*

trạffico, ci *sm (di veicoli, persone)* Verkehr *der* ; *(di droga, armi)* Handel *der.*

trafịggere *vt (infilzare)* durch|bohren.

trafịtto, a *pp* → **trafiggere.**

trafọro *sm (galleria)* Tunnel *der.*

tragẹdia *sf (disgrazia, genere)* Tragödie *die.*

traghẹtto *sm (barca)* Fähre *die*.

trạgico, a, ci, che *agg* tragisch.

tragịtto *sm (percorso)* Weg *der*.

traguạrdo *sm (arrivo)* Ziel *das* ; **tagliare il ~** durchs Ziel gehen.

traiettọria *sf* Flugbahn *die*.

trainạre *vt (tirare)* schleppen.

trạino *sm (veicolo)* Anhänger *der* ; *(carico)* Ladung *die*.

tralasciạre *vt (omettere)* unterlassen.

trạm *sm inv* Straßenbahn *die*.

trạma *sf (di libro, film)* Handlung *die* ; *(di tessuto)* Gewebe *das*.

tramandạre *vt* überliefern.

tramạre *vt fig (macchinare)* Ränke schmieden.

trambụsto *sm* Aufruhr *der*.

tramezzịno *sm Sandwichart aus weichem Weißbrot*.

trạmite *prep* durch. ◆ *sm* : **per (il) ~ di** *(per mezzo di)* durch js Vermittlung.

tramontạna *sf* Nordwind *der*.

tramọnto *sm (del sole)* Sonnenuntergang *der*.

tramortịre *vt* betäuben.

trampolịno *sm (per tuffi)* Sprungbrett *das* ; *(nello sci)* Sprungschanze *die*.

trạncio *sm (fetta)* Stück *das* ; **pizza al ~** Pizza *die* vom Blech.

tranẹllo *sm* Falle *die*.

trạnne *prep* außer ; **~ che** außer dass.

tranquillạnte *sm* Beruhigungsmittel *das*.

tranquillità *sf (stato d'animo)* Ruhe *die* ; *(di luogo)* Stille *die* ; *(sicurezza)* Beruhigung *die*.

tranquillizzạre *vt* beruhigen. ■ **tranquillizzarsi** *vr* sich beruhigen.

tranquịllo, a *agg (pacato, non preoccupato)* ruhig ; *(indisturbato)* friedlich.

transatlạntico *sm (nave)* Ozeandampfer *der*.

transitạbile *agg* passierbar.

transitạre *vi* passieren.

trạnsito *sm (passaggio a piedi)* Durchgang *der* ; *(veicoli)* Durchfahrt *die* ; **'divieto di ~'** 'Durchfahrt verboten'.

transiziọne *sf* Übergang *der*.

trapanạre *vt* bohren.

trạpano *sm* Bohrer *der*.

trapassạre *vt (trafiggere)* durch|bohren.

trapẹzio *sm* Trapez *das*.

trapezịsta, i, e *smf* Trapezkünstler *der*, -in *die*.

trapiantạre *vt (pianta)* verpflanzen ; *MED* transplantieren.

trapiạnto *sm (di pianta)* Verpflanzung *die* ; *MED* Transplantation *die*.

trạppola *sf* Falle *die*.

trapụnta *sf* Steppdecke *die*.

trạrre *vt* : **~ in inganno** täuschen ; **~ origine da** stammen aus ; **~ in salvo** retten ; **~ vantag-**

gio daqc/qn von eine Sache/jm profitieren.

trasandạto, a *agg (persona)* ungepflegt; *(abito)* schlampig.

trascinạre *vt (per terra)* schlurfen; *(portare)* schleifen. ■ **trascinarsi** *vr (strisciare)* sich schleppen.

trascọrrere *vt (tempo, periodo)* verbringen. ◆ *vi (tempo)* vergehen.

trascọrso, a *pp* → **trascorrere.**

trascurạbile *agg* unerheblich.

trascurạre *vt (non curare)* vernachlässigen; *(omettere)* aus|lassen.

trascurạto, a *agg (non curato)* vernachlässigt.

trasferịbile *agg (assegno)* übertragbar.

trasferimẹnto *sm (di sede)* Versetzung *die*; *(di incarico, responsabilità)* Übertragung *die*.

trasferịre *vt (impiegato)* versetzen; *(spostare)* verlegen. ■ **trasferirsi** *vr* um|ziehen.

trasfẹrta *sf (viaggio)* Dienstreise *die*; *(indennità)* Tagegeld *das*; SPORT Auswärtsspiel *das*.

trasformạre *vt (stato, aspetto, un rigore)* verwandeln; *(carattere)* verändern. ■ **trasformarsi** *vr (modificarsi)* sich verändern; **trasformarsi in** *(diventare)* sich verwandeln in *(+A)*.

trasformaziọne *sf (di stato)* Verwandlung *die*; *(di aspetto, carattere)* Veränderung *die*.

trasfusiọne *sf* Transfusion *die*.

trasgredịre *vt* verstoßen gegen.

trasgressiọne *sf (disubbidienza)* Verstoß *der*.

trasgressọre *sm* Zuwiderhandelnde *der, die*; **'i trasgressori saranno puniti'** 'Zuwiderhandlungen werden bestraft'.

traslocạre *vi* um|ziehen.

traslọco, chi *sm* Umzug *der*.

trasmẹttere *vt (radio, TV)* übertragen; *(malattia)* an|stecken; *(far pervenire)* übermitteln.

trasmissiọne *sf (di messaggio, notizia)* Übermittlung *die*; *(di malattia, radio, TV)* Übertragung *die*.

trasparẹnte *agg (limpido)* transparent; *(tessuto, vestito)* durchsichtig.

trasparẹnza *sf (limpidezza)* Transparenz *die*; *(di tessuto, vestito)* Durchsichtigkeit *die*.

traspirạre *vi (sudare)* schwitzen.

trasportạre *vt* transportieren.

traspọrto *sm (operazione, mezzo)* Transport *der*; **i trasporti pubblici** öffentliche Verkehrsmittel.

trasversạle *agg (obliquo)* quer; *(via)* Quer-. ◆ *sf (strada)* Querstraße *die*.

trattamẹnto *sm (modo di trattare, terapia)* Behandlung

die ; *(di albergo, ristorante)* Service *der*.

trattare *vt (persona, argomento)* behandeln ; *(negoziare)* verhandeln (über *(+A)*) ; *(commerciare)* handeln in *(+D)*. ◆ *vi (occuparsi)* : **di cosa tratta questo libro?** wovon handelt das Buch? ; *(avere a che fare)* verhandeln mit. ■ **trattarsi** *vr (riguardare)* gehen um ; **di cosa si tratta?** worum geht es?

trattato *sm (patto)* Abkommen *das*.

trattenere *vt (lacrime, risa)* unterdrücken ; *(somma)* unterschlagen. ■ **trattenersi** *vr (rimanere)* verweilen ; *(dal fare qc)* sich zurück|halten ; **quanto si trattiene?** wie lange bleibt er/sie?

trattenuta *sf* Abzug *der*.

trattino *sm (lineetta)* Gedankenstrich *der* ; *(in parole composte)* Bindestrich *der*.

tratto, a *pp* → **trarre**. ◆ *sm (di penna)* Strich *der* ; *(di spazio)* Strecke *die* ; **ad un ~ o d'un ~** auf einmal. ■ **tratti** *smpl (lineamenti)* Züge *pl* ; *(caratteristiche)* Merkmale *pl*.

trattore *sm (veicolo)* Traktor *der*.

trattoria *sf (locale)* Gasthaus *das*.

TRATTORIA

Früher bezeichnete man als Trattoria die einfachen, preiswerten und als Familienbetrieb geführten Gasthäuser. Heute sind viele Trattorien in Wirklichkeit für Italien typische Restaurants mit rustikalem, aber gehobenem Ambiente und den entsprechenden Preisen.

---

trauma, i *sm (shock)* Erschütterung *die* ; *MED* Trauma *das*.

traumatizzare *vt (perturbare)* erschüttern ; *MED* ein Trauma bewirken.

travasare *vt (liquido)* um|füllen.

trave *sf* Balken *der*.

traveggole *sfpl* : **avere le ~** sich versehen.

traveller's (cheque) *sm inv* Reisescheck *der*.

traversa *sf (via)* Querstraße *die* ; *SPORT* Latte *die* ; *(lenzuolo)* Betteinlage *die*.

traversata *sf (marittima)* Überfahrt *die* ; *(aerea)* Überfliegen *das*.

traverso, a *agg (via, strada)* Quer-. ◆ *avv* : **di ~** quer.

travestimento *sm (operazione)* Verstellung *die* ; *(abito)* Verkleidung *die*.

travestire *vt (mascherare)* verkleiden. ■ **travestirsi da** *vr + prep* sich verkleiden als.

travestito, a *sm (omosessuale)* Transvestit *der*.

travolgere *vt (investire)* überfahren.

tre *num* drei ; *vedi anche* **sei**.

treccia, ce *sf (acconciatura)* Zopf *der* ; *(intreccio)* Geflecht *das*.

trecẹnto *num* dreihundert ; *vedi anche* **sei**. ■ **il Trecento** *sm* *(XIV° secolo)* das 14. Jahrhundert.

tredicẹsimo, a *agg* dreizehnte, -r, -s ; *vedi anche* **sesto**. ■ **tredicesima** *sf* dreizehntes Monatsgehalt.

trẹdici *num* dreizehn ; *vedi anche* **sei**.

trẹgua *sf (armistizio)* Waffenstillstand *der* ; *(sosta)* Pause *die* ; **senza ~** pausenlos.

tremạre *vi (rabbrividire)* zittern ; **~ di** zittern vor *(+D)*.

tremẹndo, a *agg (terribile, persona)* schrecklich ; *(intensissimo)* entsetzlich.

tremịla *num* dreitausend ; *vedi anche* **sei**.

Trẹmiti *sfpl* : **le (isole) ~** die Tremiti-Inseln.

trenịno *sm (giocattolo)* Spielzeugeisenbahn *die*.

trẹno *sm (trasporto)* Zug *der* ; **perdere il ~** den Zug verpassen ; **~ diretto** D-Zug ; **~ espresso** Eilzug ; **(~) intercity** Intercity *der* ; **(~) interregionale** Interregio *der* ; **~ merci** Güterzug ; **~ locale** Nahverkehrszug.

trẹnta *num* dreißig ; *vedi anche* **sei**.

trentẹsimo, a *agg* dreißigste, -r, -s ; *vedi anche* **sesto**.

Trentịno *sm* : **il ~-Alto Adige** Trentino-Südtirol *nt*.

triangolạre *agg (a forma di triangolo)* dreieckig.

triạngolo *sm (figura)* Dreieck *das*.

tribù *sf inv (gruppo sociale)* Stamm *der*.

tribụna *sf (di stadio)* Tribüne *die* ; **~ coperta** überdachte Tribüne.

tribunạle *sm (organo)* Gerichtshof *der* ; *(luogo)* Gericht *das*.

trichẹco, chi *sm* Walross *das*.

tricịclo *sm* Dreirad *das*.

tricolọre *agg* dreifarbig. ◆ *sm (bandiera italiana) Italienische Nationalfahne*.

triẹnnio *sm* drei Jahre.

trifọglio *sm (erba)* Klee *der*.

trifolạto, a *agg (verdura, carne) Art der Zubereitung mit Öl, Essig und Petersilie*.

trimẹstre *sm (tre mesi)* Quartal *das*.

trịo *sm (di artisti)* Terzett *das* ; *(di strumenti)* Trio *das*.

trionfạle *agg (grandioso)* triumphal.

trionfạre *vi (vincere)* triumphieren ; *(esultare)* jubeln.

triọnfo *sm (vittoria)* Triumph *der*.

triplicạre *vt (rendere triplo)* verdreifachen. ■ **triplicarsi** *vr* sich verdreifachen.

trịplo, a *agg (tre volte maggiore)* dreifach. ◆ *sm (tre volte tanto)* Dreifache *das*.

trịppa *sf (carne)* Kutteln *pl*.

trịste *agg (malinconico)* traurig ; *(che dà tristezza)* trostlos.

tristẹzza *sf (afflizione)* Traurigkeit *die* ; *(squallore)* Trostlosigkeit *die*.

tritacarne *sm inv* Fleischwolf *der*.

tritare *vt* zerkleinern.

trito, a *agg (tritato)* zerkleinert ; *(vecchio, risaputo)* abgedroschen.

trofeo *sm (coppa, medaglia)* Trophäe *die*.

tromba *sf (strumento)* Trompete *die* ; **~ d'aria** Windhose *die* ; **~ delle scale** Treppenhaus *das*.

trombone *sm (strumento musicale)* Posaune *die*.

troncare *vt (recidere)* ab|hacken ; *(interrompere)* ab|brechen.

tronco *sm (d'albero)* Stamm *der* ; ANAT Rumpf *der* ; **licenziare qn in ~** jn fristlos entlassen.

trono *sm (seggio)* Thron *der*.

tropicale *agg (clima, regione)* tropisch.

tropico, ci *sm (parallelo)* Wendekreis *der*. ■ **tropici** *smpl (paesi)* Tropen *pl*.

troppo, a *agg* - 1. *(in quantità eccessiva)* zu (viel) ; **c'è troppa nebbia** da ist zu viel Nebel.
- 2. *(in numero eccessivo)* zu viel ; **troppi(e)** zu viele ; **ho mangiato troppi biscotti** ich habe zu viele Kekse gegessen.
◆ *pron* - 1. *(una quantità eccessiva)* zu viel ; **ho poco tempo libero, tu ~** ich habe zu wenig Freizeit, du dagegen zu viel.
- 2. *(un numero eccessivo)* zu viel ; **troppi(e)** zu viele ; **non voglio altri problemi, ne ho fin troppi** bitte keine Probleme, ich habe schon mehr als genug.
◆ *avv* - 1. *(in misura eccessiva)* zu ; **sei ~ buono** du bist zu gut ; **parla ~ velocemente** er/sie spricht zu schnell ; **di ~** zu viel.
- 2. *(molto)* allzu ; **non mi sento ~ bene** ich fühle mich nicht allzu gut.

trota *sf* Forelle *die*.

trottare *vi (cavallo, cavaliere)* traben.

trottola *sf* Kreisel *der*.

trovare *vt* finden ; **ho trovato un vecchio amico al bar** ich habe einen alten Freund in der Bar getroffen ; **andare a ~ qn** jn besuchen (gehen) ; **~ che...** finden, dass.... ■ **trovarsi** *vr (essere, stare)* sich befinden ; *(incontrarsi)* sich treffen.

truccare *vt (attore)* schminken. ■ **truccarsi** *vr (con cosmetici)* sich schminken.

trucco, chi *sm (operazione)* Schminken *das* ; *(cosmetico)* Schminke *die* ; *(artificio)* Trick *der*.

truciolo *sm (di legno)* Span *der*.

truffa *sf (inganno)* Betrug *der*.

truffare *vt (persona)* betrügen, prellen.

truffatore, trice *sm, f* Betrüger *der*, -in *die*.

tu *pron (impersonale)* du ; **se lo dici ~ ...** wenn du es sagst ... ; **~ stesso** du selbst.
◆ *sm* Du *das* ; **dare del ~ a qn** jn duzen.

tua → tuo.

tubatura *sf* Rohrleitung *die*.

tubero *sm* Knolle *die*.

tubetto *sm (di pomata, dentifricio)* Tube *die*; *(di aspirina)* Röhrchen *das*.

tubo *sm (condotto)* Rohr *das*; **~ di scappamento** Auspuffrohr; **~ di scarico** Ablassrohr.

tue → tuo.

tuffare : tuffare *vt (immergere)* ein|tauchen. ■ **tuffarsi** *vr (immergersi)* (ins Wasser) springen; *(gettarsi giù)* sich stürzen.

tuffo *sm (immersione)* Sprung *der*.

tulipano *sm* Tulpe *die*.

tumore *sm* Tumor *der*.

Tunisia *sf*: **la ~** Tunesien *nt*.

tuo (*f* **tua**, *mpl* **tuoi**, *fpl* **tue**) *agg* dein; **questi soldi sono tuoi** dies ist dein Geld; **~ padre** dein Vater; **un ~ amico** einer deiner Freunde. ■ **il tuo** (*f* **la tua**, *mpl* **i tuoi**, *fpl* **le tue**) *pron* deine, -r, -s.

tuonare *v impers* donnern.

tuono *sm (rumore)* Donner *der*.

tuorlo *sm*: **~ (d'uovo)** (Ei)dotter *der* o *das*.

turacciolo *sm (di sughero)* Korken *der*.

turbamento *sm (sconcerto)* Erregung *die*.

turbare *vt (sconcertare)* erregen.

turbolento, a *agg (persona)* stürmisch.

turbolenza *sf (di tempo)* Turbulenz *die*.

turchese *agg* türkis(farben). ◆ *sm (colore)* Türkis *das*. ◆ *sf (pietra)* Türkis *der*.

Turchia *sf*: **la ~** die Türkei.

turismo *sm (gite)* Reisen *das*; *(attività)* Tourismus *der*.

turista, i, e *smf* Tourist *der*, -in *die*.

turistico, a, ci, che *agg* Touristen-, touristisch.

turno *sm (di gioco)* Reihe *die*; *(di lavoro)* Schicht *die*; **è il tuo ~** du bist dran; **fare a ~** sich ab|wechseln; **essere di ~** Dienst haben.

tuta *sf (da lavoro)* Arbeitsanzug *der*; *(sportiva)* Trainingsanzug *der*.

tutela *sf (salvaguardia)* Schutz *der*.

tutelare *vt (difendere)* schützen. ■ **tutelarsi** *vr* sich schützen.

tutina *sf (da bambino)* Strampelanzug *der*.

tuttavia *cong* dennoch.

tutto, a *agg* - 1. *(la totalità di)* ganz, alle; **~ il giorno** den ganzen Tag; **in tutta l'Europa** in ganz Europa; **tutte le piante** alle Pflanzen; **tutti e cinque** alle fünf.
- 2. *(ogni)* jede, -r, -s; **tutti(-e)** jede, -r, -s; **in tutti i casi** in jedem Fall; **tutte le volte (che)** jedes Mal (, wenn).
- 3. *(esclusivamente)* alles; **è tutta**

colpa tua das ist alles deine Schuld.
- 4. *(molto)* vollauf ; **è ~ contento** er ist total glücklich.
◆ *pron* - 1. alle(s) ; **bevilo ~** trink alles ; **verremo tutti** wir kommen alle ; **tutti** *(la totalità)* alle.
- 2. *(ogni cosa)* alles ; **mi ha raccontato ~** er hat mir alles erzählt ; **non è ~** das ist nicht alles ; **di ~** alles ; **in ~** *(nel complesso)* insgesamt ; **in ~ fanno 150 euro** das macht insgesamt 150 Euro ; **~ compreso** alles inbegriffen ; *(merce)* **~ esaurito** (alles) vergriffen ; *(concerto)* (alles) ausverkauft ; **~ sommato** insgesamt.
◆ *avv (interamente)* ganz ; **tutt'altro** alles andere ; **~ il contrario** ganz im Gegenteil ; **non ne sono convinto del ~** ich bin nicht ganz überzeugt davon ; **tutt'al più** höchstens.
◆ *sm* : **il ~** das Ganze.

tuttora *avv* (immer) noch.

TV *sf inv* Fernsehen *das*.

U

ubbidiente *agg* gehorsam.

ubbidire *vi + prep* : **~ a** gehorchen *(+D)*.

ubriacare : ubriacarsi *vr (diventare ubriaco)* sich betrinken.

ubriaco, a, chi, che *sm, f* Betrunkene *der, die*.

uccello *sm* Vogel *der*.

uccidere *vt (ammazzare)* töten. ■ **uccidersi** *vr (suicidarsi)* sich umlbringen.

udienza *sf (colloquio, dal papa)* Audienz *die* ; *DIR* Anhörung *die*.

udire *vt (suono, rumore)* hören.

udito *sm* Gehör *das*.

U.E. *sf (abbr di Unione Europea)* EU *die*.

uffa *esclam* uff ; **~, che barba!** oh, wie langweilig!

ufficiale *agg (documento, notizia)* offiziell. ◆ *sm MIL* Offizier *der* ; **pubblico ~** *(funzionario)* ≃ Beamte *der*.

ufficio *sm (reparto)* Abteilung *die* ; *(luogo di lavoro, stanza)* Büro *das* ; *(incarico)* Amt *das* ; **~ cambi** Wechselstube *die* ; **~ informazioni** Informationsbüro ; **~ oggetti smarriti** Fundbüro ; **~ postale** Postamt ; **~ del turismo** Fremdenverkehrsamt.

Uffizi *smpl (a Firenze)* : **gli ~** die Uffizien.

GLI UFFIZI

Die Uffizien am Arnoufer in Florenz gehören zu den wichtigsten und berühmtesten Museen der Welt. Neben Meisterwerken der italienischen Renaissancemalerei können in den Uffizien Kunstwerke italienischer und ausländischer Künstler verschiedenster Epochen bewundert werden.

uguaglianza *sf (parità, identi-*

tà) Gleichheit *die* ; MAT Äquivalenz *die*.

uguagliare *vt (rendere uguale)* gleich|machen ; *(essere uguale)* gleich|kommen.

uguale *agg* & *avv* gleich ; **~ a** *(identico, pari)* gleich *(+D)*.

ugualmente *avv (in modo uguale)* ebenso ; *(lo stesso)* gleich.

ulcera *sf* Geschwür *das*.

ulivo *sm (albero)* Olivenbaum *der* ; **l'Ulivo** *das italienische Mitte-Links-Bündnis*.

ulteriore *agg (successivo)* weiter.

ultimo, a *agg (in una serie)* letzte, -r, -s ; *(più recente)* : **l'~ grido** der letzte Schrei. ◆ *sm, f (in una sequenza)* Letzte *der, die, das* ; **da ~** zuletzt ; **fino all'~** bis zuletzt ; **per ~** als Letzter.

ultras *smf inv (tifosi di calcio)* Hooligans *pl*.

ululare *vi (lupo, cane)* heulen.

umanità *sf (genere umano)* Menschheit *die* ; *(bontà)* Menschlichkeit *die*.

umano, a *agg (dell'uomo, da uomo)* menschlich.

Umbria *sf* : **l'~** Umbrien *nt*.

umidità *sf* Feuchtigkeit *die*.

umido, a *agg (bagnato)* nass ; *(clima)* feucht. ◆ *sm* CULIN Schmorbraten *der* ; **in ~** geschmort.

umile *agg (persona)* bescheiden ; *(misero)* ärmlich.

umiliante *agg* demütigend.

umiliare *vt (mortificare)* demütigen. ■ **umiliarsi** *vr (abbassarsi)* sich erniedrigen.

umiliazione *sf (azione)* Demütigung *die*.

umore *sm (disposizione)* Laune *die* ; **essere di buon/cattivo ~** guter/schlechter Laune sein.

umorismo *sm* Humor *der*.

un → **uno**.

un' → **uno**.

una → **uno**.

unanimità *sf* Einstimmigkeit *die* ; **all'~** einstimmig.

uncinetto *sm (arnese)* Häkelnadel *die* ; **all'~** *(pizzo, lavoro)* gehäkelt.

undicesimo, a *agg* elfte, -r, -s ; *vedi anche* **sesto**.

undici *num* elf ; *vedi anche* **sei**.

ungere *vt (padella, teglia)* (ein|)fetten ; *(macchiare)* beflecken. ■ **ungersi** *vr (spalmarsi)* sich ein|schmieren ; *(macchiarsi)* sich beschmieren.

unghia *sf (di persona)* Nagel *der*.

unico, a, ci, che *agg (singolo)* einzige, -r, -s ; *(incomparabile)* einmalig.

unificare *vt (unire)* vereinen ; *(uniformare)* vereinheitlichen.

uniforme *agg (omogeneo)* einheitlich ; *(costante)* gleichmäßig. ◆ *sf (divisa)* Uniform *die*.

unione *sf (congiunzione)* Zusammenschluss *der* ; *(legame)*

Verbindung *die* ; *(associazione)* Bund *der*.

unire *vt (mettere insieme, collegare)* verbinden ; *(accomunare)* einen. ■ **unirsi** *vr (associarsi)* sich zusammen|schließen ; *(congiungersi)* sich verbinden.

unità *sf inv (di famiglia, nazione, in matematica)* Einheit *die* ; ~ **di misura** Maßeinheit.

unito, a *agg (persone)* vereint ; *(allegato)* beiliegend.

universale *agg (dell'universo)* Welt- ; *(generale)* allgemein.

università *sf inv (istituto, edificio)* Universität *die*.

universo *sm (cosmo)* Universum *das*.

uno, a *art indeterminativo* ein. ◆ *pron* - 1. *(alcuno)* eine, -r, -s ; ~ **dei miei libri** eins meiner Bücher ; **l'un l'altro** gegenseitig ; **l'~ o l'altro** einer von beiden ; **gli uni e gli altri** die einen und die anderen.
- 2. *(un tale)* jemand ; **sta parlando con ~** er/sie spricht gerade mit jemandem.
- 3. *(chiunque)* eine, -r, -s.
◆ *num* eins ; *vedi anche* **sei**.

unto, a *pp* → **ungere**. ◆ *sm (sostanza grassa)* Fett *das*.

uomo (*pl* **uomini**) *sm (essere umano)* Mensch *der* ; *(maschio)* Mann *der* ; **da ~** *(abbigliamento)* Herren-.

uovo (*fpl* **uova**) *sm (di gallina)* Ei *das* ; ~ **alla coque** weich gekochtes Ei ; ~ **sodo** hart gekochtes Ei ; ~ **di Pasqua** Osterei ; ~ **al tegamino** Spiegelei.

uragano *sm (ciclone)* Orkan *der*.

urbano, a *agg (della città)* städtisch.

urgente *agg* dringend.

urgenza *sf (necessità)* Dringlichkeit *die* ; *(situazione)* Notfall *der* ; **d'~** dringend.

urina *sf* Urin *der*.

urlare *vi (persona)* schreien ; *(animale)* heulen.

urlo (*fpl* **-a**, *mpl* **-i**) *sm (fpl : urla) (di persona)* Schrei *der* ; *(mpl : urli) (di animale)* Geheul *das*.

urtare *vt (scontrare)* (zusammen|)stoßen ; *(irritare)* verärgern. ◆ *vi* : ~ **contro** o **in qc** *(sbattere)* auf/gegen etw prallen. ■ **urtarsi** *vr (scontrarsi)* zusammen|stoßen.

urto *sm (scontro)* Zusammenprall *der*.

usanza *sf (tradizione)* Brauch *der*.

usare *vt (adoperare)* benutzen ; *(applicare)* an|wenden ; *(avere l'abitudine)* gewohnt sein ; **qui si usa così** hier ist es so üblich.

usato, a *agg (consumato)* verbraucht ; *(di seconda mano)* gebraucht. ◆ *sm (merce)* Gebrauchtwaren *pl*.

uscire *vi (andare fuori)* hinaus|gehen ; ~ **in giardino** in den Garten gehen ; *(per svago)* aus|gehen ; *(essere pubblicato)* erscheinen ; *(essere sorteggiato)* gezogen werden ; ~ **da** *(locale, edificio)* verlassen *(+A)* ; *(liquido)* fließen aus ; *(gas)* strömen aus ; **~ di casa** aus dem Haus gehen ; **~ di strada** von der Fahrbahn ablkommen.

uscita *sf (porta)* Ausgang *der* ; *(pubblicazione)* Erscheinen *das* ; *(per svago)* Ausgehen *das* ; COMM Ausgabe *die* ; '**~ di sicurezza**'/'**~ di emergenza**' 'Notausgang'.

usignolo *sm* Nachtigall *die*.

U.S.S.L. *sf* (*abbr di Unità Socio Sanitaria Locale*) HIST = **A.S.L.**

uso *sm (utilizzazione)* Gebrauch *der* ; *(abitudine)* Gewohnheit *die* ; '**per ~ esterno**' 'zur äußeren Anwendung'.

ustionare *vt* verbrennen. ■ **ustionarsi** *vr* sich verbrennen.

ustione *sf* Verbrennung *die*.

usuale *agg (solito)* üblich.

usufruire : usufruire di *v + prep (usare)* Gebrauch machen von.

utensile *sm (attrezzo)* Werkzeug *das*.

utente *smf* Benutzer *der*, -in *die*.

utero *sm* ANAT Gebärmutter *die*.

utile *agg (funzionale)* nützlich ; *(efficace)* sinnvoll ; *(d'aiuto)* hilfreich ; **posso esserLe ~?** kann ich Ihnen helfen? ; **rendersi ~** sich nützlich machen.

utilità *sf (vantaggio)* Nutzen *der*.

utilitaria *sf* Kleinwagen *der*.

utilizzare *vt (tempo)* nutzen ; *(stoffa)* benutzen.

uva *sf (frutto)* Weintrauben *pl*.

uvetta *sf (uva passa)* Rosine *die*.

V

vacanza *sf (da lavoro)* Urlaub *der* ; *(scuola)* Ferien *pl* ; *(giorno festivo)* Feiertag *der* ; **andare in ~** in den Urlaub fahren ; **essere in ~** im Urlaub sein.

vacca, che *sf* Kuh *die*.

vaccinare *vt* impfen.

vaccinazione *sf* Impfung *die*.

vagabondo, a *sm, f (senza dimora fissa)* Vagabund *der* ; *(fannullone)* Tagedieb *der*.

vagare *vi* umherlziehen.

vagito *sm (pianto)* Wimmern *das*.

vaglia *sm inv* Überweisung *die* ; **~ postale** Postanweisung *die*.

vagone *sm* Wagon *der* ; **~ letto** Schlafwagen *der* ; **~ ristorante** Speisewagen *der*.

valanga, ghe *sf (di neve)* Lawine *die* ; *fig (massa)* Unmenge *die*.

valere *vi (essere valido, avere vigore)* gelten ; *(avere valore : oggetto)* wert sein ; *(avere valore : persona)* taugen ; *(equivalere)* gleichlkommen *(+D)* ; **~ la pena**

sich lohnen ; **far ~** geltend machen ; **vale a dire** das heißt.

valico, chi *sm (passo)* Pass *der*.

validità *sf (valore legale)* Gültigkeit *die*.

valido, a *agg (valevole)* gültig ; *(efficace)* wirksam.

valigia, ge o **gie** *sf* Koffer *der* ; **fare le valige** *(preparare i bagagli)* Koffer packen.

valle *sf (vallata)* Tal *das*. ■ **Val(le) d'Aosta** *sf* : **la Val(le) d'Aosta** das Aostatal.

valore *sm (costo, pregio)* Wert *der* ; *(validità)* Gültigkeit *die* ; *(importanza)* Bedeutung *die*. ■ **valori** *smpl (ricchezze)* Wertsachen *pl* ; *(ideali)* Werte *pl*.

valorizzare *vt* auf|werten ; *(far risaltare)* hervor|heben.

valso, a *pp* **→ valere**.

valuta *sf (moneta)* Währung *die*.

valutare *vt (prezzo, valore)* schätzen.

valutazione *sf (di un bene, calcolo sommario)* Schätzung *die* ; SCOL Bewertung *die*.

valvola *sf (in motore)* Ventil *das* ; *(in elettronica)* Sicherung *die*.

vandalismo *sm* Vandalismus *der*.

vanga, ghe *sf* Spaten *der*.

Vangelo *sm (libro)* Evangelium *das*.

vaniglia *sf* Vanille *die*.

vanità *sf (frivolezza)* Eitelkeit *die*.

vanitoso, a *agg (frivolo)* eitel ; *(superbo)* eingebildet.

vano, a *agg (inutile)* vergeblich. ◆ *sm (stanza)* Raum *der*.

vantaggio *sm (beneficio)* Vorteil *der* ; SPORT *(distacco)* Vorsprung *der* ; **trarre ~ da** einen Vorteil ziehen aus ; **essere in ~** vorn liegen.

vantaggioso, a *agg* vorteilhaft.

vantarsi *vr* sich brüsten ; **~ di** prahlen mit.

vapore *sm* : **~ (acqueo)** Dampf *der* ; **cuocere a ~** dämpfen.

vaporetto *sm* Dampfer *der*.

vaporoso, a *agg (vestito)* luftig ; *(capelli)* duftig.

varare *vt (legge)* verabschieden ; *(nave)* vom Stapel lassen.

varcare *vt (confine, soglia)* überschreiten.

varco, chi *sm (passaggio)* Durchgang *der* ; *(valico)* Übergang *der*.

variabile *agg (mutevole)* veränderlich.

variare *vt (modificare)* (ab|)ändern. ◆ *vi (modificarsi)* sich (ver)ändern ; *(essere diverso)* sich unterscheiden.

variazione *sf (modificazione)* (Ab)änderung *die*.

varicella *sf* Windpocken *pl*.

varietà *sf inv (assortimento)* Auswahl *die* ; *(tipo)* Sorte *die*. ◆ *sm inv (spettacolo)* Varieté *das*.

vario, a *agg (svariato)* vielfältig ; *(diverso)* verschieden.

variopinto, a *agg* bunt.

vasca, sche *sf (contenitore)* Becken *das* ; *(nuoto)* Bahn *die* ; ~ **(da bagno)** (Bade)wanne *die*.

vaschetta *sf (bacinella)* Schüssel *die*.

vasetto *sm (di yogurt, marmellata)* Glas *das*.

vaso *sm (ornamentale)* Vase *die* ; ~ **da fiori** Blumenvase ; *(per piante)* Blumentopf *der*.

vassoio *sm* Tablett *das*.

vasto, a *agg (esteso)* weit ; *(grande)* groß.

Vaticano *sm* : **il** ~ der Vatikan.

IL VATICANO

Die Vatikanstadt am rechten Tiberufer in Rom ist Papstresidenz und als Wallfahrtsort Ziel vieler katholischer Pilger aus aller Welt. Hier erhebt sich der Petersdom, die größte christliche Kirche der Welt. Dank der außerordentlichen Sammlungen künstlerischer Meisterwerke ist die Vatikanstadt touristisch und kulturell eine der wichtigsten Sehenswürdigkeiten in Italien. Der vom Papst als Oberhaupt repräsentierte Staat ist souverän, hat eine eigene Währung und gibt eigene Briefmarken heraus.

vecchiaia *sf (periodo)* Alter *das*.

vecchio, a *agg (persona, animale, cosa, di lunga data)* alt ; *(precedente)* früher. ◆ *sm, f* Alte *der, die*.

vedere *vt (percepire, incontrare, constatare)* sehen ; *(spettacolo)* sich *(D)* an|schauen ; *(visitare)* besuchen ; *(esaminare)* nach|sehen ; **si vede che** man sieht, dass ; **vederci** *(percepire)* durchschauen ; **farsi** ~ *(mostrarsi)* sich zeigen ; *(farsi visitare)* sich untersuchen lassen ; **non dare a** ~ nicht zeigen ; **non poter** ~ **qn** jn nicht riechen können ; **non** ~ **l'ora che/di** nicht erwarten können. ■ **vedersi** *vr (guardarsi)* sich an|sehen ; *(incontrarsi)* sich treffen ; **ci vediamo!** *(saluto)* bis bald!

vedovo, a *sm, f* Witwer *der*, Witwe *die*.

veduta *sf (panorama)* Aussicht *die*.

vegetale *agg (delle piante)* Pflanzen-. ◆ *sm* Gewächs *das*.

vegetariano, a *agg (dieta)* vegetarisch. ◆ *sm, f (persona)* Vegetarier *der*, -in *die*.

vegetazione *sf (flora)* Vegetation *die*.

veglione *sm* Ball *der*.

veicolo *sm (trasporto)* Fahrzeug *das*.

vela *sf (tela)* Segel *das* ; SPORT Segeln *das*.

veleno *sm (sostanza tossica)* Gift *das*.

velenoso, a *agg (tossico)* giftig ; *fig (crudele)* giftig.

velina *sf (carta)* Seidenpapier *das.*
velivolo *sm* Flugzeug *das.*
velluto *sm (tessuto)* Samt *der* ; ~ **a coste** Kordsamt.
velo *sm (tessuto)* Schleier *der* ; *(strato)* dünne Schicht.
veloce *agg (rapido)* schnell ; *(svelto)* rasch.
velocemente *avv (con rapidità)* schnell.
velocità *sf (rapidità)* Schnelligkeit *die* ; *(misura)* Geschwindigkeit *die.*
vena *sf* ANAT Ader *die.*
vendemmia *sf (raccolta)* Weinlese *die.*
vendere *vt (cedere, commerciare)* verkaufen ; **'vendesi'** 'zu verkaufen'.
vendetta *sf (rivalsa)* Rache *die.*
vendicare *vt* rächen. ■ **vendicarsi** *vr* sich rächen ; **vendicarsi di** sich rächen für.
vendita *sf (il vendere)* Verkauf *der* ; **essere in ~** zum Verkauf stehen.
venditore, tr·ice *sm, f* Verkäufer *der*, -in *die.*
venerdì *sm* Freitag *der* ; *vedi anche* **sabato**.
Venezia *sf* Venedig *nt.*
veneziana *sf (tenda)* Jalousie *die.*
veneziano, a *agg* venezianisch. ◆ *sm, f* Venezianer *der*, -in *die.*
venire *vi (arrivare, recarsi)* kommen ; *(provenire)* kommen aus ; **mi è venuta un'idea** ich habe eine Idee ; *(riuscire)* gelingen ; *(costare)* kosten ; **mi viene da piangere** es ist zum Heulen ; **quanto viene?** wieviel kostet/macht das? ; ~ **con** *(unirsi a)* mit|kommen ; ~ **giù** herunter|kommen ; ~ **via** *(persona)* weg|gehen ; *(macchia, etichetta)* raus|gehen.
ventata *sf (folata)* Windböe *die.*
ventesimo, a *agg* zwanzigste, -r, -s ; *vedi anche* **sesto**.
venti *num* zwanzig ; *vedi anche* **sei**.
ventilare *vt (areare)* lüften.
ventilatore *sm (apparecchio)* Ventilator *der.*
vento *sm (movimento d'aria)* Wind *der.*
ventosa *sf (di gomma, animale)* Saugnapf *der.*
ventoso, a *agg* windig.
ventre *sm (addome)* Bauch *der.*
veramente *avv (davvero)* wirklich ; *(a dire il vero)* eigentlich.
verbale *agg (orale)* mündlich. ◆ *sm (multa)* Protokoll *das.*
verbo *sm* GRAMM Verb *das.*
verde *agg (colore)* grün. ◆ *sm (colore, vegetazione)* Grün *das* ; **i Verdi** *POL* die Grünen.
verdura *sf (vegetali)* Gemüse *das.*
vergine *agg (uomo, donna)* unberührt ; *(lana)* : **pura lana ~** reine Schurwolle ; *(foresta)* Ur- ; **cassetta ~** Leerkassette *die.*

■ **Vergine** *sf (segno zodiacale)* Jungfrau ; *(Madonna)* : **la Vergine** die Jungfrau Maria.

vergogna *sf (imbarazzo)* Scham *die* ; *(scandalo)* Schande *die*.

vergognarsi *vr* : ~ **(di)** *(provare imbarazzo, disapprovare)* sich schämen (für).

vergognoso, a *agg (fatto, comportamento)* schändlich, peinlich.

verifica, che *sf* Kontrolle *die*.

verificare *vt (controllare)* überprüfen. ■ **verificarsi** *vr (accadere)* sich ereignen.

verità *sf inv (autenticità)* Richtigkeit *die* ; *(ciò che è vero)* Wahrheit *die* ; **dire la ~** die Wahrheit sagen.

verme *sm (lombrico)* Wurm *der* ; *(baco)* Made *die*.

vernice *sf (pittura)* Farbe *die* ; *(sostanza, di borse, scarpe)* Lack *der* ; '**~ fresca**' 'frisch gestrichen!'.

verniciare *vt* lackieren.

vero, a *agg (reale)* wahr ; *(autentico)* echt. ◆ *sm (verità)* Wahrheit *die* ; **~ e proprio** ausgesprochen.

verruca, che *sf MED* Warze *die*.

versamento *sm (di denaro)* Einzahlung *die*.

versante *sm (di monte)* Hang *der* ; *(lato)* Seite *die*.

versare *vt (in recipiente)* gießen ; *(rovesciare)* verschütten ; *(pagare)* bezahlen ; *(depositare)* ein|zahlen. ■ **versarsi** *vr (rovesciarsi)* über|laufen.

versione *sf (adattamento)* Version *die* ; *(traduzione)* Übersetzung *die*.

verso *sm (di poesia)* Vers *der* ; *(di animale)* Schrei *der* ; *(direzione)* Richtung *die*. ◆ *prep (in direzione di)* : **veniva verso di me** er kam auf mich zu ; *(in prossimità di)* in der Nähe von ; *(di tempo)* gegen ; *(d'età)* um ; *(nei confronti di)* gegenüber *(+D)* ; **non c'è ~ di convincerlo** er lässt sich durch nichts überzeugen ; **fare il ~ a qn** jn nach|äffen.

vertebra *sf* Wirbel *der*.

verticale *agg (linea, salita, posizione)* senkrecht. ◆ *sf (linea)* Senkrechte *die*.

vertice *sm (di montagna)* Gipfel *der* ; *(culmine)* Höhepunkt *der* ; *MAT* Scheitel *der*.

vertigine *sf (capogiro)* Schwindel *der* ; **soffro di vertigini** mir wird leicht schwindlig.

vescovo *sm* Bischof *der*.

vespa *sf (animale)* Wespe *die*.

vestaglia *sf* Morgenrock *der*.

vestire *vt (bambino, bambola)* an|ziehen. ◆ *vi* sich kleiden. ■ **vestirsi** *vr (mettersi i vestiti)* sich an|ziehen ; *(decidere di indossare)* an|ziehen.

vestito *sm (da uomo)* Anzug *der* ; *(da donna)* Kleid *das*. ■ **vestiti** *smpl (indumenti)* Kleider *pl*.

Vesuvio *sm* : **il ~** der Vesuv.

veterinario, a *sm, f* Tierarzt *der*, -ärztin *die*.

vetrata *sf (di casa)* Glastür *die* ; *(di chiesa)* Kirchenfenster *das*.

vetrina *sf (di negozio)* Schaufenster *das* ; *(mobile)* Vitrine *die*.

vetro *sm (materiale)* Glas *das* ; *(frammento)* Glasscherbe *die* ; *(di finestra, d'auto)* (Fenster) scheibe *die*.

vetta *sf (cima)* Gipfel *der* ; *(primo posto)* Spitze *die*.

vettura *sf (automobile)* Auto *das* ; *(di treno)* Wagen *der*.

vi *pron (complemento oggetto, a voi, riflessivo)* euch. ◆ *avv* **ve lo dico io** ich sage es euch.

via *sf (strada)* Straße *die* ; *(percorso, passaggio)* Weg *der* ; *(modo)* : **in via eccezionale** ausnahmsweise. ◆ *avv* weg. ◆ *prep* über. ◆ *esclam (per cacciare)* verschwinde! ◆ *sm inv (in gara, gioco)* los! ; **abito in ~ Dante 119** ich wohne in der Via Dante 119 ; **~ aerea** Luftweg ; **~ mare** Seeweg ; **~ terra** Landweg ; **in ~ di guarigione** auf dem Weg der Besserung ; **~ di mezzo** Mittelweg ; **dare il ~** grünes Licht geben ; **e così ~** und so weiter.

viabilità *sf (percorribilità)* Straßenzustand *der*.

viaggiare *vi (persona)* reisen ; *(veicolo)* fahren.

viaggiatore, trice *sm, f (passeggero)* Reisende *der, die*.

viaggio *sm (spostamento)* Fahrt *die* ; *(gita)* Reise *die* ; **buon ~!** gute Reise! ; **essere in ~** auf Reisen sein ; **fare un ~** verreisen ; **~ d'affari** Geschäftsreise ; **~ di nozze** Hochzeitsreise.

viale *sm* Allee *die*.

vibrazione *sf (oscillazione, suono)* Schwingung *die*.

vice *smf inv* Stellvertreter *der*, -in *die*.

vicenda *sf (evento)* Angelegenheit *die*. ■ **a vicenda** *avv* gegenseitig.

viceversa *avv (all'inverso)* umgekehrt.

vicinanza *sf (prossimità)* Nähe *die* ; **nelle vicinanze (di qc)** in der Nähe (von etw).

vicinato *sm (zona)* Nachbarschaft *die* ; *(vicini)* Nachbarn *pl*.

vicino, a *agg (nello spazio, nel tempo)* nah. ◆ *sm, f* Nachbar *der*, -in *die*. ◆ *avv* in der Nähe. ◆ *prep* : **~ a** neben ; *(nei pressi di)* in der Nähe von ; **siediti ~ a me!** setz dich neben mich! ; **è seduta ~ a me** sie sitzt neben mir ; **da ~** *(da poca distanza)* aus der Nähe ; *fig (approfonditamente)* genauer.

vicolo *sm* Gasse *die* ; **~ cieco** *(senza sbocco)* Sackgasse.

video *sm inv (schermo)* Bildschirm *der*.

videocassetta *sf* Videokassette *die*.

videocitofono *sm* Bildsprechanlage *die*.

videogame = **videogioco**.

videogioco, chi *sm (appa-*

recchio, programma) Videospiel *das*.

videoregistratore *sm* Videorecorder *der*.

Videotel® *sm inv* Bildschirmtext *der*.

vietare *vt* verbieten ; **~ a qn di fare qc** jm verbieten, etw zu tun ; **~ qc a qn** jm etw verbieten.

vietato, a *agg* verboten ; **'~ l'accesso'** 'kein Zutritt' ; **'~ fumare'** 'Rauchen verboten'.

vigile *agg* wachsam. ◆ *sm* : **~ (urbano)** (Verkehrs)polizist *der*, -in *die* ; **~ del fuoco** Feuerwehrmann *der*.

vigilia *sf (giorno prima)* Vorabend *der* ; **~ di Natale** Heiligabend.

vigliacco, a, chi, che *agg (comportamento, gente)* feige. ◆ *sm, f (codardo)* Feigling *der*.

vigna *sf* Weinstöcke *pl*.

vigneto *sm* Weinberg *der*.

villaggio *sm (paese)* Dorf *das* ; **~ turistico** Feriendorf.

villano, a *sm, f (maleducato)* Flegel *der*.

villeggiatura *sf* Urlaub *der*.

vimine *sm* Weidenrute *die* ; **mobili di vimini** Korbmöbel *pl*.

Vinavil® *sm* Leim *der*.

vincere *vt* gewinnen ; *(avversario)* schlagen. ◆ *vi* gewinnen.

vincita *sf (vittoria)* Sieg *der* ; *(premio)* Gewinn *der*.

vincitore, trice *sm, f* Sieger *der*, -in *die*.

vincolo *sm (legame)* Bindung *die*.

vino *sm (bevanda)* Wein *der* ; **~ bianco** Weißwein ; **~ rosso** Rotwein.

VINO

Wein wird in Italien zu fast jeder Mahlzeit getrunken. Viele renommierte Weine stammen aus Italien, z. B. der Frascati, der Orvieto oder der Chianti, um nur einige der berühmtesten zu nennen. Die Bezeichnungen deuten gewöhnlich auf das Anbaugebiet hin, wie im Fall des Chianti, oder auf die verwendete Rebsorte. Die Aufschrift „vino da tavolo" (Tafelwein) auf dem Etikett bezeichnet billige Weine geringerer Qualität. Die Abkürzungen DOC (aus kontrolliertem Anbaugebiet), DOCG (garantiert aus kontrolliertem Anbaugebiet) und VQPRD (Qualitätswein aus begrenztem Anbaugebiet) bezeichnen dagegen qualitativ hochwertige Weine.

vinto, a *pp* → **vincere**. ◆ *agg (concorrente)* besiegt ; *(partita, premio, trofeo)* gewonnen ; **non darsi per ~** sich nicht geschlagen geben.

viola *agg inv* violett *inv*. ◆ *sm inv (colore)* Violett *das*. ◆ *sf (fiore)* Veilchen *das* ; *(strumento)* Bratsche *die*.

violentare *vt (stuprare)* vergewaltigen.

violento, a *agg (temperamento)* hitzig ; **persona violenta**

gewalttätiger Mensch ; *(temporale, scontro, discorso)* heftig ; *(colore)* grell.

violenza *sf (aggressività)* Heftigkeit *die* ; *(azione)* Gewalttat *die* ; **~ carnale** Vergewaltigung *die*.

violino *sm (strumento)* Geige *die*.

vipera *sf (animale)* Otter *die*.

virare *vi* NAUT beildrehen ; *(aereo)* abldrehen.

virgola *sf* GRAMM & MAT Komma *das*.

virgolette *sfpl* Anführungszeichen *pl*.

virile *agg (dell'uomo)* männlich ; *(da uomo)* Mannes-.

virtù *sf inv (pregio)* Tugend *die*.

virus *sm inv* INFORM & MED Virus *der*.

viscido, a *agg (gelatinoso)* schmierig.

visibile *agg (che si vede)* sichtbar ; *(chiaro)* offensichtlich.

visibilità *sf* Sicht *die*.

visiera *sf (di berretto)* Schirm *der* ; *(di elmo)* Visier *das*.

visione *sf (vista)* Sehvermögen *das* ; *(modo di vedere)* Sicht *die* ; *(apparizione)* Vision *die* ; **prendere ~ di qc** Einsicht in etw *(A)* nehmen ; **prima/seconda ~** Erst-/Zweitausstrahlung *die*.

visita *sf (ad un amico, dal medico)* Besuch *der* ; **fare ~ a** jn besuchen ; **~ medica** Arztbesuch.

visitare *vt (luogo, persona)* besuchen ; *(sog : medico)* untersuchen.

viso *sm (faccia)* Gesicht *das*.

vissuto, a *pp* → **vivere**.

vista *sf (facoltà)* Sehvermögen *das* ; *(possibilità di vedere)* Sicht *die* ; *(panorama)* (Aus)sicht *die* ; **conoscere qn di ~** jn vom Sehen kennen ; **a prima ~** auf den ersten Blick.

visto, a *pp* → **vedere**. ◆ *sm (su passaporto)* Sichtvermerk *der*.

vita *sf* Leben *das* ; ANAT Taille *die*.

vitale *agg (della vita)* Lebens- ; *(fondamentale)* wesentlich.

vitamina *sf* Vitamin *das*.

vite *sf (pianta)* Weinstock *der* ; *(utensile)* Schraube *die*.

vitello, a *sm, f (animale, carne)* Kalb *das*.

vittima *sf (di sventura, ingiustizia)* Opfer *das*.

vitto *sm* Verpflegung *die* ; **~ e alloggio** Kost und Logis.

vittoria *sf* Sieg *der*.

viva *esclam* hurra!

vivace *agg (esuberante)* lebendig ; *(colore)* lebhaft.

vivaio *sm (di piante)* Baumschule *die*.

vivente *agg* → **essere**.

vivere *vi* leben. ◆ *vt (vita)* leben ; *(passare)* erleben.

viveri *smpl* Proviant *der*.

vivo, a *agg (vivente)* lebendig ; *(vivace)* lebhaft ; *(intenso)* intensiv ; **dal ~** live ; **farsi ~ (con qn)** von sich hören lassen.

viziare *vt (abituare male)* verwöhnen.

viziạto, a *agg (bambino)* verwöhnt ; *(aria)* stickig.

vịzio *sm (cattiva abitudine)* Laster *das* ; *(difetto)* Fehler *der* ; **avere il ~** die (schlechte) Angewohnheit haben.

vocabolạrio *sm (dizionario)* Wörterbuch *das* ; *(lessico)* Wortschatz *der*.

vocạbolo *sm* Vokabel *die*.

vocaziọne *sf* RELIG Berufung *die* ; *(inclinazione)* Neigung *die*.

vọce *sf (suono)* Stimme *die* ; *(diceria)* Gerücht *das* ; *(di elenco)* Eintrag *der* ; **a bassa ~** leise ; **ad alta ~** laut ; **sotto ~** flüsternd.

vọglia *sf (desiderio, disposizione)* Lust *die* ; **avere ~ di** Lust haben auf *(+A)* ; **levarsi la ~ di qc** die Lust auf etw *(A)* befriedigen.

vọi *pron* : **io resto, ~ andate?** ich bleibe, und was macht ihr? ; **~ stessi** ihr selbst.

volạno *sm* SPORT Federball *der*.

volạnte *agg (che vola)* fliegend. ◆ *sm (di veicolo)* Lenkrad *das*. ◆ *sf (della polizia)* Einsatzwagen *der* ; *fig* Überfallkommando *das*.

volantịno *sm* Flugblatt *das*.

volạre *vi (uccello, aereo, viaggiare in aereo)* fliegen ; *(tempo)* im Flug vergehen.

volentiẹri *avv (con piacere, come risposta)* gern(e).

volẹre *vt* - 1. *(desiderare, esigere)* wollen ; **cosa vuoi?** was willst du? ; **~ fare qc** etw tun wollen ; **~ qn** *(cercare)* jn verlangen ; **ti vogliono al telefono** es ist für dich ; **senza volerlo** ohne es zu wollen ; **vorrei** ich möchte
- 2. *(permettere)* wollen ; **i miei non vogliono che venga** meine Eltern wollen nicht, dass ich komme.
- 3. *(soldi)* verlangen ; **quanto vuole per questo orologio?** wieviel möchten Sie für diese Uhr?
- 4. *(decidersi a)* wollen ; **la macchina non vuole partire** das Auto will nicht an|springen.
- 5. *(necessitare di)* brauchen ; **volerci** nötig sein ; **ci vuole pazienza** man muss Geduld haben.
- 6. *(in espressioni)* : **voler bene a qn** jn gern haben ; **volere dire** heißen ; **volerne a qn** jm etw übel|nehmen.
◆ *sm* Wille *der* ; **contro il ~ di qn** gegen js Willen.

volgạre *agg (rozzo)* vulgär ; *(di cattivo gusto)* geschmacklos.

vọlo *sm (di animale, di aereo)* Flug *der* ; **~ charter** Charterflug ; **~ di linea** Linienflug ; **capire al ~** auf Anhieb verstehen.

volontà *sf inv (facoltà)* Wille *der* ; *(desiderio)* Wunsch *der* ; **buona ~** guter Wille ; **a ~** soviel man will.

volontariạto *sm (civile)* freiwilliger Hilfsdienst.

vọlpe *sf* Fuchs *der*.

vọlta *sf (circostanza)* Mal *das* ; *(di edificio)* Gewölbe *das* ; **a sua**

~ seinerseits/ihrerseits ; **di ~ in ~** von Mal zu Mal ; **un'altra ~** *(ancora)* nochmal ; *(in altra occasione)* ein andermal ; **una ~** *(anticamente)* einst ; **una ~ che** *(temporale)* einmal ; **una ~ sola** nur ein (einziges) Mal ; **una ~ tanto** ab und zu ; **uno per** o **alla ~** einer zur Zeit ; **a volte** zuweilen.

voltạre *vt (spalle, viso)* ablwenden ; **~ l'angolo** um die Ecke biegen ; **~ pagina** umlblättern. ■ **voltarsi** *vr (girarsi)* sich umldrehen.

vọlto, a *sm (viso)* Gesicht *das.*

volụme *sm (estensione)* Volumen *das* ; *(di suono)* Lautstärke *die* ; *(libro)* Band *der.*

vomitạre *vt (cibo)* erbrechen. ◆ *vi* sich übergeben.

vọmito *sm (espulsione)* Erbrechen *das.*

vọngola *sf* Venusmuschel *die* ; **spaghetti con le vongole** Spaghetti mit Muscheln.

vorạce *agg (animale)* gefräßig ; *(persona)* unersättlich.

vorạgine *sf (baratro)* Abgrund *der.*

vọrtice *sm (turbine)* Strudel *der.*

vọstro, a *agg* euer, eure ; **sono vostri questi bagagli?** ist das euer Gepäck? ; **~ padre** euer Vater ; **un ~ amico** einer eurer Freunde. ■ **il vostro** (*f* **la vostra**, *mpl* **i vostri**, *fpl* **le vostre**) *pron* uer, eure.

are *vt (legge, proposta)* ablstimmen. ◆ *vi (esprimere un voto)* wählen ; **~ per** stimmen für ; **~ contro/a favore** stimmen gegen/für.

votazịone *sf (procedimento)* Abstimmung *die.*

vọto *sm* DIR Stimme *die* ; **diritto di ~** Wahlrecht *das* ; SCOL Note *die* ; RELIG Gelübde *das.*

vulcạno *sm* Vulkan *der.*

vulnerạbile *agg (persona)* verletzbar.

vuotạre *vt* (ausl)leeren. ■ **vuotarsi** *vr* sich leeren.

vuọto, a *agg* leer. ◆ *sm (spazio vuoto)* Leere *die* ; *(bottiglia)* Leergut *das* ; *(spazio senza materia)* Hohlraum *der* ; **andare a ~** fehllschlagen ; **parlare a ~** gegen die Wand reden.

W

wạfer *sm inv* Waffel *die.*

water (closet) *sm inv* Wasserklosett *das.*

week-end *sm inv* Wochenende *das.*

western *agg inv* Wildwest-. ◆ *sm inv* Western *der.*

windsurf *sm inv (imbarcazione)* Surfbrett *das* ; SPORT Windsurfen *das.*

würstel *sm inv* Würstchen *das.*

X

xenofobịa *sf* Fremdenhass *der.*

Y

yacht *sm inv* Jacht *die.*

yọga *sm inv (ginnastica)* Yoga *das.*

yọgurt *sm inv* Joghurt *der.*

Z

zabaglịone *sm* = **zabaione.**

zabaiọne *sm* Eierlikör *der.*

zafferạno *sm (spezia)* Safran *der.*

zạino *sm* Rucksack *der.*

zạmpa *sf (di animale)* Pfote *die* ; **a quattro zampe** auf allen Vieren.

zampirọne *sm* Räucherkerze *die (gegen Mücken).*

zampọne *sm gefüllter Schweinsfuß.*

zạnna *sf (di elefante)* Stoßzahn *der* ; *(di carnivori)* Zahn *der.*

zanzạra *sf* Mücke *die.*

zanzariẹra *sf (da finestra)* Moskitonetz *das.*

zạppa *sf* Hacke *die.*

zappạre *vt (terra)* hacken.

zạttera *sf (galleggiante)* Floß *das.*

zẹbra *sf (animale)* Zebra *das.* ■ **zebre** *sfpl fam (passaggio pedonale)* Zebrastreifen *der.*

zẹcca *sf (insetto)* Zecke *die* ; *(officina di monete)* Münzprägestelle *die.*

zẹlo *sm (fervore)* Fleiß *der.*

zẹnzero *sm (spezia)* Ingwer *der.*

zẹppo, a *agg* voll ; **(pieno) ~ di gente** rappelvoll.

zerbịno *sm* Fußmatte *die.*

zẹro *sm (numero)* Null *die* ; **sotto ~** unter Null.

zịgomo *sm* Backenknochen *der.*

zig zạg *sm inv (linea)* Zickzacklinie *die* ; **a ~** im Zickzack.

zimbẹllo *sm (persona)* : **diventare lo ~ di tutti** zum Gespött aller werden.

zịngaro, a *sm, f (gitano)* Zigeuner *der*, -in *die.*

zịo, a *sm, f* Onkel *der*, Tante *die.*

zip *sm inv* Reißverschluss *der.*

zitẹlla *sf spreg* alte Jungfer.

zịtto, a *agg* still ; **state zitti!** seid still!

zọccolo *sm (calzatura)* Holzschuh *der* ; *(di cavallo)* Huf *der* ; *(basamento)* Sockel *der.*

zodịaco *sm* Tierkreis *der.*

zọlfo *sm* Schwefel *der.*

zollẹtta *sf (di zucchero)* Zuckerwürfel *der.*

zọna *sf (regione)* Gebiet *das* ; ~

climatica Klimazone *die* ; *(di città)* Viertel *das* ; ~ **blu** o **verde** *Zonen mit beschränkter Zulassung für den Verkehr* ; ~ **disco** *Verkehrszone, in der man nur mit Parkscheibe parken darf* ; ~ **industriale** Industriegebiet ; ~ **pedonale** Fußgängerzone ; ~ **verde** Grünanlagen *pl.*

zonzo : **a zonzo** *avv* : **andare a ~** herum|bummeln.

zoo *sm inv* Zoo *der.*

zoppicare *vi (camminare male)* hinken.

zoppo, a *agg (persona)* hinkend. ◆ *sm, f* Gehbehinderte *der, die.*

zucca, che *sf (verdura)* Kürbis *der.*

zuccherato, a *agg (dolcificato)* gezuckert.

zuccheriera *sf* Zuckerdose *die.*

zucchero *sm* Zucker *der* ; ~ **grezzo** Rohzucker ; ~ **vanigliato** Vanillinzucker ; ~ **a velo** Puderzucker.

zucchina *sf (verdura)* Zucchini *die.*

zucchino → **zucchina.**

zuccotto *sm halbgefrorene Eisbombe mit Biskuit, Schokolade und kandierten Früchten.*

zuffa *sf (lotta)* Rauferei *die.*

zuppa *sf (minestra)* dicke Suppe ; ~ **inglese** *Süßspeise aus in Rum getränktem Biskuit und Creme.*

zuppiera *sf* Suppenschüssel *die.*

zuppo, a *agg* : ~ **(di)** durchnässt (von).

SPRACHFÜHRER

GUIDA
ALLA
CONVERSAZIONE

JEMANDEN BEGRÜSSEN	SALUTARE QUALCUNO
Guten Tag! Grüß Gott! [nel Sud della Germania e in Austria]	Buongiorno.
Guten Morgen!	Buongiorno.
Guten Tag, Frau/Herr Schmitt.	Buongiorno, Signora/ Signor Schmitt.
Guten Abend!	Buonasera.
Herzlich willkommen!	Benvenuto/Benvenuta.
Hallo!	Ciao.
Wie gehts (dir)?	Come stai ?
Wie geht es Ihnen?	Come sta ?

SICH VERABSCHIEDEN	CONGEDARSI
Auf Wiedersehen!	Arrivederci.
Bis gleich!/Bis bald!	A dopo/A presto !
Tschüss!	Ciao !
Gute Nacht!	Buonanotte !
Gute Reise!	Buon viaggio !
Bis Montag!	A lunedì!
Ich muss leider gehen.	Devo andare.
Gute Reise	Buon viaggio.

SICH VORSTELLEN	PRESENTARSI
Ich heiße Eva Schmitt.	Mi chiamo Eva Schmitt.
Ich bin Italienerin/ Italiener.	Sono italiana/italiano.
Ich bin Deutsche/ Deutscher.	Sono tedesca/tedesco.

JEMANDEN VORSTELLEN	PRESENTARE QUALCUNO
Darf ich dir Frau/Herrn Schmitt vorstellen?	Ti presento la Signora/ il Signor Schmitt.
	Piacere!
Angenehm.	Benvenuto(a).
Herzlich willkommen!	

SICH BEDANKEN	RINGRAZIARE
Danke.	Grazie.
Danke sehr/Danke schön.	Grazie mille/tante.
Danke gleichfalls.	A Lei.
Schönen Dank/Herzlichen Dank.	Grazie mille/tante.
Vielen Dank für Ihre Hilfe.	Grazie mille per il Suo aiuto.

AUF EINEN DANK ANTWORTEN	RISPONDERE AD UN RINGRAZIAMENTO
Bitte!/Nichts zu danken!	Di niente/nulla.
Bitte sehr/Bitte schön.	Prego.
Ist doch selbstverständlich.	Figurati [zu einem Freund]/ Si figuri [Höflichkeitsform]
Keine Ursache.	Non c'è di che.
Gern geschehen!	Prego.
Nichts zu danken!	Di niente.

EINE ENTSCHULDIGUNG ANNEHMEN	ACCETTARE DELLE SCUSE
Macht nichts.	Non importa/non fa niente
Schon vergessen!	Non si preoccupi.
Reden wir nicht mehr davon	Non parliamone più.

SICH ENTSCHULDIGEN	SCUSARSI
Entschuldigung!	Scusa! [zu einem Freund]
Entschuldigen Sie bitte.	Mi scusi.
Verzeihung!	Scusi!
Entschuldigen Sie bitte die Verspätung/die Störung!	Scusi il ritardo/il disturbo.
Das tut mir (wirklich) Leid.	Sono veramente O davvero spiacente.

WÜNSCHE AUSSPRECHEN	AUGURARE QUALCOSA
Viel Glück!	Buona fortuna!
Herzlichen Glückwunsch! Ich gratuliere!	Complimenti!/ Congratulazioni!
Viel Spaß!	Divertiti!
Guten Appetit!	Buon appetito!
Schönes Wochenende!	Buon week-end!
Schöne Ferien!	Buone vacanze !
Alles Gute zum Geburtstag!	Buon compleanno!
Frohe Ostern!	Buona Pasqua!
Fröhliche Weihnachten!	Buon Natale!
Gutes neues Jahr!	Felice anno nuovo!

WAS MAN MAG ODER NICHT MAG	DIRE CIÒ CHE CI PIACE E CIÒ CHE NON CI PIACE
Es gefällt mir.	Mi piace.
Es gefällt mir nicht.	Non mi piace.
Es interessiert mich sehr/ nicht.	Mi interessa molto/non mi interessa.
Ich finde ihn sehr sympathisch.	Lo trovo molto simpatico.
Ich finde sie sehr sympathisch.	La trovo molto simpatica.
Ja, gern.	Sì, volentieri.
Nein, danke.	No, grazie.
Ich mag das Meer lieber als die Berge.	Preferisco il mare alla montagna.
Die Führung ist wirklich interessant.	La visita guidata è davvero interessante.
Ich sehe das anders.	Non sono d'accordo
Meiner Meinung nach…	Secondo me...
Was mich angeht,…	Per quanto mi riguarda...

WIE IST DAS WETTER?	CHE TEMPO FA ?
▸ Es ist schön.	▸ È/Fa bello.
▸ Es ist schlecht.	▸ È/Fa brutto.
▸ Die Sonne scheint.	▸ C'è il sole.
▸ Es regnet.	▸ Piove.
▸ Es schneit.	▸ Nevica.
▸ Es ist bewölkt.	▸ Il cielo è coperto.
▸ Für morgen ist Regen angesagt.	▸ Per domani si prevede pioggia.
▸ Es ist (sehr) heiß/kalt.	▸ Fa (molto) caldo/freddo.
▸ Muss man/Müssen wir warme Kleidung mitnehmen?	▸ Bisogna prendere dei vestiti pesanti?
▸ Es ist sehr schwül.	▸ C'è molta afa.
▸ Es ist wärmer/kälter	▸ Fa più caldo/più freddo.
▸ Zu welcher Jahreszeit ist es in Neapel am schönsten?	▸ Qual'è la stagione migliore per andare a Napoli?
▸ In welchen Monaten regnet es am meisten?	▸ Quali sono i mesi più piovosi?
▸ Kann man zu dieser Jahreszeit baden?	▸ Si può fare il bagno in questa stagione?

AM TELEFON	AL TELEFONO
Ja bitte?	Pronto?
Ich möchte gerne mit Hans Maier sprechen.	Vorrei parlare con Hans Maier.
Bleiben Sie am Apparat!	Resti in linea.
Kann ich etwas ausrichten?	Vuole lasciare un messaggio?
Rufen Sie bitte in einer Stunde noch einmal an!	Può richiamare fra un'ora?
Entschuldigen Sie bitte, ich muss mich verwählt haben.	Mi scusi, devo aver sbagliato numero.
Auf Wiederhören.	Arrivederci.
Mit wem spreche ich.	Chi parla?
Maria Martinelli am Apparat.	Sono Maria Martinelli.
Einen Moment bitte, ich verbinde Sie.	Attenda in linea, glielo passo.
Könnten Sie später noch mal anrufen?	Può richiamare più tardi?
Ich glaube, Sie haben sich verwählt.	Mi sa che ha sbagliato numero.
Ich rufe im Auftrag von Frau Russo an.	Chiamo a nome della Signora Russo.
Ich warte lieber.	Preferisco attendere in linea.

BERUFLICHE KONTAKTE	RELAZIONI PROFESSIONALI
Guten Tag, ich komme von Biotech LTD	Buongiorno, sono della Biotech Ltd.
Ich habe um 14.30 Uhr einen Termin bei Herrn Martin.	Ho appuntamento con il signor Martin alle 14.30.
Hier ist meine Visitenkarte.	Questo è il mio biglietto da visita.
Ich möchte bitte den Direktor sprechen.	Vorrei vedere il direttore.
Meine E-mail-Adresse ist paul@easyconnect.com	Il mio indirizzo e-mail è paul@easyconnect.com.
Ich rufe an, um einen Termin zu vereinbaren.	Vorrei prendere appuntamento.
Hätten Sie zum Mittagessen Zeit?	Se è libero potremmo discuterne a pranzo.
Meine Sekretärin wird sich bei Ihnen melden, um einen Termin mit Ihnen zu vereinbaren.	La mia segretaria la richiamerà per fissare una data.

NACH DEM WEG FRAGEN	CHIEDERE CHE DIREZIONE PRENDERE
Wo ist der Bahnhof/die Touristeninformation?	Dov'è la stazione/l'ufficio informazioni ?
Entschuldigung, ich suche den Markusplatz.	Scusi, sto cercando la Piazza San Marco.
Kann man zu Fuß dorthin gehen?	Ci si può andare a piedi ?
Ist es weit?	È lontano ?
Zu Fuß eine Viertelstunde, mit dem Bus fünf Minuten.	A piedi un quarto d'ora, in autobus cinque minuti.
Können Sie mir auf dem Plan zeigen, wo wir sind?	Mi può indicare sulla cartina dove ci troviamo ?
Muss ich zum Museum geradeaus weiterfahren?	Per andare al museo, vado bene in questa direzione?
Muss man den Bus/die U-Bahn nehmen?	Bisogna prendere l'autobus/la metropolitana?
Können Sie mir bitte helfen, ich habe mich verlaufen.	Mi può aiutare, per favore? Credo di essermi perso.
Wo fährt die Linie 12 ab?	Dove si prende la linea 3?
Um wie viel Uhr fährt die letzte U-Bahn/Straßenbahn?	A che ora chiude la metropolitana?/A che ora passa l'ultimo tram?

IN DER STADT

- Ich möchte gerne einen Einzelfahrschein/eine Mehrfahrtenkarte.
- Verkaufen Sie Tageskarten/ Wochenkarten?
- Welcher Bus fährt zum Flughafen/Bahnhof?
- Gibt es einen Nachtbus?
- Wo ist die nächste U-Bahn-Haltestelle?

IN CITTÀ

- Vorrei un biglietto/un blocchetto di biglietti.
- Vendete degli abbonamenti giornalieri/ settimanali?
- Qual è l'autobus per l'areoporto/la stazione?
- C'è un autobus notturno?
- Dove si trova la prossima stazione della metropolitana ?

IM FREMDENVERKEHRSBÜRO

- Könnte ich einen Stadtplan haben?
- Wie sind die Öffnungszeiten der Museen?
- Haben Sie einen Restaurantführer von der Stadt?
- Ich suche ein günstiges Hotel.
- Gibt es Campingplätze in Strandnähe?

ALL'AZIENDA AUTONOMA DI SOGGIORNO

- Potrei avere una cartina della città
- Quali sono gli orari dei musei?
- Ha una guida dei ristoranti della città?
- Cerco un albergo a buon mercato.
- Ci sono campeggi vicino alla spiaggia?

AUTO MIETEN	NOLEGGIARE UNA MACCHINA
Ich würde gern ein Auto mieten.	Vorrei noleggiare un'auto, per favore.
Mit Vollkaskoversicherung.	Con un'assicurazione multirischio.
Ich möchte ein Auto mit Klimaanlage mieten.	Vorrei noleggiare una macchina con l'aria condizionata.
Was kostet das pro Tag?	Qual'è la tariffa per una giornata?
Gibt es eine Kilometerbegrenzung?	Il chilometraggio è limitato?
Wie viel kostet die Kaskoversicherung?	Quanto costa l'assicurazione casco?
Kann ich es am Flughafen abgeben?	Posso consegnarla all'aeroporto?
Hier ist mein Führerschein	Ecco la mia patente
Hat das Auto ein Schalt- oder Automatikgetriebe?	Ha il cambio manuale o automatico?

AN DER TANKSTELLE	DAL BENZINAIO
Ich habe kein Benzin mehr.	Sono senza benzina/ a secco.
Volltanken bitte.	Il pieno, per favore.
Ich würde gerne den Reifendruck prüfen.	Vorrei controllare la pressione delle gomme.
Verkaufen Sie Flüssiggas?	Avete il GPL?

IN DER WERKSTATT	DAL MECCANICO
Das Auto hat eine Panne.	La macchina è guasta.
Ich habe das Auspuffrohr verloren.	Ho perso il tubo di scappamento.
Das Auto verliert Öl.	La macchina perde olio.
Können Sie die Bremsen überprüfen?	Può controllarmi i freni?
Die Batterie ist leer.	La batteria è scarica.
Die Klimaanlage funktioniert nicht.	L'aria condizionata non funziona.
Ich habe eine Reifenpanne. Der Reifen muss repariert werden.	Ho bucato. Bisogna riparare la gomma.
Wie viel werden die Reparaturen kosten?	Quanto costa la riparazione?

MIT DEM AUTO FAHREN	CIRCOLARE IN AUTO
Wie komme ich ins Zentrum/auf die Autobahn?	Come si fa per andare in centro/in autostrada?
Ist hier in der Nähe ein Parkplatz?	C'è un parcheggio nei dintorni?
Kann ich hier parken?	Posso parcheggiare qui?
Ich suche eine Tankstelle.	Cerco un benzinaio.
Wo ist die nächste Werkstatt?	Dov'è il garage più vicino?
Bin ich hier richtig zum Bahnhof?	La stazione è in questa direzione?
Wie weit ist das mit dem Auto?	È lontano in macchina?
Komme ich mit dem Auto dorthin?	Ci si può andare in macchina ?
Welche Straße muss ich nach …nehmen?	Che strada devo prendere per andare a ...
Bin ich hier richtig nach ...?	È questa la direzione giusta per ...

MIT DEM TAXI FAHREN	PRENDERE UN TAXI
Könnten Sie mir bitte ein Taxi rufen?	Potrebbe chiamarmi un taxi, per favore?
Wo ist der nächste Taxistand?	Dov'è la stazione dei taxi più vicina?
Sind Sie frei?	È libero?
Was kostet die Fahrt zum Hotel Continental?	Quanto costa andare fino all'hotel Continental?
Bringen Sie mich bitte zum Bahnhof/Flughafen/ zu dieser Adresse.	Mi porti alla stazione/ all'aeroporto/a questo indirizzo, grazie.
Ist das weit?	È lontano?
Ich habe es (sehr) eilig.	Ho (molta) fretta.
Können Sie durch die Innenstadt fahren?	Può passare dal centro?
Halten Sie hier/an der Ecke/an der Ampel an.	Si fermi qui/all'angolo/ al semaforo.
Würden Sie auf mich warten?	Mi può aspettare?
Könnten Sie auf mich warten?	Potrebbe aspettarmi?
Wie viel macht das?	Quanto Le devo?
Der Rest ist für Sie.	Tenga (pure) il resto.
Ich hätte gern eine Quittung.	Vorrei una ricevuta.
Stimmt so.	Tenga il resto.

MIT DEM ZUG FAHREN	PRENDERE IL TRENO
Wo ist der Fahrkartenschalter?	Dov'è la biglietteria?
Um wie viel Uhr fährt der nächste Zug nach Rom?	A che ora parte il prossimo treno per Roma?
Von welchem Bahnsteig fährt der Zug ab?	Da quale binario parte il treno?
Gibt es eine Gepäckaufbewahrung?	C'è un deposito bagagli?
Wo kann ich den Fahrschein entwerten?	Dove posso convalidare il biglietto?
Eine Fahrkarte nach Mailand und zurück, bitte.	Vorrei un biglietto andata e ritorno per Milano.
Ich möchte einen Liegewagenplatz für den 21-Uhr-Zug reservieren.	Vorrei prenotare una cuccetta sul treno delle 21.
Von welchem Bahnhof fährt ein Zug nach Pompei?	Qual'è la stazione per andare a Pompei?
Erste oder zweite Klasse?	Prima o seconda classe?
Entschuldigung, ist dieser Platz frei?	Scusi, è libero questo posto?
Wo befindet sich der Speisewagen?	Dov'è la carrozza/ il vagone ristorante?
Die Fahrausweise bitte.	Il biglietto, prego.

AM FLUGHAFEN	ALL'AEROPORTO
Wo befindet sich der Terminal 1?	Dov'è il terminal 1?
Wo ist der Lufthansa-Schalter?	Dov'è lo sportello della Lufthansa?
Wo kann man einchecken?	Dove si fa il check-in?
Ich hätte gern einen Platz am Gang/am Fenster.	Vorrei un posto sul corridoio/accanto al finestrino, per favore.
Ich habe nur ein Handgepäck.	Ho un solo bagaglio a mano.
Wann ist das Boarding?	A che ora è l'imbarco?
Haben Sie Ihre Bordkarte?	Ha la Sua carta d'imbarco?
Ich finde die Bordkarte nicht mehr.	Non trovo più la carta d'imbarco.
Wie lange dauert die Zwischenlandung?	Quanto dura lo scalo?
Wo ist der Duty-free-Shop?	Dov'è il duty free?
Ich habe den Anschlussflug verpasst – wann ist der nächste Flug nach Rom?	Ho perso la coincidenza, a che ora c'è il prossimo volo per Roma?
Wo ist die Gepäckausgabe?	Dove posso ritirare i miei bagagli?

IM HOTEL	IN ALBERGO
Wir hätten gern ein Doppelzimmer/zwei Einzelzimmer.	Vorremmo una (camera) doppia/due (camere) singole.
Ich bedaure, aber wir sind ausgebucht.	Mi spiace, siamo al completo.
Ich habe auf den Namen Martin reserviert.	Ho riservato una camera a nome Martin.
Sind die Zimmer mit Klimaanlage?	Le stanze hanno l'aria condizionata?
Mit Dusche oder Bad?	Con doccia o con bagno?
Wann gibt es Frühstück?	A che ora è la colazione?
Könnten Sie mich bitte um 7 Uhr wecken?	Potrebbe svegliarmi alle 7?
Gibt es eine Garage?	C'è un garage?
Gibt es einen Extra-Parkplatz für die Hotelgäste?	C'è un garage/un parcheggio riservato ai clienti dell'hotel?
Können Sie in mein Zimmer ein Kinderbett dazustellen?	Potete mettere un lettino nella mia stanza?
Wie funktioniert die Heizung?	Come funziona il riscaldamento?
Der Schlüssel von Zimmer 121, bitte.	La chiave della 121, per favore.

EINKAUFEN	IN UN NEGOZIO
Ich möchte...	Vorrei...
Ich brauche...	Ho bisogno di...
Wie viel macht das?	Quant'è?
Hätten Sie (es) eine Nummer größer/kleiner?	Avreste una taglia più grande/piccola?
Welche Größe haben Sie?	Che taglia (porta)?
Welche Schuhgröße haben Sie?	Che numero di scarpe porta?
Kann ich diesen Mantel anprobieren?	Posso provare questo cappotto?
Wo ist die Kasse?	Dov'è la cassa?
Kann ich das umtauschen	Posso cambiarlo?
Kann ich das Geld dafür zurückbekommen?	Posso farmelo rimborsare?
Wo befinden sich die Umkleidekabinen?	Dove sono i camerini?
Haben Sie das in Blau?	Ce l'ha blu?
Um wie viel Uhr schließen Sie?	A che ora chiude?
Ich suche eine Badehose.	Cerco un costume da bagno

IN DER BANK	IN BANCA
Ich möchte bitte diesen Scheck einlösen.	Vorrei incassare questo assegno, per favore.
Ich möchte gerne Reiseschecks in Euro kaufen.	Vorrei comprare dei traveller's cheque in euro.
Wo kann ich einen Geldautomaten finden?	Dove posso trovare un bancomat?
Meine Kreditkarte ist von Ihrem Geldautomaten eingezogen worden.	La mia carta di credito è rimasta (incastrata) nel vostro bancomat.
Ich möchte Geld überweisen.	Vorrei fare un trasferimento.
Meine Kreditkarte funktioniert nicht.	La mia carta di credito non funziona.
In kleinen Scheinen, bitte.	In biglietti di piccolo taglio, per favore.
Ich habe meine Kreditkarte verloren. Unter welcher Nummer kann ich sie sperren lassen?	Ho perso la carta di credito. A che numero devo telefonare per bloccarla?

IM CAFÉ	AL BAR
Ist dieser Tisch/Platz frei?	È libero questo tavolo/ posto?
Entschuldigung!	Scusi!
Zwei Kaffee schwarz/mit Milch, bitte!	Due caffè normali/ macchiati, per favore.
Einen Espresso, bitte!	Un caffè/Un espresso, per favore.
Eine Tasse Kaffee/eine Tasse Kaffee Hag.	Un caffè lungo/un hag®.
Noch ein Bier, bitte.	Un'altra birra, per favore.
Ein Tee und zwei Scheiben Toast.	Un tè e due fette di pane tostato.
Ein Glas Mineralwasser/ ein Orangensaft.	Un bicchiere di (acqua) mi-nerale/un succo d'arancia.
Ich hätte gerne einen frisch gepressten Zitronensaft.	Vorrei una spremuta di limone, grazie.
Haben Sie belegte Brötchen/Kuchen?	Avete dei panini/dei dolci?
Die Eiskarte bitte.	La lista dei gelati, per favore.
Haben Sie einen Tisch draußen/im Schatten?	Avete un tavolo all'aper-to/ all'ombra?
Können Sie mir sagen, wo die Toilette/das Telefon ist?	Mi può dire dov'è il gabinetto/il telefono?

IM RESTAURANT	AL RISTORANTE
Ich bin Herr Martin, ich habe einen Tisch für vier Personen reserviert.	Sono il signor Martin, ho prenotato un tavolo per quattro.
Wir hätten gerne einen Tisch im Nichtraucherbereich.	Vorremmo un tavolo nella zona non fumatori.
Wir hätten gerne einen Aperitif.	Prendiamo un aperitivo.
Könnten wir bitte die Speise-/Weinkarte haben?	Possiamo avere il menù/ la carta dei vini ?
Gibt es ein Menü?	Avete un menù ?
Haben Sie (auch) ein Kindermenü?	Avete un menu per bambini ?
Was haben Sie als Tagesgericht?	Qual'è il piatto del giorno ?
Was ist eine „Ochsenschwanzsuppe"?	Cos'è la "Ochsenschwanzsuppe" ?
Was möchten Sie trinken?	Cosa vuole bere ?
Wie möchten Sie Ihr Fleisch?	Come vuole la carne ?
Blutig/Medium/ Durchgebraten, bitte.	Al sangue/A puntino/ Ben cotta, per favore.
Die Rechnung bitte.	Il conto, per favore.
Nehmen Sie Kreditkarten?	Accettate le carte di credito ?

SPORT	LO SPORT
Wir würden gerne ein Fußballspiel sehen,gibt es heute Abend eines?	Ci piacerebbe vedere una partita di calcio, ce n'è una stasera?
Wo ist das Stadion?	Dov'è lo stadio?
Wo können wir Fahrräder leihen?	Dove si possono noleggiare delle biciclette?
Ich möchte einen Tennisplatz für 19 Uhr reservieren.	Vorrei prenotare un campo da tennis per le19.00.
Wie viel kostet eine Stunde Unterricht?	Quanto costa un'ora di corso?
Ist das Schwimmbad jeden Tag geöffnet?	La piscina è aperta tutti i giorni?
Wo kann man sich umziehen?	Dove ci si può cambiare?
Können wir eine Ausrüstung leihen?	È possibile noleggiare delle racchette?
Vermieten Sie Boote?	Si può noleggiare una barca?

AUF DER POST	ALLA POSTA
Ich hätte gerne zehn Briefmarken für Italien.	Vorrei dieci francobolli per l'Italia.
Haben Sie Sondermarken?	Avete dei francobolli da collezione?
Was kostet es als Eilbrief?	Quanto costa in posta prioritaria/celere?
Verkaufen Sie Telefonkarten?	Vendete delle carte telefoniche?
Ich möchte im Telefonbuch von Rom etwas nachschlagen.	Vorrei consultare l'elenco (telefonico) di Roma.
Kann ich ein Fax schicken?	Posso spedire un fax?
Ich würde gerne eine E-Mail schicken?	Vorrei mandare un e-mail.
Wie viel kostet es, einen Brief/eine Postkarte nach Italien zu schicken?	Quanto costa spedire una lettera/una cartolina a Parigi?
Ich möchte dieses Päckchen als Einschreiben verschicken.	Vorrei spedire questo pacchetto per raccomandata.
Wann wird der Brief wohl ankommen?	Quanto ci metterà ad arrivare?

BEIM ARZT	DAL MEDICO
Ich fühle mich nicht wohl und habe Kopfschmerzen.	Non mi sento bene e ho mal di testa.
Ich habe Bauchschmerzen und Durchfall.	Ho mal di pancia e la diarrea.
Mein Sohn hat Husten und Fieber.	Mio figlio ha la tosse e la febbre.
Ich bin gestürzt, und mein rechter Arm tut mir sehr weh.	Sono caduto e il braccio destro mi fa molto male.
Ich bin auf Penizillin allergisch.	Sono allergico alla penicillina.
Wie lange muss ich mit der Behandlung weitermachen?	Fino a quando devo seguire la cura?
Ich leide unter Bluthochdruck.	Ho la pressione alta.
Mir tut es hier weh.	Mi fa male qui.
Ich vertrage keine Antibiotika.	Non sopporto gli antibiotici.
Er hat Fieber.	Ha la febbre.

BEIM ZAHNARZT	DAL DENTISTA
Ich habe Zahnschmerzen.	Ho mal di denti.
Ein Backenzahn tut mir weh.	Mi fa male un molare.
Mir ist eine Plombe herausgefallen.	Ho perso un'otturazione.
Können Sie mir eine örtliche Betäubung/ Spritze geben?	Mi può fare un'anestesia locale?
Die Brücke sollte neu gemacht werden.	Mi si è rotto il ponte.

IN DER APOTHEKE	IN FARMACIA
Ich hätte gerne etwas gegen Kopfschmerzen/ Durchfall.	Vorrei qualcosa per il mal di testa/la diarrea.
Ich bräuchte eine Sonnencreme mit hohem Lichtschutzfaktor.	Mi occorre una crema solare ad alto fattore di protezione.
Ich hätte gerne Pflaster/ Aspirin.	Vorrei dei cerotti/delle aspirine.
Haben Sie eine Mückensalbe?	Avete una lozione antizanzare/dell'Autan®?
Können Sie mir einen Arzt empfehlen?	Mi può indicare un buon medico?

NOTFALL	URGENZE
Rufen Sie einen Arzt/ einen Krankenwagen/ die Polizei!	Chiamate un dottore/ i pompieri/la polizia !
Wo ist das nächste Krankenhaus?	Dov'è l'ospedale più vicino ?
Mein Sohn hat die Blutgruppe Null positiv.	Il gruppo sanguigno di mio figlio è zero positivo.
Ich habe die Blutgruppe A negativ.	Il mio gruppo sanguigno è A negativo.
Können Sie uns zur Notaufnahme bringen?	Ci può portare al pronto soccorso?
Ich muss dringend zum Arzt/Zahnarzt.	Ho bisogno di un medico/un dentista urgentemente.
Mein Auto ist gestohlen worden.	Mi hanno rubato la macchina.
Wir sind überfallen worden.	Siamo stati aggrediti.